Carl Friedrich von Weizsäcker
Der Garten des Menschlichen

Carl Friedrich von Weizsäcker
Der Garten des Menschlichen

Beiträge zur
geschichtlichen Anthropologie

Carl Hanser Verlag

ISBN 3-446-12423-3
8. Auflage 1981
© 1977 Carl Hanser Verlag München Wien
Druck- und Bindearbeit: May & Co, Darmstadt
Printed in Germany

Inhalt

Die im Text zitierten Arbeiten des Verfassers

Bücher:
Zum Weltbild der Physik: Stuttgart, Hirzel 1943, [12]1976
Die Geschichte der Natur: Stuttgart, Hirzel 1948, [7]1970
Die Tragweite der Wissenschaft: Stuttgart, Hirzel, 1964, [5]1976
Der ungesicherte Friede: Göttingen, Vandenhoeck & Ruprecht 1969
Die Einheit der Natur: München, Hanser 1971
Fragen zur Weltpolitik: München, Hanser 1975
Wege in der Gefahr: München, Hanser 1976
Werner Heisenberg: gemeinsam mit B. L. van der Waerden, München, Hanser 1977

Beiträge und Aufsätze:
Biologische Basis religiöser Erfahrung: Einleitung zu dem Buch dieses Titels von Gopi Krishna, Weilheim, O. W. Barth 1971
Die Aktualität der Tradition. Platons Logik: Philosophisches Jahrbuch, 80, 2. Halbband S. 221–241, 1973
Classical and Quantum Descriptions: in J. Mehra (ed.), The Physicist's Conception of Nature, Dordrecht, Reidel 1973
Evolution und Entropiewachstum: in Offene Systeme I: Hrsg. E. v. Weizsäcker, Stuttgart, Klett 1974

Vorwort

Die meisten Beiträge dieses Bandes sind von vorneherein unter dem Gesichtspunkt geschrieben, einmal als Teile einer lockeren – gartenähnlichen – Darstellung der Fragen geschichtlicher Anthropologie veröffentlicht zu werden. Fast alle sind seit 1970, d.h. seit der Gründung des Max Planck-Instituts zur Erforschung der Lebensbedingungen der wissenschaftlich-technischen Welt, entstanden. Etwa die Hälfte ist, in zerstreuter Weise, schon anderweitig gedruckt. Ungefähr ein Fünftel des Textes ist anläßlich der Schlußredaktion neu verfaßt.

Herrn Hans Kilian danke ich für die Erlaubnis, seinen Brief zu II, 6. abzudrucken.

Frau Ruth Grosse danke ich für ihre unermüdete Hilfe.

Ebenso danke ich Frau Elisabeth Schedone für die Herstellung der Register.

Starnberg, März 1977   *C. F. v. Weizsäcker*

Einleitung

1. Was ist geschichtliche Anthropologie?

Der Garten des Menschlichen. Wovon soll die Rede sein? Vom Menschlichen, also vom Menschen, also von uns selbst. Aber wir Menschen reden unablässig über uns selbst. So wollen wir jetzt nicht über uns reden. Wir wollen nicht in der selbstsicheren Weise des Alltags und der Politik unsere Wünsche äußern, unsere Urteile abgeben über uns und die Mitmenschen. Wir sind mißtrauisch gegen diese Selbstsicherheit. Wir suchen Distanz zu uns selbst. Wir suchen die Distanz um der Wahrheit willen. Zu dieser wahrheitsuchenden Distanz soll uns die Wissenschaft eine Hilfe sein. Deshalb fragen wir nach einer Wissenschaft vom Menschen, einer Anthropologie.

Gibt es eine solche Wissenschaft vom Menschen? Kann es sie geben? Gibt es sie heute? Eine neue Sammeldarstellung* unterscheidet vielerlei Sorten von Anthropologie, philosophische, biologische, medizinische, soziologische. Das hier vorgelegte Buch kündigt Beiträge zur geschichtlichen Anthropologie an. Ist Anthropologie, in einem umfassenden Sinne gemeint, eine Wissenschaft oder nur ein philosophischer Entwurf?

Geschichtliche Anthropologie soll in diesem Buch der Name einer Weise sein, Anthropologie zu betreiben, also nicht eines Zweiges der Anthropologie, sondern einer Anthropologie im ganzen. Anthropologie wird man üblicherweise übersetzen als Wissenschaft vom Menschen. »Der Mensch« im Singular tritt hier als Gegenstand dieser Wissenschaft auf. Man kann auch sagen »das Menschliche«, das was den Menschen ausmacht. Geschichtliche Anthropologie versucht, den Menschen als geschichtliches Wesen zu verstehen. Man hat gelegentlich gesagt, der Mensch sei das Tier, das Geschichte hat. Für einen evolutionistischen Biologen haben freilich, in ihnen selbst unbewußter Weise, auch die Tiere Geschichte. Nun schafft aber Geschichte kein System. Sie erzeugt eine Vielzahl von Gestalten, die miteinander leben. Geschichtliche Anthropologie kann sich konkret nicht in einem System des Menschlichen, sondern nur in einem »Garten des Menschlichen« darstellen.

In einem Garten gibt es Wege, und ein verständig angelegter

* Neue Anthropologie (Hrsg. H.-G. Gadamer u. P. Vogler), Thieme Verlag, Stuttgart 1975.

Garten zeigt von jedem Blickpunkt aus ein jeweils anderes, sinnvolles Bild. Nach welcher Gartenkunst wollen wir unseren Garten anlegen? Soll z. B. die geschichtliche Anthropologie Philosophie sein oder eine positive, empirische Wissenschaft?

Lassen wir uns für einen Augenblick auf das trügerische Unternehmen einer solchen Frage ein. Akzeptieren wir z. B. die naheliegende Vermutung, die geforderte Anthropologie sei Philosophie. Philosophieren heißt Weiterfragen. Philosophieren heißt insbesondere Rückfragen, was man mit seinen eigenen Fragen eigentlich hat wissen wollen. Was heißt denn Wissenschaft, was heißt Philosophie? Wir wissen, wie schwer es ist, diese Fragen durch präzise Definitionen zu beantworten. Gewiß ist, daß wir Wissenschaft und Philosophie als gesellschaftlich organisierte Vorgänge kennen, die sich selbst als Formen der Erkenntnissuche interpretieren. Die Entstehung dieser speziellen Formen der Erkenntnissuche in der europäischen Kultur ist uns wenigstens im Umriß bekannt. In welches Wissensgebiet sind wir schon mit dieser Überlegung geraten? Wir sprechen von geschichtlich entstandenen Formen der Erkenntnissuche, von der gesellschaftlichen Verfaßtheit der heutigen menschlichen Kultur – wir sprechen im Felde der geschichtlichen Anthropologie. Wer fragt, was geschichtliche Anthropologie ist, betreibt bereits geschichtliche Anthropologie. Wer fragt, was Philosophie ist, philosophiert bereits.

Wie sieht nun der heutige geschichtliche Blick das Verhältnis von Wissenschaft und Philosophie? Bleiben wir in einer so strittigen Frage möglichst nahe auf der einen Seite, der Seite der Wissenschaft. Es ist seit anderthalb Jahrzehnten sehr üblich geworden, Wissenschaft als geschichtliches Phänomen anzuschauen. Th. S. Kuhn* hat in der Wissenschaftsgeschichte die Struktur entdeckt, die im gegenwärtigen Buch unter dem Titel »Ebenen und Krisen« ganz allgemein als Struktur der Evolution betrachtet werden wird. Er unterscheidet normale Wissenschaft, die unter einem festen Paradigma Einzelprobleme löst, von wissenschaftlichen Revolutionen, die das Paradigma

---

* Th. S. Kuhn, The Structure of Scientific Revolutions, Zitat I, 3., 4.
Vgl. dazu den Aufsatz Wissenschaftsgeschichte als Wissenschaftstheorie in »Fragen zur Weltpolitik«.

ändern. Normale Wissenschaft ist essentiell unphilosophisch, denn sie stellt ihr eigenes Paradigma nicht in Frage. Eine wissenschaftliche Revolution aber, ebenso wie schon die Suche nach dem Anfang einer Wissenschaft, nach ihrem ersten Paradigma, philosophiert implizit und oft auch bewußt.

Die Nutzanwendung auf unsere Frage: Ein herrschendes Paradigma einer umfassenden wissenschaftlichen Anthropologie hat es bisher nicht gegeben. Es hat zersplitterte Einzelwissenschaften mit anthropologischen Fragestellungen gegeben. Fragen wir überhaupt nach einer umfassenden Anthropologie, so philosophieren wir bereits. Aber die Absicht ist dabei, wissenschaftliche Paradigmata miteinander in Kontakt, ins Gespräch zu bringen. Wir werden aber auch Auslegungsweisen des Menschlichen nicht scheuen dürfen, die heutzutage nicht oder nicht allgemein als wissenschaftlich gelten. Wie können wir diese Auslegungsweisen gliedern? Gehen wir dazu noch einmal, und jetzt tiefer, in die Geschichte zurück.

Die erste Selbstauslegung des Menschen, von der wir wissen, geschieht im Rahmen der *Religion*. Im Lichte der Götter lernte der Mensch sich sehen. Schon dies ist ein Beispiel der Wahrheit durch Distanz. Bis zum heutigen Tage gibt es einen reichen Schatz religiöser Kenntnis des Menschen: in der Form der Doktrin als Theologie, in der Form der Praxis als kirchliches, religiöses, ethisches Leben, in der Form der Selbsterfahrung als Meditation.

Die innere Geschichte der Religion ist selbst eine Geschichte der Ebenen und Krisen. Die Hochreligionen sind geschichtlich entstanden. Sie sind nicht nur, aber auch ein Fortschritt der Rationalität. Sie entstanden meist im Kampf gegen ältere Herrschaften. Sie führten zur Gründung neuer Herrschaftsformen. Mit dem Programm, rational, vernünftig zu werden, stellt sich den Religionen im Lauf der Geschichte eine Tendenz gegenüber, die auch ein neues Bild vom Menschen entwirft. Wir nennen sie mit einem der europäischen Neuzeit entstammenden Namen die *Aufklärung*.

Die Aufklärung gliedert sich im Laufe ihrer eigenen Krisen und Ebenen selbst wieder auf. Die Aufklärung der griechischen Antike führt zu einer großen gedanklichen Arbeit, welche die Wahrheit der neuentdeckten Rationalität (geleitet von dem

Paradigma der Mathematik und der Praxis säkular betriebener Politik) mit der neu aufgefaßten Grundwahrheit der Religion zusammendenkt, zur *Philosophie.* Die europäische Neuzeit findet die Philosophie schon als überliefertes Paradigma des umfassenden Denkens vor. Sie nimmt mit dem Pathos der Emanzipation von religiöser oder auch philosophischer Bevormundung die beiden Themen der griechischen Rationalität wieder auf. Im Geiste der Mathematik entwickelt sie die *Naturwissenschaft.* Diese macht, zumal mit der Entwicklung der Medizin und Biologie, den Menschen zum *Objekt* kausaler Erkenntnis. Naturwissenschaftliche Anthropologie ist ein Folgeprodukt der Aufklärung. Sie wird geschichtliche Anthropologie, soweit sie evolutionistisch denkt. Andererseits sieht sich der Mensch, der Wissenschaft treibt, selbst als machtvolles *Subjekt.* Die ebenfalls aus der Aufklärung stammende Linie politischer Emanzipation empfindet die vorgefundene Herrschaft als ein dem Menschen angetanes Unrecht; sie ist von starkem moralischen Pathos, einem Pathos politischer und sittlicher Freiheit getragen. Sie entwickelt eine *kritische Gesellschaftstheorie,* einen Blick auf die menschliche Geschichte als von Menschen gemacht und von Menschen zu verbessern. Sie setzt eine geschichtliche Anthropologie implizit voraus, welche die Geschichte als Werk des Menschen beurteilt. Die *Humanpsychologie* schließlich, wohl die im direktesten Sinne anthropologische Wissenschaft, erweist sich in der Zerstrittenheit ihrer Schulen zwischen allen diesen Denkweisen hin- und hergerissen.

Natürlich kann eine so knappe Aufzählung einiger Motive nicht vollständig und nicht systematisch sein. In der Geschichte gibt es eben nicht nur einen Garten des Menschlichen, sondern zugleich einen Garten der anthropologischen Sichtweisen, in dem auch die Definition des Unkrauts nicht immer deutlich ist. Für dieses Buch hat aber die Gliederung der anthropologischen Motive in die Trias der religiösen, der naturwissenschaftlichen und der gesellschaftskritischen Sichtweise eine Rolle gespielt, wobei der Philosophie u. a. die Aufgabe zufällt, den Zusammenhang der drei zu denken. Wenn der Autor hier persönlich sprechen darf: Ich habe alle drei Denkweisen, wohl schon von Kindheit an, spontan völlig einleuchtend gefunden. Aus Erfahrung habe ich gelernt, daß die meisten Menschen, die einer dieser drei Denkweisen anhängen, die beiden anderen mit Mißtrauen, wo nicht gar mit Abscheu betrachten. Der traditionell religiöse Beurteiler hält die naturwissenschaftliche Anthropologie für die Reduktion des Höheren auf das Niedere; irrelevant, wenn sie in ihren Grenzen bleibt, verbrecherisch, wenn sie diese überschreitet. Er hält die gesellschaftskritische Anthropologie für die Revolte menschlichen Eigenwillens gegen göttliche Ordnung. Der durchschnittliche naturwissenschaftliche Beurteiler hält die religiöse Anthropologie für die auf den Kopf gestellte Welt, und er hält die Vormeinungen der gesellschaftskritischen Anthropologie für die leichtfertige Nichtachtung der Fakten biologischer Erblichkeit. Der engagierte gesellschaftskritische Beurteiler hält die religiöse Anthropologie für eine Priesterintrige, um die Menschen unmündig zu halten, und die naturwissenschaftliche Anthropologie für die Ideologie der Rassisten und Technokraten; schon der Begriff »Anthropologie« steht ihm unter dem Verdacht, ein Ablenkungsmanöver vom Blick auf gesellschaftliche Strukturen zu sein. Als ich im Lauf meines Lebens diese sechs kritischen Beurteilungen kennenlernte, konnte ich mich des Eindrucks nicht erwehren, daß sie alle sechs die bekannte ideologische Funktion der Ideologiekritik haben.[*] Jede von ihnen schützt die Vorurteile ihres Trägers, indem sie auf die Vorurteile eines seiner Gegner den Finger legt; so bestätigen sie sich gegenseitig in ihrer Feindschaft.

Das vorliegende Buch macht stattdessen den Versuch, den Zusammenhang der drei Denkweisen ausdrücklich zu denken. Systematisch könnte man das so anfangen: Jede der drei Denkweisen hat einen direkten Blick für gewisse Phänomene im menschlichen Leben und hat eine Sprache entwickelt, die eben diese Phänomene für Gesinnungsgenossen unmittelbar verständlich ausspricht. Eine erste Schulung des integralen Blicks kann darin bestehen, jeweils in den Sprachen der anderen beiden Denkweisen zu sagen, was diese Phänomene, von dort gesehen, bedeuten. Schon für diesen ersten systematischen Schritt, und noch viel mehr für eine vielleicht denkbare mehr

---

[*] Vgl. Notizen über Ideologiekritik in »Fragen zur Weltpolitik«.

systematische philosophische Anthropologie, ist dieses Buch freilich nur eine Vorstudie.

Seine Gliederung läßt sich etwa so erläutern: Das *erste Kapitel* nimmt zunächst eine gleichsam naiv gesellschaftskritische Haltung ein. Es geht von Phänomenen der heutigen Kultur aus, die in direkter politischer und kultureller Reflexion als bedrohlich empfunden wurden; es stellt die Frage nach deren anthropologischem Hintergrund. Das *zweite Kapitel* sieht dann mit den Augen und spricht in der Sprache der naturwissenschaftlichen Anthropologie. Analog sieht das *vierte Kapitel* mit den Augen und spricht in der Sprache heutiger christlicher Theologie, in welche freilich die Offenheit für die asiatische meditative Erfahrung einbezogen ist. Ein Kapitel, das ebenso Blick und Sprache kritischer Gesellschaftstheorie voraussetzte, fehlt; in diesem Punkte hatte ich in den Jahren der Abfassung dieses Buchs zu viel zu lernen als daß ich hätte wagen dürfen, das Gelernte schon anzuwenden. Die philosophische Reflexion wird im *dritten Kapitel* nur in der Form einer Rückspiegelung der Probleme in die große Tradition der europäischen Philosophie gegeben. Philosophisch gesehen bleibt das Buch eine Propädeutik.

Entstanden ist das Buch vorwiegend aus Vorträgen und Aufsätzen für konkrete Anlässe und spezielle Adressaten. Ich habe freilich schon seit längerer Zeit die Themen dieser Äußerungen so gewählt, daß sie zur Zusammenfassung in einen Band über anthropologische Fragen geeignet sein sollten; ferner habe ich für die Endredaktion mehrere neue Beiträge verfaßt. Bei den Vorträgen und Aufsätzen habe ich aber mit einer bestimmten Absicht darauf verzichtet, die Bezugnahme auf die jeweiligen Adressaten von vornehrein zurückzudrängen oder nachträglich zu tilgen. Anthropologie ist nicht einfach Reden über den Menschen. Sie ist sinnvollerweise stets Reden *mit* Menschen über den Menschen. Ich spreche völlig spontan zu Naturwissenschaftlern anders als zu Politikern, zu Christen anders als zu Hindus, in der Öffentlichkeit anders als im Seminar. Das ist die natürliche Kontaktsuche durch den dem jeweils Angeredeten und mir gemeinsamen Sprachschatz. Es sei erlaubt, menschliche Beziehungen mit Gewächsen des Gartens zu vergleichen: die Rose pflegt man anders als den

Apfelbaum, das Gemüsebeet anders als den Rasen. Und wir können uns ja auch in die Mentalität anderer Gespräche als unserer eigenen versetzen. Wenn in einem Buch alle diese Gespräche nebeneinander erscheinen, so wollen sie damit auch dem jeweils nicht direkt angesprochenen Gesprächspartner vorführen, wie der Verfasser versucht, die allen gemeinsamen Anliegen mit einem anderen als ihm zu besprechen. Diese Möglichkeit, im Menschlichen hin und her zu wandern, wollte ich wohl mit dem Titel »Der Garten des Menschlichen« andeuten.

2. Überblick über das Buch

Was hier versucht wird, ist, nochmals im Gleichnis gesprochen, ein Grundriss der Gartenwege mit den lateinischen Namen der an den Wegrändern stehenden Pflanzen.

Die neun Beiträge des *ersten Kapitels* – Ebenen und Krisen – können locker in drei Gruppen von je dreien gegliedert werden. Die ersten drei Beiträge gehen von den politischen Problemen der heutigen Menschheit aus, die ich inzwischen in »Wege in der Gefahr« zum Thema eines eigenen Buchs gemacht habe; das jetzige Buch hat es unter anderem mit dem anthropologischen Hintergrund der dort analysierten Politik zu tun. Die nächsten drei Beiträge greifen, nur scheinbar zufällig, drei Phänomene der heutigen Gesellschaft heraus: die Rollen, welche in ihr die Naturwissenschaftler, die Behinderten, die neuen Linken spielen. Die drei letzten Beiträge wenden sich menschlichen Grunderlebnissen zu, der Angst, dem Schönen, dem Tod. Die beiden letzten von ihnen sind die philosophisch leitenden Stücke dieses Kapitels und exponieren in gewisser Weise das gesamte Thema der geschichtlichen Anthropologie.

Zu den einzelnen Beiträgen des ersten Kapitels:

1. Das Friedensproblem. Adressaten sind Interessenten für Friedensforschung. Der sehr stenographische, vielleicht in manchen Formulierungen nur dem Autor verständliche Text war ein Vorentwurf des ein Jahr später geschriebenen Buches

»Wege in der Gefahr« unter dem speziellen Aspekt des Friedens. Er kann insofern als Überleitung von jenem Buch zum gegenwärtigen dienen.

2. *Der Mensch im naturwissenschaftlich-technischen Zeitalter.* Adressaten waren akademisch gebildete moderne Japaner. Dieser Hörerkreis verlockte mich zu dem Versuch, die inneren Probleme der in Europa wurzelnden Weltkultur in möglichst umfassendem Überblick darzustellen. Der Text wurde Absatz für Absatz zuerst auf deutsch, dann auf japanisch vorgetragen.* Dies nötigte mich zu möglichst knappen und möglichst eindeutigen, übersetzbaren Formulierungen. Der Vortrag kann als ein noch umfassenderes vorweg verfaßtes Resumé der Thematik von »Wege in der Gefahr« gelten.

3. *Die Ambivalenz des Fortschritts.* Adressaten waren junge deutsche Intellektuelle, vorwiegend Sozialwissenschaftler. Der Text sucht in den Hintergrund der in den ersten beiden Beiträgen aufgezählten Probleme einzudringen. Sein Hauptteil betrifft die Ambivalenz aller politischen Ideale der europäischen Neuzeit. Der Text skizziert dann, unter dem Titel der Ambivalenz, eine Leitfrage der drei späteren Kapitel und das evolutive Schema, das in diesem Buch »Ebenen und Krisen« genannt wird.

4. *Der Naturwissenschaftler, Mittler zwischen Kultur und Natur.* Die Adressaten waren Naturwissenschaftler. Die Naturwissenschaft ist kein zufälliges Thema der heutigen Gesellschaft; man kann sie vielmehr den harten Kern der Neuzeit nennen. Ihre Begrifflichkeit ist machtförmig; so weist der Vortrag auf das Machtthema (II, 5., II, 6.) voraus und hängt eng zusammen mit Heideggers Gedanken zur Naturwissenschaft (III, 5.)

5. *Der Behinderte in unserer Gesellschaft.* Es fügt sich natürlich, daß dieser Vortrag in der Mitte des ersten Kapitels steht.

---

* Ich danke den Übersetzern, den Herren Kollegen Ken Yamabe und Yoshiaki Sato, herzlich für ihre hingebende und erfolgreiche Arbeit.

Er ist eine Aufforderung zu einem praktischen Verhalten. Wir werden zu keiner Gesellschaft Ja sagen dürfen, die nicht versteht, was ihr selbst die Schwachen in ihrer Mitte bedeuten. Direkte Adressaten waren die Festgäste einer Blindenschule, eigentlicher Adressat die gesellschaftliche Öffentlichkeit.

6. *Das moralische Problem der Linken und das moralische Problem der Moral.* Adressat der spontanen Aufzeichnung war zunächst ich selbst, die enttäuschte Liebe. Die Notiz zielt aber systematisch auf das praktische Problem, wie moralisches Handeln überhaupt möglich ist und führt damit zum Einstiegsthema des vierten Kapitels, Moral und Religion.

7. *Angst.* Adressaten waren Besucher eines Evangelischen Kirchentags. Die vier Beiträge über das Friedensproblem, die Angst, das Schöne und den Tod hatte ich von vorneherein im Blick auf eine gemeinsame Publikation formuliert; sie sind die Keimzelle dieses Buchs. Das Referat über Angst knüpft an konkrete politische Beispiele an. Der Versuch, Angst als Furcht vor der eigenen Friedensunfähigkeit zu definieren,* führt in den Fragenkreis von Frieden und Wahrheit, also der Leiblichkeit der Vernunft und der Vernunft der Affekte. Der Schlußteil enthält eine neutestamentliche Interpretation, an welche die Auslegung der Seligpreisungen (IV, 5.) anknüpft.

8. *Das Schöne.* Adressat war das Salzburger Festspielpublikum. Ein amerikanischer philosophischer Kollege kam nach dem Vortrag auf mich zu: »Wie gut, daß Sie diesen Menschen Philosophie zugemutet haben – ich bin in jedem Punkt anderer Ansicht als Sie!« Diese freundliche Distanzierung konnte ich ihm nicht verübeln; was ich vorgetragen habe, ist eine moderne Abwandlung des Platonismus. Die Vernunft der Affekte wird hier zum erstenmal als Thema eingeführt. Die Wahrheit des Schönen freilich wird nur in diesem Beitrag thematisch, wenn man nicht die Gedichtinterpretationen anderer Beiträge als praktische Beispiele dieser Wahrheit werten will.

---

* Vgl. dazu Friedlosigkeit als seelische Krankheit (1967) in »Der ungesicherte Friede«.

9. *Der Tod*. Adressat, im Salzburg der Festspielzeit, der Besu-
cherkreis von Hochschulwochen. Die Zusammengehörigkeit
beider Themen – das Schöne und der Tod – habe ich stark
empfunden, fast erst als Rechtfertigung des Wagnisses, über
beide zu reden. Dieser Vortrag stellt die Evolutionstheorie,
indem er sie, wie ich hoffe, biologisch sorgfältig analysiert, in
den Rahmen einer Philosophie der Zeit, ohne welche von
geschichtlicher Anthropologie nicht geredet werden könnte.
Der Vortrag ist zugleich durch sein Thema gezwungen, auf die
Fragen der Religion einzugehen; zum wenigsten angesichts des
Todes begegnen sich Biologie und Religion. In gewisser Weise
setzt so dieser Vortrag das philosophische Thema des ganzen
Buchs.

Das *zweite Kapitel* enthält den Kern der philosophischen
Anstrengung des Buchs. Der erste Aufsatz kann als Überschrift
zu den drei folgenden Kapiteln gelten. Es folgen zwei Beiträge
über die Art, wie sich Zusammenhang oder Identität der Phänomene, die wir in der herrschenden dualistischen Sprache
Materie und Bewußtsein nennen, in der Biologie tierischer und
menschlicher Subjekte denken lassen. Ihnen folgen zwei breite
Aufsätze, die vor dem Hintergrund der Biologie anthropologische Grundthemen erörtern, von der Liebe bis zur Macht,
wenn man so sagen darf. Den Schluß bildet ein in die Grundlagen der Logik vorausweisender Aufsatz über die biologischen
Korrelate logischer Grundbegriffe wie Urteil, Begriff, Prädikat, Eigenname; dazu eine Notiz über den Zeitbegriff.

1. *Wer ist das Subjekt in der Physik?* Adressaten sind Inder, die
in der lebendigen religiös-philosophischen Tradition der Advaita-Lehre des Vedanta stehen, und ihre westlichen Freunde
und Jünger. Den tiefen Eindruck, den mir die Audienz bei dem
Empfänger dieser Festschrift hinterließ, habe ich in der Selbstdarstellung (S. 594) in einigen Sätzen angedeutet. Noch stärker
als die Begegnung mit modernen Japanern hat mich die Begegnung mit traditionellen Indern herausgefordert, eine Zusam-
menschau der Tradition zu versuchen, aus der ich selbst
stamme. Hier ist es die über zweitausendjährige Geschichte der
europäischen Philosophie und Naturwissenschaft. Als Leitfa-

den wählte ich das gemäß dem Vedanta zentrale Thema der Einheit des Subjekts. Nur vier Philosophen konnte ich jeweils knapp besprechen, Platon, Aristoteles, Descartes, Kant, ein Weg, wenn ich so abkürzen darf, von einer Philosophie der Einheit über zwei Philosophien der Vielheit zu einer neuen Philosophie der Einheit des Subjekts. Die Physik kann in das Gespräch der Philosophen über das Subjekt erst eintreten, seit Bohr uns die Quantentheorie verstehen gelehrt hat. Dieser Aufsatz und das ganze Buch folgt freilich Bohrs Philosophie darin nicht, daß ich glaube, im Kreisgang (vgl. II, 2., S. 194) das endliche Subjekt der Physik unterwerfen zu sollen. Die aus der Interpretation der Quantentheorie abstrahierte philosophische These läßt sich verkürzt so ausdrücken: Endliches gibt es nur für Endliches; nur für endliche Subjekte gibt es isolierte Objekte, und nur für endliche Subjekte dürfte es endliche Subjekte geben. Anthropologie freilich ist das Reden endlicher Subjekte mit endlichen Subjekten über das Wesen endlicher Subjekte.

2. Die Rückseite des Spiegels, gespiegelt. Eine für dieses Buch geschriebene, im wesentlichen zustimmende Analyse der Gedanken von Konrad Lorenz und Karl Popper über die Erkenntnisförmigkeit der Evolution, also über die philosophische Relevanz einer Biologie des Subjekts. Nur *ein* Gedanke muß zu den Ansätzen dieser »Realisten« hinzugefügt werden: daß wir auch die Rückseite des Spiegels nur im Spiegel kennen. Das undefinierte Prädikat »real«, das die Realisten den Objekten ihrer Wissenschaft geben, heißt sinnvollerweise »real für uns«, »real für endliche Subjekte«, vielleicht sogar »real für Naturwissenschaftler des 20. Jahrhunderts«. Die philosophische Aufgabe formuliert sich im naturwissenschaftlichen Ansatz als ein Kreisgang zwischen dem Objektsein der Subjekte und der Subjektbezogenheit der Objekte. Information und Wahrheit sind nicht ohne diesen Kreisgang zu definieren.

3. Die Einheit von Wahrnehmen und Bewegen. Adressaten waren Mediziner, Naturwissenschaftler, Theologen, die sich für Viktor v. Weizsäckers anthropologische Medizin interessierten. Der Versuch wird gemacht, Wahrnehmen, Vorstellen und Denken als symbolische Bewegung zu verstehen, als eine Bewegung, die eine andere Bewegung bedeutet.

4. Die Vernunft der Affekte. Adressaten waren dieselben jüngeren Sozial- und Naturwissenschaftler wie in I, 3.. Die Vernunft der Affekte und die vernünftige Einsicht werden in einer gewissen Breite erörtert, zwar vor dem Hintergrund der Biologie des Subjekts, aber nicht in naturwissenschaftlicher, sondern in moralischer Absicht, als Beitrag zur Fähigkeit, unsere Motive zu werten. Ein Grundphänomen ist die Unmöglichkeit, die verschiedenen Ebenen unserer affektiven Wahrnehmung auseinander herzuleiten, also die gerade auch naturwissenschaftlich einsehbare Falschheit jedes unitarischen oder dualistischen Triebreduktionismus. Der Schlußabschnitt wendet sich zum politischen Ausgangsproblem des Buchs zurück. Eine glücksorientierte Gesellschaft kann nicht überleben ohne eine in Wahrheit elitäre Struktur, deren Elite nicht primär glücksorientiert ist.

5. Über Macht. Dieselben Adressaten wie zuvor. Eine breit angelegte Vorstudie zum Machtkapitel in »Wege in der Gefahr«. Die Machtförmigkeit der Verstandeserkenntnis führt zur Frage der Verwandtschaft der Begriffe von Information und Macht. Der Schwerpunkt liegt aber im »Gespräch mit Sigmund Freud« über die Grundlagen seiner Anthropologie und in der Kritik des Triebbegriffs. Ich danke meinem Kasseler Kollegen Hans Kilian für seine Belehrungen über die Weiterentwicklung der Psychoanalyse; ich habe ihn gebeten, seinen Brief hierüber mit abdrucken zu dürfen.

6. Biologische Präliminarien zur Logik. Einige Notizen, die ursprünglich für eine Darstellung der Logik zeitlicher Aussagen bestimmt waren, habe ich für dieses Buch zusammengestellt und erweitert. Die biologisch-pragmatische Betrachtung des Erkenntnisprozesses zeichnet einen Hintergrund für phänomenologisch bekannte Grundstrukturen wie einerseits die Zweiwertigkeit der Logik, andererseits die Prävalenz der Wahrheit vor der Falschheit, der Wahrnehmungswahrheit vor der Satzwahrheit. Die platonische Einsicht, daß nur das Eidos erkennbar ist, wird biologisch illustriert und bekräftigt. Im Einklang mit der Entwicklung der sprachanalytischen Philosophie (vgl. das im Text zitierte Buch von E. Tugendhat) führt dies zu einer Analyse des assertorischen Satzes vom Begriff der Wahrheit her und des prädikativen Satzes vom Begriff, d. h. vom Prädikat her.

7. *Mitwahrnehmung der Zeit.* Eine private, stenographische Arbeitsnotiz, die das Ende dieses Kapitels mit dem Ende des folgenden Kapitels verklammert.

Das zweite Kapitel hat uns vor Fragen der systematischen Philosophie gestellt, für welche das ganze Buch, wie eingangs gesagt, nur eine propädeutische Funktion haben kann. Ein Kurs dieser Propädeutik muß es sein, uns an den Rahmen zu erinnern, in dem diese Fragen in der philosophischen Tradition Europas stehen. Dies hat schon der erste Beitrag des zweiten Kapitels getan, und wir nehmen im *dritten Kapitel* eben diese Fragestellung wieder auf. Die philosophische Linie, um die es dabei nur gehen kann, ist die platonische. So beginnt das Kapitel mit Platon, und in seinem Lichte sieht es Galilei und Kepler, Goethe und Hegel, Heidegger und Heisenberg. Das Interpretationsverfahren besteht – soweit das in lockeren Essays möglich ist – darin, den Autor immanent, gemäß der Logik seiner eigenen Fragen auszulegen, bis sich eben in diesen unsere eigenen Fragen von neuem stellen. Den Glauben, den Autoren damit nicht ungebührlich Gewalt anzutun, kann man nur haben, wenn man überzeugt ist, daß es eine durchgehende Frage der Philosophie gibt. Dies haben wir, wenn wir es gelernt haben, von Heidegger gelernt.

1. *Platonische Naturwissenschaft im Laufe der Geschichte.* Ein öffentlicher akademischer Vortrag. Der Kern ist eine, der Vortragsform gemäß lockere, Interpretation des platonischen Timaios. Sie schließt im Rahmen meiner Arbeit an zwei Interpretationen des Parmenides-Dialogs* an und führt weiter zu einer Interpretation von Theätet und Sophistes, die ich wegen

* »Die Einheit der Natur«, die letzten beiden Aufsätze.

ihrer spezialistischen Fassung nicht in das gegenwärtige Buch
aufgenommen habe.* Ferner wird versucht, zu zeigen, daß
sich Galilei, Kepler und Heisenberg** zu Recht auf Platon
berufen. Mit diesem Aspekt der Naturwissenschaft wird zugleich eine Lücke ausgefüllt, die ich in dem Aufsatz über das
Subjekt in der Physik gelassen habe.

2. *Ein Liebesgedicht.* Mögen die Lesenden selbst entscheiden,
ob sie zu den Adressaten zählen. Warum folgt dieser Text an
dieser Stelle? Vielleicht wollte ich zeigen, daß Naturwissenschaft und Liebeslyrik, wenn man sie nur versteht, genau dieselbe Sache sind. Als ich Pfingsten 1930 mit Heisenberg in
Helgoland war, erzählte er mir, er habe genau fünf Jahre
zuvor, also 1925, eben hier nur wenig geschlafen und seine
Zeit etwa zu gleichen Teilen damit verbracht, die Quantenmechanik auszuarbeiten,*** in den Klippen herum zu klettern,
und Gedichte aus dem West-östlichen Divan auswendig zu
lernen.

3. *Zu Hegels Dialektik.* Adressat war ein Hegel-Symposium,
dessen Teilnehmer etwa zur Hälfte Philosophen, sonst Sozial-
und Naturwissenschaftler waren. Thema dieses Symposiums
war das Verhältnis von Ambivalenz und Dialektik, so wie
Georg Picht zehn Jahre früher zwei Hegel-Symposien über das
Verhältnis von Komplementarität und Dialektik veranstaltet
hatte. Von solchen zeitbedingten Fragestellungen her versucht
der Aufsatz (wie ich es damals von Picht gelernt habe), zu
zeigen, daß ein Begriff wie Dialektik seinen Sinn nur innerhalb
einer vollen Philosophie hat. Diese, die Hegelsche, Philosophie
ist der vielleicht größte nachplatonische Versuch in Europa,
die Einheit zu denken, die im gegenwärtigen Buch durch den
Aufsatz über das Subjekt in der Physik eingeführt ist: »die
Vernunft ist die Gewißheit des Bewußtseins, alle Realität zu
sein.« (S. 360). Daher die notwendige Zusammengehörigkeit
gerade von Naturphilosophie und Religionsphilosophie bei
Hegel. Wir aber können Hegels System in keinem Stück über-

---

  *   »Die Aktualität der Tradition: Platons Logik«.
 **   Vgl. »Werner Heisenberg«.
***   W. Heisenberg, »Der Teil und das Ganze«, S. 88–90.

nehmen. Dialektik müssen wir als einen Prozess in der Zeit verstehen, und dies führt in das Thema Sein und Zeit.

4. Erinnerungen an Martin Heidegger. In Heideggers Todesjahr trat die Bitte, über ihn etwas zu sagen, mehrfach an mich heran. Hier der persönliche Hintergrund.

5. Heidegger und die Naturwissenschaft. Beitrag zu einer akademischen Gedächtnisfeier. Mein Auftrag war nicht, Heidegger im ganzen zu interpretieren, sondern als Naturforscher in den Dialog mit ihm einzutreten. Eben dieser Dialog aber führt in zentrale Fragen. Die Machtförmigkeit der Naturwissenschaft ist kein spezieller Irrtum, sondern sie liegt daran, daß die Naturwissenschaft auf dem Begriff, heideggersch gesagt auf der Vorstellung beruht. So führt eben die Berührung mit Heideggers Kraft, Phänomene zu sehen, in den Fragenkreis unseres zweiten Kapitels zurück.

6. Die Zeit und das Eine. Ein stenographisches Selbstgespräch. Es geht aus von der heute leider schon wieder eher vergessenen als bewältigten Theorie-Praxis-Debatte und skizziert einen Weg, den das eigene Philosophieren gehen müßte. Das Eine – das ist die platonische Tradition; die Zeit – das heißt: wir philosophieren *jetzt.* Es zeigt sich die auch philosophische Unerläßlichkeit von Theologie und Meditation.

Dieses Thema nimmt das *vierte Kapitel* auf. Die ersten fünf Beiträge gehen schrittweise von den Anliegen des Tages zu den biblischen Grundlagen der Theologie zurück. Die drei letzten Beiträge führen von dort wieder in die Forderung des Tages, und zwar im gleichen Geiste zu den Anliegen christlicher Kirchgemeinden und zu den Erfahrungen derjenigen, die sich auf asiatische Meditation einlassen.

1. Notizen zum Gespräch zwischen Physik und Religion. Geschrieben für einen Gesprächskreis von Studenten und Professoren. Ein Auftakt: nicht voreilige Versöhnung, sondern brüderliche Kritik sollen Naturwissenschaftler und Christen einander leisten.

2. Bergpredigt, Altes Testament und modernes Bewußtsein.
Eine spontan geratene Radiorede. Ich kann nicht von der
Bergpredigt reden, ohne mich zu ihrer Wahrheit zu bekennen.
Ich lebe aber nicht wie die Jünger, an die die Predigt gerichtet
war. Diese Grundspannung der christlichen Kirche kann für
den fruchtbar werden, der weiß, daß sie seine eigene Spannung
ist.

*3. Gedanken eines Nichttheologen zur theologischen Ent-
wicklung Dietrich Bonhoeffers.* Adressaten dieser Gedenkrede
sind protestantische Theologen im ökumenischen Rahmen.
Ich hatte den Auftrag früh übernommen und habe viel Arbeit
in die Vorbereitung investiert. So ist die Rede, zumal in ihrem
vierten Teil, gleichsam das Programm dessen, was ich zur
heutigen christlichen Theologie sagen möchte. Der anthropologische Zugang ist das »moralische Problem der Moral«, die
Ambivalenz unseres Bemühens, das objektiv Gute zu tun. Niemand hat diesen Nerv tiefer getroffen als die auf Paulus zurückgehende Traditionslinie der christlichen, zumal protestantischen Theologie. Paulus konnte den Abgrund bezeichnen,
weil er eine Erfahrung jenseits des Abgrunds hatte, die bei ihm
Glauben hieß. Aber nun sind wir in der Kirchengeschichte, und
so leicht läßt uns die Ambivalenz nicht los. Was ist der Glaube?
Der kämpfenden und siegreichen Kirche gerann er immer wieder ins Aussprechen für wahr gehaltener Sätze, auch wenn
diese nicht Sätze der Philosophie, sondern der Offenbarung, ja
der geschichtlichen Offenbarung hießen. Damit aber war der
Glaube begrifflich gefaßt und hatte Anteil an der Unwahrheit
des Begriffs. Er mußte nun gegen konsistentere, wenngleich
flachere Begriffe, d. h. gegen die Aufklärung unterliegen. In
dieser Auseinandersetzung bewegen sich Bonhoeffers Lehrer
Harnack und Barth, und Bonhoeffer selbst.

*4. Ebenen der christlichen Theologie. Eine Anmerkung zu
Luther.* Eine Notiz zur Selbstverständigung, die das soeben
Gesagte an Luthers theologischem Grundproblem abliest.

5. Die Seligpreisungen. Ebenfalls zur Selbstverständigung geschrieben. Adressaten sind dann zunächst wissenschaftliche

Exegeten des Neuen Testaments, aber schließlich Christen überhaupt. Präzisere Beschäftigung mit dem Text der Evangelien lehrt, ihn auf eine Lebenssituation zu beziehen, die derjenigen der herrschenden Kirche fern ist, dem Protestantismus übrigens noch ferner als der katholischen Kirche, nahe aber den Minoritäten, den Sekten, kommunistischen Gemeinschaften und den wandernden Mönchen Asiens. Dieser Erfahrungsbereich ist von hoher menschlicher, also auch anthropologischer Bedeutung. Die christlichen Mönchsgelübde, von der katholischen Kirche nicht als Gebote, aber als evangelische Ratschläge bezeichnet, sind nicht Weltverachtung, sondern Disziplin der Affekte als Weg zu einer höheren Weise der Wahrnehmung.

6. *Zwei Predigten.* Adressaten waren die evangelisch-lutherischen Kirchgänger meines jeweiligen Wohnorts. Ich habe die beiden Texte hier nur aufgenommen, um zu dokumentieren, daß alles hier Gesagte nicht aus der Kirche hinaus, sondern in sie hereinführen will.

7. *Zwei Vorworte.* Geleitworte zu Büchern eines anderen Autors haben empfehlenden Charakter. Adressaten sind hier die virtuellen Leser zweier Bücher, die nicht gelehrt über den Buddhismus, sondern aus buddhistischer Erfahrung über Lebensprobleme sprechen. Ihr Verfasser, Martin Steinke-Tao Chün, hat mir als erster den Zen-Buddhismus – aus einer chinesischen Traditionslinie – leibhaft nahegebracht. Anthropologisch verdanke ich ihm Hilfe, das Ich nicht als Substanz, sondern als Organ zu denken, und das höhere Bewußtwerden nicht als Begriff, sondern als Wahrnehmung.

8. *Gespräch über Meditation.* Ein Rundfunkgespräch. Der mit einem Schlage überwältigend hervortretende Durst westlicher Intellektueller nach Meditation entstammt einer zunächst noch dumpfen Erkenntnis der Grenzen der Willens- und Verstandeswelt. Hier ist nun ein nicht gefahrloser, aber nach oben offener Wahrnehmungsbereich. Hier ist auch die empirische Basis für die Begegnung mit der anthropologischen Selbsterfahrung der asiatischen Kulturen, welche der unseren zum

wenigsten gleichwertig ist. Geschichtliche Anthropologie sollte sich bemühen, ihren eigenen Ort in der irreversiblen Geschichte zu sehen. Er ist wohl im Beginn der Begegnung der Grunderfahrungen der großen Kulturen, einerlei wie nivellierend die äußeren Ereignisse der kommenden Jahrzehnte sein werden.

Gelegentlich werden Angehörige eines akademischen Fachs – hier der Philosophie – veranlaßt, für einen Sammelband Darstellungen ihrer persönlichen Entwicklung und Sichtweise des Fachs zu geben. Die *Selbstdarstellung*, die ich auf eine solche Anforderung hin geschrieben habe, ist vielleicht auch die übersichtlichste Zusammenfassung der Themen dieses Buchs.

Erstes Kapitel
Ebenen und Krisen

I, 1. Das Friedensproblem*

Analyse

Der Friede ist der Menschheit in unserem Jahrhundert zur bewußten Aufgabe geworden. Das liegt einerseits an der Entwicklung der Technik, zumal der übergroßen Waffen, andererseits an einem veränderten Bewußtsein der Menschheit von sich selbst. Beides folgt aus der Entwicklung der neuzeitlichen Kultur. Als unbegrenzt wachsende Willens- und Verstandeskultur stellt sie Mittel bereit und eröffnet damit Aufgaben, die vorher im Bereich des unbeeinflußbaren Schicksals lagen. Zugleich zerstört sie Sicherungen, die vorher in der äußeren Natur und im menschlichen Verhalten von selbst funktionierten. Dies geschieht nicht nur objektiv, es rückt auch schrittweise ins Bewußtsein der Menschen ein. Man sieht sich vor bisher beispiellosen Aufgaben und auch vor bisher beispiellosen Gefahren, man empfindet die Aufforderung zu bisher beispiellosen Lösungswegen. Die uralte Institution und Geißel des Kriegs gerät in den Sog dieser veränderten Denkweise. Das Friedensproblem im engeren Sinne ist das Problem der Eindämmung oder Überwindung des Kriegs. Das Friedensproblem im weiteren Sinne ergibt sich hieraus; es ist die Frage nach den Kräften und Einrichtungen, die zuverlässigen Frieden möglich machen.

Das Nachdenken über das Friedensproblem führt uns durch vier Regionen menschlichen Verhaltens: Militär, Außenpolitik, Gesellschaftsstruktur, seelische Vorgänge im Individuum. Die Analyse, mit der dieser Aufsatz beginnt, faßt die Ergebnisse breiter Überlegungen über diese Regionen thesenhaft zusammen. Die Aufgabe der Friedenssicherung erweist sich als in keiner der Regionen zuverlässig lösbar. Hieran schließt sich unter dem Titel »Friede und Wahrheit« eine grundsätzliche

---

* Erschienen in der Festschrift zum fünfjährigen Bestehen der Deutschen Gesellschaft für Friedens- und Konfliktforschung »Forschung für den Frieden«, Harald Boldt Verlag, Boppard/Rhein 1975.

Betrachtung des Friedensproblems im weiteren Sinne. Nach Durchlaufung dieser Stufen läßt sich illusionsloser sagen, was in einer konkreten Friedenspolitik angestrebt werden soll und erreicht werden kann, und was nicht.

Militär. Im Territorium der Großmächte und des politisch stabilen Teils ihrer militärischen Verbündeten ist seit 1945 kein Krieg geführt worden. Gleichwohl ist das Problem der Kriegsverhütung in zwiefacher Hinsicht ungelöst: Im Rest der Welt, meist »Dritte Welt« genannt, sind ständig Kriege geführt worden, und die Fortdauer der Kriege ist zu erwarten. Und im seit dreißig Jahren kriegsfreien direkten militärischen Machtbereich der Großmächte sind künftige Kriege, einschließlich eines nuklear geführten dritten Weltkriegs, keineswegs ausgeschlossen.

Nur die letztere Behauptung bedarf einer Begründung. Die Kriegsverhütung durch die Übergröße der Waffen ist unzuverlässig. Neben der Gefahr technischen oder psychischen Versagens steht vor allem das immanente Wachstumsgesetz, das schon zu den heutigen Waffen geführt hat. Nicht die Waffe selbst, sondern ein ihrer Größe angemessenes Bewußtsein könnte Frieden bewahren. Der erste Versuch hierzu, in der militärischen Ebene selbst, ist die Abschreckungsstrategie durch Zweitschlagskapazitäten. Wir verdanken ihr die gegenwärtige Friedens- und Entspannungsphase. Aber sie hat, militärisch gesehen, drei Schwächen. Sie verhütet begrenzte Konflikte nicht zuverlässig; der Druck auf deren Verhütung, der von der Eskalationsdrohung ausgeht, enthält die Gefahr der wirklichen Eskalation; Waffensysteme, auch Zweitschlagskapazitäten, veralten, und der dritte Weltkrieg könnte eines Tages in nüchterner Kalkulation von demjenigen begonnen werden, der eine hinreichende Chance erkennt, ihn zu überleben und zu gewinnen.

Daß Militär den Frieden nicht permanent bewahrt, ist eine alte Wahrheit. »Si vis pacem, para bellum« ist eine Klugheitsregel in einer Welt, in der der Krieg eine selbstverständliche Institution ist. Der Gerüstete kann mehrere Kriege vermeiden, aber nicht alle, vor allem nicht den für ihn als Großmacht letzten, den er verliert. Aber die Größe der Waffen macht gleichwohl die Fortdauer der Institution des großen Kriegs unannehmbar. Das Militär ist durch seine Entwicklung vor eine Aufgabe gestellt, die es mit seinen Mitteln nicht lösen kann.

Außenpolitik. Die klassische Außenpolitik beruht auf dem Interessenausgleich souveräner Mächte. Diplomatie und Völkerrecht haben Mittel zur friedlichen Lösung außenpolitischer Konflikte entwickelt. Sie haben aber bisher nie die Institution des Kriegs überwunden. Die historische Erfahrung kennt zwei Wege zur Stabilität in einem Mächtesystem: einerseits das Konzert der Mächte, andererseits die Hegemonie, die jedoch entweder ins Konzert zurück oder zu einem Großreich, also dem Ende des Mächtesystems führt. Das Konzert (meist als Pentarchie) hat in der Geschichte stets periodischer Kriege als Regulatoren bedurft.

Es ist wichtig, einzusehen, daß ein System souveräner Mächte nicht einfach durch einen Akt guten Willens in einen Friedenszustand der souverän fortbestehenden Partner übergehen kann. Was dazu überwunden werden müßte, wäre die Struktur von Macht. In einer Mächtestruktur ist der zuverlässigste Schutz eigene Macht (nur für den Kleinen der Verzicht auf die Teilnahme an der Konkurrenz, wenn Bündnisse, Neutralität, geographische Lage dazu eine Chance bieten). Macht ist aber praktisch unbegrenzt akkumulierbar. Deshalb führt die für jeden Partner richtige These vom Schutz durch eigene Macht mit objektiver Notwendigkeit zum Wettrüsten. Es ist nicht der böse Wille der Politiker und Militärs, der das Friedensproblem außenpolitisch nicht permanent lösbar macht, sondern die Struktur von Macht.

Es gibt keinen Grund, anzunehmen, daß das heutige, militärisch bipolar, wirtschaftlich-politisch etwa pentarchisch strukturierte Konzert diesen Strukturgesetzen nicht unterworfen wäre. Eine stabile Hegemonie wäre, soweit wir sehen, nur durch einen Weltkrieg erreichbar und würde – unter fürchterlichen Opfern – vermutlich zu einem Weltstaat führen. Dieser könnte künftige Kriege solange verhindern, als er stabil wäre. Seine inneren Probleme seien hier nicht ausgemalt.

Gesellschaftsstruktur. Die Glieder traditioneller Mächtesysteme sind Staaten, deren innere gesellschaftliche Struktur durch Herrschaft stabilisiert ist. Der Zusammenhang ihrer auswärtigen Machtpolitik mit den Interessen der Herrschenden läßt sich leicht erkennen, nicht nur soweit diese Politik aggressiv, sondern auch soweit sie defensiv ist. Wenigstens seit der europäischen Aufklärung gibt es nun eine gesellschaftliche Bewegung, die auf Eindämmung oder Überwindung von Herrschaft zielt. Daher ist die Hoffnung begreiflich, durch Veränderung des Gesellschaftssystems auch die Ursachen der Kriege auszuschalten. Unscharf gegeneinander abgegrenzt kann man in der heutigen Welt vielleicht vier gesellschaftspolitische Tendenzen oder Systeme unterscheiden: die vorliberale Ordnung, heute meist Feudalismus genannt, den Liberalismus, den Sozialismus, die Technokratie. In den Mitteln und Motiven der Herrschaft kann man drei Elemente auseinanderhalten: Rangordnung, Funktion, Macht. Der Feudalismus bejaht die Herrschaft und sieht sie durch eine Rangordnung gerechtfertigt. Der Liberalismus vertraut, zumal im wirtschaftlichen Bereich, auf den verständigen Eigennutz der Einzelnen und sucht die notwendigen staatlichen Hoheitsakte auf Ämter, also Funktionen zu reduzieren, geleitet durch freie Diskussion, somit durch den Zusammenhang zwischen Wahrheitsfindung und Freiheit. Der Sozialismus erkennt die Fortdauer ökonomisch fundierter Herrschaftsverhältnisse im liberalen System und erhofft ihre Überwindung durch Vergesellschaftung der Verfügung über die Produktionsmittel. Die Technokratie, weniger eine Doktrin als eine Praxis, bejaht Herrschaft, insoweit sie legitime Macht der durch Einsicht zur Entscheidung Befähigten ist.

Der Kampf der Gesellschaftssysteme ist nicht beendet, und er rangiert heute im öffentlichen Bewußtsein hoch als Ursache gegenwärtiger und künftiger Kriege. Könnte der weltweite Sieg eines der konkurrierenden Systeme den Weltfrieden sichern? Die historische Erfahrung spricht nicht dafür, daß dies anders als durch die gleichzeitige Errichtung eines Weltstaats, also durch die Ausschaltung der Außenpolitik als Struktur gelingen kann. Souveräne Mächte gleichartigen Gesellschaftssystems haben sich bisher den Imperativen der Machtkonkurrenz ebenso gebeugt wie solche entgegengesetzter Systeme. Natürlich sind die Hoffnungen auf eine Bändigung der staatlichen Gegensätze durch die liberale Weltwirtschaft, durch demokratische Vernunft, durch sozialistische Moral und Überwindung der Herrschaftsform »Staat« nicht durch historische Parallelen zu entkräften. Die Skepsis gegenüber diesen Hoffnungen läßt sich vielleicht am plausibelsten darstellen durch Zitat der scharfsichtigen Kritiken, die jedes der Systeme an den anderen zu üben pflegt. Der Konservative sieht in den drei »fortschrittlichen« Systemen moderne Maßlosigkeit am Werk. Der Liberale vermißt in den drei anderen Systemen die Einschränkung von Herrschaft an der entscheidenden Stelle: der freien, diskutierbaren Wahrheitssuche der Individuen. Der Sozialist erkennt in den idealen Ansprüchen der drei Anderen den ideologischen Überbau ökonomischer Herrschaftsinteressen. Der Technokrat sieht im konservativen, liberalen und sozialistischen Denken die konflikterzeugende Trübung der Vernunft durch Ideologien.

Individuelles und Gruppen-Verhalten. Die soeben zitierten Kritiken sind Beispiele eines fast immer anwendbaren Modells: der zutreffenden Kritik am Egoismus und Egozentrismus der Anderen. Konflikte, so scheint es, sind Konflikte von Partikularinteressen, in welcher psychologischen Verkleidung auch immer sich diese ihren Trägern darstellen mögen. Was man mit dem Appell an die Vernunft meint, ist die Hoffnung, die Konfliktgegner würden ihr wahres, gemeinsames Interesse erkennen. Diese, wohl vor allem unter Liberalen verbreitete Hoffnung sucht dann den Grund der Friedlosigkeit in irrationalen Seelenvorgängen, die vielleicht durch falsche Erziehung erzeugt oder verfestigt sind.

Aggression ist heute der Name des konfliktsuchenden Affekts. Die friedenspädagogisch wichtige Frage nach ihrer Auslösung durch Erziehungsformen und gesellschaftliche Zustände ist umstritten. In der Gesellschaft, in der wir faktisch leben, ist sie allgegenwärtig, und das praktische Problem ist nicht ihre Vermeidung, sondern ihre Eindämmung in einer Fähigkeit der Menschen, miteinander umzugehen. Diese Ordnung des Umgangs wird in kriegerzeugender Weise wohl vor allem durch die Angst gesprengt. Angst ist das wichtigste frie-

denspsychologische Thema. Man kann im Komplex der Angst
eine präzise Komponente – Furcht vor erkennbaren Gefahren – und eine tieferliegende, fürs Bewußtsein meist unfaßbar
bleibende Komponente unterscheiden. Furcht ist eine affektive
Form realistischer Wahrnehmung. Die Gefahren, die sie wahrnimmt, sind, soweit sie von anderen Menschen oder Men-
schengruppen herrühren, durch deren eigene Verhaltensweise,
also in der Tiefe durch deren eigene Angst verursacht. Die Welt
der Konflikte und Ängste erweist sich als ein selbststabilisie-
rendes System. Das ist die psychologische Version der Analyse
von Machtsystemen.

Friede und Wahrheit

Die vier Regionen menschlichen Verhaltens verweisen aufeinander, stabilisieren einander. In einer Welt der Konflikte ist das
Verhalten, das ihre fortwirkend konflikterzeugende Struktur
aufrechterhält, für den Einzelnen oder die einzelne Gruppe
jeweils rational. Gleichwohl ist begrenzter Friede in der Geschichte stets möglich gewesen. Ohne ihn hätte kein Einzelner
und keine Gruppe auch nur die Ressourcen, um die Konflikte
auszutragen. Wie ist Friede möglich? Wenn er möglich ist,
warum ist er so schwer?

In etwas symbolischer Sprechweise könnte man sagen: Ein
Friede ist der Leib einer Wahrheit. Friede ist hier gemeint als
eine Möglichkeit, zu leben. Genauer: ohne existenzgefährden-
de Konflikte zu leben. Der Friede kann der Friede eines Individuums mit sich selbst oder mit seiner Gesellschaft, der Friede
einer Gesellschaft mit sich selbst oder mit ihrer Umwelt sein.
Wahrheit ist in diesem Satz verstanden als Wahrnehmung
einer Wirklichkeit; eben derjenigen Wirklichkeit, von der die
Möglichkeit des Existierens abhängt, also der Wirklichkeit
seiner selbst und der Umwelt. Wahrnehmung kann dabei be-
grifflos oder begrifflich sein oder beides verschmelzen. Leib
heiße die Realität des Verhaltens, das von dieser Wahrnehmung gesteuert ist und sie damit stets von neuem ermöglicht.
Der unbestimmte Artikel »ein« Friede, »eine« Wahrheit deutet
an, daß niemals die volle Wirklichkeit wahrgenommen wird.
Friede mag möglich sein, soweit die ihn tragende Wahrheit

reicht. Geschichte, wie wir sie kennen, ist Kampf der Wahrheiten. Deshalb ist jeder geschichtliche Friede, den wir kennen, aus Kämpfen hervorgegangen, seine Aufrechterhaltung ist Kämpfen abgerungen, seine Aussicht ist, in neuen Kämpfen unterzugehen und günstigenfalls einem neuen, auf umfassenderer Wahrheit ruhenden Frieden Platz zu machen. Die oben geschilderten Gesellschaftskonzepte können als derartige Teilwahrheiten, als Spiegelungen oder Entwürfe möglicher Formen des Friedens gelten. Das Problem der heutigen Menschheit ist der Weltfriede. Er ist nicht mehr nur der außenpolitische, durch periodische Kriege stabilisierte Friede zwischen souveränen Mächten, sondern der »weltinnenpolitische« Friede der Menschheit mit sich selbst. Er wird kein konfliktloser Friede sein. Seine Realität (»Leibhaftigkeit«) wird soweit reichen als die Wahrnehmung der ihn tragenden Menschen von der Menschheit und ihren Lebensbedingungen reicht.

Warum aber ist Friede so schwer? Warum, wenn Wahrheit die Seele eines Friedens ist, ist Geschichte der Kampf der Wahrheiten? Der systematische Grund der Selbststabilisierung der Konflikte ist uns in der Analyse unter dem Titel der Macht erschienen. Hier sei eine Skizze einer Anthropologie der Macht versucht.

Kampf ist allem organischen Leben eigen; Macht ist ein Humanum. Jedes Lebewesen ist bedroht. Im organischen Leben sind gewisse Güter stets knapp; die Evolution macht sie knapp. Furcht setzt die Fähigkeit zur Vorstellung von Gefahren voraus. Nun gibt es Mittel, Gefahren zu begegnen. Macht beginnt mit der Fähigkeit zur realen Vorstellung solcher Mittel. Nun ist Vorstellung, anders als Wirklichkeit, grundsätzlich unbegrenzt. Kraft der Vorstellung können Mittel gegen gewisse Gefahren über alle im tierischen Leben gesetzten Grenzen hinaus akkumuliert werden: Lebensmittel, Werkzeuge, Jagdwaffen. Diese Akkumulation findet ihre vernünftige Grenze dort, wo ihre Fortführung die Gefahr nicht mehr vermindert. Nur wenn die Gefahr selbst von Menschen herrührt, kann sie durch deren akkumulierte Mittel immer weiter wachsen; in der Konkurrenz zwischen Menschen wird unbegrenzte Akkumulation von Mitteln zweckrational. Auf der unbegrenzten Mittelakkumulation beruht Macht. Die sichtbarste wirtschaft-

liche Erscheinungsform dieser akkumulierten Macht ist das
Geld. Macht ist wesentlich tragisch, denn ihre im Einzelschritt
rationale Steigerung steigert im Endeffekt die Gefahr.

Die reale Leistung eines Friedens unter Menschen ist daher
die vernünftige Begrenzung von Macht. Der Kampf der Wahrheiten – so der Kampf der vier zitierten Gesellschaftskonzepte – ist der Kampf um die richtige Weise dieser Begrenzung.
Dieser Kampf selbst wird mit den Mitteln der Macht ausgetragen. Damit unterwirft er sich dem Gesetz, das er überwinden
will. Darum hat die stets wiederholte Hoffnung, der jetzige
Kampf sei der gute und darum der letzte, einen tragischen
Klang.

Die Fähigkeit zum Frieden beginnt, wo auch dieser tragische
Schein durchschaut wird, wo der Feind, auch der Gegner im
Kampf der Wahrheiten, geliebt werden kann.

Friedenspolitik

Friedenspolitik kann, wie das Friedensproblem, im engeren
oder weiteren Sinne verstanden werden. Im engeren Sinne ist
sie politisches Handeln unter der Priorität des Friedens. Im
weiteren Sinne ist sie alles Handeln, das die Bedingungen der
Möglichkeit von Frieden schaffen oder schützen soll. Wir gehen die vier Regionen in umgekehrter Reihenfolge noch einmal
durch und schreiten damit vom weiteren zum engeren Sinne
von Friedenspolitik vor.

Menschliches Verhalten. Frieden machen kann nur, wer friedlich ist. Er muß die Wahrheit, deren Leib der ihm mögliche
Friede ist, nicht nur in der Phantasie vorstellen, sondern leben.
Friedenserziehung besteht darin, jedem Menschen dazu zu
helfen, daß er die ihm zugängliche Wahrheit wirklich lebt. Dies
führt naturgemäß zum Kampf der Wahrheiten. Es führt aber
auch zu der Kraft, diesen Kampf selbst friedlich, also schon im
Licht einer erst geahnten höheren Wahrheit auszutragen.
Angst ist die begründete Furcht vor der eigenen Unfähigkeit
zum Frieden, und der friedlose Konfliktaustrag nährt seine
Friedlosigkeit meist aus der Angst.

Friedenspolitik wird im Interesse aller gemacht. Sie muß

entworfen werden für die aktive Mitarbeit derjenigen, welche
die grundlegende Reifungserfahrung, die durch eine Erfahrung
des Todes hindurchgeht, nicht oder unvollständig gemacht
haben. In dieser Begrenztheit der Mittel, auf die sie angewiesen
ist, ist ihr immer wiederkehrendes Scheitern angelegt. In der
immer wiederholten Anstrengung ist sie aber ein notwendiger
Bestandteil der Geschichte der Wahrheit. Sie nützt dem Frieden, auch wo sie scheitert.

Gesellschaftliches Handeln. Im Kampf der Gesellschaftssysteme stellt sich für die Friedenspolitik alsbald nicht nur die Frage
der Ziele, sondern der zulässigen Mittel. Ist physische Gewalt
erlaubt? Ist »strukturelle Gewalt« eine sinnvolle Begriffsbildung? Welche dieser Begriffsbildungen beschönigt welche
Handlungsweisen?

Die Frage von Gewalt und Gewaltlosigkeit ist nicht eine
Frage der formalen Erfüllung inhaltsneutraler Handlungs-
normen. Sie ist selbst eine Frage der Substanz, also, im hier
verwendeten Sinn des Wortes, der Wahrheit. Die Tragik der
Macht wird durch die Einübung der Gewaltanwendung verschärft. Wer der Gewalt bedurfte, um seiner Wahrheit zum
Siege zu verhelfen, wird sie schwerlich entbehren können, um
neue Wahrheit zu unterdrücken. Aber im Verzicht auf Gewalt
kann sich der Verzicht auf den Schutz der Wahrheit, eigentlich
deren Nichternstnehmen, verbergen. »Gewaltlosigkeit ist besser als Gewalt, Gewalt ist besser als Feigheit« (Gandhi). Praktisch handelt es sich um die gesellschaftliche Realität der Moral. Die Moral des kategorischen Imperativs, der allgemeinen
Gesetzesfähigkeit meiner eigenen Handlungsmaximen, gilt ihrem Wesen nach für alle. Ich kann nicht Gewalt üben wollen,
wenn ich nicht will, daß gegen mich Gewalt geübt wird. Die
strikte Anwendung dieser Forderung auf das eigene Handeln
gehört zum Weg der persönlichen Reifung. Aber der Sinn
gesellschaftlicher Ordnungen ist, allen Menschen die Erfüllung
einer Moral, die sie theoretisch anzuerkennen genötigt sind, in
der Realität ihrer eigenen Schwäche und Abhängigkeit so gut
wie möglich zu erleichtern. Deshalb führt die Frage der zulässigen Mittel weiter zur substanziellen Frage des angemessenen
Gesellschaftssystems.

Friedenspolitik im weiteren Sinne kann daher nicht umhin, zugleich Gesellschaftspolitik zu sein. Schon der nächste Schritt des Gedankens würde zeigen, daß sie damit genötigt wird, alle vier oben genannten gesellschaftlichen Konzepte radikal in Frage zu stellen. In Frage stellen heißt dabei, ihre Wahrheit, ohne die sie nie hätten Realität gewinnen können, zu unterscheiden von ihrer Unwahrheit, durch die sie Frieden zerstören statt ihn zu schaffen. Dies wurde oben in der Form eines Zitats ihrer gegenseitigen Kritik angedeutet. Mit ihnen würde natürlich auch die klassische Außenpolitik und das Militär derselben Frage unterworfen.

Mit der Nennung dieser Aufgabe wird der gegenwärtige Gedankengang abgebrochen.

Zwischenbemerkung zur Friedenspolitik im engeren Sinne. Konkrete Politik ist genötigt, von den gegebenen Machtverhältnissen auszugehen, auch wenn sie den Willen hat, diese zu verändern. Vom Standpunkt einer radikalen Friedenspolitik im weiteren Sinne kann man daher sehr wohl der Meinung sein, mit der Beteiligung an der konkreten heutigen Politik habe man Unzugestehbares zugestanden. Die heutige Weltgesellschaft bietet viele Orte aktiver oder quietistischer Distanzierung. Einen von ihnen zu wählen, kann eine substanzielle Entscheidung im Kampf der Wahrheiten sein. Dem Verfasser dieses Aufsatzes liegt es fern, eine solche Entscheidung moralisch zu verurteilen, selbst wenn seine eigene Entscheidung ihn zum konkret politischen Kampf gegen den, der sie getroffen hat, nötigen sollte.

Konkrete Friedenspolitik für ein westliches Land, etwa die Bundesrepublik Deutschland, muß von einer demokratisch gewählten Regierung getragen werden können.

Außenpolitik. Aktive Friedenspolitik ist nötig und möglich.

Ihre Notwendigkeit kann auf die Formel gebracht werden: bei jeder außenpolitischen Entscheidung muß die Erwägung, ob sie der Schaffung des Weltfriedens dient, die erste Priorität haben. Diese Notwendigkeit hat sich dem allgemeinen Bewußtsein bisher nicht hinreichend eingeprägt und entspricht eben darum nicht der Praxis der meisten Regierungen. Sie läßt sich jedoch aus dem Überlebensinteresse der Nationen herleiten, wenn man bedenkt, daß katastrophale Entwicklungen in der Welt, bis hin zum atomar geführten dritten Weltkrieg möglich, ja wahrscheinlich sind.

Schwerer zu erkennen ist ihre Möglichkeit. Der Verdrängungsmechanismus, der unser alltägliches politisches Handeln von der Erkenntnis ihrer Notwendigkeit abschirmt, ist durch den Zweifel an ihrer Möglichkeit abgesichert. Beweist nicht auch die hier versuchte Analyse ihre Unmöglichkeit? Hierauf ist im allgemeinen und im besonderen zu antworten.

Im allgemeinen tendiert die Automatik des Mächtesystems wie eh und je zum kriegerischen Austrag. Aber die Erkenntnis seiner Gefährlichkeit ist heute größer als je zuvor. Friedenspolitik kann Zeit gewinnen. Sie kann weltweit Strukturen wachsen lassen, die in einer noch nicht absehbaren Zukunft die Ablösung des heutigen Systems souveräner Mächte durch eine stabile weltweite Ordnung ermöglichen können. Die Einheit der Menschheit ist, funktional betrachtet, eine neue Wahrheit, die danach drängt, sich einen Leib, einen Weltfrieden zu schaffen. Absolut unerläßlich für eine bewußte Förderung dieser Entwicklung ist freilich die Erkenntnis, daß der heutige Zustand dieser Weltfriede noch nicht ist.

Im einzelnen ist die Entspannungspolitik der frühen Siebzigerjahre soeben einer Skepsis ausgesetzt, die vermuten läßt, daß viele ihrer Anhänger und ihrer Gegner sich über ihren Sinn getäuscht haben. Entspannung ist einerseits ein untergründiges Bedürfnis der Völker, die die neue Wahrheit der einen Menschheit und die Abhängigkeit ihres eigenen Schicksals von der Verwirklichung dieser Wahrheit spüren. Sie ist andererseits ein Name für funktional zweckmäßige Verabredungen souveräner Regierungen. Beides zur Deckung zu bringen, glückt nicht in wenigen Jahren, sondern ist eine sehr langfristige, durch viele Schwankungen gehende Aufgabe. Für das Wachstum des Bewußtseins in den Völkern waren wahrscheinlich symbolische Akte wie Kissingers erster Besuch in Peking und Brandts Warschauer Kniefall wichtiger als alle Verträge. Für die Regierungspolitik der Weltmächte ist Entspannung ein diplomatisches Instrument in einem Machtkampf, den zu beenden nicht in beider Macht liegt, den auf friedlichen Austrag einzudämmen aber ein sinnvolles Ziel ist.

Überlegungen dieser Art bleiben banal und daher unwirksam, wenn sie nicht ins konkrete Einzelne gehen. Für Friedensforschung als Beitrag der Wissenschaft zur Friedenspolitik sind insofern die Schwerpunkte der strukturellen Probleme des Friedens in Europa und den Entwicklungsländern eine notwendige Aufgabe.

Militär. In dem Maße, in dem das öffentliche Bewußtsein den Frieden, wie unklar auch immer, als Aufgabe erfaßt, verschiebt sich die Rolle des Militärs. In den Entwicklungsländern nimmt das Militär heute freilich seine klassische Rolle, außen- und innenpolitischer Machtträger zu sein, unvermindert wahr. Die Militärdiktatur ist dort eine Variante der Technokratie, mit feudalen, kapitalistischen oder sozialistischen Beimengungen. Aber diese Militärdiktaturen sind fast durchweg genötigt, sich als vorübergehend zu bezeichnen. Sie sind eines der Symptome ungelöster Probleme.

Der Beitrag des Militärs zur Weltkriegsverhütung gleicht der Wanderung auf einem Grat. Es muß möglich sein, einen Krieg zu führen, um mit ihm drohen zu können, und man muß mit ihm chancenreich drohen können, um nicht genötigt zu werden, ihn zu führen oder die Kapitulation zu erleiden. Diese Aufgabe braucht nicht unlösbar zu sein, wenn nur klar bleibt, daß sie nur der Sicherung eines vorübergehenden Halbgleichgewichtes dienen kann. Dies ist, wie die konkrete Außenpolitik, nur im Detail zu erörtern, und ist Gegenstand einer anderen Arbeit.

I, 2. Der Mensch im naturwissenschaftlich-technischen Zeitalter*

Wir leben im naturwissenschaftlich-technischen Zeitalter. Dieses Zeitalter ist mit großen, berechtigten Hoffnungen begrüßt worden. Es hat einen wichtigen Teil dieser Hoffnungen erfüllt. Es hat aber auch neue Probleme, neue Gefahren erzeugt. Ich will zuerst seine Hoffnungen, dann seine Gefahren durchsprechen, um jenseits der Gefahren neue, besser verstandene Hoffnungen erkennbar werden zu lassen.

Die *Hoffnungen* bezogen sich auf wenigstens fünf Bereiche des menschlichen Lebens: die Wirtschaft, die Gesellschaft, die Politik, die Kultur, das Bewußtsein. Ich will die Hoffnungen, die Probleme und die besseren Hoffnungen jeweils an Hand dieser fünf Begriffe durchsprechen. Ich wiederhole: Wirtschaft, Gesellschaft, Politik, Kultur, Bewußtsein. Diese Bereiche umfassen in gewisser Weise das ganze menschliche Leben. Das Bild, das der Mensch dabei von sich hat, das Menschenbild, wird unter dem Titel Bewußtsein auftreten.

Die Hoffnungen kann ich schnell aufzählen.

Ich beginne mit der *Wirtschaft*. Die Menschheit war arm. Die Technik macht sie reich. Viele Menschen haben gehungert oder doch knapp und sparsam gelebt; die technisierte Landwirtschaft und der Gütertransport kann sie satt machen. Sie können sich besser kleiden, weitläufiger wohnen. Sie haben im Schweiß ihres Angesichts von früh bis spät gearbeitet; ihre Arbeit wird leichter, ihre Freizeit länger.

Dies hat Folgen für die Struktur der *Gesellschaft*. Alle bisherigen Hochkulturen sind Klassengesellschaften gewesen. Die Verfügung über Produktion und Verbrauch der knappen Güter lag in der Hand einer Minderheit. Diese Minderheit hatte auch das kulturell wichtigste Gut: freie Zeit. So konnte sie der Träger einer Kultur sein. Wenn die Güter nicht mehr knapp

---

* Vortrag, gehalten im November 1974 in Kyoto (Japan), auf Einladung der Kyoto Sangyo Universität. Auf japanisch gedruckt von der Universität.

sind, sind solche Privilegien nicht mehr funktional notwendig. Eine egalitäre Gesellschaft sollte nun möglich werden.

Diese Veränderung wird auch die *Politik* verändern. Politik beruht in den bisherigen Hochkulturen auf Herrschaft und dem Kampf um Herrschaft. Die klassische Einteilung der Staatsformen in Monarchie, Aristokratie, Demokratie gibt an, wer herrscht. Wenn die Menschheit sich heute zur Demokratie entwickelt, so ist dies ein Ausdruck der gesellschaftlichen Konsequenzen einer mehr egalitären Güterverteilung. Herrschaft ist in einer solchen Gesellschaft vielleicht nicht mehr funktional notwendig. Am Horizont taucht die Hoffnung auf, auch die Herrschaftskämpfe zwischen den Völkern, auch die Kriege zu überwinden.

Auch die innere Veränderung der nationalen *Kulturen* besteht zunächst darin, daß alle Menschen an der höheren Bildung Anteil gewinnen. Erste Schritte, so die allgemeine Schulpflicht und die Verbreiterung der Hochschulstudien, sind in den fortgeschritteneren Nationen geschehen. Darüber hinaus aber bildet sich in der Begegnung der großen Kulturkreise eine Weltkultur. Ohne diese Begegnung stünde ich heute nicht hier vor Ihnen. Der erste Inhalt dieser Weltkultur ist das, was sie faktisch möglich gemacht hat, das naturwissenschaftliche Denken und die Praxis der Technik.

Eine veränderte Kultur bedeutet auch ein verändertes *Bewußtsein*. Das Bewußtsein wird durch die Wissenschaft verändert. Es wird rationaler. Damit wird es unabhängiger von Autoritäten und fixierten Denkformen. Es wird freier auch von Ängsten in der eigenen Seele. Es wagt, selbst zu denken, es wird autonom.

Dies sind die Hoffnungen der modernen Kultur. Wie sieht die *Wirklichkeit* aus?

Die moderne Kultur entwickelt sich, äußerlich gesehen, in Wellenbewegungen. Aus Fortschritten gehen Krisen hervor, aus Krisen neue Fortschritte, aus ihnen neue Krisen. Wo stehen wir heute? Ich gebe zunächst einen etwas äußerlichen Überblick.

Europa ist der Ursprung der naturwissenschaftlich-technischen Zivilisation, Nordamerika der Boden ihrer stärksten Entwicklung. In Europa empfindet man stärker als in Amerika, daß die moderne Kultur eine ältere, eigenständige Kultur überlagert. Das europäische Bewußtsein ist mit der Modernität weniger vollständig identifiziert als das amerikanische. Die Katastrophen von 1914 bis 1945 bedeuteten für Mittel- und Westeuropa zugleich eine Krise des Glaubens an den Fortschritt. Die radikale Modernisierung der Welt seit 1945 bedeutet für Europa zugleich amerikanische wirtschaftliche, politische, kulturelle Dominanz, die, zumal unter militärischen Gesichtspunkten, als materielle Bedingung der Freiheit akzeptiert wird.

Über die Welt außerhalb des europäisch-nordamerikanischen Kulturkreises wurde die Modernität zunächst in der Form des kapitalistischen Welthandels und des Kolonialismus verbreitet. Japan hat sich gegen den ersten Vorstoß der Europäer im 17. Jahrhundert in der ihm eigenen Kraft des Willens und der Integration abgeschlossen. Wenn ich richtig sehe, war es dieselbe Kraft des Willens und der Integration, in der es sich in der zweiten Hälfte des 19. Jahrhunderts der modernen Zivilisation öffnete. Japan war entschlossen, nicht nur seine politische Unabhängigkeit, sondern auch seine kulturelle Identität zu bewahren. Ich bin zu kurz in Ihrem Lande, um die Probleme dieses nationalen kulturellen Prozesses zu beurteilen. Jedenfalls hat Japan als einziges Land außerhalb des atlantischen Kulturkreises die volle technische und wirtschaftliche Modernität erreicht. Damit hat es aber auch als einzige nicht-nordatlantische Nation vollen Anteil an den immanenten Problemen des technischen Fortschritts.

Die Organisationsform der nordatlantischen und japanischen Wirtschaft ist marktwirtschaftlich-kapitalistisch. Die marxistische Erwartung, der Kapitalismus werde in wachsenden Krisen Verelendung erzeugen und damit den Boden für den Sozialismus bereiten, hat sich in diesen Ländern bisher nicht erfüllt. Der radikale Sozialismus hat sich gerade in wirtschaftlich rückständigen Ländern durchgesetzt, denen er als Weg zur Modernität dient. Die beiden alten Kaiserreiche Rußland und China verbinden den Sozialismus mit ihren überlieferten Formen zentralistischer Herrschaft. Die tiefen Unterschiede zwischen den Gesellschaftssystemen dieser beiden Länder sind nicht Gegenstand meines heutigen Vortrags. Rußland ist heute militärisch neben Amerika die einzige Weltmacht. Wirtschaftlich haben die sozialistischen Länder das Produktionsniveau der führenden kapitalistischen Nationen bisher nicht erreicht.

Die sogenannte dritte Welt ist heute überwiegend in abhängiger Weise in das kapitalistische System integriert. Ihre wirtschaftliche Entwicklung ist in manchen Regionen intensiv. Gleichwohl hat sie die Hoffnungen, die sich mit dem Abbau des politischen Kolonialsystems verbanden, nicht erfüllt. Die Entwicklung geschieht in Abhängigkeit von den großen kapitalistischen Zentren, und sie hat die sozialen Unterschiede nicht überwunden, eher akzentuiert. Über eine Milliarde Menschen ist objektiv unterernährt. Zählen wir unter die Hungertode auch die Todesfälle durch Krankheit, die bei besserer Ernährung nicht eingetreten wären, so sterben heute jährlich mehr Menschen an Hunger als jemals durch Kriege.

Einige Länder der dritten Welt, die Erdölproduzenten, sind seit einem Jahr* aus der Abhängigkeit von den kapitalistischen Zentren partiell herausgetreten. Damit sind sie aber nicht aus der Abhängigkeit vom kapitalistischen Wirtschaftssystem befreit. Die Eigentümer der Ölquellen werden in den Klub der Reichen aufgenommen und beginnen damit, dessen Schicksale zu teilen. Die eigentlichen Opfer der erhöhten Ölpreise sind die übrigen Völker der dritten Welt.

Die Ölkrise hat in allen hochindustrialisierten kapitalistischen Ländern einen Schock erzeugt, vielleicht in Europa noch etwas mehr als in Amerika, und in Japan etwas mehr als in Europa, gemäß der höheren Abhängigkeit von den Rohstoffproduzenten, die uns plötzlich vor Augen trat. Ich sehe in diesem psychologischen Schock einen Segen für uns alle. Wir dürfen nur nicht bei der Reaktion von Zorn oder Angst stehen bleiben. Wir müssen uns an die grundsätzlichen Schwächen unseres Systems erinnern lassen.

Ich möchte hier zunächst acht *Besorgnisse* für die Zukunft der Menschheit nennen, die heute manche Gemüter beschäftigen. Zu keiner von ihnen weiß ich die Lösung, obwohl ich überzeugt bin, daß alle an und für sich eine vernünftige Lösung

---

* 1974 geschrieben.

zulassen würden. Diese Unvernunft in der Rationalität der modernen Kultur, diese Ambivalenz des Fortschritts ist der eigentliche Gegenstand meiner Fragestellung.

Von den acht Besorgnissen betreffen vier konkret oder materiell aufweisbare Gefahren. Die andern vier betreffen strukturelle Unerträglichkeiten.

Ich sehe nicht, wie in den kommenden fünf Jahren die *Inflation* bewältigt werden soll.

Ich sehe nicht, wie in den kommenden zehn bis zwanzig Jahren die *Hungerkatastrophe* zumal in Südasien abgewendet werden soll.

Ich sehe nicht, wie in den kommenden Jahrzehnten das *Wettrüsten* der Großmächte und die Gefahr eines dritten *Weltkrieges* vermieden werden soll.

Ich sehe nicht, wie in den nächsten fünfzig Jahren die *Zerstörung unserer natürlichen Umwelt* aufgehalten werden wird.

Das sind die ersten vier Sorgen. Die zweiten, mehr strukturellen, sind die folgenden.

Es scheint, daß in der kapitalistischen Gesellschaft die *Klassenunterschiede* nicht zum Verschwinden kommen.

Es scheint, daß in den kommunistischen Staaten die *bürgerlichen Freiheiten* nicht verwirklicht werden.

Es scheint, daß die Welt in der modernen Kultur immer *unregierbarer* wird. Dies führt zu der Versuchung, mit Polizei oder Militär zu regieren.

Es scheint, daß im modernen Bewußtsein ein Empfinden der *Sinnlosigkeit* immer stärker wird.

Ich will versuchen, die Gründe der Vorgänge zu verstehen, die zu diesen Sorgen führen. Dazu gehe ich die fünf Bereiche des modernen Lebens ein zweitesmal durch und fasse zu jedem von ihnen eine oder zwei der Sorgen ins Auge.

Zunächst spreche ich von der *Wirtschaft* und von der speziellen Sorge der *Inflation*. Die klassische liberale Wirtschaftstheorie gibt gute Gründe für die Annahme an, daß sich auf einem sogenannten polypolistischen Markt stabile Preise einstellen. Ein Markt heißt polypolistisch, wenn auf ihm so viele Käufer und Verkäufer auftreten, daß keiner von ihnen durch den Preis, den er individuell zu zahlen oder zu fordern bereit ist, den durchschnittlichen Marktpreis der Ware wesentlich verändern kann. Der moderne Arbeitsmarkt aber ist nicht polypolistisch. Die Löhne werden durch Verhandlungen von Kartellen der Arbeitnehmer einerseits, der Arbeitgeber andererseits bestimmt. Nun ist die kapitalistische Wirtschaft in ständigem Wachstum begriffen. Dieses Wachstum ist ja die Hoffnung der modernen Welt; es ist ihr Weg, arme Menschen reich zu machen. Es scheint jedoch, daß in der heutigen kapitalistischen Wirtschaft das Niveau der Ansprüche, die das Kartell der Arbeitnehmer, also die Gewerkschaften, für durchsetzbar hält, schneller wächst als das Niveau der Produktion. Damit würde ein größerer Bruchteil der Produktion als bisher dem Konsum, ein kleinerer den Investitionen zugeführt. Wehren sich die Unternehmer hiergegen nicht, so kommt das Wachstum zum Stehen und damit auch die Möglichkeit, wachsende Ansprüche zu befriedigen. Wehren sich die Unternehmer durch Erhöhung der Preise der Konsumgüter, so kommt es zur Lohn-Preisspirale, zur Inflation. Regierungen, welche periodisch Wahlen gewinnen müssen, sind politisch nicht in der Lage, durch Lohn- und Preisbeschränkungen oder durch Einschränkungen des Geldumlaufs die Inflation aufzuhalten. Umgekehrt erzwingt das neueste internationale Kartell, das der Ölproduzenten, eine Aufschwemmung des weltweiten Geldumlaufs, besiegelt also das Welt-Schicksal der Inflation.

Ich wende mich zum Thema der *Gesellschaft*, zu den fortbestehenden *Klassenunterschieden* und zur schrecklichen Wirklichkeit des *Hungers*. Das Argument zur Erklärung der Inflation ging von steigenden Anspruchsniveaus der Arbeitnehmer aus. Wenn diese Ansprüche nicht befriedigt werden können, warum steigen sie weiter? Psychologisch liegt das daran, daß die Arbeitnehmer eine andere Klasse über sich sehen, die eben diese Ansprüche für sich selbst befriedigen kann. Die moderne Wirtschaft hat eine egalitäre Grunderwartung erzeugt, die es zuvor nicht gab.

Auch die sozialistischen Staaten haben das Klassenproblem nicht gelöst. In der Sowjetunion sitzt eine neue herrschende Klasse fest im Sattel. Ob China das Problem durch permanente Revolution lösen kann, wage ich nicht zu beurteilen. Nach marxistischer Theorie müßte die Erreichung eines hinreichenden Produktionsniveaus zeitlich der klassenlosen Gesellschaft vorangehen, müßten also die heutigen sozialistischen Gesellschaften einen großen Teil der gegenwärtigen Probleme der hochindustrialisierten kapitalistischen Gesellschaften noch vor sich haben.

Der Hunger ist der direkteste Beweis dafür, daß die Weltgesellschaft eine Klassengesellschaft ist. Verglichen mit dem indischen Bauer oder Arbeiter gehört der amerikanische oder europäische einer Oberklasse an. Der Hunger ist die Folge eines circulus vitiosus. Er wird, trotz besser werdender Produktionsbedingungen, erzeugt durch das Wachstum der Bevölkerungszahl. Dieses ist ermöglicht durch die moderne Medizin und vorangetrieben durch den ökonomischen Grund, daß für eine sehr arme Familie eine große Anzahl von Kindern mehr Arbeitskräfte und Versorgung der alternden Eltern verspricht. Unter modernen Bedingungen erzeugt die Armut das Bevölkerungswachstum und das Bevölkerungswachstum die Armut.

Unter dem Titel der *Politik* fasse ich zwei scheinbar heterogene Probleme zusammen: das *Fehlen der bürgerlichen Freiheiten* in den kommunistischen Staaten und die Gefahr des *Wettrüstens* und des *Weltkriegs*. Beide haben aber mit dem ungelösten Problem der Macht zu tun. Konkurrierende Mächte führen zum Kampf, der oft blutig ausgeht. Eine einzige Macht führt zur Unterdrückung der Freiheit.

Innenpolitisch hat der liberale Staat den Kampf der Interessengruppen durch Gewaltenteilung, durch Wahlen, durch Gerichte auf Austragungsformen eingeschränkt, die die Waffengewalt ausschließen. Dies ist einer der größten politischen Fortschritte, die die Menschheit gemacht hat. Die Kritik, die der Sozialismus übt, sieht zutreffend, daß damit der Machtkampf und die Herrschaft in der Form der Kapitalakkumulation nicht überwunden ist. Die kommunistischen Staaten motivieren mit der Vermeidung dieser Gefahr die Herrschaft einer Partei, die den Menschen die bürgerlichen Freiheiten vorenthält. Sie entziehen sich damit selbst der freien Diskussion. Ist die spezifische Gefahr der kapitalistischen Gesellschaft der Zynismus, so ist die spezifische Gefahr des sozialistischen Staats die Lüge.

In der Außenpolitik gibt es das Regulativ des Weltstaats bis heute nicht. Seit es Hochkulturen gibt, haben außenpolitische

Machtkämpfe zu Kriegen geführt. Es wäre ein entsetzlicher Irrtum, zu glauben, die Atomwaffen hätten uns von dieser Gefahr befreit. Was vor drei Jahrzehnten in Hiroshima und Nagasaki geschehen ist, kann in den kommenden Jahrzehnten in der ganzen Welt wieder geschehen. Ich kann in diesem Vortrag auf die Fragen der Abschreckung und der Rüstungsbeschränkung nicht eingehen, mit denen ich mich ausführlich beschäftigt habe. Ich bitte die Hörer, mir zu glauben, daß der Friede nicht gesichert ist. Die Intensität von Kissingers Reisepolitik wäre unverständlich, wenn Kissinger nicht von derselben Sorge getrieben wäre. Ich möchte nur bemerken, daß sich unter diesen Auspizien ein einzelnes Land, das nicht Supermacht ist, gegen die Zerstörung wahrscheinlich besser durch den Nichtbesitz als durch den Besitz von Atomwaffen schützt. Das ist eine These, die ich in meinem eigenen Lande seit langem vertrete.

Unter dem Titel *Kultur* spreche ich von der Gefahr der *Umweltzerstörung* und der drohenden *Unregierbarkeit* der Welt. Beide sind Formen des Widerspruchs in der modernen Kultur.

Die Gefahr des Ressourcenverbrauchs und der Umweltzerstörung ist durch den Klub von Rom ins öffentliche Bewußtsein gerückt worden. In sehr dicht besiedelten Gebieten spürt man schon heute die Schädigung der Umwelt, so in Los Angeles und New York, am Lauf des Rheins und in Tokyo. Es handelt sich hier um eine Gefahr, die sich langsam akkumuliert, um bei einer gewissen Größe kaum mehr beherrschbar zu sein. Internationale Zusammenarbeit ist zu ihrer Bekämpfung nötig. Vorbedingung dafür ist, daß die Schäden, die im nationalen Rahmen bekämpft werden können, erfolgreich bekämpft werden. Ich bin überzeugt, daß gerade Japan, mit seiner Kraft zum Entschluß, dieses Problem anfassen wird, wenn es genug ins allgemeine Bewußtsein gedrungen ist. Die internationale Zusammenarbeit aber bedarf einer Organisation, die heute noch nicht besteht, und die eines Tages zum Ende des quantitativen Wachstums der Wirtschaft wird führen müssen.

Die Unzufriedenheit der Jugend mit einer Welt, die das soeben geschilderte Bild bietet, hat in den vergangenen Jahren zu einer weltweiten Studentenrebellion geführt. Diese war vordergründig erfolglos und ist abgeklungen. Aber Minderheitengruppen haben gelernt, Gewalt zu üben und erzeugen damit einen Drang der »schweigenden Mehrheit« zur Billigung eines Polizeistaats. Die Welt wird unregierbarer.

Wir kommen damit zum Kern des Problems, dem *Bewußtsein* der Menschen. Das moderne Bewußtsein ist der Intention nach emanzipiert und rational. Aber es fühlt sich in der Welt, die es selbst geschaffen hat, nicht wohl. Die naivere Form dieses Unwohlseins ist die Aggression, also die Projektion nach außen. Man sucht den Grund nicht in sich selbst, sondern in anderen Menschen und Gruppen. Die alten Zustände sind schuld oder die Revolutionäre, die Kapitalisten oder die Kommunisten, die andere Rasse, die andere Generation, die Gesellschaft – irgend jemand, nur nicht wir selbst, nur nicht ich.

Es ist ein großer Schritt vorwärts, wenn ich den Fehler in mir selbst finde. Aber das ist noch nicht die Lösung. Was sind die Werte, die ich versäume, die mir fehlen? Es ist leicht, sich über Werte dort zu verständigen, wo sie in der Überwindung offensichtlichen Unglücks bestehen, in der Sättigung der Hungernden, der Befreiung der Unterdrückten. Was aber sind die höheren Werte, die das gerettete Leben mit Sinn erfüllen? Die moderne Welt erlebt hier die *Sinnlosigkeit.* Es gibt in ihr ein nihilistisches Grundgefühl, ohne das ihr irrationales Verhalten unverständlich wäre. Damit sind wir an der dritten, der eigentlichen Frage angekommen, der Frage nach den *besser verstandenen Hoffnungen.*

Dieser Frage will ich mich in einem dritten Durchgang durch die Bereiche des modernen Lebens zuwenden. Dabei will ich versuchen, jedesmal den Grund aufzuspüren, auf dem sowohl die naive Hoffnung wie die Gefahr beruht, also zugleich den Grund des Selbstwiderspruchs und seiner möglichen Lösung.

Die moderne *Wirtschaft* beruht nicht nur auf der Technik, sondern zugleich auf dem Antrieb, die Technik zu entwickeln und zu benutzen. Historisch hat dieser Antrieb im kapitalistischen Wirtschaftssystem gelegen. Die Selbstdeutung des Kapitalismus liegt in der Theorie der Marktwirtschaft von Adam Smith und der ihm folgenden klassischen Nationalökonomie. Sie ist essentiell eine Theorie der Freiheit des Individuums. Der vorangegangene Merkantilismus wollte die Wirtschaft durch staatliche Regulierung zum Blühen bringen. Smith erklärt demgegenüber: nein, gerade wenn wir die Menschen frei ihren persönlichen wirtschaftlichen Interessen nachgehen lassen, werden sie das wirtschaftliche Gemeinwohl am besten fördern. Der freie, transparente, polypolistische Markt stellt ein Optimum der Gemeinwirtschaft her. Die bisherige ambivalente Wirklichkeit des Kapitalismus haben wir schon betrachtet. Ich vermute, daß das kapitalistische System schließlich auch das Problem der Inflation lösen wird, soweit es dessen politische Rückwirkungen übersteht, und daß es, vor allem durch seine stärksten Glieder, die multinationalen Firmen, das Wirtschaftswachstum in der dritten Welt, freilich unter Beibehaltung der Abhängigkeiten, wesentlich fördern wird. Die Vermeidung des Hungers wird ihm nicht gelingen. Die Vermeidung der Umweltzerstörung und die notwendige Wachstumsbegrenzung liegt wahrscheinlich grundsätzlich jenseits der Reichweite privaten Unternehmertums.

Was bedeutet aber diese Theorie ökonomischer Freiheit in der *Gesellschaft*? Sie hatte einen revolutionären Charakter gegenüber allen älteren europäischen Auffassungen von der menschlichen Gesellschaft, und, wenn ich mich nicht täusche, auch gegenüber allen älteren asiatischen Auffassungen. Die Ethik der Herrschaft hat stets vom Herrscher verlangt, daß er das Wohl seiner Untertanen wahrnehme. Umgekehrt wurde Herrschaft, wenn sie der Rechtfertigung zu bedürfen schien, damit begründet, daß die Herrschenden die höhere Einsicht in die Bedingungen des Gemeinwohls hätten. Dem tritt die Theorie des Markts entgegen: wenigstens im ökonomischen Bereich verstehen die Menschen ihr eigenes Wohl am besten, und was sie tun, wenn sie es verfolgen, fördert auch das Gemeinwohl optimal. Die egalitäre Wendung der Neuzeit stützt sich auf das Zutrauen zum menschlichen Verstand, zum intelligenten Egoismus.

Seine eigentliche Erfüllung findet dieses Zutrauen aber erst in seiner Wendung zum *politischen* Liberalismus. Smith weist die Aktivitäten, die keinen individuellen Profit bringen, dem Staat zu. Es sind der Schutz der Nation nach außen, die Aufrechterhaltung der Rechtsordnung und das, was man heute die

Infrastruktur nennt. Wir müssen den Schutz der Umwelt hinzufügen. Der politische Liberalismus ist überzeugt, daß auch diese staatlichen Aktivitäten durch die freie Entscheidung der Bürger gelenkt werden sollen, nun aber nicht durch den ökonomischen Ausgleich ihrer Interessen, sondern vermittelt durch vernünftigen Dialog.

Hier treffen wir auf den *Kern der Modernität*: das Vertrauen auf die *Vernunft*. Die Rechtfertigung der politischen Freiheit wurzelt in der Zusammengehörigkeit von Freiheit und Vernunft. Vernunft versteht Wahrheit. Wahrheit kann aber nur in Freiheit gefunden werden. Wenn ich einen Menschen darüber belehren will, daß zweimal zwei vier ist, so nützt es nichts, ihm zu befehlen, er solle den Satz aussprechen oder gar glauben. Er selbst muß die Einsicht gewinnen. Er muß den Satz aussprechen, wenn er sich selbst von seiner Wahrheit überzeugt hat. Die politische Verfassung eines Staats soll so sein, daß seine Bürger die beste Möglichkeit erhalten, die ihr Wohl betreffenden Wahrheiten selbst einzusehen. Deshalb habe ich vorhin den liberalen Staat als einen der größten politischen Fortschritte der Menschheit bezeichnet.

Die Selbstwidersprüche der Modernität bedrohen gerade diesen Fortschritt. Wenn die Menschen im Rahmen des liberalen Staats ihre Probleme nicht lösen können, so werden sie diesen Staat wieder zerstören. Auch dann werden sie ihre Probleme nicht lösen, aber die Freiheit wird zerstört sein, und wer weiß, wann sie wieder erstehen wird.

Als Kern des Problems der Politik erscheint nach liberaler wie nach sozialistischer Auffassung das Phänomen der *Herrschaft* von Menschen über Menschen. Die moderne Kultur ist auch hier ambivalent. Einerseits strebt sie danach, das Phänomen der Herrschaft geschichtlich zu überwinden. Andererseits gibt sie der Herrschaft technische und intellektuelle Mittel in die Hand, wie sie keine vergangene Zeit besessen hat. Um die Ambivalenz zu verstehen, müssen wir zunächst den komplexen und daher unklaren Begriff der Herrschaft in Bestandteile auflösen. Er fügt sich zusammen aus wenigstens drei Komponenten, die ich nennen möchte: Rangordnung, Funktion, Macht.

Rangordnung gibt es schon unter den Tieren in fast allen

sozialen Gruppen. Dem Menschen als Abkömmling sozialer
Affen ist es höchstwahrscheinlich angeboren, sich instinktiv in
eine Rangordnung einzufügen. Er strebt zwar nach einem hohen Platz in der Rangordnung, aber ihr Bestehen stellt er
spontan nicht in Frage. Über diesen Hintergrund der menschlichen Gesellschaft kann uns gerade die moderne Naturwissenschaft belehren. Aber der Mensch ist nicht gezwungen, instinktiven Anlagen blind zu gehorchen. Alle höhere Kultur ist ein
Kunstwerk, das die Instinkte nur wie Material benutzt und sie
vielfach geradezu – und mit Recht – unterdrückt. Gleichheit
zwischen den Menschen ist nie der Naturzustand; der Rous-
seauismus hat hier völlig Unrecht. Aber Gleichheit zwischen
Menschen kann das Ergebnis einer der höchsten sozialen Leistungen sein. Sie ist es dann, wenn die Menschen einander
bewußt als gleich anerkennen. Das ist der Kern der Goldenen
Regel, die in allen höheren Religionen gelehrt wird. Die klarste
neuzeitliche Fassung ist Kants kategorischer Imperativ:
Handle so, daß die Maxime deines Handelns jederzeit Prinzip
einer allgemeinen Gesetzgebung werden könne. Das oberste
Prinzip einer universalistischen Ethik gebietet nicht bestimmte
inhaltliche Normen; es gebietet die Allgemeinheit, also die
Vernünftigkeit dieser Normen.

Im realen menschlichen Leben kann die Gleichheit nie voll
hergestellt werden. Diejenige Rangordnung, die auch die Vernunft nicht aufhebt, ist die Rangordnung der Vernünftigkeit
selbst. Das Verhältnis von Eltern und unmündigen Kindern,
von Lehrern und Schülern, von Arzt und Patienten, kurz von
Wissenden und Unwissenden kann nicht symmetrisch sein.
Hier tritt das ein, was die Religionen die Liebe nennen. Der
Wissende behandelt den Unwissenden als im Kern seinesglei-
chen. Er liebt auch den Partner, der sich real nicht als gleichge-
wichtiger Partner bewähren kann oder will. Er liebt auch den
Feind. Der modernen Kultur freilich, gerade weil sie an die
Autonomie der Vernunft glaubt, fallen wenige Dinge so
schwer wie die Liebe. Aber ohne Liebe kann menschliche
Gemeinschaft nicht bestehen.

Das zweite Element der Herrschaft ist *Funktion*. Hochkulturen beruhen auf planvoll gelenkter gemeinsamer Tätigkeit,
seit den frühgeschichtlichen Flußregulierungen und Bewässe-

rungssystemen am Nil und am Euphrat, am Indus und am Gelben Fluß. Herrschaft bewährt sich in der vernünftigen Funktion. Republikanische Ordnungen suchten, auch schon seit der Antike, die Funktion von der persönlichen Macht und Rangordnung zu trennen durch den periodischen Wechsel der Ämter. Der Begriff des Amts selbst ist eine Funktionalisierung von Herrschaft. Dies ist auch der vernünftige Kern des vielgeschmähten modernen Begriffs der Technokratie. Der Amtsträger muß wechseln, und er muß zur Rechenschaft gezogen werden können.

Was im Versuch, Herrschaft zu überwinden, eigentlich überwunden werden soll, ist das Prinzip der *Macht*. Macht im engeren Sinn des Worts hat kein tierisches Analogon. Macht ist ein Humanum. Wie das sprachlich vermittelte Wissen unterscheidet sie sich von allen tierischen Verhaltensstrukturen durch ihre virtuelle Unbegrenztheit. In einer Rangordnung kann man nicht mehr als der Oberste sein. Macht kann man unbegrenzt anhäufen. Waffen, Gefolgsleute, Geld, Information sind unbegrenzt vermehrbare Mittel der Macht. Und da der Gegner ebenfalls unbegrenzte Macht anhäufen kann, besteht in der Sphäre der Macht ein objektiver Zwang zum Wettlauf, zur Konkurrenz, die letztlich nur mit Sieg oder Niederlage enden kann. Der Kapitalismus, wie ihn Marx mit dem Zwang zur Akkumulation beschreibt, ist ein typisches Beispiel; dieser seiner Machtnatur entstammen seine Leistungen und seine Schrecken, sein Wachstum und seine Krisen. Von außen muß dieser Wettlauf irrational erscheinen. Wer eine Million Dollar verdient hat, welchen Anlaß könnte er haben, noch eine Million verdienen zu wollen? Die psychologische Antwort lautet: nur wer so beschaffen ist, daß er noch die zweite Million wird verdienen wollen, schafft es, die erste zu verdienen. Aber innerhalb der Machtsphäre ist eben dieses Verhalten rational. Nur wer der Mächtigere ist, bleibt im Machtkampf überlegen. Einmal freilich unterliegt jeder. Macht ist wesentlich tragisch. Die uralte, unüberwundene Institution des Kriegs ist das größte Symbol dieser Tragik.

Die moderne Kultur mit ihrem Glauben an die Vernunft muß sich vorsetzen, das Phänomen der Macht zu bändigen. Aber eben das ist ihr schwerster Vorsatz, der Ursprung ihrer

Selbstwidersprüche. Woher der Widerspruch? Ich suche seinen
Quellen nachzugehen, indem ich, mit der deutschen philosophischen Tradition, *Vernunft* und *Verstand* unterscheide.
Verstand ist das Vermögen diskursiver Erkenntnis durch Begriffe. Vernunft ist die Wahrnehmung eines Ganzen. Die moderne Kultur ist eine Willens- und Verstandeskultur. Der so
verstandene Wille kann wollen, was der Verstand denken
kann; der Verstand kann denken, was ein Wille wollen kann.
Verstand und Wille sind auf endliche, angebbare Ziele eingeschränkt. Eben darum aber sind sie grenzenlos: Ziel kann an
Ziel gereiht werden, Begriff an Begriff. Vernunft, als Wahrnehmung eines Ganzen, könnte diesem grenzenlosen Fortschreiten
Grenzen setzen, Verstand und Wille allein können es nicht.
Eben darum werden sie unweigerlich Sklaven der Macht, nicht
ihre Herren. Eben darum können sie nicht lieben.

Ein Charakteristikum dieser Kultur ist, daß sie das *Schöne*
und in der Folge auch den Sinn für das Schöne zerstört, bis
dahin, daß die modernste Kunst und Ästethik um der Wahrhaftigkeit willen die Schönheit als Ziel der Kunst verwerfen
muß. Der Sinn für das Schöne ist eine Fähigkeit, ein Ganzes
wahrzunehmen. Ich bin überzeugt, daß er in der menschlichen
Natur einen lebenerhaltenden Sinn hat. Den Europäer, der
nach Japan kommt, berühren von dem Augenblick an, in dem
er, sagen wir in Moskau, in ein japanisches Flugzeug einsteigt,
die Spuren der unsäglichen ästhetischen Verfeinerung des Alltags, die der japanischen Kulturtradition eigen ist. Mit Bangen
fragt er sich, ob diese lebenermöglichende Schönheit die wil-
lensbedingte Assimilation der modernen Kultur überleben
kann.

Dieser ganze dritte Durchgang war schon eine Beschreibung
und Kritik des modernen *Bewußtseins*. Wird die außerordentliche Ausbildung der Willens- und Verstandessphäre einen
neuen Menschen harmonisch bereichern oder wird sie die
Menschheit zerreißen? Das hängt davon ab, ob dieser Verstand als Glied einer ganz neuen Bewußtheit wieder zur Vernunft kommen kann. Warum sollte das unmöglich sein? In
diesen Schlußbemerkungen will ich nicht mehr vom Schock
von Katastrophen sprechen, die dazu vielleicht notwendig
sind, sondern von Reflexion und Meditation. Wie versteht sich

das moderne Bewußtsein selbst, und wie sollte es sich verstehen?

Wirtschaft gibt es nicht ohne Technik, Technik nicht ohne Wissenschaft. Wissenschaft, und zwar Naturwissenschaft ist der harte Kern der modernen Kultur, ihre fundamental neue Entdeckung. Ich fahre nun fort: Wahre Wissenschaft kann es nicht ohne Philosophie geben, Philosophie nicht ohne die Essenz der Religion. Mit beiden Sätzen überschreite ich das durchschnittliche Selbstverständnis der modernen Wissenschaft, ja ich drehe es um.

Das Verhältnis der Wissenschaft zur Philosophie ist mein persönliches Arbeitsgebiet.

Hierzu jetzt nur ein paar Sätze. Der amerikanische Wissenschaftstheoretiker Th. S. Kuhn hat darauf hingewiesen, daß sich die Wissenschaft historisch in einer Abwechslung zweier Phasen entwickelt, die er normale Wissenschaft und wissenschaftliche Revolutionen nennt. Normale Wissenschaft löst Einzelprobleme nach erprobten Paradigmen. Eine wissenschaftliche Revolution findet neue Paradigmen. Ich behaupte nun: in der normalen Wissenschaft ist Philosophie unnötig; eine größere wissenschaftliche Revolution ist ohne philosophisches Denken unmöglich. Wir stehen noch vor einer fundamentalen Revolution in der Physik, in der sich diese, wie ich vermute, als die Theorie des überhaupt begrifflich Erkennbaren erweisen wird, also als allgemeine Wissenschaft des Verstandes. Die Philosophie, die dieses denkt, und ohne die diese Revolution nicht zustandekommen kann, ist Vernunft.

Was aber ist das Ganze, das diese Vernunft wahrnimmt? Ich vermute, es ist das Bewußtsein selbst. Dieses Bewußtsein aber kann nicht das begrenzte Ich sein, eben das Subjekt von Willen und Verstand. Dieses Ich ist nur eine Erscheinungsweise dessen, was eine große Tradition das Selbst nennt. Dies aber ist ein Erfahrungsbereich, der traditionell im Rahmen der Religion steht. In diesem Sinne habe ich es gemeint, wenn ich sagte, es gebe Philosophie nicht ohne die Essenz der Religion. Die moderne Kultur hat auch unser Verhältnis zur Religion völlig verändert. Sie emanzipiert uns unweigerlich aus der Bewußtseinslage und den ihr entsprechenden Sozialordnungen der traditionellen Religionsgemeinschaften. Sie bringt die Vielheit der Religionen in den Blick der Intellektuellen der ganzen Welt. Wir entdecken dabei, daß es bei allen Unterschieden der Ausprägung zweierlei gibt, was allen großen Religionen gemeinsam ist: *universalistische Ethik* und *meditative Erfahrung*. Es ist kein Zufall, daß universalistische Ethik, als soziale Gerechtigkeit verstanden, und meditative Erfahrung heute zum Sehnsuchtsziel immer größerer Kreise gerade junger Intellektueller in der ganzen Welt werden. Drogen sind ein Mißverständnis der meditativen Sehnsucht. Yoga und Zen sind heute in Europa und Amerika nicht nur eine Mode, obwohl sie begreiflicherweise auch das sind.

Was sich hier eröffnet, ist eine Bewußtseinskonsequenz des naturwissenschaftlich-technischen Zeitalters, die wohl schon in ein anderes Zeitalter hinüberweist. Mein Vortrag endet an dieser Pforte.

I, 3. Die Ambivalenz des Fortschritts*

1. Der Begriff der Ambivalenz

Ein Leitmotiv des vorangegangenen Vortrags war der Begriff der Ambivalenz, gelegentlich näher bestimmt als Ambivalenz des Fortschritts. Dieser Begriff wurde dort als Mittel der Analyse vieler konkreter Phänomene benutzt. Jetzt soll er selbst zum Thema werden. Was ist Ambivalenz des Fortschritts? Gibt es so etwas überhaupt? Wenn ja, wie läßt sie sich verständlich machen? Gehen wir von der Selbstwahrnehmung der heutigen Gesellschaft aus!

Die Industriegesellschaften gehen in ihre Zukunft mit erschüttertem Selbstvertrauen und gewachsener Kritik aus der eigenen Mitte. Während der äußere Fortschritt, etwa in der Form des Wirtschaftswachstums, weiterhin erstrebt wird, und während eine vordergründige Futurologie noch nicht ganz erloschen ist, welche Chancen und Wege dieses Fortschritts extrapoliert, wächst die Empfindung, ja die Überzeugung, daß die entscheidenden Fragen damit überhaupt nicht berührt sind. Wo liegen dann aber die entscheidenden Fragen?

Wählen wir als Beispiel zunächst ein Problem, das sich im Bereich der Technik formulieren läßt, das Problem von Zerstörung oder Schutz der Umwelt. Bei seiner Analyse finden wir eine Art Schichtung der Kausalitäten.

Die erste Schicht kann man die naturwissenschaftlich-technische nennen. Man findet gewisse Phänomene vor, z. B. Smog

---

* Dieser Aufsatz ist vorwiegend aus Teilen von zwei institutsinternen Arbeitspapieren zusammengesetzt. Die Abschnitte 1. und 2. stammen aus einer für meine Absichten in der Institutsarbeit programmatischen Aufzeichnung von 1970 unter dem Titel »Lebensbedingungen«. Der Abschnitt 3. war ursprünglich der Anfang des in diesem Buch als III, 3. abgedruckten Aufsatzes über Hegels Dialektik, der 1971 geschrieben ist. Den Abschnitt 4. habe ich 1977 hinzugefügt. Ich habe die Texte soweit redigiert, daß sie sich, womöglich ohne allzuviele Wiederholungen des anderswo Gesagten, in das jetzige Buch einfügen, habe sie aber mit Absicht nicht soweit umgearbeitet, daß der Adressatenkreis – junge Intellektuelle im Anfang der Siebzigerjahre – unkenntlich würde.

oder Gewässerverschmutzung. Man zweifelt nicht, daß solche
Phänomene gemäß den Naturgesetzen kausal erzeugt werden,
und zwar als unbeabsichtigte »Nebeneffekte« beabsichtigter
technischer Vorgänge.

Die zweite Schicht kann die der unmittelbaren Maßnahmen
heißen. Soweit die Kausalitäten der ersten Schicht durchsichtig
sind, können gesetzgeberische, politische, pädagogische Maßnahmen zur Abhilfe geplant und im politischen Raum durchsetzbar präzisiert und durchgesetzt werden. Hier handelt es
sich um aktivierbare gesellschaftliche Kausalitäten innerhalb
einer gegebenen Gesellschaftsordnung.

Die dritte Schicht betrifft die gesellschaftlich-politischen
Strukturen. In vielen Fällen sind mögliche Abhilfemaßnahmen
bekannt, werden aber nicht ergriffen oder scheitern. Hier stellt
sich die Frage nach den sozialen und politischen Strukturen,
die das Versagen verursachen, und nach deren möglicher Änderung. Jetzt handelt es sich um die Dynamik und Statik der
Gesellschaft selbst.

Obwohl die Schwierigkeiten der ersten Schicht, also die
einer hinreichend zuverläßigen naturwissenschaftlichen Analyse und Prognose, z. T. sehr groß sind, muß man doch wohl
die größte Quelle der Schwierigkeiten in der dritten Schicht
sehen. Die Folgen der zivilen Technik stellen ebenso wie die der
Kriegstechnik gewisse fundamentale Mängel unserer bisherigen politischen und gesellschaftlichen Ordnung ins Licht. Die
Naturwissenschaft und Technik hat in diesen Bereichen, wenn
ich richtig sehe, weniger einen primär kausalen als einen radi-
kalisierenden Charakter. Weder verbessert sie noch ver-
schlechtert sie eindeutig die Situation, sondern kraft ihrer
erhöhten instrumentalen Fähigkeit und kraft der Tendenz,
alles, was technisch möglich ist, auch zu tun, radikalisiert sie
Chancen und Gefahren.

Der wissenschaftlich-technische Fortschritt zeigt, jedenfalls
in der Welt unserer näheren geschichtlichen Erfahrung, eine
eigentümlich unwiderstehliche Kraft. Er radikalisiert durch
seine Konsequenzen die Probleme der Gesellschaft, in der wir
leben. Er schafft Wohlstand und kann soziale Ungleichheiten
stützen. Er sichert den Menschen vor den Naturgewalten und
bedroht den Menschen durch Zerstörung der Natur. Er schafft

Vorbedingungen der Freiheit und stabilisiert Herrschaften. Er steigert die Zerstörungskraft des Kriegs, nötigt uns dadurch zu einer radikalen Forderung der Überwindung des Kriegs, und bietet als Mittel dazu zunächst eine Ordnung, die die Gefahr größter Tyrannis enthält.

Man kann die negative Seite dieser Ambivalenz ein gutes Stück weit erklären durch den illusionären Charakter der angeblichen Wertneutralität von Wissenschaft und Technik. Was sich selbst als neutral gegen bestehende Werte versteht, kann in jeden Dienst gestellt werden und wird in dem Dienste wirken, der sein Wachstum faktisch ermöglicht hat; die Ideologie der Wertneutralität schafft eine künstlich behütete Blindheit gegen die eigenen Konsequenzen.

Auch diese Kritik, die ich mir zu eigen mache und die mir nicht neu ist, muß sich aber hüten, daß sie nicht selbst dem »politischen Syllogismus« verfällt*. In Wahrheit zeigen die positiven politischen Wertvorstellungen, die heute miteinander kämpfen, in der Praxis eine analoge Ambivalenz. Das Kernstück unserer Betrachtung soll daher die Ambivalenz der politischen Ideale der europäischen Neuzeit sein.

Zunächst aber noch eine generelle Bemerkung zum Begriff der Ambivalenz. Ich gebrauche ihn deskriptiv, so wie er sich mir im praktischen Umgang mit der Mitwelt und in der Betrachtung der Geschichte aufgedrängt hat. Er bezeichnet natürlich nicht die Binsenwahrheit, daß alles seine gute und seine schlechte Seite hat. Er bezeichnet eher das erschreckende Phänomen, das ich nun schon so oft mitangesehen und am eigenen Leib erfahren habe, daß eine Position, indem sie sich radikal setzt, sich selbst zerstört und ihre eigene Negation hervorbringt. Damit ist dann fast immer die zuerst unbewußte, aber bei zur Selbstbelügung weniger bereiten Menschen auch bewußte Lüge verbunden, die erreichte Negation *sei* die geforderte Position. Diese Lüge ist meist das eigentliche Hindernis der Heilung, und zwar die unbewußte Lüge, die also sich selbst belügt, am allermeisten.

Kenner von Hegel und Marx werden sagen, daß ich hier die

---

* Eine Fassung des politischen Syllogismus: »Das Verhalten meines politischen Gegners führt zum Unglück, also führt mein Verhalten zum Glück«.

Dialektik beschreibe. Ich vermeide aber den Begriff der Dialektik, um mich nicht auf einen eingespielten Begriffsapparat
einzulassen, ehe ich die Phänomene selbst hinreichend angesehen habe. In der Neigung des vulgär-dialektischen Denkens,
sich rechtzeitig entweder in die Synthese oder in die Kraft des
Negativen zu flüchten, empfinde ich einen falschen Optimismus, an dem, auf dem hohen ihnen eigenen Niveau, die Väter
der Dialektik doch nicht unschuldig sind.

Ich versuche nun die politische Geschichte der Neuzeit in
den ambivalenten Aspekten der drei Begriffe des Absolutismus, Liberalismus und Sozialismus zu diskutieren. Es ist klar,
daß dies ein Thema für viele Bücher wäre. Da aber auch in
solchen Büchern gewisse Leitbegriffe meist unkritisch verwendet werden, versuche ich einmal, am historischen Material
anzudeuten, wie sich mir eine Kritik dieser drei Begriffe im
Umgang mit ihren Gläubigen und mit ihren Konsequenzen
nahegelegt hat.

2. Die Ambivalenz der politischen Ideale
der europäischen Neuzeit

A. Absolutismus. Der Rückgang auf den Absolutismus, der
mir für den Hintergrund der heutigen Auseinandersetzungen
notwendig scheint, nötigt mich alsbald zu einem noch weiteren
Rückgang, denn der Absolutismus ist wie jede geschichtliche
Bewegung in eine vorbereitete Situation eingetreten und ohne
diese nicht zu verstehen. Dabei beschränke ich mich auf die
größeren Mächte des kontinentalen Europa; z. B. England,
Holland, die Schweiz, Polen folgen dem durch das Wort »Absolutismus« bezeichneten Schema bereits nicht oder ungenau.
Alle historischen und politologischen Begriffe sind ja armselige
Verkürzungen einer sehr viel komplexeren Wirklichkeit.

Der Absolutismus trifft historisch auf diejenige spätmittelalterlich-frühneuzeitliche, sehr differenzierte Gesellschaftsordnung, die, um nur ein Merkmal zu nennen, den Begriff des
Territorialstaats nicht eigentlich kennt, da in ihr vielerlei Herrschaftsrechte und Privilegien auf demselben Territorium
durcheinandergreifen, so daß jede Darstellung durch gefärbte

Landkarten den damaligen politischen Zustand entstellend beschreibt. Als dominantes Merkmal dieser Ordnung darf man vielleicht die aus dem Mittelalter noch, freilich eingeschränkt, überkommene Herrschaft des Adels bezeichnen, die ihr in manchen Schulen den ursprünglich nur das Lehnswesen bezeichnenden Namen des Feudalismus eingetragen hat. In den Städten ist aber die Herrschaft des alten Adels fast überall den Zünften erlegen, denen dann ein neues, frühkapitalistisches Patriziat entspringt. Die Landesfürsten haben beschränkte Rechte und meist große finanzielle Probleme. Die Bauern sind in einer, im ganzen ständig wachsenden, tiefen Abhängigkeit. In komplizierter Weise teilt sich mit diesen weltlichen Ständen die Kirche in die politische Herrschaft. Der pluralistisch aufgegliederten Realität steht eine integralistische politische Doktrin gegenüber, die christliche Schöpfungsvorstellungen mit antiken teleologischen Begriffen von der Gesellschaft verknüpft. Der Appell an diese Ideale ist weder ganz vergeblich noch sehr wirkungsvoll. Die Spannung zwischen radikalem, weltveränderndem Christentum und konservativer Weltverwaltung flammt in jedem Jahrhundert wieder auf, um stets durch neue Kompromisse aufgefangen zu werden. Der Wohlstand der herrschenden Schichten und ihre Bildung wachsen in jenen Jahrhunderten, die Kunst ist in höchster Blüte, die Philosophie ist hochdifferenzierte Scholastik, der Humanismus bringt antike Vorbilder wieder zum Tragen, die Wissenschaft bereitet sich auf ihren Siegeslauf vor, bei einigen führenden Geistern (Bacon, Galilei, Descartes) in Bewußtheit ihrer zukünftigen Rolle.

Gegenüber dieser reich pluralistischen Welt mit ihrer Mischung von Not, Glanz und halber Effizienz ist der Absolutismus einer der entscheidenden Schritte in die Moderne, und zwar ebenso der Absolutismus der Fürsten wie der der Kirche in der Gegenreformation mit ihren protestantischen Gegenbildern. Der leitende Wert des Absolutismus ist, so würde ich sagen, die *Einheit*. Ich beschränke mich hier auf den profanen Bereich. Politische Einheit ist zu Anfang jener Zeit ein deutlicher Wert, denn ihr Mangel wird als manifestes Übel täglich erfahren. Machtpolitisch handelt es sich um den siegreichen Kampf des Fürsten gegen den hohen Adel. Im allgemeinen hat der Fürst hier das Bürgertum zum Bundesgenossen oder mindestens zum Nutznießer seines Siegs. In der Tat ist die Schaffung einheitlich verwalteter Territiorien eine wichtige Förderung des wirtschaftlichen Aufschwungs. Dies ist jedenfalls dort der Fall, wo die großen Handelsstädte nicht selbst praktisch souverän waren und nun dem Fürstenstaat unterliegen. Der Fürstenstaat schafft ein effektives Beamtentum, Reduktion der Privilegien, Egalisierung der Justiz, Sicherheit des Verkehrs. All dies erscheint von den nachfolgenden Fortschritten aus nicht mit derselben Deutlichkeit wie wenn man es mit den voraufgehenden Zuständen vergleicht. In den besser geglückten Fällen darf man geordnete Verwaltung und Gleichheit vor dem Gesetz als Geschenk des Absolutismus an die nachfolgende bürgerliche Gesellschaft bezeichnen.

Ausgenommen von dieser Egalisierung ist natürlich der Monarch selbst. Dies aber ist in der Selbstinterpretation des Absolutismus eine notwendige Selbstverständlichkeit. Die Schaffung der dem Gemeinwohl dienenden Einheit des »Staats« ist ein Machtproblem, und nur der Fürst hat die Macht, um die Macht des Adels, der Kirche, der zahllosen Privilegierten zu brechen und in den Dienst des Ganzen zu stellen. Eine so ungeniert funktionale Rechtfertigung des Absolutismus wie die von Hobbes ist freilich die Ausnahme. Diese Machtpraxis bedarf im allgemeinen wie jede einer rechtfertigenden mythischen Weihe. Die Formel »König von Gottes Gnaden« ist an sich eine Demutsformel: der König ist weder Gott noch göttlichen Geblüts, er ist, was er ist, nur durch die unableitbare Gnade Gottes, der ihn auf diesen Stuhl gesetzt hat und von ihm stoßen kann. In der Praxis aber ist eben Gottes Wohlgefallen die Rechtfertigung der königlichen Position, auf die man sich oft genug auch zur Begründung von Akten beruft, die nach allgemeinem Verständnis Gott nicht gefallen können. Die fundamentale Lüge alles Machtkampfs: »meine Macht ist gerechtfertigt, denn sie dient dem Guten; also ist alles gerechtfertigt, was sie stärkt und stützt«; diese Lüge findet im Gottesgnadentum eine hochwillkommene Formel. Dies aber wird von den Untertanen empfunden. Die Einheit des politischen Körpers zerbricht schließlich genau dort, wo sie die Bedingung ihrer Ermöglichung hatte, im Verhältnis des Monarchen zum Untertan.

Ich übergehe die vielgestaltigen Zwischenphasen von aufge-
klärtem Absolutismus und konstitutioneller Monarchie und
wende mich zur voll entfalteten liberalen bürgerlichen Gesellschaft des 19. und 20. Jahrhunderts.

B. *Liberalismus.*[*] Als leitenden Wert des Liberalismus muß
man die *Freiheit*, näher bestimmt als Freiheit des Individuums,
bezeichnen. Der Absolutismus hat die Einheit durch eine Unterdrückung vieler alter Freiheiten erkauft. So ist in seiner
späteren Phase der Mangel an Freiheit ein manifest empfunde-
nes Übel. Dieses Übel wird umsomehr empfunden, je mehr das
Geschenk des Absolutismus, die schutzbietende Einheit des
staatlichen Verwaltungskörpers, als selbstverständlich und gar
nicht mehr als Leistung empfunden wird. Die Freiheit des
Liberalismus ist aber nicht die Wiederherstellung der vorabso-
lutistischen Freiheiten, wenn sie auch manchmal zunächst so
intendiert war. Die alte Freiheit war zum Teil ständisch oder
lokal bedingtes Privileg, zum Teil war sie die schlichte Ohnmacht der Obrigkeit. Die neue Freiheit ist der radikaleren
Intention und ein gutes Stück auch der Wirklichkeit nach
egalisierende Freiheit aller Individuen, und andererseits ist sie
nur möglich, weil das Erbe des Absolutismus, der funktionierende Staatsapparat, übernommen wird. So ist sie im Gegensatz zugleich Fortführung dessen, was als Fortschritt des Absolutismus empfunden werden durfte.

Ich empfinde die politische Theorie des Liberalismus als eine
hohe, vorher nie erreichte Stufe politischer Bewußtheit. Allen
politischen Systemen, die hier besprochen werden, ist die Überzeugung gemeinsam, daß eine politische Ordnung letzten Endes auf einer Wahrheit ruhen muß.

Was »Wahrheit« eigentlich bedeutet, ist eine philosophische
Frage, die dieses ganze Buch durchzieht. Hier sei der Wortgebrauch nur an Beispielen erläutert. Die antik-christliche Gesellschaftstheorie, in der sich die vorabsolutistische Gesellschaft interpretierte, ist durchaus auf dem Wahrheitsbegriff
aufgebaut. Es gibt die wahre Rolle jedes Gliedes der Gesell-

---

[*] Vgl. »Fragen zur Weltpolitik«, S. 39 f., »Wege in der Gefahr«, S. 134 f., im
vorliegenden Buch V, S. 571.

schaft. Es selbst ist glücklich, soweit das irdisch möglich ist,
und die Gesellschaft gedeiht, wenn jedes Glied die ihm zukommende Rolle spielt. Die religiöse Rechtfertigung des Fürsten-
tums ist eine Rechtfertigung im höchsten bekannten Begriff
von Wahrheit, denn Gott ist die Wahrheit. Das funktionale
Verständnis des Absolutismus basiert auf einem anderen, einem ganz neuzeitlichen Verständnis von Wahrheit: wer die
Kausalketten der Machtkämpfe und der zweckmäßigen Güterverteilung durchschaut, der weiß, daß Macht an Einen dele-
giert werden und von ihm für eine rationale Verwaltung verwendet werden muß. Auch der Liberalismus hat eine ihm
eigene Beziehung zur Wahrheit, nämlich daß Wahrheit freie
Zustimmung und nicht Zwang erfordert, also freie Diskussion
und Toleranz. Diese Auffassung aber enthält eine fundamentale Kritik aller vorhergehenden Systeme. Diese nämlich gehen
davon aus, daß der Herrschende die Wahrheit hat. Er muß sie
haben, um von ihr aus regieren zu können; dies ist das stets
wiederholte Argument für den Religionszwang und macht die
politische Notwendigkeit der Religionskriege (vor allem der
Religions-Bürgerkriege) begreiflich. Der Zusammenbruch dieses Absolutismus der religiösen Wahrheit, der sich schrittweise
vollzieht im Prinzip cuius regio eius religio, das die Ordnungs-
funktion der Religion von ihrem Wahrheitsanspruch trennt,
im konfessionsneutralen Naturrecht, in der Toleranzidee,
ermöglicht die geistige Welt des kommenden Liberalismus.
Dieser weiß: kein Herrscher, überhaupt keine politische
Gruppe darf den *Besitz* der Wahrheit als Rechtsbasis in Anspruch nehmen. In freier Kommunikation der Bürger werden
die politischen Wahrheitsprobleme erörtert und Repräsentanten und schließlich Magistrate gewählt.

Wenn ich den Liberalismus aus Überzeugung verteidige, so
verteidige ich vor allem dieses Prinzip, das ich gern auf die
etwas paradoxe Formel bringe: gute Politik ist nur von der
Wahrheit her möglich, und niemand darf sich anmaßen, er sei
im Besitz der Wahrheit. Jeder der beiden Teilsätze bleibt nur in
der Spannung zum anderen Teilsatz seriös. An sich ist Wahrheit intolerant; wer weiß, daß $2 \times 2 = 4$ ist, kann zwar schweigen, aber er kann nicht ehrlich zugeben, es könnte auch 5 sein;
und wenn das Wohl der Gemeinschaft daran hängt, daß

$2 \times 2 = 4$ erkannt oder anerkannt wird, so muß er für diese Anerkennung kämpfen. Toleranz als Wahrheitsneutralität ist selbstzerstörerisch. Aber da Wahrheit nicht unter Zwang, sondern nur in Freiheit anerkannt werden kann, ist Toleranz als Schaffung des Raums, in dem Wahrheit gefunden und anerkannt werden kann, unerläßlich. Es gibt also strenggenommen keine Rechtfertigung einer Gewalthandlung durch Berufung des Handelnden darauf, daß er die Wahrheit habe – auch dann nicht, wenn er die Wahrheit hat. In der Praxis freilich sind diese Prinzipien oft nicht mit äußerem Erfolg durchführbar; dieses Dilemma spielt in dem Zwischenraum zwischen fruchtbarer Spannung und Scheitern. Jedenfalls dürfte es kein Zufall sein, daß der Liberalismus sich des vom absoluten Staat geschaffenen festen Rahmens einschließlich der Polizei bediente.

Es ist interessant, die konservative Kritik am aufkommenden Liberalismus zu betrachten. Nicht ohne Recht wird in der Toleranz die Gleichgültigkeit gegen das Wahre, in der Freisetzung der Privatinitiative die Freisetzung der Privatinteressen kritisiert, und verurteilen im Dienstethos erzogene Beamte die Herrschaft der »Krämer«. Der unterliegende Vorgänger sieht oft schon mit scharfem Auge die Ambivalenz im Verhalten seines Gegners, der nun für eine wiederum begrenzte Geschichtsepoche an die führende Stelle rücken wird. Die Durchsetzung des Liberalismus hängt wohl wesentlich an der Freisetzung der außerordentlichen Dynamik, die in der Verbindung privater ungehemmter Interessen mit dem Durchbruch des Fortschrittsglaubens liegt.

Dies ist nirgends so deutlich wie in der Wirtschaft. Hier macht die klassische Nationalökonomie (Adam Smith, ein Professor, der mit Kaufleuten umging) ihre große Entdeckung: daß das, was sowohl dem antik-christlichen Ordnungsdenken wie dem paternalistisch-kausalen Denken des Absolutismus als Chaos erscheinen mußte, die freie Konkurrenz, der Motor des allgemeinen Wohlstands sein kann. Diese Entdeckung verteidige ich nicht mit der Ernsthaftigkeit, mit der ich den Zusammenhang von Wahrheit und Freiheit verteidige. Ich verteidige sie nur so, wie man, manchmal mit ein wenig Ungeduld, von intelligenten Menschen die Einsicht in die Tragweite einer sehr wichtigen und einfachen Teilwahrheit erwartet, auch

dort, wo die betreffenden intelligenten Menschen sich jeden
Tag über den Mißbrauch und die unintelligente Anwendung
dieser Teilwahrheit ärgern. Nach meinen eigenen Erfahrungen
habe ich das Verhältnis zwischen Marktwirtschaft und geplan-
ter Wirtschaft auf die kalauerhafte Formel gebracht: in der
Marktwirtschaft geht es um Einnahmen und Ausgaben, in der
geplanten Wirtschaft um Eingaben und Ausnahmen. »Geht
hin und findet mir andre Gestalt . . . «

Natürlich zeigt sich einer ernsthaften Analyse der höchst
partielle Charakter dieser Wahrheit. Der Markt ist durch Mo-
nopole gefährdet, die nach demselben darwinistischen Prinzip
in ihm entstehen, dem er selbst seine Kraft verdankt. Der
Markt kann automatisch effektiv nur dort sein, wo statistisch
beschreibbare Reaktionen ausreichen, aber nicht, wo kausale
Zusammenhänge detailliert durchschaut werden müssen. Der
Markt schafft günstigenfalls eine ähnlich zu sich selbst wachsende Verteilungsfunktion der Einkommen, aber keine Gleichheit; ich glaube, daß sich die Koexistenz großer und kleiner
Einheiten in einer selektionstheoretischen Analyse bei biologischen Populationen ebenso wie in der Ökonomie als die wahr-
scheinlichkeitstheoretisch bei weitem begünstigte Verteilung
erweisen wird. De facto schafft der Markt z. T. krasse Ungleichheiten, die manchmal als Stationen auf einem Wachs-
tumsweg auch wieder gemildert werden, stets aber die erbar-
mungslose Härte der Zerstörung gewachsener Lebensformen
mit sich bringen (dies einer der konservativen Einwände gegen
die Liberalen). Den Opfern dieses Systems erscheint seine Freiheit oft genug als die Freiheit der Haifische. Der Markt ist
schließlich Situationen exponentiellen Wachstums gut angepaßt; Sättigungsproblemen zeigt er sich oft entweder nicht
oder wieder nur unter außerordentlich grausamen Begleit-
erscheinungen gewachsen.

Die zentrale Frage an die liberale Wirtschaftsauffassung ist
schließlich die ethische, welche die Konservativen und die
Sozialisten fast unisono stellen: mit welchem Recht setzt ihr
das Privatinteresse vor das Gesamtinteresse? Gerade hier aber
hat die liberale Theorie eine zwar partielle, aber höchst wichtige Verteidigung, die der größeren Aufrichtigkeit. Zeigt uns, so
können ihre Vertreter sagen, das System, das seine Behaup-

tung, es diene bewußt dem Gesamtinteresse, wahrgemacht hat. Wir hingegen sind vielleicht zynisch, aber wir lügen in diesem Punkt wenigstens nicht. Unser Erfolg ist verdient, denn schließlich erweist sich die Wahrhaftigkeit auch meist als Leitfaden zum friktionslosesten Ablauf der Dinge; »Lügen ist so kompliziert«. Es ist eben wahr, daß das Eigeninteresse gerade im ökonomischen Bereich bei jedem Menschen der zuverlässigste Motor zweckmäßigen Handelns ist, und daß der Zwang, selbst für sich zu sorgen, leistungsfähige Menschen schafft.

Andererseits ist gerade diese Verteidigung voller Ambivalenz, eben in ihrer Berufung auf Wahrheit. Kann man die Menschen nicht doch im Blick auf überhöhte Zielvorstellungen erziehen? Darf man ihnen das Verständnis des Gesamtinteresses nicht zumuten? Gewiß wird eben dies in der vollen politischen Doktrin des Liberalismus gefordert. Aber dressiert uns der erfolgreiche Wirtschaftsliberalismus nicht de facto doch die Rücksicht auf das Gesamtinteresse ab? Auf die vernünftige Frage: »Warum sollte einer, der eine Million verdient hat, noch eine zweite verdienen wollen?« ist die Antwort: »Nur wer so beschaffen ist, auch noch eine zweite verdienen zu wollen, verdient sich die erste.« Das sogenannte Eigeninteresse ist in der kapitalistischen Entwicklung am Ende gar kein direktes vitales Interesse mehr. Es gehört zu jenen geheimnisvollen Selbstzwecken, die sich das geistige Wesen Mensch setzen kann, wie Macht, künstlerische Produktion, Erkenntnis, Mode, Sexualriten. Wir werden das, was eigentlich im Kapitalismus geschieht, nicht verstehen, wenn wir keine anthropologische Einsicht in diese Vorgänge haben.

C. *Sozialismus.* Den leitenden Wert des Sozialismus möchte ich die *Solidarität* nennen. Vielfach wird an dieser Stelle ein anderer Wert zuerst genannt, der der Gerechtigkeit, spezifiziert als soziale Gerechtigkeit. Dieser Wert ist aber in der Realität undeutlich. Im wirtschaftlichen Kampf wird er zur Verteilungsgerechtigkeit reduziert. Diese, isoliert genommen, ist nichts mehr als der Ausgleich der ökonomischen Egoismen und setzt sich allen soeben genannten Kritiken aus. Ihre Rechtfertigung findet diese Forderung nur in dem Blick auf das gesellschaftliche Ganze, der, in moralische Motivierung umgesetzt, eben Solidarität bedeutet.

Es ist vielleicht nicht nur spielerisch, wenn man sie mit den
beiden vorangehenden Werten durch die Formel verbindet, sie
sei *Einheit in Freiheit*. Man sieht hier wieder die Kontinuität im
Gegensatz. Die Freiheit der bürgerlichen Schicht ist nur Freiheit eines Teils der Gesellschaft, und in der wachsenden Funktionalisierung der kapitalistisch-technischen Welt wird auch
diese Freiheit immer fiktiver, sie wird auf die Freiheit zum
Privatleben eingeschränkt. Nur eine solidarische Freiheit, eine
Freiheit in Einheit, ist wahre Freiheit. Erst so geschieht, wenn
er möglich ist, der Fortschritt zur vollen Gleichheit.

Der Sozialismus hat sich in den knapp anderthalb Jahrhun-
derten seiner Geschichte gespalten in seinem Verhältnis zur
liberalen Welt. Die Sozialdemokratie hat sich der liberalen
Welt reformerisch eingefügt. Sie hat die zentralen politischen
Wertsetzungen des Liberalismus voll, seine wirtschaftlichen
Wertsetzungen schrittweise und partiell akzeptiert.

Es ist die innere Spannung, also die Ambivalenz der Sozialdemokratie, daß sie nicht wissen kann, ob sie eine sozialrefor-
mistische Variante des Liberalismus oder der Weg zu einem
radikaleren Ziel ist. Als Kern dieser Spannung erscheint nun
zunächst die Fragwürdigkeit, die Ambivalenz, in der dieses
radikale Ziel selbst bisher in der geschichtlichen Realisierung
aufgetreten ist. Die Sozialdemokratie fühlt sich – mit Recht,
wie mir scheint – abgeschreckt von den Ergebnissen, die der
konkurrierende Zweig der sozialistischen Bewegung, der revolutionäre Sozialismus, bisher produziert hat.[*]

Kommunistische Parteien und nationale revolutionäre So-
zialismen haben sich bisher von innen her praktisch nur in
Ländern durchgesetzt, die wirtschaftlich unterentwickelt waren und keine nennenswerte liberale Phase hinter sich haben.
(In den manifesten Gegenbeispielen DDR und CSSR ist die
kommunistische Herrschaft von außen, durch internationale
Machtverhältnisse, durchgesetzt worden.) In diesen Ländern
liegt es nahe, den Erfolg zunächst durch das Kriterium des
Wirtschaftswachstums zu messen, das auch von den Sozialisten selbst dort voll anerkannt wird. Dieser Erfolg ist nicht so

---

[*] Vgl. dazu »Fragen zur Weltpolitik«, S. 38–46 und »Wege in der Gefahr«,
4. Kapitel.

groß, wie er in der Eigenpropaganda dargestellt wird, aber doch beachtlich. Fragt man nach seinen Ursachen, so habe ich deren zwei einleuchtend gefunden: die Möglichkeit, ein Land gegen Kapitalexport abzuschließen, und die Möglichkeit, eine Bevölkerung über Jahrzehnte zu einem für Investitionen erforderten Konsumverzicht zu zwingen. In der Frühphase der großen kapitalistischen Entwicklung war der Abschluß nach außen für die wirtschaftlich führenden Länder nicht nötig und wurde in anderen z. T. durch merkantilistische Maßnahmen erreicht. Der Konsumverzicht wurde im Frühkapitalismus durch die Wirtschaftsmacht der Unternehmer und die Festigkeit des sie stützenden Staatsapparats erzwungen. Beides leistet in den heutigen Entwicklungsländern der »weiche Staat« nichtsozialistischer Verfassungen im allgemeinen nicht. Ein anderer Ausweg aus dem weichen Staat sind freilich Militärdiktaturen, die sich selbst dann aber oft auch eine sozialistische Interpretation geben.

Soweit gesehen ist die Leistung des Sozialismus, etwas pointiert gesagt, daß er einer noch »feudalen« Gesellschaft die Vorteile des Absolutismus bringt. Diese Formel unterschlägt freilich die wichtige Rolle der sozialen Bewußtseinsbildung, also der Orientierung des Denkens einer Nation auf den Wert der Solidarität. Hier ist kein König von Gottes Gnaden, der die bestehenden ökonomischen Machtverhältnisse allenfalls reformerisch ändert, sondern meist ein charismatischer Führer, der seiner egalitären Lehre treu bleibend die alte Oberschicht total entmachten muß. Das Verhältnis zwischen den vier Komponenten, die ich Charisma, Terror, Bürokratie und Selbstbestimmung nennen würde, ist das Problem, um das alle ernstzunehmenden sozialistischen Systeme ringen. Die sozialistische Doktrin dient, positiv gewendet, der Verankerung des Solidaritätswillens, ohne den diese Auseinandersetzung selbstzerstörerisch würde; negativ gesagt dient sie zur Verschleierung des radikalen Widerspruchs zwischen Anspruch und Wirklichkeit.

Von der marxistischen Geschichtserwartung aus erscheint diese Entwicklung, mindestens zunächst, paradox; und bürgerliche Kritiker des Marxismus haben auf diesen Widerspruch von Erwartung und faktischer Geschichte oft hingewiesen. Die Länder, von denen hier die Rede ist, sollten nach dem

klassischen marxistischen Ansatz erst auf dem Wege zur bürgerlichen Gesellschaft sein. Ich möchte mich in meinen eigenen
Begriffen dieser Erwartung anschließen. Ich halte für wahrscheinlich, daß diese Länder ihrer gesellschaftlichen Entwicklung nach etwas wie ein Bedürfnis nach Absolutismus haben.
Andererseits leben sie in einer modernen Welt, deren Bewußtsein nicht mehr absolutistisch, sondern eben liberal oder sozialistisch ist. Deshalb müssen sie mit dem Bekenntnis zu solchen
modernen Wertsetzungen ein Stück absolutistischer Praxis
verbinden. Der Liberalismus ist für sie noch nicht reif, und wo
er formal durchgeführt wird (z. B. in Indien), erschwert er die
notwendige Entwicklung. Das Bekenntnis zum Sozialismus
erleichtert die notwendigen absolutistischen Maßnahmen,
wird aber durch eben diese korrumpiert. Rußland ist heute in
gewisser Weise noch oder wieder ein zaristisches Land, dessen
Intellektuelle nach den Freiheiten verlangen, die der Liberalismus bei uns durchgesetzt hat. China ringt, in m. E. sehr viel
interessanterer Weise, mit demselben Problem.*

Was haben wir für unsere fortgeschrittenere Gesellschaft
hieraus zu lernen? Junge Linke haben in den letzten zehn
Jahren oft behauptet, die liberale Kritik an den manifesten
Übeln z. B. der heutigen osteuropäischen Zustände verkenne,
daß im kapitalistischen System die Übel durch die Struktur des
Systems erzwungen, im sozialistischen hingegen grundsätzlich
überwindbar seien. Die Übel des sowjetischen Systems werden
dann entweder auf menschliches Versagen geschoben oder auf
Notwendigkeiten in der Defensivposition gegenüber kapitali-
stischem Imperialismus. Ich halte dieses Argument für essentiell kurzschlüssig, aber einer sorgfältigen Diskussion wert.

Um die Gesichtspunkte der Reihe nach durchzugehen, halte
ich zunächst das Argument menschlichen Versagens (Personenkult, Bürokratie) für richtig, aber eben für einen Ausdruck
dessen, was ich als Ambivalenz bezeichne. Ich komme im
anthropologischen Kapitel (II, 4, 5) auf die gewaltigen Kräfte
zurück, die solches Versagen immer wieder erzeugen. Eine
politische Doktrin ist naiv, die sich einbildet, sie habe nun zum
erstenmal den Weg aus den Folgen dieses Versagens, die wir

---

* Vgl. »Wege in der Gefahr«, 5. Kapitel.

die Weltgeschichte nennen, gefunden. Ein politisches System wird nicht zu Unrecht an seinem realen Erfolg im Kampf gegen dieses Versagen gemessen. Im besonderen bezeichnen gerade Personenkult und Bürokratie zwei Formen des Absolutismus, also des, wenn ich richtig sehe, historisch nahezu notwendigen Wegs dieser Länder. Dies dient einerseits, solches Versagen begreiflich zu machen (es ist eben nicht nur Versagen, sondern z. T. Notwendigkeit), zeigt andererseits, wie wenig das, was dort als Sozialismus versucht wird, für uns vorbildlich sein kann.

Daß sich ferner die Sowjetunion unter dem Druck des westlichen Imperialismus, das maoistische China unter dem Druck des amerikanischen und des sowjetischen Imperialismus hat entwickeln müssen und weiter unter diesem Druck steht, ist zweifellos. Ich gebe nur zu bedenken, daß der Konflikt der Imperien um die Welthegemonie durch die ideologischen Differenzen eher mystifiziert als erklärt wird.* Nun ist freilich die Überwindung der Weltmachtpolitik das Thema, mit dem die hier vorgelegten Aufzeichnungen beginnen, und ich würde mir selbst widersprechen, wenn ich diese Überwindung a priori als unmöglich unterstellte. Ich diskutiere aber, z. Z. unter dem Titel der Ambivalenz des Fortschritts, warum sie so schwer ist. Hier treffen wir auf das Paradox, daß gerade die beiden heutigen Hauptkonkurrenten um die Welthegemonie, die Vereinigten Staaten und die Sowjetunion, ihre heutige politische Gestalt einer Revolution verdanken, zu deren ideellen Zielen die Überwindung der Weltmachtpolitik gehörte. Keine Weltmacht hat sich je so widerwillig in die Rolle des Weltimperialisten drängen lassen wie die Vereinigten Staaten (wenn auch Wirtschaftsimperialismus gegenüber Lateinamerika stets praktiziert wurde). Die Väter der amerikanischen Verfassung wollten vorbildlich den Verzicht auf die Machtpolitik europäischer Fürsten praktizieren; dies hing mit ihrem innenpolitischen Bekenntnis zur Bürgerfreiheit und zum minimalen Staat aufs engste zusammen. Die russischen Revolutionäre erhofften von der Weltrevolution das Ende der kriegserzeugenden ökonomischen Mächte und schließlich das Dahinschwinden des

* Vgl. dazu »Wege in der Gefahr«, 6. Kapitel.

Staats; mit beiden Gedanken radikalisieren sie Ansätze der amerikanischen Revolution. Woodrow Wilsons war to end wars und Stalins Sozialismus in einem Land waren jedoch Kompromisse mit der Realität, und die Kraft dieser Realität ist hier unser Thema.

Ich kehre nun zu der These zurück, die Behebung der Übel sei im liberalen System grundsätzlich unmöglich, im sozialistischen aber grundsätzlich möglich und nur, etwa aus den genannten Gründen, bisher nicht hinreichend geglückt. Versteht man dabei unter liberalem und sozialistischem System die heute faktisch etablierten Systeme, so halte ich die These für schlicht und einsehbar falsch. Versteht man unter ihnen aber ihre theoretischen Entwürfe, so erheben beide den Anspruch, die Übel überwinden zu können, und es fragt sich, welcher Anspruch realistischer ist. Nur wenn man die Realität des einen Systems, z. B. dessen, in dem wir leben, mit der Hoffnung auf ein noch nicht errichtetes anderes vergleicht, so entsteht die natürliche und legitime Asymmetrie zwischen schlechter Wirklichkeit und erhoffter besserer Zukunft. Die von mir angefochtene These besagt in ihrer theoretischen Grundlage, das liberal-kapitalistische System fordere grundsätzlich die ungehemmte Verfolgung der Privatinteressen, das sozialistische aber grundsätzlich die Priorität des Gesamtinteresses; daher sei ersteres unfähig, letzteres grundsätzlich fähig, die Probleme des Gesamtinteresses zu lösen. In der theoretischen Ebene ist dies nun eine unzweifelhafte Entstellung der liberalen Doktrin. Diese fordert den politischen Mechanismus der repräsentativen, rechtsstaatlich gebundenen Demokratie zur Lösung der Probleme des Gemeininteresses, und sie hat sich stets im Prinzip reformfreudig genug gefunden, ihren Glauben an den Nutzen des Marktmechanismus durch staatliche Eingriffe auf das rechte Maß zu beschränken. Freilich führt dieser Weg auch in der Theorie mit Notwendigkeit durch Phasen fast unerträglicher Spannung, da ohne solche Spannung die für Beschlüsse erforderlichen Mehrheiten oft nicht zustandekommen. In der Praxis ist heute der zutreffende Hauptvorwurf gegen das System eher seine vordergründige Spannungslosigkeit, der durch Meinungsmanipulation und Selbsttäuschung aufrechterhaltene Eindruck, die Zustände seien »im Kern gesund«. Wenn einst Konservative den Liberalen das Meinungschaos, die schwankenden Entschlüsse und die manifesten Skandale des entfesselten Privategoismus des liberalen Systems vorwarfen, so konnten diese mit Recht antworten, in ihrer offenen Gesellschaft komme der Schmutz zum Vorschein und könne angegriffen werden, den ein autoritäres System unter die Schränke fegt, wo er Miasmen ausbrütet. Der Vorwurf gegen die heutige liberale Gesellschaft, sie fege ihren Schmutz auch unter die Schränke, besteht jedoch weitgehend zu Recht. Dies gehört zur Ambivalenz des Fortschritts im Liberalismus, fordert aber zur Prüfung der analogen Frage im Sozialismus heraus.

Anders als die reformistische Sozialdemokratie, deren Schwäche oft der Kompromiß ist, hat der revolutionäre Sozialismus, wo er nicht dem Feudalismus, sondern dem Liberalismus gegenübertritt, ein Prinzip, das m. E. die gefährlichen, ambivalenten Folgen geradezu erzwingt. Es ist die Rückkehr zum Dogmatismus, d. h. zur Überzeugung, eine bestimmte Gruppe – und zwar natürlich die eigene – sei im Besitz der Wahrheit. Wie in den klassischen Kirchen und Sekten wird die Menschheit im dogmatischen Sozialismus wieder in Eingeweihte und Außenstehende eingeteilt. Das Glückserlebnis, zu den Eingeweihten zu gehören, hat eine unendliche Verführungskraft. Die manifest richtige Kritik, daß das liberale System nicht jedem seine Chance gibt, sondern auch eine Herrschaft von Interessen und Doktrinen stabilisiert, dient zur Verwerfung seines Grundgedankens, in der illusionären Hoffnung, nur gerade diese eine Machtposition müsse noch gestürmt werden, damit die freie Gesellschaft sich selbst herstellen kann. Nun wirkt das Prinzip, der Zweck rechtfertige die Mittel, in der Gestalt, daß dem Gegner seine unmoralischen Handlungen als Beweis seiner egoistischen Moral vorgeworfen werden, während die eigene Seite, unter dem Titel der revolutionären Taktik, genau solche Handlungen begehen darf, da sie ja dem wahren Fortschritt dienten. Der Selbstwiderspruch nimmt oft groteske Formen an, so in der extrem-elitären anti-elitären Doktrin, die der gegnerischen Majorität falsches Bewußtsein vorwirft.

Bedenken wir die im Liberalismus-Abschnitt besprochene Spannung zwischen der politischen Notwendigkeit der Wahrheit und ihrem Nichtbesitz, so ist auch dieser Dammbruch verständlich. Erkannte Wahrheit ist intolerant. Wo Absolutismus die Forderung der Stunde ist, kann dieses Verfahren das historisch gebotene sein. Für uns aber ist eine Solidarität, die die Freiheit nicht opfert, die Forderung der Stunde; und zwar geht es nicht um die Freiheit, die wir für uns beanspruchen, sondern um die Freiheit, die wir unseren Mitmenschen gewähren. Dies wird bei uns heute unter den Titeln Demokratie, Demokratisierung, Mitbestimmung thematisiert.

Ich füge hier einen weiteren Ladenhüter unter meinen Überzeugungen an, daß nämlich mehrheitliche Demokratie, für sich genommen, nicht Freiheit, sondern Herrschaft einer größeren Gruppe ist. Der Sinn des Liberalismus ist nur in frühen Kampfphasen die Freiheit der Vielen von der Herrschaft der Wenigen. Ein solcher Kampf muß wohl in immer neuen Gestalten immer wieder ausgefochten werden, und er bringt als Geschenk, solange er dauert, ein Solidaritätserlebnis unter den Vielen. Aber eine siegreiche Gruppe ist darum, weil sie die Majorität darstellt, nicht weniger töricht als andere Sieger. Minderheiten sind unter einer ihrer selbst sicheren, aufgeklärten konservativen Herrschaft oft besser geschützt als unter einer militanten Demokratie. In der siegreichen Demokratie wird daher zur wichtigsten Aufgabe des liberalen Prinzips der Schutz der Minderheiten, zumal derjenigen, die keine Aussicht haben, die Mehrheit für sich zu gewinnen.

3. Auf der Suche nach dem Grund der Ambivalenz

Das Wort »Ambivalenz« hat, wie alle Wörter unserer Sprache, einen sich im Unbestimmten verlierenden Hof möglicher Bedeutungen. In den Mittelpunkt dieses Hofs möchte ich aber etwa die Definition stellen: »Ambivalenz nennen wir die Erfahrung, daß wir, gerade wenn wir etwas Angestrebtes erreicht oder verwirklicht haben, entdecken müssen, daß es eigentlich nicht das Angestrebte, sondern vielleicht sogar dessen Verhinderung war.« Das Phänomen der Ambivalenz hat sich uns in den vorangegangenen Abschnitten in der vollen Breite unseres Daseins gezeigt. Wir sehen es im technischen Fortschritt, der

Sicherheit und Wohlstand schaffen soll und Massenvernichtungswaffen und Umweltzerstörung erzeugt. Wir sehen es aber auch in den politischen Bewegungen, deren Ziel es war, die Gründe des menschlichen Elends, der im Gesellschaftszustand manifesten Ambivalenzen zu überwinden. Dem Absolutismus gerät die effiziente Einheit des Volkskörpers, die er anstrebt, zur Entzweiung zwischen dem Monarchen und den Untertanen. Dem Liberalismus gerät die Freiheit aller Bürger, die er anstrebt, zur ökonomischen Herrschaft. Dem Sozialismus gerät die Solidarität, d. h. Freiheit in Einheit, die er anstrebt, zur absolutistischen Bürokratie. Die Hoffnung, nun endlich sei der Weg der gesunden, ungebrochenen Evolution frei, oder umgekehrt, die nächste Revolution werde nun aber die Gründe der bisherigen Ambivalenzen eliminieren – diese zweigestaltige Hoffnung erscheint naiv, wenn wir sehen gelernt haben, daß eben diese Hoffnung der Motor aller bisherigen ambivalenten Fortschritte gewesen ist. Wir müssen tiefer fragen: Was ist der Grund all dieser Ambivalenzen? Was ist die Ambivalenz eigentlich ihrer Struktur, ihrem Wesen nach?

Auch diese Frage selbst steht unter dem Schatten der Ambivalenz. Sie setzt sich der Kritik aus, dieses Rückfragen sei ein Rückzug aus der Forderung des Handelns. Ich leugne diese Gefahr nicht und versuche nicht, meine persönlichen Schwächen zu verteidigen. Ich kann nur unter dem *erkannten* Schatten der Ambivalenz antworten. Ein großer Teil des menschlichen Handelns, gerade auch des Handelns aus direkten moralischen Impulsen, geschieht ohne Wissen von der Ambivalenz und soll so geschehen. Den Impuls durch Bedenklichkeiten zu lähmen, ist oft ein ganz falsches Verhalten, und ist übrigens dann meist selbst ambivalent motiviert, nämlich Ausdruck uneingestandener Feigheit. Wer aber ohne Wissen der Ambivalenz handelt, wird die Erfahrung der Ambivalenz machen, und ein großer Teil des Unglücks unter den Menschen entspringt daraus, daß sie diese Erfahrung nicht auf sich zu beziehen lernen, sondern die Gründe der Ambivalenz nach außen projizieren; an meinem Mißerfolg sind dann stets die Andern schuld. Einen moralisch gefestigten Charakter nennt man wohl einen Menschen, der gelernt hat, die Gründe der Ambivalenz auch in sich zu finden, und der seine Bereitschaft zum

Handeln dadurch nicht verloren, sondern geklärt hat. In einem Buch wie diesem aber geht es nicht um unmittelbares politisches Handeln, sondern um praxisbezogene Theorie. Eine Theorie nun, die das Bewußtsein der Ambivalenz nicht einbezogen hat, scheint mir positiv gefährlich, barbarisch. Sie gibt dem Menschen, der an sie glaubt, die Rechtfertigung, ja die scheinbare Pflicht, die Ambivalenz in sich und in seinen Gesinnungsgenossen, die ihm – wenn er moralisch sensibel ist – auf Schritt und Tritt auffallen muß, ideologisch zu verdrängen. Von einer politischen Theorie ist deshalb die Frage nach der Ambivalenz zu *fordern*.

Ich möchte mir erlauben, im angeschlagenen moralischen Ton noch einige Sätze weiterzureden. Man kann leicht erkennen, daß in allen angeführten Beispielen von Ambivalenz jedenfalls *auch* das Gebot verletzt wird: »Liebe deinen Nächsten wie dich selbst.« In der technischen Planung kommt das Opfer der Waffen und der Konsument der Pollution nicht als Mitmensch, als »Nächster«, vor, sondern nur als Teil eines Funktionszusammenhanges. In allen obigen politischen Beispielen gibt es eine Lehre von den mit der Privilegierung verbundenen Pflichten, in den mehr egalitär denkenden Systemen verbunden mit einer Leugnung, daß es sich überhaupt um eigentliche Privilegien handle; unter dem Druck des natürlichen Egoismus werden diese Lehren unmerklich zur Lüge. Diese Lüge aber ist vielleicht der Kern der Ambivalenz. Diese Lüge ist freilich schwer zu überwinden, und die Forderung der Nächstenliebe gerät nun selbst in den Schatten der Ambivalenz. Ist sie nicht eine schwache Forderung, ein wirkungsloser Appell angesichts der Macht der objektiven Strukturen? Wird sie damit nicht zur frommen Ausrede derer, die diese Strukturen nicht ändern können oder nicht ändern wollen?

Die politische Theorie muß sich demnach fragen, was der Grund der Härte dieser Strukturen ist. Das ist der Anlaß der anthropologischen und philosophischen Wendung der Überlegungen. Sehr locker geredet, kann man den Grund in drei Regionen suchen, in der Natur, der Gesellschaft, dem Ich.

Wer den Grund in der *Natur* sucht, sieht den Ursprung von Egoismus, Angst und Aggression in den Lebensbedingungen unserer tierischen Vorfahren. Sie gehören zu unserem instinktiven Erbe. Eine Gesellschaftsordnung, die uns zwingt, sie zu unterdrücken, ja zu leugnen, zwingt uns zur Lüge, und das Ergebnis ist die Ambivalenz.

Wer den Grund in der *Gesellschaft* sucht, kann davon ausgehen, daß der Mensch seine Instinktfragmente durch Sitte und Einsicht zu dem Kunstwerk der Kultur zusammenzufügen vermag. Den Grund, der den Egoismus, die Angst und die Aggression hochtreibt, statt sie zu dämpfen, zu kultivieren und zu sublimieren, sieht er in einer falschen Gesellschaftsordnung. In ihr findet sich der Mensch von dem, was er eigentlich ist – was er sein könnte –, *entfremdet.* Diese Entfremdung ist der Grund der Ambivalenz, und ihre Leugnung die zur Ambivalenz gehörige Lüge.

Wer den Grund im *Ich* sucht, braucht nichts zu leugnen, was über die Gesellschaft gesagt worden ist. Er wird aber fragen, warum sich eine falsche Gesellschaftsordnung aufrichtet und hält. Es ist leicht zu sehen, daß sie eben durch Egoismus, Angst und Aggression aufrechterhalten wird. Nun gabelt sich der Weg der Meinungen dreifach. Man kann zur Natur als der Ursache zurückkehren, d. h. den wahren Grund des gesellschaftlichen Elends schließlich eben doch in der unwandelbaren Natur des Menschen finden. Das aber ist wohl ein Zurückfallen hinter eine schon erreichte Stufe der Fragestellung. Man kann in der Gesellschaft bleiben und in der Selbststabilisierung des Systems von Egoismus, Angst und Aggression eine Fehlentwicklung sehen, die sich nicht wieder herzustellen braucht, wenn es einmal geglückt ist, sie zu zerstören. Dieser Optimismus ist freilich durch die bisherige Geschichte nicht oder doch nicht voll gerechtfertigt, aber als Zukunftshoffnung nicht widerlegbar. Ich möchte glauben, daß er sich in der langfristigen Zukunft erfüllen wird. Aber er ist völlig naiv, solange er das Spiel der Mechanismen nicht sieht, welche im Ich, zumal im sogenannten Unbewußten, Ambivalenzen erzeugen und aufrechterhalten. Die Psychoanalyse hat entdeckt, daß es eine sinnvolle Rede ist, wenn ich das Gegenteil des Angestrebten hervorgebracht habe, zu sagen, etwas in mir habe eben dieses Gegenteil gewollt. Es ist nicht falsch, zu sagen, ich selbst habe eigentlich dieses Gegenteil gewollt; die Heilung geschieht gerade, indem ich das unbewußt Gewollte als von mir gewollt anerkenne. Diese Ambivalenz im Ich ist freilich unserer moralischen Selbsterkenntnis unter dem Titel des Bösen seit langem bekannt. Es reicht nicht aus, nun wieder die gesellschaftlichen Anlässe dieses Mechanismus aufzuspüren, so wichtig und nötig dies ist. Es handelt sich jetzt um die Tatsache, daß im Ich die Möglichkeit dieser Reaktionsweise bereit liegt.

Alles hier Gesagte ist in der Substanz keine neue Entdeckung unseres Jahrhunderts. In der ältesten uns überlieferten Denkweise, der der Religion, zumal der Hochreligionen, ist genau dies das Thema. Um der einfachen Sprechweise willen bleibe ich hier in unserer eigenen, der jüdisch-christlichen Überlieferung. Unsere natürliche Triebhaftigkeit, der Machtmißbrauch und das Unrecht in der Gesellschaft, und das Böse in mir selbst sind die klassischen Themen der religiösen Ethik. Im Begriff Gottes ist die Antwort auf die Frage, die Kraft der Heilung ausgesprochen. Gott ist zugleich das dreifache: der Schöpfer der Natur, auch meiner eigenen, der Gesetzgeber der Gesellschaft, und der Partner des Ich im Gebet, in der Reue und Versöhnung, in der Liebe. Deshalb steht das Gebot der Nächstenliebe erst als zweites: »Liebe Gott von ganzem Herzen und deinen Nächsten wie dich selbst«. Wie man in der Sprache der Religion sagt: nur in Gott kann ich den Nächsten lieben.

Freilich steht die Religion selbst im Schatten der Ambivalenz, und eben dies treibt ihre bewegte innere Geschichte hervor. Zwar ist es unsinnig, mit gewissen Extremen der Aufklärung die ganze Lehre der Religion als Erfindung einer Priesterkaste zur Aufrechterhaltung ihrer Herrschaft zu erklären. Auf leere Erfindungen kann man keine dauerhafte Herrschaft gründen. Die Religion drückt vielmehr eine unmittelbare, wiederholbare und eben darum standfähige menschliche Erfahrung aus. Sie ist nicht falsch, aber sie ist selbst ambivalent. Nur eine große Wahrheit kann zur Stabilisierung einer großen Falschheit verwendet werden. In der Bibel steht der Kampf um die Wahrheit in der Religion vom Propheten Amos bis zur Kreuzigung Christi im hellen Licht der Geschichte, und die christliche Kirchengeschichte bietet kein anderes Bild.

Neben diesem nicht endenden moralischen Kampf geht ein Fortschritt des profanen Wissens in der Geschichte einher. Natur, Gesellschaft und Ich sind schon für das lebhafte griechische Denken eigenständige Themen und ebenso für die ständig stärker werdende isolierende Rationalität der Neuzeit. Die Neuzeit übernimmt (»säkularisiert«) die uralten Themen der Religion und verwirklicht damit in gewissem Sinne deren Anliegen erst eigentlich; so kann man die Thematik von Freiheit, Gleichheit und Solidarität verstehen. Aber diese Verwirklichung ist zugleich eine Zersplitterung der Religion. Die Einheit von Natur, Gesellschaft und Ich wird, mit dem Abstrakterwerden des neuzeitlichen Gottesbegriffs, eine bloße Redensart und schließlich ein unglaubwürdiger Traum der Vergangenheit.

Daß die Zersplitterung der Wahrheit, die sich hier mitvollzieht, die Ambivalenz geradezu hervortreibt, soll uns nicht wundern. In unserer obigen Überlegung über die Gründe der Ambivalenz mußten wir zwischen Natur, Gesellschaft und Ich ständig hin und hergehen. Wir haben heute ein anerkanntes Wissen in der Gestalt von Wissenschaften. Wir haben einigermaßen kohärente Wissenschaften von der Natur (Physik, Biologie, Medizin), ziemlich inkohärente Wissenschaften von der Gesellschaft (mit einer tiefen faktischen Kluft zwischen Geschichts- und Sozialwissenschaften) und höchst umstrittene Auffassungen vom Ich (alle Schulen der Psychologie und die gängige Individualmoral). Wenn der Zusammenhang zwischen diesen Bereichen wichtig ist, um die Rolle jedes einzelnen von ihnen für unser Leben zu verstehen, so ist manifest, daß wir im heutigen Zustand die Rolle keines von ihnen verstehen.

Auch diese Situation ist nicht neu. Beispielsweise in Griechenland zur Zeit der Sophistik hatte der Fortschritt des Fragens und Denkens eine ähnliche Zersplitterung der Gesichtspunkte hervorgebracht. Ebenso wie heute wußten auch damals die intellektuell Fortgeschrittenen, daß eine Rückkehr in die nun naiv gewordene Einheit des religiösen Bewußtseins nicht möglich war. Die Antwort war das heroische Unternehmen der Philosophie, also der Versuch, die Einheit auf dem Niveau der Aufklärung und diese hinterfragend, in ausdrücklichem Denken herzustellen. Dieser Versuch war historisch erfolgreich. Nicht nur die Spätantike, sondern vor allem die ganze christliche Aera bediente sich der Gedanken der griechischen Philosophie, um die Einheit der Wirklichkeit wenigstens notdürftig zu denken. Gegenüber der neuen Zersplitterung der Wahrheit

durch die Wissenschaft und Aufklärung bis zum Ende des
18. Jahrhunderts war die deutsche Philosophie von Kant bis
Hegel die letzte große Wiederbelebung des philosophischen
Denkens in seiner einheitstiftenden Funktion. Wenn uns die
Vergangenheit überhaupt noch etwas zu sagen hat, finden wir
uns durch die bisher entwickelte Frage im Gespräch mit dieser
Philosophie.

Hiermit sind die Themen der Kapitel ii, iii und iv dieses
Buchs bezeichnet: biologische Anthropologie, philosophische
Überlieferung und die Realität der Religion. Die inhaltliche
Erfüllung der Frage nach dem Grund der Ambivalenz können
wir erst in ihnen suchen. Gesättigt von diesem Inhalt können
wir aber zu der Frage zurückkehren: warum gibt es überall in
diesen reichen Inhalten Ambivalenz, Selbstwiderspruch, Widerspruch zwischen Ziel und Erfolg? Das evolutionistische
Denken bietet dafür eine zunächst formal erscheinende Orien-
tierungshilfe an. Diese wollen wir uns vorweg vergegenwärtigen und in allen weiteren Überlegungen mit uns führen. Sie läßt
sich durch die abstrakte Gegenüberstellung bezeichnen, die ich
als Überschrift des ersten Kapitels gewählt habe: Ebenen und
Krisen.

4. Ebenen und Krisen

Evolution geht meist nicht kontinuierlich vonstatten, sondern
in einem Wechsel langdauernd stabiler Ebenen und kürzer-
dauernder, manchmal katastrophaler Krisen. Für die biologische Evolution ist dieses Phänomen heute wohlbekannt. Es
scheint aber nicht an dem speziellen organischen Evolutions-
mechanismus zu hängen, sondern sehr viel allgemeiner zu sein.
Die von Erikson[*] beschriebenen Phasen der Persönlichkeits-
entwicklung und die von Kuhn[**] beschriebenen Phasen der
Wissenschaftsentwicklung sind bekannte Beispiele.[***] Aber

[*] E. Erikson, »Insigth and Responsibility«, New York, Norton & Co.
1964.
[**] Th. S. Kuhn, »The Structure of Scientific Revolution«, Chicago, Univ. of
Chicago Press 1962, dt.: »Die Struktur wissenschaftlicher Revolutionen«,
Frankfurt, Suhrkamp 1967.
[***] Vgl. dazu »Fragen zur Weltpolitik«, S. 104–118, »Wege in der Gefahr«,
S. 238.

sogar in der anorganischen Natur, etwa in der Sternentwicklung, gibt es ähnliche Verläufe. Uns sollen an dieser Stelle nur
zwei Fragen beschäftigen: Läßt sich die Allgemeinheit des
Phänomens der Ebenen und Krisen verstehen? Und: Hat das
Phänomen der Ebenen und Krisen einen Erklärungswert für
die Allgemeinheit des Phänomens der Ambivalenz des Fortschritts?

Läßt sich die Allgemeinheit des Phänomens der Ebenen und
Krisen verstehen? Für ein Phänomen von hoher Allgemeinheit
sollte man nicht nach speziellen Modellen suchen. Die Ebenen
und Krisen sind vermutlich ein allgemeiner Zug im Verhalten
etwas komplexerer Systeme, die sich mit der Zeit ändern.
Nehmen wir als einfaches Beispiel, insofern zunächst doch als
Modell, einen Strömungsvorgang, etwa in einem Fluß. In felsigem Grund wird der Querschnitt des Flußbetts bald weiter,
bald enger sein. Gerade wenn der Fluß gleichmässig fließt,
wenn also durch jeden Querschnitt jederzeit gleichviel Wasser
strömt, muß das Wasser durch den engeren Querschnitt
schnell strömen, durch den weiteren langsam. Wo das Wasser
langsam strömt, verweilt es lange, wo es schnell strömt, verweilt es kurz. Laub und Hölzer, die auf dem Wasser treiben,
machen das sichtbar: die Strecken langsamer Strömung sind
Verweilplätze für das Treibgut; es liegt dort ruhig dahinschwimmend und dicht gepackt an der Oberfläche; die Stromschnellen durcheilt es locker und rasch. Räumliche Ungleichmäßigkeiten der Strömung, etwa Wirbel, akzentuieren häufig
dieses Phänomen. In den ruhigen, stabilen Wirbeln des langsam strömenden Flusses, in denen das Wasser oft in Ufernähe
stromauf fließt, kann das Treibgut stunden-, tage-, wochenlang gefangen bleiben, ehe es dem Wirbel entweicht und rasch
stromab treibt, bis ein anderer Wirbel es wieder einfängt und
lange festhält.

Der Fluß ist nur ein veranschaulichendes Beispiel. Abstrakt
kann man sagen: Schon in einer eindimensionalen Strömung
bedeuten kleine Geschwindigkeiten lange Verweilzeiten. Wo
ein Körper lange verweilt, wird man ihn im statistischen Mittel
häufig antreffen. Dies ist die allerprimitivste Vorform des Darwinschen Selektionsprinzips. In den letzten Jahrzehnten hat
man die Theorie mehrdimensionaler Bewegungen (wobei die

Dimensionen beliebige Zustandsvariable, nicht nur räumliche, beschreiben können) ausführlich studiert. Wird die Bewegung von einer nichtlinearen Differentialgleichung beherrscht (und das ist in der Regel der Fall), so durchziehen den »Raum« der möglichen Zustände »Singularitätsflächen«, die der Zustand nicht erreichen kann (ähnlich der äußeren Grenze eines Wirbels, in dem das Treibgut schwimmt). Zwischen ihnen zerfällt der Raum in »Bassins«; der Zustand muß normalerweise in dem Bassin bleiben, in dem er einmal ist. Der Übergang aus einem Bassin ins andere ist nur in Ausnahmefällen, »Katastrophen«, möglich.

Thom* hat eine mathematische »Katastrophentheorie« zur Beschreibung dieser Verhältnisse entwickelt. Was im gegenwärtigen Buch als »Ebene« oder »Plateau« bezeichnet wird, das wird in diesem mathematischen Modell als »Bassin« stilisiert; dieser Vergleich drückt die Selbststabilisierung unter dem Bild erhöhter Ränder des zugänglichen Raums aus.

Die nichtlineare Differentialgleichung ist schon ein Gesetzesschema von einem sehr hohen Allgemeinheitsgrad. Die Biologie der Evolution lehrt uns demgegenüber wieder ein spezielleres Modell der Erzeugung selbststabilisierender Formen kennen: der Spezies und der Individuen. Dieser Vorgang ist im ersten Teil des Vortrags über den Tod (I, 9., S. 150 f.) näher beschrieben. Es ist kein Zufall, daß diese Schilderung in einer Erörterung über den Tod steht. Sie erklärt zugleich, wie der Tod eine Leistung der Evolution ist. So wie das Individuum die deutlichste Manifestation des Phänomens der Ebenen ist, so ist der Tod des Individuums die deutlichste Manifestation des Phänomens der Krise, ohne welche Ebenen nicht Stufen, sondern Sackgassen der Geschichte blieben.

Die Sinnenfälligkeit der Ebenen und Krisen im organischen Leben, zumal im Leben des Individuums, hat Beobachter politischer und kultureller Vorgänge in der menschlichen Geschichte immer wieder verführt, diese Geschichte in biologischen Gleichnissen zu beschreiben. Man spricht von der Geburt, der Blüte, dem Tod einer Kultur, einer Nation, einer

---

* René Thom, »Stabilité structurelle et morphogenese«, Reading, Mass. Benjamin 1972.

Bewegung. Namen wie Spengler und Toynbee kommen hier in Erinnerung. Nun ist es einerseits einsehbar, daß der Vergleich mit dem Leben eines Individuums aus biologischen Gründen so ungefähr der schlechteste Vergleich ist, den man für gesellschaftliche Entwicklungen wählen kann. Individuen sind biologisch darauf programmiert, geboren zu werden, zu wachsen, zu blühen und zu sterben, gerade *damit* die Spezies konstant bleiben und sogar sich weiterentwickeln kann. Solche Programmierung ist bei gesellschaftlichen Prozessen nicht vorauszusetzen. Andererseits aber zeigt die menschliche Geschichte immer wieder das Phänomen, das durch die Begriffe der Ebenen und Krisen, bis hin zum Untergang einst herrschender stabiler Systemgestalten beschrieben wird. Eben deshalb sollte hier hervorgehoben werden, daß dieses Phänomen unter sehr viel allgemeineren Voraussetzungen zu erwarten ist als den speziellen, denen das biologische Phänomen des Individuums seine Existenz verdankt. In der heutigen Gesellschaftswissenschaft artikuliert man diese Phänomene gerne mit den Begriffen der Systemtheorie. In der Tat ist damit ein Abstraktionsniveau erreicht, das dem Allgemeinheitsgrad der Phänomene ungefähr entspricht. Ich habe mir versagen müssen, in dieses Buch auch noch eine Auseinandersetzung mit der Systemtheorie, etwa in der von Luhmann präsentierten Gestalt, mit aufzunehmen. Es fällt aber nicht schwer, das Phänomen der Ebenen und Krisen in ihrer Sprache zu beschreiben.

Nun die zweite Frage: trägt das Phänomen der Ebenen und Krisen zum Verständnis der Allgegenwart der Ambivalenz des Fortschritts bei? Die Antwort sollte ein selbst ambivalentes Ja sein. Fortschritt ist ein Begriff der Reflexion. Der Mensch, der in so allgemeinen Begriffen zu denken gelernt hat, kann nicht anders als in jeder Ebene schon die auf sie wartende Krise mitwahrzunehmen. In Zeiten tiefen Krisenempfindens kann man diese Überlegung geradezu als Ermutigung, als belebenden Trost vorbringen. Die Krisenwahrnehmung ist nicht einfach eine Wahrnehmung drohenden Untergangs. Auch das Negative ist ambivalent; in seiner Wahrnehmung nehmen wir die bloß der gegenwärtigen Ebene verschlossene, aber auf eine künftige Ebene vordeutende Chance mit wahr. Die Wahrnehmung für das Negative wird vielfach erst durch die ahnende

Wahrnehmung der jenseits der Negation wartenden neuen
Möglichkeit geschärft. Diese Denkweise habe ich versucht, in
dem Buch »Wege in der Gefahr« anzuwenden; die Gefahr ist
manifest, aber es gibt Wege in der Gefahr. Insofern also gehört
Ambivalenz zum Fortschritt, soferne dieser sich überhaupt in
Ebenen und Krisen vollzieht.

Aber der Erklärungswert dieses Gedankens bleibt wegen
seiner hohen Allgemeinheit begrenzt; deshalb die Ambivalenz
des vorhin ausgesprochenen Ja. Wir leisten für unsere realen
Probleme nichts, wenn wir die jeweiligen Ambivalenzen nicht
inhaltlich, also speziell durchdenken. Deshalb war »Wege in
der Gefahr« ein Buch über konkrete Politik; deshalb ist das
gegenwärtige Buch voll von anthropologischen Einzelheiten,
nicht ein Schlüssel zum Garten, sondern ein Garten. Es zeigt
sich dann auch eine konkrete Gestalt der fundamentalen,
übergreifenden Ambivalenz des Fortschritts. Wir Menschen
leben nicht einfach passiv getrieben in unserer eigenen Geschichte. Wir übernehmen Verantwortung für unser Schicksal,
wir beurteilen es danach, was sein *soll*, wir denken moralisch.
Die fundamentale Ambivalenz ist darum die *Ambivalenz der
Moral*. Sie wird ein Leitthema dieses Buchs sein.

I, 4. Der Naturwissenschaftler, Mittler zwischen Kultur und Natur*

1. Die kulturelle Rolle der Naturwissenschaft

Die Natur ist älter als der Mensch. Der Mensch ist älter als die Naturwissenschaft. In der Welt, die vor ihm da war, und die er selbst später die Natur genannt hat, hat sich der Mensch einen künstlichen Lebensraum geschaffen, den wir die Kultur nennen. Das praktische Nachdenken über die Natur gehört zu den Lebensbedingungen der Kultur. Eine bestimmte, spät in der Geschichte der Kultur entfaltete Weise dieses Nachdenkens nennen wir die wissenschaftliche Erforschung der Natur, die Naturwissenschaft. Die Naturwissenschaft ist eine kulturelle Verhaltensweise mit einem Thema; dieses Thema heißt Natur.

Die Wirklichkeit, die wir kennen, die Natur ebensowohl wie die Kultur, ist geschichtlich. Sie ist vielgestaltig, sie wandelt sich, sie entwickelt sich. Sie stabilisiert sich in speziellen Ebenen des Verhaltens, und sie geht durch Krisen von Ebene zu Ebene. Das Tempo des geschichtlichen Wandels ist aber ungleich. Die Kultur wandelt sich rascher als die Natur, der einzelne Mensch durchlebt sein kurzes Leben rascher als sich sein kultureller Hintergrund wandelt. Diese relative Stabilität des Hintergrunds ist lebensnotwendig. Anders könnten sich präzise Gestalten kulturellen Lebens und menschlicher Individualität nicht herausbilden. Es muß ebene Wegstrecken geben, sonst verzehrt sich das Leben in der permanenten Krise; denn die Krise, der immer wieder notwendige Schritt von Ebene zu Ebene, ist immer einmal wieder lebensgefährlich. So sucht auch das Denken immer von neuem die Stabilität. Feste Begriffe sind Ebenen des Denkens. Die Entdeckung der Geschichtlichkeit des Wirklichen ist dann selbst erst ein Produkt der Geschichte der Kultur, des fortschreitenden, seine eigenen

* Vortrag, gehalten auf dem 60. Deutschen Geodätentag, München, August 1976. Gedruckt in Zeitschrift für Vermessungswesen, Heft 12, 101. Jahrgang.

Begriffe kritisierenden wissenschaftlichen Denkens. Freilich drücken schon die großen Mythen der Weltentstehung und der Kulturschaffung ein Bewußtsein der Geschichtlichkeit aus. Aber hier denkt man meist den Rahmen von Himmel und Erde und die Institutionen menschlicher Kultur als einmal geschaffen und nun unwandelbar. Das begriffliche Denken früher Philosophie und Wissenschaft verfestigt eher diese Unwandelbarkeit des Rahmens. Nur langsam setzt sich die Erkenntnis des geschichtlichen Wandels durch, die Entdeckung, daß scheinbar wandellose Strukturen nur der Rahmen einer geschichtlichen Ebene waren.

Eine Phase der abendländischen Wissenschaft sieht die Kultur als geschichtlich an, die Natur aber als wesentlich ungeschichtlich. Freilich hat schon das 19. Jahrhundert die Geschichte der Natur entdeckt; es hat die Evolution des organischen Lebens erkannt, die Evolution der Gestirne vermutet. Aber die Vorstellung von der geschichtslosen Natur behielt ihr unerschüttertes Fundament im Begriff des mathematischen Naturgesetzes. Die Gesetze wandeln sich nicht; das Geschehen vielmehr wandelt sich gemäß den Gesetzen. Die Formel »Der Geodät, Mittler zwischen Mensch und Raum« drückt genau diese Denkweise aus. Der geschichtliche Mensch lebt im geschichtslosen Raum. Eben darum bedarf er eines Mittlers. Es ist eine geschichtliche Leistung, die zeitlose Struktur des Raumes mathematisch zu erkennen, und es ist eine geschichtliche Mittlerleistung, den verfügbaren irdischen Raum unter Anwendung der erkannten Gesetze fürs menschliche Leben einzuteilen: Erd-Zuteilung, Geo-däsie.

Das Thema des ersten, kulturgeschichtlichen Teils meines Vortrags ist, daß dieses Weltbild der klassischen Naturwissenschaft selbst eine kulturelle Rolle hat, daß es eine Ebene kultureller Geschichte bezeichnet.

Wir haben uns zunächst klarzumachen, daß mathematische Naturwissenschaft kein unerläßlicher Bestandteil einer Hochkultur ist. Die klassischen Kulturen Vorderasiens, Indiens, Ostasiens, älter als die Kultur des Abendlands und ihr bis tief in die Neuzeit hinein politisch, wirtschaftlich, technisch, künstlerisch, sittlich, metaphysisch gewachsen, wo nicht überlegen – sie alle haben mathematische Naturwissenschaft überhaupt nicht als großes Denksystem, sondern allenfalls als handwerkliche Weisheit oder als Spiegelung der Metaphysik, kurz als eines der vielen Blütenbeete im Garten der Kultur entwickelt. Man kann die chinesische Mauer, die Tempel Indiens, die Basare von Bagdad bauen, man kann Welthandel auf Karawanenstraßen und mit Segelschiffen betreiben und die Jahre nach dem Lauf der Gestirne einteilen, ohne ein mathematisiertes Weltbild zu entwickeln. Der mathematicus, was immer seine Träume sein mögen, bleibt einer der vielen dienenden Künstler, und nicht einer auf der höchsten Rangstufe.

Demgegenüber möchte ich behaupten, daß sich die mathematische Naturwissenschaft von Jahrhundert zu Jahrhundert immer mehr als der harte Kern der Kultur des neuzeitlichen Europa erweist. Der harte Kern – das heißt nicht das bewußt gepflegte höchste Ideal; Europa hat seinen Glauben an die Vernunft wenigstens ebenso sehr im gesellschaftlich-politischen Bereich betätigt, und bei der herrlichen individualistischen Fülle seiner Werke wie bei der blinden Dynamik seines zivilisatorischen Fortschritts haben noch andere Kräfte als die Vernunft Pate gestanden. Der harte Kern – das heißt aber das widerstandsfähigste Produkt dieser Kultur, ihr ständig wachsendes Stahlskelett. Der Widerstand in der eigenen Kultur, getragen von Gläubigen, von Künstlern, von Konservativen und neuerdings von ethisch motivierten Radikalen, erweist sich diesem Wachstum gegenüber als machtlos. Die außereuropäischen Kulturen sind in der Phase des Kolonialismus der technischen Schlagkraft unserer Zivilisation unterlegen, und heute bereiten sie die unausweichliche Gegenbewegung vor, indem sie unsere intellektuellen Mittel übernehmen; auch dabei wird sich, wo es noch unklar sein sollte, erweisen, daß man nicht Techniken übernehmen kann ohne das Denken, dessen Wahrheit die Technik erst möglich gemacht hat.

Die Ambivalenz dieses Fortschritts liegt freilich auf der Hand. Ist der Naturwissenschaftler eigentlich Mittler zwischen Kultur und Natur? Ist er nicht eher der Erbe und Vollstrecker ihrer uralten Feindschaft? Die Verherrlichung des Natürlichen ist ein spätes Kulturprodukt mit einer für uns lehrreichen Entstehungsgeschichte. Der primitive Mensch lebt inmitten der übermächtigen Natur, in der es gute und böse Mächte gibt – ein Dasein voller begründeter Ängste. Kultur bedeutet zunächst Bodenbau. Die neolithische Revolution verwandelt Wald oder Steppe in Ackerboden, entreißt also den Boden den Mächten, denen er zuvor angehörte; der Bauer hat andere Götter als der Jäger. Die Stadt grenzt einen Kulturbezirk aus der Natur aus. Das Großreich lehrt die Menschen, einen geographischen Raum als Kulturraum zu gestalten. Neben materiellen werden soziale Techniken entwickelt. Kultur wächst in der sozialen Form der Herrschaft. Die Feinde, die man am meisten fürchtet, sind jetzt nicht mehr Naturmächte, sondern Mitmenschen. Gegen den Mitmenschen wird das Instrument der unbegrenzten Akkumulation von Macht entwickelt. Wenn nun eine kulturelle Ebene in eine neue übergehen muß, so wird in der Erschütterung der Übergangskrise die bezähmte Natur als ein Bereich ewiger Ordnungen wahrgenommen, auf die ein sehnsüchtiger Blick des in die Tragik seiner Geschichte verstrickten Menschen fällt. So haben Naturforscher immer wieder die Natur gesehen. Kepler, in die Absurdität des Abendmahlsstreits verwickelt, ruft aus: »Könnte ich doch Gottes Wirken im menschlichen Gemüt mit der Klarheit sehen, mit der ich es in der Natur erkenne!« Aber die erkannten Naturgesetze geben Macht über die Natur. Ja, sie haben in unserer Naturwissenschaft die logische Form der Macht: »Schafft diesen Anfangszustand, und jene Folge wird eintreten!« Anders als der Mitmensch kann die unpersönliche Natur jedoch auf Ausbeutung nicht mit aktiver Gegenwehr reagieren. Sie reagiert dann und wann mit einem Zusammenbruch ihres Gefüges. Seit dem Beginn des Ackerbaus und kulminierend in unserer technischen Zivilisation kommt es vor, daß der Mensch zu spät entdeckt, wie seine stille Feindschaft gegen die Natur die natürlichen Fundamente unterhöhlt hat, auf denen auch seine Kultur aufruht.

Dieser Vorgang ist nichts Ungewöhnliches. Er hat viele Vorläufer in der organischen Evolution; jede erfolgreiche Spezies, die sich zu schnell vermehrt, schafft sich selbst die Lebensraumprobleme. Aber jetzt ist die Dimension größer. Und die Schlüsselfigur innerhalb der Kultur ist der Naturwissenschaftler. Umweltschäden, Hungerkatastrophen, Freiheitsverlust, Krieg mit mörderischen Waffen – ist die Wissenschaft schuld, ohne die diese Form des Unheils, diese Lebensgefahr nicht möglich wäre?

Hat die Wissenschaft die Natur zu gut erkannt oder nicht gut genug? Ist der Wissenschaftler Mittler zur Natur oder Feind der Natur? Und wer erkennt richtiger, wer sieht schärfer: der Mittler oder der Feind?

2. Die Wahrheit der Naturwissenschaft

Auf die Frage nach dem Grund des historischen Erfolgs der Naturwissenschaft weiß ich keine andere Antwort als ihre Wahrheit. Diese Macht wird dem Wissen verdankt. Wer selbst in der naturwissenschaftlichen Forschung gearbeitet hat, kann jemandem, der das nicht getan hat, meist die Unausweichlichkeit gar nicht begreiflich machen, mit der in dieser Forschung der Erfolg uns den Unterschied zwischen Wissen und Nichtwissen vor Augen führt. Ich wünschte, Sozialwissenschaftler ahnten etwas von der Tiefe dieses Unterschieds. Ad hominem sei gesagt: Wenn man über fast 400 Millionen Kilometer (die tausendfache Entfernung des Mondes) ein Instrument auf dem Mars weich landen lassen, seine Bewegungen über diese Entfernung steuern und die von ihm aufgenommenen Photographien empfangen kann – ist das anders erklärlich als weil man die Bewegungsgesetze der Körper und der Lichtwellen wirklich kennt? Die Grunddisziplin der heutigen Physik, die Quantentheorie, läßt sich einem mathematisch Gebildeten in ihren Prinzipien auf einer Druckseite mitteilen; es gibt heute wohl eine Milliarde einzelner Erfahrungen, die ihr gehorchen, und nicht eine, die ihr in nachprüfbarer Weise widersprochen hätte.

Die Macht der Naturwissenschaft beruht auf ihrer Wahrheit. Aber was ist Wahrheit? Wahrheit ist einer der umstrittensten philosophischen Begriffe. Ich werde die Frage, was Wahrheit der Naturwissenschaft bedeutet, in diesem Vortrag nicht in direktem philosophischem Zugriff behandeln, sondern ich will im kulturhistorischen Zusammenhang bleiben. Zur Rechtfertigung dieses Verfahrens nur einen philosophischen Hinweis, einen Wink. Eine klassische Wahrheitsdefinition lautet: veritas est adaequatio intellectus et rei, Wahrheit ist Angemessenheit zwischen Verstand und Sache. Dies ist im Grunde dieselbe Formel wie die vom Naturwissenschaftler als Mittler zwischen Kultur und Natur. Natur steht hier für die Wirklichkeit, für die Sachen. Verstand ist eine kulturell geprägte Selbstinterpretation des Menschen. Adäquation und Mittlertum sind zwei vage Ausdrücke, in denen sich das Problem der Zugehörigkeit zwischen Mensch und Wirklichkeit eher verbirgt als enthüllt.

Ich beginne mit einem historischen Rückblick. Woher kommt die weltverwandelnde Sonderstellung der neuzeitlichen europäisch-nordamerikanischen Kultur? Ich sagte, ihr harter Kern sei die Naturwissenschaft. Woher kommt ihr die Naturwissenschaft? Das weiß man; sie kommt von den Griechen. Der hierfür entscheidende gedankliche Schritt der Griechen war die Schaffung der deduktiven Mathematik. Mit dieser Behauptung widerspreche ich einer in englischsprechenden Ländern verbreiteten These, die in der Verzauberung der Griechen durch die deduktive Wissenschaft gerade ein Hindernis des Wegs zur empirischen Forschung sieht. Diese These ist eine falsch angewandte Viertelswahrheit. Die entscheidende griechische Entdeckung ist, daß es große gedankliche Zusammenhänge von unausweichlicher Stringenz – Theorien – überhaupt geben kann. Ich habe in keiner der großen außereuropäischen Kulturen vor unserem Jahrhundert – mit Ausnahme der arabischen Philosophie des Mittelalters, die ein Traditionsstrang der griechischen ist – die verwandelnde Wirkung dieser Entdeckung wahrgenommen. Wer sie aber verstanden hat, für den steht alle Erfahrung und alle Spekulation unter einer vorher undenkbaren Forderung der Überprüfbarkeit.

Die Naturwissenschaft hat vermutlich in den Kulturen des Alten Orients als praktische Geodäsie begonnen, der die praktische, d. h. astrologisch genutzte Astronomie folgte. Aber auch in den hochentwickelten mathematischen Texten der Babylonier findet sich keine explizite Reflexion auf den Unterschied zwischen einer empirischen Regel und einer notwendigen Wahrheit. Bei den Griechen wird die Theorie zum Thema der Reflexion. Damit entsteht der Unterschied zwischen Mathematik und Naturwissenschaft. Mathematische Wahrheiten sind notwendig; was immer die philosophische Deutung dieser

Notwendigkeit sein mag, wir unterwerfen uns ihr. Damit aber wird die Möglichkeit der Naturwissenschaft zum Problem. Wie kann es mathematisierte naturwissenschaftliche Theorien wie die der Planetenbewegung geben? Sind auch sie notwendig wahr? Wenn sie nicht notwendig sind, warum gelten sie? Wenn sie aber notwendig sind, so sollte ihre Notwendigkeit zur Evidenz gebracht werden.

Diese Fragen zur Philosophie der Naturwissenschaft sind so schwer, daß nach einigen Jahrhunderten griechischer und einigen Jahrhunderten neuzeitlicher Naturwissenschaft und Philosophie heute wieder einmal eine gewisse Resignation ihnen gegenüber Platz gegriffen hat. Eine stets lehrreiche Form zeitweiliger Resignation gegenüber systematischen Fragen ist ihre Verwandlung in historische Fragen. In unseren Tagen hat Thomas Kuhn in historisch sehr fundierter Weise den Fortschritt der Naturwissenschaft als eine Folge von Ebenen und Krisen beschrieben; ich verdanke ihm den Hinweis auf die weite Verbreitung dieser Form historischer Prozesse. Er selbst spricht von normaler Wissenschaft, die nach einem festen, erfolgreichen Paradigma Einzelprobleme löst, und wissenschaftlichen Revolutionen, die von einem Paradigma zu einem anderen führen. Die Evolution der Wissenschaft folgt also einem ähnlichen Strukturgesetz wie die Evolution der Kultur überhaupt und wie die Evolution des organischen Lebens. Die Wahrheit eines Paradigmas, so könnte man sagen, ist seine ökologische Nische, d. h. diejenige Struktur der Wirklichkeit, die den zeitweiligen Erfolg dieses Paradigmas ermöglicht. Strukturen der Wirklichkeit werden uns sichtbar, insofern sie unser erfolgreiches Handeln ermöglichen; die Begriffe, mit denen wir sie beschreiben, sind eben die Anweisungen, in ihnen erfolgreich zu handeln. Begriffe sind Handlungsanweisungen; sie sind Funktionen, wie Kant sagt.

Das eigentliche Problem, wie erfolgreiche Wissenschaft überhaupt möglich ist, ist mit dieser historischen Auffächerung ihres Erfolgs aber nicht gelöst, ja nicht einmal gestellt; Kuhn weiß das und spricht es auf der letzten Seite seines Buches aus. Kohlköpfe haben eine ökologische Nische, Hasen haben eine andere ökologische Nische und Füchse eine dritte; alle drei aber sind Teile der einen übergreifenden evolutiven Ebene,

die wir das organische Leben nennen, innerhalb dessen es erst
ökologische Nischen für Spezies gibt. Wissenschaftliche Paradigmen haben ihre Nischen in der großen evolutiven Ebene, die
wir die Wissenschaft nennen. Wissenschaft hat nicht nur Erfolg, sie kann von den Gründen ihres Erfolgs Rechenschaft
geben. Sie ist dem Anspruch und der Verwirklichung nach
umfassend. Ihr adäquater Rahmen ist die große Theorie, und
dieser Rahmen ist selbst Wissenschaft. Heisenberg hat schon
vor Kuhn die Entwicklung der physikalischen Fundamentaltheorie als eine Folge sogenannter abgeschlossener Theorien
beschrieben. Eine abgeschlossene Theorie ist nicht eine endgültige Theorie; Heisenberg hat bezweifelt, daß es endgültige
Theorien gibt. Eine abgeschlossene Theorie schließt sich gegenüber weiterer Veränderung dadurch ab, daß sie durch
kleine Änderungen nicht mehr verbessert werden kann. Eben
deshalb kann der Schritt zur nächsten Theorie nur ein großer
Schritt, nur eine Krise, eine Revolution sein. Erst die nachfolgende Theorie gibt eigentlich Rechenschaft von den Gründen
des Erfolgs ihrer Vorgängerin. Sie umfaßt oder impliziert die
vorangegangene Theorie als einen Grenzfall, der in angebbarer
Näherung gilt. Edelmütiger als die meisten politischen Revolutionäre sagen die siegreichen Revolutionäre der Wissenschaft,
warum und inwieweit die überwundene Herrschaft recht
hatte. Den Grund einer Wahrheit kann man ja stets erst dann
angeben, wenn man auch den Grad ihrer Unwahrheit durchschauen gelernt hat.

Wie aber kann eine Theorie so beschaffen sein, daß sie durch
kleine Änderungen nicht verbessert werden kann? Das ist möglich, wenn ihre Grundannahmen sehr einfach sind. Sind diese
einfachen Axiome, etwa die der physikalischen Geometrie, der
klassischen Mechanik, der Relativitätstheorie, der Quantentheorie nun bloß zufällig wahr? Könnten andere, ihnen widersprechende Axiome stattdessen wahr sein? Das kann man sich
fast nicht ernstlich vorstellen. Sollten sie aber notwendige
Wahrheiten aussprechen, so möchten wir deren Notwendigkeit begreifen. Damit sind wir, beladen mit den Erfahrungen
der Jahrhunderte, wieder bei der Ausgangsfrage der Griechen.
In der Tat werden die Grundfragen meist am historischen
Anfang und dann wieder am historischen Ende einer geschicht-

lichen Ebene gestellt. Worauf beruht die Wahrheit der Naturwissenschaft überhaupt?

Ich trete aus der Sicherung des Konsensus heutiger Wissenschaftler heraus, indem ich meine Vermutung über die Antwort auf diese Frage nenne. Eine absolute Notwendigkeit der
Grundgesetze der Physik kann nicht gezeigt werden, vielleicht
aber eine relative. Unsere Wissenschaft ist empirisch. Nur
soweit Erfahrung möglich ist, ist Naturwissenschaft möglich.
Erfahrung heißt, daß man aus der Vergangenheit für die Zukunft, aus dem Faktischen für das Mögliche lernt. Dies ist nur
möglich, wenn Gesetze das Mögliche mit dem Faktischen verknüpfen. Ich folge Kant mit der Vermutung, daß die notwendigen Gesetze der Naturwissenschaft diejenigen sind, welche die
Bedingungen der Möglichkeit von Erfahrung formulieren.
Dies kann ich im heutigen Vortrag offensichtlich nicht im
technischen Detail darstellen. Ich bemerke nur, daß es zunächst um eine Axiomatik der heutigen Fundamentaltheorie,
der Quantentheorie, geht. Sie sucht diese als das allgemeinste
System von Wahrscheinlichkeitsgesetzen für Prognosen über
empirisch entscheidbare Alternativen darzustellen. Die mathematische Struktur des Raum-Zeit-Kontinuums, also auch die
physikalische Geometrie, deren sich der Geodät bedient, soll
dann aus der fundamentalen Symmetriegruppe der Quantentheorie der binären Alternative begründet werden.

Für das, was ich hier vortrage, brauche ich nicht den Glauben an die Richtigkeit meiner speziellen physikalischen Hypothesen in Anspruch zu nehmen. Offensichtlich ist, daß die
Naturwissenschaft bei aller Diversifikation der Anwendungen
eine Einheit der Fundamentaltheorien schon erreicht hat, die
historisch beispiellos ist. Ist nun der Naturwissenschaftler, der
diesen Theorien folgt, Mittler zwischen Kultur und Natur,
oder ist er ein Feind der Natur? Oder ist diese Frage falsch
gestellt?

Vorhin habe ich gesagt, man könne den Grund einer
Wahrheit erst dann angeben, wenn man auch den Grad ihrer
Unwahrheit durchschauen gelernt habe. Ich habe nach dem
Grund der Wahrheit der Naturwissenschaft gefragt und damit
implizit nach dem Grad ihrer Unwahrheit. Was wäre der Fall,
wenn der Grund ihrer Wahrheit wäre, daß ihre Axiome die

Bedingungen der Möglichkeit von Erfahrung formulieren?
Was in der Naturwissenschaft Erfahrung heißt, ist machtför-
mige Erfahrung. Es ist die auf isolierbare Fakten gestützte
Prognose für die Wahrscheinlichkeit des Ausfalls isolierbarer
Alternativfragen an das Geschehen, technisch gesagt von Experimenten. Unsere naturwissenschaftliche Urteilsform ist
machtförmig. Sie kann sich denken, daß die Dinge in anderem
Zustand wären als sie sind, und sie fragt, was dann eintreten
würde; der Realismus dieses Gedankens ist, daß man die Dinge
willentlich in jene gedachten Zustände bringen kann. Der begriffliche Verstand ist dem wählenden Willen konform.

Unsere naturwissenschaftlich-technische Kultur ist ein
Werk der brüderlichen Zusammenarbeit von Willen und Verstand. Der Naturwissenschaftler vermittelt zwischen der Wil-
lens- und Verstandeskultur und der Natur. Unsere Naturwissenschaft sagt, wie man in der Natur handeln kann; sie sieht
die Natur so, wie sie der Willens- und Verstandeskultur erscheinen muß. Diese Erscheinung ist kein Schein, aber sie ist
nicht die volle Wahrheit. Die volle Wahrheit wird keiner uns
bekannten Kultur bekannt; jede Kultur hat ihr immanente
Wahrnehmungsbedingungen. Über die Grenzen unserer eigenen Kultur hinaus denken können wir, wenn überhaupt, nur
darum, weil diese Kultur selbst in ihrer inneren Bewegtheit
über sich hinausdenkt, weil vielleicht Denken stets seine bezei-
chenbaren Voraussetzungen überschreitet, indem es sie bezeichnet.

Der Spontaneität der Bruderkräfte Wille und Verstand liegt
ein Vermögen voraus, das ich Wahrnehmung nennen möchte.
Wir Kinder der Natur können nicht wollen, handeln und
denken ohne eine Wahrnehmung unseres Zustandes, des eigenen und dessen der Umwelt; auch wenn die Wahrnehmung
sich oft erst im Handeln ihrer selbst bewußt wird. Voll artikulierte Wahrnehmung des Ganzen, die sich des Verstandes bedient, möchte ich Vernunft nennen. Die produktive Verstandesleistung der Naturwissenschaft wäre ohne eine leitende
Vernunft nicht möglich. Das Ganze, das diese Vernunft wahrnimmt, wird freilich in den Aussagen der Naturwissenschaft
nicht explizit; es wird in ihnen nur gleichsam implizit mitwahrgenommen. Die normale Wissenschaft im Sinne Kuhns, die mit

etablierten Paradigmen arbeitet, bedarf der Ausdrücklichkeit der leitenden Vernunft nicht. Von dieser Wissenschaft sagt Heidegger, in seinem Wortgebrauch zu Recht: »Die Wissenschaft denkt nicht.« Sie ist Mittler zwischen Kultur und Natur in einem erschlossenen, umgrenzten Bereich; außerhalb ihres Gesichtsfeldes ist sie blind. In den Krisen wird die Wissenschaft zur Selbstkritik und damit zum Denken über sich hinaus genötigt.

Wie die theoretische Wahrheit jenseits des Paradigmas heutiger Naturwissenschaft wird aussehen können, darüber spekuliere ich in diesem Vortrag nicht mehr. Der praktischen Rolle der Naturwissenschaft in der heutigen und morgigen Gesellschaft sollten wir aber noch einen Gedanken widmen.

3. Die politische Rolle der Naturwissenschaft in unserer Kultur

Politik ist ein Aspekt der Selbstgestaltung der Kultur. Sie ist das ständige Ringen um Macht und um die Vernunft der Macht. Sie ist das ständige notwendige Ringen um den organisatorischen Rahmen der Gesellschaft, um die notwendige Stabilisierung und die notwendige Veränderung, um die Gestalt der Ebenen und um die Chance und das Überleben der Krisen. Naturwissenschaft ist heute ein Lieferant von wirtschaftlicher und militärischer und auf beiden Wegen von politischer Macht geworden. Deshalb konzentriere ich die Frage nach der praktischen Rolle, die sie bei uns spielen sollte, auf ihre politische Rolle. Damit lasse ich das Mittlerverhältnis zur Natur nicht aus dem Auge, denn die wirtschaftlichen und die militärischen Auseinandersetzungen innerhalb der Kultur tangieren ihre natürlichen Existenzbedingungen. Politik ist in unserer Zukunft, ob sie es weiß oder nicht, stets zugleich Umweltpolitik.

Ich erlaube mir, an meine persönlichen Erinnerungen anzuknüpfen. Als ich im Physikstudium, etwa 1932, weit genug fortgeschritten war, mir ein Spezialgebiet zu wählen, war gerade, vor allem durch die Entdeckung des Neutrons, eine Theorie der Atomkerne möglich geworden. So wählte ich die Kernphysik zu meinem Fach. Das war damals Grundlagenforschung

von reinstem Wasser. Ich sagte mir: »Wenn die Gesellschaft im
Ernst bereit ist, mich ein Leben lang dafür zu bezahlen, daß ich
mein nutzloses Steckenpferd reite, so will ich von dieser Gene-
rosität gerne Gebrauch machen.« Sechs Jahre später, kurz vor
Neujahr 1939, entdeckte Hahn, in ebensolcher reiner Erkenntnissuche, die Uranspaltung. Es ist interessant, sich zu erinnern,
wie sein Institut, das Kaiser-Wilhelm-Institut für Chemie in
Berlin-Dahlem, damals finanziert wurde. 90 Prozent seines
Etats trug der damalige deutsche Chemiekonzern I. G. Farben,
der sich von Hahns Arbeitsgebiet, der Chemie der radioaktiven
Stoffe, keinen direkten Nutzen versprechen konnte und auf die
Arbeiten des Instituts keinerlei Einfluß nahm. Diese Gelder
wurden aber auch nicht gezahlt wie eine kulturelle Ehren-
pflicht, etwa wie die Subventionierung einer Oper, sondern als
eine Investition in die wissenschaftliche und technische Lei-
stungsfähigkeit unseres Landes, der auch unsere chemische
Industrie ihre Konkurrenzfähigkeit in der Welt verdankte.

Die politischen Auswirkungen der Entdeckung der Uranspaltung waren doppelt: unmittelbar, wieder sechs Jahre später, militärisch durch die Atombombe, langfristig auch wirtschaftlich, durch den Kernreaktor. Beide Entwicklungen hatten diejenige Zwangsläufigkeit, die der Aufnahme eines neuen
Machtmittels in eine bestehende Machtkonkurrenz inne-
wohnt. Dabei mochten die Individuen, so die Physiker und
Techniker, die zunächst an der Bombe oder am Reaktor arbeiteten, dies aus freiem Willensentschluß tun. Daß aber eben
diese Arbeiten, und damit diejenigen, die zu diesen Arbeiten
willig waren, gefördert wurden, entsprang den Bedürfnissen
der politischen und wirtschaftlichen Mächte. Für den, der die
Rolle der Macht in allen bisherigen Kulturen und zumal in der
unseren kennt, ist das selbstverständlich. Die Wissenschaftler,
im Individualismus der bürgerlichen Welt aufgewachsen, hatten es zum Teil erst sehen zu lernen. Viele von ihnen haben
dann aber alsbald, sehr mit Recht, ihre staatsbürgerliche Mit-
verantwortung für die Steuerung der ihrer Arbeit verdankten
Macht empfunden. Tatsächlich hat die Machtsteigerung durch
die Naturwissenschaft die Menschheit in eine der tiefsten Krisen ihrer Geschichte geführt – Krise hier wie stets in diesem
Vortrag verstanden als nicht mehr vermeidlicher Übergang

von einer Stabilitätsebene der Kultur in eine neue, die den Menschen mitten in der Krise erst undeutlich und darum leidenschaftlich umstritten vor Augen stehen kann.

Die Atombombe ist das Symbol des außenpolitisch-militärischen Aspekts dieser Krise. Ohne die Argumente hier auszubreiten, will ich meine Überzeugung aussprechen, daß die durch die moderne Waffentechnik eingeleitete weltpolitische Krise nicht zu einem Ende kommen wird, ehe das seit 6000 Jahren der Hochkultur stabilisierte System souveräner, d. h. zur Kriegsführung befähigter und berechtigter Mächte, durch eine andere politische Organisationsform der Menschheit ersetzt sein wird. Die gegenwärtige Phase friedlicher Koexistenz ist nicht die Lösung dieses Problems, sondern ein Atemholen, ermöglicht durch die berechtigte Furcht der Weltmacht-Hegemoniekandidaten vor einem bewaffneten Austrag ihres Konflikts, aber ohne eine radikale Änderung derjenigen weltpolitischen Organisationsform, die bisher in der Geschichte stets zur kriegerischen Entscheidung der Machtkonflikte geführt hat.

Die Sorge vor den Atombomben unterliegt heute stärker der psychologischen Verdrängung als vor zwei Jahrzehnten; irrational hofft man auf die Stabilität des gegenwärtigen weltpolitischen Plateaus. Die aktuelle Sorge vor den Kernreaktoren hingegen ist vielleicht einer jener Angstträume, in denen sich so oft das Bestehen einer Verdrängung verrät. Ich habe den Gefahren der friedlichen Kerntechnik im letzten Jahr eine Studie gewidmet und bin zu der Ansicht gekommen, daß gegen die Gefahren technischen Versagens technische Abhilfen technisch möglich, wirtschaftlich vertretbar und hoffentlich auch politisch durchsetzbar sind. Nicht überwunden wären damit aber Gefahren, die dem menschlichen Willen entstammen, deren ich drei als Beispiele nenne: Terrorismus, Proliferation von Kernwaffen durch die weltweite Verbreitung der Reaktortechnik, Zerstörung von Reaktoren in einem nicht notwendigerweise nuklearen Krieg. Sollte diese Analyse richtig sein, so läge auch bei den möglichen Gefahren der Kernreaktoren der Kern des Problems im politischen, und zwar im weltpolitischen Feld. Wir werden die Machtmittel der modernen Technik nicht ertragen ohne die Schaffung einer politischen Struktur, welche diese Macht vernünftig einzubinden gestattet. Diese Struktur

aber besteht heute noch nicht. Sie liegt jenseits von für unseren
Blick undurchdringlichen weltgeschichtlichen Krisen.

Welche Rolle fällt angesichts solcher Diagnosen dem Naturwissenschaftler zu? Ich gehe in meinen Schlußbemerkungen zu
dieser Frage vom Äußeren zum Inneren, von der Technik über
die angewandte Forschung zur Grundlagenforschung.

Technik: Die zwanzig Jahre nach 1945 waren vielleicht in
der Menschheitsgeschichte der Höhepunkt des Glaubens an
die Erlösung von materieller Not durch technischen Fortschritt. Gegen diesen simplistischen technokratischen Glauben
hat es in den letzten zehn Jahren Gegenbewegungen gegeben,
so eine selbst technokratische in den Prognosen des Klubs von
Rom, eine radikal-demokratische in der Neuen Linken, eine
romantische in der grundsätzlichen Technikkritik. In all diesen
Protesten drückt sich m. E. eine noch undeutliche Wahrnehmung herannahender Krisen aus, die nicht durch die Rückkehr
in vergangene Kulturformen zu vermeiden, sondern als Aufforderung zur bewußten Gestaltung einer neuen Form der
Kultur ins Auge zu fassen sind. Ich würde sagen: Die bisherige
Technik ist in vielfacher Hinsicht noch untechnisch; sie hat
noch nicht gut genug verstanden, was Technik ist. Technik ist
Mittel zu Zwecken. In ihrer Wachstumsphase war die Technik
aber tatsächlich weitgehend Selbstzweck, oder sie war Mittel
zur Durchsetzung von Partikularinteressen, von wirtschaftlicher und militärischer Macht. Eine Kultur kann nicht stabil
sein, deren Mittel um eine Größenordnung besser durchgebil-
det sind als das Bewußtsein ihrer Zwecke. Es ist notwendig,
aber nicht hinreichend, dieses Bewußtsein der Zwecke in individueller Ethik zu verankern. Es ist notwendig, politische Institutionen entstehen zu lassen, welche dieser Ethik vernünftiger
Ausbildung und Verwendung technischer Mittel das Forum
freier Diskussion und das Instrument zuverlässiger Durchsetzung sichert. Abstrakt gesprochen wäre dies ohne Krisen möglich, realiter geschieht es, wenn überhaupt, unter dem Schock
eingetretener Krisen.

Angewandte Forschung: Die Wurzeln der Technik in Hand-
werk, Handel und politischer Großraum-Organisation sind
älter als die Naturwissenschaft. Der moderne Fortschritt der
Technik aber beruht in immer wachsendem Masse auf ihrer

Verwissenschaftlichung. Wer technischen Wohlstand will, muß angewandte Forschung wollen. Wer sich genötigt sieht, technisch ausgelösten Krisen nicht durch Technikverzicht, sondern durch vernünftige Technik zu begegnen, ist von neuem auf angewandte Forschung verwiesen, nunmehr nicht nur auf rein technisch orientierte, sondern auf sozial reflektierende Forschung. Es wäre eine selbstbetrügende Ideologie, zu meinen, angewandte Forschung solle den wirtschaftlichen und politischen Entscheidungsträgern nur wertfreie Sachaussagen zur Verfügung stellen. Diese Ideologie dient der Beschwichtigung der zum Überleben der technischen Kultur unerläßlichen Selbstkritik. Sie sichert jenes glatte Funktionieren des Apparats, das ihn blind in die selbstverschuldeten Krisen rennen läßt. Die Auseinandersetzung dieser Auffassung mit den Standesinteressen sowohl der Entscheidungsträger wie der Forscher überschreitet freilich den Rahmen eines Festvortrags.

Grundlagenforschung: Die Grundlagenforschung ist älter als die angewandte Forschung. Einerlei, ob man sie als Wahrheitssuche empor- oder als Verewigung kindlicher Neugier herunterstilisiert, in ihr schlägt das Herz der Forschung überhaupt. Wer angewandte Forschung haben will, muß Grundlagenforschung wollen, sonst kennt nach einiger Zeit auch die angewandte Forschung den Unterschied zwischen Forschung und schematischem Operieren nicht mehr. Die Grundlagenforschung ist genau deshalb der Ursprung unabsehbar vieler Anwendungen, weil ihr Ziel nicht die Anwendung ist. Angewandte Forschung gleicht einem Pumpwerk, dessen Förderung aufhört, wenn der Sog der äußeren Nachfrage nach den Ergebnissen erlischt. Grundlagenforschung gleicht einer Quelle aus tiefen Schichten, deren, wie immer bescheidene, Förderung innerem Druck entstammt. Diese Grundtatsache wird freilich in unseren Tagen dadurch etwas verdunkelt oder auch ideologisiert, daß die wachsende kulturelle Rolle der Naturwissenschaft zu einem ungeheuren Wachstum der Anzahl der Wissenschaftler geführt hat. Früher waren wir etwas wie eine bescheiden-hochmütige Familie, jetzt sind wir ein bedeutender Stand, fast eine Klasse. In der inneren Hackordnung des Hühnerhofs der Naturwissenschaft steht man nach wie vor relativ hoch, wenn man behaupten kann, man erforsche Grundlagen; und so wird manches als Grundlagenforschung deklariert, was keine ist. Hier begegnet uns nicht nur das soziologisch leicht durchschaubare Problem der Interessenvertretung eines gesellschaftlich unentbehrlich gewordenen Standes, sondern auch das philosophisch sehr tiefe Problem, wieweit Naturwissenschaft in ihren Grundlagen vollendbar, und wieweit sie grenzenlos erscheinendem Fortschritt offen ist. Für diese Frage müßten wir an dem zweiten, philosophischen Teil dieses Vortrags weiterstricken. Sie ist jedenfalls selbst eine Frage der Grundlagenforschung, eine Wahrheitsfrage. Die Vitalität der Naturwissenschaft, auch in ihrer Selbstkritik, besteht in ihrer spontanen und nicht erlahmenden Frage nach der Wahrheit. Wollen wir die Fortführung der Kultur, der wir entstammen, so müssen wir Wahrheit wollen.

I,5. Der Behinderte in unserer Gesellschaft*

Der Behinderte in unserer Gesellschaft – so lautet das Thema, das Sie, unsere Gastgeber, mir gestellt haben. Ich bin kein Fachmann der Behindertenfürsorge. Ich kann keine praktischen Ratschläge in diesem Feld geben. Einen Appell an die Gesellschaft zur Aufmerksamkeit will ich gerne unterstützen. Aber worauf soll die Gesellschaft aufmerksam sein? Darüber möchte ich mit Ihnen eine kleine halbe Stunde grundsätzlich nachdenken.

Zuerst eine doppelte These: Der Behinderte braucht die Gesellschaft. Die Gesellschaft braucht den Behinderten.

Beide Thesen sind unserer Gesellschaft nicht selbstverständlich, und in ihrer Breite handelt sie noch nicht nach ihnen. Der Behinderte braucht die Gesellschaft: das spüren wir wohl, aber wir schieben es im täglichen Leben beiseite. Die Gesellschaft braucht den Behinderten: was das heißen soll ist vielleicht nicht klar. Ich will versuchen, beide Thesen zu erläutern. Es mag an einem Jubiläumstag erlaubt sein, dies anhand eines historischen Rückblicks zu tun.

Die Bayerische Landesschule für Blinde feiert heute ihr 150-jähriges Bestehen. 1826 wurde sie vom bayrischen König gegründet. Das 19. Jahrhundert war eine Zeit staatlicher Gründungen von Anstalten für Behinderte. Dahinter stand eine zugleich humanitäre und wissenschaftliche Bewegung. Man begann die mannigfachen Formen der Behinderung als ein medizinisches Problem und als eine Aufgabe der Gesellschaft ins Auge zu fassen. Eines der Unternehmen zur Lösung dieser Aufgabe war die Zusammenfassung derer, die eine bestimmte Form der Behinderung haben, in eigens für sie errichteten Anstalten. Unterricht für Blinde, die intellektuell lernen können, was auch die Sehenden lernen, wenn nur die geeigne-

---

* Vortrag, gehalten in der Bayerischen Landesschule für Blinde anläßlich ihres 150jährigen Bestehens, Oktober 1976. Als Privatdruck der Schule vervielfältigt.

ten Mittel der Darbietung gefunden werden. Ich werde alsbald von einem anderen Beispiel, von den Bodelschwinghschen Anstalten in Bethel sprechen. Dort entwickelte man die sogenannte Arbeitstherapie für Epileptische, die Therapie ist, gerade weil sie reelle, nützliche Arbeit ist, nur unter Bedingungen getan, welche den möglichen Arbeitsrhythmus und die Formen der Konzentration des Kranken einplanen.

Die räumliche und organisatorische Zusammenfassung aber schafft ein neues soziales Faktum. Und wie jedes neue Faktum schafft sie auch neue Probleme. In diesem Fall ist ein soziales Problem die Isolierung der Behinderten von der Gesellschaft. Diese Isolierung ist nebenher eine Antwort, aber eine unzureichende, auf ein anderes Problem, auf den Widerstand der Gesellschaft gegen die Behinderten in ihrer Mitte. Mit dieser Isolierung und diesem Widerstand erreichen wir die Frage, von der ich heute sprechen will. Die Gesellschaft hat gegen diejenigen ihrer Glieder, die mit einem Leiden behaftet sind, oft ein ambivalentes, in einigen Fällen ein feindseliges Verhalten gezeigt. Die organisatorisch durchaus zweckmäßige räumliche Zusammenfassung von Menschen, welche dieselbe Art von Unterricht, von Fürsorge, von Pflege brauchen, kommt zugleich einem tiefen psychischen Bedürfnis der sogenannten Gesunden entgegen, die froh sind, die Leidenden nicht zu sehen. Die sogenannten Gesunden mögen subjektiv aufrichtig die christliche oder soziale Forderung anerkennen, den Behinderten zu helfen. Aber das kann sogar die Tendenz zur Isolierung der Behinderten steigern. Sind sie isoliert, so werde ich an diese Forderung, die ich nicht abweisen kann, nicht ständig erinnert, und ich kann sogar hoffen, daß sie ohne meine Anstrengung die beste heutzutage mögliche Fürsorge erfahren. Isolierung ist ein gesellschaftliches Werkzeug der psychischen Verdrängung.

Angenommen, dies sei richtig, wie sollen wir uns verhalten? Da ich nicht mit praktischen Vorschlägen komme, möchte ich zunächst noch einmal historisch zurückblicken und Ihnen eine Geschichte erzählen, die mir durch den Zufall einer persönlichen Bekanntschaft mit ihren Erben in einigem Detail bekannt ist. Detail ist wichtig. Nicht nur der Teufel steckt ja im Detail. Wie immer, imitiert der Teufel hier Gott. Gott ist im Detail.

Um 1865 hatte die Innere Mission im Rheinland die Notwendigkeit erkannt, ein Heim zur Pflege für Epileptiker einzurichten. Der Plan scheiterte an der Gesellschaft. Die Krampfanfälle des »morbus sacer«, der »heiligen Krankheit«, wie die antike Medizin sagte, haben die Menschen zu allen Zeiten tief erschreckt. Man glaubte an einen Dämon, von dem der Kranke besessen sei. Solche Besessenen in ihren Mauern versammeln, das wollte keine Gemeinde. Noch in unserem Jahrhundert hat es solche Widerstände gegeben; die Bauern eines Walddorfes wehrten sich gegen eine Anstalt mit der Begründung, die Besessenen würden ihren Wald zerstören.

Die rheinische innere Mission wandte sich um Rat an den Franzosen John Bost, der mit der Unterstützung schottischer Calvinisten in Südfrankreich ein solches Heim gegründet hatte. In einem langen Antwortbrief verwies Bost ihnen streng ihren Kleinmut und forderte von ihnen, den Plan zu verwirklichen. Dazu formulierte er drei Bedingungen, welche die zu gründende Anstalt erfüllen müsse:

1. Lage in einer schönen Landschaft
2. Einbettung in eine lebendige christliche Gemeinde
3. Nähe eines Eisenbahnknotenpunkts.

Man fand in Westfalen einen Ort, der alle drei Bedingungen erfüllte, Gadderbaum bei Bielefeld. Man fand einen Leiter für die Anstalt, den Landpastor Friedrich v. Bodelschwingh. Die Anstalt Bethel wurde gegründet, mit Unterstützung des Oberbürgermeisters von Bielefeld und der führenden Bielefelder Industriellen. Ein Widerstand meldete sich, als die Anstalt nach einigen Jahren so zu wachsen begann, daß sie den für ein Bielefelder Villenviertel geeigneten Raum in Anspruch nahm; aber Bodelschwingh überwand den Widerstand.

Ein Wort sollte noch gesagt werden über die Persönlichkeit des Leiters. Friedrich v. Bodelschwingh entstammte einer landbesitzenden westfälischen Familie; Vater und Onkel standen in hohen politischen Ämtern. Er wählte, von der Ravensberger Erweckungsbewegung bestimmt, den Beruf des Pfarrers. Er sammelte Erfahrung als deutscher evangelischer Gemeindepfarrer in Paris, dann ging er auf ein westfälisches Dorf. Dem jungen Ehepaar starben ihre vier Kinder an einer Infektionskrankheit im Laufe einer Woche. Die Hiob-Erfahrung brach

seinen Glauben nicht; sie lehrte ihn Leiden verstehen. Die
Pfarrersleute hatten noch einmal vier Kinder. In den Jahren
seiner vollen Kraft wurde Bodelschwingh Leiter von Bethel.
Die Arbeitstherapie, die ich vorhin genannt habe, ist eines der
Ergebnisse seines Sinns für menschliche Wirklichkeit.

Wozu habe ich diese Geschichte erzählt? Erzähltes Detail ist
eine Herausforderung, hinter dem Erzählten nicht zurückzu-
bleiben, aber es ist keine Gebrauchsanweisung. Was ist das in
dieser Geschichte, wohinter wir nicht zurückbleiben sollten?

Die Geschichte beginnt mit einer medizinischen Erkenntnis,
in diesem besonderen Fall über die Epilepsie. Die Epilepsie ist
eine spezielle Krankheit, die spezielle Behandlung, spezielle
Pflege, pflegerischen Sachverstand erfordert. Es gibt nicht Behinderung überhaupt. Jede Form der Behinderung fordert ein
besonderes Verständnis.

Motiviert, dieses Verständnis praktisch werden zu lassen,
war in diesem Fall die innere Mission. Es waren Christen, die
hier das Motiv zur Praxis im Detail, zum genauen Hinsehen
und Handeln hatten. War das Zufall? Ich komme darauf noch
zurück.

Sie scheiterten am Widerstand der Gesellschaft. Erlauben Sie
mir hier einen Exkurs, eine Reflexion, eine grundsätzliche
Überlegung. »Gesellschaft« ist heute ein Modewort. Es bezeichnet eine große Wirklichkeit, die Wirklichkeit unseres
menschlichen Zusammenlebens. Das Wort ist aber ein modi-
scher Blitzableiter geworden. Es dient der Projektion unserer
Schuld- und Ohnmachtsgefühle. Wenn etwas nicht stimmt,
jedenfalls bin ich nicht schuld, sondern die Anderen. Die Gesellschaft, das sind die Anderen. Dies aber ist ein völlig un-
soziologischer Gebrauch des Worts Gesellschaft, ein Beispiel
falsch verwendeten abgesunkenen Bildungsguts. Die Gesellschaft, das sind wir selber, das bin jeweils gerade auch ich. Die
wissenschaftliche Analyse gesellschaftlicher Strukturen ist unter anderem ein Mittel zur Selbsterkenntnis: so machen es alle,
also auch ich; oder: unter diesen Umständen verhalten wir
Menschen uns so, unter jenen anders; also sollten wir eher jene
als diese Umstände schaffen, soweit das in unserer Macht liegt.

Den Widerstand der Gesellschaft habe ich vorhin als Ausdruck einer Verdrängung bezeichnet. Was ist Verdrängung?

Ich möchte zuerst von der relativen Legitimität der Verdrängung, vom Recht zur Verdrängung, sprechen. Warum? Man kann ja den Menschen nicht helfen, wenn man sie nicht liebt. Man kann die Gesellschaft nicht bessern, wenn man ihr nicht gerecht wird; sonst ändert man sie, ohne sie zu bessern und wiederholt genau die Fehler, die man bekämpfen wollte. Legitimität der Verdrängung, das heißt: die Menschen brauchen Verdrängung. Wieso? Verdrängung ist ein seelischer Vorgang, der das Bewußtsein gegen unerwünschte Inhalte abschirmt. Ein geheimnisvoller Prozeß: Ich will etwas nicht wissen, was ich weiß. Ich will nicht wissen, daß ich es nicht wissen will. Ich will also nicht wissen, was ich will. Ich belüge mich, und ich glaube meiner eigenen Lüge. Wie kann dieses Lügengewebe legitim sein? Die Frage ist aber vorerst noch nicht, ob es legitim ist, sondern warum es möglich ist. Welchem elementaren Zweck im Leben dient die Verdrängung?

Verdrängung, so sagte ich, ist ein seelischer Vorgang, der das Bewußtsein gegen unerwünschte Inhalte abschirmt. Das Schlüsselwort dieses Satzes ist das Wort Bewußtsein. Das Bewußtsein, schärfer gesagt das Bewußtsein eines Ich, ist eine seelische Leistung, genetisch bei höheren Tieren vorbereitet, beim Menschen zum erstenmal voll hervorgetreten. Ein Mutterboden dieser Leistung ist die Sprache, die uns gestattet, etwas ausdrücklich zu wissen, d. h. es dadurch zu wissen, daß wir es sagen können. Die Menge dessen, was so gewußt werden kann, ist beschränkt. Deshalb muß es psychische Mechanismen geben, die entscheiden, welcher seelische Inhalt ins Bewußtsein gelangen soll und welcher nicht, welcher ins leicht abrufbare Gedächtnis und welcher nicht. Es gibt nervöse Mechanismen der Informationseinschränkung. Zum Aufbau einer Identität, sei es der Identität einer Person, sei es der Identität einer Gesellschaft, gehört, daß eingespielt ist, welche Inhalte ihr zugehören sollen, welche nicht. In diesem notwendigen Prozeß wurzelt das Vermögen der Verdrängung.

Die Verdrängung freilich, so wie Freud sie als Ursache von Neurosen beschrieben hat, ist gleichsam eine verfehlte Lösung dieser identitätsschützenden Aufgabe. Verdrängung wird dort zur Selbstbelügung in einem zunächst noch nicht moralischen Sinne, wo ich einen Inhalt aus dem Bewußtsein aussperre, den ich gerade wissen müßte, um ich selbst sein zu können. Und in Reifungskrisen müssen wir nun eben lernen, gerade solche Inhalte ins Bewußtsein aufzunehmen, die vorher mit Recht ausgesperrt waren, weil wir noch nicht imstande waren, sie zu verarbeiten. Insofern kann die Verdrängung desselben Inhalts zuerst legitim sein und etwas später, gerade weil wir reifen, zur gefährlichsten Form der Lüge werden, der Lüge gegen das eigene Gewissen.

Was hat dies alles mit dem Verdrängungsdruck der Gesellschaft gegen den Behinderten zu tun? In der alten, vorwissenschaftlichen und vortechnischen Gesellschaft ging es vielen Behinderten materiell sehr schlecht, aber seelisch war wohl für die meisten von ihnen ein Raum vorhanden. In der christlichen Gesellschaft, aber ebenso in den Gesellschaften anderer Religionen wußte jede Mutter, wußte jeder gereifte Mann, daß Leben zugleich Leiden heißt. In der Familie war Raum für das eigene Kind, auch wenn es behindert war, auch für behinderte erwachsene Angehörige, die nicht auf eigene Kraft eine Familie gründen konnten. Wer sonst als die Familie hätte sich ihrer annehmen können? Und da jeder in der Familie arbeiten mußte, fiel auch dem Behinderten die nötige Arbeit zu, die eben er leisten konnte. Der Seelsorger konnte jedem Glied seiner Gemeinde Kraft zusprechen mit dem Wort Christi: »Was ihr einem unter diesen Geringsten getan habt, das habt ihr mir getan.« Er konnte ihnen sagen, daß der Sinn eines Lebens unter physischer oder psychischer Behinderung vor Gott nicht geringer ist als der Sinn eines physisch unbehinderten Lebens. Seelisch sind wir alle Behinderte vor Gott, denn wir lieben nicht genug und erfahren deshalb die Seligkeit mitten im Leben nicht, die doch hier und jetzt für uns bereit ist.

Die rationale und technische Denkweise der Neuzeit ist eine notwendige Reifungsstufe der menschlichen Gesellschaft. Sie akzeptiert nicht einfach die Welt des Leidens. Sie versteht sie als Auftrag und verändert die Welt. Hierzu gehören die Schritte der Behindertenfürsorge des 19. Jahrhunderts, von denen ich gesprochen habe. Aber jeder Fortschritt ist ambivalent; er enthält die Gefahr, vorher schon erreichte Stufen des vernünftigen Verhaltens zu verlieren. Die Leistungsgesellschaft, die den breiten Wohlstand und die wissenschaftliche

Medizin schafft, entwickelt in ihrer durchschnittlichen Haltung eine Ungeduld gegen das Leiden. Das soll es gar nicht geben, also wollen wir es nicht sehen. Die Arbeitsteilung hilft dazu. Möge es Anstalten geben, in denen jemand für die Leidenden Sorge trägt. Identitätsschutz der Gesellschaft, die sich für gesund hält.

Dagegen ist die doppelte These gesagt: Der Behinderte braucht die Gesellschaft, die Gesellschaft braucht den Behinderten.

Kehren wir noch einmal zum Detail der Geschichte zurück, die ich erzählt habe.

Die rheinische innere Mission wandte sich um Rat an einen Südfranzosen, dem die Schotten halfen. So wußten vor hundert Jahren, in jener Welt des politischen Nationalismus, die wirklich Hilfsbereiten voneinander. Er stellte drei Bedingungen: schöne Landschaft, christliche Gemeinde, Eisenbahnknotenpunkt.

Schöne Landschaft. Die Heilkraft des Schönen wird heute ein Opfer der Gleichgültigkeit in einer nur zweckrationalen Denkweise. Eine Randbemerkung hier: Im Umweltschutz muß man heute mit meßbaren Schäden argumentieren, weil das verzerrte Wertsystem der industriellen Welt das so viel sensiblere Organ des Schönheitssinns nicht zu nutzen versteht. Eine schöne Landschaft, das ist eine Kulturlandschaft, mit der der Mensch im Einklang lebt. Wenn nur noch die sogenannte unberührte Natur das hat, was wir Erholungswert nennen, wenn also der Mensch sich von dem erholen muß, was er anrichtet, so ist seine Kultur eine Kultur des Selbstwiderspruchs.

Eisenbahnknotenpunkt. Keine Ablehnung der Technik, nur ihr sinnvoller Gebrauch. Die Angehörigen der Kranken sollen es leicht haben, zu der Anstalt zu kommen. Der Behinderte braucht die Gesellschaft. Am besten ist es, wenn er mitten in ihr leben, an ihrem Arbeitsprozeß teilnehmen kann. Die Anstalt mit aller zweckmäßigen Fürsorge ist ein Zweitbestes.

Lebendige christliche Gemeinde. Man durfte hoffen, daß diese den Behinderten in ihre Mitte nimmt, daß er in ihr die Gesellschaft bekommt, die er braucht. Aber das können auch Liberale, auch Sozialisten, gerade Sozialisten können es. Den

Behinderten eingliedern, ernstnehmen, das sollte jede Gesellschaft können, die selbst verdient, daß wir sie ernstnehmen. Vielleicht haben wirkliche Christen es aber leichter, zu verstehen, inwiefern die Gesellschaft den Behinderten braucht. Selbstverständlich ist jeder medizinische und soziale Fortschritt sehnlich zu wünschen, der Leiden überwindet, Krankheiten zum Verschwinden bringt. Aber Christen sollten noch etwas besser als ihre säkularisierten Brüder verstehen können, welcher Segen darauf ruht, die Gegenwart des Leidens nicht zu verdrängen. Sie sollten etwas sensibler dafür sein, welche beim Unbehinderten unterentwickelten seelischen Organe der Behinderte entwickelt, welchen besonderen menschlichen Reichtum er haben kann. Bodelschwingh und seine Erben haben sich immer unbefangen dazu bekannt, welches menschliche Geschenk ihnen selbst jeder Tag mit ihren Pflegekindern brachte. Christen werden dies in dem Grade vermögen, in dem sie Christen, also furchtlos gegenüber der Wirklichkeit und nicht selbstverteidigend sind.

Zum Abschluß doch eine Bemerkung über ein praktisches Problem unserer Gegenwart. Die Eingliederung des Behinderten in unsere Gesellschaft hat ihre größte Schwierigkeit in unseren abstrakten Leistungsbegriffen. Die Konkurrenzgesellschaft erzwingt von ihren Gliedern maximale meßbare Leistung. Diese Leistung soll mit Apparaten und unter Bedingungen erbracht werden, die der Norm der durchschnittlichen Unbehinderten angepaßt sind. In diese ihrem Wesen nach rücksichtslosen Bedingungen ist die Leistung des Behinderten nur schwer einzuordnen. Aber der Behinderte ist nicht ihr einziges Opfer, jeder Mensch, dessen Lebensbedingungen oder Anlagen dieser Norm nicht entsprechen, leidet in ihr. Man denke an die Lebensprobleme berufstätiger verheirateter Frauen, an den Darwinschen Selektionsprozeß unseres Erziehungswesens. Hier gilt zweierlei: Das eine machen sich zum Glück viele Menschen nachgerade klar: diese ständige Verletzung des Menschen durch die von ihm geschaffenen Techniken ist *unmenschlich*. Das System der Gesellschaft *soll* so geändert werden, daß in ihm für den Schwächeren, den Sensibleren der Raum für die gerade ihm mögliche Leistung ist. Das andere sehen wir vielleicht noch nicht deutlich genug: diese Verletzung des Menschen durch seine Techniken ist *untechnisch*. Technik soll dem Menschen dienen. Sie zum Herrn, zum Zielkriterium zu machen, ist schlicht unreife Technik. In Notsituationen mag man sich den Techniken unterwerfen, die maximale quantitative Leistung versprechen. In unserer heutigen Lage ist es objektiv möglich, ja es wird nötig, dieses Kriterium durch ein subtileres zu ersetzen. Das System der Gesellschaft *kann*, ja *muß* so geändert werden. Die strukturelle Arbeitslosigkeit, die heute unser Schicksal wird, lehrt uns, daß es nicht nur ein Verteilungsproblem der Güter, sondern auch ein Verteilungsproblem der Arbeit gibt. Es ist absurd, die Arbeit so zu verteilen, daß einige zu viel und andere nichts zu tun haben. Eine bessere Verteilung freilich greift tief in entstandene ökonomische und soziale Strukturen ein, und es ist hier und heute nicht mein Auftrag, darüber zu sprechen, wie sie zu schaffen wäre. Ich will nur sagen: die Veränderung unserer Arbeitswelt, welche gestatten würde, dem Behinderten leichter einen gerade ihm angepaßten Arbeitsplatz anzubieten, liegt zugleich im Interesse derer, die wir gewöhnlich Gesunde nennen. Und wenn wir diese Veränderung wirklich wollen, dann wird sie möglich sein. Sie bleibt unmöglich, solange die Gesellschaft sie in Wahrheit nicht will.

Aus diesen Gründen glaube ich, daß jede Anstrengung, den Behinderten normale Ausbildung, Arbeitsplätze im normalen Produktionsprozeß, Lebensraum innerhalb der normalen Gesellschaft zu geben, zugleich im Sinne einer ohnehin notwendigen Entwicklung unserer Gesellschaft liegt.

I, 6. Das moralische Problem der Linken und das moralische Problem der Moral*

Vorbemerkung: Die Moralisierung der Politik

In unserer Zeit findet eine Politisierung der Menschheit statt. Nie zuvor hat sich ein so großer Prozentsatz der Menschen um Politik gekümmert. Dies ist ein Aspekt der Demokratisierung der Politik.

Dieser Vorgang führt zugleich zu einer Moralisierung der Politik. Politik wird weniger als das Spiel der Großen, als Geschäft der Fachleute, als Schicksal betrachtet, sondern als Thema moralisch beurteilter Entscheidungen, zu denen jeder aufgefordert ist. Ob die Politik dadurch moralischer wird, kann man bezweifeln. Sicher wird sie moralisierender. Der Appell an moralische Urteile gehört zu den immer unentbehrlicheren Mitteln der Politik. Die in der Politik uralten Verhaltensweisen der Lüge, und der Selbstbestätigung durch Selbstbetrug, nehmen heute immer mehr die Gestalt der Ideologie**, d. h. der Berufung auf allgemeingültige moralische Prinzipien an. Die Moralisierung der Politik ist ein Beispiel für die Ambivalenz des Fortschritts.

Die nachfolgende Niederschrift erörtert dies an einem aktuellen Beispiel. Ein konkreter Anlaß hat in mir die Emotionen noch einmal wachgerufen, die ich in ihrem Anfang schildere. Die Niederschrift entstand als Versuch, dieser Emotionen durch Objektivierung, also durch Analyse ihrer Gründe, Herr zu werden. Sie spiegelt wegen dieser Entstehungsweise unverhohlener als andere, kontrolliertere Äußerungen meine Empfindungen gegenüber dem Phänomen der »Linken«. Sie schneidet aber zugleich Probleme an, die mir weit über die Geschichte der linken Bewegung der vergangenen Jahre hinaus von zentraler Bedeutung zu sein scheinen. Um dieser Probleme willen

---

  * Private Notiz, 1975.
 ** Vgl. »Fragen zur Weltpolitik«, S. 122–125.

wollte ich sie in die Hand von Freunden geben, zumal von
solchen, die der Linken in ihrem elementaren Empfinden nä-
herstehen als ich. Nicht die Emotion, sondern ihre Überwindung durch Klärung der Gründe der Ambivalenz des den Fortschritt wollenden Verhaltens ist das, worum es ihr geht.

Niederschrift

Diese Betrachtung strebt vom Besonderen zum Grundsätzlichen. Sie beginnt mit einem Beispiel aus dem Erfahrungsbereich der Berufs- und Generationsgenossen des Verfassers.

Das Wort »die Linke« bzw. »die Linken« sei zunächst zur
Bezeichnung derjenigen politischen Tendenz gebraucht, die in
der Studentenbewegung der letzten zehn Jahre in Ländern wie
dem unseren bestimmend war. Mit diesen Linken haben liberale Professoren (ähnlich auch liberale Politiker, Richter usw.)
oft folgende Erfahrung gemacht. Der betreffende Professor
war ein entschiedener Kritiker vieler Strukturen der Gesellschaft, in der er lebte. Er begrüßte die Anfänge der linken
Studentenbewegung mit Sympathie und mit großer Lernbereitschaft. Er sah die gedankliche Kraft der meist irgendwie von
Marx bestimmten globalen Betrachtung der Gesellschaft, die
Wichtigkeit einer politisch-ökonomischen Betrachtungsweise.
Er bewunderte den entschlossenen Einsatz, nicht ohne Selbstkritik, die er seinem eigenen faktischen bürgerlichen Konformismus zudachte. Letztlich beruhte diese seine Sympathie mit
den Linken nicht auf einer theoretischen Übereinstimmung –
dazu fand er die linken Theorien denn doch zu konfus – aber
auf dem tiefen Eindruck, den ihm die *moralische* Motivation
dieser jungen Menschen machte. Die bürgerlichen Schockiert-
heiten über rüde Umgangsformen, sexuelle Libertinage und
ähnliche Brüche mit der traditionellen Moral überwand er
leicht, denn auch in diesen Brüchen, selbst wenn er sie persönlich nirgends mitmachte, spürte er den moralischen Sinn eines
Bedürfnisses nach Wahrhaftigkeit, er spürte den moralisch
motivierten Protest gegen die moralische Verlogenheit herrschender äußerer Formen. Er bot den Linken offenes Gespräch, freie Kooperation, Schutz gegen die Repressionen des

herrschenden Systems an. Nicht in jedem Fall, aber in signifi-
kant vielen Fällen erlebte er nach kurzer oder längerer Zeit,
daß gerade sein moralisches Zutrauen gröblich und unheilbar
mißbraucht und verletzt wurde. Er sah sich einer planvollen
Machtergreifung gegenüber, der er nur gerade solange interessant war, als sie seiner bedurfte. Er erkannte, daß er ein »nütz-
licher Idiot« gewesen war. Von hierher erklärt sich das heute
unheilbar gewordene Trauma gerade vieler aufrichtig fort-
schrittlich gewesener Liberaler gegen die Linken, das seine
Träger oft zu einer reaktionären Haltung bringt, die sie selbst
noch vor zehn Jahren aufs schärfste mißbilligt hätten. Ich
vermute, daß dies auch der tiefste Grund des, wenigstens vorläufig, radikalen und kläglichen Scheiterns der linken Bewegung in allen hochindustrialisierten Gesellschaften mit reprä-
sentativer Demokratie ist. So berechtigt die Vorwürfe gegen
das in dieser Gesellschaft hinter der formellen Rechtsstaatlich-
keit bestehende Herrschaftssystem sind, so konnte doch die
Linke sich gerade bei dem einfachen, aber nicht ganz leicht zu
täuschenden *moralischen* Urteil der Nicht-Intellektuellen, zumal der Arbeiter, auf die sie sich so oft beruft, nicht durchsetzen. Die Linke ist bisher gegen ein moralisch durchaus anfecht-
bares und von ihr mit Recht kritisiertes System deshalb unterlegen, weil ihre eigene faktische Moral einen moralischen
Schrecken verbreitet, der, auch wenn er sich oft ungewandt
ausspricht, im Kern voll begründet ist. Gerade die moralisch
hochmotivierte Linke scheitert an ihren systematischen Ver-
stößen gegen die Moral.

Es ist klar, daß eine Analyse, wie ich sie hier versuche, im
Faktischen hochkontrovers bleiben wird. Ich wäre bereit, mich
einer Diskussion über ihre Richtigkeit zu stellen und auch, sie
zum Zweck der Kontrolle, in weiten Details in unserer Gesellschaft und in anderen Gesellschaften auszubreiten. In der vorliegenden Notiz gehe ich von der Vermutung aus, diese Analyse habe wenigstens einen Zug des Geschehens richtig bezeichnet. Dann entsteht die Frage, wie so etwas zu erklären sein
mag. Das moralische Problem der Linken leitet über zum
moralischen Problem der Moral.

Es handelt sich zunächst um das Verhältnis von Moral und
Gesellschaft. Unter Moral sei hier abkürzend die wohl höchste

bisher entwickelte Form von moralischen Prinzipien verstanden, die universalistische Moral. Sie hat ihre alte Formulierung in der goldenen Regel: »Was du nicht willst, daß man dir tu, das füg auch keinem andern zu«, ihre philosophisch durchdachteste Fassung in Kants kategorischem Imperativ: »Handle so, daß die Maxime deines Handelns jederzeit Prinzip einer allgemeinen Gesetzgebung sein könne.« Nun gibt es in der menschlichen Geschichte seit Jahrtausenden das Phänomen der Herrschaft, also einer manifesten Ungleichheit der gesellschaftlich gesicherten Rechte der Menschen. Die meist religiös verankerte traditionelle Moral hat zwischen der Anerkennung dieses Faktums und der universalistischen Moral Kompromisse gefunden. Dazu gehört das Ethos der höheren Verpflichtung des Herrschenden, dessen große reale Bedeutung die heutige linke Kritik meist in einem zum Realitätsschwund führenden Grade mißachtet. Ein anderer Ausweg ist der Verzicht von Individuen auf die eigene Teilhabe am Herrschafts- und Reichtumssystem bei Eremiten, Bettelmönchen, Sekten. Sowohl im Kern des Ethos der Vornehmen wie offenkundig im Ethos der Verzichtenden steckt die Überzeugung, daß die Forderung der Gleichheit der Behandlung der Mitmenschen nur erfüllt werden kann, wenn ich von mir selbst mehr verlange, als ich meinem Partner zumute. Dies ist in diesen Formen der Ethik möglich gewesen durch ihren religiösen Kern: nicht die selbstgeleistete – und nie glückende – eigene Gerechtigkeit ist die Basis moralischen Verhaltens, sondern die göttliche Gnade, welche die Lücken ausfüllt, die jedes Handeln, auch bei bestem Willen, lassen muß. Diese religiöse Erfahrung ist in nicht geringerem Grade eine Realität als die Erfahrung der unwidersprechlichen Gültigkeit der universalistischen Moral.

Die radikale europäische Aufklärung, in deren Tradition die heutige Linke steht, attackiert das Faktum der Herrschaft selbst. Sie tendiert dazu, Herrschaft abzuschaffen. Ich spreche jetzt nicht davon, ob das im radikalen Sinne eines Tages möglich sein wird; ich muß es nach meinem anthropologischen Urteil grundsätzlich für möglich halten, aber in einer auf lange Zeit unerreichbaren Zukunft. Ich spreche von den Problemen, die entstehen, wenn man hofft und versucht, dergleichen direkt, also in einem Anlauf zu erreichen. Die Linken, die dies

entweder in einem revolutionären Anlauf oder in dem noch
immer phantastisch kurzen Schritt eines einmaligen »langen
Marschs durch die Institutionen« zu erreichen hoffen, kritisieren direkt die Einrichtung der Herrschaft selbst vom Standpunkt der Moral aus. Sie nennen dies die Forderung nach
Gerechtigkeit. Sie durchschauen und kritisieren das Verhalten
der Herrschenden, die sich auf das Ethos der Vornehmheit im
wesentlichen dort berufen, wo es ihrer eigenen Herrschaft
keinen Abbruch tut. Diese linke Kritik stößt nun auf das uralte
moralische Problem von Zweck und Mitteln. Sie erkennt die
gesellschaftliche Bedingtheit und den seinen Trägern verborge-
nen (»ideologischen«) Zweck moralischer Urteile. Sie ist überzeugt, daß eine Änderung der Gesellschaft, welche die Herrschaft als die faktische Vorbedingung der moralischen Lüge
abschaffen würde, allein eine echt universalistische Moral gesellschaftlich möglich machen würde. Ihre Träger fühlen sich
daher legitimiert, gegen die Träger des bestehenden Systems
eine ungleiche Moral anzuwenden, d. h. sie so zu behandeln,
wie sie von diesen nicht behandelt werden möchten. Sie verdrängen die Wahrheit, daß sie die Moral, die sie selbst etablieren wollen, auf dem Wege zu ihrer Etablierung durch die Tat
verraten, und daß jeder halbwegs Sensible diesen Verrat merkt.
So schaffen sie ihre eigene moralische Diskreditierung, von der
eingangs die Rede war. Sie geraten aber, wenn ihnen diese
Erkenntnis dämmert, in eine verzweifelte Lage. Denn sie wissen andererseits, daß das herrschende System mit anderen als
den von ihnen versuchten Mitteln nicht gestürzt werden kann.
Versagen diese Mittel, so wird das System eben auf absehbare
Zeit nicht gestürzt.

Ich spreche nun nicht davon, was langfristig mit dem System
geschehen mag, sondern von dem moralischen Problem der
Linken. Es ist in folgendem Sinne das moralische Problem der
Moral selbst. Moral in einem einigermaßen radikalen Sinne ist
möglich, wenn man auf gesellschaftliche Sicherung verzichtet,
wie die vorhin genannten religiösen Gruppen. Es dürfte jedoch
eine echte Verpflichtung für politisch verantwortlich denkende
Menschen sein, zum Entstehen solcher gesellschaftlicher Zustände beizutragen, in denen auch den normalen Menschen,
die keine radikalen Nonkonformisten sind, ein möglichst mo-

ralisches Handeln möglich wird. Wie, wenn dies gegen bestehende Macht nur unter Verletzung moralischer Prinzipien
durchsetzbar ist?

Ich behaupte, daß dieses Problem zwar viele pragmatische
Lösungen von Fall zu Fall zuläßt, aber auf der Basis einer
blossen Moral keine grundsätzliche Lösung besitzen *kann*.
Unter bloßer Moral verstehe ich hier eine Moral, die zwar die
goldene Regel oder den kategorischen Imperativ zugrundelegt,
aber nicht noch tiefer in dem begründet ist, was ich vorhin die
religiöse Erfahrung genannt habe. Dies ist die Erfahrung der
Gnade, der erlösenden Kraft der Nächstenliebe, und zwar in
der Liebe, Verehrung und Furcht jenes tiefsten Selbst, das in
der religiösen Tradition Gott heißt. Ohne diese Erfahrung gibt
es zwischen unerfüllbarer Kompromißlosigkeit und faulen
Kompromissen keinen gangbaren Weg. Beide Verhaltensweisen führen bei einem moralisch sensiblen Menschen zum
Selbsthaß, und durch den psychologischen Mechanismus der
Projektion zum Haß gegen Andere. Dieser Haß liegt auf dem
Grund des moralischen Versagens der Linken. Ich glaube, man
sieht in diesem Gedankengang die »Dialektik« der linken Moralität: Gerade *weil* die Linke primär moralisch motiviert ist,
verfällt sie tieferen moralischen Fehlern als ihre moralisch
weniger aktivierten Gegner. Darum liegt mir fern, diese moralischen Fehler moralisch zu verdammen; sie sind im Grunde ein
Phänomen der Verzweiflung. Aber sie haben die den Produkten der Verzweiflung innewohnenden selbstmörderischen
Konsequenzen. Nicht wer diese Versuchungen nie gehabt hat,
hat Anlaß zur moralischen Selbstzufriedenheit. Der eigentliche, fruchtbare Weg endet nicht in dieser Verzweiflung sondern beginnt, wo wir ihr ins Auge zu schauen wagen. Man
kann das moralische Problem der Moral auf eine Formel bringen, wegen deren Simplizität man sich als Intellektueller normalerweise schämen würde: letzter Grund der Möglichkeit
menschlichen Zusammenlebens ist die Liebe und nicht die
Moral. Die Moral ist ein vorletzter Grund.

I, 7. Angst*

Über vier Fragen möchte ich heute sprechen:
1. Leben wir wirklich in Ängsten?
2. Sind unsere Ängste begründet?
3. Was hat die Angst mit dem Wesen des Menschen zu tun?
4. Was geht die Angst die Kirche an?

Erste Frage: Leben wir wirklich in Ängsten? Antwort: Ja, aber ist das nicht höchst sonderbar? Sollten wir uns dieser Ängste nicht schämen?

Versetzen wir uns für einen Augenblick hinaus aus uns selbst, aus diesem Saal, aus diesem Land! Betrachten wir unser Land und diesen Kirchentag von außen! Was für ein sonderbares Unternehmen ist es für einen solchen Blick aus der Distanz, Tausende von Menschen gerade hier, gerade heute unter dem Thema zusammenzubringen: »In Ängsten – und siehe, wir leben.« Als ob dieses unser Leben der Angst abgerungen wäre! Was ist denn die Wirklichkeit dieses Landes? Der Wohlstand ist größer als je in der Geschichte. Was man heute bei uns materielle Not nennt, hätte man früher nicht so genannt. Die medizinische Lebenserwartung des Einzelnen ist länger als in allen früheren Generationen. Unsere Verfassung ist rechtsstaatlich, die Rede ist frei, man reist ohne Waffen, man überschreitet die meisten Grenzen ohne Visum. Seit dreißig Jahren herrscht hier Friede, und alle unsere Pläne werden so gemacht, als werde der Friede immer dauern. Das ist unsere materielle Wirklichkeit – und siehe, wir leben in Ängsten. Sind diese Ängste nicht eine Undankbarkeit gegen die Menschen, die das erarbeitet haben, was wir genießen, eine Undankbarkeit gegen das Schicksal? Sollten wir uns nicht gegenseitig ermahnen, die unnötige Angst abzubauen?

* Referat auf dem Deutschen Evangelischen Kirchentag in Frankfurt, Juni 1975. Das Thema des Kirchentags lautete: »In Ängsten – und siehe, wir leben.« In: »Deutscher Evangelischer Kirchentag 1975. Dokumente.« Kreuz Verlag, Stuttgart 1975.

Ja, wir sollten es. Das ist die erste Teilantwort.

Aber da wir beim Ermahnen sind: Wir dürfen nicht verdrängen, daß zugleich mit uns Milliarden von Menschen leben, die unmittelbaren Anlaß zu konkreter Furcht haben. Zur Angst vor einem bevorstehenden neuen Krieg, in Israel und seinen arabischen Nachbarländern; zur Angst, den Hunger dieses oder des nächsten Jahres nicht mehr zu überleben, wie in Indien und Bangla Desh, in Teilen Afrikas; zur Angst vor der siegreichen Partei, der man nicht angehört hat, wie seit 1968 in der Tschechoslowakei, seit 1973 in Chile, seit 1975 in Südvietnam und Kambodscha. Welche Gefühle erwecken in uns die Fernsehbilder, die man uns von diesen Schrecken zeigt? »Da müßte man helfen«? oder eher: »Und wenn das zu uns käme«? oder: »Und jetzt zur Fußball-Bundesliga«? Jedenfalls spielen diese Bilder auf der Klaviatur unserer bewußten oder unbewußten Ängste.

Aber wir selbst, leben wir denn wirklich in Ängsten? Zweite Teilantwort: Ja, mehr als wir gemeinhin wissen. Wer über die Ängste in seiner Seele Bescheid wissen möchte, erhält vielleicht gelegentlich durch seine Träume einen Hinweis. Ich selbst habe, neben anderen, tiefer im Unbewußten wurzelnden Träumen drei charakteristische Angstträume, die selten, aber obstinat durch die Jahre hindurch ab und zu im unruhiger werdenden Morgenschlaf wiederkehren. Entweder: Hitler ist wieder an der Macht, demokratisch gewählt, und hat seinen Krieg wieder begonnen, den er wieder verlieren wird. Oder: die kommunistische Geheimpolizei bringt mich nach Sibirien, und ich werde nie zurückkehren. Oder drittens: am hellen westlichen Horizont taucht ein winziges Wölkchen auf, der erste Atompilz des beginnenden dritten Weltkriegs. Das sind nun die typischen Traumata meiner Generation; man kann die Politik, die diese Generation macht, nicht verstehen, wenn man ihre Ängste nicht kennt. Aktuellere Ängste kann jeder von uns aus den politischen Schimpfwörtern unserer Tage entnehmen, die man mit der Überzeugung gerechter Mißbilligung ausspricht, wie etwa »Ölscheich« oder »Systemveränderer«. Sie erinnern daran, daß unser Wohlstand und unsere Rechtsordnung, die zugleich eine Rang- und Eigentumsordnung ist, nicht selbstverständlich gesichert sind. In der Aggression des

Schimpfworts äußert sich Angst. Jene Fernsehbilder einer heute noch räumlich entfernten Wirklichkeit appellieren an ein dumpfes Empfinden, vielleicht sei eigentlich unser eigener Zustand unwirklich. Die Aggression macht diese Beunruhigung etwas leichter handhabbar, indem sie zu der Bedrohung einen Schuldigen findet, der nicht wir selbst sind, der also unser Gewissen entlastet. Und nun melden sich die Bestätigungen der Besorgnis, die Entführungen durch politische und durch kriminelle Gruppen, Einbrüche, Gewalttaten. Wie treffen sie uns, wenn sie in unserer Nähe geschehen!

Verzeihen Sie, wenn ich einen Punkt, der nicht das heutige Thema ist, gleichwohl nicht völlig verschweige. Vielleicht ist die Angst und die durch ihre verborgene Gegenwart verzerrte Verhaltensweise in unserem Lande noch stärker als in anderen Ländern ähnlicher materieller Lage; wenn das so wäre, hätte es mit dem Gewissen zu tun, denn immerhin verdrängen wir seit dreißig Jahren eine Schuld, und verdrängte Schuld erzeugt Angst und deren Ersatzsymptome. Mögen andere Völker ihre Probleme haben, dies ist ein Problem von uns.

Ich gehe nun nicht ein in die Beschreibung der Ängste des Alltags, der Gesellschaft, der Angst, zu versagen in der Leistung, in der Liebe, der Angst vor der Leere und vor der Sinnlosigkeit. Diese Ängste sind da. Haben sie recht? Woher kommen sie?

Zweite Frage: Sind unsere Ängste begründet? Und wenn sie begründet sind, warum? Woran liegt dieser Zustand der Angst? Versuch einer Antwort: Ja, sie sind begründet. Der Grund aber, der sie rechtfertigt, liegt gerade darin, daß alle Menschen aus Angst handeln. Die Angst selbst erzeugt die Zustände und Geschehnisse, vor denen wir mit Recht Angst haben. Das System der Angst stabilisiert sich selbst.

Um diese Antwort zu prüfen, möchte ich die Frage unterteilen. Eine – übrigens nicht sehr alte – deutsche Sprachtradition unterscheidet Furcht und Angst. Furcht ist ihr die affektive Besorgnis vor einer bestimmten Gefahr. Angst ist dann eine der Furcht verwandte allgemeine Gestimmtheit, die einen zu ihrer Begründung hinreichenden konkreten Gegenstand der Besorgnis nicht nennen kann, und die gleichwohl verständigem Zureden nicht weicht.

Die Antwort soll zunächst für die Furcht ausgesprochen werden. Das System der Befürchtungen stabilisiert sich selbst. Jeder Partner fürchtet mit Grund die Verhaltensweisen, die aus der Furcht der Anderen hervorgehen. Es ist wohl erlaubt, zur ersten Begründung einer so allgemeinen These an die eigenen Erfahrungen anzuknüpfen. Ich möchte die These an zwei Beispielen erläutern, mit denen ich mich selbst beruflich habe beschäftigen müssen und noch beschäftige. Das erste Beispiel ist der Streit um die Kernenergie, das zweite das Problem der Kriegsverhütung.

Im Streit um die Kernenergie steht auf der Seite der Umweltschützer, der Bürgerinitiativen eine offensichtliche große Befürchtung. Es ist die Furcht vor einer Zerstörung unserer Lebenswelt, am Ende vielleicht vieler oder aller Leben, beginnend mit den klimatischen Wirkungen, die alle Großkraftwerke haben, fortschreitend durch die Möglichkeit eines Entweichens der Radioaktivität in die Luft und ins Wasser. Wer selbst Furcht hat, sieht meist die Motive seines Gegners verzerrt. Es ist wichtig, zu sehen, daß auch auf der Seite der Kraftwerksförderer eine tiefe Befürchtung steht und nicht nur die billig angeprangerten Motive des Profitgeists, des Wachstumsfetischs oder wie man sonst sagt. Die Furcht dieser Seite ist, daß unsere Wirtschaft in der internationalen Konkurrenz ins Hintertreffen kommen werde, wenn ihr die Energiequellen nicht weiterhin wachsend zur Verfügung stehen; bei einigen Weitdenkenden verbindet sich damit die Frage, wie Armut und Hunger in der Welt ohne Energiewachstum bewältigt werden sollen. Eine empirische Studie über Bürgerinitiativen ist zu dem Schluß gekommen, daß die Bereitschaft, den Konflikt zu riskieren, in ihnen größer ist, wenn davon keine ökonomischen Nachteile zu befürchten sind. Die Befürworter der Kraftwerke werden zuletzt vermutlich, ohne direkte Repression nötig zu haben, ihre Gegner mit dem Argument zum Schweigen bringen, daß es ihre eigenen Arbeitsplätze sind, die vom Energiemangel bedroht werden. Aber auch diese Seite sieht die Motive ihrer Gegner verzerrt. In technokratischen Kreisen nennt man die gegnerischen Motive gern »emotional«. Diese Abwertung macht sich umso bequemer, wenn unzureichende Spezialkenntnisse den Gegner veranlassen, seine deutlich gefühlten Sorgen mit unzutreffenden Einzelargumenten zu verteidigen.

In Wirklichkeit sind in erster Näherung, die die heutige
Realität beschreibt, die Befürchtungen beider Seiten berechtigt. Unsere Wirtschaft ist heute so strukturiert, daß sie das
Wachstum, auch das Energiewachstum braucht um nicht in
tiefe Krisen zu geraten. Andererseits ist unbegrenztes Wachstum des Energiekonsums schon klimatisch unerträglich; und
die Sicherheit der Weiterentwicklung der Kernenergie im großen Stil ist fachlich nicht ausdiskutiert, zumal im Blick auf
politisch unruhige Zeiten. In der zweiten Näherung, d. h. im
gedanklichen Entwurf künftiger Möglichkeiten, wären freilich
die beiderseitigen Bedrohungen sehr wohl überwindbar. Es
gibt keinen metaphysischen Grund der Unmöglichkeit einer
rationalen Energiewirtschaft. Gegen erkannte technisch bedingte Gefahren gibt es meist mögliche technische Abhilfen.
Über die technisch-ökonomische Seite dieses Problems werde
ich anderswo öffentlich berichten. Hier betrifft uns die
menschliche Seite. Gegen menschlich bedingte Gefahren gibt
es letztlich keine technische Abhilfe, nur eine menschliche.
Warum ist unser ökonomisch-technisches System so beschaffen, daß es die beiderseitigen Gefahren – Krise und Umweltzerstörung – erzeugt?

Wirtschaftsgeschichtlich gesehen liegt der Grund des
Wachstums – auch des gefahrvollen Wachstums – vor allem in
dem Konkurrenzsystem, das seine Anhänger meist Marktwirtschaft, seine Kritiker meist Kapitalismus nennen. Auch der
Hinweis auf den technischen Fortschritt als Motor des Wachstums verweist uns auf das Konkurrenzsystem zurück; denn
dieses System hat nach allem, was wir wissen, den ihm
gewinnbringenden technischen Fortschritt weit mehr gefördert als einerseits privater Erfindergeist, andererseits merkantilistische oder sozialistische staatliche Planung. Das Konkurrenzsystem wächst als Ganzes, weil in ihm, für jeden Teilnehmer an der Konkurrenz, auf eigenem, privatem Wachstum die
Prämie des Überlebens steht. Wenn man schon individuelle
Psychologie des Privatunternehmers oder Firmenmanagers betreibt, so ist es unzureichend, die Merkmale des Konkurrenzsy-
stems aus dem Profitstreben dieser Menschenklasse herzuleiten. Ein viel tieferes, nämlich viel rationaleres Motiv des erfolgreichen Managers ist die umsichtig angewandte Befürchtung

der Folgen eines Zurückbleibens in der Konkurrenz. Diese
Furcht ist für jeden einzelnen Konkurrenzteilnehmer rational,
denn er weiß, daß die Erfolgreichen unter seinen Konkurrenten
eben deshalb erfolgreich sind, weil sie aus derselben Sorge
heraus handeln. In diesem Sinne ist das System, psychologisch
beschrieben, durch Furcht vor den Folgen fremder Furcht stabilisiert. Darauf beruht seine Wachstums- und Durchhalte-
kraft, denn rational gesteuerte, in aggressive Tat umgesetzte
Furcht ist ein gewaltiger Motor. Darauf beruhen auch seine
Gefahren, denn wer vertritt nun dasjenige Allgemeininteresse,
das in den Privatinteressen nicht repräsentiert ist, also etwa
den Schutz der gemeinsamen Umwelt? Hier beginnt die politische Theorie; hier breche ich für heute ab.

Das zweite Beispiel, die Kriegsverhütung, brauche ich bloß
noch zu nennen. Wir erkennen in ihm sofort dieselbe Struktur,
nur daß in ihm die Konkurrenten nicht Wirtschaftssubjekte,
sondern Staaten mit ihrem Militärpotential sind. Es ist in der
klassischen Außenpolitik für jede Großmacht rational, stärker
sein zu wollen als die anderen Großmächte, aus begründeter
Furcht vor dem, wozu ebenso begründete Furcht den Konkurrenten treiben mag. Hieraus gehen periodische Machtproben,
d. h. Kriege hervor. Die in der Tiefe unseres Bewußtseins lau-
ernde Angst vor dem dritten Weltkrieg ist darum wohlbe-
gründet.

Wenn Furcht aber Furcht legitimiert, wenn Furcht ein
System der Furcht stabilisiert, gibt es dann ein Entrinnen aus
dem Teufelskreis? Hier taucht ein neues Thema auf, das ich
heute nur nenne, aber nicht behandle, das der Gesellschaftsstruktur. Die Meinung hat sich in der Welt verbreitet, eine
sozialistische Änderung des Gesellschaftssystems werde den
Teufelskreis konkurrierender Interessen und ihrer interessenrationalen Befürchtungen auflösen können. Ist diese Hoffnung
berechtigt? Bisher hat wenigstens der revolutionäre Sozialismus zu Machtgebilden geführt, deren Geheimpolizei die Ver-
körperung der Angst ihrer Führungsschichten ist. Die Kontroverse, ob dies ein notwendiges Merkmal des entschiedenen
Sozialismus sei oder nicht, benützt, wenn sie überhaupt seriös
geführt wird, anthropologische Argumente; Argumente über
die Natur des Menschen als gesellschaftliche Wesen. Ich wende
mich darum jetzt sofort der anthropologischen Frage zu.

Die dritte Frage: Was hat Angst mit dem Wesen des Menschen
zu tun? Die Antwort gliedere ich alsbald nach Furcht und
Angst auf. Ich versuche die Antwort in zwei Definitionen zu
geben, die dann zu erläutern sind. Furcht ist die affektive
Wahrnehmung einer Gefahr. Angst ist die Furcht vor unserer
eigenen Unfähigkeit zum Frieden. Hier sind zwei Worte neu
eingeführt, die selbst der Erläuterung bedürfen: Wahrnehmung und Friede.

Eine heutige Lehre vom Menschen muß die Evolution des
organischen Lebens und des tierischen Verhaltens als Hintergrund kennen. Was ist Wahrnehmung einer Gefahr? Jedes
Lebewesen ist bedroht. Das ist noch etwas anderes als die
Vergänglichkeit anorganischer Dinge. Ein Stein liegt Jahrtausende an seinem Ort und verwittert; andere Steine treten an
seine Stelle. Das organische Leben beruht, wenn ich mich so
ausdrücken darf, auf einer Erfindung der Natur: der Erfindung
von Gestalten, die ein Verhalten aktiver Selbstvermehrung und
Selbsterhaltung zeigen. Die Selbsterhaltung kann scheitern;
darum ist jedes Lebewesen bedroht. Die Selbsterhaltung muß
sogar scheitern, denn die Evolution überholt alle ihre erreichten Phasen. Im organischen Leben sind gewisse Güter immer
knapp. Die erfolgreiche Evolution macht sie knapp, und ihre
Knappheit treibt die Evolution voran.

Ich überspringe Zwischenphasen und spreche von der
Wahrnehmung der Gefahr so wie der Mensch ihrer fähig ist.
Sie hängt mit dem Vermögen der Vorstellung zusammen. Der
Mensch nimmt »etwas als etwas« wahr, er nimmt Gefahr als
Gefahr wahr. Er kann sich die abwesende Gefahr vorstellen,
und diese Wahrnehmung des Abwesenden ist die Basis des
Vermögens menschlicher Furcht. Die Furcht ist nicht selbst ein
rationaler Akt, sie ist affektiv. Aber sie ist sinnvoll. Sie hat,
wenn ich wieder einen bildlichen Ausdruck einführen darf, die
Rationalität des Irrationalen. Mit der begrenzten Rationalität
der Furcht hängt die Struktur der Machtsysteme zusammen.
Die Vorstellung befähigt uns, Mittel zur Abwehr von Gefahren
zu akkumulieren. Gegen Gefahren der Natur bleibt die Akkumulation vernünftigerweise begrenzt. Aber der menschliche
Konkurrent kann Machtmittel so unbegrenzt akkumulieren
wie ich selbst. Das nötigt mich zur weiteren Akkumulation.

Diese Struktur von Machtsystemen habe ich vorhin an Beispielen beschrieben. Solche Macht ist wesentlich tragisch, denn
ihre in jedem Einzelschritt rationale Steigerung steigert im
Endeffekt die Gefahr für alle.

Furcht und die ihr entsprechenden Machtsysteme sind aber
gewiß nicht des letzte Wort menschlichen Zusammenlebens.
Sie sind nur eine mit der Menschwerdung verbundene spezifische Gefahr. Mit der Wahrnehmung dieser, allem Menschlichen innewohnenden Gefahr möchte ich nun das geheimnisvolle Phänomen der Angst zusammenbringen, der unausred-
baren Furcht, die nicht weiß, wovor sie sich fürchtet. Ich habe
sie soeben die Furcht vor unserer eigenen Unfähigkeit zum
Frieden genannt. Einen Frieden möchte ich, wenn mir ein
drittesmal bildliche Redeweise erlaubt ist, den Leib einer
Wahrheit nennen. Als eine Wahrheit bezeichne ich dabei eine
Wahrnehmung, die gleichsam das positive Gegenstück einer
Furcht ist: die Wahrnehmung einer Wirklichkeit, die menschliches Leben, zumal Zusammenleben, möglich macht. Kurz:
Wahrnehmung einer Möglichkeit, zu leben. Leib einer Wahrheit soll heißen: Verwirklichung dieser Möglichkeit. Jede
Wahrnehmung ist unvollständig, jede menschliche Wahrheit
ist eine Teilwahrheit. Deshalb spreche ich von »einem« Frieden als Leib »einer« Wahrheit. Die menschliche Geschichte,
wie wir sie bisher kennen, ist Geschichte des Kampfs der
Wahrheiten, des Kampfs der einander ablösenden Weisen des
intermediären Friedens. Das heutige Friedensproblem ist, politisch gesagt, das des Weltfriedens. Im Kampf der Wahrheiten
zerbrechen immer wieder ältere Möglichkeiten des Friedens.
Unweigerlich entsteht dabei immer von neuem Angst.

Ich habe die Angst soeben, wie es einer heute verbreiteten
Erkenntnisstufe entspricht, von der gesellschaftlichen Realität
des Menschen her erläutert. Sie hat aber insbesondere mit der
Fähigkeit des Individuums zu tun, mit sich selbst zusammenzu-
leben; mit dem Frieden der Person, den man in einer bestimm-
ten psychologischen Spiegelung ihre Identität nennt. Der
Mensch lernt zwar sich selbst kennen, indem er mit anderen
Menschen zusammenlebt, in ihrer Liebe geborgen, in ihrer
Sprache seine Sprache lernend, in ihrer Sitte seine Ordnung
findend. Insofern ist er ein ursprünglich soziales Wesen. Aber

die Reifung geschieht im Individuum. Nichts, was andere für dich und mich tun, nichts, was du für andere tust, was ich für andere tue, kann dir und mir die Aufgabe abnehmen, du und ich zu werden. Alle großen sozialen Schritte sind von Individuen begonnen, von Individuen durchgetragen worden. Von Individuen in Gemeinschaft, gewiß; das heißt von Menschen, die zum Frieden der Gemeinschaft fähig waren, weil ihnen ein dafür hinreichendes Stück Friede mit sich selbst, Wahrnehmung ihrer selbst, gelungen war. Man kann nichts opfern, was man nicht hat, auch das Ich nicht. Insofern ist Angst allerdings die Wahrnehmung der Gefahr, nicht mit sich selbst Frieden haben zu können. Der Gefahr also, in dem, wovon die eigene Existenz abhängt, sich selbst nicht wahrnehmen zu können. Oder, fast gleichbedeutend, der Gefahr, der Selbstwahrnehmung keinen Leib geben zu können, und darum sich selbst fürchten oder hassen zu müssen.

Wer tiefenpsychologisch geschult ist, könnte hieran viele Überlegungen anknüpfen, die vielleicht eines der wichtigsten Themen für diesen Kirchentag böten. Auch dieses Fragenfeld kann ich jetzt nicht betreten. Ich wende mich der Frage zu, der ein Kirchentag sich nicht entziehen kann.

Vierte Frage: Was geht Angst die Kirche an? Antwort: Eben der Friede, um den die Angst sich fürchtet, ist das Thema des Evangeliums.

Alles, was ich bisher gesagt habe, ist im Grunde nichts gesagt. Ich habe gesagt, wovor wir uns fürchten, und daß wir uns mit Grund fürchten. Wir fürchten uns voreinander, und vor der eigenen Unfähigkeit zum Frieden. Der Friede ist die Forderung. Aber wie werden wir zu ihm fähig? Die Moral fordert ihn. Aber führt die Moral, wenn wir es ernst mit ihr meinen, anderswohin als zur Verzweiflung? Die Sozialrevolutionäre sind moralisch motiviert. Ist es Zufall, daß sie nach viel Blutvergießen neue Machtsysteme hervorbringen? Es gibt Fälle, in denen wir ihnen im geschichtlichen Kampf der Wahrheiten gleichwohl Recht geben müssen; in denen ihr neues Machtsystem um die eine Nuance anders ist als die alte, auf die es diesmal ankam. Aber es ist ihre Tragik, das, wogegen sie sich

ursprünglich empört haben, ungeändert zurückzulassen: ein
System, das durch Furcht aufrechterhalten wird.

Daß das Neue Testament von diesen Fragen spricht, möchte
ich durch wenige Zitate in Erinnerung rufen. Joh. 16, 33:
»Solches habe ich mit euch geredet, daß ihr in mir Frieden
habt. In der Welt habt ihr Angst; aber seid getrost, ich habe die
Welt überwunden.« Hier treten Frieden und Angst im selben
Vers auf. Um genau zu übersetzen: Das von Luther mit Angst
wiedergegebene Wort Thlipsis heißt Enge, Bedrängnis, ähnlich
wie das von Paulus gebrauchte Stenochoria, das diesem Kirchentag zum Thema bestimmt ist. In Luthers Sprache bezeichnet Angst eben die Enge. Es ist die Enge, die zum Wesen der
Welt gehört, des Kosmos im Sinne des Johannes-Evangeliums,
der das Licht nicht angenommen hat, durch das er gemacht ist.
Eine zweite Stelle zur Überwindung der Welt, 1. Joh. 5, 4:
»Denn alles, was von Gott geboren ist, überwindet die Welt;
und unser Glaube ist der Sieg, der die Welt überwunden hat«
Genauer übersetzt: »der Sieg, der die Welt überwunden hat,
der ist es, dem wir trauen.« Eine dritte Stelle, zum Glauben,
Hebr. 11, 1, zuerst in Luthers Übersetzung: »Es ist aber der
Glaube eine gewisse Zuversicht des, das man hofft, und nicht
zweifeln an dem, das man nicht sieht.« Lese ich hier den
griechischen Text in Kenntnis der den damaligen Intellektuellen geläufigen Begriffssprache griechischer Philosophie und
Rechtspraxis, so muß ich übersetzen: »Es ist aber der Glaube
die Substanz des Gehofften, die kritische Prüfung der Dinge,
die man nicht sieht.« Hier steht Hypostasis, die Substanz, das
Wesen, die Sache selbst; und Elenchos, die gerichtliche oder
diskutierende Prüfung, die Erprobung der Widerstandsfähig-
keit.

Ich versuche eine kurze Auslegung dieser Stellen. Die Welt
nötigt uns zur Angst. Angst ist nicht eine Schwäche des Urteils,
sondern sie ist eine zutreffende Erkenntnis. »Ich habe die Welt
überwunden« sagt im Johannes-Evangelium der inkarnierte
Logos, das Wort Gottes, das, wie dort die Redeweise heißt,
Fleisch geworden ist. Der Logos – durch den alles gemacht ist,
was gemacht ist, das Wesen der Welt als Schöpfung. Inkarniert
– das heißt nicht eine abstrakte metaphysische Vorstellung der
Theologie, sondern ein Mensch unter uns, wirkliches Leben in

der Welt. Er ist der Erstgeborene unter vielen Brüdern: dieses
Leben ist die Möglichkeit des Lebens auch für uns. Das Ergreifen dieser Möglichkeit ist der Glaube. Der Glaube ist zunächst nicht ein Verhalten, schon gar nicht ein unvernünftiges,
sondern er ist ein Inhalt, er ist das, was wir glauben. Er ist die
Substanz des Erhofften, die Wirklichkeit der Möglichkeit. Die
Wirklichkeit kann man nur erproben, indem man sich auf sie
einläßt. Es gibt keine kritische Probe einer Möglichkeit des
Lebens als indem man sie »probiert«, mit der Möglichkeit,
dabei zu scheitern. Der Glaube ist der Test der Dinge, die man
nicht sieht. Er bringt die Wahrheit zu Gesicht, indem er sich
praktisch auf den Frieden einläßt. Das heißt die Seele leibhaft
machen.

Vielleicht klingen vielen von uns diese Texte und die Auslegung, zu der sie uns verführen, wie in einer Symbolsprache
abgefaßt, zu der uns der Schlüssel fehlt. Man kann dieselbe
Erfahrung, die sich in ihnen ausspricht, auch in drei Stufen an
der Bergpredigt deutlich machen. Die erste Stufe ist die universale Moral der Goldenen Regel: »Was ihr wollt, daß euch die
Leute tun, das tuet ihr ihnen auch!« Das ist die Bedingung,
unter der allein eine gerechte Gesellschaft möglich ist. Es ist die
Bedingung eines äußeren Friedens, in dem wir frei von Furcht
voreinander leben könnten. Aber wer will das denn wirklich?
Jeder denkt: »Ich will wohl, aber der Andere will nicht.« Das
ist der seelische Mechanismus der Projektion: ich brauche ein
fremdes Subjekt meiner bösen Wünsche. Deshalb die zweite
Stufe, daß das Gebot der Moral auf die ganze Person, nicht nur
auf die sichtbaren Handlungen geht. Nicht erst wer den Bruder
ermordet, ist des Gerichts schuldig, sondern wer so über ihn
empfindet, daß sein Affekt, losgelassen, den Tod des Bruders
nicht bedauern würde. Dies ist die Bedingung des inneren
Friedens, der Reifung der Persönlichkeiten, die allein den äußeren Frieden tragen könnten. Aber wer kann das denn wirklich?
Die Erkenntnis dessen, was sein müßte, führt uns erst recht in
die Enge, in die Angst der Verzweiflung an uns selbst, denn was
einzig nottut, das können wir uns auch durch guten Willen
nicht geben. Die Reifung geht durch eine Erfahrung des Todes.
»Es sei denn daß das Weizenkorn in die Erde falle und sterbe,
so bleibt es allein. Wenn es aber stirbt, so lebt es und bringt

viele Frucht.« (Joh. 12, 24). Die dritte Stufe sind die Seligpreisungen, an den Anfang der Rede gestellt. Selig sind die Friedensmacher. Selig die Bettler um den Geist. Sie sind selig hier und jetzt. Die Enge hat sich geöffnet. Es gibt eine Erfahrung der Wirklichkeit des Friedens, über die Forderung der Moral hinaus. Sie verwirft die Moral nicht, sondern erfüllt sie, anders als irgendein Moralist gedacht hat.

Was nützt uns dies? Es ist wenig wert, hiervon zu reden, wenn unser verwandeltes Wesen den Frieden nicht selbst ausstrahlt. Es gibt hier keinen Reservatanspruch der christlichen Kirche. Zeigt man die Bergpredigt oder die Johannestexte einem wissenden Hindu oder Buddhisten, so wird er sagen: »Das ist wahr. Das hat ein Erleuchteter gesagt.« Aber wer sieht, daß diese Reifung im Menschen der Sinn der Angst, ihre Wahrheit ist, der darf sich nicht wundern, daß ohne diese Reifung die Angst nicht überwunden worden ist, so viel Anderes der Fortschritt gebessert haben mag.

Nun müßte der konkrete Teil kommen: Wie gehen wir mit unserer Angst und der unserer Mitmenschen in der Praxis um? Aber es ist gut, hier abzubrechen. Der Sprung in die Praxis kommt bei uns Abendländern früh genug. Manchmal ist Besinnung notwendiger.

I, 8. Das Schöne*

Viens-tu du ciel profond ou sors-tu de l'abime, O Beauté?

Kommst du aus der Tiefe des Himmels zu uns oder steigst du auf aus dem Abgrund, Schönheit?

Wir Menschen, endliche Wesen, zwischen die zwei Unermeßlichkeiten des Himmels und der Hölle gespannt, welcher von beiden sollen wir für die alles erschütternde Macht der Schönheit den Dank abstatten?

Ein stillerer Dichter als Baudelaire, sein Zeitgenosse Mörike hat anders vom Schönen gesprochen. Ich zitiere das ganze Gedicht:

Auf eine Lampe
Noch unverrückt, o schöne Lampe, schmückest du,
An leichten Ketten zierlich aufgehangen hier,
Die Decke des nun fast vergessnen Lustgemachs.
Auf deiner weißen Marmorschale, deren Rand
Der Efeukranz von goldengrünem Erz umflicht,
Schlingt fröhlich eine Kinderschar den Ringelreihn.
Wie reizend alles! lachend, und ein sanfter Geist
Des Ernstes doch ergossen um die ganze Form –
Ein Kunstgebild der echten Art. Wer achtet sein?
Was aber schön ist, selig scheint es in ihm selbst.

Viens-tu du ciel profond ou sors-tu de l'abime – was aber schön ist, selig scheint es in ihm selbst – um solche Stimmen über das Schöne zu hören, muß man wohl ins versunkene bürgerliche Jahrhundert zurückgehen, in die Zeit vor der Ernüchterung durch den Beginn der Weltkriege. Unsere Zeit mißtraut dem Schönen. Nicht von ihm will sie sich erschüttern lassen, seine Seligkeit glaubt sie ihm nicht. Von diesem unserem Mißtrauen will ich im heutigen Vortrag ausgehen.

---

* Vortrag, gehalten zur Eröffnung der Salzburger Festspiele, Juli 1975. Gedruckt in »Universitas«, 31. Jahrgang, Heft 1.

Die Kritik an der Tradition ist eine der großen Traditionen Europas. So hat auch das Mißtrauen gegen das Schöne Vorläufer im abendländischen Denken seit den jüdischen Propheten, den griechischen Philosophen, der Nüchternheit der Römer. Wenigstens vier Kritiken am Schönen kennen wir aus der Tradition: Das Schöne ist nicht nützlich. Das Schöne ist nicht gerecht. Das Schöne ist nicht wahr. Das Schöne ist nicht fromm.

Das Schöne ist nicht nützlich. Die Faulen genießen den Zauber des Schönen, die Fleißigen produzieren Güter zum eigenen und fremden Nutzen. Der Wert des Schönen ist nur subjektiv, er beruht auf einem irrationalen Gefühl.

Das Schöne ist nicht gerecht. Zwischen Ästhetik und Ethik ist eine tiefe Kluft befestigt. Die Reichen veranstalten Festspiele, die Armen hungern. An ästhetischen Kriterien erkennen einander die Angehörigen herrschender Klassen. Kunst, die heute wahrhaftig sein will, muß häßlich sein.

Das Schöne ist nicht wahr. Kunst ist schöner Schein. Das Schöne ist nicht selig, es ist Kalkstein und Kupfer, es ist ein Dokument einer handwerklichen Kultur. Nicht das Werk ist selig; der Beschauer vielmehr, der sich aus der Haltung der Wahrheitssuche in die des ästhetischen Genusses verliert, genießt seinen Realitätsverlust als vorübergehende Seligkeit. Die Dichter zeigen den Menschen nicht die Wirklichkeit, sagt Plato, sondern sie zeigen ihnen das Abbild eines Abbilds.

Das Schöne ist nicht fromm. Luzifer war schön; deshalb fiel er von Gott ab. Schönheit ist die abgöttische Vollendung von etwas Weltlichem. Sie entflammt aus einem von der Gottheit abgelösten Funken ein verführerisches Feuer, dessen Nährstoff der Trieb ist, und das, wenn es ausgebrannt ist, einen Leichnam aus Asche zurückläßt. Sie ist einer der letzten Kreuzwege für Hochbegabte, der sie vom Pfad zum Himmel auf den Pfad zur Hölle ablenkt.

Diese vier Kritiken sind, so scheint mir, wichtige Halbwahrheiten. Sie lassen sich auf eine einzige zusammenziehen, nämlich auf die Behauptung, das Schöne sei nicht wahr. Wäre der Sinn für Schönheit ein Vermögen, Wirklichkeiten zu erkennen, so könnte er nützlich werden, bis ins Ökonomische hinein. Wäre Sinn für Schönheit wahrhaftig, so würde er seine unge-

rechten Folgen als eine Häßlichkeit wahrnehmen und überwinden. Stünde der Sinn für Schönheit in der Wahrheit, so
ließe er sich von Gott nicht trennen.

Nun behaupte ich aber: Schönheit ist eine Form der Wahrheit. Schönheitssinn ist ein Sinn, d. h. ein besonderes Wahrnehmungsvermögen für Wirkliches. Wer jedoch Schönheit als eine
Form der Wahrheit bezeichnet, behauptet der nicht eine Objektivität des Subjektiven, eine Rationalität des Irrationalen,
die Vernunft eines Affekts? Meine Antwort ist: ja, genau das
will ich behaupten. Es gibt eine Rationalität des Irrationalen,
genauer gesagt eine Vernunft der Affekte, in der sich Subjektives, gerade in seiner Subjektivität, als objektiv, als Erkenntnis
erweist.

Was ist denn Wahrnehmung? Ehe ich von der hochdifferenzierten Wahrnehmung des Schönen spreche, erläutere ich das
Wahrnehmen am einfachsten Fall, der direkten Sinneswahrnehmung. Was ist Sinneswahrnehmung? Es gibt mancherlei
Sinne. Wir wollen vier Beispiele betrachten.

Ich fahre im Halbdunkel schnell mit dem Wagen auf der
Autobahn. Auf einmal sehe ich auf der falschen Seite, auf
meiner Fahrbahn, mir einen Wagen entgegenkommen. Ich
sehe – Gesichtswahrnehmung.

Nach steilem Aufstieg liege ich in der sonnigen Bergwiese
und höre die Bienen summen. Ich höre – Gehörswahrneh-
mung.

Ich koste die Marmelade – ah, Erdbeeren! Geschmacks-
wahrnehmung.

Und als viertes nochmals das Sehen: In den Stanzen des
Vatikan stehe ich vor Raffaels Schule von Athen. Ich sehe zwei
Lehrer im Gespräch aus der Pforte treten, den Mann Aristoteles, ein schweres Buch mit der Linken gegen die Hüfte stem-
mend, mit der Rechten auf die Fülle des Wirklichen vor und
unter uns weisend und den Greis Platon, dessen sanft erhobe-
ner Zeigefinger zum Himmel deutet.

Was also ist Sinneswahrnehmung? Die übliche Analyse unterscheidet dreierlei an ihr: die reine Empfindung des Sinnesor-
gans; das Urteil, das diese Empfindung deutet; den Affekt, den
das Urteil auslöst. Ich sehe die mir entgegenwachsende rote
Kontur; ich denke: ein Wagen auf der falschen Fahrbahn; ich

erschrecke über die Gefahr. Ich höre ein Summen; ich denke: Bienen; ich genieße den Frieden der Natur. Ich schmecke den süßen Geschmack; ich denke: Erdbeeren; ich begehre nach mehr. Ich sehe Farbflecken an der Wand; ich denke: Platon und Aristoteles; ich lebe in der künstlerischen Vergegenwärtigung klassischer Philosophie. Aber diese Trennung in Empfindung, Urteil und Affekt liegt nicht im Phänomen selbst, sie ist ein Werk der nachträglichen Analyse. Das Phänomen wird viel direkter beschrieben, wenn ich sage: Ich sehe die Gefahr; ich höre den Frieden der Bergwiese; ich schmecke die verlockende Erdbeere; ich sehe die Schule von Athen. Und der Affekt ist nicht das Ende der Einheit des Akts der Wahrnehmung. Wahrnehmen und Handeln sind nicht zu trennen. Die Gefahr – schon habe ich am Lenkrad gerissen. Das Summen auf der Wiese – ich habe mich schon entspannt. Der Erdbeergeschmack – ich beiße weiter zu. Die Schule von Athen – schauend sinne ich über die Schönheit des Wahren.

Die Verhaltensforschung an den Tieren lehrt uns, daß die Einheit von Wahrnehmen und Handeln das Ursprüngliche, einfache, leicht Verständliche ist. Hingegen bedeutet die Fähigkeit, Wahrnehmen und Handeln zu trennen, eine hohe Entwicklungsstufe. Sie erst gestattet uns Menschen, reaktives Handeln durch aktives zu ersetzen. Sie erlaubt uns, nicht zu müssen, sondern zu wollen. Der Schatz vergangener Wahrnehmungen im Gedächtnis steht dem frei entscheidenden Menschen zur Verfügung, belegt mit den gehemmten Reaktionen, die Affekte heißen, mit den Vorstellungsbildern ungetaner Handlungen, die Begriffe und Urteile heißen. In dieser hochdifferenzierten Erlebnisweise nun wurzelt ein Phänomen, das ich die Mitwahrnehmung der höheren Stufe nennen möchte, und eine solche Mitwahrnehmung ist, wenn ich nicht irre, der Sinn für das Schöne. Wir Menschen nehmen mit jedem einzelnen Sinneseindruck, jedem einzelnen Urteil, jedem einzelnen Affekt zugleich das Höhere, Allgemeingültige wahr, das diesen Eindruck, dieses Urteil, diesen Affekt erst möglich macht. Aber wir können das Höhere vom Einzelnen oft kaum unterscheiden und werden ratlos, wenn wir sagen sollen, was denn das mitwahrgenommene Höhere ist. In jedem wahren Satz nehmen wir das Phänomen der Wahrheit mit wahr, in jeder gefor-

derten guten Handlung die moralische Ordnung, und eben in
jedem schönen Eindruck, in jedem schönen Kunstwerk die
geheimnisvolle Wirklichkeit des Schönen. Was sind diese mitwahrgenommenen Wirklichkeiten?

Man soll nicht erwarten, auf solche Fragen einfache Antworten zu erhalten. Sie sind Fragen nach dem Grund der
menschlichen Kultur. Aber die menschliche Kultur ist nichts
Einfaches, und auch ihre letzten Voraussetzungen drücken sich
in ihr nicht unabhängig von der Geschichte aus. Lernen wir
fremde Kulturen kennen, so erkennen wir in ihnen oft eine
ganz andere Anordnung und Benennung der Prinzipien. Wählen wir, da vom Schönen die Rede ist, die altjapanische Kultur
als Beispiel! Bis heute ist die japanische Kultur von allen Kulturen der Welt am meisten ästhetisch geprägt. Kein spürsamer
Europäer, der Japan besucht, kann sich diesem Eindruck entziehen. Aber vielleicht bezeichnen wir Europäer das, was wir
dort wahrnehmen, falsch, wenn wir es mit unseren Begriffen
des Ästhetischen benennen, denen so leicht etwas Unverbindli-
ches, fast Unernstes, Unwahres anhaftet. Wie hängt in Japan
das Schöne mit dem Sittlichen und mit dem Rationalen zusammen? Ist das Ritual der japanischen Höflichkeit, das europäischen Rigoristen der Wahrhaftigkeit oft ärgerlich wird, nicht
eine strenge ästhetische Stilisierung sozialer Beziehungen, eine
Weise, sie erträglich zu machen? Ist der ästhetische Sinn für
Harmonie nicht in allem ostasiatischen Denken und Fühlen ein
Vermittler der Integration, ein Sensorium für Ganzheit, ein
Wahrnehmungsvermögen, das wir Europäer mit der müh-
samen Reflexion, die wir Vernunft nennen, nicht ersetzen
können, und daß wir ständig, für asiatische Feinfühligkeit
schmerzhaft, verletzen?

Aber so verschieden die Kulturen sind, doch ist der Dialog
zwischen ihnen nicht ausgeschlossen; vielleicht ist er das
größte Versprechen unserer Zeit. Die Prinzipien wie das Nützliche, das Sittliche, das Schöne sind gleichsam Plateaus auf
denen sich menschliches Wahrnehmungs- und Handlungs-
vermögen immer wieder einspielt. In jeder Kultur stehen diese
Plateaus anders zueinander, aber doch kann man sie in jeder
Kultur wiedererkennen. Kulturelle Strukturen weltumfassend
zu beschreiben vermag aber heute vielleicht noch niemand. So

kehre ich bewußt in den engen Horizont der abendländischen Tradition zurück und frage noch einmal, was denn in ihm das Schöne bedeute.

Ich wage nun eine weitere Vermutung: Das Schöne ist eine Erscheinungsweise des Guten, und zwar eine Erscheinungsweise des Guten in indirekter Mitwahrnehmung. Was soll das heißen? Ich habe ein neues Wort eingeführt: das Gute. Damit meine ich nicht nur das moralisch Gute. Ich spreche vom Guten, wie wenn man sagt: ein guter Schuh, der nicht drückt; ein guter Sportsmann, der siegt; ein guter Forscher, der etwas entdeckt. In der europäischen Philosophie hat Platon das höchste Prinzip als das Gute bezeichnet. Auf das Gute weist sein Zeigefinger in Raffaels Bild. Heute spricht man, nicht verständlicher, aber meist weniger durchdacht, von Werten. Das Grundphänomen des Guten mag darin bestehen, daß wir stets nicht bloß wahrnehmen, wie etwas ist, sondern mitwahrnehmen, wie es wohl sein sollte. Und indem wir zu jedem Ding, zum Schuh, zum Sportsmann, zu einer sittlichen Handlung, mitwahrnehmen, wie es sein sollte, nehmen wir das noch umfassendere Phänomen des Guten selbst mit wahr, eben das Phänomen, daß es anscheinend zu allem seine beste Möglichkeit, sein Gutes gibt, an dem wir seine Erscheinung messen.

Es gibt direkt mitwahrgenommene Formen des Guten. Zu ihnen möchte ich das Nützliche und das sittlich Gerechte zählen.

Beginnen wir beim Nützlichen. Nützlich nennt jeder, was gut ist für ihn selbst. Broterwerb ist nützlich, denn man will leben. Im Stück Brot nehme ich, wenn ich Hunger habe, das, wofür es gut ist, unmittelbar mit wahr. Mit dem Begriff Brot ist seine Nützlichkeit in direkter Mitwahrnehmung gegeben. Ausbildung ist nützlich, sie erleichtert den Broterwerb, gestattet leichteres Leben, Luxusgüter, selbst den Luxus des Schönen. Aber ist das leichte Leben, ist der Luxus, ist das Schöne denn nützlich? Absurde Frage, wird man sagen. Das Nützliche ist stets ein Mittel zu einem Zweck. Erst der Zweck ist das Gute. Überleben ist gut, das scheint selbstverständlich. Ist Bequemlichkeit gut? Luxus? Schönes? Ist das, was diesen vielleicht fragwürdigen Gütern dient, wahrer Nutzen? Kenne ich denn mein wahres Interesse?

Es gibt einen Weg, die Frage nach dem wahren Nutzen, dem wahren Interesse zu beantworten; es ist der Weg der Moral, der Ethik. Sein Leitstern ist die Aufhebung des egoistischen Nutzenbegriffs. In Wahrheit nützt mir nicht, was mir allein nützt, sondern was den Mitmenschen, der Gemeinschaft, der Gesellschaft nützt. Dieser Weg führt zu dem zweiten Plateau, zu dem Prinzip, das uns unter dem Titel des Gerechten oder des Sittlichen zu Gesicht gekommen ist. Der Lebensnerv des Sittlichen liegt in einem qualitativ anderen Erlebnis als dem der Nützlichkeit, sei es auch die Nützlichkeit für die Gemeinschaft. Wenn ich im Mitmenschen den Menschen erkenne, so löst diese Erfahrung die Schranken des Ich. Sie läßt mich überhaupt erst erkennen, daß das Ich eine Schranke, ja die Quelle unendlicher Leiden ist. Der Kern der Sittlichkeit ist eine Erlösungserfahrung: der Erlösung von der Blindheit, die den Namen Ich trägt. Eben darum soll ich weder gegen meine Mitmenschen meinen Egoismus durchsetzen noch mich ihrem Egoismus beugen, sondern ich soll suchen, mit ihnen gemeinsam diese erlösende Erfahrung zu gewinnen, indem wir gemeinsam ihr gemäß handeln. Ich soll Gerechtigkeit suchen.

Warum aber ist das bloße Ich blind? Ein Rückblick auf die Geschichte des organischen Lebens gibt uns einen Wink. Das Ich ist tierisches Erbe, wenn auch erst der Mensch, zumal der europäisch-neuzeitliche Mensch, es, vor allem durch das vielgesichtige Werkzeug der Macht, aufs höchste ausgebildet hat. Im organischen Leben sind drei Prinzipien wirksam: die Erhaltung des Individuums, die Erhaltung der Art, die Weiterentwicklung. Die Erhaltung des Individuums hat die scheinbar früheste, aber nicht die höchste Priorität. Sie ist Vorbedingung, aber nicht Ziel der Erhaltung der Art, geschweige denn der Weiterentwicklung. Die Erhaltung des Individuums ist durch Triebe gesichert: Hunger, Furcht. Das Ich als seelisches Phänomen ist der Inbegriff und die Steuerung der psychischen Prozesse, die der Erhaltung des Individuums dienen. Nichts ist aber dem Individuum so gewiß wie der Tod. Der Mensch ist das Tier, das weiß, daß es sterben muß. Darum ist die Erlebniswelt des menschlichen Ich gezeichnet von der leise oder ausdrücklich mitwahrgenommenen Vergeblichkeit. Die Blindheit des animalischen Ich ist, daß es nicht in der Reflexion weiß, daß es sterben muß. Die Blindheit des menschlichen Ich ist Verblendung, sie ist die Nötigung, von der Vergeblichkeit wegzublicken. Deshalb ist Erlösung von den Interessen des Ich ein Sehendwerden.

Das Sittliche ist aber nicht das letzte Prinzip. Es ist eine befreiende Erziehung zu einer Weise der Wahrnehmung, aber es ist kein Inhalt. Der kategorische Imperativ bleibt ein formales Prinzip. Das Sinnproblem, das Problem des wahren Interesses stellt sich der Gemeinschaft, wie es sich dem Einzelnen gestellt hat. Ich vermute nun: der uns angeborene und kulturell weitergebildete Schönheitssinn ist eine Wahrnehmung von gewissen Zügen des Sinns, des größeren Zusammenhangs, und zwar gerade von solchen Zügen, die einerseits lebenswichtig sind, andererseits sich dem direkten Urteil über Nützlichkeit entziehen.

Schönheit ist eine Mitwahrnehmung des Lebensnotwendigen, aber indirekt, ohne das Pathos der Notwendigkeit. Beginnen wir mit elementaren Lebensinteressen, an die sich unser technisches Zeitalter soeben, hoffentlich nicht zu spät, zu erinnern anfängt. Wenn ich in meiner Wiese liege, was nehme ich wahr? Ich sagte: ein Summen – nein, die Bienen – nein, den Frieden der Natur. Ist dieser Affekt des Friedens bloß subjektiv oder ist er die Wahrnehmung von etwas Wirklichem? Er ist eine Wahrnehmung. Was er wahrnimmt, nennt die heutige Wissenschaft das ökologische Gleichgewicht. Die Evolution hat vor mehr als hundert Millionen Jahren zur gleichzeitigen Herausbildung zweier organischer Formen geführt, die aufeinander angewiesen sind: der Blütenpflanzen, die durch Farbe, Form und Duft Insekten zur Bestäubung anlocken, und derjenigen Insekten, die von Blütenstaub und Nektar leben. Viel später hat sich der Mensch in dieses Gleichgewicht hineinentwickelt, und als Sammler, Ackerbauer und Viehzüchter ist er auf dessen Produkte, auf diese Pflanzen oder die diese Pflanzen essenden Tiere angewiesen. Wenn er dieses Gleichgewicht als schön wahrnimmt, so nimmt er die Harmonie wahr, im Beispiel der Wiese sinnlich dargestellt, die Harmonie, ohne die er nicht leben könnte.

Eine Menschheit, die die Schönheit des Landschaftsgleichgewichts als ökonomisch belanglos mißachtet und zerstört, eine

solche Menschheit ist verrückt. Sie begeht damit fast stets auch
einen ökonomischen Fehler, der sich als Fehler erweist, wenn
es zu spät ist. Natürlich sage ich nicht, der Mensch dürfe die
Natur nicht verändern. Das wäre absurd. Aber der Schönheitssinn ist ihm mitgegeben, um auch seine eigenen Werke mit
einem anderen Masstab zu messen als dem Masstab dessen,
was er in der Verblendung des im Augenblick lebenden Ich für
nützlich hält. Wie herrlich sind alte Kulturlandschaften! Als
ich zum erstenmal aus Nordamerika, das ich bewundere und
liebe, zurückkehrte, war ich bis zu Tränen gerührt von der
Schönheit einer Landschaft am Bodensee oder in Umbrien, wo
seit Jahrhunderten jeder Baum und jedes Haus dort stand, wo
Menschen mit Schönheitsssinn es haben wollten. Die heutigen
Krisen Amerikas sind auch die Krisen puritanischer Verächter
der Schönheit.

Viens-tu du ciel profond ou sors-tu de l'abíme? Wenn Baudelaire so fragt, meint er nicht die Landschaftsharmonie und
nur mitschwingend meint er die Kunst. Er meint die erschütternde Macht der leiblichen Schönheit, er meint die Schönheit,
die zur Leidenschaft der Liebe zwingt. Nun ist auch die Liebe
tierisches Erbe, und Tiere sind um der Liebe willen mit bunten
Gewändern und barockem Zeremoniell geschmückt, Gewändern und Zeremoniell, die für die Selbsterhaltung des Individuums nutzlos, ja schädlich wären. Als Biologen meinen wir das
Gute dieses Schönen mit Händen zu greifen. Die geschlechtliche Liebe *soll* hinreißend und herrlich sein, denn sie verlangt
vom Individuum den einen unerläßlichen Schritt aus dem Verhaltensmuster der Selbsterhaltung heraus, der zur Arterhaltung nötig ist. Einmal im Leben muß das Tier, von der Icher-
haltung her gesehen, wahnsinnig werden. Für den Menschen
aber ist die erotische Liebe neben der Sittlichkeit eine zweite,
völlig andere Art der Erlösung vom Ich geworden, die rückwir-
kend auf das Ich dieses zu einer ihm nun erst zugänglichen
Reife treibt. Gemeinsam ist beiden, bei aller Verschiedenheit
der Erlebensweise, eine Qualität des Empfindens, die man
vielleicht Seligkeit nennen darf: die hinreißende Seligkeit des
erotischen Rauschs, die stille Seligkeit der guten Tat, bescheidener, des guten Willens. Vielleicht rührt diese Gemeinsamkeit
davon, daß beide Schritte die Blindheit des Ich sprengen und

uns etwas ganz Anderes sehen lehren. Denn der Kern der Wirklichkeit ist, wie die Inder lehren, die Dreiheit von Sein, Bewußtsein und Seligkeit.

Was aber schön ist, selig scheint es in ihm selbst. Die Kunst ist die bewußte Darstellung der Erscheinungsweise des Guten, die wir das Schöne nennen. Über die Kunst und die Künste zu sprechen, wäre Gegenstand eines neuen Vortrags. Hier nur noch ein paar Überlegungen zu dem Satz von Mörike.

Es gibt einen Briefwechsel zu diesem Satz zwischen Emil Staiger und Martin Heidegger. Staiger meint, Mörike erweise sich als Epigone, indem er nicht mehr zu sagen wage: was schön ist, selig *ist* es in ihm selbst, sondern nur: selig *scheint* es. Heidegger erwidert, Scheinen heiße hier nicht den Anschein erwecken, sondern gleichsam Leuchten. Scheinen ist ein Sein, das in Erscheinung tritt. Wer von den beiden Interpreten hat Recht? Ich vermute, daß der verletzliche Mörike so empfunden hat wie Heidegger, aber so gesprochen hat, daß Biedermeier und heraufkommendes Industriezeitalter in ihren Vorurteilen nicht gestört wurden; vielleicht nennt man so sensible Menschen Epigonen.

Mörike wendet hier, ich weiß nicht ob bewußt, einen Satz Kants ins Objektive. Kant, der gewiß kein künstlerischer Mensch war, hat mit dem ihm eigenen präzisen Tiefblick das Schöne als den Gegenstand eines ohne Begriff als notwendig erkannten interesselosen Wohlgefallens bezeichnet. Ohne Begriff als notwendig erkannt – das ist, was ich die Rationalität des Irrationalen, die affektive Wahrnehmung genannt habe. Interesse nennt Kant das Wohlgefallen, das wir mit der Existenz eines Gegenstandes verbinden. Interesseloses Wohlgefallen also verlangt nicht nach der Existenz, gröber gesagt, es verlangt nicht nach dem Besitz des Gegenstands. Mörike sagt: was schön ist, selig scheint es *in ihm selbst*. Nicht meine Seligkeit ist wichtig. Das Sein des Schönen scheint in ihm selbst. Dieses Scheinen ist seine Seligkeit. Gewiß, die schöne Lampe war ein Werk von Menschen, für Menschen gemacht. Aber unsere Seligkeit beim Machen oder Anschauen ist eben Teilhabe an ihrer Seligkeit. So sind auch in der Natur die Maserung eines Holzes, das Innere einer Muschelschale, die Ätzfläche eines Kristallbruchs, alle nicht zum Sehen bestimmt,

doch nicht weniger schön als ein Schmetterlingsflügel oder das
Balzkleid eines Vogels. Vielleicht ist die allgegenwärtige verborgene Mathematik der Natur der Seinsgrund aller Schönheit
– auch das ein Gebiet, das ich im heutigen Vortrag nicht mehr
betreten kann. An dieser Stelle erweist sich dann die Streitfra-
ge, ob Kunst schön sein muß oder ob sie, um wahrhaftig zu
sein, häßlich werden muß, als eine Scheinfrage, entstanden
indem das Wort »schön« um ein Gedankenstockwerk zu oberflächlich verstanden worden ist. Ob ein Werk nun akademisch
schön oder expressiv häßlich ist, in beiden Fällen gibt es den
Unterschied zwischen einer nur für den oberflächlichen Blick
geleisteten Erfüllung der Forderungen der Schulmeinung, der
es sich fügt, und jenem inneren Scheinen, das ihm keine gute
Absicht geben kann, und das Wahrnehmung von Wirklichkeit
vermittelt.

Um aber noch einmal zu der uns so viel bequemeren subjektiven Sprache zurückzukehren: Die innere Seligkeit des Kunst-
werks stellt dar, daß es nicht auf uns ankommt. Sie deutet die
Erlösung von den Interessen des Ich an. Aber wie steht es dann
mit den Kritiken am Schönen, mit denen wir begannen? Wo die
Existenz, wo der Besitz des Schönen selbst ein Interesse wird,
dort ist Gefahr. Luzifer, der Schöne, wollte nicht Abglanz des
einzig Guten, sondern selbst die Mitte sein. Deshalb scheint
das Schöne bald aus dem Himmel, bald aus dem Abgrund zu
kommen. Das Schöne ist wahr und nicht wahr. Es erlöst aus
der Blindheit des Begriffs, aber es darf nicht gegen die Vernunft, die von ihm sehen lernt, ausgespielt werden. Die Kluft
zwischen Ethik und Ästhetik soll nicht überbrückt werden.
Immer sollen wir daran erinnert werden, daß das Schöne an
sich noch nicht sittlich, das Gerechte an sich noch nicht human
ist. Und vom Schönen als Gegenwart müssen wir auf den
Boden des Nützlichen zurückkehren. Noch im Festspiel soll
uns das Bewußtsein begleiten, daß das Thema heißt: Brot für
die Welt. Noch in der Arbeit am Brot soll die schmerzhafte
Seligkeit einer Melodie von Mozart bei uns sein.

I, 9. Der Tod*

De morte nil nisi bene.

Kann man wagen, über den Tod zu sprechen? Wird, was ich sage, angesichts meines Todes standhalten? Hält es stand angesichts des Todes meiner Nächsten? Hält es stand angesichts des uns allumgebenden Todes, den wir öfter, als wir zugeben, selbst zu verantworten haben? Aber eben darum: kann man wagen, nicht vom Tod zu sprechen? Können wir ein ernstzunehmendes Wort über das Leben sagen, wenn wir dem Tod nicht ins Auge sehen?

Der Buddha war der Sohn eines Königs. Es wird erzählt, daß ihn sein Vater im Palast und den Gärten des Palasts erziehen ließ, fern vom Anblick der Leiden. Der Prinz hatte schon eine Frau und zwei kleine Kinder, als ihm der Wunsch erfüllt wurde, die Stadt zu besuchen. Wir wissen, wie sich in altorientalischen Straßen das Elend unbeschönigt zeigt. Er sah einen Kranken. »Was ist das?« fragte er seinen Begleiter im Wagen. »Ein Kranker.« »Muß ich auch so werden?« »Ja.« Er sah einen Greis. »Was ist das?« »Ein Alter.« »Muß ich auch so werden?« »Ja.« Er sah einen Leichenzug. »Was ist das?« »Ein Toter.« »Muß ich auch so werden?« »Ja.« Er sah einen Wandermönch, dessen Gesicht die Ruhe des Wissens ausstrahlte. »Was ist das?« »Ein Mönch.« »Kann ich auch so werden?« »Ja.« Der Prinz kehrte in den Palast zurück. In derselben Nacht verließ er alle seine Güter, den Vater, die junge Frau und seine Kinder und zog in die Hauslosigkeit hinaus. Nach jahrelangem schwerem Ringen fand er zum vollständigen Erwachen. Nun lehrte er noch fünfzig Jahre zum Heil aller Menschen die Lehre vom Leiden, vom Durst und vom Erwachen.

Wir brauchen nicht in den Osten zu gehen, um so vom Tod denken zu lernen. Aus den Abschiedsgesprächen des Sokrates erfahren wir, daß Philosophieren nichts anderes ist als Sterbenlernen. In den Gleichnissen Jesu hören wir von dem reichen

---

* Vortrag, gehalten in den Salzburger Hochschulwochen, August 1975. Gedruckt in »Grenzerfahrung Tod«, Hrsg. Asgar Paus, Styria Verlag, Graz 1976.

Bauern, der neue Scheuern für seine Ernte bauen wollte, um zu seiner Seele zu sagen: »Liebe Seele, du hast einen großen Vorrat auf viele Jahre; habe nun Ruhe, iß, trink und habe guten Mut!« Aber Gott sprach zu ihm: »Du Narr! diese Nacht wird man deine Seele von dir fordern, und wessen wird's sein, das du bereitet hast?« (Luk. 12, 16–21). Jedermann ist dieser Bauer.

Wahrscheinlich ist keine Menschheit je dem Tode gegenüber so ratlos gewesen wie die heutige. Freilich war die Antwort der großen Religionen auf die Todesfrage dem täglichen Bewußtsein der Menschen zu allen Zeiten fremd. Sie wurde mythologisch gefärbt, um erträglich zu sein. Unserer Zeit ist aber auch die Sprache des Mythos fremd geworden. Das moderne Bewußtsein versteht weder die gefärbte noch die ungefärbte Antwort. Wir müssen aber mit unseren Fragen beim heutigen Bewußtsein ansetzen, wenn wir über den Tod nicht bonum, d. h. Freundliches, vielleicht sogar Wahres, sondern bene, d. h. in guter Weise, also zum mindesten wahrhaftig reden wollen. Der harte Kern des heutigen Bewußtseins ist die Naturwissenschaft. Ich will versuchen, in dreifacher Hinsicht als heutiger Wissenschaftler zu sprechen. Einmal als ausgebildeter Naturwissenschaftler; diese Wissenschaft hat auch zum Tod etwas Wichtiges zu sagen. Zweitens in Kenntnis der Geistesgeschichte, also offen für den Erfahrungsschatz aller Religionen, nicht nur meiner christlichen Heimat. Drittens in philosophischer Weise, also so, daß die Erfahrungen nicht bloß nebeneinander aufgereiht werden oder eine der anderen zuliebe preisgegeben wird, sondern im Bemühen, ihren Zusammenhang zu denken.

Ich möchte den Vortrag unter drei Leitfragen aufgliedern: Woher kommt der Tod? Was bedeutet der Tod in unserem menschlichen Leben? Wohin führt uns der Tod?

Woher kommt der Tod? Zu dieser Frage weiß die heutige Naturwissenschaft ein Stück der Antwort, das frühere Zeiten nicht gekannt haben. Thesenhaft zugespitzt: Das Ich und der Tod sind zwei zusammengehörige, sinnvolle Produkte der Entwicklung des organischen Lebens. Erlauben Sie mir, diesen Satz langsam, ja pedantisch zu erläutern. In diese Erläuterung flechte ich eine Auseinandersetzung mit älteren, philosophisch-theologischen Gedanken ein.

Der Rahmen geschichtlicher Fakten, den die Naturwissenschaft entworfen hat, ist heute allgemein bekannt. Wir Menschen stammen von Tieren ab, die Tiere von Protozoen. Wir alle, Menschen, Tiere, Pflanzen, Einzeller, bestehen physisch aus Molekülen. Aus Molekülen dürften sich die ersten Lebensformen gebildet haben, nachdem vor schätzungsweise viereinhalb Milliarden Jahren die Erde, gemeinsam mit ihrem Zentralstern, der Sonne, aus einem Gasnebel entstanden war. Die Sonne ist einer der rund hundert Milliarden Sterne im Milchstraßensystem, einem der etwa hundert Millionen solcher Systeme, die den unseren Instrumenten noch erreichbaren Raum durchschweifen. Dem uns bekannten Kosmos können wir kein höheres Alter als knapp zehn Milliarden Jahre zuschreiben. Die Anfänge verlieren sich im Hypothetischen.

Philosophisch noch wichtiger als der Rahmen ist die Struktur der Geschichte der Natur. Alle Gestalten im Weltall sind in der Zeit. Ihre gemeinsamen Merkmale sind Möglichkeit, Gewordensein, Vergänglichkeit. Wir Menschen sprechen in der begrifflichen Analyse gewisse Gestalten als möglich an: ein Stern, ein Quarzkristall sind mögliche Agglomerationen von Materie. Zu dieser formalen, naturgesetzlichen Möglichkeit muß die reale, geschichtliche Möglichkeit kommen: jetzt ist hier ein Gasnebel, aus dem sich ein Stern bilden kann, ein Schmelzfluß, in dem ein Quarzkristall wachsen kann. Die geschichtliche Möglichkeit setzt schon Gewordenes voraus: der Gasnebel, der Schmelzfluß muß schon da sein. Alles Gewordene ist vergänglich, denn sonst gäbe es die Möglichkeit des Neuen nicht: der Gasnebel löst sich zum größten Teil in Sterne auf, der Schmelzfluß erstarrt oder verläuft sich in größeren Schmelzen. Möglichkeit beruht auf dem Zusammenspiel von Gewordensein und Vergänglichkeit. Wagt man es, schon die geschichtliche Möglichkeit überhaupt als Leben, schon die Vergänglichkeit des Gewordenen überhaupt als Tod zu bezeichnen, so ist der Tod Vorbedingung des Lebens. Der Satz in Tobler-Goethes Hymnus über die Natur: »der Tod ist ihr Kunstgriff, mehr Leben zu haben«, ist schon in diesem sehr formalen Sinne anwendbar. Sein enthusiastischer Klang ist naturwissenschaftlich nicht mehr und nicht weniger gerechtfertigt als der düstere Klang des Satzes: »alles, was lebt, lebt,

um zu sterben.« In einem eigentlicheren Sinne aber gibt es in
der Vergänglichkeit des Anorganischen den Tod noch nicht.

Die Vergänglichkeit alles Gewordenen ist allen alten Religionen und Philosophien geläufig. Neu in der Naturwissenschaft ist die empirische Feststellung der Evolution, der einsin-
nig fortschreitenden Bildung immer neuer, immer differenzierterer Gestalten. Evolution gibt es schon in der anorganischen
Natur. Noch Newton meinte die Gestalt des Planetensystems
nur als Werk einer direkt planenden Intelligenz begreifen zu
können. Wir sind heute überzeugt, daß alle Gestalten der
anorganischen Natur gemäß den Naturgesetzen auseinander
hervorgehen und sich dabei im statistischen Mittel immer höher differenzieren. Die Meinung, das sogenannte blinde Walten der Wahrscheinlichkeit könne nur wachsende Unordnung
erzeugen, ist falsch. Ich kann hier nicht die Argumente, sondern nur die Ergebnisse der begrifflichen Prüfung dieser Frage
in drei Thesen zusammenfassen: 1. In einem physikalischen
System, das weit genug vom statistischen Gleichgewicht entfernt ist, ist eine Zunahme der Anzahl unterscheidbarer Gestalten, also eine wachsende Differenzierung, statistisch zu erwarten. 2. Das erreichte Gleichgewicht zerstört meist die Gestalten
nicht, sondern beendet nur ihre Vermehrung; der sogenannte
Wärmetod hinterläßt nicht einen Brei, sondern eine Stätte von
Skeletten. 3. Nur abgeschlossene Systeme erreichen das
Gleichgewicht; die Welt im Ganzen ist vermutlich kein abge-
schlossenes System.

Der Kern des Evolutionsphänomens ist, daß mit fortschreitender Evolution die Menge realer Möglichkeiten zunimmt.
Zwar werden mit der Verwirklichung einer Möglichkeit alle
ihr entgegenstehenden ausgeschlossen. Aber das neue Gewordensein eröffnet seinerseits neue Möglichkeiten, die vorher
nicht real bestanden. Durch dieses Wachstum der Gestaltenfülle geschieht es, daß das Gewordene nicht ganz vergeht. Ein
Dokument seines Gewesenseins bleibt im aus ihm Gewordenen
übrig.

Die bedeutendste evolutive Erfindung der Natur ist das organische Leben. Dieser Satz ist in der personifizierenden Sprache formuliert, welche die Naturwissenschaftler gerade im
Alltag ihrer Arbeit, scheinbar scherzhaft, ständig gebrauchen.

Begrifflich behutsam muß man das organische Leben eine Möglichkeit nennen, die sich in einer Phase der Geschichte der Natur realisierte. Die Metapher einer neuen »Erfindung der Natur« soll andeuten, daß es sich nicht bloß um die Möglichkeit einer speziellen neuen Gestalt handelt, sondern um eine Möglichkeit neuer Möglichkeiten; um Gestalten, die in sich ein Prinzip der Erzeugung immer neuer Gestalten tragen. Wir haben heute keinen empirischen Grund, dabei die Wirksamkeit anderer als der normalen physikalisch-chemischen Gesetze anzunehmen. Es ist ferner die Grundthese der in der heutigen Biologie herrschenden darwinistischen Evolutionstheorie, daß, wenn organisches Leben einmal entstanden ist, seine Weiterentwicklung mit statistischer Notwendigkeit (»an Gewißheit grenzender Wahrscheinlichkeit«) nach einsehbaren Prinzipien stattfinden wird, und daß Evolution nach diesen Prinzipien uns zur Deutung der faktisch entstandenen Formen des Lebens, wenn wir nur hinreichend komplizierte Prozesse zu durchdenken vermöchten, auch ausreichen würde.

An dieser Stelle muß ich in den Strang der Darstellung den Faden der Auseinandersetzung mit klassischen philosophischen Meinungen einzuflechten beginnen. Ich gestehe, daß ich den noch heute verbreiteten Affekt gegen den Darwinismus für ein philosophisches Mißverständnis halte, an dem freilich die undifferenzierte Popularphilosophie vieler Biologen nicht unschuldig ist. Der Darwinismus ist die Herausforderung zu einer noch nicht geleisteten Philosophie der Zeit. Die klassische abendländische Philosophie stellt der Vergänglichkeit der geformten Dinge die Ewigkeit der Formen selbst gegenüber. Die Idee der Idee ist nach Platon die Idee des Guten. Von dem vergänglichen Ding her gesehen ist die Idee, an dem es teilhat, sein Gutes, seine höchste Möglichkeit. Die Ideen sind ewig, und eben darum sind die höchsten Möglichkeiten vergänglicher Dinge immer dieselben. Platon wagte es, wie ich meine vor dem Hintergrund einer mathematischen, einer sittlichen und einer mystischen Erfahrung, das Pathos der Vergänglichkeit mit dem Pathos einer präsenten Ewigkeit zu überspielen. Die Zeit ist ihm des im Einen verharrenden Ewigen ewigliches, nach der Zahl fortschreitendes Abbild; die in sich zurückkehrende Kreisbewegung ist ihm die nächste Annäherung an die

Ewigkeit. Es ist die Herrlichkeit der platonisch verstandenen
Welt, daß es in ihr nichts Neues gibt, denn gäbe es in ihr Neues,
so wäre sie – blasphemischer Gedanke – nicht schon von jeher
dem ewigen Guten so nahe wie möglich. Dies ist freilich noch
die Sprechweise des Vorhofs, aber sie hat in der Geschichte des
Denkens gewirkt.

Wie haben wir nun die Möglichkeit aller Möglichkeiten, das
Gute, zu denken, wenn es Evolution gibt? In der Philosophie,
die sich uns nahelegt, erscheint das Mögliche nunmehr mit der
Zukunft verbunden. Es wäre nun abstrakt, der einzelnen, im
Begriff gespiegelten Idee, Zeitlosigkeit zuzuschreiben; die realen Möglichkeiten werden erst mit dem Gewordensein ihrer
Vorläufer. Der so vielfach affektbesetzte Begriff des Zufalls
besagt nur, daß wir die Möglichkeit des Zukünftigen nicht als
Notwendigkeit verstehen. Wir sprechen wissenschaftlich von
Zufall, wenn in Situationen, die wir begrifflich als gleichartig
charakterisieren, in verschiedenen Einzelfällen de facto Verschiedenes geschieht. Unsere begrifflichen Hilfsmittel gestatten dann nur, relative Häufigkeiten des Eintretens verschiedener Möglichkeiten, also Wahrscheinlichkeiten zu prognosti-
zieren. Die physikalischen Gesetze sind nichts anderes als die
allgemeinen Regeln, nach denen menschlichen Subjekten
solche Prognosen möglich sind; darauf komme ich im dritten
Teil des Vortrags noch einmal zurück. Wir betrachten nun, die
philosophischen Fragen im Blick haltend, die biologische Evolutionslehre.

Eine Evolutionstheorie muß drei empirisch bewährte Prinzipien erklären: die Erhaltung der Individuen, die Erhaltung der
Arten, die Weiterentwicklung der Arten. Das zentrale Prinzip
ist das der Erhaltung der Arten. Das lateinische Wort für Art,
Species, wörtlich das Aussehen, ist eine Übersetzung des griechischen Eidos und entstammt der aristotelischen Philosophie.
Aristoteles ist ein heterodoxer Interpret Platons. Die platonische Idee ist für ihn das Eidos, die Gestalt *in* den Dingen – was
immer die Metapher »in« hier heißen möge. Die Ewigkeit der
Ideen findet sich für ihn realisiert in der nie abreißenden Gegenwart von Dingen, in denen dasselbe Eidos ist. Die physische
Abstammung des Gleichen vom Gleichen (»ein Mensch zeugt
einen Menschen«) ist das schönste Modell dieses Gedankens.

Kein Individuum ist unsterblich, aber das Eidos in den Individuen, die Spezies, ist es. Dieser philosophische Gedanke ist zugleich hervorragende empirische Biologie. Die neuzeitliche Biologie kam im achtzehnten Jahrhundert auf den sicheren Weg der Wissenschaft, als sie die universale Geltung der physischen Abstammung aller Individuen einer Art von Individuen derselben Art, also des Prinzips des Aristoteles, etablierte. Die langsame Änderung der Arten, auf der die Evolution beruht, ist auch nach der heutigen Biologie nur eine kleine Korrektur am Prinzip der Artenkonstanz. Jede Erklärung der Evolution muß mit einer Erklärung der Artkonstanz beginnen; daher die zentrale Bedeutung der langgesuchten Entdeckung des Mechanismus der Reproduktion durch die Doppelhelix der Nukleinsäuren. Das philosophische Motiv des Aristoteles wird freilich durch die Entdeckung der Evolution aus den Angeln gehoben; auch die Spezies sind nicht ewig. Auch das Schöne muß sterben, um anderem Schönen Platz zu machen, nicht nur das Individuum, sondern auch die Gestalt.

Man muß nun sagen, daß erst die Evolution den Tod geschaffen hat, und zwar mit schrittweise steigender Schärfe. Nach heutigen Modellvorstellungen beginnt die organische Evolution mit Molekülen, die ihresgleichen produzieren. Die organische Evolution beginnt also mit der Selbstvermehrung einer Spezies. Vorkehrungen zur Erhaltung der Individuen gibt es dabei zunächst nicht; diese Moleküle haben nur die übliche begrenzte chemische Stabilität. Aber nun entsteht die Konkurrenz der sich jeweils vermehrenden verschiedenen Arten um das in begrenzter Menge vorhandene Ausgangsmaterial, um die Nahrung. Der erste Schritt der Evolution produziert also das völlig neue Phänomen des »Kampfs ums Dasein«. Zunächst ist schnellere Vermehrung ein Vorteil, oder ökonomischere Ausnützung der Nahrung. Die in solchen Vorgängen tüchtigere Spezies wird die anderen zurückdrängen. Es entsteht ein »Selektionsvorteil« für gewisse Verhaltensweisen und damit für Weiterentwicklung. Zufällige, d. h. mögliche Mutationen des Erbguts, fast immer schädlich, können doch auch einmal zu tüchtigeren neuen Arten führen, und diese setzen sich dann durch. So führt das erste Prinzip, die Selbstvermehrung der Art, zum zweiten Prinzip, der Weiterentwicklung. In

dieser Entwicklung folgt nun eine Kette von »Erfindungen der
Natur«, die überhaupt erst ein Prinzip der Selbsterhaltung der
Individuen, also ein aktives Verhalten des Individuums zur
Aufrechterhaltung seiner eigenen Existenz, entstehen lassen.
Dazu gehört die höhere Erfolgstüchtigkeit solcher Individuen,
die einen Stoffwechsel haben, der ihnen chemische Prozesse
und damit Wachstum und Mobilität ermöglicht. Günstigstes
Ausgangsmaterial für höheren organischen Chemismus ist
Substanz, die selbst schon organisch ist. Dies gibt den Verzeh-
rern anderer Organismen eine Chance, also den Tieren, die von
Pflanzen leben, und den Raubtieren, die von Tieren leben. Jetzt
sind Individuen durch andere Individuen bedroht, und Selbstschutz durch Härte, Gift, Waffen, Größe, Beweglichkeit bringt
Vorteil. Die Evolution erzeugt also das Schema des Individuums als letztes ihrer drei Prinzipien. Aber erst Individuen, die
darauf eingerichtet sind, sich selbst zu erhalten, können eigentlich sterben. Für sie ist der Tod ein Ereignis, weil sie darauf
angelegt sind, sich gegen ihn zu wehren. So erzeugt die Evolution den Tod.

Darwin ist zu seiner Selektionslehre angeregt worden durch
die pessimistische Ökonomie von Malthus, der lehrte, die Lebewesen, so auch die Menschen, würden sich stets so weit
vermehren, bis sie ans Existenzminimum stießen. Dieser Gedanke ist ein Blick in einen Abgrund, den sich die europäische
Tradition verborgen hatte. Im christlichen Aristotelismus erscheint Gott wie ein Gärtner oder Hausvater, der allen den
Seinen genug zuteilt. Vom Blickpunkt des Individuums aus hat
hier Buddha tiefer gesehen und ebenso die frühchristlichen
Traditionen, die die Welt selbst und den Herrn dieser Welt als
böse empfanden. Die Empörung über den Darwinismus verteidigte ein idealisierendes Weltbild. Der Darwinismus selbst
hatte freilich ein optimistisches Fortschrittspathos, vergaß
aber gern, daß die Fortentwicklung der Arten und ihres ökologischen Gleichgewichts über die Leichen der Individuen geht;
man muß zu den Siegern gehören, um sich der existierenden
Schönheit der Welt zu erfreuen. Nach meiner Überzeugung
enthält der Realismus Darwins auch die Aufforderung zu einer
tieferdringenden Philosophie und Theologie. Der Gegensatz
von Finalismus und Kausalismus ist ein Scheingegensatz. Es ist

zunächst gerade der Anspruch der Selektionslehre, die finalistische Beschreibung des Verhaltens der Organismen als eine Phänomenologie zu rechtfertigen, indem die Entstehungsweise zweckmäßiger Organismen erklärt wird. Diese gegenseitige Erläuterung der Wirkursache und der Endursache, diese Fundiertheit der Möglichkeit in der Gewordenheit, ist nicht unaristotelisch, nur erreicht sie einen neuen Tiefgang in der Überschreitung der Schranke der Artenkonstanz. Die Theologie eines zwecksetzenden Gottes aber erscheint mir als ein Anthropomorphismus, der mit der religiösen Lehre von Gottes Allmacht ebenso schwer zu vereinen ist wie mit der philosophischen Vorstellung von Gottes Wissen. Zwecke sind wesentlich menschliche Orientierungsmarken, deren begrifflicher Sinn voraussetzt, daß sie möglicherweise auch nicht erreicht werden. Zwecke sind Begriffe von Möglichkeiten, also anthropomorph. Wer Gott für die Zwecke direkt verantwortlich macht, muß einen Gegengott für die unendliche Fülle des Scheiterns, des Leidens, des Mißratens verantwortlich machen; er ist, denkt er konsequent, zum theologischen Dualismus gezwungen.

Der Tod ist ein Werk der Evolution, in noch schärferem Sinn als ich es bisher ausgesprochen habe. Eine »Erfindung der Natur« sind evolutionsbeschleunigende Strukturen. Von zwei etwa gleich lebenstüchtigen Arten wird diejenige einen Vorteil haben, die sich schneller weiterentwickelt. Dazu gehört das »Ausprobieren« vieler Mutanten. Höchst wahrscheinlich ist die geschlechtliche Fortpflanzung, im Unterschied zu dem so viel einfacheren Prinzip der bloßen Zellteilung, eine dieser evolutionsbeschleunigenden Strukturen. Sie mischt immer von neuem rezessive Merkmale und gibt jeder Spezies einen Schatz von Erbanlagen latent mit, die bei jeder Umweltänderung eine Chance haben, alsbald den bestangepaßten Typ zu produzieren. Um diese Fortpflanzungsweise durchzusetzen, bedurfte es freilich der stärksten Verhaltensregulative, die die Kopulation erzwingen. So verstehen wir die weltbeherrschende Gewalt der geschlechtlichen Liebe. Das Individuum aber, das kopuliert hat, hat damit den ersten Schritt getan, sich überflüssig zu machen. Es gibt Spinnenweibchen, die das noch kopulierende Männchen aufzufressen beginnen. Das tiefe Erlebnis des

Zusammenhangs von Liebe und Tod ist kein ästhetischer
Irrtum.

Der Tod des Individuums ist aber noch unmittelbarer evolu-
tionsfördernd. Kurzlebigkeit der Individuen ist ein Selektionsvorteil für die Art, denn sie beschleunigt die experimentierende
Generationenfolge. Das Altern der Individuen ist darum gewiß
nicht zufällig ein zwangsläufiger Prozeß, eine genetisch fest
eingeplante fortschreitende Krankheit. Wir verschleiern uns
dieses Faktum durch naive Vorstellungen, als sei das Altern
ein, vielleicht gar vermeidlicher, Verschleiß des Materials.
Warum sollten virtuell unsterbliche Individuen physisch weniger möglich sein als virtuell unsterbliche Arten? Das Tempo
des Alterns ist faktisch auf das Tempo der Ontogenese, der
Individualentwicklung abgestimmt. Die Eintagsfliege kann
nach einem Larvenstadium und einem Hochzeitstag sterben.
Der Mensch lebt lange, weil seine Kinder seiner lange bedürfen.

Was bedeutet der Tod in unserem menschlichen Leben? Der
Mensch ist das Lebewesen, welches weiß, daß es sterben muß.
Unter dem, was Tiere wahrnehmen, ist wohl eine Mitwahrneh-
mung des herannahenden eigenen Todes in der Furcht oder im
Erlöschen der selbsterhaltenden Triebe vorhanden, vielleicht
wesentlich. Ein reflektiertes Wissen, daß er sterben muß, wer-
den wir erst dem Menschen zusprechen. Kaum ein anderes
Wissen hat dem Menschen einen so tief eindringenden Weg der
Selbstwahrnehmung eröffnet wie das Wissen vom eigenen
Tod.

Die Situation des Menschen gegenüber dem Wissen vom
eigenen Tod ist paradox. Der manifeste Träger des menschlichen Wissens ist das Ich. Das Ich ist die Selbstwahrnehmung
des Individuum *als* Individuum. Unreflektiert ist das Ich das
steuernde Zentrum der selbsterhaltenden Triebe, in der Reflexion umfaßt es alle Wahrnehmungen und Wissensentschei-
dungen, die der Selbsterhaltung dienen und ist so das eigentlich
menschliche Instrument der Selbsterhaltung, ihr erster Diener.
Der Mensch ist das Tier, das Ich sagen kann. Eben das Individuum aber ist das eigentliche Opfer des Todes. Indem das Ich
zum reflektierenden Wissen gelangt, gelangt es zum Wissen
seines notwendigen Untergangs.

Gehen wir einen Schritt mehr ins Einzelne. Der Mensch hat die tierische Einheit von Wahrnehmen und Handeln gesprengt durch das sprachlich gestützte Vermögen der Vorstellung. Er kann das, was nicht da ist, in der Phantasie, im Wort, im Begriff, in der Reflexion gleichsam vor sich stellen. Er kann Zukunft in der Form der Möglichkeit antizipieren. Die ganze Wissenschaft, in deren Sprache ich hier rede, ist eine Entfaltung dieser menschlichen Weise, sich zur Zukunft zu verhalten; Begriffe sind Möglichkeiten. Möglichkeiten denken zu können, bedeutet auch Gefahren denken zu können und den Schutz gegen sie vorzubereiten; es bedeutet präzise Furcht und unbegrenzt akkumulierbare Macht. Gerade das Ich des neuzeitlichen Europäers – und mit dem Sieg unserer Zivilisation des modernen Menschen – erlebt die Ansammlung von Verfügungsgewalt als Wissen, Kapital, Waffen stärker als irgend ein früheres Lebewesen auf der Erde. Genau die Voraussicht, die uns alle Macht der Erde erschließt, erkennt die Schranke des eigenen Todes. Wessen wird's sein, das du gesammelt hast?

Die üblichste Form menschlichen Umgangs mit dem eigenen Tod ist die Verdrängung. Wäre es nicht so, warum bedürften wir der biblischen Erinnerung? Nun ist der psychische Mechanismus der Verdrängung an sich eine lebensnotwendige Fähigkeit. Abschirmung, Filterung von Information ist eine der wichtigsten höheren Leistungen unseres sensorischen Apparats; sie ist eine Bedingung der Begriffsbildung. Zu dem, was normalerweise verdrängt werden muß, gehört die Flut entfernter Gefahren, die kein akutes Handeln erfordern. Verdrängung ist ein Wächter seelischer Gesundheit. Aber ihre richtige Verwendung ist eine Aufgabe. Je bewußter der Mensch wird, desto unentbehrlicher ist für ihn die Kontrolle seiner eigenen Verdrängungen. Wahrheit wird für ihn eine Lebensbedingung. In diesem Sinne ist ein Friede stets der Leib einer Wahrheit. Unsere Fähigkeit zum Umgang mit der Verdrängung des Todes ist dann ein wichtiges Kriterium unserer Fähigkeit zu leben, unserer Friedensfähigkeit.

Blicken wir zunächst auf den Augenblick, in dem ich nicht mehr bloß weiß, daß man stirbt, sondern daß ich nun sterben muß. Auf jeden Menschen, sagt Jean Paul, wird im Augenblick der Geburt ein Pfeil abgeschossen; er fliegt und fliegt und

erreicht ihn in der Todesminute. Wie, wenn ich das Schwirren
des Pfeiles höre? Hier hat unsere Medizin ein Problem. Zur
religiösen Lebensordnung gehörte es, den Menschen in seiner
letzten Stunde nicht in der Unwissenheit allein zu lassen. Er
empfing die Tröstungen, wenn er wußte, was der Arzt, der
Priester, die Angehörigen wußten: daß er nun sterben müsse.
In der heutigen Medizin hat sich die Überzeugung durchgesetzt, es sei humanes Gebot, dem Menschen das Wissen von
seinem bevorstehenden Tod nicht aufzudrängen; ja, es gibt
eine Praxis, es ihm auszureden. Ich habe in diesem Zusammenhang eine Erfahrung gemacht. Mein kraftvollster philosophischer Schüler, auch physisch ein Bild der Gesundheit, mußte
sich wenige Wochen nach seinem Doktorexamen einer Untersuchung unterziehen. Danach kam seine Frau zu mir und
fragte mich um Rat. Der Klinikchef hatte ihr die Diagnose,
inoperabler Krebs, gesagt, und ihr dringend ans Herz gelegt,
sie ihrem Mann zu verschweigen. Sie fuhr fort: »Ich habe
meinen Mann noch nie belogen. Was soll ich tun?« Ich kannte
sie und antwortete: »Das können nur Sie selbst wissen. Aber
wenn Sie sich entscheiden, es Ihrem Mann zu sagen, werde ich
die Verantwortung dafür gegenüber dem Klinikchef auf mich
nehmen.« Sie sagte es ihm. Als ich ihn daraufhin besuchte, war
er aus tiefer Unruhe in ruhige Gewißheit gewandelt. Er sagte:
»Ich weiß jetzt, daß ich noch wenige Monate Zeit habe, um
einige Dinge in meinem Leben zu ordnen, die ich sonst um
Jahre hätte hinausschieben mögen.« Natürlich handelte es sich
bei diesen Dingen im Kern um das Verhältnis zu Gott. Eine
Weile ging es ihm selbst physisch besser. Ich habe ihn bis zu
seinem Tod jede Woche besucht, in den Schwankungen seiner
Zustände, und dieses Sterben war etwas vom Wirklichsten,
was ich gesehen habe.

Mediziner, denen ich diese Geschichte erzähle, sprechen
dann manchmal von Ausnahmemenschen, und sie können auf
viele gegenteilige Erfahrungen verweisen. Gewiß kann man
Menschen, die unsere Kultur ein Leben lang verdrängen gelehrt hat, daß Leben Sterbenlernen bedeutet, nicht im letzten
Augenblick zumuten, alles Versäumte nachzuholen. Aber
selbst diese Menschen nehmen etwas wahr, was sie verstehen
könnten, wenn man ihnen dazu hülfe. Oft ist der Arzt der

Ratlose, oder der technische und kommerzielle Apparat der Medizin hindert den Arzt, das Mögliche sich zur Gewohnheit zu machen. Viele Erfahrungen sprechen dafür, daß es eine Mitwahrnehmung des nahenden eigenen Todes gibt, auch wenn sie nicht ins reflektierte Bewußtsein aufgenommen werden kann. Sie begleitet nicht nur die Einschränkung des Bewußtseinshorizonts des Ich bei wegsinkender Lebenskraft. Im Gegenteil, sie ist der Möglichkeit nach eine gesteigerte, befreite Sensitivität.

Als eine der großartigsten Formen des vorausgeworfenen Schattens des Todes möchte ich den Spätstil von Künstlern ansehen. Das Empfinden drängt sich auf, daß der Stil eines Künstlers oft Jahre, ja viele Jahre zuvor mehr von der Nähe des Todes als vom verflossenen Alter seit der Geburt geprägt wird. Die Quartette des fünfundfünfzigjährigen Beethoven sind so sehr Altersstil wie die Bilder des sechzigjährigen Rembrandt, des neunzigjährigen Tizian, wie der Prospero im »Sturm« des fünfzigjährigen Shakespeare, ja wie die letzte Musik des nicht dreißigjährigen Schubert, des fünfunddreißigjährigen Mozart. Ich weiß nicht, ob ich die formalen Merkmale des Altersstils zu bezeichnen vermag: ein Wegsinken der Pflicht und des Ehrgeizes, klassisch zu sein, die unglaubliche Dichte distanzierter Direktheit – »als ich siebzig war, konnte ich meines Herzens Regungen folgen« sagt Konfuzius. Erlauben Sie mir, Ihnen ein bekanntes Dokument des Altersstils vorzulesen:

Selige Sehnsucht

Sagt es niemand, nur den Weisen,
Weil die Menge gleich verhöhnet:
Das Lebend'ge will ich preisen,
Das nach Flammentod sich sehnet.

In der Liebesnächte Kühlung,
Die dich zeugte, wo du zeugtest,
Überfällt dich fremde Fühlung,
Wenn die stille Kerze leuchtet.

Nicht mehr bleibest du umfangen
In der Finsternis Beschattung,

Und dich reißet neu Verlangen
Auf zu höherer Begattung.

Keine Ferne macht dich schwierig,
Kommst geflogen und gebannt,
Und sogleich, des Lichts begierig,
Bist du Schmetterling verbrannt.

Und solang du das nicht hast,
Dieses: Stirb und Werde!
Bist du nur ein trüber Gast
Auf der dunklen Erde.

Ich wage ein paar kommentierende Worte. Altersstil: Einfache, scheinbar kunstlose Verse. Ein Reim wie zeugtest-leuchtet, inhaltbefrachtet, wird nicht vermieden. Oft fast übergangslos dichte Fügung: es ist überflüssig, die Gedankenbrücke auszusprechen. Das Unauslotbare ist, ohne jede Schwere der Wortwahl, schlicht, wie mühelos hingesagt. Der Inhalt: Flamme, Liebessehnsucht, Todessehnsucht sind eine und dieselbe Sehnsucht in der Steigerung. Die Steigerung, scheinbar aus dem Wirklichen ins Jenseitige, macht das bewußt, was immer die Sehnsucht des Wirklichen war; nun zeigt sich, daß das Wirkliche das Symbol war und das Jenseitige das Wirkliche ist. Der Schmetterling verbrennt in der Kerzenflamme, die Liebenden in ihrer Liebe, aber fremde Fühlung führt zu höherer, also eigentlicher Begattung. Hier klingen die Erfahrungen der Mystiker an, für welche die Enthaltung von der irdischen Liebe nicht den Liebesverzicht, sondern die Liebesintensität, die eigentliche Empfängnis bedeutet.

Erlauben Sie mir, ehe ich weitergehe, bloß weil ich es naiv schön finde, noch ein anderes Gedicht zu zitieren, ein viel einfacheres, das einmal nicht problematisiert, von Eichendorff:

Der Soldat

Und wenn es einst dunkelt,
Der Erd bin ich satt,
Im Abendrot funkelt
Eine prächtige Stadt.

Von goldenen Türmen
singet der Chor.
Wir aber stürmen
Das himmlische Tor.

Das ist Romantik. In jeder Rolle kann der Tod angenommen werden.

Zurück zu Goethe. Sein Gedicht endet nicht mit dem Stürmen des himmlischen Tors. Es kehrt zur Erde zurück. Gerade dann, wenn du das nicht hast, dieses Stirb und Werde, gerade wenn du fraglos auf der Erde lebst, gerade dann bist du nur ein Gast auf der Erde, ein trüber Gast, der nichts sieht, der nicht durchscheinend ist, gerade dann, nur dann ist die Erde dunkel.

Ich will versuchen, dem Stirb und Werde eine nüchterne, mit dem evolutionistischen Denken vereinbare Deutung zu geben. Nüchternheit ist erforderlich. Selige Sehnsucht – das sollt ihr niemand sagen, nur den Weisen. Für fast alle von uns sind Todesangst und verfrühte Todessehnsucht zwei Gestalten desselben Affekts. Sie sind, wie Affekte so oft, unterlassene Handlungen, eigentlich Wahrnehmungen der Unfähigkeit zum Leben. Der religiösen Antwort auf das Todesproblem, wo sie ungefärbt ist, wohnt die Nüchternheit stets inne; sie ist in ihren Symbolen evident. Im Johannes-Evangelium spricht Jesus von sich, wenn er sagt: »Es sei denn, daß das Weizenkorn in die Erde falle und sterbe, so bleibt es allein. Wenn es aber stirbt, so bringt es viele Frucht.« (Joh. 12, 24). Er sagt dies zu Griechen, und es gibt Ausleger, die meinen, er deute damit auf die eleusischen Mysterien. Jedenfalls, wie in fast allen seinen Gleichnissen, geht er von der bäuerlichen Erfahrung des Lebens in der Natur aus. Das Weizenkorn, als Individuum betrachtet, geht unter, um viele Weizenkörner zu erzeugen. Was bedeutet das im menschlichen Leben?

Die Entwicklung vollzieht sich meist nicht in gleichmäßigem Fortschreiten, sondern in Stufen. Ich möchte das eine Entwicklung von Plateau zu Plateau nennen. Zwischen zwei Plateaus geht der Weg meist durch eine Krise, durch das Sterben einer Gestalt. Im organischen Leben ist die Spezies ein Plateau. In der Umwelt, der sie angepaßt ist, ist sie zu harmonischem Leben fähig; sie ist in ihrer Welt im relativen Frieden. Mutationen treten zufällig auf wie immer, aber fast stets sind sie in dieser Umwelt schädlich und werden durch ihren Mißerfolg eliminiert. Aber Änderungen der anorganischen oder der organischen Umwelt, oder auch eigene, unwahrscheinliche neue »Erfindungen« bieten anderen Mutanten eine bessere Chance; durch eine Krise, die tödlich verlaufen könnte, tritt eine neue Art ins Leben, zusätzlich zur alten oder sie ersetzend. Diese Schilderung ist, wie jede Schilderung, stilisiert; es gibt stetige Übergänge, gleichsam unmerkliche Krisen. Aber das Phänomen des Plateaus ist sehr allgemein. Auch umfassende Organisationsformen, die ich eingangs »Erfindungen der Natur« genannt habe, kann man als Plateaus bezeichnen, so die Selbstreproduktion, die Zelle, die geschlechtliche Fortpflanzung, die Tiere, die Wirbeltiere, die Warmblüter, die Intelligenz.

Auch die kulturelle, soziale, politische Geschichte der Menschheit zeigt solche Plateaus. Wir bezeichnen heutzutage die Krisen zwischen ihnen oft als Revolutionen: die neolithische Revolution, die den Ackerbau schuf, die Entstehung der Stadtkulturen, der Großreiche, der Hochreligionen, der Wissenschaft, die politische Revolution der Neuzeit in ihren Reprisen, die industrielle Revolution. In der Wissenschaftsgeschichte wird neuerdings der Begriff wissenschaftlicher Revolutionen erfolgreich benutzt. Da die menschliche Kulturgeschichte in diesen ihren Einzelschritten vermutlich primär nicht Folge, sondern allenfalls Ursache jeweiliger biologischer Änderungen ist, ist die Strukturverwandtschaft der biologischen und der kulturellen Evolutionsprozesse umso auffallender. Der Grund dieser Verwandtschaft liegt meiner Ansicht nach in der Struktur der Zeit selbst; doch kann ich im heutigen Vortrag darauf nicht eingehen.

Schließlich geht auch die biographische Entwicklung des menschlichen Individuums durch Plateaus und Krisen, und die Krise wird oft wie ein Sterben gefürchtet und erfahren. Hier ist das Stirb und Werde für das Ich; die entscheidenden Reifungen erreicht es nicht ohne eine Art Tod. Auf moderne Entwicklungspsychologie will ich heute nicht eingehen. In dem Vortrag über das Schöne habe ich fünf objektive Prinzipien genannt, die solche Plateaus bezeichnen: Das Nützliche, das Gerechte, das Wahre, das Schöne, das Heilige. Ich habe sie dort als Erscheinungsformen des Guten bezeichnet. Sie sind Weisen, in denen der Mensch wahrnimmt, was sein Leben möglich macht; Wahrheiten, deren Leib ein menschlicher Friede sein kann. Jedes der Prinzipien bezeichnet eine Erlebnisqualität, die von den vorangegangenen Qualitäten her kaum geahnt werden konnte, die in die vorher scheinbar schon abgeschlossene Erlebniswelt erschütternd oder sänftigend eindringt. In jedem der Übergänge vollzieht sich eine Umwertung der Werte, die das Ich zuvor gekannt hat, eine Ablösung, ein Tod der Götter.

Im Nützlichen überwindet das Ich nur die Triebhaftigkeit des Augenblicks zugunsten der Vorausplanung seiner selbsterhaltenden Zukunft. Nutzen und Macht sind akkumulierte Möglichkeiten zuhanden des Ich; sie sind Information. Und doch stirbt etwas vom Ich mit der Entdeckung des Nutzens, eine Kindlichkeit, die mehr liebenswert als glücklich war. Im Sittlich-Gerechten findet das Ich eine Möglichkeit und, ist sie entdeckt, eine Forderung, sich selbst radikal zu überschreiten. Im Wahren zeigt sich dem Menschen ein von allem menschlichen Willen, Wohl und Wehe Unabhängiges, gleichwohl dem Menschen Zugängliches; eine erlösende Ernüchterung. Das Schöne ist eine Wirklichkeit jenseits der Selbstverteidigung, eine Seligkeit. Im Herantreten an das Heilige stößt das Ich an seine unüberwindbare Grenze; ein Schritt durch das Tor, und nie ist eine Grenze gewesen.

Ein Wort hier über die Todeserfahrung in der Politik. Politik ist die planvolle Gestaltung des gesellschaftlichen Zusammenlebens der Menschen. Als solche hat sie einen notwendigen Anteil an den Prinzipien des Nützlichen und des Sittlich-Gerechten. In der Spannung zwischen diesen beiden Prinzipien, die zu versöhnen ihr Auftrag wäre, wirkt sie wie eine noch ungelöste geschichtliche Aufgabe der Menschheit. Sie ist bisher überwiegend in der Form der Herrschaft – offener oder verborgener – praktiziert worden. Im Kampf um Herrschaft und Freiheit arbeitet sich eine Form der Nützlichkeit heraus, die wir Macht nennen. Macht ist ein Plateau des menschlichen Lebens. Sie ist, als Besitz, fast unbegrenzt akkumulierbar. Sie ist, als Struktur, selbststabilisierend: gegen Macht ist fast nur mit Macht etwas auszurichten. Sie ist, als Selbstschutz, gerade

wegen ihrer Unbegrenzbarkeit, tragisch. Wer das Schwert aufhebt, wird durch das Schwert umkommen. Stirbt der Sieger im
Bett, so haben seine Nachfolger zu zittern. Der Krieg ist die
bisher unüberwundene ultima ratio der Macht. Ständig finden
Kriege auf der Erde statt; der dritte Weltkrieg ist wahrscheinlich. Der Politik ist eine bestimmte Form der Lüge fast zwangsläufig zugeordnet: das Ausgeben des für eine Partei Nützlichen
als das Gerechte. Genau deshalb wäre das Wahre das eigentlich heilsame Prinzip der Politik. Wer aber kann das Wahre
hören? Wer ist seelisch fähig, es hören zu wollen? Die Angst,
die unerträgliche Wahrnehmung der eigenen Unfähigkeit zum
Frieden, ist es, welche die Macht tragisch macht, denn sie
schneidet Sehen und Hören dort ab, wo es am nötigsten wäre.
Auch wer schreit, hört nicht; er hört nur seinen Schrei. Wahrscheinlich muß man den kommenden Krieg bis in die Tiefe des
Unbewußten durchlitten haben, um denen, die ihn unwissent-
lich vorbereiten, leise und unüberhörbar die kleine Wendung
im Weg zeigen zu können, die den nächsten Abgrund vermeiden würde.

In der menschlichen Reifung sterben wir viele Tode. Stets ist
der bestandene Tod ein Weg zu neuem Leben, der übertünchte
Tod ein Gebanntsein in den Tod. Am Ende erreicht der fliegen-
de Pfeil das leibliche Ich – mein Ich, wie wir zweideutig sagen.

Wohin führt uns der Tod? Aus bekanntem Land treten wir mit
dieser letzten Frage, die sich uns gleichwohl aufdrängt, ins
Unbekannte. Das Ichbewußtsein weiß die Antwort auf die
Frage, was jenseits seines Endes ist, nicht. Es hat fast stets in der
Geschichte religiöse Antworten auf diese Frage geglaubt. Das
Ich ist nicht die ganze Wirklichkeit der Seele. Religiöse Erfahrung spiegelt Wirklichkeit, die das Ich überschreitet. Aber in
der Begriffssprache des Ich läßt sie sich nicht so aussprechen,
wie sie ist. Sie bleibt dem Ich ein Geheimnis. In der mythischen
Form, in der sie die Weltgeschichte der Kulturen bestimmt hat,
ist sie schon gefärbt; gefärbt durch Rücksicht auf das Aufnah-
mevermögen der Hörenden, und durch deren geschichtliche,
gesellschaftliche Filterung immer unkenntlicher eingefärbt; gefärbt aber auch durch das geschichtlich bedingte Vorstellungs-
vermögen der religiösen Persönlichkeiten selbst. Eine Folge

dieser vielfachen Färbung ist die große Vielfalt der Jenseitsvorstellungen, die uns die Religionsgeschichte kennen lehrt. Wir
sollten einen Blick auf einige der wichtigsten unter ihnen
werfen.

In den meisten primitiven Religionen gibt es eine jenseitige
Gegenwart der Verstorbenen, zumal der Ahnen. Viele Primiti-
ve, und erst recht die frühen Hochreligionen, deren politische
Kultur das Diesseits in Reichen denkt, kennen ein Reich der
Toten. Es bildet sich die Vorstellung, daß die sittliche Weltord-
nung, deren diesseitige Durchsetzung Sache des diesseitigen
Königs ist, vom jenseitigen König vollendet wird; die Rech-
nung von Schuld und Sühne geht erst im Jenseits auf.

Wie eine Gegenbewegung gegen alle diese Gedanken erscheint die Religion Israels, wie sie aus allen außer den jüngsten
Schichten des Alten Testaments zu uns spricht und Wesenszüge des Jüdischen bis heute bestimmt. Hier ist das Leben der
Menschen mit Gott oder gegen Gott diesseits, es entscheidet
sich im Tageslicht. Eigentliches Leben heißt in der Sprache der
Propheten hier und jetzt mit Gott leben, eigentlicher Tod heißt
hier und jetzt von Gott getrennt sein. Das Ich kann sich nicht in
die Hoffnung einer jenseitigen Vollendung flüchten, und es
bedarf ihrer nicht. Abraham »nahm ab und starb in einem
ruhigen Alter, da er alt und lebenssatt war, und ward zu seinem
Volk gesammelt.« (1. Mos. 25, 8). Das Ich steht im Diesseits
nicht allein; die Entscheidung für oder gegen Gott fällt immer
von neuem im Volk. Sie ist Verwirklichung des Sittlichen als
Gebot des Heiligen. Zu ihrem sittlichen Teil finden darum
auch moderne engagierte Intellektuelle einen echten Zugang.
Aber das Sittliche ohne das Heilige ist nicht lebensfähig; es ist
die Forderung ohne ihre Ermöglichung. Die selbstverzehrende
Anstrengung der bloßen Moral kann kaum umhin, wenn sie
wahrhaftig bleibt, böse oder verzweifelt zu werden.

Das jüdische Tageslicht ist ein Geschenk an die Menschheit,
es ist aber nicht die volle Wirklichkeit. Das spätere Judentum
hat viel von den Jenseitsvorstellungen der umliegenden Völker
aufgenommen. Im frühen Christentum fließen diese Vorstellungen mit der Diesseitseschatologie der Messiaserwartung
zusammen. Zum kommenden Reich Christi gehört die Aufer-
stehung des Fleisches. Diese Lehre bezeichnet, daß es nicht auf

das Verlassen des Leibs, sondern auf seine Wiederherstellung
ankommt. Die Naherwartung erfüllte sich nicht und die christliche Theologie nahm die ganz anders geartete philosophische
Lehre von der Unsterblichkeit der Seele in sich auf. Ich glaube,
daß die christliche Geschichtserwartung das vorausgeworfene
Zeichen einer im wesentlichen Kern noch nicht vollzogenen
Verwandlung der menschlichen Geschichte ist; aber das ist
nicht unser gegenwärtiges Thema. Die Frage, wohin der individuelle Tod uns führt, bleibt auch in der christlichen Tradition
in ein Geheimnis gehüllt.

Die weltweit wirksamste Vorstellung vom Jenseits des Todes ist die Lehre von der Wiederverkörperung der Seelen in
immer neuen Leibern. In Indien entstanden, hat sie den größeren Teil Asiens erobert, als orphisch-pythagoräische Lehre tritt
sie im alten Griechenland auf, und heute finden sich religiös
suchende europäische und amerikanische Intellektuelle ihr offener als allen anderen Jenseitslehren. Nach ihr geht die jenseitige Rechnung von Schuld und Sühne im ewigen Diesseits auf.
Gute Werke führen in gute Wiederverkörperungen, schlechte
in schlechte; so oder so arbeiten wir in jedem Leben die Taten
vergangener Leben ab. In dieser Karma-Vorstellung wirkt die
sittliche Weltordnung wie ein Naturgesetz. Aber wenn so dem
Gerechtigkeitsverlangen Genüge getan ist, meldet sich die
Sinnfrage mit doppeltem Nachdruck. Wozu denn der ewige
Durst, der die ewige Verstrickung in Taten und ihre Folgen
erzeugt? Als der künftige Buddha in die Hauslosigkeit zog,
ging es ihm nicht um die Leiden dieses einen Lebens, sondern
um die nichtendenden Leiden der nichtendenden Leben. Aus
diesem Kreislauf erwachte er. Nicht die Kette der Wiederverkörperungen, sondern das Erwachen ist der Kern buddhistischer und hinduistischer Erfahrung.

Für den kritischen Blick der Aufklärung entwertet die Vielfalt dieser Jenseitsbilder jedes von ihnen. Sie erscheinen als
Projektionen der Wünsche und Ängste des Diesseits. Im Licht
der griechischen Aufklärung hat die klassische griechische Philosophie, zumal Platon, die Frage gestellt, was der Wahrheitsgehalt der Bilder ist. Leben, erfahren wir von Sokrates im
Phaidon, ist Sterbenlernen, denn der Tod löst die Fesseln, die
uns ans zeitliche Begehren binden. Die Seele ist unsterblich,

insofern sie in der Erkenntnis teilhat an dem, was seinem Wesen nach nicht der Zeit unterworfen ist, der Idee. Die affektiven Teile der Seele sind nach Platon sterblich, der vernünftige Teil ist unsterblich, denn er ist ein Teil der ewigen Vernunft. Aber fast alles, was Platon in den Dialogen über diese Dinge sagt, gehört wiederum dem Vorhof der Philosophie an. Glaubte er an die im kosmologischen Mythos dargestellte Unsterblichkeit der Einzelseelen in der Wanderung durch himmlische Umläufe und irdische Leiber? Oder wofür war sie ihm ein Gleichnis? Die Seelen im jenseitigen Ort wählen den Leib ihrer Wiederkörperung, damit ihre Affekte und ihr Schicksal selbst. Eine tiefsinnige Lehre. Wer aber ist eigentlich das Subjekt dieser Wahl?

Die Unsterblichkeitslehre wird durch das Evolutionsdenken ebenso in ein anderes Licht gerückt wie die Ideenlehre. Die Naturwissenschaft ist heute außerstande, etwas dazu zu sagen, und zwar, wie ich meinen möchte, nicht aus prinzipieller Unmöglichkeit, aber wegen ihrer kulturgebundenen Blickbeschränkung. Sie arbeitet ausschließlich in objektiver Einstellung, d. h. sie beschreibt Objekte, wie sie menschlichen Subjekten erscheinen, aber sie reflektiert nicht auf die Subjektivität der Subjekte. Ich bin aber überzeugt, daß die Naturwissenschaft nicht konsistent gemacht werden kann, wenn sie das, was wir philosophisch Subjekt nennen, ausklammert. Hegels Satz »die Substanz ist wesentlich Subjekt« drückt genau das Anliegen aus, aber Hegels titanische Philosophie ist nicht empirisch genug. Solange der Blick nicht auf die Subjektivität der Natur gefallen ist, ist unsere Wissenschaft nicht volle Naturwissenschaft. Was würde sich diesem Blick zeigen? Der cartesische Dualismus von zwei einander entgegenstehenden Substanzen, des Bewußtseins und der Körperlichkeit, läßt sich angesichts der Physik unseres Jahrhunderts nicht halten. Materie ist für unsere Physik, was den sogenannten physikalischen Gesetzen genügt; diese Gesetze aber definieren, was Subjekte erfahren können. Die Subjekte jedoch, wir selbst, kommen in eben der Welt vor, von der sie Erfahrung machen. Als Kinder der Evolution sind wir Glieder der Natur. Es scheint, als müßten wir sagen: das Wirkliche nimmt durch die Augen der Kinder der Evolution, durch die Organe, die es hervorgebracht

hat, in jeweils anderer Abschattung sich selbst wahr. Wer ist
das Subjekt? In der Betrachtung der Evolution ist uns das Ich
selbst wie ein Werkzeug erschienen. Muß man so reden, daß es
nur *ein* Selbst gibt? Die Wissenschaft führt an die Schwelle
einer Erfahrung, die sich der Meditation, aber nicht der Reflexion erschließt. Dies ist vernünftig. Das begriffliche Denken
kann einsehen, daß es den Grund seiner Möglichkeit nicht
begrifflich bezeichnen kann.

Deshalb endet ein akademischer Vortrag über den Tod nicht
mit einer begrifflichen Aussage darüber, wohin der Tod uns
führt. Das Denken ist eine Tätigkeit des Ich, die filtern, klären,
und an die Schwelle der Erfahrung führen kann. Der Tod ist
eine Schwelle.

Lassen Sie mich mit einem Satz schließen, den ich nicht
durch Denken rechtfertigen kann: Seligkeit ist nicht jenseits
des Todes; dort ist Arbeit. Seligkeit ist auf dem Grunde der
Wirklichkeit, die auch den Tod geschaffen hat.

Zweites Kapitel
Zur Biologie des Subjekts

II, 1. Wer ist das Subjekt in der Physik?*

Dieser Aufsatz ist von einem westlichen Physiker geschrieben, der durch persönlichen Kontakt mit der Vedanta-Tradition tief beeindruckt wurde, ohne jedoch eine gelehrte Kenntnis von ihr zu erwerben. Wahrscheinlich wird daher der Gedanke einer Konvergenz beider Denktraditionen authentischer erscheinen, wenn diese Darstellung sich streng innerhalb der westlichen Philosophie und Wissenschaft hält.

1.

Das westliche Denken war im ersten christlichen Jahrtausend vorwiegend theologisch. Seine begrifflichen Hilfsmittel entstammten der griechischen Philosophie, vorwiegend in ihrer neuplatonischen Gestalt. Diese war wesentlich eine Philosophie der Einheit. Im zweiten christlichen Jahrtausend tauchte das westliche Denken schrittweise in die Vielheit ein. Man kann hierin drei Stufen unterscheiden. Zuerst verdrängte die mittelalterliche Scholastik den Platonismus durch die aristotelische Philosophie, die ihr den Weg zum Erfahrungswissen öffnete. Später lehrte uns die experimentelle mathematische Physik – um Galileis Worte zu gebrauchen – »die Natur zu zerschneiden«. Schließlich ersetzte die industrielle Revolution die gewachsenen Strukturen der Natur durch ein riesiges, noch immer wachsendes System von Artefakten.

Es waren wohl fruchtbare Spannungen innerhalb des griechischen und des christlichen Denkens, die diese Entwicklung ausgelöst haben. Sie hat uns ohne Zweifel einen gewaltigen Zuwachs realen Wissens und eine hohe Entfaltung der menschlichen Fähigkeit des Unterscheidens und Verstehens gebracht. Aber dieser Fortschritt ist ambivalent. Er hat eine Abnahme des Wahrnehmungsvermögens für Einheit zur Folge

* Erschienen auf englisch in T. M. P. Mahadevan (ed.), »Spiritual Perspectives, Essays in Mysticism and Metaphysics«, New Delhi, Arnold-Heinemann 1975.

und daher selbst im Bereich der Vielheit eine Abnahme der Harmonie und der Weisheit. Er hat Gefahr zur Folge.

Der gegenwärtige Aufsatz will zeigen, daß es jetzt Anzeichen einer Umkehr dieser Tendenz gibt. Richtig verstanden würde eine solche Umkehr nicht den Verlust des in den letzten tausend Jahren gewonnenen positiven Wissens bedeuten, sondern eher sein besseres Verständnis. Aber solche Ankündigungen müssen Skepsis wachrufen. Ähnliches wurde mehrfach in früheren Jahrhunderten angekündigt, vielleicht am eindrucksvollsten von der Philosophie des Deutschen Idealismus um 1800. Heutzutage glaubt man allgemein, daß unter dem Angriff fortschreitender naturwissenschaftlicher Forschung, geschichtlicher Erkenntnis und soziologischer Kritik solche Philosophien stets haben zusammenbrechen müssen. Man könnte allerdings historisch behaupten, idealistische Philosophen wie Fichte und Schelling hätten eine grundlegende Wahrheit verstanden, die sie nur im wissenschaftlichen Entwicklungsstand ihrer Zeit nicht adäquat ausdrücken konnten. Diese Frage bleibt im gegenwärtigen Aufsatz unerörtert. Ich werde mich vielmehr auf eine spezielles, aber zentrales systematisches Problem konzentrieren: die Einheit des Subjekts des Wissens. Ich werde die Behauptung aufstellen, die heutige Physik habe eine Philosophie zur Konsequenz, die der neuzeitlichen westlichen Tradition des Denkens in Vielheiten entgegengesetzt ist, und diese Philosophie sei die einzige mögliche Auflösung der scheinbaren Paradoxien der Quantentheorie.

In einem kurzen philosophischen Essay kann man ein solches Argument nicht mit wissenschaftlicher Strenge vortragen. Ich beschränke mich auf eine Andeutung des wesentlichen Problems, so wie es sich im Entwicklungszusammenhang der westlichen Philosophie und der modernen Physik darstellt.

Man könnte sagen, der dreifache Schritt zur Vielheit, nämlich Scholastik – Naturwissenschaft – industrielle Revolution, verlange eine Selbstkorrektur in umgekehrter Zeitfolge.

Die industrielle Revolution scheint beim ersten Blick nur pragmatische Probleme aufzuwerfen. Sie hat eine Art der Einheit zerstört und erzeugt eine andere. Sie hat die Einheit zerstört, in der Familien, Stämme, Nationen mit ihrer Umwelt gelebt haben, also die Einheit des Menschen mit der Natur;

eine tieferdringende historische Analyse lehrt uns freilich, daß diese Art der Einheit selbst ein Produkt menschlicher Geschichte war, und auch, daß die moderne Technik vielleicht nur radikaler das fortsetzt, was die neolithische Revolution begonnen hat. Die industrielle Revolution erzeugt andererseits eine wirtschaftliche und informationelle Einheit der Menschheit und wirft dadurch das Problem ihrer politischen Einheit auf. Das philosophische Problem hinter dem politischen ist folgendes. Der Mensch kann sich nicht mehr auf eine Einheit mit der Natur verlassen, die sich unbewußt herstellt. Die politische Einheit muß bewußt erzeugt werden. Wer ist das Subjekt dieser Bewußtheit? Es kann nicht ein Weltmonarch sein, selbst wenn es eines Tages einen solchen Monarchen geben sollte. Es muß ein Verständnis zwischen den Menschen über ihre gemeinsame Aufgabe geben. Demokratie und Sozialismus haben diese Forderung an den Tag gebracht, aber sie haben sie nicht eingelöst. Dies ist der pragmatische Aspekt der Einheit des Subjekts des Wissens. Ich wollte ihn hier erwähnen, werde ihn aber in diesem Aufsatz nicht weiter erörtern.

Die technische Revolution ist ermöglicht durch die Naturwissenschaft. Die zentrale Naturwissenschaft ist die Physik. Die zentrale Disziplin der heute bekannten Physik ist die Quantentheorie. Die Quantentheorie hat sich genötigt gesehen, die Rolle des Beobachters, also eines Subjekts des Wissens, ausdrücklich zu diskutieren. Ich werde versuchen zu zeigen, daß dies eine Kritik an Descartes' klassischer Beschreibung des Verhältnisses zwischen dem Subjekt und dem Objekt des Wissens erzwingt. Descartes' Philosophie hatte jedoch ihre Voraussetzungen in der aristotelischen Ontologie, die er stillschweigend von der Scholastik übernahm. Also werden wir auch diese Ontologie kritisieren müssen. Sie war eingeführt, um den Platonismus abzulösen. Also muß unser Ausgangspunkt eine Erinnerung an die Philosophie Platons sein.

2.

Platons Philosophie läßt sich als eine Bewegung des Aufstiegs und nachfolgenden Abstiegs gemäß dem Höhlengleichnis darstellen. Dieser Ball ist rund. Er hat die Gestalt einer Kugel. Die Kugel ist eine mathematische Form (Idee). Eine Idee hat die

Charakteristika der Idee: sie ist, sie ist verständlich (»wahr«),
sie ist vollkommen (»gut«), sie ist eine. Indem ich den Ball als
rund sehe, habe ich eine Mitwahrnehmung der Kugel. Ich
verstehe das Sinnending durch meine implizite Wahrnehmung
der Form, an der es teilhat. Mathematisches Denken bedeutet
direkte Wahrnehmung dieser Form. Derselbe Schritt wiederholt sich auf höherer Stufe, der Stufe der Philosophie. Indem
ich eine Form wahrnehme, habe ich eine Mitwahrnehmung der
Charakteristika aller Formen, letztlich der Einheit selbst, des
Einen. Die Erfüllung des philosophischen Aufstiegs ist die
direkte Wahrnehmung des Einen. Das Eine ist jenseits des
Seienden, denn vom Einen das Sein zu prädizieren würde Duali-
tät in das Eine hineintragen. Sein andererseits setzt Einheit
voraus. So enthält das seiende Eine bereits die fundamentale
Zweiheit von Eins und Sein, die unaufhaltsam zur Vielheit der
Ideen und der Sinnendinge führt, die an den Ideen teilhaben
(und die in Wahrheit vielheitliche Ideen sind). Das ausdrückliche Denken dieser Erzeugung der Vielheit macht den philosophischen Abstieg aus, der am Ende das erklärt, was wir vor
dem Aufstieg nur geglaubt haben. Die Erzeugung von Vielheit
ist Bewegung. Sie entsteht in der Weltseele, die sich und alle
Dinge bewegt. Wissen ist die höchste Form der Bewegung, es
ist Teilhabe an der einen göttlichen Vernunft. Die höchste
Bewegung bleibt in sich; so beharrt sie im Einen. Ihr räumli-
ches Bild ist der Kreis, ihr zeitliches Bild ist die ewige Wiederkehr. Das höchste Wissen ist das Wissen vom Unveränderli-
chen. Die Vollkommenheit der Welt ist, daß es nichts Neues in
ihr gibt. Naturwissenschaft ist deshalb das Verstehen derjenigen ewigen mathematischen Formen, in denen alle physischen
Ereignisse wiederkehren. Astronomie ist die höchste Naturwissenschaft, und ihre Erfüllung ist das platonische Jahr.
   Christen, die diese Philosophie brauchten, um ihr theologisches Denken auszudrücken, mußten sich von ihrer Auffassung der Zeit distanzieren. Sie verstanden die Geschichte der
Welt als eine endliche Kette von Ereignissen zwischen der
Schöpfung und dem Jüngsten Gericht, mit der Fleischwerdung
Christi als Mitte. Diese Beschreibung der Geschichte war nicht
einfach ein unphilosophischer Mythus. Sie beschrieb die Erfahrung der Unumkehrbarkeit. Man kann sagen, niemand

habe die Geschichte so sehr vorangetrieben wie die Christen, die auf nichts als das Ende der Geschichte hofften, und wie ihre säkularisierten modernen Nachfolger. Diese Erfahrung enthielt der Platonismus nicht, und so konnte diese Philosophie die philosophischen Probleme von Sein und Zeit und der Einheit der Zeit nicht adäquat fassen. Deshalb, so scheint mir, konnte der Platonismus nicht die philosophische Sprache des Christentums bleiben.

Die nächste Wahl einer Autorität für die Schule war Aristoteles. Historisch war er ein kritischer Interpret Platons gewesen. Die tiefste Wurzel seiner Kritik kann man in seiner Aussage finden, das Eine könne nicht jenseits des Seienden sein, und es müsse möglich sein, von Einheit und Sein mit derselben Logik zu sprechen wie von allen anderen Begriffen. Daraus folgt ein Umbau der gesamten Philosophie. Die Dinge haben ihr Sein nicht mehr in der Idee, an der sie teilhaben und damit im Einen; sie haben es in sich selbst. Jedes Ding ist eine Substanz. Die göttliche Vernunft wird nun eine gesonderte oberste Substanz, die eine Substanz, die keine Materie, d. h. keine unverwirklichte Möglichkeit enthält.

Die Annahme dieses Systems nötigte die christlichen Scholastiker, den Unterschied zwischen Philosophie und Theologie zu erfinden, oder genauer zwischen der Philosophie, die die natürliche Theologie einschloß, und der Offenbarung, der die Theologie der geoffenbarten Wahrheiten folgte. In Wirklichkeit hieß Philosophie Aristoteles, Offenbarung die Bibel. Aber damit wurde ein so tief philosophischer Gedanke wie die Trinität (vgl. Plotins Trias des Einen, des Nus und der Weltseele) aus der Philosophie in die Offenbarungstheologie vertrieben. Die Scholastik errang sich durch diese Unterscheidung das freie Feld der Erfahrung über die Vielzahl der Substanzen, die der Philosophie unterworfen waren. Die Unumkehrbarkeit der Geschichte gehörte freilich noch nicht zu diesem Bereich; in der Form der Heilsgeschichte blieb sie der Offenbarungstheologie vorbehalten.

3.
Die Revolution frißt ihre Kinder. So wurde der Aristotelismus ein paar Jahrhunderte später von der klassischen Physik ver-

worfen, weil er nicht empirisch genug sei. Historisch gesehen war das ein Irrtum. Aristoteles war eher empirischer als Galilei, aber Galileis aristotelische Zeitgenossen waren es nicht. Galileis wirkliches Anliegen war die Einführung theoretisch entworfener Experimente statt einer empirischen Hinnahme beobachteter Naturerscheinungen. Das gedankliche Werkzeug der das Experiment leitenden theoretischen Fragen war die Mathematik. Galilei griff auf Platon zurück, wenn er sagte, das Buch der Schöpfung sei in mathematischen Zeichen geschrieben. Das philosophische Problem der neuzeitlichen Naturwissenschaft war: wie kann man die Wahrheit einer mathematischen Theorie der Natur rechtfertigen? Dies ist die drängende Frage hinter Descartes' Philosophie vom Subjekt und Objekt des Wissens, der wir uns jetzt zuwenden.

Außer Gott unterscheidet Descartes genau zwei Substanzen, res cogitans und res extensa. Methodisch wurzelt diese Gegenüberstellung im Zweifelsargument. Einmal im Leben muß ich an allem zweifeln, was ich zu wissen meinte. Gibt es ein Wissen, das diesen Zweifel übersteht? Nicht die sinnliche Kenntnis der Außenwelt; sie könnte ein bloßer Traum sein. Nicht einmal die intellektuelle Kenntnis von Strukturen wie die Mathematik; ein täuschender Dämon könnte mich so geschaffen haben, daß ich ständig glauben muß, zweimal zwei sei vier, obwohl es nicht so ist. Aber kein Dämon kann mich glauben machen, daß ich zweifle, während ich nicht zweifle; daß ich denke, während ich nicht denke; daß ich bin, während ich nicht bin. Denkend bin ich mir meines Seins bewußt. Ich bin ein denkendes Ding, res cogitans.

Soviel man gegen die in Descartes' Vokabular anklingende Interpretation dieses Gedankengangs einwenden kann, so kann doch niemand leugnen, daß er eine grundlegende Einsicht enthält. Es gibt einen Wissenden*. Wer ist der Wissende? Wer ist das Subjekt? In Descartes' Philosophie ist es René

---

* Im englischen Text sage ich »there is a knower«. Das Wort »knower« stammt aus der englischen Wiedergabe der Vedanta-Philosophie. Im Titel dieses Aufsatzes habe ich es mit »Subjekt« übersetzt. Auch im Text wähle ich meist diese Übersetzung. Es ist aber zu bemerken, daß in der europäischen Philosophie – freilich dann durch Kant kritisiert – der Begriff »Subjekt« stets zugleich »Substanz« impliziert: das Zugrundeliegende, res cogitans; diese Implikation vermeidet die Vedanta-Lehre.

Descartes, der sich selbst kennt; und jeder andere Mensch, der sich, Descartes' Beispiel folgend, selbst erkennt, ist ein anderes Subjekt. Dies ist eine Philosophie der Vielheit der Iche. Sie sind die denkenden Substanzen. Die aristotelische Philosophie einer Vielheit von Substanzen wird hier stillschweigend auf das wissende Subjekt übertragen.

Wie überwindet Descartes den Zweifel am Dasein anderer Subjekte und der materiellen Welt? Er nimmt seinen Weg über einen Gottesbeweis und einen Beweis des Daseins alles dessen, was wir klar und distinkt auffassen, da Gott wahrhaftig ist und uns nicht täuschen wird. Beide Beweise beruhen auf der Definition Gottes als des vollkommensten möglichen Wesens – unterschieden von weniger vollkommenen Wesen –, also wiederum auf dem aristotelischen Begriff eines substanziellen Gottes. Das Ich, das nicht allwissend und folglich nicht vollkommen ist, besitzt die Vorstellung eines vollkommensten Wesens; diese Vorstellung hängt nach Descartes kausal von der wirklichen Existenz des vollkommensten Wesens ab. Und Gottes Wahrhaftigkeit ist ein Aspekt seiner Vollkommenheit. Aber was außer uns selbst erfassen wir klar und distinkt? Nur mathematische Strukturen. Also existiert die Materie, soweit sie durch eine mathematische Eigenschaft, nämlich die Ausdehnung, definiert ist. In dieser Philosophie ist die Materie als ausgedehnte Substanz durch ihre Erkennbarkeit definiert. Der Erkennende, das Ich, kennt zwei Dinge: sich und das ausgedehnte Erkennbare. Sie sind voneinander verschieden (distinkt), weil sie durch verschiedene Eigenschaften definiert sind, nämlich durch Erkennen und Erkennbarkeit.**

4.

Die Einzelheiten der cartesischen Beschreibung des Subjekts und des Objekts haben die naturwissenschaftliche, psychologische und philosophische Entwicklung der nachfolgenden Jahrhunderte nicht überdauert. Aber implizit lenkt Descartes' Art, ihr Verhältnis zu sehen, noch fast das gesamte moderne Denken. Seine Philosophie ist jedoch zu konsistent, als daß sich eine so unvollständige Anwendung ihrer Prinzipien rechtfertigen ließe. Die notwendige Kritik an ihren Details enthüllt m. E.

** Vgl. hierzu ausführlicher »Die Tragweite der Wissenschaft«, 1. Anhang.

die Unmöglichkeit ihrer Grundannahmen. Am deutlichsten
zeigt sich das in dem Bereich, den er selbst auf einen unerschüt-
terlichen Grund zu stellen gehofft hatte, in der mathematischen Physik.

Für eine vollständig durchgeführte Kritik müßte man zunächst seine Beschreibung des Objekts als res extensa erschüttern. Seine ontologische Identifikation von Raum und Materie
ist dem Anspruch nach eine Apriori-Bestimmung des Wesens
der Materie. Sie beruht auf seiner epistemologischen Identifikation der klaren und distinkten Erkenntnis der äußeren Objekte mit der Anwendung der speziellen mathematischen Disziplin der Geometrie. Seit der Zeit Newtons hat die Physik die
ontologische Identifikation verworfen; sie unterschied Raum
und Materie in begrifflicher Strenge. In unserem Jahrhundert
hat freilich Einstein den Gedanken ihrer engen Zusammengehörigkeit wieder eingeführt. Aber inzwischen ist die primitive
epistemologische Identifizierung unglaubwürdig geworden.
Die mathematische Beschreibung der Erfahrung beschränkt
sich nicht mehr auf die Geometrie. Ich glaube persönlich, daß
die mathematische Struktur der Quantentheorie auf der einfachsten und eben darum abstraktesten Beschreibung möglichen objektiven Wissens beruht, die als zeitliche Logik formuliert werden kann.* Wenn sich diese Ansicht verteidigen läßt,
so würde sie einen Grundgedanken von Descartes rechtfertigen, wenngleich in Kantischer Version: die mathematischen
Gesetze der Physik würden die Art und Weise ausdrücken, in
welcher eine Mehrzahl denkender Subjekte überhaupt begriffliche Erkenntnis haben können.

Diese Frage kann ich im gegenwärtigen Aufsatz nicht verfolgen. Ich werde mich auf die noch fundamentalere Frage
konzentrieren, wie die Quantentheorie das erkennende Subjekt selbst beschreibt oder voraussetzt.

5.

In sehr vereinfachter und abstrakter Sprache läßt sich die
quantenmechanische Beschreibung von Experimenten wie

---

* Vgl. »Die Einheit der Natur«, Teil II und Aufsatz III. 3 (Materie und Bewußtsein).

folgt darstellen.* Dem Beobachter sind gewisse Fakten bekannt. Sie befähigen ihn, gewisse Ereignisse als möglich vorherzusagen und ihnen bestimmte Wahrscheinlichkeiten zuzuschreiben. Er entschließt sich dann, eine Beobachtung zu machen, in der ein bestimmtes Ereignis E möglicherweise stattfinden kann. Die Beobachtung wird gemacht, und entweder geschieht E und ist danach ein Faktum, oder ein anderes Ereignis geschieht und produziert damit das Faktum, daß E nicht geschehen ist. Wenn der Beobachter jedoch die betreffende Beobachtung gar nicht anstellt, so darf man im allgemeinen nicht sagen, E sei an sich entweder geschehen oder nicht und wir wüßten nur nicht, welche der beiden Möglichkeiten eingetreten ist.

In dieser Beschreibungsweise ist ein Ereignis immer ein Ereignis für einen Beobachter, entweder ein aktuelles oder wenigstens ein potentielles. Diejenigen Physiker und Philosophen, die, wie Einstein, an der cartesischen Trennung von Materie und Bewußtsein festhalten, empfinden diese Beschreibungsweise als unannehmbar. Aber sie haben bisher keine andere mit den bekannten Tatsachen vereinbare Beschreibung vorzuschlagen vermocht. Der vorliegende Aufsatz stellt sich auf den entgegengesetzten Standpunkt. Er akzeptiert die quantenmechanische Beschreibungsweise uneingeschränkt und analysiert ihren Sinn.

Häufig wird die folgende, cartesisch inspirierte Frage gestellt: Wie wird das Ereignis in der Beobachtung tatsächlich erzeugt? Geschieht es durch den Bewußtseinsakt der Wahrnehmung durch den Beobachter oder durch seine physische Wechselwirkung mit dem beobachteten Objekt? Die korrekte Antwort ist, daß die Frage falsch gestellt ist; das Ereignis wird durch die Einheit des mentalen und des physischen Akts erzeugt. Um dies einzusehen, muß man die zwei alternativen Antworten analysieren: a. Es wird durch die physische Wechselwirkung ohne einen mentalen Akt der Kenntnisnahme erzeugt. b. Es wird durch den mentalen Akt der Kenntnisnahme losgelöst vom physischen Geschehen erzeugt.

* Vgl. »Die Einheit der Natur«, S. 152–161, und »Classical and Quantum Descriptions« in J. Mehra (ed.) »The Physicist's Conception of Nature«, Dordrecht (Reidel) 1973.

Die Antwort b. würde über die Grenzen der heutigen Physik hinausgehen, welche nur die materielle Wechselwirkung beschreibt. Schon diese Bemerkung würde genügen, um diese Antwort auszuschalten, nicht weil eine solche rein mentale Wechselwirkung unmöglich wäre, aber weil die gestellte Frage den immanenten Sinn der Physik betrifft, die wir tatsächlich besitzen. Wäre die Antwort b. richtig, so würde die Physik essentiell Vorgänge voraussetzen, die ihren eigenen Bereich überschreiten. In einer Analyse der bestehenden Physik könnte man eine solche Antwort nur als letzten Ausweg zulassen, wenn alle Versuche einer immanenten Deutung gescheitert wären. Philosophisch möchte ich hinzufügen, daß diese Antwort einerseits den Dualismus von Materie und Bewußtsein nicht überwinden, sondern gerade festschreiben würde, während sie andererseits das Funktionieren materieller Vorgänge immanent unverständlich machen würde. Wäre dies die Antwort der Quantentheorie, so wäre ihre Verwerfung durch Einstein philosophisch voll gerechtfertigt.

Andererseits ist die Antwort a. innerhalb der Quantentheorie falsch. Wenn von einer materiellen Situation S, möge sie im Beobachtungsobjekt oder im Leib des Beobachters bestehen, keine Kenntnis genommen wird, so gibt die Quantentheorie – vorausgesetzt, daß sie auf die Situation anwendbar ist – Wahrscheinlichkeiten für spätere Ereignisse an, die falsch wären für einen Beobachter, der wahrgenommen hat, was in der Situation S geschah. Ich erspare mir hier, diese Behauptung in den technischen Begriffen der Quantentheorie auszuführen.

In der Praxis entzieht sich die Quantentheorie dem Problem, indem sie an Stelle des Beobachters von einem Meßinstrument spricht. Aber das Problem wird dadurch nur auf einen Beobachter verschoben, der das Instrument beobachtet.* Nennen wir das Objekt A, das Instrument B, den Beobachter C. Führen

---

* Mit Bohr sagen wir, daß es möglich sein muß, das Instrument mit Begriffen der klassischen Physik zu beschreiben. Ich habe diese Aussage anderswo (l. c. S. 176) analysiert. Die Objektivität der klassischen Beschreibung beruht auf irreversiblen Vorgängen im Instrument. Aber bei strenger Anwendung der Quantentheorie ist diese Irreversibilität nur eine subjektive Beschreibung, die auf dem Verlust von Information beruht, welche grundsätzlich stets Information für einen Beobachter ist.

wir nun einen Theoretiker D ein, der mit dem Beobachter C
kommuniziert. Wie weiß D, daß C etwas beobachtet hat, und
was C beobachtet hat?

C wird D erzählen, was er beobachtet hat. Dabei verlassen
sich beide auf menschliche Kommunikation, die durch physische Akte wie Sprechen und Hören, Schreiben und Lesen vermittelt ist. Selbst telepathische Kommunikation, wenn man sie
in Betracht zöge (was die Physik bisher nicht getan hat) ließe
sich vermutlich durch physikalische Beobachtungen an den
Körpern der beteiligten Personen nachweisen; zum mindesten
müßte eine immanente Deutung der Physik mit dieser Annahme als Arbeitshypothese beginnen. Die Physik kann nichts
dagegen einwenden, daß der Theoretiker D den Beobachter C
wie ein gewöhnliches physikalisches Objekt beschreibt, ebenso
wie C das Instrument B beschreibt. Aber gleichzeitig sind C
und D Partner im Leben, beide gehören der Gemeinschaft der
Wissenschaftler an, vielleicht sind sie Freunde.** D kann nur
dann C mit Begriffen der Physik beschreiben, wenn er auch
sich selbst mit Begriffen der Physik beschreiben kann. Die
heutige Physik weiß zweifellos nicht, ob das möglich sein
könnte. Aber die hier vorgelegte Analyse geht von der Annahme aus, es sei möglich; jedenfalls gibt es nichts in der uns
bekannten Physik, was diese Annahme ausschließen würde.
Wenn die mathematischen Gesetze der Physik wirklich die
Weise ausdrücken, in der eine Mehrheit von Subjekten überhaupt begriffliche Erkenntnis haben können, dann würde diese
Annahme nur besagen, daß wir einen gewissen Grad begrifflicher Erkenntnis über unseresgleichen, einschließlich der eigenen Person, haben können. Dies ist die Annahme, die ich in
diesem ganzen Aufsatz zu erläutern versuche.

In der Quantentheorie könnte man die Annahme wie folgt
spezifizieren. Wenn D sich selbst beschreibt, so wird er von
Fakten in ihm selbst sprechen, die Dokumente von Ereignissen
sind, welche in ihm selbst stattgefunden haben, und er wird
von möglichen Ereignissen in ihm selbst sprechen, die in der

** Dies ist das unter dem Namen »Wigners Freund« bekannte Problem.
Vgl. E. Wigner, »The Scientist Speculates«, S. 284; I. J. Good ed.; London,
Heinemann 1962.

Zukunft eintreten oder nicht eintreten werden. Auf Grund
seiner Kenntnis der Fakten wird er diesen möglichen Ereignissen Wahrscheinlichkeiten zuschreiben. Was heißt »in« ihm
selbst? Da wir die cartesische Unterscheidung nicht mehr machen, wird es heißen, in seiner Psyche und *folglich* in seinem
Körper; die zwei Antworten werden nur verschiedene Ausdrucksweisen sein. Am Ende wird auch die Unterscheidung
zwischen »in seinem Körper« und »außerhalb seines Körpers«
zusammenbrechen, wenn wir uns klarmachen, daß in der fundamentalen Physik Ereignisse niemals in Strenge lokalisiert
sind. Ein Ereignis ist ein ausgedehnter Vorgang, und in der
endgültigen Elementarteilchenphysik wird sich der Raum vor-
aussichtlich als eine bloße »klassische« Annäherung herausstellen.

Soweit führt uns eine Analyse der Quantentheorie.

6.

Aber wo ist nun das Subjekt? Ich sehe meine Hand. Wie sehe
ich sie? Mein Auge sieht sie. Physisch gesprochen ist mein Auge
das wahrnehmende Subjekt. Aber es gibt doch eine Einheit der
Person. Ich nehme auch meine Hand wahr, wenn ich Wärme,
Druck, Schmerz in ihr fühle. Diese Wahrnehmung nennt man
Propriozeption, Selbstempfindung. Auge und Hand sind mein.
Diese Einheit des Ich ist physisch etabliert in der Einheit des
Leibes. Wird meine Hand mir von einem Chirurgen abge-
schnitten, so ist sie nicht mehr meine Hand. Die Hand ist eine
Hand durch die Einheit ihrer Funktion. Das wahrnehmende
Ich ist ebenso ein Ich durch die Einheit seiner Funktion. Das Ich
ist, so könnte man sagen, selbst die Einheit der Funktion des
Leibes. Wenn ich sage, daß das Auge wahrnimmt, so kann ich
auch sagen, daß auf einer höheren Integrationsstufe das Ich
wahrnimmt. Ziehe ich vor, zu sagen, das Auge sei nur ein
Organ der Wahrnehmung, so muß ich mit demselben Argument auch sagen, das Ich sei nur ein Organ der Wahrnehmung
(und des Willens und einiger Leistungen mehr). Wer ist dann
das Subjekt? Wer ist der Wissende?

Wie es scheint, können wir in zwei verschiedenen Weisen
von Wahrnehmung und allgemeiner von Erkenntnis sprechen,
in einer pluralistischen und einer monistischen Weise. In der

pluralistischen Sprache können wir sagen, das Auge nehme wahr. Wir können sagen, das Ich nehme wahr, kraft der leiblichen Einheit der Funktion. Wir können sagen, die gesellschaftliche Gruppe nehme wahr, kraft der Abhängigkeit des individuellen Bewußtseins von der sozialen Interaktion, in der das Ich zunächst die Sprache, dadurch Begriffe und dadurch den Begriff des identischen Ich gelernt hat. Vielleicht könnten wir sagen, die Menschheit oder das Leben nehme wahr, kraft der letztlichen Einheit der Geschichte. Die monistische Redeweise würde umgekehrt alle diese Beispiele als Organe auf verschiedenen Integrationsstufen bezeichnen. Kann man in dieser Redeweise von einem Subjekt sprechen, dessen Organe sie sind?

Wir sind nun sehr weit gegangen in der Kritik an Descartes' Begriff des Ich. In beiden Redeweisen ist das Ich nicht eine Substanz, sondern eine Funktion oder besser die Einheit einer Funktion. Diese Kritik läßt sich mit kritischen Bemerkungen vereinigen, die aus der empirischen Psychologie stammen. Es war ein tiefer philosophischer Gedanke, daß der Zweifel, als ein Denkakt, nicht die Tatsache des Denkens in Zweifel ziehen kann. Aber so wie Descartes sich ausdrückte, vermischte er diesen Gedanken mit der Hinnahme vieler Aspekte der alltäglichen Selbstbeobachtung, so als seien diese gewiß, obwohl sie einem legitimen Zweifel unterworfen werden können. Die neuere Psychologie spricht von unterbewußtem Denken und von Selbsttäuschungen, die durch einen neuen Schritt der Selbsterkenntnis als Selbsttäuschungen entlarvt werden können. Ich bin in der Erkenntnis nicht weit genug vorgedrungen, um eine mit solchen Gedanken vereinbare moderne Anthropologie anzubieten. Daher versuche ich, das, was noch zu sagen ist, durch den Rückgriff auf einige Deutungsprobleme einer anderen klassischen philosophischen Lehre vom Subjekt zu sagen. Es ist die Lehre Kants, die in der Form einer Kritik der cartesischen Auffassung vom Ich eingeführt werden kann.

7.

Kant unterscheidet das logische oder transzendentale Subjekt (zwei Ausdrucksweisen für denselben Begriff) vom empirischen Subjekt. Das empirische Subjekt bin ich, so wie ich von mir selbst wahrgenommen werde. Das empirische Subjekt

wird als in der Zeit befindlich wahrgenommen. Die Zeit ist die
Form aller Erscheinungen, der Raum ist die Form der Erscheinung derjenigen Dinge, die das Subjekt als von sich selbst
verschieden erkennt. Das empirische Subjekt bin ich, der Erkannte, das logische Subjekt bin ich, der Erkennende. Logi-
sches oder transzendentales Subjekt ist Kants Name für den
Wissenden (the knower).

Aber wie hat man diese Lehre zu verstehen? Ist sie pluralistisch? Gibt es viele Subjekte? An Hand dieser Frage kann man
Kants Philosophie wohl auf drei Wegen deuten – und am Ende
über sie hinausgehen: a. Das wahre Subjekt ist was Kant das
intelligible Ich nennt, das in der Philosophie der praktischen
Vernunft das Subjekt der moralischen Entscheidungen ist.
b. Das logische Subjekt ist nur logisch; es ist nicht ein wirkliches Subjekt, sondern der Begriff der Subjektivität, der besagt,
was wir unter einem »Subjekt« verstehen, wenn wir von dem
empirischen Subjekt sprechen. c. Es gibt ein wahres Selbst, das
ist Gott. In a. würde es viele nichtempirische Subjekte geben, in
b. viele empirische Subjekte und kein nichtempirisches, in
c. ein wahres Subjekt. Die drei nun noch folgenden Abschnitte
werden diese drei Wege verfolgen.

8.

Kants Theorie des intelligiblen Subjekts in der Kritik der praktischen Vernunft dürfte das Ergebnis einer metaphysischen
Schwierigkeit sein, an der die klassische Physik schuld ist. Die
praktische Vernunft im Sinne Kants beruht auf dem kategorischen Imperativ, der die Allgemeinheit der Prinzipien der Moral befiehlt; Allgemeinheit ist hier wie im theoretischen Bereich
das Merkmal der Vernunft. Ein Imperativ setzt Freiheit voraus; kein Gebot kann sinnvoll jemandem gegeben werden, der
nicht frei ist, zu entscheiden. Freiheit läßt sich nie empirisch
nachweisen oder widerlegen. Zudem unterliegt nach Kant das
empirische Subjekt der klassischen Kausalität, die seine Handlungen als notwendige bestimmt. Folglich muß die Freiheit
einem nichtempirischen Subjekt zukommen. Indem ich den
Imperativ auf mich selbst anwende, beurteile ich mich selbst
als frei. Somit gibt es wenigstens so viele nichtempirische Subjekte wie es lebende Menschen gibt.

Diese Theorie gerät in unauflösbare Schwierigkeiten, da sie meine empirische Kenntnis meiner selbst benützt, um mein nichtempirisches Selbst zu bestimmen. Kants letzter Kampf mit diesen Schwierigkeiten spiegelt sich in seinem späten Werk »Die Religion innerhalb der Grenzen der bloßen Vernunft.« Hier beschränke ich mich auf die Bemerkung, daß Imperative ihren Sinn gerade im empirischen Leben von Personen haben, also in der Zeit. Sie sind eine Art, Möglichkeiten, also die Zukunft, zu definieren und einzuschränken. Meine Selbstdeutung durch den Begriff von persönlicher Freiheit ist ein Verhalten zu meiner Zukunft. Diese Selbstdeutung ist nichtempirisch in dem Sinne, in dem das Vergangene empirisch und das Zukünftige nicht vergangen ist; das Vergangene kann nicht enthüllen, daß andere Möglichkeiten als die wirklich eingetretenen reale Möglichkeiten waren. Aus diesem Grunde folge ich dem Weg der Kritik der praktischen Vernunft nicht weiter.

9.

Nehmen wir an, das logische Subjekt sei der Begriff von einem Subjekt. Dieser Begriff muß ein »wahrer« Begriff sein. Unter einem wahren Begriff will ich hier einen Begriff verstehen, der eine tatsächlich bestehende Struktur der Wirklichkeit repräsentiert.* Die Struktur, die dem Begriff so entspricht, müßte man die platonische Idee nennen, deren mentales Bild der Begriff ist. In diesem Sinne ist das logische Subjekt nicht eigentlich der Begriff von einem Subjekt, sondern die Idee des Subjekts. Es ist diejenige Struktur der Wirklichkeit, die Subjekte möglich macht.**

Deuten wir nun aber die Physik wie oben, unter Verzicht auf den cartesischen Dualismus, so gibt es keinen substanziellen Unterschied zwischen den empirischen Subjekten und den empirischen Objekten. Alles, was empirisch bekannt sein kann, kann als ein Organ empirischen Erkennens dienen, also als ein Teil einer Einheit, die man ein Subjekt nennen kann. In diesem

---

* In einer pragmatischen Wahrheitstheorie könnte man diese Struktur die »ökologische Nische« des Begriffs nennen. Sie wäre diejenige Struktur, dank welcher Urteile, die diesen Begriff verwenden, erfolgreiche Sprechakte oder Denkakte sein können.

** Vgl. III, 1 »Platonische Naturwissenschaft im Laufe der Geschichte«.

Sinne ist die letzte Struktur, die Subjekte möglich macht, das
Sein selbst. Die Physik, die sich innerhalb der Pluralität hält,
wird die Vielheit der Subjekte beschreiben müssen. Bei diesem
Unternehmen muß sie eine Seinsstruktur voraussetzen, welche
empirische Subjekte als funktionierende Einheiten in der Zeit
ermöglicht. Die Physik kann die Subjektivität nicht erklären,
aber wir haben gesehen, daß sie die Subjektivität voraussetzen
muß. Dann wird die Physik das Funktionieren von Subjekten
soweit beschreiben können, als dies in der Sprache des Begriffs
möglich ist.

Wir sagten, das transzendentale Subjekt sei die Idee des
Subjekts, und diese Idee sei das Sein selbst. Das führt uns zu der
Frage zurück, in welcher Philosophie solche Behauptungen
sinnvoll sind.

Kant* nennt die Selbstunterscheidung des Subjekts als
wissend und gewußt »schlechterdings unmöglich zu erklären,
obwohl . . . ein unbezweifelbares Faktum . . .«; sie »zeigt . . .
ein über alle Sinnenanschauung . . . weit erhabenes Vermögen
an«, den »Grund der Möglichkeit eines Verstandes«.

Man kann hinzufügen, daß diese Unterscheidung Zeit und
Zahl erzeugt, die nach Kant und nach Brouwer** zusammen-
gehören. Faßt man den Wissenden (the knower) auf als ein
Subjekt unter anderen, so bringt man ihn in den Bereich dessen, was begrifflich verstanden werden kann. Dies reduziert
ihn auf das empirische Subjekt. Fakten, die die Vergangenheit
konstituieren, sind das, was ein Subjekt wissen kann. Sie sind
die Basis von Möglichkeiten. So macht das schon Gewußte
neues Wissen möglich; so kann das Subjekt sich selbst als
faktisch (Gedächtnis) und möglich (Antizipation) kennen.
Aber die Vielheit, innerhalb derer Begriffe möglich sind, setzt
eine Einheit voraus; diese wird mitwahrgenommen in jedem
Begriff, bei dem wir uns bewußt sind, *daß* er ein Begriff ist.
Diese Einheit stellt sich in der Physik als die Einheit der Zeit
dar.

* I. Kant, Preisschrift über die Fortschritte der Metaphysik, Akademie-
Ausgabe xx, S. 270
** L. E. J. Brouwer, »Consciousness, Philosophy, and Mathematics«, Proc. of
the Int. Congr. of Philos., Vol I, Fasc. II, ed. E. W. Beth, H. J. Pos, J. M. A.
Hollok, Amsterdam 1949.

Diese Philosophie ist insofern kein Platonismus, als die geschichtliche Zeit, beschrieben durch den Unterschied zwischen Faktum und Möglichkeit, in Platons wesentlich zyklischem Zeitverständnis nicht thematisch wird. Aber sie führt uns in dasselbe Problemfeld, das Platon auf seine Weise bearbeitete. Die Dialektik des platonischen Parmenides stellt sich in der modernen Situation wieder her. In jedem Begriff ist eine Mitwahrnehmung von Einheit, aber die Einheit selbst kann nicht direkt durch Begriffe beschrieben werden, denn dies ließe sie von der Vielheit abhängen; Vielheit jedoch, wie sie in Begriffen beschrieben wird, beruht auf der begleitenden Einheit.

Die Quantentheorie* geht sogar über dieses alte platonische Argument hinaus. Vielheit ist letztlich nicht wahr. Der Begriff eines isolierten Objekts ist in der Quantentheorie nur eine Annäherung, und eine schlechte. Mathematisch gesprochen enthält der Hilbertraum eines zusammengesetzten Objekts nur eine Menge vom Maße Null von Zuständen, in denen eine bestimmte Zerlegung dieses Objekts in Teile real ist. In der Sprache des vorliegenden Aufsatzes kann man sagen, daß getrennte Objekte durch Fakten definiert sind. Fakten sind die Fakten, die sie sind, kraft der Möglichkeiten, die sie konstituieren. Fakten sind irreversibel, aber Irreversibilität in einem isolierten Objekt bedeutet nur mangelnde Kenntnis der Kohärenz (der »Phasenbeziehungen«) der Wirklichkeit. Wenn es überhaupt eine letzte Wirklichkeit gibt, so ist sie Einheit. Vom Standpunkt dieser Einheit aus gesehen – wenn man so reden kann – sind die Objekte nur Objekte für endliche Subjekte (d. h. für Subjekte, denen gewisses mögliches Wissen fehlt), und endliche Subjekte sind endlich, indem sie unter denjenigen Bedingungen existieren, durch welche Objekte definiert sind (d. h. sie sind individuelle Seelen unter den Bedingungen der Körperlichkeit). Objekte und endliche Subjekte sind, was sie sind, nur für endliche Subjekte. Dies scheint nicht weit entfernt zu sein von dem, was die Advaita-Lehre Maya nennt.

---

* Vgl. »Die Einheit der Natur«, V. 5: »Parmenides und die Quantentheorie«.

10.

Das Selbst ist jenseits der Vielheit. Die Überlegungen dieses Aufsatzes bezeichnen ein paar Sprossen auf einer Leiter des Aufstiegs. Sie sind bestrebt, zu zeigen, daß der Aufstieg nicht unbedingt gefördert wird, wenn man die Fragen der Physik vergißt, sondern eher, wenn man sie unbeirrt verfolgt.

Es gibt im menschlichen Denken und zumal im Denken des Westens eine Tendenz, die menschliche Person für eine letzte Realität zu halten. Dies ist nicht bloß Egoismus. Es ist auch die Haltung fundamentaler Ethik, die nicht erlaubt, irgendetwas ernster zu nehmen als den Mitmenschen. Es kann eine verehrungswürdige Haltung sein. Aber es ist wahr, was die Christen wie die Hindus lernen, daß wir unseren Nächsten nicht wahrhaft lieben können, wenn wir ihn nicht in Gott lieben. Man könnte den Aufstieg als Eros, den Abstieg als Agape bezeichnen, aber dann muß man hinzufügen, daß der Aufstieg die Agape ist, die nach ihrer Ermöglichung sucht.

Ich widme diesen Aufsatz Sri Chandrasekharendra Sarasvati, dem Shankaracharya von Kanchi, zur Feier seines 81. Geburtstags. Einmal durfte ich ihn sehen, und ich werde nie den schweigenden wissenden Blick seines Auges vergessen.

II, 2. Die Rückseite des Spiegels, gespiegelt

1. Die Ontologie der Naturwissenschaft

»Auch heute noch blickt der Realist nur nach außen und ist sich nicht bewußt, ein Spiegel zu sein. Auch heute noch blickt der Idealist nur *in* den Spiegel und kehrt der realen Außenwelt den Rücken zu. Die Blickrichtung *beider* verhindert sie zu sehen, daß der Spiegel eine nicht spiegelnde Rückseite hat, eine Seite, die ihn in eine Reihe mit den realen Dingen stellt, die er spiegelt: Der physiologische Apparat, dessen Leistung im Erkennen der wirklichen Welt besteht, ist nicht weniger wirklich als sie. Von der Rückseite des Spiegels handelt dieses Buch.«[*]

Für die Biologie des Subjekts, das Thema dieses Kapitels, verdanken wir Entscheidendes der Verhaltensforschung und insbesondere Konrad Lorenz. Ehe wir diese Belehrung nutzen, sollten wir uns des philosophischen Blickpunktes vergewissern, von dem aus wir sie lesen. Diese Philosophie unterscheidet sich von derjenigen, die Lorenz selbst vorträgt, nur durch einen einzigen, freilich entscheidenden zusätzlichen Gedanken. Sie nimmt grundsätzlich ernst, daß auch das Bild, das die Naturwissenschaft von der Rückseite des Spiegels entwirft, ein Bild im Spiegel ist. Die Biologie des Subjekts wird von Subjekten gemacht und steht unter allen Bedingungen ihrer Subjektivität. Dieser Gedanke ist so einfach, daß es unmöglich erscheint, ihn durch Argumente noch zu bekräftigen oder zu erläutern; auch kein Biologe kann ihn leugnen. Das philosophische Problem ist nur, welche Konsequenzen aus ihm zu ziehen sind.

Zunächst sei gesagt, welche Konsequenz ich nicht aus ihm zu ziehen gedenke. Er soll keinerlei leib-seelischen Dualismus begründen. Das dürfte schon aus den voranstehenden Überlegungen zum Subjekt in der Physik hervorgehen. Ich sollte nur

---

[*] Konrad Lorenz, »Die Rückseite des Spiegels. Versuch einer Naturgeschichte des menschlichen Erkennens«. München, Piper, 1973, S. 32.

andeuten, *warum* ich mich dem Monismus der naturwissenschaftlichen Biologen, zum mindesten im Sinne einer mir eminent plausiblen Arbeitshypothese, anschließe.* Hier steht an der Spitze das historische Faktum des außerordentlichen Erfolgs der naturwissenschaftlichen Biologie. Ein solches Faktum enthält eine doppelte philosophische Herausforderung. Einerseits fragt sich, ob es eine einfache und durchschlagende philosophische Erklärung eines solchen Erfolgs gibt. Andererseits sind wir aufgefordert, die immer wieder vorgebrachten philosophischen Einwände gegen eine solche umfassende Hypothese,** gegen ihren »Reduktionismus«, philosophisch zu überprüfen.

Gibt es eine philosophische Erklärung des durchschlagenden Erfolgs der naturwissenschaftlichen Biologie? Methodologische Überlegungen vom Typ der heutigen Wissenschaftstheorie sind dazu manifest unfähig; sie erheben auch keinen Anspruch darauf. Eine ontologische Hypothese, die einen Erklärungsanspruch erhebt, ist der naturwissenschaftliche Monismus, der oft von seinen Anhängern und meist von seinen Gegnern als Materialismus bezeichnet wird: Alles in der Welt, auch die Organismen, auch wir, besteht aus *einer* Art von Substanz. Die Gesetze, denen diese Substanz genügt, formuliert die Physik. Also kann man alles im organischen Leben gemäß den Gesetzen der Physik beschreiben. Diese Ansicht macht sich auch Lorenz zu eigen; da er sich ihres hypothetischen Charakters bewußt ist (freilich in einem nachher noch kritisch zu prüfenden Sinne des Worts »hypothetisch«), nennt er sie hypothetischen Realismus. Diese Ontologie stellt seine eigene philosophische Reflexion eigentlich nur vor ein einziges, freilich in ihrem Rahmen unlösbares philosophisches Problem, das Leib-Seele-Problem: »Der große Hiatus zwischen dem Objektiv-Physiologischen und dem subjektiven Erleben« ist nicht durch bessere Kenntnis der Evolution überbrückbar, er ist »insofern anderer Art, als er keineswegs nur durch eine

---

* Hierzu »Die Geschichte der Natur«, 9. Vorlesung; »Die Tragweite der Wissenschaft« 8. Vorlesung; »Die Einheit der Natur«, 3. Teil.
** Als ein Beispiel sei genannt Barbara v. Wulffen, »Hinter den Spiegel geblickt? Fragen zu Konrad Lorenz': Die Rückseite des Spiegels«. Merkur, Jg. 28, Heft 8, S. 798–804.

Lücke in unserem Wissen bedingt ist, sondern durch eine apriorische, in der Struktur unseres Erkenntnisapparates liegende prinzipielle Unfähigkeit zu wissen«. (S. 226) Diese Ansicht setzt sich nun zwei philosophischen Einwänden aus, einem eher metaphysischen und einem erkenntnistheoretischen.

Der metaphysische Einwand sieht das Höhere auf das Niedere, den Geist auf die Materie reduziert, er sieht die Naturforscher im Reich des Menschlichen wie »Kolonialherren« (B. v. Wulffen, l. c.) auftreten. Ich halte diesen Einwand für den schwächeren der beiden, eigentlich nur für ein Mißverständnis. Der Unterschied zwischen höheren und niederen Strukturen ist phänomenologisch eine Realität (bei Lorenz tritt er in der Gestalt der »Schichten« Nicolai Hartmanns auf), ist aber in einer informationstheoretischen Auffassung der Physik formulierbar und der heutigen, im Ansatz ebenso »reduktionistischen« Systemtheorie (auch im soziologischen Sinne des Worts, vgl. N. Luhmann) geläufig. Lorenz selbst schildert den Übergang von Gesetzmäßigkeiten einer Schicht zu denen einer höheren Schicht durch den Zusammenschluß mehrerer spezieller Systeme zu einem umfassenderen System unter dem Titel der »Fulguration« (S. 48), des blitzartigen Entstehens neuer Struktur. Etwas anders steht es mit dem Verhältnis von Geist und Materie. Hier gerät der physikalische Reduktionismus bei vielen seiner Vertreter gleichsam mit Lust in einen Konflikt mit dem platonischen Grunderlebnis des Aufstiegs. Durch eine »Umwendung der ganzen Seele« (Pol. 7. Buch, Beginn) soll sich der Mensch nach Platon von dem Irrtum befreien, die Schattenbilder an der Wand seien die Wirklichkeit. Die geistige Wirklichkeit ist das Erstrebte, die materielle Erscheinung der Trug. Gegen das gängige Verständnis dieses Aufstiegs, das er auch für Platons eigene Meinung hält (S. 26), wendet sich Lorenz' antiidealistisches Pathos. Umgekehrt wäre ohne das Pathos derer, die diesen Aufstieg begehren, die Entstehung und Erhaltung dualistischer Philosophien wahrscheinlich gar nicht zu begreifen.

Eben darum ist es der Mühe wert, sich klarzumachen, daß Platon selbst jedenfalls alles andere war als ein Dualist (vgl. dazu den Beitrag III, 1). Die Schatten an der Höhlenwand sind die Sinneseindrücke, und die erste Rückwendung, die zu

den realen Gegenständen in der Höhle führt, ist genau die
Wendung der Naturwissenschaft zu den nicht direkt wahrgenommenen Objekten der Physik einschließlich der Rückseite
des Spiegels; Platon beginnt wie Lorenz. Diese Objekte freilich
sind auch nicht das, wofür sie der materialistische Naturforscher hält, sie sind eigentlich mathematische Gestalten – fast
wie in der heutigen theoretischen Physik. Die mathematischen
Gestalten ihrerseits sind jedoch eigentlich das, was Platon
Ideen nennt. Nun beginnt der Abstieg, die Ideenlehre im strengen Sinne. Die Ideen machen erst klar, was mathematische
Gestalten sind, diese, was physische Körper sind, diese, was
Sinneseindrücke von Dingen sind – nämlich immer weiter in
die Vielheit entlassene Ideen. Der Grund dafür, daß diese
Philosophie wie eine bloße Begriffsdichtung erscheint, liegt in
der Schwierigkeit, »unten in der Höhle« die Ontologie der
Ideen, ihre Seinsweise, zu verstehen. »Uns«, zumal in der
durchschnittlichen Mentalität des 20. Jahrhunderts, sind mathematische Gestalten und Ideen nur als menschliche Bewußtseinsinhalte geläufig. Dadurch wird Lorenz (S. 26) zu der
phantastischen Vermutung verführt, Platon habe alle realen
Dinge für bloße menschliche Bewußtseinsinhalte gehalten. Das
Subjekt, das die Ideen denkt, wenn es ein solches Subjekt gibt,
ist nicht das empirische Ich des Menschen, sondern wenigstens
im Neuplatonismus der göttliche Nus. Es ist nun nicht die
Absicht dieser Bemerkungen, eine platonische Metaphysik zu
behaupten, sondern nur argumentativ festzustellen, daß eine
im Sinne des größten Metaphysikers entworfene Metaphysik
nicht der dualistischen Kritik an der von Lorenz vertretenen
monistischen Naturwissenschaft bedarf.* Platon kann Lorenz
dulden, ja er müßte ihn bejahen.

Schwerer wiegt der erkenntnistheoretische Einwand. Wir
haben in der Wissenschaft unseres Jahrhunderts, zumal in der
theoretischen Physik, das Mißtrauen gelernt, ob Fragen, deren
prinzipielle Unbeantwortbarkeit einsehbar ist, überhaupt
sinnvolle Fragen und nicht bloß die Folge unklar definierter
Begriffe sind. Dieser Verdacht meldet sich z. B. gegenüber Lo-

---

* Ein wesentliches Argument gegen die teleologische Version der Metaphysik
wird im Beitrag über den Tod, S. 153, besprochen.

renz' Version des Leib-Seele-Problems. Lorenz selbst, dessen phänomenologischer Instinkt häufig besser ist als seine Philosophie, weist mit vollem Recht darauf hin, daß die von ihm postulierte »undurchdringliche Scheidewand zwischen dem Leiblichen und dem Seelischen nur für unseren Verstand und nicht für unser Gefühl« besteht. »Wir sind, allen verstandesmäßigen Erwägungen zum Trotze, gar nicht imstande, an der grundsätzlichen Einheit von Leib und Seele zu zweifeln« (S. 226). Die Vermutung liegt nahe, daß es nicht »unser Verstand«, sondern eine von uns gelernte Philosophie ist, die gegen das, was wir fühlen, die Scheidewand zieht. Doch das mag vorerst auf sich beruhen. Wichtiger ist der Einwand gegen Lorenz' Realitätsbegriff.

Lorenz ist offenbar der Meinung, daß es Realisten und Idealisten gibt, und daß die Realisten die Außenwelt für real halten, die Idealisten aber für eine bloße Vorstellung. Da zwischen zwei so definierten Ansichten offenbar keine empirische Entscheidung möglich ist – denn das entscheidende empirische Faktum wäre wieder für den Realisten real, für den Idealisten bloße Vorstellung – nennt Lorenz seinen Realismus eine Hypothese. In der Wissenschaft aber pflegt sich eine Hypothese wenigstens grundsätzlich der empirischen Kontrolle zu stellen. Ich schlage statt dessen die Ansicht vor, daß die hier verwendeten Worte »real« und »Realität« sinnlose Vokabeln sind, durch deren vollständige Elimination sich an allen positiven Erkenntnissen der Naturwissenschaft überhaupt nichts ändert. Das sollte klar werden, wenn wir bedenken, daß Realität, von der wir wissen können, Realität für uns ist, und Realität, von der wir nicht wissen können, per definitionem in unserem Wissen nicht vorkommt. Sprechen wir sinnvoll von Realität, so sprechen *wir* von Realität; spricht niemand von Realität, so ist von Realität nicht die Rede. Wenn das Bewußtsein ein Spiegel ist, so kennen wir die Rückseite des Spiegels nur gespiegelt. Das heißt nicht, die Dinge seien nur unsere Vorstellungen, da wir zwischen einem nur vorgestellten und einem beobachteten oder beobachtbaren Ding sehr gut unterscheiden können. Der peinliche Eindruck, den das Herumreden über diese scheinbaren Trivialitäten erzeugt, liegt daran, daß hinter ihnen ungeklärte nichttriviale Strukturen auf ihre Aufhellung war-

ten. Und hier tritt Lorenz' Fragestellung wieder in ihr volles
Recht ein.

Die populäre Version des »Idealismus«, also der Philosophie, welche die Subjektbezogenheit alles Wissens hervorhebt,
meint, also seien mir die Dinge, die ich weiß, »an sich« unbekannt, ich selbst aber sei mir freilich bekannt. In Wahrheit muß
man dann jedoch mit Kant lehren, daß auch das Ich sich selbst
empirisch nicht anders kennt als es die Dinge kennt, eben
gemäß seinen Anschauungsformen und Kategorien. Damit
aber verliert die Grenze zwischen dem empirisch bekannten
Subjekt und den empirisch bekannten Objekten ihren metaphysischen Rang. Sie sind aufeinander angewiesen (Kants
»Widerlegung des Idealismus« in der 2. Auflage der »Kritik
der reinen Vernunft«). Es ist dann völlig legitim, festzustellen,
daß man das Ich besser verstehen lernt, wenn man es als
leibliches Ganzes begreift (Kant im »Opus Postumum«). D. h.
der Weg zu der gesamten Fragestellung von Lorenz ist dann
offen. Nur der Irrtum, das *empirische* Ich sei die irreduktible
Mitte des Wissens, hindert, daß wir auf diesen Weg aufbre-
chen.

Ihre eigentliche Kraft bekommt diese Überlegung aber erst,
wenn wir die bis hierher vorausgesetzte ontologische Erklärung der universalen Gültigkeit der Physik noch einmal hinter-
fragen. Betrachten wir die Annahme einer universellen Substanz mit der soeben eingeübten erkenntnistheoretischen
Skepsis, so erscheint auch sie nicht mehr wie eine Hypothese,
sondern wie eine Tautologie. Die Eigenschaften der »Materie«
können wir nicht anders charakterisieren als eben durch die
Gesetze der Physik, denen sie genügt. Also sind Existenz einer
universellen Materie und universelle Gültigkeit der Physik
zwei gleichbedeutende Behauptungen; die erste von ihnen erklärt nicht die zweite, sondern wiederholt sie. Können wir die
universelle Gültigkeit der Physik begreiflich machen, oder
müssen wir sie schlicht glauben? Hier folge ich dem Gedanken
Kants, daß die Grundgesetze der Physik die Bedingungen der
Möglichkeit von Erfahrung formulieren.* Auch Lorenz macht
von diesem Gedanken Kants Gebrauch, aber in anderem Sinne

---

* »Die Einheit der Natur«, Teil II. Hier im Beitrag I, 4 berührt (S. 95 ff.).

als ich. Die beiden Verwendungen des Gedankens schließen sich nicht aus, sondern ergänzen einander. Lorenz geht von der Beobachtung Kants aus, daß wir Erkenntnisse a priori haben, die wir offensichtlich nicht aus individueller Erfahrung gewonnen haben können. Das wichtigste Beispiel ist für ihn unsere Raumanschauung, also unsere Fähigkeit, geometrische Einsicht a priori zu haben. Kant folgert, daß wir das Wissen a priori offensichtlich nicht einer Affektion durch die Objekte verdanken, daß es uns also auch nichts darüber lehren kann, wie die Objekte an sich selbst beschaffen sein mögen. Lorenz weist darauf hin, daß dieses Argument nicht schlüssig ist. Kant setzt hier eine naiv empiristische Erkenntnistheorie voraus und widerlegt nur diese. Wer die moderne Evolutionslehre kennt, hat keine Schwierigkeit, den Spezies angeborene** Verhaltensweisen zuzuschreiben, die im Laufe der Evolution durch Anpassung gelernt wurden. (Was »durch Anpassung lernen« heißt, werden wir im Teil 2. dieses Beitrags näher erörtern). Dann muß man aber erwarten, daß die Selektion gerade dazu geführt hat, daß Verhaltensweisen überlebten, die der Wirklichkeit, den »Dingen wie sie an sich selbst sind«, gut angepaßt sind. Nach Lorenz wissen wir also von der »objektiven Außenwelt« vieles nicht, nämlich all das, was wissen zu können unseren Vorfahren keinen Selektionsvorteil im Kampf ums

---

** Die von Kant ausdrücklich gemachte Unterscheidung von a priori und angeboren fällt zwar bei Lorenz unter den Tisch, ändert aber im Prinzip auch nichts an Lorenz' Argument. Einerseits besagt sie (Streitschrift gegen Eberhard, Ak. Ausg. VIII S. 221) nur, daß *Vorstellungen* nicht angeboren sind, wohl aber der »Grund im Subjekte . . ., der es möglich macht, daß die gedachten Vorstellungen so und nicht anders entstehen und noch dazu auf Objekte, die noch nicht gegeben sind, bezogen werden können«. Das ist ganz im Sinne von Lorenz. Andererseits wendet Kant (»Kritik der reinen Vernunft« B 167–168) gegen ein »Präformationssystem der reinen Vernunft«, nach dem die Kategorien »subjektive, uns mit unserer Existenz zugleich eingepflanzte Anlagen zum Denken wären, die von unserem Urheber so eingerichtet werden, daß ihr Gebrauch mit den Gesetzen der Natur, an welchem die Erfahrung fortläuft, genau stimmte«, ein, »daß in solchem Falle den Kategorien die *Notwendigkeit* mangeln würde, die ihrem Begriffe wesentlich angehört«, also offenbar die mit ihnen gegebene Einsicht in ihre Wahrheit. Das *Erlebnis* ihrer Notwendigkeit erscheint aber auf dem von Lorenz eingeschlagenen Wege sehr wohl erklärbar, und die *Wahrheit* dieser Notwendigkeit wird von der fortschreitenden Wissenschaft selbst problematisiert.

Dasein gebracht hat, aber was wir wissen, gerade was wir angeborenermaßen wissen, dem dürfen wir schon trauen, denn wäre dies Wissen nicht vertrauenswürdig, so wären wir, die Enkel von Siegern im Kampf ums Dasein, gar nicht da. Dieses Argument ist stark und soll hier nicht angefochten werden. Es dient nicht, die objektive Geltung der Physik auf die Bedingungen der Möglichkeit von Erfahrung zu gründen, sondern umgekehrt unsere Fähigkeit, Erfahrung zu machen, und damit schließlich unseren Glauben an die Physik auf die objektive Geltung der Physik zu gründen, auf die Strukturen der »realen Außenwelt«. Es ist insofern eine anti-kantische Verwendung des kantischen Apriori.

Mein Ansatz bleibt in der philosophischen Argumentation näher bei Kant. Wäre der Gedankengang von Lorenz alles, was zu Kants Apriori zu sagen ist, so könnten die Gesetze der Physik beliebige Gestalt haben; wenn sie nur als Gesetze, also immer gelten, so werden sich die Organismen ihnen schon anpassen und ein entsprechendes angeborenes Wissen erwerben. Ich versuche demgegenüber, diejenigen Bedingungen herauszuheben, ohne die wir uns schlechterdings keine Erfahrung vorstellen können, und aus ihnen die Gesetze der Physik inhaltlich zu bestimmen. Was dabei vorausgesetzt wird, ist im wesentlichen die Struktur der Zeit in ihren Modi – Gegenwart, Zukunft, Vergangenheit – und die Möglichkeit begrifflichen Denkens überhaupt. Was heute herauskommt, ist eine noch nicht voll fixierte Version der Quantentheorie. Für die Quantentheorie aber, so wie sie im vorigen Beitrag beschrieben ist, ist die Subjektbezogenheit alles Wissens konstitutiv. Die subjektunabhängige »objektive Außenwelt« ist von der Quantentheorie aus gesehen nur der sogenannte klassische Grenzfall. Wir haben keinen Grund, uns zu wundern, wenn sich zeigt, daß Organismen angeborenes Wissen gerade über diesen Grenzfall haben, denn »objektiv« im hier gebrauchten Sinne ist gerade das, worauf mehrere Subjekte sich einigen können.

Nach dieser Auffassung der Physik kann ein Bild dessen, was wir die Wirklichkeit nennen, wenn überhaupt, dann nur in einem Kreisgang gezeichnet werden. Die Natur ist älter als der Mensch, der Mensch ist älter als die Naturwissenschaft. Der Mensch, das Kind der Natur, verdankt seiner Herkunft Anpassungen an die Natur; diese beschreibt Lorenz unter dem Titel der Rückseite des Spiegels. Mittels dieser Anpassungen und seiner kulturellen Erfindungen betreibt der Mensch Wissenschaft; in der Wissenschaft spiegelt er die Natur. Selbst Begriffe wie »Natur«, »Wirklichkeit«, »Wissen« haben ihren Sinn nur innerhalb des menschlichen Wissens. Diese Spiegelbegriffe (Reflexionsbegriffe) waren nötig, um Begriffe wie »Anpassung«, »Spiegel«, »Rückseite des Spiegels« überhaupt bilden zu können. In jedem der beiden Halbkreise wurden bisher die Ergebnisse des anderen Halbkreises nur in einer Verkürzung verwendet. Der Quantenphysiker, auch der Transzendentalphilosoph, setzt die Ausstattung des erkennenden Subjekts so voraus, wie er sie in der ausgebildeten Menschennatur und in der Kultur der okzidentalen Neuzeit eben kennt, und betrachtet mit aller Verfeinerung, was für ein Wissen von der Natur so beschaffene Subjekte haben können. Der Biologe und Verhaltensforscher setzt die Kenntnis der Natur voraus, die ihm eine philosophisch unreflektierte, im wesentlichen klassische Physik liefert und studiert mit aller Verfeinerung, wie tierische und menschliche Subjekte sich dieser Natur anzupassen gelernt haben. Auch das gegenwärtige Buch vermag die beiden Halbkreise noch nicht in einen vollen Kreis zu integrieren. Die Beschreibung der Natur auf dem Niveau der Quantentheorie und der Transzendentalphilosophie ist nicht sein Thema. Es studiert den Menschen als Kind der Natur und setzt dabei einen bewußt vage gehaltenen Begriff der Natur voraus. Auf diesem Wegstück hat es keine Schwierigkeit, die Denkweise der Verhaltensforscher anzuwenden.

Am Schluß sei nur überprüft, ob dieser Denkweise das Leib-Seele-Problem so undurchschaubar erscheinen muß wie für Lorenz. Sie trägt zunächst ja keine neue positive Kenntnis bei, nur ein philosophisches Prinzip. Steigen wir nun in den Kreis an der Stelle der transzendentalphilosophischen Überlegung ein, so gehen wir also davon aus, daß es jedenfalls erkennende Subjekte – Menschen – gibt und behaupten, daß für diese alles, wovon sie objektivierbare Erfahrung, d. h. begriffliche Erfahrung in der Zeit haben, den Gesetzen der Physik unterliegen muß, denn diese Gesetze sind die Bedingungen möglicher objektivierbarer Erfahrung. Was diesen Gesetzen genügt, nennen

wir aber Materie. Nun sind aus der so beschreibbaren Natur
eben die menschlichen Subjekte geschichtlich hervorgegangen.
Soweit sie von sich selbst objektivierbare Erfahrung gewinnen
können, sind sie also für sich selbst als Objekte der Physik, als
Materie, zu beschreiben. Dies hebt keinen Augenblick ihr Wissen auf, daß sie Subjekte, also Bewußtsein sind. Eben dies hat
Lorenz in den oben zitierten Stellen phänomenologisch festge-
stellt: unser spontanes Wissen läßt sich die Identität von
»Leib« und »Seele« nicht ausreden. Wie es im einzelnen zugeht, wenn sich bewußte Subjekte in der Evolution bilden und
wie für sie das Bild von ihrer Umwelt und ihnen selbst entsteht,
ist dabei vorweg noch unbekannt; eben dies wollen wir nun zu
studieren beginnen. Aber jedenfalls sind die beiden cartesischen »Substanzen« nur methodische Positionen; sie sind die
Wirklichkeit, einmal »als Subjekt«, einmal »als Objekt« angeschaut. Und spätestens die Quantentheorie lehrt uns, daß beide
Positionen nur Näherungen bezeichnen. Die alte metaphysische Formel, die Natur sei der Geist in einer Gestalt, in der er
sich selbst nicht als Geist kennt, bezeichnet einen Horizont,
innerhalb dessen alles, was die Naturwissenschaft bisher hat
erkennen können, Platz hat, den sie freilich mit ihren positiven
Erkenntnissen bisher nirgends erreicht. Jede Ebene der fortschreitenden Erkenntnis ist als eine begrenzte Ebene charakterisiert dadurch, daß in ihr Fragen auftreten, die mit ihren
Begriffen formulierbar, aber mit eben diesen Begriffen nicht
beantwortbar sind. Das Leib-Seele-Problem dürfte ein derarti-
ges Problem für die Denkweise der klassischen Physik, also
auch der von Lorenz benützten Biologie sein.

2. Die Erkenntnisförmigkeit der Evolution

Lorenz überschreibt das erste Kapitel seines Buchs: Das Leben
als Erkenntnisvorgang. Ich habe hier einen nur methodisch
zurückhaltenderen Titel gewählt. Ich vergleiche nur die Evolution mit denjenigen Vorgängen, die wir bei den höchstentwik-
kelten Organismen als Erkenntnis im spezifischen Sinne bezeichnen.

Erkenntnis kann man ganz formal als Informationsgewinn

bezeichnen. Die philosophische Frage ist dann, was wir mit
dem Wort Information meinen. Um diese Frage besser stellen
zu können, ist es zweckmäßig, die formale Struktur, in welcher
der Informationsgewinn durch Evolution mit demjenigen
durch Erkenntnis im engeren Sinne übereinkommt, etwas de-
taillierter zu beschreiben. Wir können hier nicht der Darstellung von Lorenz Schritt für Schritt folgen; das würde ein neues
Buch ergeben. Popper* hat unlängst eine knappe und herausfordernde Skizze dieser Struktur gegeben, an der wir uns zunächst orientieren können. Ich zitiere einige Passagen in meiner Übersetzung.

Popper geht hier aus von »den Gedanken der *Instruktion*
und der *Selektion*«**. (S. 73) »Von einem biologischen oder
evolutionären Blickpunkt aus kann man die Wissenschaft,
oder den Fortschritt der Wissenschaft als ein Mittel betrach-
ten, das die menschliche Spezies benützt, um sich der Umwelt
anzupassen: neue Umweltnischen zu besetzen, und sogar neue
Umweltnischen zu erfinden. Wir können drei Niveaus der
Anpassung unterscheiden: genetische Anpassung; adaptives
Verhaltenslernen; und wissenschaftliche Entdeckung, die ein
Spezialfall des adaptiven Verhaltenslernen ist. ... Meine
Hauptthese besagt die *fundamentale Ähnlichkeit der drei
Niveaus*. ... Auf allen drei Niveaus ist der Mechanismus der
Anpassung fundamental derselbe.« (S. 73)

»Anpassung geht aus von einer ererbten *Struktur*, die für alle
drei Niveaus grundlegend ist: *die Genstruktur des Organismus*. Ihr entspricht auf dem Verhaltensniveau das *angeborene
Repertoir* der dem Organismus verfügbaren Verhaltensweisen; und auf dem Niveau der Wissenschaft *die herrschenden
wissenschaftlichen Vermutungen oder Theorien*. Diese *Strukturen* werden immer durch *Instruktion* weitergegeben, auf
allen drei Niveaus: durch die Replikation der codierten genetischen Instruktion auf den Niveaus des genetischen Materials
und des Verhaltens; und durch soziale Tradition und Nachah-

---

* K. R. Popper, »The rationality of scientific revolutions«, in Rom Harré (ed.)
»Problems of Scientific Revolution: Progress and Obstacles to Progress in the
Sciences«. The Herbert Spencer lectures 1973. Oxford, Clarendon Press 1975.
** Kursivschreibungen in Poppers Text stammen durchgängig von Popper.

mung auf den Niveaus des Verhaltens und der Wissenschaft.
Auf allen drei Niveaus kommt die *Instruktion* aus dem *Inneren
der Struktur*. Wenn Mutationen oder Variationen oder Irrtümer vorkommen, so sind diese neue Instruktionen, die ebenfalls *innerhalb der Struktur* entstehen, nicht *von außen*, aus der
Umgebung kommen.«

»Diese ererbten Strukturen sind gewissen Drucken oder
Herausforderungen oder Problemen ausgesetzt: Selektions-
drucken, Umweltherausforderungen, theoretischen Problemen. Als Antwort werden Variationen der genetisch oder traditionell ererbten *Instruktionen* erzeugt, durch Methoden, die
wenigstens zum Teil *zufällig* wirken. Auf dem genetischen
Niveau sind dies Mutationen und Rekombinationen der codierten Instruktion; auf dem Verhaltensniveau sind sie auspro-
bierende Variationen und Rekombinationen im Repertoir; auf
dem wissenschaftlichen Niveau sind es neue und revolutionäre
Theorieversuche. Auf allen drei Niveaus erhalten sie neue ten-
tative Probeinstruktionen; kurz ein Ausprobieren.«

»Die nächste Stufe ist die der *Selektion* aus den verfügbaren
Mutationen und Variationen: die schlecht angepaßten neuen
Versuche werden eliminiert. *Dies ist die Stufe der Elimination
des Irrtums.* ... So können wir von *Anpassung durch die
›Methode von Versuch und Irrtum‹* sprechen, oder besser
durch ›die Methode des Versuchs und die Elimination des
Irrtums‹ ... Sie wirkt auf allen drei Niveaus.« (S. 74)

Popper bespricht nun die manifesten Unterschiede zwischen
den drei Niveaus und wendet sich dann seinem eigentlichen
Thema, der Rationalität wissenschaftlicher Revolutionen, zu.
Wissenschaftstheorie liegt jenseits der Reichweite des gegenwärtigen Buchs. Wir betrachten nur die Pointe, die er aus dem
Vergleich der Evolution mit der Wissenschaft herleitet, weil sie
für uns – in umgekehrter Erläuterungsrichtung als der seinen –
ein Beitrag zum Verständnis der Erkenntnisförmigkeit der
Evolution ist. »All dies ist ein Teil der kritischen Auffassung
der Wissenschaft, im Gegensatz zur induktionistischen Auffassung; oder der darwinistischen oder eliminationistischen oder
selektionistischen Auffassung im Gegensatz zur lamarckisti-
schen Auffassung, die mit dem Gedanken der *Instruktion von
außen* oder aus der Umwelt arbeitet, während die kritische

oder selektionistische Auffassung nur *Instruktion von innen*, aus dem Inneren der Struktur selbst zuläßt. In der Tat behaupte ich, *daß es so etwas nicht gibt wie Instruktion von außerhalb der Struktur*, oder passiven Empfang eines Informationsflusses, der sich den Sinnesorganen einprägt. Alle Beobachtungen sind theoriegeprägt: es gibt keine reine, uninteressierte, theoriefreie Beobachtung.« (S. 78–79) »Eine neue revolutionäre Theorie funktioniert genau wie ein neues mächtiges Sinnesorgan.« (S. 75)

Seine These, daß Theorien empirisch nur falsifiziert, aber nicht verifiziert werden können, hat Popper ursprünglich mit einem logischen Argument begründet.* Ein Satz, der die logische Form der Allgemeinheit hat, ist empirisch widerlegt, wenn es ein Gegenbeispiel gibt, empirisch bewiesen aber erst, wenn alle unter ihn fallenden Einzelfälle vorgeführt sind – ein unmögliches Unterfangen.** Jetzt bringt Popper ein biologisches, also selbst empirisches Argument, das die These strukturell anreichert. Die Frage ist, wie die beiden Argumente in ihrer erkenntnistheoretischen Valenz zueinander stehen. In der üblichen hierarchistischen Auffassung der Wissenschaften steht die Logik voran. Popper sagt: »Was in der Logik wahr ist, ist in der Psychologie wahr« (zitiert nach Lorenz, S. 136). Diese einfache Formel läßt den anderen Halbkreis aus, nämlich die Frage, was Wahrheit in der Logik bedeutet, und wie es, geschichtlich-anthropologisch gesehen, zu so etwas wie Logik kommen kann. Daß man auch diese letztere Frage als wissenschaftliche Frage heutzutage nur unter Anwendung der schon vorliegenden Logik angreifen kann, rechtfertigt keinen Hierarchismus, sondern ist nur ein Beispiel für Poppers vorher erläuterte Thesen: auch die Logik ist ein derart mächtiges »Sinnesorgan«, eine »abgeschlossene Theorie« im Sinne Heisenbergs, die uns Phänomene sehen lehrt und gleichwohl ihrer Überwindung durch eine künftige fortgeschrittene Theorie gewärtig sein muß.

Poppers neue Pointe scheint mir nun auf folgendes hinauszulaufen. Sein altes Argument machte von dem historischen Fak-

---

* K. Popper, »Logik der Forschung«, 1933.
** Dazu »Die Einheit der Natur«, S. 123 f., und Werner Heisenberg, S. 71 ff.

tum Gebrauch, daß die Wissenschaft ihre Überzeugungen in
der logischen Form der Allgemeinheit vorträgt. Jetzt kann man
fragen, warum sie das tut. Könnte sie nicht einfach das Erlebte
erzählen? Dagegen konnte man immer sagen, daß sie dann
keine prognostische Kraft, also keinen praktischen Nutzen
hätte. Jetzt läßt sich das schärfer fassen. Wenn es Instruktion
nur von innen gibt, so hat jeder Erkenntnisapparat die Form,
eine für viele, im einzelnen vorweg unbekannte Umweltreize
bestimmte Reaktionsstruktur bereitzustellen. Er hat also, logisch betrachtet, seinem Wesen nach die Form der Allgemeinheit. Das gilt, logisch gesprochen, nicht nur von den Urteilen,
sondern schon von den Begriffen. Deshalb könnte die Wissenschaft ohne die Form der Allgemeinheit nicht einmal das Erlebte erzählen, denn sie erzählt es mit Begriffen. Wir kommen
hierauf in II 6 unter dem Titel »Biologische Präliminarien zur
Logik« zurück.

Im gegenwärtigen Abschnitt über die Erkenntnisförmigkeit
der Evolution aber lesen wir die Evolution noch nicht als ein
Mittel, die menschliche Erkenntnis zu erläutern, sondern wir
lesen die Erkenntnis als ein Mittel, die Evolution zu erläutern.
Erkenntnis leistet, nach der klassischen Wahrheitsdefinition,
die Adäquation des Bewußtseins an die Tatsachen (veritas est
adaequatio intellectus ad rem). Übersetzen wir hier Adäquation mit Anpassung, so finden wir eine Formel, die sich auf die
Evolution verallgemeinern läßt: organische Evolution ist Anpassung des genetischen Codes und des durch ihn ermöglichten Verhaltens an die Tatsachen. In diesem objektiven Sinne ist
Evolution Informationsgewinn, und als Informationsgewinn
hatten wir eingangs die Erkenntnis definiert. Es fragt sich nur,
was wir unter Information, Wahrheit, Anpassung bei dieser
Begriffsübertragung vom subjektiven Wissen zum objektiven
Verhalten verstehen.

3. Information, Anpassung, Wahrheit

Für eine Philosophie, welche diese drei Begriffe präzise erklären würde, ist dieses ganze Buch nur Propädeutik, nur anthropologische Materialsammlung. Selbst für eine hinreichend

breite Exposition des philosophischen Problems im Rahmen der Evolutionstheorie muß ich auf andere Aufsätze verweisen.* Aus diesen seien hier nur ein paar Formulierungen aufgenommen und weitergeführt.

Information gibt es zunächst *für Menschen.* Shannons Definition der Information geht aus der Theorie der Kommunikationssysteme, speziell des Telegraphen hervor; diese Systeme vermitteln Botschaften von Menschen an Menschen. Nur für einen Menschen, der lesen kann, enthält das Telegramm die nach Shannons Vorschrift quantifizierbare Informationsmenge. Z. B. wird zunächst nur der Mensch, der lesen kann, den Buchstaben e in jedem Wort als denselben Buchstaben ansprechen. Für eine Fliege, die über das ausgedruckte Telegramm wandert, enthalten diese Flecken Druckerschwärze ganz andere Informationswerte.

Der moderne Informationsbegriff enthält nun freilich die Tendenz der Objektivierung, der Ablösung vom Subjekt. Der erste Schritt ist die Bemerkung, daß die Theorie der Kommunikationssysteme gerade nicht ein Verständnis eines einsamen Subjekts, sondern die Kommunikation zwischen mehreren Subjekten betrifft. Dieselbe Buchstabenfolge enthält für jeden, der sie lesen kann, dieselbe Menge Information (in der syntaktischen, schon nicht mehr notwendig in der semantischen Ebene). Der zweite Schritt ist dann die Ersetzung der ohnehin austauschbaren Subjekte, die als Sender und Empfänger fungieren, durch Apparate. Nun heißt es: Information gibt es für einen Sender bzw. Empfänger. Im dritten Schritt kann man versuchen, diesen Informationsbegriff dann auf Organismen anzuwenden, die nicht von Menschen gebaute Apparate sind. Die Empfänger, welche Umweltinformation aufnehmen, und bei Kommunikation zwischen Organen oder Organismen auch die Sender, sind nun Organe. Ihre Entstehung wird selektionistisch beschrieben. Damit sind wir bei der Erkenntnisförmigkeit der Evolution.

---

* »Die Einheit der Natur« III, 4. Modelle des Gesunden und Kranken, Guten und Bösen, Wahren und Falschen; III, 5 Materie, Energie, Information. Ferner: »Wissenschaftsgeschichte als Wissenschaftstheorie«, in: »Fragen zur Weltpolitik«. Ferner: Offene Systeme I, vor allem die Beiträge von E. v. Weizsäcker und F. J. Zucker.

Hierbei ist ein Unterschied zu bemerken, den Popper nicht hervorhebt, der aber in Lorenz' Darstellung eine entscheidende Rolle spielt: zwischen permanentem Informationserwerb durch Schaffung neuer Strukturen und dem Erwerb nicht zu speichernder Augenblicksinformation (S. 40 f. und IV. Kapitel). Viele wichtige Organe reagieren auf nicht zu speichernde Information des Augenblicks. Auch der Telegraph, dem wir den Informationsbegriff verdanken, verarbeitet, ohne sich selbst strukturell zu verändern, durchlaufende Information; daß man die ausgedruckten Telegramme dann auch aufbewahren kann, ist für den Telegraphen, der statt dessen auch bloße akustische Ticksignale geben könnte, nicht essentiell. Die Entstehung von Organen, die genau dies leisten, ist selbst schon eine relativ hohe Leistung der Evolution. Die Evolution der ersten, vororganismischen höheren Moleküle und der primitiven DNS-Protein-Kooperation in einfachsten Organismen kann ebenfalls schon als Informationsgewinn interpretiert werden, ohne daß dabei Organe der aktuellen Informationsverarbeitung existieren. Zur schärferen Definition des Informationsbegriffs werden wir aber modellmäßig diese Organe betrachten, die aktuelle, nicht notwendig zu speichernde Information aufnehmen, wie etwa die Sinnesorgane verbunden mit den angeborenen motorischen Reaktionen auf die durch die Sinnesorgane aufgenommenen Reize.

Information also gibt es *für einen Empfänger*, oder für ein Paar Sender – Empfänger; Sender und Empfänger seien nun *Organe* oder *Apparate*. Was heißt in dieser Redeweise das »*für*«? Dem Empfänger unterstellen wir kein Bewußtsein oder zum mindesten keine Reflexion; insofern ist nicht er es, der sich oder uns sagen kann, es gebe »für ihn« Information. Die wissenschaftliche Rechtfertigung dafür, daß *wir* sagen, es gebe *für ihn* Information, läßt sich in dem Satz andeuten, Information gebe es nur *unter einem Begriff*. Das gilt schon von der Information für Menschen. Derselbe Telegrammtext enthält eine ganz verschiedene Informationsmenge je nach dem Begriff, unter dem wir ihn auffassen: als eine Folge von Buchstaben des lateinischen Alphabets, als eine Folge von Wörtern der englischen Sprache, als eine Mitteilung über den Ausgang einer Präsidentenwahl. Dasselbe Chromosom enthält eine ganz verschiedene Informationsmenge, je nachdem man es als eine organische Molekülkette oder als Träger des Erbguts einer Spezies betrachtet. So auch bei der Information für ein Organ. Diese ist erst definiert, wenn *wir* die *Funktion* des Organs angegeben haben und damit die für diese Funktion relevante Anzahl von Ja-Nein-Entscheidungen feststellen können. Haben *wir* diese Funktion verstanden, so können *wir* angeben, daß das Organ eben den Begriff dieser Funktion *objektiv*, unabhängig von unserem Urteil, durch seinen Bau und die dadurch erzeugte Leistung *darstellt*. Organe sind, wenn man das so ausdrücken darf, *objektive Begriffe*. Diese Feststellung führt uns natürlich weiter zu der Frage, ob wir eigentlich wissen, was wir uns in der Phänomenologie unserer eigenen Erkenntnisprozesse unter einem *Begriff* vorstellen. Dazu kehren wir im 3. und 6. Beitrag dieses Kapitels zurück.

Information gibt es nur für das wirklich *funktionierende Organ*, für das Organ, solange es *als* Organ lebt. Das funktionierende Organ steht in einem Funktionszusammenhang. Man darf dann wohl sagen, daß es stets nicht nur Empfänger, sondern auf Grund der empfangenen Information auch wieder Sender ist. So läßt sich der Satz rechtfertigen: *Information ist nur, was Information erzeugt.*

Was hat all dies mit dem Begriff der *Wahrheit* zu tun? Information gibt es nur unter einem Begriff. Wenn ein Organ 1 bit Information sendet, so können *wir* die objektive Semantik dieser Sendung so in *unsere* Sprache übersetzen, daß wir behaupten, das Organ habe mitgeteilt: »Ein Fall meines Begriffes liegt vor« oder, dasselbe anders gesagt: »Ein Ereignis, das unter meinen Begriff fällt, hat stattgefunden«. »*Mein* Begriff« ist dabei der von uns durch unser Verständnis der Funktion *des Organs* definierte Begriff; so lassen wir das Organ metaphorisch von *seinem* Begriff reden. Die Sendung des Organs hat also, in *unserer* Sprache ausgesprochen, die Form eines *Urteils*, eines *Satzes*. Die Wahrnehmung hat selbst eine *prädikative Struktur* (Auersperg); diese letztere Behauptung geht freilich über die vorige noch hinaus, indem sie zugleich die logische Form des Urteils anzugeben beansprucht, eine These, von der wir vorerst noch keinen Gebrauch machen. Sätze nun können *wahr oder falsch* sein. Auf die Wahrheit von Sätzen geht die

oben zitierte Wahrheitsdefinition, die letztlich von Aristoteles
stammt. Insofern also ist die Meldung des Organs etwas, was
für uns wahr oder falsch sein kann, *für uns ist sie ein Urteil.*
   Diese unsere Beurteilung der Organmeldung als Urteil aber
ist eine Leistung unserer Reflexion. Wir vergleichen hier die
Organmeldung mit gewissen Leistungen, deren wir selbst fähig
sind. Der Organismus ist selbst nicht der Reflexion fähig. Er
kann seine Organmeldungen normalerweise nicht als wahr
oder falsch beurteilen. Auch wir können ja unsere eigenen
Sinneseindrücke und Denkergebnisse in der erdrückenden
Mehrzahl der Fälle nicht auf ihre Wahrheit oder Falschheit hin
beurteilen, sondern wir nehmen sie hin. Wir nehmen sie gleichsam spontan als wahr hin; das Wort »wahrnehmen« drückt
das in hübscher Weise aus. Gleichwohl gibt es einen *objektiven*
Sinn, in dem die Organmeldungen auch *für den Organismus*
oder für die Spezies sich als wahr oder falsch erweisen, nämlich
durch ihren *Erfolg,* ihren *Selektionswert.* Was so objektiv
überprüft wird, ist aber nicht die einzelne Organmeldung,
sondern die Handlungseinheit, zu der sie als eines vieler Ket-
tenglieder gehört. Ein pragmatischer Wahrheitsbegriff
(vgl. den in der vorangegangenen Fußnote zitierten Aufsatz
»Modelle . . . des Wahren und Falschen«) kann die Prädikate
»richtig« oder »falsch« nur ganzen Handlungsweisen zuschreiben. Dabei sind zwei Abweichungen von einem auf einzelne Sätze bezogenen Wahrheitsbegriff wichtig. Erstens ist
nicht die einzelne Handlung deshalb richtig oder falsch, weil
sie Erfolg oder Mißerfolg hat, denn ihr Erfolg oder Mißerfolg
kann durch zufällige Nebenumstände verursacht sein. Was
richtig oder falsch ist, ist das *Handlungsschema,* dem das Tier
immer wieder folgt, also ein *Allgemeines.* Zweitens ist die
Handlung nicht ein *Bild* der Umwelt, sondern ihre Adäquation
an die Tatsachen ist eine Anpassung, ein Passen wie das des
Schlüssels zum Schloß.
   Menschliches Handeln und Denken unterscheidet sich von
diesem simplen Schema vor allem durch das Vermögen der
Vorstellung, der *symbolischen Repräsentation,* welche ihre
außerordentliche Verstärkung durch die *Sprache* erhält. Die
Vermutung sei aber gewagt, daß gerade die beiden letztgenannten Abweichungen von der gängigen Beschreibung der

Wahrheit des einzelnen Satzes beim menschlichen Denken erhalten bleiben. Wenn Denken der Herkunft nach Probehandeln in der Vorstellung ist, so ist es *primär allgemein,* also begrifflich, und so liefert es *primär kein Bild der Wirklichkeit,* sondern ein Bild dessen, was wir mit der Wirklichkeit anfangen, ein *Bild unseres Handelns.* Die Auffassung der Wirklichkeit als an sich seiend ist dann, ebenso wie die Wahrnehmung vom Einzelnen *als* Einzelnem, eine weitere höhere Leistung des Denkens, ein Kunstprodukt, ein Werk der Kultur. In der Richtung dieser Fragestellung suchen die nachfolgenden vier Beiträge weiter vorzustoßen.

II, 3. Die Einheit von Wahrnehmen und Bewegen*

1. Das Problem

Der volle Titel des Buchs von Viktor v. Weizsäcker, über das wir sprechen, lautet: Der Gestaltkreis. Theorie der Einheit von Wahrnehmen und Bewegen. Der Text des Buchs beginnt mit den Worten: »Wir betrachten hier die Bewegung lebender Wesen . . .« (Suhrkamp-Ausgabe S. 23). Diese Bewegung wird alsbald als »Selbstbewegung« (S. 23) charakterisiert. Die klassische Physiologie behandelt Wahrnehmen und Bewegen, Sensorik und Motorik als getrennte Leistungen des Organismus, die nur miteinander in Wechselwirkung stehen. Das Buch sucht aber eine Einheit beider zu statuieren. Das ist nicht nur seine These, es ist zugleich sein wissenschaftlicher Habitus. Das Vorwort zur ersten Auflage beginnt mit dem Satz: »Um Lebendes zu erforschen, muß man sich am Leben beteiligen.« (S. 3) Das kann man auch so weiterdenken: »Um Lebendes als Lebendes wahrzunehmen, muß man sich an der Bewegung des Lebens beteiligen.« Für den Autor *ist* gleichsam alles Wahrnehmen ein Bewegen, alles Bewegen ein Wahrnehmen. Er stellt diesen Zusammenhang aber behutsamer und präziser dar, indem er sagt, Wahrnehmen und Bewegen könnten einander gegenseitig vertreten und sie seien einander gegenseitig verborgen (Drehtürprinzip).

---

* 1973 fand in der Forschungsstätte der Evangelischen Studiengemeinschaft in Heidelberg eine Gesprächswoche statt über Viktor v. Weizsäckers Buch »Der Gestaltkreis« (Leipzig, Thieme 1940; inzwischen neu herausgegeben in der Reihe suhrkamp taschenbuch wissenschaft, Band 18, Frankfurt, Suhrkamp, 1973). Der hier gedruckte Beitrag ist der nach der Tonbandnachschrift redigierte Text eines extemporierten, aber, bis auf Zwischenfragen, zusammenhängenden Diskussionsbeitrags von mir. Es schien mir richtig, die Redaktion nur soweit zu treiben, daß klar wird, wovon die Rede ist, aber andererseits die ständigen Bezugnahmen auf die aktuelle Gesprächssituation, die zur Verdeutlichung dienen können, erhalten blieben. Vgl. übrigens meinen Aufsatz »Gestaltkreis und Komplementarität« in »Zum Weltbild der Physik«.

So kann dieselbe physikalisch feststellbare Bewegung von einer Versuchsperson entweder als eine eigene Bewegung oder als die Wahrnehmung einer Bewegung der Umwelt erlebt werden, aber nicht als Identität beider. Viktor v. Weizsäcker war im übrigen überzeugt, es könne kein physikalisches Modell der von ihm beschriebenen Verhältnisse geben. Das Vorwort zur ersten Auflage fährt fort: »Man kann zwar den Versuch machen, Lebendes aus Nichtlebendem abzuleiten, aber dieses Unternehmen ist bisher mißlungen. Man kann auch anstreben, das eigene Leben in der Wissenschaft zu verleugnen, aber dabei läuft eine Selbsttäuschung unter. Leben finden wir als Lebende vor; es entsteht nicht, sondern es ist schon da, es fängt nicht an, denn es hat schon angefangen. Am Anfang jeder Lebenswissenschaft steht nicht der Anfang des Lebens selbst; sondern die Wissenschaft hat mit dem Erwachen des Fragens mitten im Leben angefangen.« (S. 3).

Ich habe gestern* die antiphysikalistische Deutung kritisiert, die Viktor v. Weizsäcker diesen seinen tiefen und wahren Sätzen gegeben hat. Dabei habe ich mit einer Anekdote angefangen. V. v. Weizsäcker hielt kurz nach dem zweiten Weltkrieg in Heidelberg vertretungsweise die Vorlesung über Physiologie. Er hatte die Gewohnheit, gelegentlich mitten im Kolleg die Studenten nach dem behandelten Stoff abzufragen. Dabei geriet er an einen am Ende der ersten Reihe sitzenden jungen Mann, der ihm nicht bloß antwortete, sondern in gewissen Punkten – sicher zu seinem Amüsement – widersprach. Dieser entpuppte sich nachher als sein neuberufener Kollege für Zoologie, Erich v. Holst. Ich knüpfte an die Anekdote die Bemerkung, daß ironischerweise gerade E. v. Holst für gewisse von V. v. W. als physikalisch prinzipiell unerklärbar angesehene Konstanzphänomene in der Wahrnehmung von Bewegung damals vermutlich die später von ihm gemeinsam mit Otto Mittelstädt ausgearbeitete und veröffentlichte kybernetische Erklärung durch das sog. Reafferenzprinzip schon besaß. Ich bin nun gebeten worden, heute zunächst sachlich zu erläutern, was das Reafferenzprinzip besagt. Daran möchte ich dann eine

* Nach dem für dieses Buch geschriebenen einführenden Absatz beginnt jetzt die, z. T. nach der Erinnerung ergänzte Nachschrift aus der Diskussion.

grundsätzliche Erörterung darüber knüpfen, wie man sich überhaupt ein physikalisches Modell für die Selbstbewegung eines Organismus vorstellen kann.

Zweitens hatte ich die philosophische Behauptung aufgestellt, diese Möglichkeit physikalischer Modelle lebendigen Verhaltens tue den tiefen Einsichten Viktor von Weizsäckers – entgegen seiner eigenen, stets durchgehaltenen Meinung – keinen Abbruch. Dies gelte jedenfalls, wenn man die Quantentheorie so deute, daß – um es in der einem Schwaben gegenüber zulässigen Sprache der Philosophie Schellings zu sagen – die Natur der Geist ist, der sich nicht als Geist kennt. Dabei entschlüpfte mir die Behauptung, Wahrnehmen und Bewegen seien ihrem Wesen nach vielleicht identisch, und eben darum könnten sie in dem von V. v. Weizsäcker beschriebenen Verhältnis gegenseitiger Vertretbarkeit und Verborgenheit stehen. Ich bin aufgefordert worden, auch diese Behauptung zu erläutern.

Zwischenfrage: Sind wir denn wirklich darüber einig, daß Wahrnehmen und Bewegen eine Identität ist; ist das denn wirklich ein zweifelsfreies Ergebnis, oder ist es ein Postulat?

Antwort: Mein Vorschlag war, diese These, die als eine ganz wilde Hypothese aufgetaucht ist, so zu erläutern, daß wenigstens gesehen werden kann, welche Verwendung von kybernetischen Modellen mit dieser These vereinbar wäre. Einer der möglichen Einwände ist ja, diese These hänge so sehr in der Luft, daß man sich nicht einmal vorstellen kann, wie ein kybernetisches Modell aussehen sollte, das diese These modellmäßig darstellt.

Zwischenbemerkung: Als Brückenschlag bietet sich folgende Stelle aus »Gestaltkreis«, 4. Aufl., S. 21 an: »Hier sehen wir also den Begriff der Selbstbewegung, der das Leben so stark kennzeichnet, zunächst aber durch seinen Widerspruch zur mechanischen Bewegung anstößig bleibt. Sie füllt sich mit einem erfahrungswissenschaftlichen Inhalt. Wahrnehmung enthält nicht Selbstbewegung als einen Faktor, der sie bedingt: *sie ist* Selbstbewegung.«

Zwischenfrage: Wie kann man behaupten, Wahrnehmen und Bewegen könnten zusammenhängen, einander vertreten und einander verborgen sein, wenn man, um das behaupten zu können, sagt, sie seien identisch? Ist das nicht eine logische Absurdität? Denn etwas kann nicht sich selbst vertreten oder sich selbst verborgen sein. Es muß zweierlei da sein, um zusammenzuwirken, sich zu vertreten und verborgen zu sein. Und andererseits war die These, die so in die Luft gestellt war, daß diese drei Leistungen (Zusammenwirken, Vertreten und Verborgensein) darin wurzeln, daß das, was so zueinander steht, wesensmäßig identisch sei.

Antwort: Ich wollte nichts anderes tun als diese etwas kryptischen Formulierungen explizit machen. Ich spreche zuerst eine subjektivistische Sprache, in der ich von Erlebnissen rede. Ich werde dann in einem nächsten Schritt versuchen zu sagen, wie man die Sache ausdrücken sollte, wenn man etwas beschreibt, bei dem man von Erlebnissen nicht redet, z. B. eine das Ziel suchende Waffe, einen Schach spielenden Automaten, oder einen Fisch, dem man Subjektivität zwar unterstellt, von der man aber behauptet, man wisse nichts von ihr. Danach komme ich auf das philosophische Problem zurück.

2. Das Reafferenzprinzip

Ich fange also mit dem Subjektiven an. Ich darf jetzt so reden, wie ich erlebe. Jeder von uns kann dann das Wort Ich auf sich dabei anwenden.

Wenn ich hier sitze und lasse den Blick gleiten über diese Fensterfront und die Landschaft draußen, dann erlebe ich zweierlei: Ich erlebe einerseits, daß ich immer Wechselndes sehe: diese Tannen und jene Wolken und davor die Gesichter. Und daß ich in diesem Wechselnden gleichzeitig weiß, daß das eine feste Welt ist, und daß die Bewegung, die ich in ihr wahrnehme, im Wesentlichen die Bewegung meines Blickes ist. Nur wenn ich das weiß, kann ich außerdem sagen: wenn aber Herr S. sich jetzt gerade bewegt im Unterschied zu den Anderen, dann ist das er, der sich bewegt und bin nicht ich. Also nur weil ich ein festes Bezugssystem habe, (das ist in diesem Fall das Bezugssystem der ruhenden Erde, das was man in einer prärelativistischen Physik die absolute Ruhe nennt) nur weil ich das habe, kann ich den Unterschied machen zwischen den Bewegungen der Gegenstände und meinen eigenen Bewegungen.

Wenn ich so den Blick schweifen lasse, dann ist das nur ein
Beispiel, ein anderes Beispiel ist, wenn ich mich selbst bewege,
wenn ich also herumspaziere mit meinem eigenen Körper, und
das macht nicht viel Unterschied, weil der Blick eine Handlung
ist, weil der Blick selbst so etwas ist, wie das Zugreifen mit der
Hand oder das Gehen mit den Beinen. Dazu folgende Randbemerkung: Die ganze »Viktorsche« Sprechweise macht sich viel
leichter, wenn man antike Philosophie nimmt, statt neuzeitlicher. In der platonischen Philosophie (Timaios, Theätet) ist die
Theorie des Sehens die Theorie eines vom Auge ausgehenden
Organs, des Sehstrahls, das die Dinge betastet. Und wenn man
es so denkt, dann hat man die Erlebnisqualität des Blickens
besser beschrieben, als wenn man es so denkt, daß man sagt: da
gehen elektromagnetische Wellen von Dingen aus und kommen in mein Auge, denn da ist die Aktivität des Auges, die ja
erlebt ist, an den Rand der Beschreibung gedrängt.

Die Frage ist jetzt, kann ich ein Modell machen für ein
Nervensystem, das nur die Elemente des Erlebens schließlich
leisten soll, die ich gerade geschildert habe und das physiologisch soweit richtig ist? Da muß ich nun sagen, das Erste, was
man hat, sind noch gar nicht die Nerven, sondern es ist das
Netzhautbild. Und vom Netzhautbild weiß ich, daß es überhaupt die absolute Ruhe und die relativ zur absoluten Ruhe
definierte absolute Bewegung gar nicht enthält, sondern es
enthält eine einzige Art von Daten, und das sind Relativbewe-
gungen. Ich weiß genau als Physiker oder als physiologischer
Optiker, oder optischer Physiologe, daß auf der Netzhaut,
wenn ich so über die Landschaft wandere mit dem Blick, in
Wirklichkeit sich die Bilder der Gegenstände verschieben.
Warum erlebe ich dieses nicht? Das ist doch eine der Formulierungen des Problems. Sondern warum erlebe ich, daß die Gegenstände feststehen und erlebe gleichzeitig, daß ich wechselnde Gegenstände sehe, weil ich mich bewege? Antwort: Damit
zweierlei unterschieden werden kann im Erlebnis, muß auch
zweierlei als input da sein, in dem Computer, wenn ich mal das
Wort gebrauchen darf, durch den ich die Leistung des Nerven-
systems darstelle. Was ist das Zweierlei? Das Eine ist das
soeben Genannte, das ist die Afferenz (Heranbringung) an das
Zentrum von der Peripherie (Netzhaut), welche liefert, was auf

der Netzhaut abgebildet war. Das ist aber nur ein Datum. Das zweite Datum ist die Reafferenz. Ich unterscheide jetzt im Zentrum zwei Zentren, ich werde nachher diese zwei Zentren wieder in eins zusammenbringen. Ich unterscheide ein sensorisches und ein motorisches Zentrum. An das sensorische Zentrum kommt heran die Meldung von der Netzhaut, vom motorischen Zentrum geht aus der Befehl an Auge und Halsmuskulatur, den Blick wandern zu lassen. Dieser Befehl wird ausgeführt. Vom motorischen Zentrum geht aber außerdem noch eine zweite Meldung aus: diese geht zusammen mit der afferenten Meldung des Netzhautbildes ins sensorische Zentrum hinein und ist eine Reafferenz, eine Wiederheranbringung des Befehls in die Sensorik, so daß das sensorische Zentrum nun zwei Meldungen hat: 1. die Meldung, das Netzhautbild hat sich verschoben, 2. die Meldung, es sollte eine Bewegung ausgeführt werden, welche zur notwendigen Folge haben würde, daß das Netzhautbild sich verschiebt. Diese zwei Meldungen bieten nun zwei Daten, die man miteinander vergleichen kann, und die Auswertung, die dem Erlebnis, das wir, wie wir so sagen, im Bewußtsein haben, zugrundeliegt, besteht darin, daß nicht diese beiden Daten ins Bewußtsein treten, sondern das eine Datum und die Differenz beider Daten. Die Differenz beider Daten ist nämlich, wenn die Sache geglückt ist, Null. Die erlebte Relativbewegung und die vorausgesagte Relativbewegung sind dieselbe in dem Sinne, daß sie gleiche Quantität haben, aber sie sind insofern verschieden, als die eine eine erlebte, die andere eine vorausgesagte ist. Der Computer aber, der die Sache ausrechnet, ist so beschaffen, daß er imstande ist, die beiden voneinander zu subtrahieren, und wenn dabei wirklich Null herauskommt, dann ist das Resultat das Erlebnis der Ruhe der Dinge. Außerdem wird auch noch erlebt die reine Relativbewegung auf der Netzhaut. Sie wird nunmehr aber erlebt in dem Sinne, daß sie verglichen wird mit der schon konstatierten Ruhe und in diesem Vergleich erweist sie sich nunmehr als Erlebnis dessen, wovon sie auch Erlebnis sein soll, nämlich wechselnder Inhalte, die die Folge meiner Bewegung sind.

Das wäre also zunächst ein Versuch, abstrakt zu beschreiben, was mit dem Reafferenzprinzip eigentlich geleistet wer-

den soll. Dann kann man überlegen, was passiert, wenn
irgendetwas davon ausfällt (und wie es immer ist, gesunde
Leistungen sind komplex und man kann ihre Bausteine fast nur
dadurch wahrnehmen, daß man den pathologischen Ausfall
einer dieser Leistungen beobachtet). Ich erinnere hier noch
einmal an das, was gestern diskutiert wurde: es gibt zwei
Arten, einen Ausfall einer solchen Leistung herzustellen. Der
eine ist ganz leicht: wenn ich auf mein Auge drücke, dann habe
ich eine Verschiebung des Netzhautbildes ohne einen Befehl,
daß eine solche stattfinden sollte, und dann verschiebt sich
plötzlich die Welt. Das Andere ist, was wir gewöhnlich nicht
erleben können, ein krankhafter Fall, wenn jemand eine solche
Lähmung hat, daß er zwar noch die Impulse ausgeben kann,
daß sie aber keine Folge haben. Dann gibt er den Impuls aus,
daß das Auge sich drehen soll, das Auge dreht sich aber nicht.
Der Effekt ist, daß er wahrnimmt, daß die Welt nach der
umgekehrten Seite läuft. In jedem der beiden Fälle nimmt er
nur eins von beiden wahr, im einen Fall nur das Netzhautbild,
im andern Fall nur den Befehl, subtrahiert sie kunstgerecht und
bekommt als Folge in beiden Fällen das Erlebnis der Bewegung
der Welt. Das ist sozusagen der banale Teil der nochmaligen
Erzählung des Reafferenzprinzips.

Zwischenfrage: Beanspruchen Sie damit das Erlebnis der
Erwartung der Verschiebung des Netzhautbildes zu erklären?

Antwort: In dieser Analyse der Struktur der mutmaßlichen
Nervenleistungen wird überhaupt nicht geschildert, wie etwas
erlebt wird, sondern es wird lediglich in einer Black-Box-Ana-
lyse gesagt: was füttert man hinein und was kommt heraus?
Und dann wird dazu gesagt mit einer Semantik aus der Umgangssprache, wie wir das zu benennen oder zu erleben pflegen, was dabei herauskommt. Was also eigentlich in dem
Modell beansprucht wird, ist nicht zu schildern, wie es zugeht,
daß die reafferente Meldung erlebt wird als eine Erwartung.
Sie wird ja nicht einmal als eine Erwartung erlebt, sondern nur
ihre Differenz gegenüber dem Netzhautbild, das ebensowenig
erlebt wird, wird erlebt. Ich habe jetzt nur in der typisch
anthropomorphen Sprechweise, in der man auch Computer
beschreibt, den Inhalt der reafferenten Meldung charakterisiert durch die Worte: sie sei eine Erwartung. Sie ist eigentlich

nichts anderes als die Meldung des gegebenen Befehls. Und der gegebene Befehl würde in der subjektivistischen Sprache, die ich rede, heißen: drehe den Blick. Aber die Meldung meldet nicht einfach nur das Qualitative: drehe den Blick, sondern sie meldet quantitativ: um wieviel inverviert wird, um wieviel also der Augenmuskel sich kontrahiert und das Auge sich verschiebt. Und dieses Quantitative ist – so gut ist die Meldung gemacht – quantitativ vergleichbar mit dem ebenfalls Quantitativen der Verschiebung der Bilder auf der Netzhaut. Die Behauptung ist: diese Quantitäten sind so gut definiert, daß der Computer im Kopf sie von einander subtrahieren kann. Wie man eine Schaltung machen muß, die das leistet, das habe ich natürlich auch überhaupt nicht gesagt. Ich weiß nicht, ob Herr Hassenstein das eventuell hinkriegt.

Zwischenbemerkung (E. v. Weizsäcker): Das Problem ist nicht so sehr das maschinelle Simulieren. Das eigentliche Problem ist wohl die Frage, wenn ich das recht verstanden habe: Wenn man ein lernendes Wesen ist, dann basiert erlebte Erwartung auf Erlerntem. Es werden dann also die Erwartungen wie die durch Blickrücken und Halswechsel und Laufen usw. erst lange, lange aufgebaut. Da ist es mit dem Simulieren einer funktionierenden Reafferenzschaltung überhaupt nicht getan. Ich finde, gerade in diesem Lernprozeß gewinnt die Behauptung der Identität von Wahrnehmen und Bewegen einen besonderen Sinn. Wir haben zwar letztlich alle sehr vergleichbare Erwartungen, aber wie jemand gestern im Zusammenhang mit der Sicherheitsstimmung gesagt hat, ist das nicht eine fixe maschinelle Größe, sondern etwas Menschliches, etwas, was mit der Bewegung unmittelbar zusammenhängt, und zwar auch mit der Stimmung der Bewegung. Mir wird die Behauptung der Identität unmittelbar einsichtig, wenn ich an menschliches komplexes Lernen denke. Die Absicht von meinem Vater war aber, die Identität zu prüfen an maschinisierbaren Modellen, an bastelbaren Maschinen. Und dort ist es, wie ich finde, nicht ganz selbstverständlich.

Antwort: Ich habe sie ja auch noch nicht explizit ausgesprochen. Jetzt kommt es erst.

3. Zielsuchende Computersteuerung

Alles, was ich gerade gesagt habe, läßt sich in einer Computersprache ausdrücken, wenn man das Lexikon kennt. Wo ich »Netzhaut« gesagt habe, sagt man allgemein »Peripherie«, also das Hereinkommen, die Stelle, wo die Umweltbewegungen hereinkommen und umgesetzt werden zunächst in innere Bewegungen des betreffenden Gebildes. Stellen wir uns also mal eine Rakete vor, die ihr Ziel sucht, die da und dort ein bißchen ein Ruder stellen kann, oder einen anderen Auspuff anstellen und dadurch ihre Richtung verändern kann. Diese Rakete muß genau die Rechnung leisten, von der hier die Rede war. Diese Rakete hat ein Ziel (z. B. ein Schiff, das auf dem Meer fährt oder vielleicht auch vor Anker liegt), sie hat immer wechselnde äußere Reize, die von der Umwelt kommen, da sie sich ja selbst schnell bewegt. Sie muß ausrechnen können, wie sie sich bewegen muß, damit sie das Schiff erreicht. Der begriffliche Sinn dieser Rechnung ist folgender: Sie muß zunächst feststellen, was absolute Ruhe, d. h. Ruhe relativ zur Umwelt, eigentlich heißt, damit sie in diesem Koordinatensystem einerseits ausrechnen kann: ihre eigene Bahn, ihren jetzigen Ort und den extrapolierten Ort nach so und so viel Flugzeit und andererseits ausrechnen kann die Bewegung des Schiffs, auf das sie zielt, denn sie muß feststellen, ob das Schiff relativ zu der ruhenden Umwelt bewegt ist oder nicht. Damit sie das alles leistet, muß sie einen ziemlich komplizierten Rechenapparat haben, und diesen Apparat vergleiche ich mit dem, was ich vorhin das sensorische Zentrum genannt habe, im Unterschied zur Peripherie, die auch sensorisch ist. Dann, was ist das motorische Zentrum, von dem ich vorhin geredet habe? Das ist eigentlich gar nichts anderes als die Stelle an dem Rechenapparat, wo die Befehle, die er ausgibt, ihn verlassen. Das motorische Zentrum ist also nur die Stelle, wo ein Stromstoß herauskommt oder eine Kette von Stromstößen, die den sogenannten Leib der Rakete veranlaßt, da ein Ruder zu stellen, oder dort einen rückstoßenden Auspuff eine zeitlang zu betätigen.

Dieses Ruderstellen und Auspuffbetätigen nennen wir beim Organismus Bewegung, genauer Selbstbewegung. Die Vorgänge im Computer selbst nennen wir beim Organismus in physiologischer oder anatomischer Sprechweise eben Vorgänge im Zentralnervensystem und die nennen wir in subjektiver Sprechweise zum Teil Vorstellung, zum Teil Wahrnehmung, zum Teil Bewußtsein, zum Teil Unterbewußtsein. Das alles muß in einem solchen Modell mit unter die Vorgänge im Zentrum gerechnet werden. Und dann sieht man, daß in dem Modell überhaupt nichts vorkommt als Bewegung. Denn das, was wir Wahrnehmung, Vorstellung usw. nennen, ist in dem Modell ja einfach Bewegung. Aber wir haben jetzt noch zweierlei: wir haben nämlich die Bewegungen des Leibs der Rakete und wir haben die Bewegungen in ihrem Zentrum, die so gemacht sind, daß sie nur ein relativ dünnes Resultat abliefern im Befehle für die Bewegung des Leibs der Rakete, und der Rest sind Vorgänge, die in dem Zentrum alleine passieren. Wir haben jetzt also auch wieder zweierlei.

4. Identität und Verschiedenheit von Bewegung und Wahrnehmung

Jetzt kommt die Frage: Kann man in einem dritten Arbeitsgang, der erst schwierig ist (denn alles bisher Gesagte ist im Grunde trivial), versuchen, mit diesen Begriffen eine Aufgabe zu lösen, die ich jetzt noch einmal formuliere. Die Aufgabe lautet: Wir gehen jetzt davon aus, daß es nur ein Einziges gibt, das nennen wir jetzt einmal »Bewegung«. Es soll identisch sein mit dem, was unter dem Titel »Wahrnehmung« auftritt. Wie können wir verstehen, daß die beiden einerseits identisch sind, andererseits als verschieden erlebt werden?

Zunächst eine Bemerkung darüber, wie wir ihre Identität verstehen. Wir nennen dieses eine, Identische, zunächst nicht Wahrnehmung, sondern wir nennen es Bewegung, und zwar zunächst vom heutigen Wissenschaftsstand aus, weil wir es in Modellen beschreiben, die mit dem physikalischen Bewegungsbegriff arbeiten. Es sei aber gleich dazugesagt, daß, wenn wir von einer psychophysischen Identität sprechen, wir natürlich uns nicht auf den Standpunkt stellen dürfen, dieses, was wir durch ein Modell beschreiben, und was in Wirklichkeit unser Selbst ist, habe gar keine anderen Eigenschaften als die,

die in dem Modell schon beschrieben worden sind; denn wir
wissen ja, daß wir erleben, was immer wir mit dem Wort
»Erleben« meinen mögen. Wenn wir also ein Modell machen
wollen für uns, so muß in dem Modell von vorneherein dasjenige enthalten sein, woraus bei hinreichender Komplikation
das ganze Gefüge von Denken, Vorstellen und Wahrnehmen
und unbewußter seelischer Tätigkeit sich ergibt.

Anmerkung in Anlehnung an eine berühmte historische Debatte. Als Descartes seine »Meditationes« geschrieben hatte,
schickte er sie auch an Hobbes, der ihm geantwortet hat:
Descartes mache eine merkwürdige Theorie. Er führe die res
extensa ein und definiere, daß sie keine anderen Eigenschaften
habe, als die, die durch das Wort extensio bezeichnet sind, und
dann komme er zu der Folgerung, daß sie nicht denken könne.
Diese Folgerung sei durch reine Definition erreicht. Die wirkliche Materie sei zwar ausgedehnt, aber sie könne auch denken. Und er sähe gar nicht ein, warum uns Descartes die Mühe
mache, eine Definition zu geben, von etwas, das es nicht gibt,
nämlich von einer Materie, die nur ausgedehnt ist und nicht
denken kann, und eine Definition von etwas völlig anderem,
das nur denken kann und nicht ausgedehnt ist. Zwei Sachen,
die es nicht gibt.

Ich stelle mich auf den Standpunkt von Hobbes und sage:
wenn man die Modelle so versteht, daß man sagt, das Modell
hat keine anderen Eigenschaften als die, die ich soeben durch
Definition gegeben habe, dann ist es eine logische Selbstverständlichkeit, daß es nicht denken kann. Wenn man aber sagt,
dieses Modell soll die optimale Beschreibung mit Hilfsmitteln
der heutigen Physik eines wirklich lebenden Wesens sein, und
wir glauben, daß das wirklich lebende Wesen den Gesetzen der
Physik unterliegt, dann wird man annehmen, daß alles, was
man in dem Modell beschreibt, zutreffend sein wird, und daß
eben dieses eine Beschreibung »von außen« der Vorgänge sein
wird, die wir »von innen« am besten kennen, nämlich der
Vorgänge des Erlebens. Freilich habe ich genau an dieser Stelle
das Problem von Komplementarität und was dazu gehört,
berührt. Mein Vorschlag ist, das jetzt nicht zu vertiefen, sondern zu sehen, was man mit den Modellen leisten kann. Es ist
klar, daß da weitere Probleme sein werden, die man aber erst

wird diskutieren können, wenn man verstanden hat, wie die Modelle funktionieren. Es scheint mir nicht nützlich, hier sofort in eine Diskussion von Komplementarität oder Psychophysik einzutreten, weil man gewöhnlich in solchen Diskussionen mit unklaren Vorstellungen darüber arbeitet, was Modelle leisten können. Infolgedessen man dann eigentlich über nichts diskutiert.

Deshalb mein Vorschlag jetzt ganz physikalistisch zu verfolgen, ob solche Modelle die Aufgabe leisten können, die ich nun noch einmal formuliere: Es gibt nur Eines, das nenne ich jetzt Bewegung. Dieses Eine soll aber eine Differenziertheit enthalten, für die ich soeben schon Beispiele gegeben habe, z. B. die Differenzierung in die Bewegung des Leibs der Rakete und die Bewegung im Computer. Diese Differenzierungen sollen strukturell präzis abbilden den Unterschied zwischen der erfahrenen Bewegung und der erfahrenen Wahrnehmung, und zwar derart, daß die Präzision dieser Abbildung auch präzise beschreibt, in welcher Weise denn eigentlich erfahrne Bewegung und erfahrne Wahrnehmung verschiedene Bewegungen sind, die die Eigenschaft haben, wechselwirkend einander zu vertreten oder einander gegenseitig verborgen sein zu können und vielleicht zu müssen. Das ist das Programm.

Dieses Programm würde ich nun so angreifen. Ich sage zunächst einen banalen Teil, den haben wir heute beim Frühstück behandelt und dann werde ich den nicht banalen Teil sagen, den wir heute beim Frühstück nicht behandelt haben. Der banale Teil ist schon fast ausgesprochen: Natürlich, wenn man glaubt, daß man die Vorgänge im Computer identifizieren kann mit dem Komplex von Denken, Wahrnehmen und unbewußtem Seelenleben, dann hat man eine Formel dafür, inwiefern unter anderem auch das Wahrnehmen eigentlich eine Bewegung ist, nämlich eine Bewegung im Gehirn. Das ist aber der triviale Teil, das haben alle Materialisten immer behauptet und es ist kein besonderer Witz.

5. Symbolische Bewegung

Nun der nichttriviale Teil. Ich vermute, daß das, was wir als Wahrnehmen, als Vorstellen, als Denken erleben, sich in einer besonderen Sorte von Bewegungen vollzieht. Diesen soll gemeinsam sein, daß sie Symbole für Bewegungen sind. Als Symbole treten sie an die Stelle anderer Bewegungen. Jetzt habe ich das Wort »Bewegung« in beiden Fällen so benützt, daß es erlaubt ist, dafür zu sagen: »erlebte Bewegung«.

Noch einmal: Denken, Vorstellen, Wahrnehmen wären nach dieser Vermutung solche »erlebte Bewegungen«, welche die Aufgabe haben und erfüllen, als Symbole für andere erlebte Bewegungen einzutreten. Was ist dann der Unterschied zwischen dem Symbol und dem Symbolisierten? Das Symbolisierte ist das, was wir als eine »wirkliche Bewegung« erleben, das Symbol hingegen ist eine erlebte Bewegung, die eine andere Bewegung ist als die, die sie darstellt. Das ist die alte Figur, die schon bei Platon diskutiert ist. Was ist ein Bild? Ein Bild ist ein wirkliches Ding, das ein anderes wirkliches Ding darstellt, welches es nicht ist. So die symbolische Bewegung, welche eine andere Bewegung darstellt, die sie nicht ist.

Nun sage ich, das ist im Computer, der ja auch von Menschen gemacht ist und der das menschliche Denken, wie immer unvollkommen doch spiegelt, genau vorhanden. Der Computer in der Rakete, die da herumfliegt, repräsentiert in den Schaltungen, in den Kreisläufen von Strömungen, die darin vorkommen, die wirkliche Bewegung der Rakete und die ganze Pointe ist, daß man um die wirkliche Bewegung der Rakete zu berechnen, sie nicht ausführen muß, sondern daß man sie symbolisch repräsentieren kann, und im symbolischen Repräsentieren viel schneller zu dem Resultat kommen kann, wie die Bewegung der Rakete sich vollziehen wird, als die Rakete braucht, um sie zu vollziehen. Und das hat die Folge, daß der Computer dem wirklichen Flug der Rakete voraus sein kann und, noch ehe die Rakete ins falsche Ziel gerannt ist, ihr eine Kurskorrektur geben kann mit dem Resultat, daß sie nun ins richtige Ziel rennt. Also, die symbolische Repräsentation ermöglicht mit einer Bewegung, die rasch auszuführen ist, das Schneller-fertig-werden als die Bewegung, welche symbolisch repräsentiert wird und welche lange dauert. Sie schafft folglich die Möglichkeit, dieser Bewegung voraus zu sein und sie zu korrigieren, so daß sie genau deshalb, weil sie gedacht ist, nie ausgeführt wird. Die symbolische Repräsentation repräsentiert Möglichkeiten mit dem Zweck, daß sie nicht verwirklicht zu werden brauchen. Natürlich nicht mit dem Zweck, daß gar nichts verwirklicht wird, sondern daß Möglichkeiten als Möglichkeiten dargestellt werden, d. h. Alternativen, aus denen dann eine gewählt wird. Ich habe jetzt wieder eine Bewußtseinssprache gewählt, die viel zu sehr das Bewußtsein benützt, da wir das zur Erläuterung gebrauchen. Man muß das nun wieder zurückübersetzen in solche Entscheidungen, die nicht bewußte Entscheidungen sind, die ohne Reflexion stattfinden. Wie soll das zugehen? Das wird sehr schwierig. Ich habe das abstrakte Programm formuliert, ich habe nicht geleistet, es auszuführen.

Erinnern wir uns, wie wir das bei Tieren sehen. Martin Heisenberg sprach gestern von der Fliege, deren Wahrnehmungsapparat er studiert. Er wagte die Behauptung: Die Fliege erlebt überhaupt nichts, außer der Art, wie sie sich bewegt. Sie nimmt so wahr, wie sie sich bewegt. Dann würde das heißen, daß die Fliege außer dem Computer, der ihre Bewegung unmittelbar steuert, nicht auch noch einen Computer ins Spiel bringt, der sich mögliche Bewegungen vergegenwärtigt, derart, daß zwischen diesen möglichen Bewegungen dann gewählt werden könnte. Sollte die Fliege aber doch auch einen solchen Computer haben, dann wäre die Heisenberg'sche Behauptung bereits eine Simplifizierung. Gehen wir dann weiter und stellen uns Bewegungen vor von höheren Tieren. Ein Hund läuft herum oder ein Affe klettert. Er stellt es aber vor in einer Weise, die die Differenz zwischen dem Begriff und dem Einzelfall, der unter den Begriff fällt, nicht thematisiert. Über diesen Punkt ist vielleicht ein Exkurs nötig.

6. Begriff und Einzelfall

Es scheint mir, daß in der üblichen Beschreibungsweise menschlicher Erkenntnis durch das Schema von Einzelfall und Allgemeinbegriff zwar natürlich etwas Richtiges ist, aber meistens eine Verwechslung stattfindet zwischen dem Einfachen und dem Komplizierten. Alle empiristischen und nominalistischen Erkenntnistheorien gehen davon aus, der Einzelfall sei das Einfache und der Begriff das, was der Rechtfertigung bedürfe. Der Begriff erscheint dann als ein flatus vocis, als ein Nomen, das nur für viele Einzelfälle steht. Einzelfälle hingegen, so meint man, kann man mit Eigennamen bezeichnen, und dabei sieht man kein Problem. Die Wirklichkeit ist m. E. genau umgekehrt. Der Begriff ist das Einfache. Der Einzelfall, als Einzelfall konstatiert, ist eine hochdifferenzierte Leistung der Erkenntnis.

Man sieht das, wenn man zurückfragt: wie kann ein Computer reagieren oder wie reagieren primitive Lebewesen? Primitive Lebewesen sind täuschbar durch simple Attrappen, auf die wir nicht mehr hereinfallen. Warum? Weil das primitive Lebewesen auf einen Reiz gesetzmäßig reagiert, nicht weil es genau dieser Einzelreiz ist, sondern weil er unter einen bestimmten Begriff fällt. Die These: Information gibt es nur unter einem Begriff, soll insbesondere heißen: primitive Information gibt es nur unter primitiven Begriffen. Und der Unterschied zwischen Begriff und Einzelfall ist ein höchst raffinierter Begriff. Den gibt es erst auf sehr hohen Stufen. Insofern also würde ich sagen: Das Elementare ist der Begriff, das Komplizierte ist das Einzelne, welches dann erst gestattet, den Begriff als Begriff zu denken. Wenn wir von Begriffen reden, meinen wir in unserer philosophischen Tradition meistens: der Begriff als Begriff, der Begriff, der in seiner Unterschiedenheit gegen den Einzelfall gedacht ist. Und der ist natürlich so kompliziert wie der Einzelfall. Vor beiden aber ist das, was ich den simplen Begriff nenne in der unmittelbaren Anwendung, und den kann man durch Computerleistungen ganz leicht simulieren. Jeder Computer reagiert in diesem Sinn auf unreflektierte Begriffe. Ich darf dabei eine kleine Reminiszenz einflechten: Konrad Lorenz hat mir mal auf die Frage geantwortet, warum der Marder im Hühnerhaus alle Hühner umbringt, obwohl er doch höchstens eines fressen kann: nicht aus Mordlust, wie man dann sagt, sondern weil er nicht zählen kann. Er reagiert auf den Begriff flatterndes Huhn und nicht darauf wieviele es sind.

Diese elementaren Begriffe nun sind vermutlich selbst aufzufassen als symbolische Handlungen, welche reale Handlungen darstellen, d. h. es sind nicht Begriffe von Gegenständen, son-

dern sie sind primär Begriffe von erfolgreichen Handlungen.
Der Begriff des Gegenstandes ist genauso eine hohe kulturelle
Leistung wie der Begriff des Einzelfalls und gehört in denselben
Kontext. Die elementaren Begriffe sind nie Begriffe von Gegenständen, sondern sie sind Begriffe von erfolgreichen Handlungen, von denen erst der Reflektierende sagen kann, daß sie
erfolgreich sind, weil sie auf reale Gegenstände bezogen sind.

7. Wahrnehmen und Bewegen

Ich kehre zum Ausgangsproblem zurück. Erinnern wir uns,
wie Jacob v. Uexküll von der Umwelt gesprochen hat. Die
Umwelt eines Lebewesens besteht aus den für es erschlossenen
Handlungsmöglichkeiten. Da ist zwischen der Handlungs-
möglichkeit des Individuums und der Umwelt überhaupt keine
Differenzierungsmöglichkeit gegeben; das ist dasselbe. Beispiel die berühmte Zecke, die auf Warmblütler fällt. Die Differenzierung zwischen außen und innen, welche dann erst gestattet, die Differenzierung von Wahrnehmen und Bewegen zu
vollziehen, ist eine Leistung höherer Organismen. Wir als höhere Organismen können freilich sagen, auch die niedrigen
Organismen seien in einer Umwelt, aber wir können auch
sagen, daß sie es nicht wissen. Gerade weil wir es wissen,
können wir sagen, daß sie so beschaffen sind, daß sie es nicht
wissen. Sondern sie sind die Gesamtheit ihrer möglichen Taten. Etwas Anderes sind sie gar nicht.

So also würde ich diesen Zusammenhang versuchen zu konstruieren. Dann kann man dieses Viktor v. Weizsäckersche
Problem von Wahrnehmen und Bewegen angreifen, die einander vertreten. Das muß man jetzt diskutieren für Lebewesen
wie uns Menschen, die die Fähigkeit der symbolischen Vorstellung, symbolischen Repräsentanz haben. Dafür sind ja Symbole da, daß sie etwas vertreten können. Diese Vertretungslei-
stung ist eine Leistung. Diese Leistung habe ich eingangs im
Modell geschildert. Nun sieht man, daß alles eben so sein muß,
wie Viktor v. Weizsäcker es beschrieben hat. Einerseits muß
die wirkliche Handlung und die symbolisch repräsentierte
Handlung im Gestaltkreis wechselspielen. Denn die symboli-

sche ist ja nur um der wirklichen willen da, aber die wirkliche
kann nur geleistet werden, weil sie symbolisch vorweggenom-
men ist. Zweitens: sie können einander vertreten, im elementaren Modell (Schwindelversuch), aber auch in hohen Leistungen, weil sie so gemacht sind, daß sie einander sollen vertreten
können. Wenn ich vorher durchdenken will, was ich zu tun
habe, so ist essentiell, daß ich nicht handle. Das Denken muß
das Handeln vertreten, und dem Handeln muß verboten sein
stattzufinden, insofern ich denke. Wenn ich aber handle, so ist
essentiell, daß ich nicht denke, sondern das Gedachte vollziehe, und das gleichzeitige Denken und Handeln geht ja auch
sehr häufig schief. Wenn es aber glückt, dann ist es nicht ein
Getrenntsein von Denken und Handeln, sondern eine Einheit.
Sie müssen einander vertreten können, um das sein zu können,
was sie sind und damit sie einander vertreten können, müssen
sie einander auch verborgen sein. Nur das Eine darf im Licht
stehen und das Andere muß verhüllt sein. Insofern muß ich
sagen: aus der Leistung, die vollzogen werden soll, entwickelt
sich diese ganze Struktur als eine sinnvolle.

8. Die pathische Welt*

Wir sind auf einem von Viktor v. Weizsäckers eigenen Gedanken weit entfernten Weg zu einer modellmäßigen Erläuterung
der von ihm in direkter Wahrnehmung der Phänomene gefundenen Strukturen gekommen. Seiner Denkweise wird mit dieser Interpretation, so wie ein heutiger Physiker oder Biologe sie
zunächst verstehen muß, noch immer Gewalt angetan. Er hält
noch eine Wahrheit für uns bereit, die durch ein solches Modell
beiseitegedrängt wird. Sie hat viel zu tun mit dem, was ich jetzt
gerne die Vernunft der Affekte nenne. Er spricht statt dessen
vom Pathischen, von der pathischen Wirklichkeit. Sein letztes
Buch trägt den Titel »Pathosophie«.
   Die mechanistische Philosophie, die im 17. Jahrhundert entstand, unterschied »primäre« und »sekundäre« Qualitäten der

---

* Dieser Nachtrag stammt nicht mehr aus der Tonbandnachschrift, sondern
ist auf Grund von Diskussionsnotizen redigiert.

Körper. Für primäre, den Körpern selbst zukommende, also
»objektive« Qualitäten hielt man Ort, Ausdehnung, Undurchdringlichkeit, Ortsveränderung und Kraft als deren Ursache,
für sekundär, erst im Wahrnehmungsorgan des Menschen erzeugte, also »subjektive« Qualitäten aber Farbe, Klang, Duft.
Erst recht subjektiv erschienen natürlich Lust und Leid, auch
wenn sie durch Einwirkung der »äußeren« Körper veranlaßt
waren. Die »pathische« Denkweise dreht diese Auffassung
um. Ist die Welt denn eine Welt der Gegenstände und nicht
vielmehr der Drohungen und Lockungen, der Freuden und
Leiden? Sind Farbe, Klang, Duft etwas anderes als Ausprägun-
gen dieser pathischen Qualitäten des ganzen Lebens? Viktor
v. W. hatte seinen Kant gut gelesen: die Gegenstände sind
nicht Dinge an sich, sondern Produkte der Spontaneität des
Verstandes. Diese Spontaneität aber hinterfragt er noch einmal
auf ihren pathischen Sinn hin, also daraufhin, was der Verstand damit *will*. Warum *wollen* wir ein Weltbild der raumer-
füllenden Gegenstände und der manipulierbaren Kräfte?

Vielleicht wird niemand, der V. v. W. nicht mehr persönlich
gekannt hat, der Art ganz gerechtwerden, in der er seine Gedanken in den veröffentlichten Schriften ausgedrückt hat. Das
Pathische war in seiner Äußerungsweise immer selbst präsent,
freilich nicht in der naiven Form direkter Leidenschaft, sondern selbst schon beobachtet, reflektiert, aber in einer selbst
»pathischen Reflexion«, oft in einer ebenso herausfordernden
wie sich entziehenden Ironie. Ein Teilnehmer unserer Arbeits-
woche erzählte, wie er kurz nach dem Krieg zu V. v. W. nach
Heidelberg kam. Der fragte ihn, woher er komme. »Aus Stuttgart«. V. v. W. kam auf seine Kindheitserinnerungen aus dieser
seiner Heimatstadt. Die Posaunenbläser auf dem Turm der
Stiftskirche am Sonntagmorgen. »Die blaset falsch!« Das ist
die pathische Welt: Kontakt mit dem jungen Mediziner über
die gemeinsame Heimat, aber schon im Kindheitsidyll das Ohr
für die falschen Töne.

Eine andere Geschichte. In seiner letzten, lang hingezogenen
Krankheit besuchte ich ihn in den Fünfzigerjahren. Ich arbeitete damals über Quantenlogik. »Der Kütemeyer hat mir erzählt,
du willst die Logik ändern. Das kann man nicht. Das Antilogi-
sche – das kann man erleben, zum Beispiel bei einer Frau. Aber

die Logik kann man nicht ändern.« Ich kann hier nicht auf die
zentrale Rolle ernstlich eingehen, die der Begriff des Antilogi-
schen für ihn spielte. Aber die Äußerung zeigt: Antilogik ist
nicht Unlogik oder Ferne von der Logik; sie ist auf Logik
bezogen als ihr Gegensatz. Sie will etwas, aber eben das nicht,
was die Logik will. Sie enthüllt das Willenselement in der
Logik. Was hier in den Blick rückt, ist gleichsam die Subjektivität des Objektivismus.

Eine dritte Geschichte: Er ließ mich die Entstehung einer
Farbempfindung durch die Modulation eines (andersfarbigen)
monochromatischen Lichts vermittels eines rotierenden Sek-
tors sehen. Ich hatte die Empfindung nicht in der gewünschten
Deutlichkeit und begann nach dem möglichen nervösen Mechanismus zu fragen, der solche »subjektiven Farben« erzeugt.
Er: »Ja, ihr Physiker seid zum Sehen von Phänomenen verdor-
ben. Ihr fragt immer gleich nach der Kausalität, ehe ihr das
Phänomen, das ihr erklären wollt, gesehen habt.«

Solche Anekdoten können zunächst nur erläutern, wie er die
subjektiven Bedingungen des Glaubens ans Objektive, an die
angeblich primären Qualitäten der Gegenstände sah. Aber
ebenso sah er in der menschlichen Subjektivität einen Zug allen
Geschehens, im Pathischen einen Grundzug der Natur. Die
Auffassung der Physik, die ich hier vertreten möchte, widerspricht dem überhaupt nicht.

Als er über die Farbempfindung arbeitete, erzählte er mir
einmal, neulich habe er geträumt, Goethe sei ihm begegnet und
habe ihm einen Kuß gegeben. Auf den Kuß war er stolz. Mit
Recht.

II, 4. Die Vernunft der Affekte*

1. Der Begriff des Interesses

Was führt uns zur Frage nach der Vernunft der Affekte? Vielleicht zunächst die Skepsis gegenüber der gängigen Ansicht von ihrer Unvernunft. Diese Ansicht bedient sich gerne des Begriffspaars rational-irrational. Wissen wir, was wir damit meinen?

Wenn man von einem Menschen sagt, er verhalte sich rational, so meint man damit vielleicht, sein Verhalten erfülle zwei Bedingungen:

a) er kann über die Gründe seines Verhaltens eine einigermaßen zutreffende Auskunft geben,

b) im Blick auf seine eigenen Interessen und auf interpersonale Wertmaßstäbe kann er sich mit seinem Verhalten einigermaßen im Einklang fühlen; in Habermasscher Diktion: er könnte es in einem praktischen Diskurs verteidigen.

Die Bedingung b) enthält zwei Kriterien: die eigenen Interessen und interpersonale Wertmaßstäbe. Verbreitet, vielleicht herrschend ist jedoch eine im eingeschränkten Sinn rationale Handlungsweise. In ihr setzt der Handelnde seine eigenen Interessen in voller Bewußtheit durch, auch gegen die ihm bekannten interpersonalen Wertmaßstäbe, die er gleichwohl nicht grundsätzlich anficht. Wir können diese Handlungsweise interessenrational nennen. Sie ist nicht vollrational, insofern sie den unausgetragenen Konflikt zwischen Eigeninteresse und anerkannten Werten enthält. Man kann sogar behaupten, eine Funktion der öffentlichen Anerkennung interpersonaler Werte sei gerade, zunächst einmal wenigstens diesen Konflikt auf-

---

* Abschnitt 1. dieses Beitrags stammt aus einer privaten Aufzeichnung, die 1975 im Zusammenhang mit dem Beitrag I, 1.: Das Friedensproblem, entstanden ist, die übrigen Abschnitte aus demselben institutsinternen Arbeitspapier »Lebensbedingungen« (1970) wie der Beitrag I, 3.: Die Ambivalenz des Fortschritts. Beide Teile sind im Hinblick auf den Ort, an dem sie hier zu stehen kommen, redigiert.

rechtzuerhalten und nicht alles in den Partikularinteressen untergehen zu lassen. Der Konflikt ist auch ein Konflikt des Eigeninteresses mit sich selbst, denn in den interpersonalen Werten spiegelt sich das Interesse der Gemeinschaft, deren Wohlergehen Voraussetzung des Wohlergehens des Einzelnen ist. Denkt der Einzelne rational, so muß er dem Gemeinschaftsinteresse gegenüber sein Verständnis seiner eigenen Interessen modifizieren. Hier zeigt sich die Bodenlosigkeit eines rein empirisch, auf Selbstaussage des Individuums gegründeten Interessenbegriffs. Sein Inhalt hängt von einem Urteil des Einzelnen ab, das er bei besserem Nachdenken vielleicht selbst modifizieren würde. Es stellt sich die Frage des *wahren* Interesses sowohl des Einzelnen wie der Gemeinschaft. Auch wenn der Einzelne, wie üblich, sich und andere veranlaßt, zu behaupten und vielleicht zu glauben, gerade die Verfolgung seines Einzelinteresses, wie er es wahrnimmt, diene dem Gesamtinteresse, so argumentiert er hier mit einer Auffassung vom wahren Interesse der Gemeinschaft.

Betrachtet man die realen Wirkungen des interessenrationalen Handelns bis hin zur Umweltzerstörung und zur Erzeugung von Kriegen durch die Interessen von Machtgruppen, so scheint es nicht übertrieben, von der *Irrationalität des Rationalen* zu reden. Genauer sollte man vielleicht sagen, daß der praktische Verstand der praktischen Vernunft bedarf, das interessengeleitete begriffliche Denken der Wahrnehmung desjenigen Ganzen, das erst die wahren Interessen des Individuums und der Gruppe erkennbar macht. Vor diesem Hintergrund zeigt dann die obige Bedingung a) ihre Bedeutung. Welche Kriterien haben wir denn, um festzustellen, ob wir die Gründe unseres eigenen Verhaltens kennen? Eine Richtung der Konfliktforschung sieht den Grund der Konflikte oder doch ihrer Unlösbarkeit in den irrationalen Motiven unseres Handelns.* Diese, so Aggression und Angst, sind in der Tat von der größten Bedeutung. Man kann diese Bedeutung aber nur verstehen, wenn man erkennt, Fehlleistungen welcher sinnvollen Verhaltensweisen sie sind. Man könnte das nächste Erkenntnisziel in diesem Zusammenhang die Einsicht in die *Rationalität des*

---

* Vgl. »Wege in der Gefahr«, 7. Kapitel.

*Irrationalen** nennen. Sinnvolles »irrationales« Verhalten könnte als eine begrifflose Wahrnehmung des Wirklichen bezeichnet werden. Tierisches Verhalten ist durchaus von dieser Art. In der menschlichen Kultur aber spielt begrifflose Wahrnehmung der Wirklichkeit eine sehr viel wichtigere Rolle als der Interessenrationalismus weiß. Gerade die rational unausweisbare Wahrnehmung des Eigeninteresses ist ein Beispiel dafür. Aber auch die vernünftige Einbettung des Einzelinteresses in ein wahres Interesse hat ihre Basis in hochdifferenzierter begriffloser oder nicht voll auf Begriffe gebrachter Wahrnehmung.

Wenn ich dieser Frage in den nächsten Abschnitten nachgehe, so suche ich mich an die Empirie zu halten, so wie sie die tierische Verhaltensforschung, die Psychologie des Menschen, die Sozialforschung und die Geschichte darbieten. Von kausalen Theorien des menschlichen Verhaltens kann ich mich nicht leiten lassen, denn sie existieren nicht in adäquater Form. Ich halte mich aber an die gesellschaftliche Manifestation der Interessen.

Hier mag noch ein Wink aus einem heute beiseite gedrängten Erfahrungsbereich von Nutzen sein. Die brisantesten Interessen sind vermutlich daran zu erkennen, daß an ihrer Zügelung am härtesten gearbeitet worden ist. Der schärfste, symbolisch hoch überzogene Interessenverzicht ist wohl der der Bettelorden. Die drei mönchischen Gelübde lauten: Armut, Gehorsam, Keuschheit; also Verzicht auf Besitz, Herrschaft, geschlechtliche Liebe.** Dies dürften die brisanten Interessen sein. Ich fasse im 2. Abschnitt die ersten beiden von ihnen unter einem abstrakteren Namen zusammen und wende mich im 3. Abschnitt zum dritten.

2. Ort und Handlung (Besitz, Herrschaft, Macht)

Der Mensch ist ein Lebewesen. Jedes Lebewesen ist ein Körper. Jeder Körper ist an einem Ort. Einen Ort wenigstens braucht der Mensch.

---

* I, 8., S. 136.
** Vgl. IV, 5.

Leben ist ein Prozeß. Zu diesem Prozeß gehört mindestens Stoffwechsel, also Nahrung. Die höheren Tiere gewinnen ihre Nahrung, indem sie sich im Raum bewegen. Auch der Mensch muß sich bewegen. Seine Bewegungen, als sinnvoll koordiniert betrachtet, nennen wir Handlungen. Sein Ort ist nicht nur der jeweilige Platz des Aufenthalts; er ist der notwendige Raum seiner Handlungen.

Die höheren Tiere leben im Durchschnitt in Gesellschaften. Das notwendige Minimum ist die vorübergehende Vergesellschaftung der Geschlechter zur Paarung. Für den Menschen ist Gesellschaft konstitutiv, da er der Gesellschaft den Verhaltensschatz von Sprache und Sitte verdankt, ohne den er nicht lebensfähig wäre. Für das Leben in der Gesellschaft ist seinerseits ein Schatz von Verhaltensweisen gegenüber dem Artgenossen konstitutiv. Dieser erst gibt dem Individuum einen »Ort« in der Gesellschaft, der wiederum sein Handlungsspielraum ist. Wegen dieser Analogie wähle ich als Überschrift die abstrakten Begriffe Ort und Handlung.

Der elementare *Besitz*, den es schon in Tiergesellschaften gibt, ist selbst ein Ort; der Humanökonom würde sagen: Grundbesitz. Die Verhaltensforscher belehren uns, wie tapfer schon ein Fisch sein Territorium verteidigt, und sie machen uns weis, daß die (männliche) Nachtigall singt, damit Nachbar Nachtigall weiß, in welches Territorium er nicht eindringen darf. Für die Beurteilung des menschlichen Besitzstrebens scheint es mir fundamental, daß das Grundeigentum eine so lange tierische Vorgeschichte hat.

Grundeigentum ist animalische Heimat. Territorialität ist freilich bei Tieren nicht allgemein, aber sie ist ein häufig sich herstellendes Verhaltensmuster. Das Territorium gehört dabei meist nicht dem Individuum, sondern der sozialen Gruppe, manchmal im ausgeprägten Sinne deren Leittier. Die Bereitschaft zum territorialen Verhalten liegt im Menschen gleichsam ständig bereit. Die Übergänge zwischen den Kulturformen des Sammlers, Jägers, Nomaden, Ackerbauers, Städters geben der Verfügung über den Boden nur verschiedene Gestalten, ebenso wie die wechselnde Größe der an einem Besitz partizipierenden Gruppe. Es ist eine einseitige Stilisierung, wenn manche Gesellschaftstheorien gemeint haben, die Starken hät-

ten einstmals widernatürlich das allen Gemeinsame in Privat-
besitze aufgeteilt. Der historische Prozeß geht schwankend in
beiden Richtungen. Gerade auf hohen Stufen der Kultur und
damit der Individualisierung ist die Anerkennung eines gemeinsamen Besitzes eine Leistung der Gesellschaft, die ihren
Gliedern ein hohes Maß an Askese auferlegt. Ich glaube, der
Verzicht auf eigenen Grund ist vom Menschen nur zu leisten,
wenn er eine andere Heimat, einen fraglosen Ort in der Gesellschaft oder eine geistige Existenz hat.

Die zweite Art des Besitzes, der Besitz an beweglichen Gegenständen, hat bei den Tieren nur geringfügige Vorläufer. Er
hängt mit der Fähigkeit planvollen Handelns zusammen. Das
erste gegenständliche Eigentum ist Mittel zu Zwecken: Nah-
rungsvorrat, Werkzeuge, Waffen. Was sich hier konstituiert,
ist nicht Wohnen, also Dasein, sondern Können. Können ist
Können-wenn-man-will, also insofern Macht. Mit der *Macht*
tritt das wohl wichtigste ambivalente Humanum auf den Plan.
Ich übergehe hier die an sich so bedeutende »heimatliche«
Beziehung auch zum eigenen Werkzeug, zum eigenen Möbel,
ebenso wie umgekehrt die in der entwickelten Machtgesell-
schaft hervortretende Machtfunktion des Grundbesitzes. Ich
versuche das Phänomen Macht direkt und abstrakt anzuge-
hen. Dazu ist es aber zunächst nötig, Macht und Herrschaft zu
unterscheiden.

Soziale Rangordnung zwischen Artgenossen und *Herrschaft*
über Artgenossen ist bei höheren Tieren wenigstens so verbreitet wie Besitz. Man kann sagen, daß diese Über- und Unter-
ordnungsverhältnisse für tierische Gesellschaften, dort wo es
überhaupt individualisierte Beziehungen zwischen ihren Gliedern gibt, konstitutiv sind. Soweit der Mensch durch tierisches
Erbe bestimmt ist, wird dies auch für den Menschen gelten. Es
ist wiederum eine optische Täuschung gewisser Gesellschaftstheorien, wenn sie meinen, Herrschaft und Rangordnung seien
naturwidrige Werke der Macht. Durch Natur und Sitte ist der
Mensch dazu konditioniert, seinen gesellschaftlichen Ort gerade dadurch sicher innezuhaben, daß er weiß, wen er über sich
hat und wen er unter sich hat. Es ist eine außerordentliche
geschichtliche Anstrengung und – wo sie glückt – Leistung,
wenn Menschen einander tatsächlich als gleich anerkennen,

und wir werden nachher fragen müssen, wie diese Leistung
überhaupt möglich ist.

Tierische Gesellschaften und auch menschliche Gesellschaften, soweit in ihnen ähnliche Züge, bewahrt oder wiederhergestellt, als dominant betrachtet werden dürfen, will ich einfache
Gesellschaften oder Gesellschaften der Aktualität nennen. Fingieren wir jemanden, der nur solche Gesellschaften kannte und
nun in die Sphäre der *Macht* gebracht würde: er sähe sich
einem völlig fremdartigen, von seinem bisherigen Wissen aus
unableitbaren Phänomen gegenüber, einer neuen Verhaltens-
ebene. Dem, bei allem stets wiederkehrenden Rangordnungs-
und Besitzstreit, in den engen Grenzen seiner Aktualität ruhenden Sein und Haben tritt nun der essentiell unbegrenzte Bereich des Könnens gegenüber. Macht – so wie ich das Wort hier
gebrauche – ist entdeckte Möglichkeit. Möglichkeit wird nie
voll und endgültig aktualisiert; sie hört auf, Möglichkeit zu
sein, wenn sie voll aktualisiert ist. Macht versteht sich prinzipiell als Können, was man will, und als Nicht-alles-zutun-
brauchen, was man kann. Daß es einen solchen Bereich der
Möglichkeit überhaupt gibt, ist eine Entdeckung und gehört
insofern unter den Titel der Einsicht, ist aber in seiner Isoliert-
heit hier schon zu betrachten.

Macht ist zunächst durch Werkzeug, Jagdwaffe, Behausung
Macht über die Natur. Ich spreche jetzt nicht vom allbekann-
ten äußeren Gang der menschlichen Machtübernahme auf der
Erde, sondern von dessen Rückwirkung auf das menschliche
Verhalten. Der Mensch muß in den frühen Zeiten seiner Geschichte durch die Entdeckung der Macht tief verändert und
geprägt worden sein. Faszination und Schreck dieser Verwandlung spiegeln sich noch in den Machtträumen der Magie
und in der religiösen Versöhnung der Naturmächte, dem Streben nach Wiederherstellung eines Gleichgewichts. Aus klassischen Hochkulturen zitiere ich nur drei Zeugnisse: den ruhigen
Befehl Gottes in der biblischen Priesterschrift (Gen. 1) »macht
euch die Erde untertan«, den tief beunruhigten Chor in der
Antigone des Sophokles »πολλὰ τὰ δεινά«, und die Anekdote
des Dschuang Dsi von dem bäuerlichen Weisen, der kein
Schöpfrad am Brunnen benützen wollte, denn »wer Maschinen gebraucht, bekommt eine Maschinenseele«.

Ihre eigentliche Brisanz bekommt die Macht aber als Macht über Menschen, durch die Waffe, durch die Überlegenheit des Wissens, durch das Funktionsgefüge der Hochkultur. Erst durch sie wird aus der überlieferten sozialen Rangordnung das spezifische Phänomen der Herrschaft, das heute wieder in der Debatte steht, aus dem naturwüchsigen Kampf zwischen den Gruppen und in der Gruppe die Kunst des Kriegs und die Kunst der Politik. Hier sind wir ein erstesmal nahe dem Ursprung der Ambivalenz des Fortschritts. Auch die Macht über Menschen hat, einmal als Möglichkeit entdeckt, keine immanenten Grenzen; wenn viel möglich ist, ist mehr möglich. Nur wer die zweite Million wird verdienen wollen, verdient die erste. Hier ist Besitz nicht mehr heimatliche Geborgenheit, auch nicht Bedürfnisbefriedigung und ebensowenig Weg zum Luxus, sondern er ist unbegrenzter Handlungsspielraum, also Macht. Deshalb geht die Forderung, den Profit am Bedürfnis zu messen, so völlig am Grund des Prinzips der Profitmaximierung vorbei. Dasselbe gilt von der Machtakkumulation der Ämter. Und von dieser Struktur der Macht her argumentiere ich, wenn ich den dritten Weltkrieg für wahrscheinlich halte und die Weltregierung als die konservativste Lösung bezeichne; diese Lösung versucht wenigstens nicht das Ungeheure, die Macht der Macht zu brechen.

Jakob Burckhardt sagt, die Macht sei an sich böse. Ich habe mich gegen diesen Satz immer gewehrt, der verschreckten Ästheten die Ausrede zur Flucht aus der Pflicht zur Politik gab. Ebensowenig konnte ich mich natürlich mit dem Satz grundsätzlich zufriedengeben, Macht in den rechten Händen sei gut, auch wenn dies oft der praktisch erträglichste Kompromiß ist; die selbsternannten »rechten Hände« der Konservativen wie der Umstürzler bezeichnen das Problem. Gelegentlich habe ich in Diskussionen den Satz umgestellt: »Macht an sich ist böse«; Macht an sich, also nicht in das Gefüge menschlicher Werte eingefügt. Aber das ist noch eine Beschönigung, denn ihre Uneingefügtheit kennzeichnet eben die Entdeckung der grenzenlosen Möglichkeit. Ich wäre heute geneigt, zu sagen, daß Macht, auch mit gutem Willen und Verantwortungsgefühl verbunden, letzten Endes tragisch ist. Sie muß den Gegner machtlos, »unschädlich« machen, oder sie wird nicht dauern,

und es gehört zur Macht, Gegner zu produzieren. Der Sieger
aber, der erfolgreiche Träger der Macht, entdeckt seine tiefe
Machtlosigkeit, sein Unvermögen, mit Machtmitteln die
Grundstruktur der Macht zu ändern. Zur Tragik gehört die
Verblendung: wer noch um Macht kämpft, wird diese ihre
Machtlosigkeit kaum je sehen.

Die Tragik ist nicht das letzte Wort. Ich habe die Macht hier
isoliert betrachtet. Wir müssen die Isolierung aufheben.

3. Liebe

Fingieren wir jemanden, der nur die Bereiche von Besitz, Herrschaft und Macht kannte und nun der Liebe begegnete: er sähe
sich noch einmal einem völlig fremdartigen, von seinem bisherigen Wissen aus unableitbaren Phänomen gegenüber.

Besitz, Herrschaft und Macht sind Bereiche des Ich. Auch
das Verhalten von Gruppen in diesen Bereichen nennen wir
treffend Gruppenegoismus. Zweckrationalität dient den
Zwecken, die das Ich weiß. Die Tragik der Macht ist die
Unerfüllbarkeit des Ich. In der Liebe erfahren wir eine zweckrational völlig unbegreifliche Erfüllung des Ich in seiner Überwindung, eine Verwandlung aller Werte. Den Besitz und die
Herrschaft kann eine instrumental denkende Wissenschaft gut
beschreiben, denn ihre Begriffe sind selbst im Dienst solcher
endlicher Rationalität geprägt; die Grenzenlosigkeit der
Macht findet ihren Partner in der Grenzenlosigkeit des Wissens. Die Liebe wissenschaftlich zu buchstabieren, ist fast
unmöglich, da sie den Begriff selbst überschreitet. Trotzdem
lassen wir uns nun gerade darauf ein.

Daß Lebewesen überhaupt Nachkommen haben müssen, ist
biologisch nicht so selbstverständlich, wie es scheint. Es hängt
mit dem Fortschritt zusammen. In einer ewigen Welt, einer
zyklischen Zeit wäre die Fortdauer derselben Individuen denkbar; dies ist ja der Traum der persönlichen Unsterblichkeit.
Leben, das auf der Erde neu entstanden ist, braucht hingegen
Nachkommen, um den Raum zu erfüllen. Die Evolution
braucht ferner neue Individuen, damit es neue Arten geben
kann. Arten mit kurzer Lebensdauer der Individuen und vielen

Nachkommen werden sich rascher entwickeln und so im Kampf ums Dasein überleben. Die geschlechtliche Fortpflanzung scheint, selektionstheoretisch verstanden, den Vorteil der Speicherung rezessiver Merkmale zu bieten; so mag diese a priori höchst verblüffende Form der Erzeugung von Nachkommen sich herausgebildet und durchgesetzt haben.

Biologisch gesehen nimmt die Sicherung der geschlechtlichen Fortpflanzung also ein Interesse wahr, das weit jenseits des Gesichtskreises des einzelnen Individuums und der einzelnen Gruppe liegt. Unser Begriff von Zweckrationalität ist aber an den Bedürfnissen der Individuen und Gruppen gebildet. Der Geschlechtstrieb muß diese Welt der begreiflichen Bedürfnisse mit zwingender Kraft durchbrechen, und er kann, und darf folglich auch, nicht argumentieren. Das mag ein Stück seiner verzaubernden Kraft erklären. Im Tierreich schafft er die reichsten Ritualisierungen; er luxuriert in einer Weise, die seine Produktionen denen des frei spielenden Geistes nahestellt. Erotik löst sich vom bloßen Fortpflanzungszweck in doppelter Richtung: zur persönlichen Bindung und zum zwecklos Schönen hin. Die stärkste nicht zweckrationale Kraft im Menschen wird Träger einer Entwicklung, die nur in Überwindung der bloßen Zweckrationalität möglich ist.

Vor diesem Hintergrund ist der ambivalente Kampf aller Kulturen mit der Sexualität zu sehen. Auch die Sexualität ist, wenngleich ganz anders als die zweckrationale Macht, ein Feld des Möglichen. Die Plastizität menschlichen Verhaltens gestattet viele verschiedene Ritualisierungen der Erotik. Aber damit Ritualisierungen gelingen, muß ein Druck zu ihrer Durchsetzung bestehen. Dazu muß die dem Ritual widersprechende Äußerung des Geschlechtstriebs unterdrückt werden, so – um das klassische Beispiel zu nennen – um der Entfaltung *einer* persönlichen Bindung und um der Fürsorge für die Kinder willen die polygame Tendenz. Das Unterdrückte aber bewahrt, gerade als Unterdrücktes, den Glanz des allen engen Interessen Überlegenen, die Aussicht auf die Erlösung des Ich von sich selbst. Immer wieder taucht der Irrtum auf, es werde diese Kraft auch dann bewahren, wenn es selbst zum positiven, anerkannten Ritus wird. Durch die Anerkennung wird es aber der Interessenwelt eingefügt und die Probe auf seinen Wert ist

dann nur noch seine konstruktive Kraft in ihr. Daß die Tabus
blind sind und ihren eigenen Zweck nicht kennen, genau das
teilen sie im übrigen mit dem Trieb, den gegen sie auszuspielen
zuzeiten als aufgeklärt gilt.

Es ist, so betrachtet, kein Wunder, daß die Wissenschaft den
Mechanismus der Verdrängung gerade am Beispiel der Sexualität entdeckt hat. Verdrängung erscheint hier als eine Bedingung der Präzision einer Ritualisierung, und die Sexualität ist
der Trieb, der am meisten zur Ritualisierung auffordert. Um
besser zu verstehen, was Verdrängung ist – ein offenbar für die
Ambivalenz fundamentaler Vorgang – müssen wir jedoch fragen, was das Bewußte und das Unbewußte ist. Dies können wir
nicht, ehe wir die Einsicht thematisiert haben.

Zuvor müssen wir uns aber daran erinnern, daß es noch eine
ganz andere Beziehung zwischen Individuen gibt, die in der
deutschen Sprache auch manchmal den Namen Liebe trägt, die
unsexuelle persönliche Bindung. Da sie alles gemeinsame Leben durchwirkt, ist sie uns natürlich schon vielfach im bisherigen begegnet, ohne aber selbst zum Thema zu werden. Ihre
Qualität muß wiederum aus Rangordnung, Macht und geschlechtlicher Liebe unableitbar erscheinen. Jeder direkte Reduktionismus sowohl der Sexualitätstheorien wie der Theorien des zweckrationalen Verhaltens scheitert an ihr. Das Inter-
essanteste zu ihrer animalischen Vorgeschichte steht m. E. in
Lorenz' Buch »Das sogenannte Böse« in dem Kapitel »Das
Band«, das mir zugleich bei weitem interessanter scheint als
alle übrigen, viel populärer gewordenen Gedanken dieses
Buchs. Lorenz führt das persönliche Band genetisch auf die
Aggression und ihre Verarbeitung durch Ritualisierung zurück, in der er die Ermöglichung individualisierter Beziehung
in einer Gruppe sieht, die über das erste Werk ritualisierter
Aggression, die soziale Rangordnung, weit hinausgeht. Auch
hier realisiert der Ritus nicht selbstverständliche Werte, sondern schafft oder ermöglicht unselbstverständliche Werte.
Wenn Lorenz hier recht hat, so macht er damit die Strukturverwandtschaft der verschiedenen Arten persönlicher Bindung
begreiflich, auch wenn diese den weiten Bereich von unlösli-
cher Freundschaft über Leistungsgemeinschaft und Kumpanei
bis zu lebenslänglicher Feindschaft überdecken. Dies scheint

mir einer der wichtigen Beiträge zum Verständnis der Ambivalenz. Es ist im besonderen ein Beitrag zum Verständnis aller weder zweckrational noch sexuell reduzierbaren Institutionen wie der Ehe.

Selbstverständlich ist die persönliche Bindung beim Menschen, so wie alle anderen Beziehungen und wohl mehr als sie, nur von der Einsicht her in ihrer Gestalt begreiflich. Sie lenkt uns endgültig zu diesem Thema.

4. Einsicht

Es liegt nahe, die schon mehrfach benutzte Denkfigur noch einmal anzuwenden. Fingieren wir jemanden, der nur Besitz und Rangordnung, Macht, Liebe und individuelle Bindung kennt, könnte er von dorther begreifen, was Einsicht ist? Wir können dies freilich in gewissem Sinne gar nicht fingieren, denn alle diese Bereiche zu kennen heißt doch wohl, eine Einsicht in sie zu haben. Den völlig einsichtslosen Menschen können wir nicht einmal fingieren. Aber wenn er, wie es so üblich ist, Interessen, Triebe und Ordnungen kennt, indem er in sie eingepaßt lebt, hat er darum schon eine Einsicht in seine Einsicht? Und kann irgendjemand, wie wir sagten »von dorther«, begreiflich machen, was Einsicht ist?

Um begreiflich zu machen, was Einsicht ist, wäre eine philosophische Psychologie notwendig, die meines Wissens niemand heute besitzt, weil die Empiristen, die in der Wissenschaft dominieren, das Problem meist nicht sehen und die Philosophen, die zum Sehen des Problems erzogen sein sollten, es in den kausalen Denkformen der Empirie meist nicht wiedererkennen können. Vorerst müssen wir versuchen, die anthropologische Rolle der Einsicht zu beschreiben.

Einsicht ist nicht Selbstdressur durch Versuch und Irrtum, sondern das Vermögen, den Erfolg solcher Prozesse in der Vorstellung vorwegzunehmen, sie ist eben »Einsicht« in den Grund solcher Erfolge. Sie mag eine ganz partielle Teileinsicht sein oder ein umfassendes Bewußtsein, stets geht sie auf das, was ich nur mit dem Wort »Wahrheit« zu bezeichnen vermag. Wahrheit ist selbstverständlich nicht Unfehlbarkeit. Worte wie

Fehlbarkeit, Irrtum, auch Lüge, haben umgekehrt nur einen
Sinn, wo, wenn auch noch so unreflektiert, schon verstanden
ist, was mit Wahrheit gemeint ist. Einsicht ist Bestimmtheit
eines Menschen durch ein Stück erkannter Wahrheit, durch
eine Wahrheit, die sich ihm gezeigt hat. Dies beginnt im Instrumentalen. Ein bewußt hergestelltes und verwendetes Gerät ist
ohne Einsicht nicht möglich. Es geht weiter im Gesellschaftlichen. Sitten mögen einsichtslos überliefert und befolgt werden;
ich zweifle, ob sie ohne ein Stück Einsicht entstehen. Es gibt
keine persönliche Beziehung ohne Einsicht. Wie weit es mit der
Einsicht gehen kann, ist vorweg nicht zu sagen, denn jede
besondere Einsicht läßt die Rückfrage in den Grund ihrer
Möglichkeit zu, die, wenn beantwortet, Einsicht einer anderen
Stufe eröffnet.

Einsicht liegt gleichsam quer zu allen Nötigungen von Trieb,
Gewohnheit, »uneinsichtigen« Interessen und Sitte. Dieses
Querliegen hängt zusammen mit ihrer Erschließung der drei
zusammengehörigen Bereiche der Faktizität, der Möglichkeit
und der Freiheit. Ich kann von einer Nötigung erst frei werden,
wenn ich mir das, was mich nötigt, als Faktum gegenüberstel-
len kann. In diesem Sinne gilt: »how wonderful things are
facts«. Das Faktum ist *als* Faktum, als nun einmal Geschehenes, unabänderlich. Fakten nicht sehen, »wishful thinking«, ist
selbstverschuldete Unfreiheit. Insofern sind angeborenes Verhalten, individuelle Gewöhnung und gesellschaftlicher Gebrauch, mögen sie den Umständen noch so gut angepaßt sein,
unfrei. Die Einsicht in Fakten macht eben insofern frei, als sie
Möglichkeiten eröffnet. Das erkannte und anerkannte Faktum
ist eben darum kein Zwang mehr; es kann, als Zustand, vielleicht geändert werden. Einsicht ist Einsicht in Möglichkeiten.
Das Faktum wird als eben dieses Faktum nur begriffen, indem
es als ein mögliches Faktum gedacht und so als geschehenes
anerkannt wird. Damit aber sind andere mögliche Fakten *als*
Möglichkeiten gesetzt. Diese Möglichkeiten wiederum sind
nicht Träume, sondern »de facto möglich«, insofern sie in den
erkannten Fakten begründet sind. Dies aber, faktische Möglichkeiten zu haben, bedeutet Freiheit.

Diese Betrachtungen sind von philosophischer Abstraktheit.
Konkret von Einsicht reden kann man nur, indem man von den

konkreten Fakten und Möglichkeiten redet, in die sie Einsicht ist. Insofern wird unsere Anthropologie, wie es nicht anders sein kann, in konkrete Geschichtsbetrachtung münden. Vorerst aber haben wir die abstrakten Strukturen noch ein Stück weit zu verfolgen.

Einsicht eröffnet nicht nur Freiheit, sie bedarf auch der Freiheit. Das gilt schon psychologisch. Wenn ich dem Bewußtseinszustand eines Menschen, den dieser als Einsicht erlebt, seine psychologische Verursachung nachrechne, so hebe ich damit im Grunde seinen Charakter als Einsicht auf. Das ist die Figur der Ideologiekritik. Wenn meine »Einsicht« durch mein ökonomisches Interesse (oder meine Libido, meine Neurose, oder durch meine Tradition oder meinen Widerspruchsgeist) bestimmt ist, so entlarvt diese kausale Herleitung, daß sie nicht Einsicht war. Die Entlarvung verfängt sogar dann, wenn die betr. »Einsicht« tatsächlich mit dem Sachverhalt übereinstimmt, also das klassische Wahrheitskriterium formal erfüllt. Denn diese Übereinstimmung ist dann »zufällig«, und nur der Ideologiekritiker, der diese Übereinstimmung überlegen prüft, hat (so meint er selbst wenigstens) wahre Einsicht. Das philosophische Problem von Wahrheit und Freiheit, das sich hier stellt, verfolge ich jetzt nicht, wende die Frage vielmehr ethisch-gesellschaftlich.

Wenn menschliches Leben nicht ohne Einsicht möglich ist, so ist gemeinsames menschliches Leben nicht ohne gemeinsame Einsicht möglich. Das habe ich gemeint, wenn ich verschiedentlich gesagt habe, ein Friede sei der Leib einer Wahrheit, Wahrheit die Seele des Friedens. Unter dem Frieden verstehe ich hier die Möglichkeit des Zusammenlebens. Ich spreche von »einem« Frieden, weil es, wie wir alle wissen, viele Formen des Zusammenlebens in der Geschichte gegeben hat und noch gibt. Natürlich liegt im Gebrauch des Wortes »Friede« hier ein ethischer Anspruch. Ein faktisches Zusammenleben gibt es auch im Streit; auch ein Mann, der seine Frau prügelt, auch zwei Großmächte, die soeben gegeneinander Krieg führen, leben in einer faktischen Koexistenz. Man kann in solchen Koexistenzen freilich auch die Rudimente eines Friedens meist noch aufspüren: die nicht aufgegebene Lebensgemeinschaft der Gatten, den Rahmen des Kriegsrechts und die Fortdauer der Politik mit dem Begriff von Kriegszielen, die einen künftigen Friedensschluß ins Auge fassen. Aber Friede bezeichnet hier doch immer vor allem den Wert, der angestrebt wird, dessen Fehlen das fürchterliche Elend der Gegenwart bezeichnet. Und der erstrebte Friede ist eben nicht die bloße Koexistenz, sondern das, was ich in einem prägnanten Sinn des Wortes »Möglichkeit«, die Möglichkeit des Zusammenlebens genannt habe. Sie ist die den Menschen gemeinsame Möglichkeit des Lebens, die ihnen eine gemeinsame Freiheit erschließt. Diese Freiheit bedarf einer gemeinsamen Einsicht, also einer gemeinsamen Wahrheit.

Nun ist Wahrheit sozusagen von Natur gemeinsam. Zwei Menschen, die dasselbe erkennen, sind jenseits aller Willkür in dieser Einsicht verbunden; sie können diese Gemeinsamkeit nicht abschütteln, selbst wenn sie es möchten. Sie haben gemeinsame Fakten und daraus resultierende gemeinsame Möglichkeiten. Deshalb habe ich oben (I, 3.) gesagt, daß Wahrheit an sich intolerant ist. Erkannte Wahrheit schließt die Möglichkeit aufrichtiger Zustimmung zur entgegenstehenden Unwahrheit aus. In einem anderen Sinne ist die Orientierung an der Wahrheit ihrem Wesen nach tolerant. Die Gemeinschaft in einer bestimmten Wahrheit, die ich mit meinem Nachbar suche, setzt voraus, daß er diese Wahrheit einsieht, daß sie Wahrheit für ihn ist. Das Nachreden eines Satzes, der für mich Wahrheit ausspricht, ist aber für ihn noch lange nicht Wahrheit, selbst wenn er das Gesagte zu glauben meint. Will ich mit meinem Nachbar in einer durch Wahrheit vermittelten Gemeinschaft leben, so muß ich ihm die Freiheit der Zustimmung zu der Wahrheit lassen, ich muß ihm also Frieden gewähren. Insofern ist Friede nicht nur Folge eingesehener Wahrheit, sondern zugleich Vorbedingung ihrer faktischen Auswirkung. In diesem Doppelsinn nenne ich ihn den Leib der Wahrheit.

Daß hier in der Praxis die Fülle der Probleme der Erziehung, der Aufklärung, der Stellvertretung usw. entstehen, ist klar und soll hier nicht verfolgt werden. Ich weise nur auf eine Spannung hin, die eine andere Ausprägung der Spannung von Toleranz und Intoleranz ist. Im Namen der Wahrheit, im Lichte einer erkannten Wahrheit werden alle bloß faktischen Autoritäten abgebaut. Was die Leistung der Gleichheit unter

Menschen ermöglicht (S. 229) ist stets eine gemeinsame Wahrheit. *Eine* Autorität ist andererseits dem auf Wahrheit gegründeten Frieden immanent, die Autorität dessen, der die Einsicht hat. Die Wahrheit egalisiert ihre Träger untereinander. Die gesellschaftliche Egalisierung im Namen der Wahrheit kann auch so weit gehen, jeden als virtuellen Träger von Einsicht gleich gelten zu lassen, zumal wenn niemand den Besitz von Wahrheit sich selbst institutionell als Machtbasis zuschreiben soll. Aber eine Egalisierung wird unwahr, wenn sie den Unterschied zwischen aktueller Einsicht und Nichteinsicht leugnet; eine solche Fiktion wird im Lauf der Zeit durch die Brüchigkeit des auf sie gegründeten Friedens entlarvt. Eine derart fiktive Egalisierung macht beide Partner gleich unglücklich. Für den, der die Einsicht nicht hat, ist die wichtigste ihm gleichwohl zugängliche Einsicht die Einsicht, daß er die in Frage stehende Einsicht nicht hat; eine Egalisierung, die ihm das Wissen des Nichtwissens verbaut, nimmt ihn als virtuell Wissenden menschlich gerade nicht ernst, verachtet ihn also, indem sie ihn zu achten vorgibt. Der Wissende jedoch wird durch diese fiktive Egalisierung gezwungen, dem Nichtwissenden dieses Achtungszeichen und damit die eine Hilfe, die er ihm geben kann, zu verweigern. Ich habe nie so freie Menschen gefunden wie dort, wo die Autorität der Einsicht selbstverständlich anerkannt war.

Mit dem unbestimmten Artikel »eine Wahrheit«, »ein Friede« habe ich die faktische Pluralität der Wahrheiten und der Friedensformen zu besprechen begonnen. Traditionelle Gesellschaften lebten unter einer religiösen Wahrheit und dem durch sie ermöglichten Frieden. Die heutige Welt lebt unter der Wahrheit der Naturwissenschaft und dem durch sie ermöglichten Frieden der Technokratie. Die beiden Beispiele werden den meisten jüngeren Intellektuellen von heute die Fragwürdigkeit des erreichten Friedens und in ihr die Fragwürdigkeit der ihn fundierenden Wahrheit unmittelbar vor Augen stellen. Widerlegt dies nicht schon den ganzen auf Wahrheit bezogenen anthropologischen Ansatz? Wenn es *eine* Wahrheit gibt, wer hat sie? Wenn es viele, einander in ihrer Verwirklichung so offensichtlich widerstreitende Wahrheiten gibt, welchen Sinn hat es, sie Wahrheiten zu nennen?

Vor diesem Hintergrund ist Nietzsches Satz gesagt, Wahrheit sei derjenige Irrtum, ohne den eine bestimmte Art von Lebewesen nicht zu leben vermöchte. Ist »zu leben vermögen« Möglichkeit gemeinsamen Lebens, also, so wie ich jetzt spreche, ein Friede, so wäre nach Nietzsches Satz Wahrheit derjenige Irrtum, der einen Frieden ermöglicht. Der philosophischen Frage nach der Wahrheit greife ich hier mit einer abstrakten und einer individual-psychologischen Überlegung vor.

Abstrakt: Ich habe (»Modelle des Gesunden und Kranken . . .«) versucht, Krankheit als »falsche Gesundheit« und Irrtum als »falsche Wahrheit« aufzufassen. Die kybernetische Sprache (»Einregulierung auf einen nicht-optimalen Sollwert«) mag zur Pointierung dienen, ist aber für den Grundgedanken der »falschen Wahrheit« nicht essentiell. Versteht man unter Wahrheit, daß sich etwas zeigt, wie es ist, so zeigt sich im Irrtum nicht nichts, sondern etwas zeigt sich, aber nicht so, wie es ist. Immerhin zeigt sich etwas, und vielleicht läßt sich mit dem, was sich gezeigt hat, eine Weile oder in einer ökologischen Nische leben. Insofern ist der den Frieden ermöglichende Irrtum eine unvollkommene Wahrheit. Erst mit dem Anspruch, schlicht wahr zu sein, wird er falsch. Nun ist uns nichts in seiner vollen Wahrheit bekannt. Unsere aussprechbare Einsicht ist stets »eine Art von Irrtum«. Deshalb müssen sich die »Wahrheiten« bekämpfen. Gerade der legitime Anspruch der Irrtümer, Wahrheiten zu sein, nötigt sie zum Kampf. Dieser Kampf bewegt den historischen Prozeß. Der historische Prozeß kann als eine Kette einander überwindender Wahrheiten erscheinen. Dies stilisiert die Dialektik. Unserem heutigen Blick kann sich der historische Prozeß nur als offen ins Unbekannte darstellen. Wir können den Weltfrieden nicht als den Leib der endgültigen Wahrheit ausdrücklich denken; wo diese Hoffnung die Gestalt konkreter Gedanken annimmt, wird sie ersichtlich unreal oder tyrannisch. Wir müssen die Wahrheit in der Folge der Wahrheiten, die Wahrheit des Prozesses selbst zu verstehen suchen.

Als Randbemerkung: Die offene Folge der Wahrheiten hat etwas zu tun mit der Unbegrenztheit der Macht. Macht ruht stets auf einer Einsicht. Wer einen Frieden schaffen kann, ist der Mächtigste. Die Tendenz aber, den Frieden als Vehikel der

Macht zu benutzen, ist, von der Gemeinsamkeit des Lebenkön-
nens, also der Freiheit her, eine Unwahrheit, eine Perversion
des Friedens, letztlich ein Unfriedensgrund. Wir müssen erwarten, daß wir das Problem der Macht durch den Fortschritt
nicht leicht loswerden.

Die individualpsychologische Parallele: Auch im Umgang
eines Menschen mit sich selbst gibt es Frieden und Unfrieden.
Auch hier ist der Friede der Leib einer Wahrheit. Hier sieht
man sehr gut den begrenzten Wert jedes begrenzten Friedens.
Der Mensch lernt zu, er reift; gewisse Einsichten haben ein
ihnen natürliches Lebensalter. »Mensch, so du etwas bist, so
bleib doch ja nicht stehn; du mußt aus einem Licht fort in das
andre gehn.« Dieser Übergang aus einer Einsicht in die andere
geschieht selten im Frieden mit sich selbst. Krisen sind die
übliche Erscheinungsform des Kampfs der Wahrheiten im Individuum. Innerer Friede kann ebensowohl das Glück einer
erreichten Einsicht wie die Verdrängung einer beunruhigenden
Einsicht sein. Den einen wird man geneigt sein, einen wahren
Frieden zu nennen, den andern einen falschen. Gibt es Kriterien der Wertung?

5. Werte

Gibt es eigentlich Einsicht in Werte? Oder gibt es nur Einsicht
in Sachverhalte, die wir dann »irrational« bewerten? Ist Übereinstimmung über Werte nur Gemeinsamkeit der Irrationalität? Wenn nein, was ist die Rationalität der Werte?

Diese Frage hat uns de facto vom Beginn dieses Buches an
begleitet. Ich bin im Anfang des ersten Kapitels in bewußter
Naivität von Wertungen ausgegangen, von denen ich annahm,
daß sie allen nachdenklichen Menschen unserer Zeit gemeinsam seien. Die Einsicht in die Ambivalenz ist die Erschütterung
der Naivität unserer Wertungen. Um Einsicht in den Grund der
Ambivalenz zu gewinnen, sind wir zur Anthropologie übergegangen. Die Frage nach der Einsicht in Werte ist in ihrer
Abstraktheit eine philosophische Frage. Ich stelle sie hier aber
mit Absicht im empirisch-anthropologischen Kontext. Der
erste Versuch der Antwort soll nicht durch philosophische

Entscheidungen belastet sein. Wie reagieren wir, wenn wir eine gewisse Naivität eigener Wertsetzungen noch nicht ganz verloren haben, auf das anthropologische Material?

Ich habe mehrfach hervorgehoben, daß es leicht ist, über Werte gewiß (und folglich einig) zu sein, wenn ihr Fehlen als manifester Unwert, als manifestes Leiden erfahren wird. Hierin geht es uns, so können wir jetzt sagen, nicht anders als unseren tierischen Vettern. Die Tiere brauchen sich nicht zu fragen, ob Selbsterhaltung und Arterhaltung Werte seien. Hunger, Furcht, geschlechtliche Liebe, Mutterliebe (wenn ich anthropomorphe Worte gebrauchen darf) treiben sie, das zu tun, was diese Werte erfordern; und wären die Tiere nicht so beschaffen, so gäbe es sie nicht mehr. Der Mensch kann die Frage stellen, ob all dies eigentlich Wert, oder gar der letzte Wert sei, aber in den elementaren Situationen entsteht diese Frage auch für ihn meist nicht, oder sie verstummt, wenn sie da war. Freilich verstummt sie nicht zwangsläufig, denn der Mensch kann den Sinn seines Überlebens in Frage stellen; diese Skepsis oder Verzweiflung ist sogar eine natürliche Begleiterscheinung gewisser Reifungskrisen. Außerdem verstehen wir menschliches Leben so, daß es sich (übrigens, wenn wir genau hinsehen, ebenso wie das tierische Leben) nicht in der Überwindung elementarer Nöte erschöpfen *soll*. Wir hoffen, das Leben zu sichern, um ein gutes Leben zu ermöglichen. Was aber heißt hier »gut«? Dies ist doch offenbar die Leitfrage für die Erforschung der Lebensbedingungen (ζῆν καὶ εὖ ζῆν).

Die amerikanische Unabhängigkeitserklärung führt unter den Menschenrechten »pursuit of happiness« auf. Diese Formel erscheint mir nahezu als die Zusammenfassung aller hier besprochenen Ambivalenz. Sie läßt Deutungen zu, in denen sie schlicht die Wahrheit ist, und Deutungen, in denen sie den Ursprung des menschlichen Elends enthält; die Bindung an eine so ambivalente Formel bezeichnet sehr deutlich den Selbstwiderspruch Amerikas und unserer amerikanischen Weltepoche. Ist Glück ein oder gar das Kriterium der Werte?

Lust und Schmerz sind, biologisch gesehen, Indikatoren, Klingelzeichen des Zuträglichen und Unzuträglichen. Beurteilen wir als Beobachter – denn die Tiere selbst reflektieren ja nicht so – tierisches Verhalten nach dem einfachsten aller

Kriterien, dem Überleben, so ergibt sich eine eindeutige Rangordnung der darwinistischen Werte. Es gibt heute noch Individuen derjenigen Arten, die sich rasch genug zu entwickeln vermocht haben. Fortschritt ist, biologisch gesehen, ein höherer (d. h. erfolgreicherer) Wert als bloße Arterhaltung, Arterhaltung ein höherer Wert als Erhaltung des Individuums, und Erhaltung des Individuums ein höherer Wert als Lust und Schmerzlosigkeit. Der jeweils niedrigere Wert formuliert immer nur eine Bedingung, die im Durchschnitt dem nächsthöheren Wert dient, die aber geopfert wird (bzw. im Daseinskampf scheitert), wo sie ihm nicht dient. Dabei sind freilich Lust und Schmerz von anderer Art als die Erhaltungs- und Fortschrittswerte. Lust und Schmerz können einerseits rein funktional verstanden werden, und wo ein Geschehen von selbst funktioniert, bedarf es der Begleitung durch diese Indikatoren nicht. Andererseits dienen sie allen Werten, nicht nur dem untersten, so die geschlechtliche Lust gewiß nicht der Erhaltung des Individuums, das sie erlebt.

Nun beurteilen wir unter dem bloßen Überlebenswert gewiß schon das organische Leben unzureichend (haben die Saurier, bloß weil ein anderer Stamm das Wettrennen der Evolution gewonnen hat, kein erfülltes Leben gehabt?). Und für den Menschen treten Lust und Schmerz in ganz neue Zusammenhänge.

Einerseits gehört zur menschlichen Selbstverfügung ein Zerfall instinktiver Nötigungen, der die Indikatorfunktion der Lust erheblich entwertet. Die Zivilisationsgesellschaft hat die elementaren Triebe von ihrem alten biologischen Zweck weitgehend entkoppelt. Der Kampf gegen diese Entkopplung ist selbst schon uralt. Was unsere Tradition tierische Lüste nennt (Fressen, Saufen, Huren . . .; auch das Morden gehört sachlich hierher), sind in Wirklichkeit spezifisch menschliche Erfindungen. In ihnen allen verbindet sich strukturell eine nicht mehr als Indikator dienende Lust mit der Unbegrenztheit des Könnens, der Macht. Dasselbe gilt von der Schmerzvermeidung durch Drogen. Es gilt aber insbesondere auch von den höheren, abstrakteren Formen der Lust, die Besitz und Herrschaft gewähren. Hier überall ist Lust ein an sich einsichtsloses Prinzip, das beim Tier gerade anstelle der Einsicht als Indikator wirkt, beim Menschen aber der Kontrolle durch die Einsicht bedarf. Pursuit of happiness als Prinzip einer von der Einsicht entkoppelten Lust kann nur ambivalente, letztlich zerstörende Wirkungen haben.

Nun gibt es heute eine Ansicht, nach der die zerstörende Wirkung der Lust nur der Gegenschlag gegen eine gesellschaftliche Repression wäre und die ungehemmt entfaltete Lust ihre begrenzte Gestalt von selbst finden würde. Mir scheint, daß sich in dieser Ansicht tiefe Erkenntnisse mit naiven Irrtümern mischen; sie ist selbst ein Beispiel von Ambivalenz. Sie ist die Selbststilisierung eines für heute fällige Erfahrungen wohl notwendigen Experiments. Ihr Irrtum scheint mir ein naiver, weder naturwissenschaftlich noch geschichtlich zu rechtfertigender Optimismus zu sein. Aber die in ihr verwendeten positiven Erkenntnisse sind mir im jetzigen Argument wichtiger.

Es wiederholt sich immer wieder in der organischen Entwicklung und ganz besonders in der menschlichen Geschichte, daß altes Material in den Dienst ganz neuer Zwecke tritt (wie die Schwimmblase zur Basis der Lunge wird und die Aggression zur Basis der Kommunikation). So sind die geistig – oft ästhetisch – durchstilisierten Befriedigungen unserer elementaren Antriebe der Leib der Kultur: Essen als gemeinsame Mahlzeit unter der Ägide der Kochkunst, Trinken als Symposion, Wohnen in Landschaft und Stadt, Gesellschaft in gegliederten sozialen Rollen, Liebe als Spiel, Erschütterung, Partnerschaft. In vielen dieser Gestalten mag man statt von elementarer Lust von einsichtigem Glück sprechen. Zu den höchsten Formen des Glücks gehört erlebter Fortschritt, eigene Produktivität. Ist Glück in *diesem* Sinn nicht der wahre, menschliche Wert? (»Alle Lust will Ewigkeit«.) Und wird dieses Glück sich nicht durch die ihm innewohnende Einsicht dort selbst begrenzen, wo ihm Begrenzung nottut?

Dieser Begriff von menschlichem Glück als leitendem Wert umfaßt übrigens sowohl die Einheit des Werts wie die Vielheit der Werte. Die Vielheit gehört zur Gliederung. Der Mensch ist glücklicher, wenn er nicht immer dasselbe tut, die Menschen sind glücklicher miteinander, wenn sie nicht alle gleich sind (»three cheers for the little difference«). Gleichheit ist Gleichheit in der Freiheit, Freiheit ist Freiheit zur Verschiedenheit.

Aber zur Gliederung gehört die Gemeinschaftlichkeit eben dieser Vielheit der Werte, die Solidarität in der anerkannten Verschiedenheit. Und dieses gemeinschaftliche Glück ist eben *ein* Wert, der leitende Wert, in gewissem Sinne *der* Wert.

Diese leitende Wertvorstellung kann dann real sein, wenn die Bedingungen ihrer Möglichkeit erfüllbar sind. Zu diesen gehören Einsicht und Kreativität. Keine der oben aufgezählten kulturellen Stilisierungen der elementaren Bedürfnisse ergibt sich logisch aus deren biologischem Zweck. Der Trieb, die elementare Lust ist hier überall nur Material. Was sind die Bedingungen der für ihre Gestaltung nötigen Einsicht und Kreativität?

Wir können Glück und Leiden – um ein etwas abstrakteres Begriffspaar an die Stelle von Lust und Schmerz zu setzen – als Indikatoren für Gelingen oder Mißlingen im Prozeß der Kultur auffassen. Dabei ist aber vielleicht das Leiden der zuverlässigere Indikator und zugleich der unerläßliche Lehrmeister und Motor. Dem Glückserlebnis wohnt eine natürliche Tendenz zur Verflachung inne. Wenn man der Meinung ist, Fortschritt sei ein leitender Wert – und die Unbegrenztheit möglicher Einsichten wie schon der bloße Begriff Kreativität deutet in dieser Richtung – so ist dies zu erwarten, denn der Indikator des Glückserlebens lädt zum Verweilen ein. Der Kampf der Wahrheiten ist vom Leiden begleitet. Die Positivität der Ambivalenz liegt in dem einsichtweckenden Leiden, das sie hervorruft; ihre Gefahr liegt in der uneinsichtigen Akzeptation des partiellen Glücks. Das vom Individuum erlebte Glück kann also auch auf dieser Stufe nicht der Wert sein. Die Vorstellung, das Leiden sei nur eine Folge gesellschaftlicher Fehlentwicklungen, ist naiv (oder eine Projektion); wozu haben wir die Fähigkeit physischer und psychischer Schmerzempfindung, wenn wir dieses Indikators nicht bedürften? Doch werden wir der Frage einer schmerzlosen Gesellschaft weiterhin begegnen.

Eine der Kritiken an der heutigen Welt kleidet sich in den Begriff der Entfremdung. Wenn die Entfremdung von einem in Glück und Leiden sich erfüllenden Leben gemeint ist, ihre Ersetzung durch lustlose Arbeit und funktionslose Lust, so trifft die Kritik. Entfremdung vom Glück aber wäre ein so zweideutiger Begriff wie der Begriff des Glücks selbst.

Unsere Betrachtung hat uns zum Begriff der Einsicht zurückgeführt und ihn durch den Begriff der Kreativität ergänzt.
Diese Begriffe aber sind, abgesehen von fünf dünnen Pinselstri-
chen zum Bilde der Kultur – Kochkunst bis Partnerschaft –
formal geblieben. Welche Wahrheit lenkt die Einsicht, stellt
sich in den Werken der Kreativität dar?

6. Aufklärung

Aufklärung ist nach Kant der Ausgang des Menschen aus
seiner selbstverschuldeten Unmündigkeit. Statt Ausgang
würde der heutige Sprachgebrauch vielleicht Heraustreten sagen. Unmündigkeit erklärt Kant selbst als das Unvermögen,
sich seines Verstandes ohne Leitung eines andern zu bedienen.
Selbstverschuldet ist nach Kant diese Unmündigkeit, wenn die
Ursache derselben nicht am Mangel des Verstandes, sondern
der Entschließung und des Mutes liegt, sich seiner ohne Leitung eines anderen zu bedienen. »Sapere aude! Habe Mut, dich
deines *eigenen* Verstandes zu bedienen! ist also der Wahl-
spruch der Aufklärung.«

Kants Aufsatz* ist auf das Spezialproblem der Äußerungs-
freiheit gegenüber dem kirchlichen Lehramt und dem absoluten Staat zugeschnitten. Doch greift die Definition Kants darüber weit hinaus, und ich möchte sie mir durch eine explizite
weiterführende Interpretation zu eigen machen.

Kant gebraucht den alltäglich klingenden Begriff des Verstandes; dahinter steht natürlich sein ausgearbeiteter Begriff
der Vernunft. Ich benütze jetzt den sehr viel weniger ausgearbeiteten Begriff der Einsicht aus diesem Aufsatz und fasse den
Verstand auf als Vermögen, Einsicht zu gewinnen. Unmündigkeit ist dann also ein Unvermögen zu eigener Einsicht, und
selbstverschuldet ist sie, wenn sie dem Mangel an Mut entspringt. Was hat das aber mit dem historischen Prozeß der
Aufklärung zu tun? Hier ist die Intention, daß eine ganze
Gesellschaft aus der Unmündigkeit heraustrete. Damit wird
das Gleichnis aus der Entwicklung des Individuums prägnant.

---

* I. Kant, Beantwortung der Frage: Was ist Aufklärung? 1784.

Jeder Mensch ist zunächst unmündig, zum eigenen Verstandesgebrauch noch nicht fähig; er muß für gewisse Einsichten reifen, dann den Mut zu ihnen fassen, die Autoritäten abschütteln und so mündig werden. Wenn wir uns aber so den Begriff der Unmündigkeit verdeutlichen, scheint uns der Begriff des eigenen Verschuldens zu entschwinden. Bin ich schuldig, daß ich als hilfsbedürftiges Kind geboren wurde? und, anders gewendet, bin ich an dem schuld, was meine Eltern und Lehrer mir eingeredet haben? Bin ich an der Gesellschaft schuld, in der ich aufgewachsen bin? Hat Aufklärung sich nicht vielmehr als Heraustreten aus einer unverschuldeten Unmündigkeit, als Befreiung aus einem fremden Joch verstanden?

Kants Begriff geht sehr viel tiefer als diese Rebellionsthese. Er berührt einen Sachverhalt, um den es auch bei der Neurosenheilung in der Psychoanalyse, aber überhaupt bei jedem Zusichfinden einer verantwortlichen Persönlichkeit geht. Erkenne ich einen Fehler, in dem ich befangen war, so gibt es keine Heilung, kein Freiwerden von den Gründen dieses Fehlers, solange ich diese Gründe außer mir suche, also in dem, was man mir angetan hat, in den Eltern, in der Gesellschaft, oder in einem seelischen Zwang, unter dem ich gestanden habe, in meinem Unbewußten, meiner Triebstruktur. Alle diese Beobachtungen mögen sachlich völlig richtig sein. Aber das Vermögen, *meinen* Fehler zu überwinden und nicht mutatis mutandis alsbald in dieselben Abhängigkeiten von neuem zu verfallen, ist, daß ich ihn als meinen eigenen Fehler erkenne. Mea culpa, mea maxima culpa, ist nicht eine Formel falscher Zerknirschung, sondern eine Erkenntnis, die sich genau dort meldet, wo ich mündig, wo ich zur Selbstverantwortung fähig werde. Rebellion, wo sie sich gegen einen wirklichen Fehler der andern wendet, enthält die Chance der Aufklärung, aber sie ist noch nicht Aufklärung, denn die Erkenntnis des Fehlers der andern dient mir noch zur Verdeckung des eigenen Fehlers in der Projektion nach außen.

Gebrauch des eigenen Verstandes ist Suche nach der Wahrheit. So kann die Anstrengung dieses Buchs unter dem kantisch verstandenen Titel der Aufklärung stehen. Welche Wahrheit wird gesucht? Natürlich die für die bisher gestellten Fragen relevante. Welche ist das?

Kants These steht, wie der ganze Begriff der Aufklärung in einem im weiten Sinne politischen Zusammenhang. Sein Aufsatz ist die Antwort auf die mißtrauisch-skeptische Frage eines Geistlichen; er ist eine offensiv geführte Verteidigung des Begriffs der Aufklärung. Dieser Begriff bezeichnet seit dem 18. Jahrhundert (und wieder in der gegenwärtigen deutschen Debatte) eine geistige Bewegung, deren Tendenz durch die im selben Zusammenhang gebrauchten Worte Fortschritt und Emanzipation verdeutlicht wird. Aufklärung versteht sich als Überwinderin des Absolutismus, sie begleitet die Bewegung des Liberalismus und Sozialismus. Sie versteht sich als Befreiung von derjenigen politischen Herrschaft, die durch eine künstlich aufrechterhaltene Unmündigkeit der Beherrschten stabilisiert wird. Ihre Politik ist zu einem wesentlichen Teil Pädagogik; sie sucht das Bewußtsein vieler Menschen von den Denkformen der Unmündigkeit zu befreien, die Menschen den Gebrauch des eigenen Verstandes zu lehren. Insofern Gleichheit in der Gemeinsamkeit der Einsicht wurzelt, hat Aufklärung eine egalitäre Tendenz. Insofern einige wenige schon Emanzipierte die Emanzipation verbreiten wollen, hat sie eine erzwungenermaßen vorläufig elitäre Struktur; man spricht dann etwa von Avantgarde, von einer Vorhut des Fortschritts.

Diese politische Aufklärung hat Anteil an der Ambivalenz des Fortschritts. Das läßt sich leicht aufspüren im Übergang der Betonung von der Selbstaufklärung zur Aufklärung der andern. Der Anspruch, selbst aufgeklärt zu sein, erweist sich oft als Naivität. Der Anspruch, selbst emanzipiert zu sein, verdeckt häufig das Stehenbleiben auf der Stufe der projizierenden Rebellion, also einer Vorstufe der Aufklärung. Dieses Buch, das den Gründen der Ambivalenz nachforscht, muß daher zugleich immer die scheinbar entgegengesetzte Bewegung machen. Es muß Selbstaufklärung betreiben mit der Frage, was in der Bewegung, die sich Aufklärung nennt, jeweils gerade verdrängt worden ist. Es geht den Arten nach, in denen sich den Menschen im Gang der Geschichte die Frage nach der leitenden Wahrheit gestellt hat.

Es ist vom Friedensproblem ausgegangen und wird das Kriterium der gesuchten Wahrheit nicht ohne den Blick auf die weltpolitischen Probleme unserer Zeit zu finden hoffen. Geschichtliche Anthropologie ist stets Anthropologie in der realen, der jeweils heutigen Geschichte.

7. Weltfriede und Selbstverwirklichung

Was soll in der heutigen Welt, der Welt des Übergangs zu morgen, geschehen? Was soll geschehen? Die naheliegende Fassung der Frage: »Was sollen wir tun?« vermeide ich. Wer wäre hier mit »wir« gemeint? Die Formel »Was sollen wir tun?« hat die Schwäche, den Eindruck zu erwecken, man brauche nur zu sagen, was zu tun ist, und es dann zu tun. Dies aber wäre nach allem bisher Gesagten in doppelter Hinsicht unzureichend. Erstens ist dies, in dieser einfachen Deutung, selbst eine Formel der Willens- und Verstandeswelt. Der Versuch, diese Frage schlicht zu beantworten, gibt nur zu leicht eben dem Verhalten Nahrung, das die Not erzeugt hat und verewigt. Kaum jemand kommt an die Stelle, an der er wirklich sinnvoll handeln kann, ohne durch eine Verzweiflung am direkten Handeln hindurchgegangen zu sein. Zweitens aber setzt das Handeln, das dann sinnvoll möglich wird, ein Neudenken aller Fragen voraus. Ich bin zu meinem Schmerz an vielen Stellen, an denen gehandelt werden könnte, einfach im Denken nicht weit genug gelangt, um zu wissen, welches Handeln ich vorschlagen oder selbst praktizieren soll. Eine der Antworten, die ich auf die Frage »was sollen wir tun« geben würde, hieße: »nachdenken«. Unter anderem deshalb habe ich ein Institut gegründet statt in die Politik zu gehen.

Die Frage, »was soll geschehen?« formuliert also insbesondere eine Denkaufgabe. Theorieloses Handeln geschieht ohnehin; wir brauchen es nicht noch zu fördern. Wie aber müßte die leitende Theorie eines durchdachten Handelns aussehen?

Der politische Leitgedanke muß m. E. der Weltfriede sein. Er ist der einzige Gedanke, der politisches Handeln weltweit integrieren kann. Er ist ebenso notwendig zur Vermeidung der Katastrophe eines Weltkriegs wie er, wenn sie nicht vermieden würde, zur Vermeidung ihrer Wiederholung notwendig wäre. Er wird also selbst durch vorläufiges Scheitern nicht widerlegt. Andererseits fordert er sehr viel; er ist also für alle anderen

politischen Gedanken ein hartes Kriterium. Schließlich ist er
für jedermann verständlich, wenn auch nicht für jedermann in
seinen Konsequenzen leicht zu durchschauen. Dieser Friede
soll keine Tyrannis sein. Er muß der Leib einer Wahrheit sein,
und diese Wahrheit zu denken ist der Sinn unserer politischen
Theorie.

An dieser Stelle weiche ich ausdrücklich von dem Text des
vor sieben Jahren verfaßten Aufsatzes ab, dem ich bisher gefolgt bin. Anstelle einer politischen Theorie des Weltfriedens
habe ich ein Buch geschrieben unter dem Titel »Wege in der
Gefahr«. Ein utopischer Entwurf der künftigen Welt, auch im
vollen Bewußtsein seines utopischen Charakters, dient uns in
der heutigen Lage nicht. Gleichwohl füge ich hier noch, etwas
redigiert, die Betrachtung über die leitenden Werte an, mit der
ich jenen Aufsatz beendet habe.

Ich halte eine glücksorientierte nachindustrielle Gesellschaft
für unfähig, die Ambivalenz der Systeme zu meistern, die sie
zulassen wird, um in ihrem Glück nicht gestört zu sein. Falls es
unvermeidlich ist, daß der leitende Wert der Majorität der
Menschen das subjektiv empfundene persönliche Glück ist, so
erzwingt dieser Sachverhalt eine elitäre Struktur der Gesellschaft, deren Elite, wenn wir Glück haben, wenigstens partiell
an derjenigen Wahrheit, deren Leib der Weltfriede ist, als
leitendem Wertzusammenhang orientiert ist. Kurzfristig besteht diese Struktur ohnehin mindestens in der Form, daß nur
eine Minderheit sich die Probleme, um die es hier geht, klarmacht und für die andern eine pädagogische Funktion übernimmt.

Welchen Inhalt haben die Werte, deren Zusammenhang die
einen Weltfrieden beseelende Wahrheit sein könnte? Im Gang
unserer Überlegungen sind uns mehrere Worte begegnet, die
solche Werte zu bezeichnen versuchen; es geht um die Bedeutung dieser Worte und den Zusammenhang dieser Bedeutungen. Ich stelle einige der Worte »rhapsodisch« zusammengerafft, in drei Gruppen zusammen. Die erste Gruppe mögen
Freiheit und soziale Gerechtigkeit ausmachen, die zweite
Worte wie Ort, Wohlstand, leibliche und seelische Gesundheit,
Liebe, Partnerschaft, kulturelle Kreativität, die dritte etwa Einsicht, Fortschritt, Mündigkeit, Selbstverwirklichung. Ich habe

jedes dieser Worte an seiner Stelle inhaltlich erläutert. Was ist ihr Zusammenhang, ihre Beziehung zum Weltfrieden, also ihre politische Relevanz?

Die Aufzählung ist eingerahmt von den Begriffen Freiheit und Selbstverwirklichung. Sie können als Leitworte ihrer Gruppen gelten. Ich halte mich nun an die Rahmenworte. Freiheit ist wesentlich Freiheit zur Selbstverwirklichung, nur Selbstverwirklichung ist eigentlich Freiheit. Darum kommt alles darauf an, zu verstehen, was Selbstverwirklichung ist. Glück ist, so wurde gesagt, ein Indikator verwirklichter Werte, Leiden kann ein Motor zu ihrer Verwirklichung sein. Der Indikator ist nicht immer zuverlässig; wir unterscheiden wahres Glück von fragwürdigem, partiellem, kompensatorischem, falschem. Ich glaube, daß Glück letzten Endes ein Indikator der Stufen der Selbstverwirklichung ist. Diese Verwirklichung vollzieht sich in Stufen; deshalb treten hier Worte wie Fortschritt und Mündigkeit auf. Was auf früheren Stufen Glück war, ist auf höheren Stufen Mittel, oder aber es muß geopfert werden, um die höhere Stufe zu erreichen. Die letztlich entscheidende Erkenntnis über den Menschen ist die Unterscheidung zwischen dem glücksbedürftigen Ich und dem Selbst. Das Ego in seinem Reichtum ist eine der Stufen zum Selbst. Das Verharren auf dieser Stufe ist der Ursprung der Ambivalenz. Wo es nicht gelingt, dieses Verharren zu opfern, gelingt weder die Verwirklichung der Person, noch das Zusammenleben in der Gesellschaft. Auch dieses Opfer und die dadurch ermöglichte Verwirklichung mit dem ihr eigenen Glück geschieht nur in Stufen, beim einzelnen und, vielleicht, in der Geschichte.

Diese Selbstverwirklichung war in der ganzen Menschheitsgeschichte das Thema der Religion. In geschichtlicher Konkretheit war es das Thema der Religionen in ihrer Pluralität. Der gesellschaftliche Leib der geleisteten Verwirklichung waren die Kulturen. Jede solche Kultur war der relative Friede einer Wahrheit menschlicher Selbstverwirklichung. Weltfriede ist, wenn er möglich ist, Friede der einander begegnenden Kulturen. Die Kultur, die ihn heute erzwingt, die westliche, erzwingt ihn aber durch einen entfesselten Fortschritt der Erkenntnis und der Macht, der an kein Ziel einer erkannten Wahrheit gekommen ist und essentiell Unfriede in sich selbst ist. Diese Kultur in ihrer heutigen Gestalt ist eine ambivalente Säkularisierung ihrer eigenen Religion. Weltfriede mag durch den Fortgang der politischen Ereignisse vorerst als äußerliche Koexistenz der Kulturen erzwungen werden. Aber unsere eigene Kultur kann in ihrem heutigen Stadium nicht einmal mit sich selbst koexistieren, geschweige denn mit anderen. So paradox es von rein politischen oder gesellschaftlichen Analysen her klingen mag, ist es doch meine Überzeugung: Die eigentliche Aufgabe, mit der die Möglichkeit eines wahren Weltfriedens steht und fällt, ist die Verwirklichung des menschlichen Selbst. Eine ihrer Gestalten ist das Eintreten der Religion in ihre Wahrheit, zu der die Begegnung der Kulturen und der Religionen ein Beitrag sein mag. Eintreten in die Wahrheit heißt Verwirklichung des dort eigentlich Gemeinten, Mündigwerden. Die politische Anstrengung ist ein Teil und eine Konsequenz der Anstrengung um diese Verwirklichung.

Die Menschen verstehen die Forderung eines Opfers des Ego sehr gut. Betrachten wir die politischen Werte, so ist dies eigentlich überall ihr Kern, denn die Seite dieser Werte, in der sie das Ego in seinen Bedürfnissen bestätigen, bedarf keiner fordernden Betonung. Die Einheit des Absolutismus ist das erzwungene Opfer von Partikularinteressen. Die Freiheit des Liberalismus ist essentiell diejenige Freiheit, die ich dem Mitbürger zubillige. Die Solidarität des Sozialismus verlangt überall das Opfer der Eigeninteressen für das Ganze. Die Perversion aller dieser Werte geschieht stets dadurch, daß das Ego sie in Forderungen an die andern statt an sich selbst verwandelt. Die Grenze der Einsicht dieser politischen Wertsetzungen liegt meist dort, wo sie den Egoismus des einzelnen nur durch einen Egoismus des Kollektivs ersetzen, in dem die undifferenzierten Werte eines unmündigen Ich sich lediglich reproduzieren. Wie sich Selbstverwirklichung in Wahrheit zur Menschheitsgemeinschaft eines Weltfriedens verhält, dies zu erkennen und darzustellen ist die Aufgabe.

II, 5. Über Macht*

1. *Die Schule des politischen Realismus*

Ich stütze mich explizit auf die Einführung von Kindermann**, im übrigen auf meine diffus erworbene Kenntnis
dieser Schule; Reinhold Niebuhr habe ich vor 20 Jahren in
Amerika noch persönlich kennengelernt.

Die historische Funktion dieser Schule war die Korrektur
des amerikanischen Geschichtsoptimismus durch Hinweis auf
die Realitäten der Machtpolitik (Kindermann S. 44). Ich
glaube, daß sie zur intellektuellen Ermöglichung der heutigen
amerikanischen Weltmachtpolitik wesentlich beigetragen hat.
Die traditionelle amerikanische Selbstinterpretation war,
Machtpolitik (einst: Machtpolitik der Fürsten) sei ein europäi-
sches historisches Übel, dem die Emigranten in die Neue Welt,
von den Pilgervätern über die deutschen 48er bis zu den vor
Hitler fliehenden Juden, ihre Mitwirkung versagen. Diese Auffassung ließ den Amerikanern nur zwei mit ihrer moralischen
Selbstachtung (und der lebendigen Selbstkritik) vereinbare außenpolitische Haltungen: den Isolationismus, oder einen Inter-
ventionismus zum Zweck der Herstellung von Freiheit und

---

* Arbeitspapier zu einer institutsinternen Kolloquiumswoche über anthropologische Fragen, Februar 1971. Ich habe das Papier nur soweit redigiert, als
für den Leser dieses Buchs uninstruktive institutsinterne Bezugnahmen gestri-
chen oder in Bezugnahmen auf die Beiträge des Buchs umgewandelt sind.
Nicht getilgt ist die gelegentliche Nennung einer von einer Vorbereitungskom-
mission des Kolloquiums vorbereiteten Leseliste, welche die Auswahl der vier
Hauptthemen meines Papiers beeinflußt hat. Zum Thema vgl. zwei 4 bzw. 5
Jahre später, knappere Aufzeichnungen: das Mittelstück von I, 1. in diesem
Buch, und das 7. Kapitel von »Wege in der Gefahr«. Angefügt ist ein Brief von
Hans Kilian. Ich hatte Herrn Kilian das Papier mit der Bitte einer fachmänni-
schen Überprüfung vor allem der Partien über Freud zugesandt. Er schildert
das Problem in der Sicht der Entwicklung der Psychoanalyse nach Freud, von
der ich selbst nur eine völlig unzureichende Kenntnis habe.
** Kindermann, »Hans J. Morgenthau und die theoretischen Grundlagen des
politischen Realismus«.

Recht. Also Verzicht auf (außeramerikanische) Machtpolitik
oder Machtpolitik mit dem Ziel, die Macht der Machtpolitik
in der Welt zu brechen. Keine von beiden Haltungen war mit
einer über viele Jahrzehnte durchgeführten Weltpolitik der
Nation U.S.A. vereinbar. Daher meine Ansicht, daß keine
imperialistische Macht sich so sehr gegen ihren Willen und
gegen ihre Tradition in die imperialistische Rolle hat drängen
lassen wie Amerika. Die Diskrepanz zwischen der moralischen
Selbstdeutung und der imperialen Realität führte zu vielen
Inkonsistenzen der amerikanischen Politik. Diese waren
manchmal liebenswert, manchmal irritierend, manchmal
fürchterlich: wer sich im Krieg zur Beendigung aller Kriege
moralisch auf der richtigen Seite weiß, weiß sich zu Handlungen legitimiert, die er unter jedem anderen Gesichtspunkt (z. B.
als Handlungen einer anderen Nation) nur Verbrechen nennen
könnte.

Der Politische Realismus ist insofern zunächst einmal Ele-
mentarunterricht in Politik für die Amerikaner. Er lehrt sie
sehen, wie Machtpolitik überall funktioniert, auch dort, wo sie
selbst sich daran beteiligen. Dieser Unterricht war, gerade z. B.
bei Niebuhr, auch bei Kennan, von einem starken moralischen
Impuls getragen: diese weltkundigen Amerikaner sahen, in
welche objektiv unmoralischen Handlungsweisen sich ihre
Landsleute in einer Welt verstrickten, deren Funktionsgesetze
sie nicht verstanden. Ich finde dies im geschilderten speziellen
historischen Kontext einen unausweichlichen Prozeß politischer Bewußtseinsbildung. Es fragt sich aber, ob der Anspruch
einer anthropologischen Fundierung nicht eine Dogmatisierung geschichtsrelativer Teileinsichten bedeutet, der zugleich
eine ideologische Funktion bekam für die Überführung der, in
aller Naivität doch eine Überwindung der Machtpolitik selbst
anvisierenden, amerikanischen Nation in eine Weltmacht wie
alle anderen. Ich würde also sagen: ich gebe zu, daß Machtpolitik im großen und ganzen so funktioniert, wie der Politische
Realismus sie beschreibt, ziehe aber methodisch in Zweifel, ob
dies aus anthropologischen Gründen so ist.

Zunächst fragt sich, was hier unter Anthropologie verstanden wird.

Es ist kein Zufall, daß an der Spitze die Gedanken eines

christlichen (sogar protestantischen) Theologen stehen, eben die von Reinhold Niebuhr. Kindermann (S. 22) zitiert Paulus: »Das Gute, das ich will, das tue ich nicht, sondern das Böse, das ich nicht will, das tue ich.« (Römer 7, 19) Hier ist eine menschliche Grunderfahrung ausgesprochen, und zwar in derjenigen Schärfe, die geschichtlich fast nur dem paulinischen Christentum zukommt. Angesichts dieses Satzes zerfallen die Menschen zunächst einmal in die Naiven und Ideologen, die es fertigbringen, dies nicht von sich zu wissen, und in diejenigen, die es wissen; oder eigentlich hat jeder von uns beide Seiten in sich. Wir werden nachher anthropologische Lehren besprechen, welche in diesem Dilemma selbst ein Produkt der Geschichte sehen und hoffen, es werde in der Geschichte überwunden werden. Eigentlich gehört der altchristliche Geschichtsmythus selbst zu diesen Lehren, denn er führt die Sündigkeit des Menschen auf das geschichtliche Ereignis mit Adam zurück und hofft auf seine geschichtliche Überwindung im baldigen Jüngsten Gericht. Insofern ist dieser Mythus gerade nicht »anthropologisch« im engen Sinn einer Gesetzeswissenschaft. Aber er ist eben überhaupt nicht Wissenschaft, und seit der Entstehung der christlichen Dogmatik, d. h. der Selbstinterpretation des Christentums mit Begriffen der griechischen Philosophie, steht er unter dem Druck der Forderung, sich rational auszuweisen. Ich vermute, daß alle diese Rationalisierungsversuche (meinen eigenen eingeschlossen), so notwendig sie sind, hinter der Realitätserfahrung, die sich im Mythus formuliert, zurückbleiben und sie insofern entstellen. Wir folgen aber jetzt dem Weg der modernen wissenschaftlichen Interpretation dieser alten Erfahrung.

Im Ansatz ist die Anthropologie von Niebuhr und Morgenthau weder naturalistisch und dualistisch; weder leitet sie den Menschen aus der Natur her noch versteht sie die Spannung des Bösen als Spannung zwischen Natur und Geist (Kindermann S. 23). Sie findet den Widerspruch im Geist selbst, nämlich im Wesen der Freiheit. Damit steht sie zunächst in einer großen philosophisch-theologischen Tradition. Aber der Nachweis, daß das Wesen der Freiheit zu den uns geschichtlich bekannten Tragödien der Macht führen muß, ist ohne die Vermittlung einer mehr empirischen Anthropologie nicht zu leisten. Hier läßt sich nun Morgenthau (vgl. Kindermann S. 24 f.) auf eine Triebpsychologie ein, welche in der Dreigliederung von Selbsterhaltungstrieb, Fortpflanzungstrieb und Machttrieb zunächst das Demonstrandum vorweg zu postulieren scheint. Er muß also die Entstehung des Machttriebs selbst erklären. Nach Kindermanns Referat habe ich das Gefühl, daß die Dunkelheiten einer kausal-genetischen Antropologie, auf die wir uns weiter unten ohnehin ein Stück weit werden einlassen müssen, hier so wenig aufgeklärt sind wie in anderen existierenden anthropologischen Ansätzen. Auf sichereren Boden treten wir wohl eher wieder in der phänomenologischen Beschreibung dessen, was Macht in der heutigen politischen Welt bedeutet.

Macht wird, nach Kindermann (S. 26), in der Sicht der Realisten »ein Fundamentalbegriff der Wissenschaft von der Politik«, vergleichbar der Rolle des Energiebegriffs in der Physik (so zuerst Bertrand Russell). Hier ist ein philosophisch sehr interessanter Ansatz gemacht. Ich glaube, daß Masse, Energie, Information und Macht, hinreichend abstrakt verstanden, in der Tat wesensgleich sind (vgl. den Aufsatz »Materie-Energie-Information«)*. Darauf komme ich unter 11. zurück. Andererseits hat die Aussage der Wesensgleichheit dieser verschiedenen Begriffe nur einen Sinn, wenn auch ihre Verschiedenheit artikuliert werden kann. Ein Versuch dazu ist eine verbale Definition, z. B. Max Weber (Kindermann S. 26): »Macht bedeutet jede Chance, innerhalb einer sozialen Beziehung den eigenen Willen auch gegen Widerstreben durchzusetzen, gleichviel, worauf diese Macht beruht«. Hier sind Begriffe wie Gesellschaft (»soziale Beziehung«), Wille und Widerstreben, Chance (also Möglichkeit) als verstanden vorausgesetzt. Es fragt sich nun, ob dieser Machtbegriff ausreicht, um die »typologisch zu verstehenden Charakteristika der politischen Macht« (Kindermann S. 25) zu begründen, die ich abgekürzt so aufzähle: a) Allgegenwart in der Politik, b) Allgegenwart ihres Mißbrauchs, c) potentielle Unbegrenztheit ihres Expansionsdrangs, d) grundsätzliches Gerichtetsein auf den Erwerb

---

* »Die Einheit der Natur«, III, 5.

von Sicherheit, Herrschaft und Prestige, e) Tendenz, zugleich
Selbstzweck zu werden und dies ideologisch zu verschleiern.

Wenn es überhaupt einander entgegenstehende Interessen
von Einzelnen bzw. Gruppen gibt, und wenn Politik als ein
Raum des Austrags solcher Interessengegensätze definiert
wird, so wird Macht in der Tat in der Politik allgegenwärtig
sein. Machtsicherung ist dann essentiell ein Interesse, denn sie
ist Mittel zur Durchsetzung von Interessen. So sind die Charakteristika a) und (in gewissen Grenzen) d) zu begründen. Die
drei anderen Charakteristika, unbegrenzter Expansionsdrang,
Selbstzwecktendenz, Mißbrauch und Verschleierung setzen
Eigentümlichkeiten des Menschen voraus, die wir alle aus der
Erfahrung nur zu gut kennen, deren Ursprung und Notwendigkeit aber aus Begriffen wie Gesellschaft, Wille, Widerstreben,
Interesse nicht einsichtig gemacht werden kann. Hier ist mehr
und Relevanteres behauptet als in diesen letztgenannten etwas
blassen Allgemeinbegriffen impliziert ist. Die ungeklärte Frage
ist: sind diese weitergehenden Charakteristika anthropologisch notwendig? Wenn ja, warum? Wenn nein, wie sind sie
geschichtlich zu erklären?

Und wenn wir so geschichtlich rückfragen, haben wir auch
zu überlegen, wie allgemeingültig die extremen, »dämoni-
schen« Charakteristika der Macht eigentlich sind. Die Verfasser sind selbst von einer bestimmten geschichtlichen Erfahrung
geprägt. Sie sind Zeitgenossen Stalins, Hitlers, der Atombombe; der erste Weltkrieg war der Horizont ihrer Jugend, der
dritte Weltkrieg steht für sie am Horizont der Zukunft. Ist
Macht immer in der Geschichte so? Sie sprechen von einer
Tendenz, der ständig zu widerstreben ist; unmoralisch wird
Politik erst dort, wo sie das faktische politische Verhalten der
Menschen normativ verklärt. Ist der erfolgreiche Widerstand
gegen diese Tendenz nicht die eigentliche Normalität des Menschen? Sieht das Sündenbewußtsein des Paulus den Menschen
genauer oder ist es selbst pathologisch?

Der Streit um die Wichtigkeit einer Tendenz ist empirisch
kaum entscheidbar. Der phänomenologische Blick hebt aus
der Fülle des Geschehens eine Struktur heraus, vielleicht die für
die eigene innere Einstellung zur Geschichte entscheidende.
Wollen wir objektiver erkennen, so können wir versuchen,

258 Zur Biologie des Subjekts

wenigstens zu begreifen, wie es zu einer solchen Struktur oder
Tendenz kommen konnte, vielleicht mußte. Wir gehen den
Umweg der Wissenschaft. Wir lassen uns auf eine schon im
Ansatz geschichtliche, womöglich kausale, vielleicht transzen-
dentale Anthropologie ein.

II. *Biologische Anthropologie*

1. *Evolutionistisches Denken*

Wir müssen uns zunächst das Niveau der erforderlichen Fragestellung klarmachen.

Eine noch naive, wenngleich sinnvolle Frage ist: Gehört ein
Machttrieb zur Natur des Menschen? Zunächst kann, wie
schon unter I., differenziert werden, welche Charakteristika
dieser vermutete Machttrieb habe. Ferner ist zu fragen, was
man unter einem Trieb versteht: eher ein dumpfes Begehren,
oder ein gegliedertes Verhaltensschema; letzteres mit angeborener Gliederung oder angeborenem Vermögen, durch Erfahrung oder Prägung gegliedert zu werden? Dies führt weiter zur
Frage, was man unter der Natur des Menschen verstehen will.
Ist dies ein angeborenes Gefüge von Verhaltensweisen oder
vielleicht nur die Fähigkeit, solche Verhaltensweisen zu erwerben? Ist es die Natur des Menschen, Geschichte zu haben?

Was Gegnern einer biologischen Anthropologie als der bio-
logistische Irrtum vorkommt, nämlich die Statuierung einer
invariablen »Natur des Menschen«, vergleichbar der Natur
einer zoologischen Spezies, etwa der Natur des Wolfes, das ist
insbesondere schon eine unzureichende Biologie. Das erforder-
liche Niveau der Fragestellung ist demgegenüber das der Evolutionslehre. Für diese ist die Natur des Wolfs eine Stufe eines
geschichtlichen Prozesses, unverständlich ohne Kenntnis seiner Vorfahren, seiner ökologischen Nische, der durch ihn erzeugten Veränderung seiner Umwelt, der Reaktion seines Verhaltens auf diese Veränderung usf. Die Weise des Menschen,
Geschichte zu haben, ist von der der Tiere sehr verschieden,
aber diesen Unterschied können wir erst begrifflich bezeichnen, wenn wir begriffen haben, wie die Tiere, das Leben, die
Natur selbst Geschichte haben.

Die Evolution immer differenzierterer Gestalten ist keine Spezialität des organischen Lebens, sie geht dort nur sehr viel weiter als in der anorganischen Natur. Die Evolution von Gestalten folgt aus genau denselben Wahrscheinlichkeitsüberlegungen, aus denen auch der zweite Hauptsatz der Thermodynamik folgt. Beide sind Konsequenzen derselben Struktur der Zeit. Meine älteren Überlegungen hierüber* habe ich in einem neueren Aufsatz** präzisiert; ich nenne hier die Grundgedanken. Entropie und Information im Shannonschen Sinne sind identisch. Die Shannonsche Information ist ein Maß des Erwartungswerts des Wissens, das man gewinnen könnte, die Entropie ein genau ebenso gebautes und ebenso gemeintes Maß des Wissens, das man haben könnte, wenn man statt des bloßen Makrozustandes den vollen Mikrozustand kennte. Bei geeigneter Form der Wechselwirkungskräfte und hinreichend niedriger Temperatur wird ein Zustand hoher Entropie zugleich ein Zustand hoher Gestaltenfülle sein. Der Wärmetod eines abgeschlossenen Systems ist dann kein Brei, sondern viele Skelette. Die irreversiblen Vorgänge weit vom Gleichgewicht enthalten in solchen Fällen die ständige Vermehrung der Fülle bewegter Gestalten. All dies ist eine Folge der Zeitstruktur, innerhalb deren es überhaupt nur so etwas wie Natur gibt.

Die Organismen sind vor den Gestalten der anorganischen Natur durch Selbstreproduktion, Mutation und Selektion ausgezeichnet. Die entscheidende Leistung ist hier die Selbstreproduktion. Die Mutation ist zunächst nur ein Spielraum um die genaue Selbstreproduktion herum. Die Selektion ist die Konsequenz des Kampfs ums Überleben, der seinerseits eine Konsequenz der reichen Produktion von Gestalten durch die Selbstreproduktion ist. Die Selektion merzt einerseits fast alle Mutanten aus, ist also der wichtigste Stabilisator der Arten. Sie begünstigt andererseits die seltenen vorteilhaften Mutanten, unter den zusätzlichen Einflüssen räumlicher Isolation, zeitlicher Schwankungen der Umweltbedingungen usw., wie sie die Selektionstheorie beschreibt. Die Selektion begünstigt nicht

* »Die Geschichte der Natur«, Schluß der 6. Vorlesung.
** »Evolution und Entropiewachstum«, in E. v. Weizsäcker (Hrsg.), »Offene Systeme I«, Stuttgart, Klett 1974.

nur einzelne Typen, sondern auch typenbildende Anlagen, z. B. die rascher in der Entwicklung fortschreitenden, wie die Fähigkeit zur Speicherung rezessiver Merkmale in der sexuellen Fortpflanzung oder die relative Kurzlebigkeit der Generationen.

Daß die Selektionstheorie ausreicht, um die Evolution der Organismen zu erklären, ist nicht bewiesen und braucht hier nicht vorausgesetzt zu werden. Es genügt zunächst, zu sehen, daß es Selektionsdruck zugunsten gewisser Strukturen gibt. Wir müssen dann die Relevanz solcher Feststellungen von Fall zu Fall prüfen.

2. Menschliche und tierische Triebstruktur

Die übliche Art, von menschlichen Trieben zu sprechen, ist hybrid oder gibt wenigstens zum Nachdenken Anlaß. Wählen wir die oben zitierten drei Grundtriebe der Schule des Politischen Realismus als Beispiel: Selbsterhaltungstrieb, Fortpflanzungstrieb und Machttrieb. Unter einem Trieb scheint hier ein irrationaler Drang zu gewissen Verhaltensweisen verstanden, deren Zweck doch rational ausgesprochen werden kann. Der Trieb ist irrational, insofern er ohne Einsicht in seinen Zweck wirkt, ja gegen einsichtige Willensentscheidung sich durchsetzen kann. De facto können die Triebe dann das Gebäude rational zweckmäßigen Verhaltens erschüttern oder zum Einsturz bringen. Dies ist doch eine der Grundlagen der paulinischen Sündenerfahrung. Mit welchem Recht benennt man die Triebe dann nach rational formulierbaren Zwecken? Welche Instanz setzt eigentlich diese Zwecke, und welche Instanz überwacht, ob bestimmte triebhafte Handlungen dem Zweck des Triebs dienen? Im Grunde ist ein Wort wie z. B. Fortpflanzungstrieb eine petitio principii, wenn man einmal gesehen hat, wie fern dem Sexualtrieb die Vorstellung der Fortpflanzung liegt. Bei Selbsterhaltung und Fortpflanzung ist wenigstens der Reflexion ein biologischer Sinn erkennbar, bei der Macht ist selbst dieser problematisch. Freud findet Instanzen im Unbewußten, die z. T. agieren, als ob sie bewußte Instanzen wären. Aber in seiner Theorie haben die unbewußten Instanzen ihren Erklärungswert als Produzenten »irrationalen« Verhaltens

nur, weil die Rationalität des Unbewußten eine andere ist als
die des Bewußtseins. Freuds große frühe Entdeckung ist der
verstehbare Sinn in den Taten des Unbewußten. Aber die tiefe
Fremdartigkeit auch dieses verstehbaren Sinnes und seiner
Wirkungsweise treibt Freud zu immer weitergehenden kausalen oder strukturellen Hypothesen über die im Grunde blinden
Urtriebe. Seine spätere Trieblehre (mir durch unsere Leseliste
im Referat Marcuses in »Triebstruktur und Gesellschaft« wieder vor Augen geführt) liest sich wie ein düsterer Mythos,
dessen tiefster Affekt das Grauen vor dem Unbegreiflichen in
uns selbst ist. Diese große Begriffsdichtung ist von faszinieren-
der Unkontrollierbarkeit. Wie immer man zu ihr stehen mag:
sie vergegenwärtigt uns, wie wenig wir von uns wissen.

Gehen wir von Freuds Menschenbild zu den Tieren über,
wie die empirischen Verhaltensforscher sie uns in fleißiger
Arbeit kennenlehren, so treten wir gleichsam aus der Nacht in
einen von mäßiger Helle erfüllten Tag voll begreiflicher Einzelheiten. Es mag sein, daß der klinische Kabbalist andere Phänomene wahrnahm als die optimistischen Naturforscher, aber
jedenfalls legen diese ihre Wahrnehmungen einer rationalen
Diskussion offen. Hier ist vielleicht die wichtigste Entdeckung,
daß es bei den Tieren nicht wenige Grundtriebe gibt, sondern
ein höchst komplexes Gewebe vieler unabhängig ineinander-
greifender differenzierter angeborener Verhaltensmuster, die
z. T. experimentell einzeln zum Ausfall gebracht, durch Attrappen getäuscht, durch neue Umwelten neuen biologischen
Zwecken zugeführt werden können. Eine implizite Grundan-
nahme der Freudschen Psychologie, die bei verdrängten Bewußtseinsinhalten des Menschen vermutlich auch wahr ist,
daß nämlich das Unbewußte weiß, was es will, findet hier kein
Anwendungsfeld (wenn man sich nicht auf eine wahrscheinlich wiederum vertretbare panpsychistische Metaphysik zurückziehen will). Es ist ganz deutlich, daß nichts im fressenden,
kopulierenden, brutpflegenden Tier zu wissen braucht, daß es
hiermit sich oder die Art erhält. Der angeborene Trieb kann als
subjektiv total irrational, unverständig, beschrieben werden,
denn er läßt sich auf für uns kausal leicht durchschaubare, von
biologischen Zwecken her aber völlig unsinnige Weise täuschen. Zugleich ist er von einer schlechthin bewundernswerten

»objektiven Rationalität«, und diese Bewunderung ist den Forschern zu selbstverständlich, um ständig ausgesprochen zu werden. Als ich Konrad Lorenz an Kants Äußerung vor einem Vogelnest erinnerte: »Da kann man nur niederfallen und anbeten«, sagte er: »Genau so empfinde ich jeden Tag.« Aber die Anbetung ist nicht wissenschaftlich träge. Sie sucht die begreiflichen Ursachen der Zweckmäßigkeit und findet sie hypothetisch im oben beschriebenen evolutionistischen Denken.

Was können wir hieraus über den Menschen lernen? Wir lernen zunächst, daß ein Trieb hochdifferenziert sein kann ohne eine unbewußte oder bewußte Instanz im Individuum, die ihn versteht (mit Ausnahme der spezifisch menschlichen und doch so unvollkommenen Instanz der nachträglichen Reflexion). Das Selbstverständnis unserer Triebe liegt nicht in der Vergangenheit, wohin die Mythendichter es oft verlegen; vielleicht liegt es in der Zukunft. Wir lernen auch, daß gerade hochdifferenzierte, einstmals objektiv zweckmäßige Triebe durch bloßen Wandel der historischen Umstände unzweckmäßig werden können; subjektiv irrational sind sie vorher so gut wie später. All dies ist vom Pathos der Freudschen (und auch der Jungschen) Begriffsmythologie sehr weit entfernt. Es ist ein Beitrag naturwissenschaftlicher Nüchternheit in den Grundlagen, unentbehrlich auch für den, der – wie ich es von mir meine – an der hohen Relevanz der Mythen festhält.

Der Streit mit den Milieutheoretikern beginnt dort, wo die Verhaltensforscher den angeborenen und insofern unplastischen Charakter instinktiven Verhaltens betonen. Dieser sachlich hochinteressante und relevante Streit, dessen ideologische Komponente auf der Hand liegt, braucht mich für das Machtproblem nicht sehr zu beschäftigen, da ich völlig willens bin, den Menschen wesentlich durch die Fähigkeit zu Tradition und Einsicht zu bestimmen, und da ich die Macht als ein dadurch erst ermöglichtes Humanum auffasse. Ich bemerke nur, daß für eine Theorie der Einsicht (Kybernetik der Wahrheit) die Struktur der angeborenen Anlage zu nicht angeborenen Leistungen studiert werden muß, für die es schon im tierischen Verhalten viele einfachere Beispiele gibt.

Hingegen ist von größter Bedeutung das Phänomen der Konvergenz angeborener und erworbener Verhaltensweisen.

Als Konvergenz bezeichnet man in der Evolutionstheorie das Auftreten gleichartiger Leistungen bei genetisch unabhängigen Organismenstämmen, z. B. des Linsenauges bei Wirbeltieren und Oktopoden. Es ist nun sicher kein Zufall, daß man bei vielen menschlichen Leistungen streiten kann, ob sie angeboren oder erworben sind. Ein solcher Streit kann nur aufkommen, wenn angeborenes und erworbenes Verhalten einander sehr ähnlich sehen können. Dies wiederum ist dann zu erwarten, wenn gleichartige Ursachen in beiden Fällen wirken. Es handelt sich dabei nicht nur um zweckmäßige Lösungen desselben Problems, z. B. der Anpassung an bestimmte Umweltbedingungen (so ist zur Konvergenz der Fischgestalt bei Fischen, Robben und Walen heute die Fischgestalt der vom Menschen entworfenen Flugzeugrümpfe und Unterseeboote getreten). Es handelt sich genau so um unzweckmäßige oder dem Menschen unerwünschte Verhaltensweisen, auf welche hin aber ein Selektionsdruck wirkt. Man wird das Phänomen der Macht nicht verstehen, ohne solche Konvergenzen ins Auge zu fassen.

3. Die Stabilisierung von Ungleichheit durch Selektion

Freie Konkurrenz begünstigt den Stärkeren. In ihr besteht also ein ständiger Druck in der Richtung wachsender Ungleichheit. Mit leiser Verschiebung des Begriffssinnes kann man von einem Selektionsdruck zugunsten von Ungleichheit reden. Die Begriffsverschiebung liegt in folgendem. Man spricht von Selektionsdruck zugunsten eines Merkmals von Individuen (z. B. Körpergröße), wenn dieses Merkmal das Individuum im Konkurrenzkampf begünstigt. Ist das Merkmal erblich, so wird der Selektionsdruck ein Überleben von Erbstämmen begünstigen, in denen dieses Merkmal ausgeprägt ist. Das braucht nicht stets eine Weiterentwicklung in der Richtung auf dieses Merkmal zu bedeuten, wenn dieser Druck mit Drucken in entgegengesetzter Richtung ins Gleichgewicht kommt. Man kann auch von Selektionsdruck zugunsten von Merkmalen ganzer Gesellschaften sprechen, wenn sie sich durch dieses Merkmal (z. B. höhere Fruchtbarkeit) gegen konkurrierende Gesellschaften durchsetzen können. Ungleichheit nun ist kein Merkmal, son-

dern ein Reflexionsbegriff höherer Stufe. *In* einer Gesellschaft
wächst z. B. die Ungleichheit, wenn die Stärkeren sich von den
Schwächeren mehr unterscheiden. Insofern ist die Ungleichheit
dann eine Eigenschaft dieser Gesellschaft und nicht der Individuen. Sie ist aber auch kein Merkmal, das dieser Gesellschaft
einen Selektionsvorteil gegen andere Gesellschaften zu geben
brauchte, vielmehr im Gegenteil. Die Ungleichheit stellt sich
also als Folge der Selektion ein, ohne daß sie einem Individuum
oder einer Gesellschaft einen Vorteil zu bieten brauchte.

Das Bestehen eines Selektionsdrucks bedeutet im allgemeinen nicht das Geschehen einer faktischen Evolution in der
betreffenden Richtung. Da die Zustände, die wir, zum mindesten im tierischen Leben, beobachten können, meistens einigermaßen eingespielte Gleichgewichte sind, bedeutet es nur,
daß das Gleichgewicht nach der Richtung hin verschoben ist,
in der der Druck wirkt, verglichen mit der fiktiven Lage des
Gleichgewichts ohne diesen Druck. So führt auch der Druck
zur Ungleichheit hin im allgemeinen nicht zu wachsenden Ungleichheiten, sondern zu einem Gleichgewicht mit etablierten
Ungleichheiten. Im ökologischen Gleichgewicht der Arten ist
dies z. B. das sprichwörtliche Zusammenleben großer, kleiner
und ganz kleiner Fische. Innerhalb einer Gesellschaft ist dergleichen die sich einspielende soziale Rangordnung. Wo Wettbewerb und Gleichgewicht zugleich bestehen, ist Gleichheit
der konkurrierenden Individuen ebenso »unnatürlich« wie die
Ausrottung der Schwächeren durch die Stärkeren.

Deshalb meine These, daß die Gleichheit zwischen den Menschen nicht etwas Natürliches, sondern eine Leistung ist, die
eines moralischen Postulats bedarf, um möglich zu werden. Es
scheint mir deshalb bei Beschränkung auf ökonomische Kausalitäten ebenso falsch, von einem freien Markt die Bewahrung
oder Herstellung ökonomischer Gleichheit zu erwarten wie
andererseits, anzunehmen, er müsse durch Monopolbildung
sich selbst zerstören. Ersteres gilt überhaupt nicht, letzteres
nur, wenn man anderswoher schon weiß, daß er zum Einstellen eines Gleichgewichts unfähig ist. Doch verlangt die Diskussion menschlichen Wettbewerbs die Erörterung desjenigen
m. E. spezifisch menschlichen Phänomens, mit dessen Hilfe
und um das der Wettbewerb geht, eben der Macht.

4. Was ist Macht?

Oben habe ich vermutet, Macht sei wesensgleich mit Masse, Energie, Information – eine Herausforderung, die nicht nur die Angabe des wesensbestimmenden genus proximum, sondern dann auch der differentia specifica verlangt. Masse, Energie, Information sind Quantitäten; es gibt mehr oder weniger von jeder von ihnen in vergleichbaren Fällen. Sehr viel undeutlicher gilt das doch auch von der Macht; man kann mehr oder weniger mächtig sein. Die spezielle wirtschaftliche Macht wird in gewissem Umfang durch die Quantität des Geldes gemessen. Aber was ist das Wesen der Sache, die hier gemessen wird?

In dem Aufsatz »Materie – Energie – Information« habe ich die Masse als Maß der Materie, die Energie als Maß der Bewegung, die Information als Maß der Form bezeichnet. Angedeutet, aber nicht genug hervorgehoben habe ich dort, daß zum mindesten Energie und Information ebensosehr das Maß der potentiellen wie der aktuellen Bewegung und Form sind; der mechanische Satz von der Erhaltung der Energie gilt ja z. B. nur für die Summe der potentiellen und der kinetischen Energie. Wieso kann man aber Bewegung und Form überhaupt messen?

Insofern sich uns die Wirklichkeit als bewegte Form darstellt, ist sie eigentlich ein Ganzes, das bei jeder gedanklichen Zerlegung in Teile wesentlicher Züge seines Seins beraubt wird. Wo aber Formen als gleichartig angesprochen werden, lassen sie sich zählen; dabei fällt der sie unterscheidende Kontext unter den Tisch. Auf diesem Ansprechen-als-gleichartig beruht die Begriffsbildung, auf diesem Zählen beruht die Physik. Feststellen, ob in einer bestimmten Situation eine bestimmte Form auftritt oder nicht, heißt Entscheiden einer Alternative. Ein Teil der Ganzheit, die in der Zerlegung der Wirklichkeit in Alternativen preisgegeben ist, wird wieder in den Blick gebracht in der Form der Gesetzmäßigkeiten, welche den Ausfall der Entscheidung von Alternativen beherrschen; Gesetzmäßigkeiten, die wir die Naturgesetze nennen. Physik ist insofern eine partielle gedankliche Wiederherstellung der Ganzheit, die durch die, die Physik ermöglichende, Zerteilung des Wirklichen in Alternativen aufgelöst wurde. Die Menge möglicher unabhängiger Entscheidungen von Alternativen ist die Information. Die Fähigkeit zu solchen Entscheidungen kann man Macht nennen, und insofern kann man die Information, über die jemand verfügt, als Maß seiner Macht ansehen.

Es gibt nun Form und folglich Information auf sehr verschiedenen Integrationsstufen, also auf sehr verschiedenen semantischen Ebenen oder unter sehr verschiedenen Begriffen. Die Information auf der Ebene der äußersten uns erreichbaren Zerlegung konstituiert – wenn ich die Physik richtig deute – Materie und Energie im Sinne der Physik. Darauf kann ich in diesem Text nicht eingehen. Die Macht eines Menschen oder einer Gruppe würde gemessen durch die ihm oder ihr *verfügbare* Information. Diese läßt die niedrigeren Integrationsstufen unangetastet; die Macht, diese aufzulösen, ist meist nur destruktiv. Man könnte versuchen, Macht als Information auf einer dem Menschen spezifischen Integrationsstufe aufzufassen. Dies muß und kann aber verdeutlicht werden.

Zunächst wirft die Parallele zwischen Information und Macht ein erstes, blasses Licht auf den Grund der Möglichkeit der vom Politischen Realismus beobachteten Selbstbezogenheit der Macht. In »Materie – Energie – Information« habe ich behauptet, Information sei nur, was Information erzeugt. In welchem Sinne gebraucht man die Worte, wenn man dies formal überträgt und behauptet, Macht sei nur, was Macht erzeugt?

Ich kann die mir selbst nur zum Teil deutlichen, tiefgestaffelten Abstraktionsstufen hinter dieser Auffassung der Information hier nur knapp andeuten. Der philosophische Hintergrund ist eine Philosophie der Zeit, welche die Form als wesentlich bewegt und insofern selbsterneuernd versteht. Vor diesem Hintergrund steht die Frage nach der Empfängerbezogenheit der Information. Für wen ist sie Information? Wessen Begriffe sind es, unter denen sie jeweils definiert ist? Die Biologen müssen den Informationsbegriff objektiv gebrauchen; die genetische Information einer DNS-Kette trägt ihre Semantik im erzeugten Phänotyp. Hierbei ist über jenen Aufsatz hinaus aktuelle von potentieller Information zu unterscheiden. Die Shannonsche Information $H = \Sigma k\, p_k \log p_k$ als Erwartungswert des Neuigkeitswertes $J_k = \log p_k$ des möglichen Ereignisses k ist potentielle Information; J_k ist, wenn k eingetreten ist, aktuelle Information. Die These, daß die Information Information erzeugt, enthält dann zwei nach Begründung und Verwendung sehr verschiedene Sätze, einen Erhaltungssatz und einen Wachstumssatz, parallel den zwei Hauptsätzen der Thermodynamik. Ersterer hängt mit der operativ-objektiven Definition der Information zusammen und kann hier nicht weiter verfolgt werden. Letzterer ist die schon in II 1 genannte Evolutionsthese: die potentielle Information nimmt mit der Zeit zu.

Die Evolutionsthese läßt sich nun kraß selektionistisch auf die Macht im alltäglichen Verständnis dieses Begriffs übertragen. Macht ist nur, was Macht erzeugt. In jedem Macht-Wettbewerb wird derjenige Erfolg haben, der Macht akkumulieren kann. Dies ist der abstrakte Kern der marxistischen Analyse des Kapitalismus. Unsere Überlegung zeigt, daß dieser Sachverhalt nicht daran hängt, daß die Macht hier die Form des ökonomischen Kapitals hat. Daher meine These, daß die Abschaffung des Kapitalismus als solche uns nicht vom Problem der Macht befreit. Wollen wir jemals hoffen, die Macht zu überwinden, so müssen wir die »kraß selektionistische« Struktur nicht nur in unseren Meinungen, sondern tatsächlich aufheben. In der gedanklichen Ausarbeitung der Anthropologie, also vorerst doch in unseren Meinungen, verlangt dies zunächst eine Rückfrage.

In welchem Sinn kann ich Macht eigentlich als ein Humanum, als etwas spezifisch Menschliches bezeichnen, wenn ich sie an Energie und Information anschließe und ständig mit biologischem Evolutionismus argumentiere? Im vorangehenden Beitrag (II, 4., S. 230) habe ich Macht als Produkt der Einsicht, und zwar der isolierten oder isolierenden Einsicht beschrieben, und diese Einsicht habe ich als Humanum aufgefaßt. Nun habe ich soeben die Information im Rahmen genau derselben Art von Einsicht eingeführt, als Zahl der entscheidbaren Alternativen. Ich habe also die Information selbst als Maß der Macht eingeführt. Dann ist Information selbst ein Humanum: nur für den Menschen, und zwar den in Machtkategorien denkenden Menschen, ist die Natur ein Informationsgefüge. Energie ist aber, so scheint mir, Information, und Materie ist Energie. Physik und physikalisch arbeitende Biologie sind dann selbst Weisen, die Natur in Machtkategorien zu denken. Die physikalisch verstandene Natur ist selbst ein Humanum*. Dies ist nun kein neuer Gedanke. Wir finden ihn bei Heidegger**, von dem ihn Marcuse haben dürfte. Er bleibt aber in der Wirkung destruktiv oder romantisch, solange wir die Machtdenkweise nicht von tieferliegenden Prämissen aus auf ihren Geltungsbereich beschränken können. Wir haben dabei eine große Anforderung zu gewärtigen, wenn es richtig ist, daß die Isolierung der wiederkehrenden Formen nicht nur die quantitative Physik, sondern das begriffliche Denken charakterisiert.

Zunächst fasse ich das Ergebnis dahin zusammen, daß einerseits die Subsumtion der menschlichen Macht unter die Information selbst der Denkweise in Kategorien von Verfügung oder Macht angehört, daß andererseits aber im Rahmen dieser Subsumtion Macht eine spezielle, beim Menschen auftretende, mit der Akkumulierbarkeit von Tradition und Einsicht verbundene Information ist. Die Frage, ob diese ganze Denkweise dem Menschen unausweichlich oder selbst ein Produkt bestimmter Phasen der menschlichen Geschichte ist, wird erst im nächsten Abschnitt aufgegriffen. In der Erörterung dieser Frage werden gewisse Denkfiguren immer wieder auftreten, die ich hier, diesen Abschnitt abschließend, unter dem abstrakten Titel »Macht und Friede« bespreche.***

In dem Beitrag »Die Vernunft der Affekte« habe ich die Macht *und* den Frieden an die Einsicht angeknüpft, ohne ihr gegenseitiges Verhältnis ausdrücklich zu besprechen. Macht knüpfe ich dort an die Unbegrenztheit der isolierenden Erkenntnis; später tritt dieser Bereich unter dem Namen der Willens- und Verstandeswelt auf. Frieden definiere ich als Leib einer Wahrheit; dem entspricht später der Name der Vernunft. Unter den hier benützten Begriffen müßte der Verstand als das Vermögen isolierender Erkenntnis auftreten, die Vernunft als das Vermögen, ein Ganzes als Ganzes aufzufassen. Die Verstandestätigkeit ist unbegrenzt, gerade weil sie die natürliche

---

* Vgl. I, 4., S. 100.
** Vgl. III, 5.
*** Vgl. dazu das 12. Kapitel von »Wege in der Gefahr«.

Begrenzung, die des Teils im Ganzen, fortläßt. Andererseits besteht zwischen Verstand und Vernunft kein totaler Gegensatz, sondern eine Ergänzung oder eigentlich Unterordnung. Isolieren ist selbst eine Leistung, die wie jede Leistung ein Ganzes voraussetzt, das sie leisten kann. Diese Leistung geschieht meist ohne Einsicht in ihr eigenes Wesen (»Bewußtsein ist ein unbewußter Akt«). Wird sie aber erkannt, so ist das ein Akt der Vernunft. Verstand setzt also etwas nur der Vernunft Zugängliches de facto voraus. Die Verstandesleistung besteht im übrigen ja nicht im Zerhacken. Der Verstand erkennt den Zusammenhang dessen, was er isoliert hat, im Gesetz. Deshalb ist auch in der Physik die Methode der Fragestellung Macht, die Erkenntnis des Gesetzes Friede.

Auf die Frage, ob diese Überlegungen die Macht als biologisch-anthropologischen Grundbegriff zu erweisen gesucht haben, würde ich antworten: nicht empirisch, aber in gewissem Sinne transzendental. Nicht empirisch, d. h. ich bedarf nicht der Annahme, daß es einen angeborenen Machttrieb gebe, vergleichbar dem angeborenen Geschlechtstrieb, ich brauche diese Annahme aber auch nicht zu bestreiten. In gewissem Sinne transzendental, d. h. Macht erscheint als das unausweichliche Ergebnis der Koinzidenz einer beliebigen Wettbewerbssituation mit Verstandeserkenntnis. Angesichts der Möglichkeit der Vernunft und des Friedens erscheint sie wiederum nicht als das notwendig letzte Wort.

Das Wort hat nunmehr die Geschichte.

III. Gespräch mit Sigmund Freud

Die erneute Freud-Lektüre hat mich erneut tief beeindruckt. Unter den Autoren unserer Leseliste ragt Freud, so empfinde ich, an Intelligenz und produktiver Phantasie, rastlosem Wahrheitsdrang und Selbstbeherrschung hervor. Die angekündigten Notizen sind mir zu einem Gespräch mit Freud geworden. In zentralen Positionen meine ich von ihm abweichen zu müssen, aber erst nach dem Durchgang durch das, was wir alle von ihm zu lernen haben, und im ständigen Respekt. Ich halte mich an die uns vorgeschriebenen Texte »Abriß der Psychoanalyse«

und »Das Unbehagen in der Kultur« (Zitate nach Kapiteln sowie nach Seitenzahlen der Ausgabe in der Fischer-Bücherei.).

1. Das Thema des Gesprächs

Freuds Theorie der Kultur ist ein Versuch, die Ambivalenz in der Kultur zu begreifen. Der Titel »Das Unbehagen in der Kultur« deutet das sehr leise an. Klar spricht Freud es gegen Ende der Abhandlung aus, wo er die Konklusionen zieht. Am Anfang des Abschnitts VIII (Fischer S. 119) spricht er von der Absicht, »das Schuldgefühl als das wichtigste Problem der Kulturentwicklung hinzustellen und darzutun, daß der Preis für den Kulturfortschritt in der Glückseinbuße durch die Erhöhung des Schuldgefühls bezahlt wird.« Dazu gehört der Satz gegen Ende des Abschnitts VII (S. 118): »denn das Schuldgefühl ist der Ausdruck des Ambivalenzkonflikts, des ewigen Kampfes zwischen dem Eros und dem Destruktions- oder Todestrieb.« Freuds Thema ist die Ambivalenz des Fortschritts.

In anderen Schriften (z. B. »Totem und Tabu« oder der Moses-Schrift) mag Freuds Theorie kultureller Prozesse als echt geschichtlich intendiert erscheinen, indem dort, wie in der Psychoanalyse von Individuen, die schicksalbestimmenden Prägungen auf konkrete Ereignisse der Frühzeit zurückgeführt werden. Es könnte dann scheinen, als müsse die Heilung der Neurose, die die Kultur durchzieht, in der Aufdeckung jener frühen traumatischen Ereignisse gesucht werden. Aber Freud selbst verspricht keine Heilung der Kultur, sondern nur ihre Erkenntnis als eines notwendig ambivalenten Geschehens. Und man muß kritisch sagen, daß Freud sich geschichtlich vorwiegend auf Ereignisse bezieht, die seiner eigenen mythenbildenden Phantasie entsprungen sind. Freuds eigentliche Argumentation ist strukturell. Sie beruht auf der Natur des Menschen und, noch tiefer, auf der Natur des Lebens oder aller Wirklichkeit.

Freud entwickelt die Spannung in der Kultur zunächst aus dem Gegensatz von Lustprinzip und Realitätsprinzip. Er buchstabiert dies in der metapsychologischen Trias von Es, Ich und Über-Ich. Während die Möglichkeiten, Leiden zu meiden, in unserem Verhältnis zum eigenen Körper und zur physischen

Außenwelt von Natur begrenzt sind, empfinden wir das Leiden, das aus den Beziehungen zu anderen Menschen stammt »schmerzlicher als jedes andere; wir sind geneigt, es als eine gewissermaßen überflüssige Zutat anzusehen . . .« (Abschnitt II, S. 75). Aber auch dieses dürfte »nicht weniger schicksalsmäßig unabwendbar sein . . . als das Leiden unserer Herkunft« (ebenda). Der tiefste Grund hierfür liegt im Dualismus unserer Triebe, der nicht dem Menschen, sondern allem Leben eigentümlich ist. »Und nun, meine ich, ist uns der Sinn der Kulturentwicklung nicht mehr dunkel. Sie muß uns den Kampf zwischen Eros und Tod, Lebenstrieb und Destruktionstrieb zeigen, wie er sich an der Menschenart vollzieht. Dieser Kampf ist der wesentliche Inhalt des Lebens überhaupt und darum ist die Kulturentwicklung kurzweg zu bezeichnen als der Lebenskampf der Menschenart.«* (Ende des Absatzes VI, S. 110).

Diese Metaphysik der Ambivalenz ruft natürlich den Widerspruch aller derer wach, die diesen Blick in den Abgrund nicht ertragen. Die Kritik ist leicht für sie. Sie können darauf verweisen, daß Freuds Konstruktionen im Großen unbeweisbar, im Kleinen vielfach manifest verkürzt oder falsch sind. Ich werde mich dieser Kritik alsbald im einzelnen anschließen. Aber die ideologische Funktion solcher Einzelkritik ist doch nicht zu verkennen. Wie leicht macht sie uns, dort nicht hinzuschauen, wo Freuds Blick ruht. Technischer Kulturoptimismus und Hoffnung auf ein Jenseits, Erwartung einer Wandlung der Geschichte durch Vergesellschaftung der Produktionsmittel oder durch fortschreitende Aufklärung – auf sie alle zielt das Pathos des Schlußsatzes von VI (S. 110): »Und diesen Streit der Giganten wollen unsere Kinderfrauen beschwichtigen mit dem »Eiapopeia vom Himmel«!« Wenn wir, wie wir müssen, Freud kritisieren, prüfen wir, ob wir wissen, wovon wir reden!

Ich setze zur Kritik an mit einer Bemerkung, die W. Pauli einmal zu C. G. Jung machte, auf den sie auch noch genauer zutrifft als auf Freud: »Herr Jung, Sie haben einen Midasef-

---

* Freud fügt als Fußnote bei: »Wahrscheinlich mit der näheren Bestimmung: wie er sich von einem gewissen, noch zu erratenden Ereignis an gestalten mußte.« Diese Rückwendung in den konkret historischen Ansatz betrifft doch nur das Wie der Gestaltung.

fekt. Was Sie anrühren, wird psychisch.« Der Midaseffekt
wird bei Freud gedämpft durch seinen skeptischen Realitäts-
sinn und verschleiert durch die dualistisch-mechanistische*
Vulgarphilosophie der Naturwissenschaft seiner Zeit, die er im
Bewußtsein ihrer Ungeklärtheit (s. d. ersten Absatz im »Abriß
der Psychoanalyse«) doch ständig benützt. Die Erwägungen
über physiologische Mechanismen im Nervensystem dienen
ihm aber doch nur zur Rechtfertigung kausaler Überlegungen
in der Psychologie. Seine Lehre besteht durchaus aus kausalen
Überlegungen über psychische Vorgänge im Individuum.
Freuds besondere Form des Midaseffekts besteht darin, daß
sich ihm die Wahrheit in innerpsychische Kausalitäten und
Strukturen verwandelt.

An sich liegt hier ein schweres, im modernen wissenschaftlichen Bewußtsein ungelöstes philosophisches Problem. Ich
kann es hier nur andeuten und in den nachfolgenden Abschnitten in einigen Details verfolgen. In lockerer Alltagsrede kann
man definieren: Wahrheit liegt vor, wo jemand etwas weiß.
Dabei ist geschenkt, daß das Wissen ungenau, einseitig, unbe-
gründet und der Möglichkeit des Irrtums unterworfen ist.
Wenn Wissen korrigierbar ist, so wird es durch besseres Wissen korrigiert. Wer überhaupt etwas behauptet, bewegt sich in
einem Vorverständnis, daß Wissen möglich ist, im »Horizont
der Wahrheit«. In ihm bewegt sich selbstverständlich auch
Freud. Jede seiner skeptischen Selbstunterbrechungen belegt
sein besonderes hochentwickeltes Sensorium für den Anspruch
der Wahrheit. Sein Forschungsgegenstand sind psychische
Kausalitäten und Strukturen. Nun ist sein Objekt, die Psyche,
aber zugleich das Subjekt der Erkenntnis. Es ist Freuds fundamentale Entdeckung (neu für die Wissenschaft, nicht so neu für
die Dichter und die religiösen Seelenkenner), daß das bewußte
Seelenleben aus sich selbst heraus nicht voll verständlich ist,
daß es durch unbewußte Motive mitbestimmt, ja oft entstellend gelenkt wird. Der Wahrheitsanspruch des Bewußtseins
gerät ins Wanken. Hinter der beanspruchten Wahrheit werden
determinierende psychische Kausalitäten sichtbar.

Es ist entscheidend für den klinischen Sinn, für den Heiler-

---

* Mechanistisch in der Überzeugung, dualistisch im Vollzug.

folg der Psychoanalyse, daß dies eine Kritik nicht aller Wahrheit, sondern einer beanspruchten Wahrheit durch eine bessere Wahrheit ist. Hier wird etwas »sichtbar«, was genau dadurch den Satz »die Wahrheit wird euch frei machen« bewährt, daß es nunmehr ins Bewußtsein aufgenommen, als wahr bejaht wird. Hierauf zielt z. B. der Satz: »Wenn ich die in mir vorfindlichen Strebungen nach sozialen Maßstäben in gute und böse klassifizieren will, so muß ich für beide Arten die Verantwortlichkeit tragen, und wenn ich abwehrend sage, was unbekannt, unbewußt und verdrängt in mir ist, das sei nicht mein »Ich«, so stehe ich nicht auf dem Boden der Psychoanalyse, habe ihre Aufschlüsse nicht angenommen und kann durch die Kritik meiner Nebenmenschen, durch die Störungen meiner Handlungen und die Verwirrungen meiner Gefühle eines Besseren belehrt werden.« (Ges. Werke I, 567, zitiert nach J. Habermas, Erkenntnis und Interesse, S. 288). Es ist der fürchterlichste Mißbrauch der Psychoanalyse, wenn wir die Verantwortung für unsere Wünsche und Handlungen auf Eltern, Gesellschaft oder Triebstruktur abwälzen. Die Psychoanalyse mag dem selbstquälenden Rigoristen die Herkunft seiner Schuldgefühle begreiflich machen und ihn so zu verstehender Milde, zur Humanität sich selbst gegenüber befähigen. Dies hebt nichts auf von der automatischen Übernahme der Verantwortung in der Erkenntnis: »All dies bin ich«.

Was hier geschieht, verstehen wir, indem wir es praktizieren. Theoretisch ist es, so scheint mir, von Freud selbst nie aufgeklärt worden. Weder hat er oder irgendein anderer, soviel ich weiß, eine Psychologie der Wahrheit entworfen, ja das philosophische Problem, das zu dieser Forderung führen könnte, wurde von Psychologen kaum gesehen; noch hat er vermieden, im theoretischen Bau, zumal seiner Metapsychologie und Kulturtheorie, Wahrheit auf Psychologie zu reduzieren. Habermas kritisiert überzeugend: »Die Ableitung des Strukturmodells aus den Erfahrungen der analytischen Situation bindet die drei Kategorien Ich, Es und Über-Ich an den spezifischen Sinn einer Kommunikation, in die Arzt und Patient mit dem Ziel, einen Aufklärungsprozeß in Gang zu setzen und den Kranken zur Selbstreflexion zu bringen, eintreten. Es ist deshalb nicht sinnvoll, denselben Zusammenhang, auf den wir zur Explikation

von Ich, Es und Über-Ich zurückgehen müssen, seinerseits mit
Hilfe des so eingeführten Strukturmodells zu beschreiben. Das
aber tut Freud. . . . Die Theoriesprache ist ärmer als die Sprache, in der die Technik beschrieben worden ist. . . . Es heißt,
daß unbewußt Gewordenes in Bewußtsein verwandelt, dem
Ich wieder zugeeignet wird, daß verdrängte Regungen aufge-
spürt und kritisiert werden . . . Im Strukturmodell ist aber die
Ich-Instanz mit der Fähigkeit, an die mit jenen Ausdrücken
appelliert wird, gerade nicht ausgestattet: das Ich übt die Funktionen der intelligenten Anpassung und der Triebzensur aus,
aber die spezifische Leistung, von der die Abwehrleistung nur
das Negativ ist, fehlt: Selbstreflexion.« (Erkenntnis und Interesse, S. 299–300).

Nicht nur die Selbstreflexion, sondern in gewisser Weise alle
Wahrheit, nämlich die Fähigkeit zur Wahrheit, kommt in dem
Strukturmodell nicht explizit vor; sie wird nur gleichsam illegitim dort unreflektiert benützt, wo Freuds psychologisch-kriti-
scher Blick nicht auf ihr Zustandekommen fällt, wie z. B. in der
These, daß das Ich die Realitätsanpassung leiste. Ich benutze
das Strukturmodell selbst, um drei »Regionen« von Wahrheit
zu nennen, die bei Freud undeutlich bleiben oder abgewiesen
werden. Soll das Es unser tierisches Erbe sein, so bleibt völlig
dunkel, wie die Tiere die Realitätsanpassung leisten (dazu
unten Abschnitt 2). Die menschliche Gesellschaft erscheint als
Werk einer Interaktion von Ichen, beginnend mit einem mythischen prähistorischen praktisch gesellschaftslosen Zustand.
Ein Ich, der Urvater, hat eigentlich die Gesellschaft gemacht,
und alle Anpassung an die Gesellschaft ist dem Menschen
geschichtlich aufgenötigt. Die strukturelle (Sprache!) und geschichtliche Priorität der Gesellschaft und damit der Erkennt-
nischarakter unserer gesellschaftlichen Verhaltensweisen
bleibt im Dunkel (dazu Abschnitt 3). Diese Erkenntnis wird
ersetzt durch den biographisch-geschichtlichen Zwang des
Über-Ich, der als psychisches Faktum unstreitig ist. Den Wahrheitsanspruch des Gewissens, der zur Selbstreflexion gehört,
darf Freud, so scheint mir, nicht ernstnehmen, weil sonst dem
Wahrheitsanspruch der Religion ein Schlupfloch bliebe (dazu
Abschnitt 4). Überall wird Wirklichkeit zu Psyche, Wahrheit
zu Kausalität. Gold des Midas.

2. Die Trieblehre

»Warum zeigen unsere Verwandten, die Tiere keinen solchen Kulturkampf? Oh, wir wissen es nicht.« (Anfang von VII, S. 110). Es ist bewundernswert, wie der rastlose Hypothesenweber Freud sich in solchen Sätzen zum Bekenntnis des Nichtwissens zurückruft. Uns muß hier seine Fragerichtung interessieren.

Soeben hat Freud (Ende von VI) den »Kulturkampf« als die menschliche Gestalt des ewigen, unausweichlichen Konflikts allen Lebens mit sich selbst gedeutet; der Sinn der Kulturentwicklung »ist uns nicht mehr dunkel«. Damit wird die Geborgenheit der Tiere in ihren Gesellschaften und Verhaltensweisen zum Problem, dem Freud sich bewußt stellt, um doch alsbald an seiner Lösung zu resignieren. Hier weiß die empirische Wissenschaft heute mehr. Ich verwende die Überlegungen meines vorigen Kapitels nun zu einer spezifischeren Kritik der Freudschen Trieblehre, um hinterher zu fragen, welche tieferen Einsichten Freuds in dieser Kritik vergessen würden, wenn diese Kritik das letzte Wort bliebe.

Sind Freuds einfache Grundstrukturen, also vor allem Lustprinzip und Realitätsprinzip, Eros und Todestrieb, mehr als ein phantastischer Überbau über eine Vielheit von sinnvollen Verhaltensweisen? Kritisieren wir zunächst die Annahme eines Lustprinzips!

Im Es soll nur das Lustprinzip wirken, erst das Ich baut eine Realitätsanpassung auf. Das Lustprinzip setzt den Lebenszweck. »... und doch ist sein Programm im Hader mit der ganzen Welt ... Es ist überhaupt nicht durchführbar, alle Einrichtungen des Alls widersprechen ihm« (II, S. 74–75). Ein von einem solchen Prinzip beherrschtes ichloses Es mag allenfalls einen menschlichen Säugling beschreiben, aber nie ein lebensfähiges erwachsenes Tier. Die Tiere genügen objektiv dem Realitätsprinzip in vortrefflicher Weise; die ganze Pointe ist, daß sie das subjektiv nicht wissen und nicht zu wissen brauchen. Freud würde antworten, eben dieses Nichtwissen mache das Fehlen des menschlichen Realitätsprinzips aus – was ich sofort zugebe – und dies bedeute die alleinige Herrschaft des Lustprinzips – was ich versuchsweise nicht begreife.

Läßt sich das, was die Handlungen von Essen und Trinken, Laufen und Fliegen, Jagen und Fliehen, Werben und Kopulieren, Nestbau und Brutpflege, Rangkampf und Nachtruhe antreibt, unter dem Titel »Lust« vereinheitlichen? Dort, wo die Abläufe am zuverlässigsten funktionieren, sind sie oft nicht von Lust begleitet; macht uns der Blutkreislauf oder das Wachstum der Haare Lust? Die Fähigkeit, Lust und Unlust zu erleben und auf sie zu reagieren, scheint mir selbst eine sehr spezifische Leistung zu sein, die ich im Beitrag »Die Vernunft der Affekte« als eine »Indikatorfunktion« zu beschreiben suche. Freud selbst sucht Unlust auf Reizstauung, Lust auf deren Abbau, »Befriedigung«, zurückzuführen (Abriß, Erstes Kapitel, S. 10), und nähert sich so einer »Nirvana-Theorie« der Lust. Aber wie spezifisch sind doch die einzelnen Lust- und Unlustqualitäten, wie schwer ist es, sie quantitativ gegeneinander aufzurechnen!

Mir erscheint das Auseinandertreten von Lust und Realitätsbezug, das wir so massiv alltäglich an uns selbst erleben, als ein Humanum, ein Kulturprodukt. Sehen wir es so an, so begreifen wir, warum die Tiere keinen Kulturkampf haben. Sie haben allerdings ein Analogon dazu, den Kampf ums Dasein und die durch ihn vorangetriebene Evolution. Auch die Realitätsanpassung der Pflanzen und Tiere ist unvollständig, und wie wir lernen sie manchmal aus ihren Leiden. Aber was lernt ist, vor allem in den primitiveren Stadien, nur die sich wandelnde Spezies, chemisch gesagt die DNS.

Es bleibt freilich die Frage – um wie angekündigt, Freuds tiefere Einsicht nicht zu verlieren – warum sich uns im eigenen Erleben und beim Anblick der Tiere die einfache, übergreifende Rede von Lust und Schmerz aufdrängt. Was ist die dann doch gemeinsame Qualität, warum gibt es sie? Physiologisch mag es ein Lustzentrum im Gehirn geben (Elektrodenversuche an Ratten). Das spräche dafür, daß Lust und Unlust in der Tat funktional gezielte Leistungen der Organismen sind, und würde das »Lustprinzip« dem »objektiven Realitätsprinzip« unterordnen, als eine Art Vorstufe der höheren Leistung des »subjektiven Realitätsprinzips«, die das Ich vollbringt.

Und doch kann sich einem metaphysischen Gemüt (und das war ja Freud) die Frage aufdrängen, ob diese Leistung nicht nur eine Grundbeschafffenheit alles Lebens höher artikuliert. Streben und Meiden erscheinen als Grundfiguren alles endlichen Verhaltens in der Zeit. Nietzsches Lied taucht aus der Erinnerung auf:

> . . . tief ist ihr Weh.
> Lust, tiefer noch als Herzeleid.
> Weh spricht: Vergeh!
> Doch alle Lust will Ewigkeit,
> Will tiefe, tiefe Ewigkeit.

Solche Empfindungen klingen an, wenn Freud den unauflösbaren Gegensatz von Eros und Todestrieb schildert. Der Todestrieb will vielleicht die tiefste Lust, denn alles Leben ist Bewegung und nur sein Ende scheint Ewigkeit in der Zeit zu versprechen. Aber weiß Freud in diesen Bereichen noch, wovon er redet, was ihn zum Reden treibt?

Sein Anspruch ist Wissenschaft. Was an seiner Trieblehre ist ausweisbar? Die Verhaltensforschung findet nicht einen oder zwei oder drei Grundtriebe, sondern vielleicht fünfzig (so Eibl mündlich zu mir) koordinierte Verhaltensmuster für verschiedene Situationen bei höheren Tieren. Die ordnenden Oberbegriffe dieser Verhaltensmuster sind nicht einheitliche Triebe wie Hunger und Liebe, sondern Funktionszusammenhänge wie Nahrungserwerb und Fortpflanzung. Beim Menschen vermutet diese Schule, mir einleuchtend, nicht weniger, sondern eher noch mehr solche angeborenen Verhaltensmuster (der Mensch ist auch im Instinktiven kein Mängelwesen). Nur dienen diese der Errichtung des spezifisch Menschlichen, des Gebäudes von Tradition und Einsicht. Und wie gerade Freud lehrt, kann Angeborenes sehr wohl in der Kultur permanent unterdrückt oder neu verwendet werden. Angeborenes Verhalten ist Material für die Kultur: aus Holz kann man zwar nicht dasselbe machen wie aus Stahl, aber sicher kann man aus Holz nicht nur Bäume, sondern z. B. Häuser machen.

Der empirische Kern der Freudschen Libidolehre scheint mir seine Erfahrung der Verschieblichkeit seelischer Energie zu sein, also Beobachtungen, die etwas wie einen Erhaltungssatz einer seelischen Spannung zu zeigen scheinen, die sich in sehr verschiedenen Formen äußern, auf sehr verschiedene Bahnen entladen kann. Ähnliches beobachten Verhaltensforscher schon an Tieren in »Übersprungbewegungen«. Ich könnte mir eine physiologische Erklärung hierfür recht gut denken, welche der seelischen »Energie« wirklich physische Energie oder Information entsprechen ließe und die Libido so unter die parallelisierten Begriffen Masse, Energie, Information, Macht einzuordnen gestattete. Gerade diese Begründung würde aber nicht die Zweiheit der Triebe, die Anknüpfung an die mythischen Gegensätze von Liebe und Haß, Anziehung und Abstoßung, Leben und Tod rechtfertigen. Ich kann und muß dies auf sich beruhen lassen.

Hingegen ist ein Wort zur Aggression nötig. Freud hat phänomenologisch die Unableitbarkeit dieses Antriebs aus Sexualität und Eros erkannt. Sein Staunen über diese Entdeckung hat wesentlich zur Einführung des Destruktions- oder Todestriebs beigetragen. Weit überzeugender als diese kurzschlüssige Anknüpfung der Erfahrung an die Triebmythologie, und auch als alle anderen psychoanalytischen Deutungen, die ich gehört habe, finde ich hier Lorenz' Deutung, in der die begrenzte Aggression, die nur dem Artgenossen gilt, als eine positive, für individuell strukturierte Gesellschaften konstitutive Leistung erscheint. Die uns bedrohenden Wucherungen der Aggression wie Mord, Krieg, Sadismus, aggressiver Enthusiasmus wären dann wieder Humana, Kulturprodukte.

Die Meinung, man könne Kindern durch geeignete Erziehung das Entstehen von Aggression ersparen, ist nach Freud und nach Lorenz gleich abwegig. Baut man die Verhaltensforschung so in die Theorie der Kultur ein, wie ich es hier versuche, so kann man hingegen die Aggression als Kulturmaterial benutzen, so wie sie nach Lorenz schon beim Tier Baumaterial der personalisierten Beziehungen ist. Man muß dann der Aggression Angemessenes zu tun geben (nicht bloß Sport, sondern Kultur!).

Von Freuds Trieblehre bleiben uns nur Bruchstücke in der Hand. Aber diese Bruchstücke geben noch immer die Sprache her, die Freud in seiner Kulturtheorie zur Beschreibung gesehener Phänomene benutzt. Was hat er wirklich gesehen, was nur konstruiert?

Zwischenbemerkung. Die zur Abfassung dieses Aufsatzes verfügbare Zeit reicht nicht aus, ihn so breit zu Ende zu führen, wie er sich entwickelt hat. Ich deute, als Diskussionsmaterial, die Inhalte an, die für die weiteren Abschnitte vorgesehen waren.

3. Ich, Gesellschaft, Geschichte

Man kann Freuds Theorie der Geschichte der Gesellschaft von zwei entgegengesetzten Seiten her kritisieren, und beide Kritiken haben m. E. zugleich recht:

a. Er betrachtet Strukturen der Gesellschaft als determiniert, sei es durch (de facto mythische) Frühereignisse, sei es, was wissenschaftlich ernster zu nehmen ist, durch angeborene Triebstrukturen, die jedoch tatsächlich Produkte der Geschichte und als solche auch wieder auflösbar sind.

b. In der angeborenen Ausstattung des Menschen sieht er die Priorität angeboren gesellschaftlichen Verhaltens nicht.

Die zweite dieser Kritiken greife ich nicht noch einmal auf. Die erste kann von der empirischen Anthropologie (Ethnologie) her geführt werden. Das lasse ich jetzt auch auf sich beruhen. Diese Kritik ist zugleich der Kern der sozialistischen Auseinandersetzung mit Freud. Diese verfolge ich einen Schritt weit.

Freud führt die Ambivalenz der Kultur gelegentlich auf die ökonomische Not zurück: »Das Motiv der menschlichen Gesellschaft ist im letzten Grunde ein ökonomisches; da sie nicht genug Lebensmittel hat, um ihre Mitglieder ohne deren Arbeit zu erhalten, muß sie die Anzahl ihrer Mitglieder beschränken und ihre Energien von der Sexualbetätigung weg auf die Arbeit lenken. Also die ewige, urzeitliche, bis auf die Gegenwart fortgesetzte Lebensnot.« (Schriften XI, 322, zitiert nach Habermas, Erkenntnis und Interesse, S. 334). Diese Bemerkung legt in der Mitte des 20. Jahrhunderts den Gedanken sehr nahe, mit dem Fortschritt der Technik, welche schließlich alle Menschen zu ernähren gestattet, werde es möglich sein, die repressive Seite der Kultur zu überwinden und damit – wenn Freuds Bemerkung zutrifft – die Ambivalenz loszuwerden.

Marcuses Argument in »Triebstruktur und Gesellschaft« beruht auf diesem Gedanken.

Freud selbst spricht sich gegen sozialistische Hoffnungen im Vordergrund neutral, in der Tiefe, die uns hier angeht, eindeutig kritisch aus. »Ich habe nichts mit der wirtschaftlichen Kritik des kommunistischen Systems zu tun, ich kann nicht untersuchen, ob die Abschaffung des privaten Eigentums zweckdienlich und vorteilhaft ist. Aber seine psychologische Voraussetzung vermag ich als haltlose Illusion zu erkennen. Mit der Aufhebung des Privateigentums entzieht man der menschlichen Aggressionslust eines ihrer Werkzeuge, gewiß ein starkes, und gewiß nicht das stärkste.« (V, S. 103). Ich empfehle, diesen Passus bis zu seinem Ende (S. 104) zu lesen. Nochmals: »Ich meine, solange sich die Tugend nicht schon auf der Erde lohnt, wird die Ethik vergeblich predigen. Es scheint auch mir unzweifelhaft, daß eine reale Veränderung in den Beziehungen der Menschen zum Besitz hier mehr Abhilfe bringen wird als jedes ethische Gebot; doch wird diese Einsicht bei den Sozialisten durch ein neuerliches idealistisches Verkennen der menschlichen Natur getrübt und für die Ausführung entwertet« (VIII, S. 127).

Der Einwand liegt nahe, Freud habe in diesen letzten Äußerungen die Möglichkeit der technischen Überwindung der Lebensnot übersehen. Aber damit würde man höchstens eine Inkonsistenz zwischen Freuds verschiedenen Argumenten aufspüren, die ihm verborgen geblieben wäre, weil er die ökonomische Lebensnot für so unabänderlich wie den Aggressionstrieb hielt (dies übrigens eine sehr verbreitete Bourgeois-Ansicht). Aber das Pathos der Unwandelbarkeit der menschlichen Natur in den antisozialistischen Äußerungen ist unverkennbar. ». . . so läßt sich zwar nicht vorhersehen, welche neuen Wege die Kulturentwicklung einschlagen kann; aber eines darf man erwarten, daß der unzerstörbare Zug der menschlichen Natur ihr auch dorthin folgen wird.« (Ende des obigen Passus, V, S. 104).

Die Auflösung der Trieblehre Freuds hebt die Stringenz seiner Argumentation an dieser Stelle auf. Trotzdem empfinde ich in seinem Pathos hier, wie an so manchen Stellen, einen phänomenologischen Blick, der Zusammenhänge sieht, auch wenn er ihnen eine falsche rationale Erklärung gibt. Auf mich wirken die »großen« sozialistischen Hoffnungen (im Unterschied zu einer nüchternen sozialistischen Praxis) genau wie auf Freud wie eine billige Regression, die die eigentliche Tiefe des Problems verschleiert. Im Gegensatz zu Freud halte ich das Problem für lösbar, mit ihm halte ich die sozialistische Eigentumstheorie für die Empfehlung einer Kur am Symptom.

Soll dieses »ich halte für« argumentativ ausgewiesen werden, so muß man zunächst fragen, ob Freuds Triebdualismus notwendig ist, um die Fortdauer der Machtstrukturen auch nach überwundener ökonomischer Not zu begreifen. Marcuse sieht demgegenüber in diesen Machtstrukturen ein geschichtlich-gesellschaftliches Erbe. Das mag deskriptiv zutreffen, wird aber durch die Weiterbenutzung des »Lustprinzips« m. E. im Erklärungsanspruch entwertet. Dieses Problem sucht meine Analyse der Macht ein Stück weit aufzuhellen. Nicht die Lebensnot, sondern die auf Lebensnot zugeschnittene ererbte Verhaltensweise ist der Ursprung der Festigkeit der Machtstrukturen. Seit Milliarden von Jahren waren unsere Vorfahren und so sind schließlich wir selbst Nachkommen von Siegern im Kampf ums Dasein. Wir benehmen uns spontan, wie man sich benehmen muß, um diesen Kampf zu überleben. Einerlei wieviel an diesem Verhalten angeboren und wieviel erworben ist, ich bin überzeugt, daß die Kultur Formen entwickeln kann, die mit ihm umgehen und es auf ein erträgliches Maß einschränken, ja ihm Fesseln der Produktivität anlegen können. Aber dies ist nur dann möglich, wenn es in seiner Struktur erkannt ist. Deshalb ist das zentrale Thema der politischen Ethik die Erkenntnis, die Wahrheit.

4. Über-Ich und Wahrheit

Hier sage ich nichts Neues. Wie Freuds Es überhaupt nicht darstellt, wie der Mensch in der Realität der Natur ist, und sein Ich nicht adäquat darstellt, wie der Mensch in der Realität der Gesellschaft ist, so verhüllt sein Über-Ich, wie der Mensch in der Realität der Wahrheit ist. Ich leugne das Bestehen der Über-Ich-Strukturen so wenig wie dasjenige der anderen von Freud gesehenen Strukturen. Aber hier wie sonst bei Freud bleibt undurchsichtig, inwiefern kausal darstellbares Verhalten zugleich »in der Wahrheit« ist. Diese Undurchsichtigkeit dient dann seinem Affekt gegen die Religion als Waffe. Wollte ich Freud hier immanent kritisieren, so müßte ich versuchen, die Gründe dieses seines Affekts aufzuspüren. Ich glaube, daß er sehr eng mit Freuds Wahrheitsfanatismus zusammenhängt, vordergründig als dessen Wirkung, in der Tiefe vielleicht z. T. als dessen Ursache. In diesem Wahrheitsdrang wird im übrigen Freuds Reflexionslosigkeit besonders deutlich, die Habermas in »Erkenntnis und Interesse«, Abschnitt 11, als das szientistische Selbstmißverständnis der Metapsychologie (in einer mich in der Auffassung der Naturwissenschaft nicht ganz befriedigenden Weise) kritisiert: Freud sucht ständig Wahrheit und fragt nie, was Wahrheit »psychologisch« oder wie immer sonst eigentlich ist.

IV. Ein christliches Bild der Macht

Reinhold Schneider repräsentiert gewiß nicht das Ganze der Religion oder auch nur des Christentums. Ich war aber tief betroffen, als ohne mein Zutun seine Aufsatzsammlung »Macht und Gnade« auf unserer Leseliste erschien und mich nötigte, ihn nach 15 Jahren zum erstenmal wieder zu lesen. Ich vermute, daß er in die heutige Debatte überhaupt nicht hineinpaßt, und zugleich bin ich daran erinnert, wie genau er gewisse Probleme der Zeit meiner Jugend bezeichnet hat. Die Fähigkeit, sein zentrales Anliegen in einer Transposition vom geschichtlich Vergangenen fort zu verstehen, könnte ein Kriterium dafür sein, ob wir unser eigenes Anliegen in hinreichender Distanz von unseren akuten Problemen begreifen. Ich möchte ein paar Worte über mein persönliches Verhältnis zu ihm sagen.

In der Hitler-Zeit lasen wir jedes Buch, das von ihm erschien. Er war einer der wenigen, die die Macht als Aufgabe ernstnahmen und doch ihrer Faszination nicht verfielen. Er erfüllte die christliche Tradition mit einem Sinn, den wir in ihren etablierten Formen nicht zu erkennen vermocht hatten. Er spiegelte die illusionslos gesehene katastrophale Situation der Gegenwart in vielen Facetten ihrer Vorgeschichte und machte damit vieles begreiflich. Er war stets moralisch fordernd, nicht ohne Sentimentalität, aber ohne Eitelkeit. Einmal kam er, etwa 1940, durch Vermittlung gemeinsamer Freunde zu einem Besuch in mein Haus, ein lang aufgeschossener schmaler Mann, schwermütig und magenleidend, unter der Last des Wissens von gegenwärtigen Verbrechen und kommendem Unheil. Nach dem Krieg suchte ich in anderer, modernistischerer Richtung als er und nahm den Kontakt nicht wieder auf. Ich war betroffen, mich von ihm in seinen Lebenserinnerungen »Verhüllter Tag« 1954 im Zusammenhang mit der Gefahr des Atomkriegs zitiert zu finden. Ich nahm mir vor, ihn wieder aufzusuchen, aber übers Jahr. Als ich 1958 von einer wegen der Atomrüstung unternommenen Amerikareise zurückkam, las ich die Nachricht von seinem Tod. Später erfuhr ich, daß er in seinem letzten Lebensjahr von Biologen über die Schrecklichkeiten des Kampfs ums Dasein in der organischen Welt unterrichtet worden war und darüber an seinem christlichen Schöpfungsglauben irre wurde. Darüber hätte ich mit ihm sprechen müssen. Ich hatte die Positivität seines Christentums immer etwas scheu bewundert. Mir schien, daß er etwas schlechthin Zentrales und Wahres ergriffen hatte, aber um den Preis, ein bestimmtes Stück modernen Denkens nicht zu vollziehen. Er war mir voraus, aber an diesem Punkt hätte ich ihm vielleicht einfach durch Nähe etwas helfen können, wenn ich den Entschluß, ihn wiederzusehen, wirklich gefaßt, d. h. ausgeführt hätte.

Er unterscheidet die isolierende Macht von der einzigen Form der Herrschaft, die gerechtfertigt werden kann, der Herrschaft als Amt, als Pflicht, also als Teil des Ganzen. Aber ich versuche jetzt nicht, ihn auszulegen oder ihm zu antworten, sondern lasse ihm das Wort.*

* Vgl. meine Gedenkrede auf Reinhold Schneider in »Fragen zur Weltpolitik«.

Anhang: Ein Brief von Hans Kilian   25. Januar 1977

Sehr geehrter Herr von Weizsäcker!

Haben Sie herzlichen Dank für die Überlassung Ihres Manu-
skriptes »Über Macht«, dessen Lektüre mich dazu anregt,
unser begonnenes Gespräch fortzusetzen und Ihnen dazu
einige Überlegungen zu unterbreiten. Ich komme ohne Um-
schweife zur Sache:

1. In Ihrer Auseinandersetzung mit dem politischen Realismus
   legen Sie zweifellos die Schwäche anthropologischer Kate-
   gorienlehren und vermeintlicher Fundamentalkategorien
   bloß, die auf eine »Dogmatisierung« geschichtsrelevanter
   Teileinsichten hinausläuft. Anthropologische Bedürfnisleh-
   ren und Trieblehren werden in der Tat stets von neuem als
   Voraussetzung in kulturwissenschaftliche Analysen eingeführt, die deren Validität und Grenzen erst erweisen müßten. Dies gilt natürlich auch für die von ihrem Urheber
   ohnehin je nach Bedarf abgeänderten Trieblehren Sigmund
   Freuds. Was mir an Ihrem Vorgehen gut gefällt, ist der
   Umstand, daß Sie aus dem Nachweis der Fehlerhaftigkeit
   eines solchen logischen und ideologischen Zirkels keine
   Folgerung ziehen, die mit der falschen oder unzureichenden
   Antwort zugleich auch die ganze Frage nach der anthropologischen Dimension der Macht in den Bereich des Irrelevanten verweisen würde. Ihre Negation ist mithin eine dialektische, die die Chance zur »Aufhebung« der Anthropologie offen läßt. Sie öffnen gleichsam eine ökologische Nische
   für eine noch fehlende historische Anthropologie oder anthropologische Systemtheorie, die Aussagen über Menschliches und Unmenschliches mit den je gegebenen Bedingungen der Möglichkeit oder Unmöglichkeit, innerhalb gegebe-
   ner historischer Systeme Subjekt zu sein, vermittelt.
   Was mir weiterhin gut gefällt und was Sie sich im Gegensatz
   zu vielen fachbefangenen Wissenschaftlern offenbar leisten
   können, ist das Wagnis, mit Hilfe einer vorläufigen phänomenologischen Betrachtungsweise die Kategorie Macht als
   wesensgleiches (also als systemtheoretisch homologes und
   nicht nur analoges) Korrelat physikalischer Begriffe wie

Masse, Energie und Information aufzufassen. Ich glaube, daß dieser fachwissenschaftlich ungeschützten Operation ein beträchtlicher heuristischer Stellenwert zukommt. Die Entthronung und Diskreditierung der überlieferten Ontologie hat ebenso wie die moderne Verleugnung der Anthropologie eine Leerstelle hinterlassen, die zum Beispiel selbst solche Ansätze wie die Nicolai Hartmanns in der Versenkung allgemeiner Vergessenheit verschwinden läßt. Ontologisierende Denkweisen unterliegen seither einem Tabu, das nicht nur vom Neopositivismus, sondern auch von der Kritischen Theorie und von der aus ihr hervorgegangenen »Neuen Linken« mit einschüchternder Macht vertreten wird. Wissenschaftler und Philosophen, die gleichwohl den ontologischen Agnostizismus nicht mitmachen wollen, sind auf dem intellektuellen Markte gegenwärtig noch einer bedrohlichen Sanktion der Entwertung ausgesetzt – meiner Meinung nach mit der Folge, daß zum Beispiel linke Theoretiker im Kritizismus verharren und sich in einigen wichtigen Bereichen des Denkens geistig sozusagen selbst kastrieren. Sie überlassen etwa ihren konservativen Kontrahenten ein Monopol des Umgangs mit der Systemtheorie.

Was Sie machen, scheint mir in einem wesentlichen Punkte dem Denken Sigmund Freuds zu entsprechen: wo Freud keine schlüssige wissenschaftliche Begriffsbildung hatte, führte er ohne mit der Wimper zu zucken und dennoch in einer durchaus bewußten und kontrollierten Art und Weise phänomenologisch beschreibende Termini wie zum Beispiel »Trauerarbeit« ein, die das »Ich« zu leisten habe. Gerade dadurch, daß er dies in einer formal anfechtbaren Weise tat, machte er die Lösung des darin enthaltenen Problems dem wissenschaftlichen Denken überhaupt erst zugänglich.

Ich möchte hinzufügen, daß die in einer Zeit des erkenntnisgeschichtlichen Paradigmenwechsels der Humanwissenschaften wachsende Bedeutung der erwähnten ungeschützten Denktechnik nicht selten unterschätzt wird. Eine richtige Einschätzung wird möglich, wenn man sich klarmacht, daß es sich um eines von zwei möglichen Verfahren einer auf Erkenntnisgewinn zielenden Vereinfachung handelt, von der nur das eine den Rang unangefochtener Wissenschaft-

lichkeit erlangt hat, während gerade das andere im heutigen
historischen Übergangsfeld den fälligen Ausbruch aus überlieferten Denkgehäusen von allzu beschränkter Reichweite
zu leisten vermag. Der geläufige Weg der Komplexitätsre-
duktion ist die Sackgasse eines jeden Reduktionismus, der
nach dem Vorbild des Prokrustes die zu erkennende Sache
selbst auf das Maß des je gegebenen Bezugssystems verkürzt. Der von Ihnen beschrittene andere Weg verläuft genau in umgekehrter Richtung. Um das Ganze der zu erkennenden Sache nicht aus den Augen zu verlieren, wird eine
querfeldein verlaufende Wegabkürzung auf der Luftlinie
der »exakten Phantasie« benutzt, welche den Rahmen eines
jeden bezugssystemgerecht geregelten wissenschaftlichen
Verkehrs zu sprengen scheint.

Manche Leute versuchen im übrigen das grenzüberschrei-
tende Denken zu relativieren, indem sie sagen: »Quod licet
Jovi, non licet bovi«. Mit anderen Worten: sie fragen, wieviel »Macht« im weitesten Sinne des Wortes jemand haben
muß, um die Benutzung einer Luftlinie »exakter Phantasie«
im Bereich heutiger Wissenschaft überhaupt zugebilligt zu
bekommen. Eine solche Betrachtung scheint mir jedoch sehr
oberflächlich zu sein. Die richtige Perspektive ergibt sich,
wenn man in der entgegengesetzten Richtung fragt: Ist nicht
das Wagnis des grenzüberschreitenden Denkens denkstruk-
turell das gleiche Phänomen wie im weiteren Sinne das
Wagnis des Glaubens jenseits gesicherten Wissens? Ist also
nicht vielleicht sogar das Gegenteil von Macht – nämlich die
Erfahrung der Ohnmacht und der aus der Bewältigung dieser Erfahrung resultierende Verzicht auf Machtansprüche
wissenschaftlichen Denkens – geradezu eine unabdingbare
Voraussetzung für jene Öffnung des Lumens menschlicher
Erkenntnis, welche Einsichten vom Integrationsniveau
menschlich relevanter »Wahrheiten« überhaupt erst zustandekommen läßt?

Mit einer solchen Perspektive kann man mindestens andeuten, welches die Position der neueren Psychoanalyse ist,
nach der Sie mich gefragt haben: Im Gegensatz zu dem was
Trieblehre und Metapsychologie vermuten lassen, steht in
den Überlegungen der Psychoanalytiker nicht ein auf

Machtausübung zielender naturwüchsiger Trieb im Vordergrund, sondern das in vielen Variationen erlittene Schicksal einer tatsächlich erlittenen Ohnmacht, deren Abwehr erst sekundär zur Ausbildung von Machtstreben führt. Mit anderen Worten: Was von der Psychoanalyse bleibt, ist nicht eine anthropologische Kategorienlehre, sondern eine anthropologische Praxis und Theorie der Praxis, die das Menschliche zu realisieren versucht, indem sie das tatsächlich erlebte Unmenschliche zu verstehen und zu bewältigen lehrt. Dabei geht es um die Gewinnung einer Macht über sich selbst, die nicht etwa durch eine moralisch motivierte »Selbstbeherrschung«, sondern eher durch die erwähnte Freudsche »Trauerarbeit« zu einem Zuwachs an Selbstbewußtsein führt, welcher die Betätigung des Machtstrebens zur Abwehr unbewußten Leidens an einer verleugneten Ohnmacht überflüssig macht. Man könnte diese Macht über sich selbst als einen aufgehobenen Modus der Macht bezeichnen, der in Ihrer Sicht durch einen Zuwachs an Information oder – besser gesagt – an Informationsverarbeitung zustande kommt.

2. Für sehr fruchtbar halte ich Ihren Versuch mit Hilfe des evolutionstheoretischen Begriffes der Konvergenz von Merkmalen verschiedener genetischer Herkunft den alten Streit zwischen den Anhängern der Erblehre und denen der Milieutheorie auf das richtige Maß zu reduzieren. Auch diese Operation läßt sich aus der Perspektive der Psychoanalyse und darüber hinaus auch der Medizin durch eine Parallele stützen. Machtstreben ist in dieser Sicht ein »Symptom«. Das heißt mit anderen Worten: es ist grundsätzlich als »final common pathway« unterschiedlicher Kausalketten anzusehen, die trotz ihrer phänomenalen »Konvergenz« ungleichartigen historischen Konstellationen entstammen. Ein historisch unvermitteltes naturwüchsiges Machtstreben ist freilich in einer solchen Betrachtung kaum denkbar. Gerade aus der Sicht der neueren psychoanalytischen Theoriebildung muß man davon ausgehen, daß das Machtstreben einer sogenannten »autoritären Persönlichkeit« völlig unterschiedliche Determinanten haben

kann, je nachdem, in welcher Phase der lebensgeschichtlichen Entwicklung eines Subjektes und der historischen Entwicklung eines Subjektes und der historischen Entwicklung eines sozialen Systems dieses Symptom sich bildet oder in signifikantem Maße auftritt. Im Gegensatz zu den von der klassischen Autoritarismusforschung oder »Basic-Personality-Forschung« analysierten Trieb- und Abwehrstrukturen der primären Sozialisation müssen in der gegenwärtigen historischen Entwicklung Äußerungen autoritären Machtstrebens in besonderem Maße darauf abgeklopft werden, ob es sich um Kompensationsversuche narzißtischer Selbstwertkrisen handelt, die durch objektive Wertkrisen der bürgerlichen Gesellschaft vermittelt sind. Tatsächlich haben wir heute eine Zunahme psychischer Erkrankungen und Gleichgewichtsstörungen zu verzeichnen, die mit den klassischen Modellen und Theorien der psychoanalytischen Neurosenlehre wie z. B. dem von Ihnen ausführlich besprochenen »Strukturmodell« der intersystemischen Konflikte des »Es«, des »Ich« und des »Über-Ich« nicht mehr erfaßt werden können. Es handelt sich vielmehr um narzißtische Störungen, deren Häufigkeit namentlich von manchen amerikanischen Autoren mit 50 bis 60% aller psychischen Erkrankungen angegeben wird. Dabei geht es entweder um Entwicklungsstörungen der frühkindlichen Subjektbildung oder um Regressionen des Selbsterlebens und Selbstwerterlebens, welche durch äußere Belastungen bewirkt werden. Ich muß mir in diesem Brief ersparen, die verschiedenen klinischen Formen dieser Pathologie des Subjektkernes darzustellen, die von den reversiblen narzißtischen Persönlichkeitsstörungen bis zu den sogenannten »Borderline Syndromen« reichen. Entscheidend scheint mir nur die Feststellung, daß es sich um Störungen handelt, die weitgehend außerhalb der Reichweite der Freudschen Strukturtheorie liegen. Es handelt sich – wie gesagt – nicht um intersystemische Konflikte von »Es«, »Ich« und »Über-Ich«, sondern um intrasystemische Konflikte des Subjektkernes, die einem Entwicklungsstadium zuzuordnen sind, in welchem die Ausdifferenzierung von »Es«, »Ich« und »Über-Ich« überhaupt noch nicht erreicht ist. Mit anderen Worten: die

vorherrschende Pathologie der psychischen Störungen hat
sich in den modernen Industriegesellschaften so verändert,
daß eine neue Phase der psychoanalytischen Theoriebildung
aktuell geworden ist. Leider findet dies in der deutschsprachigen analytischen Literatur noch keinen ausreichenden
Niederschlag, so daß viele Forscher und wissenschaftliche
Autoren immer wieder auf das Strukturmodell Freuds zurückgreifen, um sich mit der Psychoanalyse auseinanderzusetzen.

3. Ihr »Gespräch mit Sigmund Freud« geht von der Frage des
Nutzens der Psychoanalyse für eine heute fällige historische
Anthropologie aus. Will man die Auseinandersetzung mit
dem von Freud begründeten Bezugssystem von dem von
Ihnen bezogenen Standort aus mit einiger Aussicht auf zu-
reichenden Erkenntnisgewinn führen, so muß man meiner
Meinung nach die historische Entwicklung der Psychoanalyse in Betracht ziehen, die sich bis heute als eine Sequenz
von drei Phasen der Theoriebildung beschreiben läßt.
Die erste Phase, in der Sigmund Freud von einer Dichotomie
des Bewußtseins und des »Unbewußten« ausging, war die
der Trieblehre und des sog. »Topographischen Modells«.
In dieser Phase, die bis in die 20er Jahre hineinreichte, ging
es im wesentlichen um die »Bewußtmachung« der ins Unbewußte verdrängten Impulse und Inhalte. Die zweite Phase
der psychoanalytischen Theoriebildung war die der Strukturtheorie von Es, Ich und Über-Ich, die noch von Freud
selbst in den 20er Jahren formuliert wurde und erst in den
30er und 40er Jahren während der Emigration der Psychoanalyse in den angelsächsischen Länder ihre Blütezeit hatte.
Gegen Ende der 50er Jahre und vor allem seit Mitte der 60er
Jahre ist eine dritte Phase der psychoanalytischen Theoriebildung zu verzeichnen, die mit der Fortentwicklung der
Narzißmustheorie, der Theorie des »Selbst« und der Selbstwertregulation verbunden ist. Diese dritte Phase, die die
Impulse zu ihrer Entwicklung vor allem aus der oben erwähnten Zunahme der narzißtischen Störungen bezog, ist
ein Teil der Geschichte der Psychoanalyse, der sich nach
dem Tode Freuds vor allem in den Vereinigten Staaten

abgespielt hat. Namentlich die Chicagoer Schule (Kohut, Gedo, Goldberg, Ornstein, Tolpin) hatte einen erheblichen Anteil an dieser dritten Phase der Theoriebildung. Man muß jedoch hinzufügen, daß auch Kinderpsychoanalytiker wie Margret Mahler, Anni Bergmann, Fred Pine, Mc Devitt und Marian Tolpin entscheidende Vorarbeiten und Beiträge zur dritten Phase der Theoriebildung geleistet haben, deren Hauptthema – wie schon gesagt – die Entwicklung des Subjektkernes und der intrasystemischen Prozesse des sog. »Selbst« ist. Mit der auf Kohut zurückgehenden neuen Theorie des Selbst wurde erstmals eine ausdrückliche Subjekttheorie in der Psychoanalyse formuliert, die mit der Theorie eines als Apparat aufgefaßten Ich noch keineswegs gegeben war. Das Selbst ist die Summe der Selbstrepräsentanzen eines Menschen, d. h. seines Selbsterlebens vom Körperbild bis zur ausgereiften Selbstreflexion. Gerade dieser Bereich ist in erheblichem Maße störbar. Unter anderem entdeckte Kohut, daß das »Selbst« oder – genauer gesagt – das Selbsterleben und Selbstwerterleben nicht nur von reiferen Stufen auf unreife regredieren, sondern sogar fragmentieren kann. Die Entdeckung eines Defektzustandes gab den Anstoß zu jenen Arbeiten, die die normale Funktionsweise des Systems »Selbst« als die eines Subjektkernes von spezifischer Eigendynamik beschrieben. Dieser Sachverhalt ist so ähnlich wie der der Entdeckung der Vitamine, die ja nur durch das Auftreten von Vitaminmangelkrankheiten möglich wurde.

Wichtig für die Entdeckung des Selbst wurde im übrigen die Einsicht, daß es eine Phase in der Entwicklung des Kindes gibt, in der Selbst und Objekt (also Mutter und Kind) noch nicht als getrennte Wesen erlebt werden können. In dieser Phase ist die Beziehung zu sich selbst eine Funktion der Beziehung zum Objekt. Und umgekehrt. Die Beziehung zum Objekt ist eine Funktion der Beziehung zu sich selbst. Daraus resultieren spezifische Formen der Störbarkeit.

Charakteristisch ist, daß in dieser Phase die von David Riesmann beschriebene »Innenlenkung« noch nicht möglich ist. »Außenlenkung« ist vielmehr die alterspezifische Form der Selbstwertregulation. Was dies bedeutet wird klar, wenn man hinzufügt, daß in der Sicht der neuen psychoanalytischen Theorie des Selbst die kollektive Tendenz zur Außenlenkung in der gegenwärtigen historischen Phase moderner Industriegesellschaften als eine Häufung von Subjektregressionen zu verstehen ist, die durch eine psychosoziale Systemregression vermittelt wird. Ich spreche in diesem Zusammenhang gern von Entwertungsneurosen mit Symptombildungen narzißtischer Regression.

Wir haben es in der neueren amerikanischen Psychoanalyse mit einem Paradigmenwechsel zu tun, der gerade am Beispiel des Beitrags der Psychoanalyse zum Verständnis menschlichen Machtstrebens verdeutlicht werden kann. In der klassischen Sicht mußte der Machtbegriff entweder triebpsychologisch oder abwehrpsychologisch definiert werden. In der Perspektive der inzwischen heiß umstrittenen neuen Paradigmen ergibt sich ein anderer Zugang, der dem Machtbegriff ohne triebpsychologische Reduktion beizukommen gestattet. Eine Bedrohung durch Selbstwertverlust und Subjekteinschränkung scheint in dieser Sicht die stärkste denkbare Quelle menschlichen Machtstrebens in sozialen Systemen zu sein, in welchen die Stabilität der Selbstwertregulation in mehr oder weniger spezifischer Weise vermindert sind. Namentlich die Familienforschung macht erkennbar, daß Machtbedürfnisse kompensatorische Krücken sein können, die in widerspruchsgesättigten psychosozialen Systemen auftreten, wenn es den Individuen nicht mehr gelingt, ihr Selbstgefühl aus gemeinsamen Wertstrukturen, Institutionen und Identifikationsobjekten zu beziehen. In der skizzierten Sicht geht es mithin – wie schon angedeutet – um die Vermittlung von Systemregressionen und Subjektregressionen. Ich brauche wohl kaum hinzuzufügen, daß dieser Aspekt nicht nur für die Familienforschung, sondern auch für andere Anwendungsbereiche einer psychosozialen Systemforschung von Belang ist.

Zusammenfassend möchte ich sagen, daß die Analyse des Machtproblems in der von mir skizzierten Betrachtungsweise einer psychoanalytischen Sozialpsychologie auf der dritten Phase der psychoanalytischen Theoriebildung basiert, die generell von der Frage ausgehen müßte, in welchem Umfang die Entwicklung eines psychosozialen Systems Menschen zu Objekten macht und in welchem Umfang sie im Gegenteil einen Spielraum finden, Subjekte zu sein. Die Beziehung zur Evolutionstheorie wird allerdings erst hergestellt, wenn man bereit ist, in Betracht zu ziehen, daß die heute gehäuft auftretenden narzißtischen Persönlichkeitsstörungen und anderen subjektregressiven Symptombildungen gleichsam psychosoziale »Mutanten« sind, von denen die meisten verminderte Entwicklungschancen haben. Einige wenige dieser psychosozialen Mutanten könnten sich jedoch als progressive Plus-Mutanten in dem Sinne erweisen, daß ihre Selektionschancen im Vergleich zu denen der bis dahin gültigen Norm sogar gesteigert sind.

Sie werden sich fragen, welche Konsequenzen sich aus der neuen Phase der psychoanalytischen Theoriebildung für Ihre Auseinandersetzung mit der von Freud begründeten Wissenschaft ergeben. Sie werden vielleicht selbst Gelegenheit finden, sich irgendwann mit der neueren Entwicklung auseinanderzusetzen, die z. B. in Heinz Kohuts' Buch »Narzißmus« (Frankfurt, 1973) und in einem Band von Gedo und Goldberg mit dem Titel »Models of the Mind« (Chicago, 1973) dargestellt sind. (Ein weiteres interessantes Buch ist die Arbeit von Gertrud und Rubin Blanck mit dem Titel »Ego Psychology«, das soeben auch in deutscher Übersetzung bei Klett herauskommt.)

Ich möchte mich an dieser Stelle auf eine relativ allgemeine Feststellung beschränken. Eine der entscheidenden Lücken des Strukturmodells ist, wie Sie im Anschluß an Habermas' diesbezügliche Argumentation in seinem Buch »Erkenntnis und Interesse« bekräftigen, der fehlende Zugang zur Dimension der Selbstreflexion, obwohl doch Selbstreflexion den psychoanalytischen Prozeß überhaupt erst ermöglicht. Diese Kritik muß im Zusammenhang mit der neuen Phase der psychoanalytischen Theoriebildung revidiert werden. Tatsächlich hatte das Freudsche Bezugssystem bis dato keinen ausdrücklichen Subjektbegriff, obwohl der Gegenstand der Psychoanalyse das Subjekt war. Erst die Theorie der störbaren Entwicklung des Selbsterlebens bietet eine Möglichkeit, die Psychoanalyse als eine Theorie der Bedingungen der Möglichkeit menschlichen Selbstbewußtseins und der Störungen dieses Selbstbewußtseins zu verstehen. Genau genommen: erst an dieser Stelle wird es möglich, die Hegelsche Perspektive einer Geschichte des Selbstbewußtseins auch ontogenetisch als lebensgeschichtliche Entwicklung des individuellen Selbstbewußtseins wirklich zu begreifen. Daß die Psychoanalyse dabei nicht vom fertig entwickelten, sondern vom gestörten oder nicht vorhandenen Erleben ausgeht, bekräftigt nur die Parallele zu anderen Strömungen dialektischer Bewußtseinsforschung.

Die Relevanz der neueren Theorie des Selbst und der Frühentwicklung des Subjektkernes ergibt sich insbesondere aus dem Umstand, daß aus ihr eine neue Basic-Personality-Forschung ableitbar ist, die nicht mehr wie z. B. der Ansatz von Kardiner auf einer reduktionistischen Triebpsychologie fußt. Parin und Morgenthaler haben Vorarbeiten zu einer solchen Basic-Personality-Forschung in ihren ethnopsychoanalytischen Untersuchungen in westafrikanischen Kulturen unternommen.

Damit möchte ich es für heute bewenden lassen. Eine weitere Vertiefung, aber auch ein Eingehen auf die praktischen Konsequenzen im Bereich wissenschaftlicher Arbeit könnte sich vielleicht in unserem nächsten Gespräch ergeben.

Für's erste bin ich

mit freundlichen Grüßen und Wünschen
Ihr Hans Kilian

II, 6. Biologische Präliminarien zur Logik*

1. Fragestellung

Dieser Beitrag geht um einen kleinen Schritt über die Grenze zur systematischen Philosophie hinaus, die dem Buch im übrigen gezogen ist. Dieser Schritt soll hier noch getan werden, um einerseits eine scheinbare Inkonsistenz der durch das Buch implizierten Philosophie aufzuklären, andererseits einen möglichen methodischen Nutzen eben dieses philosophischen Ansatzes anzudeuten. Die nähere Ausführung hoffe ich anderswo später noch zu geben.

Ist es nicht eine Inkonsistenz, einerseits ständig die platonische Tradition der Philosophie als die für dieses Buch relevante in Anspruch zu nehmen, andererseits eine Biologie des Subjekts zu betreiben? Die formale Antwort auf diese Frage ist in II, 2 unter dem Bilde des Kreisgangs gegeben. Wir suchen jetzt eine stärker inhaltliche Bestimmung dessen, was uns auf dem Kreisgang zu Gesicht kommen wird, anschließend vor allem an II 3.

Der Grundgedanke der attischen Philosophie, also von Aristoteles ebensowohl wie von Platon, ist, daß nur das Eidos erkennbar ist. Das Eidos erscheint in der späteren Philosophie unter dem Namen des Begriffs. Einer Philosophie, die die Priorität des Begriffs behauptet, steht in der mittelalterlich-neuzeitlichen Tradition die Richtung gegenüber, die sich logisch als Nominalismus, erkenntnistheoretisch als Empirismus ausprägt. Sie hält das Einzelding oder die Einzeltatsache für das primär Gegebene und versucht, den Begriff als Bestimmung des Einzelnen zu verstehen. Es wäre sinnlos, den Streit so vage charakterisierter philosophischer Richtungen argumentativ entscheiden zu wollen. In den Versuch der Präzisierung der Positionen, um sie überhaupt diskutierbar zu machen, muß so viel philosophische Arbeit investiert werden, daß mit dem

---

* Aus Arbeitsnotizen zur zeitlichen Logik (1972) durch etwa ebenso lange neue Zwischentexte für dieses Buch zusammengestellt.

selben Aufwand fruchtbarer neue, auf die alten Namen ver-
zichtende Begriffe eingeführt werden können. Aber der Weg zu
den neuen Begriffen wird doch nur durch die Anstrengung
gebahnt, in der wir zu verstehen versuchen, was die überlieferten Begriffe in ihrer vermutlich klarsten Phase bedeutet haben.
Vermutlich waren sie am klarsten im Anfang, als ein einzelner
Philosoph sie einführte, um Phänomene zu bezeichnen, die er
sah, und sie noch nicht in die geschichtliche Mehrdeutigkeit
geraten waren, die mit ihrer Einfügung in verschiedenartige
Systementwürfe zwangsläufig verbunden ist. Denn jeder Begriff gewinnt seinen Sinn ja erst in einem Zusammenhang.

Der Streit über die Priorität des Begriffs oder des Einzeldings
knüpft an die Form des kategorischen Urteils, oder wie man
heute meist sagt, des prädikativen Satzes an. Er knüpft also an
die Logik an. Der Satz »S ist P«, etwa »der Löwe ist ein
Raubtier«, »Sokrates war ein Philosoph« sagt von einem Subjekt (der Löwe, Sokrates) ein Prädikat (ein Raubtier, ein Philosoph) aus. In den sog. singulären Urteilen ist das Subjekt ein
Einzelding (Sokrates). Das Prädikat hingegen ist normalerweise kein Einzelding, sondern eben ein Begriff. Die Frage nach
dem Verhältnis von Einzelnem und Begriff ist also eine Teilfra-
ge der Frage nach dem Sinn der Logik. Warum gibt es überhaupt die prädikative Satzform? Was macht ihre logisch so
fundamentale Bedeutung aus? Warum gibt es überhaupt Sätze,
Begriffe, Eigennamen?

An welche Instanz soll man sich mit solchen Fragen wenden?
Die Tradition hielt die Logik für evident, für a priori gewiß.
Wenn das so ist, so wäre die Instanz für unsere Fragen eben
diese Evidenz, die Einsicht, der wir die Gewißheit der Logik
verdanken. Die Rückfrage bei einem Evidenzerlebnis führt
aber normalerweise nicht weiter als zu einer präzisierten Wie-
derholung der Behauptung, einer Versicherung, es sei wirklich
so. Das Problem stellt sich schärfer, wenn wir fragen, welcher
Art die Gewißheit a priori im Falle der Logik eigentlich sei.
Kant hat die Unterscheidung analytischer und synthetischer
Urteile eingeführt. Er illustriert sie gerade an der prädikativen
Satzform. Ein analytisches Urteil ist nach ihm ein Urteil, dessen
Prädikat nur etwas ausspricht, was im Begriff des Subjekts
schon enthalten ist, ein synthetisches hingegen fügt im Prädi-

kat dem Subjektbegriff etwas hinzu. Man sieht, daß Kant auch
das Subjekt als durch einen Begriff bestimmt denken muß, um
seine Unterscheidung überhaupt erklären zu können. Daß ana-
lytische Urteile a priori gewiß sind, erscheint ihm dann offensichtlich, ebenso daß Urteile a posteriori synthetisch sind; sein
Problem sind die synthetischen Urteile a priori. Dieses Problem
lassen wir hier beiseite und fragen, was die Gewißheit der
analytischen Urteile ausmacht.

Die neuere Logik behält den Begriff des analytisch Wahren
als einen Reflexionsbegriff (einen Begriff der Metasprache, in
der wir über Logik sprechen) im allgemeinen bei. Sie sucht ihn
aber aus der Bindung an das kategorische Urteil (und der
Unklarheit des »Enthaltenseins eines Begriffs im andern«) zu
lösen und bestimmt einen analytisch wahren Satz etwa als
einen Satz, der durch seine bloße Form wahr ist. Fragt man
aber, welche Sätze durch ihre bloße Form wahr sind, so wird
man auf die Regeln der Logik verwiesen. Fragt man weiter,
warum die Regeln der Logik wahr sind, so wird man wieder
auf eine Evidenz verwiesen. Jedenfalls ist zu vermuten, daß die
Regeln der Logik ihrerseits nicht durch ihre bloße Form wahr
sind. Wenn sie gleichwohl a priori gewiß wären, so wären sie,
die Regeln der Logik selbst, also das einfachste Beispiel für
synthetische Urteile a priori. Das synthetische Apriori aber ist
den meisten heutigen Logikern zutiefst verdächtig. Vielleicht
genügt dieser kurze Gedankengang, um die Behauptung verständlich zu machen, die ich in breiter Erörterung zu verteidigen bereit wäre, daß die Grundlagen der Logik philosophisch
ungeklärt sind.

In dieser Lage kann man es vielleicht einmal mit der Methode des Kreisgangs versuchen. Was ist der »Sitz im Leben« der
Logik? Welcher historischen Situation entstammt sie? Und
was ist ihr biologischer Hintergrund?

2. Der Ort der Logik

Die Frage: »Womit soll der Anfang der Philosophie gemacht
werden?«* wird erst gestellt, wenn der Anfang der Philosophie

* Hegel, »Wissenschaft der Logik«, Erstes Buch: Womit muß der Anfang der
Wissenschaft gemacht werden?

geschichtlich schon gemacht ist. Was kann sie dann bedeuten? Sie soll den *systematischen* Anfang der Philosophie betreffen. Also setzt sie schon voraus, daß es einen systematischen Anfang der Philosophie geben sollte. Das entnimmt sie aus einem geschichtlich gegebenen Vorwissen. Aus welchem? Ich behaupte: aus dem Vorbild der deduktiven Wissenschaften. Deren gibt es aber geschichtlich gesehen zunächst nur eine, nämlich die *Mathematik*.

Lassen wir offen, wieviel die Übertragung der Struktur der Mathematik auf die Philosophie wert ist, und fragen wir statt dessen nach dem Grund dieser Struktur. Deduktive Mathematik erscheint als ein System von Axiomen und Theoremen; die Theoreme werden mit Hilfe der *Logik* auseinander und letztlich aus den Axiomen gefolgert. Die Struktur der deduktiven Mathematik ist also durch die Logik bestimmt. Was ist Logik? Sie ist Lehre vom *Schluß*, vom *Urteil*, vom *Begriff*. Die Reihenfolge dieser Aufzählung beginnt mit dem, was zuerst als der Zweck der Logik bewußt wird, dem richtigen Schließen, und schreitet fort zu dem, was als Bestandteil des richtigen Schlusses bei fortschreitender Reflexion sichtbar wird.

Die weitere Rückfrage muß lauten: wieso gibt es eigentlich Begriffe, ihre Verknüpfung in Urteilen und deren Verknüpfung in Schlüssen? Die »metaphysische« Antwort ist die Ideenlehre. Eine »positivistische« Antwort, die zunächst das fraglos Gegebene ins Auge faßt, findet Begriffe vor in Gestalt von Worten, Urteile in Gestalt von Sätzen der Sprache, Schlüsse als Teile von Texten. Logik ist dann ein Regelsystem über *Sprache*, ein Ausschnitt aus der *Grammatik*.

Die Linguistik ist eine heute aufblühende Wissenschaft. Sie entdeckt auf ihre Weise das Apriori in der Gestalt derjenigen Regeln, ohne die gar nicht sinnvoll gesprochen werden könnte.* Wenn die Logik einen Teil dieser Regeln formuliert, wodurch ist sie dann – wenn überhaupt – innerhalb des Systems der Grammatik ausgezeichnet?

An dieser Stelle der Reflexion stellt sich die Frage, was denn

---

* Wesentliche Belehrung verdanke ich jetzt der Darstellung von E. Tugendhat, »Vorlesungen zur Einführung in die sprachanalytische Philosophie«, suhrkamp taschenbuch wissenschaft 45, Frankfurt, Suhrkamp 1976.

die *Einfachheit der Logik* ausmacht? Bei der Rückfrage nach
dem Anfang der Philosophie erschien es natürlich, in dem, was
diesen Anfang als Anfang bestimmt, zugleich das Einfachste zu
vermuten. Nun aber hat uns die weitere Reflexion in das
unübersehbare Feld der Linguistik geführt. Zwischen der Unübersehbarkeit der mit Hilfe der Logik aufzubauenden inhaltlichen Wissenschaften und der Unübersehbarkeit der hinter
der Logik stehenden grammatischen Strukturen erscheint die
Logik als ein »Flaschenhals« von Einfachheit. Woher diese
Einfachheit?

Ich vermute, sie kommt vom Bezug der Logik auf *Wahrheit*.
Jeder Aussagesatz soll Wahres aussagen. Aber ob er wahr ist,
liegt nicht an seiner grammatischen Form. Die Logik hingegen
formuliert Bedingungen, die an die Form sprachlicher Äußerungen gestellt werden müssen, damit sie überhaupt wahr sein
können.

Eine Theorie der Logik bedarf also einer Theorie der
Wahrheit.

3. Pragmatische Deutung der Zweiwertigkeit der Logik

Als pragmatische Definition der Wahrheit bezeichne ich im
folgenden ihre Definition als Angepaßtheit der Erkenntnis-
handlung an die Umstände. Diese Definition erhebt nicht den
Anspruch, das Wesen der Wahrheit aufzuklären. Sie hebt einen
Aspekt der Wahrheit hervor. Sie faßt die Logik als eine Theorie
über Sprechakte auf und Sprechakte als eine besondere Art von
Handlungen. In der Anwendung, die von ihr in diesem Kapitel
gemacht wird, betrachtet sie an den menschlichen Handlungen
im wesentlichen diejenigen Züge, die sie mit tierischem Verhalten gemeinsam haben. Die so definierte Wahrheit zieht sich
dann auf die Richtigkeit des Verhaltens zusammen; alles, was
in der Wahrheit für Menschen mit der Dialog- und Reflexions-
fähigkeit zusammenhängt, bleibt hierbei ausgeklammert. Wir
werden aber sehen, daß gewisse, sonst immer als gegeben
akzeptierte Charakteristika der Logik, so die Gliederung in
Sätze und Begriffe und die Zweiwertigkeit der Sätze, ihre präzise Entsprechung oder Vorstufe in der Struktur tierischen Ver-

haltens haben. Diese Entsprechung wurzelt eben in der Erkenntnisförmigkeit der Lebensvorgänge. Man kann daher in einem strengen Sinne von biologischen Präliminarien zur Logik sprechen.

Das Grundfaktum der Logik und der Grammatik ist der Satz. Er ist eine, oft in sich komplexe, Einheit. Als Einheit ist er, insoferne er Aussagesatz (λόγος ἀποφαντικός, Aristoteles De Interpretatione, Kap. 4, 17a2–3) ist, dadurch charakterisiert, daß er als Ganzer genau einen »Wahrheitswert«, Wahr oder Falsch, haben kann. Andere Sätze, wie Befehle, Bitten etc., haben meist eine ähnliche Einheit der Intention. Durch die Satzintention*, im Falle der Aussage den Wahrheitswert,** kann man auch einen aus einem einzigen Wort bestehenden Satz vom bloßen Aussprechen dieses selben Worts unterscheiden.

Was macht eigentlich die Einheit der Satzintention aus? Beim Aussagesatz sollte uns dies am meisten wundern. In einer Übereinstimmungstheorie der Wahrheit wäre es die Einheit des gemeinten Sachverhalts. Aber wenn man versucht, zu sagen, was ein Sachverhalt ist, gerät man in Schwierigkeiten, die fast nur überwunden werden können durch Umkehrung der Erklärungsrichtung: ein Sachverhalt ist, was in einem Satz ausgesagt werden kann.*** Damit aber wird die Einheit der Satzintention erst recht zum Problem. Sachverhalte, die man durch einen Satz herausgreifen könnte, scheinen kontinuierlich ineinander überzugehen, und nur die verständliche, aber nie voll artikulierte Satzintention greift aus dem Kontinuum etwas meist unscharf Abgegrenztes als das Gemeinte heraus. Z.B. »es regnet«. Wo denn? »Hier«. D.h. im Umkreis des Sprechers. Oder »Alle Menschen begehren von Natur nach Wissen« (Aristoteles Metaphysik, erster Satz). Wonach begehren sie? Was ist Wissen? Begehren sie immer? Begehren wirk-

---

* d.h. hier diejenige Intention des Sprechenden, die das Wort oder die Worte »als einen Satz meint«.

** d.h. hier durch die Tatsache, daß das Ausgesprochene etwas ist, was wahr oder falsch sein kann.

*** Diese Wendung geht auf P.F. Strawson zurück; vgl. die ausführlichen Zitate bei Tugendhat. Mir wurde sie durch G. Patzig vermittelt; vgl. »Die Einheit der Natur«, S. 337.

lich alle? Nein, nicht aktuell, aber von Natur. Ein Gesetz wird
statuiert, um die Aussage wahrheitsgemäß machen zu können.
Ist dies überhaupt ein verifizierbarer oder falsifizierbarer Sachverhalt? Aber in solchen Sätzen vollzieht sich Erkenntnis.
Kann man die Einheit solcher Sachverhalte wie die der beiden
so verschiedenen Beispiele anders als durch die Einheit der
Satzintention erklären?

Ein anderes Problem, das mit der Einheit der Satzintention
zusammenhängt, ist die Zweiwertigkeit der Logik. Jeder Aussagesatz kann wahr oder falsch sein. Was ist der Sachverhalt,
der besteht, wenn der Satz falsch ist? Der von der Negation
dieses Satzes ausgesagte Sachverhalt. Aber gibt es eigentlich
negative Sachverhalte? »Es regnet nicht« ist nur die eine mögliche Antwort auf die Frage »regnet es?«, pedantischer: »besteht der Sachverhalt, daß es regnet?« Bochenski sagt bei der
Negation von Prädikaten »die Welt ist voll von Nichtelefan-
ten«. Die Negation ist ein erklärungsbedürftiger Zug der Logik, nicht ein Faktum der Wirklichkeit. Platon hat dies im
Sophistes genau gesehen.

Ich schlage vor, den Aussagesatz grundsätzlich im Sinne der
pragmatischen Wahrheitsdefinition zu verstehen. Ein Aussagesatz ist genau dann wahr, wenn eine bestimmte Handlungsweise zum Erfolg führen würde.* Genau wenn es regnet, muß
man den Regenschirm aufspannen. Genau wenn alle Menschen von Natur nach Wissen begehren, hat es Sinn, die »Metaphysik« zu schreiben. Genau wenn 2 mal 2 vier ist, muß man
vier Betten bereitmachen, wenn zwei Paare zu Besuch kommen. Dabei sind natürlich diese Beispiele primitive Stilisierungen, vergleichbar der unbelehrbaren Primitivität angeborener
Verhaltensschemata (vgl. »Die Einheit der Natur«, S. 338).
Die Behauptung ist nur, daß auch unsere subtil prüfbaren
Aussagesätze ihren Gehalt in den Methoden ihrer Prüfung
haben. Die Subtilität einer pragmatistischen Erkenntnistheorie
kann aber erst entfaltet werden, nachdem gesehen ist, inwiefern die pragmatische Wahrheitsdefinition die Einheit der
Satzintention und die Zweiwertigkeit der Logik grundsätzlich
erklärt.

---

* All dies diskutiert Tugendhat sehr viel präziser.

Man darf hier auf einen zunächst empirisch gegebenen Zug der Verhaltenslehre zurückgreifen. Ein Verhaltensschema bei Tieren ist im einfachsten Fall ein Ablauf von Tätigkeiten, deren Abfolge angeboren ist und deren Auslösung durch äußere Umstände erfolgt. Es gibt – immer im einfachsten Fall – keine Zwischenstufen zwischen dem Stattfinden der Auslösung mit dem nachfolgenden Verhaltensablauf und dem Nichtstattfinden beider. Betrachtet man den Hergang genauer, so können die gleichwohl auftretenden Zwischenstufen entweder ein schlechtes Funktionieren des Schemas sein, oder aber ein komplizierteres Schema, in dem mehrere Entscheidungspunkte, etwa auch unter Einfluß von Lernvorgängen, vorgesehen sind. Da beide Verfeinerungen das Grundschema nicht strukturell leugnen, bleiben wir um der Kürze des Ausdrucks willen beim einfachsten Fall. Dann ist die Entscheidung über das Stattfinden der Auslösung in einer bestimmten Zeitspanne eine einfache Ja-Nein-Entscheidung. Sie hat zudem die Asymmetrie, die wir zwischen Sein und Nichtsein konstatiert haben. Findet die Auslösung statt, so geschieht der Verhaltensablauf. Findet die Auslösung nicht statt, so geschieht »nichts«, und es bedarf einer Rückfrage nach dem enttäuschten Interesse des jeweiligen Beobachters, um zu erfahren, was dasjenige ist, was nicht geschehen ist.

Das Handlungsschema mit seiner Alles-oder Nichts-Struktur ist freilich noch kein Satz, weder ein imperativischer noch ein assertorischer. Aber von ihm aus können wir es unternehmen, die Struktur von Sätzen zu erläutern. Wir, die Verhaltensforscher, können einen »Sachverhalt für das Tier« definieren als diejenigen Umstände, welche die Auslösung zur Folge haben. Aus solchen Sachverhalten für das Tier besteht dessen Uexküllsche Umwelt. Menschliches Denken beruht dann auf einer Repräsentation (Vor-stellung) möglicher Handlungen mit ihren Erfolgen, sei es in der Sprache, sei es in der z. B. optischen Phantasie. Wie diese Repräsentation möglich ist, ist das hochkomplexe Thema einer deskriptiven und kausalen Theorie des Sprechens und Denkens. Aber es erscheint plausibel, daß auch die vorgestellten Handlungen den grundsätzlichen Ja-Nein-Charakter elementar-tierischer Handlungen haben, wenngleich in hochkomplex zusammengesetzter Form,

die aber doch eine Analyse auf ihre einfachen Elemente hin
zuläßt. Eine sprachliche Repräsentation für Menschen eines
solchen vorgestellten »Sachverhalts für Menschen« wäre dann
ein Aussagesatz. Hier tritt die Formel »für Menschen« sachge-
mäß zweimal auf: es ist ein Sachverhalt für Menschen, den die
Sprache für Menschen darstellt. Die gewöhnliche sprachlogi-
sche Reflexion erkennt das »für Menschen« der Sprache, aber
nicht des Sachverhalts, und nimmt daher die Einheit der
sprachlich repräsentierten möglichen Handlung und ihre Al-
les-oder-Nichts-Struktur als die Einheit und die Sein-Nicht-
sein-Struktur von Sachverhalten.

In einer Stilisierung, welche die zahllosen im menschlichen
Sprechen und Denken eingebauten Komplikationen brutal unterdrückt, könnten wir also die Begründung der Zweiwertigkeit der Logik so aussprechen: Der Aussagesatz stellt einen
Sachverhalt vor. Der Sachverhalt ist definiert durch eine ihm
angemessene Handlungsweise. Die Handlungsweise hat ein
Alles-oder Nichts-Prinzip: sie kann in einer gegebenen Situation erfolgen oder nicht erfolgen, und weder beides zugleich
(Satz vom Widerspruch für Handlungen) noch keines von
beiden (Satz vom ausgeschlossenen Dritten für Handlungen).
Die Zweiwertigkeit der Aussagesätze selbst ist nun eine Einsicht der Reflexion. In »schlichter« Aussage sagen wir jeweils
Sachverhalte aus, welche vorliegen. Nicht vorliegende Sachverhalte werden nicht ausgesagt. Aber auch fast alle vorliegenden Sachverhalte werden nicht ausgesagt, nämlich entweder
wenn ihnen keine Handlungsmotivation zukommt, oder wenn
keine Motivation besteht, diese ihre mögliche Handlungsmotivation sprachlich mitzuteilen. Jede schlichte Aussage ist »als
wahr gemeint«. Nun aber ist der Zweifel an jeder schlichten
Aussage möglich, freilich nicht an allen zugleich. Eine bezwei-
felte Aussage wird durch ein Verfahren überprüft, das sich in
einer Vielzahl neuer, ihrerseits schlichter Aussagen aussprechen kann. Das Verfahren prüft, ob der behauptete Sachverhalt wirklich vorliegt. Die ursprünglich schlichte Aussage
(nennen wir sie »p«) wird nun zur reflektierten Aussage. Hat
sie sich als wahr erwiesen, so können wir weiterhin p als wahr
aussprechen, wir können jetzt aber auch sagen »ich behaupte,
daß p« oder »p ist wahr«. Andernfalls »ich behaupte, daß nicht
p« oder »p ist falsch«.

Diese Darstellung macht, so hoffe ich, eine Reihe phänomenologisch bekannter Züge unserer Erkenntnis auch kausal begreiflich. Die Logik ist zweiwertig, weil sie auf Handlungen bezogen ist, die ausgeführt oder unterlassen werden können. Nennen wir das Denken im Rahmen der Logik den Verstand und die bewußte, entscheidungsfähige Handlungsmotivation den Willen, so folgt die Zusammengehörigkeit beider: der Verstand kann denken, was der Wille wollen kann, der Wille kann wollen, was der Verstand denken kann. Die Zweiwertigkeit, die Zerlegbarkeit der Wirklichkeit in Alternativen ist nicht eine Eigenschaft, die uns die Welt ohne unser Zutun zeigt; sie ist die Weise, wie wir auf die Wirklichkeit – erfolgreich – zugreifen. Der Verstand ist machtförmig. Die zweiwertige Logik gilt aber nur für reflektierte Aussagen; durch den Zugriff des Zweifels (des Sehens zweier Möglichkeiten, *Zwiefalt = Zwei*fel) werden jeweils isolierte schlichte Aussagen zu reflektierten Aussagen. Für die schlichten Aussagen und das Nichtgesagte gilt die Prävalenz der Wahrheit vor der Falschheit, die Heidegger mit dem Begriff der Unverborgenheit phänomenologisch beschreibt. Ein Hof unabgrenzbar vieler möglicher schlichter Aussagen ist für jeden einzelnen Akt zweifelnder Reflexion unerläßlich. Dieser Hof ist uns als eine weitgehend unausdrückliche Wahrnehmung dessen gegeben, was stets nur in isolierten kleinen Teilstücken in Sachverhalte aufgelöst wird. Dies ist die Prävalenz der Wahrnehmung vor dem Verstand. In der Wahrnehmung sind wir immer schon orientiert im Ganzen; so können wir im Einzelnen zielstrebig handeln. Diejenige Wahrnehmung des Ganzen, die auch über das begriffliche Denken frei verfügt, möchte ich Vernunft nennen. So gesehen ist Vernunft Vorbedingung für die Tätigkeit des Verstandes. Die Affekte aber sind gleichsam Vernunft vor der Entwicklung des Verstandes. Daher die Rede von der Vernunft der Affekte.

Wir beenden den Abschnitt mit einer nochmaligen philosophischen Reflexion über den Sinn des gewählten Verfahrens. Sachverhalte haben sich uns als »Sachverhalte für Menschen« erwiesen. Nun ist es keineswegs die philosophische Absicht dieser Notizen, die Welt auf unsere Vorstellungen zu reduzieren. Die Lehre vom Verhalten der Tiere bietet schon ein besse-

res Modell an. Der Verhaltensforscher weiß, daß sich im
»Sachverhalt für das Tier« wesentliche Züge derjenigen Wirklichkeit wiederfinden, die er als Naturwissenschaftler kennt
(und besser zu kennen überzeugt ist als das Tier). Kritische
Reflexion bedeutet, daß wir mit dem besten uns möglichen
Wissen ebenso unser eigenes jeweiliges und vorläufiges Wissen
auf seinen Wahrheitsgehalt, seine Bedingungen und seine
Grenzen prüfen. Eine Philosophie wie die hier versuchte reflektiert nun kritisch nicht nur auf Einzelwissen, sondern auf die
Form des Wissens selbst. Sie fragt, warum sich Wissen gerade
in Sätzen, und zwar in negierbaren Sätzen darstellt. Es ist
methodisch nicht illegitim, wenn sie dabei auf empirische Fakten über die Vorfahren von homo sapiens (genauer über heutige Nachkommen solcher Vorfahren) zurückgreift. Es ist ebensowenig illegitim, daß sie dabei diejenige Methode der Erkenntnis benutzt, deren Entstehungsgrund sie selbst studiert,
daß sie also ihre Vermutungen in Sätzen, und zwar in negierbaren Sätzen ausspricht. Genau dies ist im »philosophischen
Genitiv« gemeint, der zugleich genitivus subiectivus und obiec-
tivus ist: »Kritik der reinen Vernunft« ist Kritik an der Vernunft durch die Vernunft. Nur unsere essentiell geschichtliche
Fragestellung verbietet die inhaltliche Einteilung unseres Wissens in empirisches und transzendentales; unsere transzendentale Reflexion bedient sich empirischen Materials mit dem
Fernziel, seine empirisch gefundenen Gesetze als transzendental notwendig zu erkennen.

In diesem Sinne ist es natürlich auch legitim, zu fragen, ob
das geschilderte Auslöseschema von Verhaltensabläufen einen
Grund in den Sachen selbst hat, also z. B. einen Selektionsvorteil in der Welt, wie sie ist (wobei wir weiterhin die Welt, »wie
sie ist«, in negierbaren Sätzen beschreiben). Halten wir einmal
Arterhaltung als das Erfolgskriterium fest. Etwas, nämlich die
Art, kurzfristig auch das Individuum, soll erhalten bleiben. Die
Handlungen müssen also gewisse Zustandsmerkmale des
Handelnden mit einer gewissen Eindeutigkeit konstant halten
oder nach einer Frist reproduzieren. Diese Erhaltung geschieht
von selbst, solange sich die Umstände nicht ändern. Sie geschieht auch noch von selbst, solange sich die Umstände in
einer für diese Erhaltung irrelevanten Art ändern. Es muß also

ein Mechanismus funktionieren, der normalerweise nicht, sondern nur auf relevante Änderungen der Umstände (der äußeren oder auch inneren, z. B. Feinde oder Hunger) anspricht. (Das meint übrigens Luhmann wohl mit Komplexitätsverminderung.) Nun können endliche Wesen wie die Organismen nur endlich viele, sogar nur wenige, zuverlässig funktionierende relativ komplex aktive, auslösbare Verhaltensschemata haben. Dieser wohl an sich einleuchtende Satz ließe sich durch die thermodynamischen Bedingungen der Zuverlässigkeit, nämlich hinreichend gesicherte Irreversibilität, quantitativ untermauern. Wir stoßen hier auf genau dieselbe Argumentation wie bei der Notwendigkeit irreversibler Vorgänge in Meßinstrumenten gemäß der Quantentheorie der Messung. Wie dort die klassische Physik im Meßgerät wird uns hier die Einheit und Negierbarkeit der Sachverhalte, also die klassische Logik, durch die Funktionsbedingungen eines physischen Gegenstandes aufgedrungen, der strukturell erkenntnisartige Akte vollziehen soll.

Auch mit dieser Überlegung sind wir natürlich aus dem geschichtlichen Zirkel unserer eigenen Erkenntnis nicht entschlüpft. Die Endlichkeit der Reaktionsweisen eines Organismus beruht physikalisch darauf, daß er aus endlich vielen Atomen besteht, und daß diese nur endlich viele reproduzierbar verschiedene Reaktionsweisen haben. Die Gesetze dieser Sachverhalte beschreibt für uns heute die Quantentheorie. Diese versuchen wir aus finitistischen Axiomen herzuleiten, und der Finitismus drückt eben die Endlichkeit eines auf einheitliche Satzinhalte angewiesenen Denkens aus. Indem wir nun eben dies in negierbaren Sätzen auszusprechen suchen, denken wir die Möglichkeit der Negation dieser Sätze, also nichtfiniter Sachverhalte oder einer nicht in »Sachverhalte« auflösbaren Wirklichkeit hypothetisch mit. Faßbar wird uns der Gedanke der Unendlichkeit nur als Möglichkeit, d. h. als Zukunft. Die futurische Modallogik, also etwa die Quantenlogik, ist in gewissem Sinne nicht zweiwertig. Die vorliegende Notiz geht auf die hier entstehenden Diskussionen noch nicht ein. Sie sollte nur, als deren Hintergrund, einen mutmaßlichen Grund der Zweiwertigkeit der klassischen Logik vor Augen stellen.

4. Der Grund der Subjekt-Prädikat-Struktur des Satzes

Daß der elementare Aussagesatz von einem Subjekt (ὑποκείμενον) etwas prädiziert, nämlich ihm etwas zu- oder abspricht (κατάφασις-ἀπόφασις), wird seit Aristoteles in engstem Zusammenhang mit der Einheit der Satzintention und der Zweiwertigkeit gelehrt; im Sophistes legt schon Platon diese Struktur des Satzes zugrunde. Dabei ist der Zusammenhang beider Strukturen keineswegs evident. Als wahr oder falsch erkennen wir auch Sätze an, die auf komplizierte Weise aus elementaren Sätzen aufgebaut sind, und ebenso Sätze, deren Einfachheit eine unmittelbare Deutung im Sinne der S-P-Struktur gar nicht nahelegt, wie »es regnet«, »Feuer!«, »es regnet nicht«. D. h. Einheit der Satzintention, Zweiwertigkeit und Negierbarkeit haben die S-P-Struktur nicht zur Folge; letztere ist eine Einschränkung der Mannigfaltigkeit der denkbaren Satzstrukturen. Andererseits ist diese Struktur sehr verbreitet, und wenn ich Chomsky richtig verstehe, hält er sie auch dort, wo sie in der Oberflächenstruktur der Sätze nicht auftritt, für ein unerläßliches Bauelement ihrer Tiefenstruktur. Kann man diese ihre Universalität verstehen?

In der aristotelischen Syllogistik werden Eide über Eide ausgesagt. Hiermit ist die klassische Vorstellung von Oberbegriffen, die Begriffspyramide etc. verbunden. So konstruiert nach Detel* schon Platon die prädikativen Sätze. Aber von Snells** drei Beispielen für prädikative Sätze:

Der Löwe ist ein Raubtier
Der Löwe ist gelb
Der Löwe brüllt

deckt dieses Modell nur das erste. Eigenschaften und Tätigkeiten sind nur gewaltsam zu Oberbegriffen zu machen. Wesentlich gehört zu ihnen, daß sie (mit Ausnahme der ἴδια, der zum Wesen gehörenden Eigenschaften, wenn ich diesen nicht unproblematischen aristotelischen Begriff einmal akzeptiere) dem Subjekt nicht notwendig oder wesentlich und im allgemei-

---

* W. Detel, »Platons Beschreibung des falschen Satzes im Theätet und Sophistes«, ›Hypomnemata 36‹, Göttingen, Vandenhoeck & Ruprecht 1972.
** Bruno Snell, »Der Aufbau der Sprache«, Hamburg 1952.

nen auch nicht jederzeit zukommen. »Der Löwe brüllt, wenn er nicht schweigt« (W. Busch, »Naturgeschichtliches Alphabet für größere Kinder und solche, die es werden wollen«) und auch ein ergrauter Löwe ist ein Löwe. Die Beschränkung der Prädikationsstruktur auf zeitlose Beziehungen zwischen Eide klammert nicht nur die Fülle der zeitbezogenen Sprache aus; sie verbaut auch den Weg zur temporalen Logik. Der Verdacht liegt heute nahe, daß umgekehrt die Eidosstruktur eine spezielle Variante der Prädikationsstruktur ist, daß z. B. Eide zeitlos gewordene Prädikate sind.

Es gibt eine zeitliche Begründung der Prädikationsstruktur bei Aristoteles selbst (Physik A 7). Aristoteles zeigt dort, daß es, wenn es Veränderung gibt, eine Darstellung durch zwei oder drei Prinzipien geben muß, die er Materie, Form und Privation (ὕλη, μορφή, στέρησις) nennt. Die Bronze (Materie), die keine Statue ist (Privation) wird zur bronzenen Statue (Form, und zwar Form in der Materie, ἔνυλον εἶδος). Abstrakt gesagt: Wer Veränderung beschreiben will, muß etwas bezeichnen, was gleichbleibt (bliebe nichts gleich, so wäre vermutlich begriffliche Beschreibung unmöglich) und etwas, was sich ändert. Das Gleichbleibende wird die Materie genannt, das sich Ändernde ihre Form. Die Form tritt bei der Änderung in zwei Gestalten auf: A wird B. Die übliche Beschreibung hebt eine der beiden Gestalten als die gemeinte Form hervor und bezeichnet die andere nur durch deren Fehlen. Insofern läßt sich die Zwei-Prinzipien-Struktur von Materie und Form auch als Drei-Prinzipien-Struktur von Materie, Form und Privation auffassen. Man sieht hier auch unmittelbar den Relationscharakter des Begriffspaars Materie-Form. In bezug auf eine bestimmte Veränderung ist Bronze Materie, nämlich in bezug auf diejenige, in der sie sich nicht ändert. Gegenüber ihren Bestandteilen, aus denen sie hergestellt wird, Kupfer und Zinn, ist sie Form. Eine Materie, die als Subjekt in einem Aussagesatz vorkommen kann, ist selbst ein Eidos, denn nur ein Eidos ist sagbar. Eine prima materia, πρώτη ὕλη, ist ein abstraktes philosophisches Prinzip, aber kein vorkommendes Ding.

Wesentlich gehört zum aristotelischen Materiebegriff, daß Materie Möglichkeit (δύναμις), und zwar rezeptive Möglichkeit (δύναμις τοῦ πάσχειν) bedeutet. Aus Bronze kann eine

Statue gemacht werden, muß aber nicht. Die Veränderung wird nicht als ein determinierter Ablauf beschrieben, sondern als Verwirklichung einer Möglichkeit, die auch hätte ausbleiben können. Hiermit ist übrigens nicht nur nicht positiv, sondern auch nicht negativ über Determinismus präjudiziert. Es ist denkbar, daß derjenige, der alle zusammenwirkenden Ursachen kennt, wissen könnte, daß die Bronze zur Statue werden mußte. Aber das ist nicht die reale Situation des erkennenden Menschen. Er bedarf der zusammensetzbaren Begriffe, also der Möglichkeit: Materie als Möglichkeit der Verwirklichung einer Form, Form als mögliche Form einer Materie.

In einer temporalen Logik liegt es nahe, ein analoges Schema zu benutzen. Wir sprechen von entscheidbaren Alternativen. Dabei müssen wir erstens die Alternative bezeichnen, d. h. von anderen Alternativen unterscheiden, und zweitens angeben, welche Entscheidung eintritt. Ersteres entspricht der Materie, der Möglichkeit dieser Form bzw. ihrer Privation, letzteres der Form selbst. Eine Form ist nur angebbar, indem sie oft vorkommt (Bestätigung). Eine Möglichkeit ist nur angebbar als Möglichkeit einer Form. Aber daß sie Möglichkeit ist, heißt, daß die Form gerade im jetzt vorliegenden Fall eintreten kann oder nicht (Erstmaligkeit).*

Unter diesen Begriff der Prädikation fallen die drei Snellschen Beispiele, nachdem einmal der Begriff eines konstanten Subjekts (οὐσία im Sinne des Aristoteles, πρώτη οὐσία der Kategorienschrift) gerechtfertigt ist. Diese Rechtfertigung ist freilich ein weiteres Stück Arbeit. Subjektlose Sätze wie »es regnet« zeigen, daß die Phänomene nicht zugleich mit anwendbaren Begriffen auch permanente Subjekte erkennen lassen müssen. Methodisch wird man zwar das Subjekt als permanente Alternative (die Möglichkeit selbst als Form: z. B. das Stück Bronze) begründen. Aber daß es permanente individuelle Gegenstände gibt, ist vermutlich transzendental nicht voll zu begründen. Es ist wohl erst auf dem Umweg über die volle Physik einzusehen. Elementarteilchen sind die einfachsten

---

* Vgl. E. v. Weizsäcker, »Erstmaligkeit und Bestätigung als Komponenten der pragmatischen Information«, in E. v. Weizsäcker (Hrsg.) »Offene Systeme I«, Stuttgart, Klett 1974.

quasi-individuellen Gegenstände, aber sie sind schon keine Uralternativen mehr.

Snells drei Beispiele erscheinen dann naheliegend in einer Welt individueller Gegenstände. Ein Gegenstand kann Eigenschaften haben, die entweder wechseln können oder nicht. Im letzteren Fall nennt man sie Wesensmerkmale und faßt sie zu einem substantivisch ausgesprochenen Oberbegriff zusammen. Im ersteren Fall bezeichnet man sie durch Adjektive. Die ἴδια sind dann second thoughts einer Spezies-Philosophie. Die Änderung der Eigenschaften geschieht meist durch Einwirkung von außen. Der kausale Begriff der Einwirkung bezeichnet Gesetzlichkeit zeitlicher Vorgänge in einer Welt individueller Gegenstände: einer wirkt auf den anderen. Ursache einer solchen Einwirkung Sein heißt Handeln und wird durch Verben beschrieben: Snells drittes Beispiel.

Daß wir zeitlose Verhältnisse durch prädizierende Sätze beschreiben, ist nun das am wenigsten Selbstverständliche. Die Negation ist natürlich in temporalen Sachverhalten, wo sie reale Möglichkeiten ausdrückt. Die Negation eines zeitlos wahren Satzes (»zweimal zwei ist nicht vier«) drückt als reale Möglichkeit nur die des Nichtwissens (des Irrtums, der Lüge) aus. Diese für die Philosophie zentrale Frage klammern wir hier aus.

In der neuzeitlichen Philosophie der Logik hat man vor dem Hintergrund der Substanz-Ontologie des Aristoteles und verstärkt durch die Richtung des Nominalismus einen ganz anderen Aufbau als den hier versuchten gewählt. Man hat in ihr gerade das vorausgesetzt oder als unmittelbar einsichtig zu erweisen versucht, was hier als begründungsbedürftig und nur eingeschränkt wahr angesehen wird: die Existenz isolierbarer, mit sich identisch bleibender Gegenstände. Gegenstände werden durch singuläre Termini, durch Eigennamen bezeichnet. Das philosophische Problem beginnt nach dieser Auffassung erst bei der Einführung der Begriffe, d. h. der Prädikate. Der Name »Sokrates« bezieht sich auf jenen athenischen Philosophen, der Platons Lehrer war und den Schierlingsbecher trank. Worauf aber beziehen sich Prädikate wie »Philosoph«, »Grieche«, »sterblich«? Die extensionale Auffassung besagt, daß sie sich auf Klassen von Gegenständen beziehen. Aber was ist eine

Klasse? Ist sie eine Gesamtheit von Gegenständen? Eine im engen Sinne nominalistische Ansicht wäre, daß ein Prädikat nur ein gemeinsamer Name für alle Gegenstände einer Klasse wäre. Frege und Russell haben die Schwierigkeiten hervorgehoben, die entstehen, wenn man eine Klasse nicht von den in ihr enthaltenen Gegenständen unterscheidet. Im Horizont einer zu entwerfenden zeitlichen Logik ist dazu zu sagen, daß wir niemals alle in eine Klasse fallenden empirischen Gegenstände vollständig kennen können. Wenigstens die zukünftigen kennen wir nicht. Wir können aber jetzt schon das Prädikat kennen, das über ihre Zugehörigkeit zur Klasse entscheiden wird, wenn wir sie kennen werden. Also ist hier sicher der Prädikatsbegriff primär gegenüber dem Klassenbegriff.

Freges und Russells These, daß Prädikate als Subjekte von Prädikaten höherer Stufe auftreten können, also eine Art von Gegenständen höherer Stufe bilden, wird, zumal in der englischsprachigen Literatur dann manchmal als »Platonismus« bezeichnet. Das ist jedoch eine historisch und systematisch absurde Bezeichnungsweise. Dieser sogenannte Platonismus gibt das unbefragt zu, was Platon nicht müde wird zu leugnen, nämlich die Existenz elementarer Gegenstände, und er faßt dann die Begriffe nach dem Vorbild dieser Gegenstände auf, der zweite Fehler, den Platon unermüdlich bekämpft hat.* Noch in der aristotelischen Syllogistik kommen unter den Beispielen niemals singuläre Termini, sondern nur quantifizierte Prädikate vor; nicht: »Sokrates ist sterblich«, sondern »alle Griechen sind sterblich«.** Um sich dem Sinne Platons anzunähern, müßte man zunächst jeden singulären Terminus als eine Kennzeichnung auffassen, d. h. als ein Prädikat, unter das genau ein Gegenstand fällt. Genau so habe ich oben den Sinn des Namens »Sokrates« erklärt. Nur dann kann man, wie Kant in seiner Erklärung der analytischen Urteile, mit der

---

* Ich habe mir erlaubt, hier zwei Sätze wörtlich aus meinem Aufsatz »Die Aktualität der Tradition: Platons Logik« zu übernehmen.
** Hervorgehoben von J. Lukasiewicz, »Aristotle's Syllogistic from the Standpoint of Modern Formal Logic«, Oxford, Clarendon 1951; dazu G. Patzig, »Die aristotelische Syllogistik«, Göttingen, Vandenhoeck & Ruprecht, 1959.

Tradition allgemein vom jeweiligen Begriff des Subjekts eines prädikativen Satzes reden.

Die sprachanalytische Philosophie unserer Tage sieht sich schrittweise in derselben Richtung gedrängt. Ich zitiere hier Tugendhats Darstellung. Sucht man die Bedeutung eines Satzes in den Bedingungen seines Gebrauchs, so lassen sich zunächst situationsgebundene Sätze erklären, die der gegenwärtigen Situation ein Prädikat zuschreiben, genau wie wir es in II 2,3 bei der Erläuterung des Zusammenhangs von Information und Begriff getan haben. Die Einführung singulärer Termini geschieht dann, um den Satz situationsunabhängig zu machen. Die Bezeichnung der Gegenstände knüpft Tugendhat an die raum-zeitliche Situation an, der Quantenphysiker muß also sagen: an die Begriffe der klassischen Physik.

Diese logischen Probleme im Blick haltend kehren wir zu der biologischen Analyse der Wahrnehmung von Begriff und Einzelfall zurück, die wir im Beitrag über die Einheit von Wahrnehmen und Bewegen versucht haben. Wir kombinieren sie jetzt mit dem Ergebnis des voranstehenden Abschnitts über den Satz. Wir können dann sagen: Einem einfachen auslösbaren Verhaltensschema eines Tiers entspricht *für uns* ein Begriff. *Für das Tier* ist wohl das Ablaufen des betreffenden Verhaltens in einer für unsere Reflexion kaum mehr noch vollziehbaren Weise die ungeschiedene Einheit der drei Momente, die wir als Begriff, Affekt und Handlung auseinanderhalten (diese Betrachtungsweise wurde in I 8, S. 136 eingeführt); derart ungebrochene Verhaltensweisen haben wir vermutlich nur dort, wo wir unser eigenes Verhalten gar nicht als solches merken. Erst dort, wo ein höherer Komplikationsgrad der Verhaltensweisen einen bestimmten Verhaltensablauf je nach einem höheren Kriterium hemmen oder loslassen kann, kann ein biologisches Bedürfnis entstehen, diesen Ablauf *als einen möglichen* zu thematisieren. Hier dürfte das Auseinandertreten von Handlung und Affekt beginnen. Der Affekt ist gleichsam die Wahrnehmung der nicht vollzogenen Handlung als angezeigter, aber (bisher) nicht vollzogener. Hier trennen sich Wahrnehmen und Bewegen. Der Begriff *als Begriff*, also die Trennung von Begriff und Einzelfall, von Denken und Wahrnehmen, ist eine bei höheren Tieren wohl gelegentlich schon vollzogene,

aber erst vom Menschen, durch die Sprache, thematisierbare
noch höhere Leistung.

Hier wurzelt das zum Verständnis der Philosophie, zumal
der platonischen, fundamentale Phänomen, das ich *Mitwahrnehmung* nennen möchte (vgl. wieder I 8, S. 139). Es ist die
Mitwahrnehmung des Begriffs in dem, was unter den Begriff
fällt, im einfachsten Beispiel also im Einzelfall. »Dort fliegt der
Ball!« Habe ich dieses Einzelding wahrgenommen, das unter
den Begriff Ball fällt? Oder habe ich das Eidos (den Begriff) Ball
in einer seiner Realisierungen wahrgenommen? Die Frage ist
falsch gestellt. Ich habe *dies als Ball* wahrgenommen. Sprechen
wir von der Wahrnehmung der Tiere, so müssen wir sagen, daß
sie Begriffe wahrnehmen. Der Marder im Hühnerhaus (S. 220).
Oder, wenn das nesthockende Vogeljunge bei Herannahen der
fütternden Mutter den Schnabel aufsperrt, dasselbe aber auch
bei Herannahen einer Papp-Attrappe tut: verwechselt es die
Attrappe mit der Mutter? Vermutlich nicht, aber es reagiert
auf den Begriff »fütternder Schnabel«. Es ist die Leistung der
Philosophie, den mitwahrgenommenen Begriff vom Einzelfall
zu unterscheiden; Philosophie ist eine Schulung, beides in je
eigener Weise für sich wahrzunehmen. Als Wahrnehmung im
engeren Sinn erscheint dann seit der griechischen Philosophie
(αἴσθησις) und sich verengend in der sich herausbildenden
nominalistisch-empiristischen Tradition die Wahrnehmung
des Einzelfalls. Bei Platon und Aristoteles wird auch das Denken des Begriffs noch mit einem ursprünglich die optische
Wahrnehmung bezeichnenden Wort (νόησις) benannt. Das
Problem des Empirismus, wie spezielle Erfahrung allgemeine
Begriffe und allgemeine Urteile begründen kann, löst noch
Aristoteles in seiner Theorie der Induktion (ἐπαγωγή), indem
er sagt, daß wir *im* Einzelfall das Allgemeine wahrnehmen. Die
Häufung der Einzeldaten kann dazu hilfreich sein, im Prinzip
genügt aber *ein* Einzelfall zur Induktion. Hier ist mit dem
ungetrübten phänomenologischen Blick der griechischen Philosophie das Phänomen der Mitwahrnehmung noch direkt
beschrieben.

In einer leicht spielerischen Stilisierung läßt sich die Aufgabe
der Philosophie in folgender Stufenleiter erläutern. Wenn in
der reflektierteren Wahrnehmung der Unterschied zwischen

dem Einzelfall und dem Begriff gemacht wird, so heißt das, daß im Einzelfall dieser Wahrnehmung der Unterschied zwischen dem Begriff des Einzelfalls und dem Begriff des Begriffs mitwahrgenommen wird. Das Eidos ist, vom Einzelfall her beschrieben, die Gesetzmäßigkeit, die wir im Begriff – in der Möglichkeit der den jeweiligen Begriff konstituierenden Verhaltensweise – mitwahrnehmen. Die Mitwahrnehmung des Eidos im Sinnending ist die Erscheinung des Eidos, so wie die griechische Philosophie den Begriff Erscheinung (φαινόμενον) versteht. Die Mitwahrnehmung des Unterschiedes von Eidos und Sinnending ist die Erscheinung dieser Unterscheidung. Philosophie ist seit Platon der Versuch, diese so mitwahrgenommene Unterscheidung direkt wahrzunehmen; sie ist eine Meditation dieser Unterscheidung. Deshalb ist Philosophie Lehre von der Erscheinung: sie ist Erscheinung der Erscheinung. Dazu muß mitwahrgenommen werden, was im Eidos, das *als* Eidos wahrgenommen wird, eben darum mitwahrgenommen wird: die Wesenselemente des Eidos. Also, in der platonischen Tradition gesprochen, die Transzendentalien: das Eine, das Gute, das Sein, die Wahrheit.

Der Aufstieg aus der Höhle ist der Weg dieser Meditation. Aber es muß immer wieder gesagt werden, daß erst der Wiederabstieg Platons konstruktive Philosophie ist. Er ist die Wiederherstellung der aus pädagogischen Gründen zu Beginn des Aufstiegs zerrissenen Einheit von Eidos und Einzelding, er ist also die Erkenntnis aller Einzeldinge als das, als was sie einzig erkannt werden können, als Eide. Daß in der weltflüchtigen Tradition des Neuplatonismus nur Platons Aufstiegsphilosophie eigentlich rezipiert wurde, führte zumal seit dem Hochmittelalter dazu, die beiden Bewegungen von Aufstieg und Abstieg auf zwei Philosophien zu verteilen, die platonische und die aristotelische. Diese Verteilung spiegelt sich in Raffaels Schule von Athen* (I 8, S. 136), und offensichtlich durch dieses

---

* Günter Ralfs (»Platon und Aristoteles im abendländischen Bewußtsein«, in ›Lebensformen des Geistes‹, Kantstudien, Ergänzungshefte 86, Köln, Kölner Universitäts-Verlag 1964) hat nachgewiesen, daß diese Konfrontation von Platon und Aristoteles auf dem von Platon selbst im Sophistes entworfenen Gegenüber der Ideenfreunde und der Materialisten beruht; zwei Positionen, von denen beiden er sich distanziert.

Bild angeregt ist Goethes schöne Schilderung der beiden Philosophen im historischen Teil der Farbenlehre.* Die Trennung der Schulen aber führt in der Radikalisierung der Positionen zu unlösbaren Problemen. Der Empirismus hält Sinnesdaten als solche für gegeben und kann von ihnen aus die Gesetze nicht rekonstruieren; er sieht nicht, daß Sinnesdaten schon unserer biologischen Ausstattung wegen gar nicht anders als unter einem mitwahrgenommenen Begriff gegeben sein können. Der Idealismus, wenn ich diesen vieldeutigen Terminus hier benutzen darf, hält die direkte Wahrnehmung des Eidos, die Leistung einer meditativen Abstraktion, für ein eigenständiges Vermögen, das durch Erfahrung nur gleichsam illustriert, aber nicht belehrt werden könnte; sein geschichtliches Schicksal ist es, jeweilige Stufen der empirisch fundierten Einsicht zu dogmatisieren. Dem bisherigen Idealismus fehlt die Wahrnehmung der Geschichte, die Mitwahrnehmung der Zeit.

* »Materialien zur Geschichte der Farbenlehre. Zwischenzeit. Überliefertes«. (Hamburger Ausgabe XIV S. 53–54).

II, 7. Mitwahrnehmung der Zeit

Ich erlaube mir, als Abschluß eine stenographisch-kryptische Notiz anzuhängen, deren Auslegung den gegenwärtigen Rahmen sprengen würde, die aber das durch die letzten Sätze des vorigen Beitrags angedeutete Problem aufnimmt und sich auf die ebenso knappe Notiz über die Zeit und das Eine (III, 6.) bezieht.

Ich schließe mich an ein paar Formulierungen von Picht* an:

a. Das Vergangene vergeht nicht.

b. Die Menge der Möglichkeiten wächst.

c. Die Zeit ist selbst das Sein.

d. Wahrheit ist Erscheinung der Einheit der Zeit.

Das Vergangene ist in Fakten aufbewahrt. Fakten sind Möglichkeiten der Erscheinung von Vergangenem. Möglichkeiten sind in Fakten fundiert. Wenn das Vergangene nicht vergeht, nimmt die Menge der Möglichkeiten zu, da stets neue Möglichkeiten sich als Fakten realisieren. Das »ist« in c. will Picht als transitives Verb lesen. Im faktisch Seienden wird das Sein mitwahrgenommen. Dieses aber ist Möglichkeit, d. h. die Zeit »ist« es.

Man kann sagen, die Gegenwart sei die Einheit der Zeit. Hier aber erklärt nicht der Begriff der Gegenwart, was Einheit der Zeit ist, sondern umgekehrt. So erklärt auch nicht der Begriff der Vergangenheit, was Faktizität ist oder der Begriff der Zukunft, was Möglichkeit, sondern umgekehrt: das Vergangene ist das gegenwärtig Faktische, das Zukünftige das gegenwärtig Mögliche. »Gegenwärtig« ist in der Gegenwart als der Einheit der Zeit. Die faktische Gegenwart ist, was sie ist, als Möglichkeit der Erscheinung der Fakten. Sie ist Gegenwart, insofern in ihr Zukunft mitwahrgenommen ist.

Wahrheit ist das in jeder *als* Wahrnehmung wahrgenomme-

---

* G. Picht, »Die Erfahrung der Geschichte« (Teil VI), 1958, abgedruckt in »Wahrheit, Vernunft, Verantwortung«, Stuttgart, Klett 1969 und »Theorie und Meditation 1973«, in MERKUR, 4/1974.

nen Wahrnehmung Mitwahrgenommene. Wahrnehmung ist
Gegenwart des Wahrgenommenen, Einheit seiner Faktizität
und Möglichkeit, also »seiner Zeit«. Wahrheit der Wahrnehmung ist die in ihr mitwahrgenommene Einheit der Zeit.

»Eine Bemerkung, die erst in der Folge ihre Aufklärung
erwartet.« (Kant, Kritik der reinen Vernunft, A 75, B 100.)

Drittes Kapitel
Philosophische Überlieferung

III, 1. Platonische Naturwissenschaft im Laufe der Geschichte*

Ich möchte heute über platonische Naturwissenschaft im Lauf der Geschichte sprechen. Es werden fünf Teile sein. Ich beginne mit dem 20. Jahrhundert, gehe zum 17. über und dann zu Platon selbst, kehre von dort ins 17. und noch einmal ein bißchen ausführlicher ins 20. Jahrhundert zurück.

Ich beginne also mit dem 20. Jahrhundert. Werner Heisenberg schildert in seinem Erinnerungsbuch »Der Teil und das Ganze«, wie er als Gymnasiast und, wie es damals hieß, »Zeit-freiwilliger« während der Kämpfe in München 1919, auf dem Dach des Priesterseminars gegenüber der Universität in der Ludwigstraße in München liegend, Platons Timaios im Urtext las. Er tat das, um sein Griechisch zu üben für das bevorstehende Abitur, und er las andererseits gerade diese Schrift, weil sie eben Platons Naturwissenschaft enthielt und ihn das interessierte. Er schildert, wie er erstaunt war festzustellen, daß Platon eine Art kleinster Teile der Materie, die wir vielleicht Atome nennen würden, statuierte, die reguläre Polyeder sind, Tetraeder, Oktaeder, Würfel, Ikosaeder – nur das Dodekaeder war ausgespart – und er fragte sich, was wohl für ein Sinn darin liegen könne, diese mathematischen Figuren zugleich als die letzten Bausteine von Feuer, Wasser, Luft, Erde, also dessen, was wir die Elemente nennen, aufzufassen. Liest man Heisenbergs Buch durch, so findet man dann am Ende wiederum Betrachtungen über die Beziehung seiner eigenen physikalischen Theorien, die er inzwischen entwickelt hat, zu diesen platonischen Vorstellungen, und Heisenberg bekennt sich dort dazu, daß er im Grunde mit seiner heutigen Theorie der Elementarteilchen Platonische Naturwissenschaft treibe, Naturwissenschaft im Sinne Platons. Man kann also sagen, daß der

---

* Als öffentlicher Vortrag der Joachim-Jungius-Gesellschaft der Wissenschaften gehalten im November 1970 in Hamburg. Nach der Tonbandnachschrift gedruckt: Göttingen, Vandenhoeck und Ruprecht, 1971.

wohl größte, heute lebende, theoretische Physiker seine Naturwissenschaft als eine Naturwissenschaft in der Tradition Platons versteht, und ich könnte den ganzen Vortrag, den ich halten will, auf die Formel bringen: In welchem Sinne kann heutige Naturwissenschaft platonisch sein?

Zunächst ein paar Worte über das Buch Heisenbergs, aus dem ich gerade paraphrasierend zitiert habe. Ich finde dieses Buch in seinem Habitus platonisch, es sind eigentlich aus neuerer Zeit die einzigen wirklich platonischen Dialoge, die ich kenne. Es ist ein Buch, das Gespräche schildert. In diesen Gesprächen wird die Umwelt lebendig, werden die beteiligten Menschen lebendig. Wie bei Platon sind die an den Gesprächen Beteiligten Menschen, die wirklich gelebt haben, die z. T. heute noch leben, und wie bei Platon selbst werden sie durch das, was sie sagen, charakterisiert, und es werden zugleich einander gegenüberstehende geistige Positionen deutlich. Ich glaube, ich tue meinem Lehrer und Freund Heisenberg nicht unrecht, wenn ich sage, daß die Präzision und Dichte des philosophischen Denkens der platonischen Dialoge noch das übertrifft, was in Heisenbergs Dialogen vorkommt, daß das philosophische Reflexionsniveau Platons noch höher ist, nur wüßte ich kaum eine Schrift der ganzen Weltliteratur zu nennen, der gegenüber ich diesen Vorzug den platonischen Dialogen nicht zuerkennen würde. Auf der anderen Seite haben auch Heisenbergs Dialoge einen Vorzug gegenüber denen Platons. Bei Platon behält Sokrates oder wer immer im Namen Platons das Wort führte, der Eleat, der Athener, der Pythagoräer Timaios, stets recht. Bei Heisenberg behält manchmal auch der andere recht. Und das ist sehr angenehm. Aber nun zum Inhalt:

Die These Heisenbergs läßt sich klar formulieren. Wenn Platon der Meinung ist, daß die letzten Bausteine des Feuers Tetraeder sind, die letzten Bausteine der Erde Würfel usf., so benützt er die nicht von ihm erfundenen aber heute vielfach nach ihm benannten »Platonischen Körper«, die eine mathematische Eigenschaft haben, die mathematische Eigenschaft nämlich, die Symmetrie des dreidimensionalen Raumes in diskreter Gestalt darzustellen; sie sind geometrische Darstellungen der Symmetriegruppen des Raumes, der Drehungen, die der Raum zuläßt. Alle diese Körper haben die Eigenschaft, daß es gewisse Drehoperationen gibt, die ihre Ecken in andere Ecken überführen, so daß der Körper im Ganzen nachher denselben Raum erfüllt wie zuvor. Sie sind in diesem Sinne reguläre Körper, sie sind Darstellungen von Symmetriegruppen. Heisenberg ist der Meinung, daß die heutige Physik letzten Endes aufgebaut werden muß auf der Annahme, daß die Grundgesetze der Natur symmetrisch sind, invariant sind gegenüber der Anwendung bestimmter Symmetriegruppen, allerdings noch anderer Gruppen als derjenigen, die Platon betrachtet hat. Das heißt, Heisenberg ist der Meinung, daß eben dieselbe Symmetrie, die schon für Platon Fundament der Naturwissenschaft war, auch für die heutige Physik Fundament der Naturwissenschaft ist, nur in einer mathematisch weiter ausgestalteten Weise und auch so, daß das, was wir als Grundgesetz ansehen, nicht mehr die Existenz bestimmter letzter Körper ist, sondern so, daß das, was wir als Grundgesetz ansehen, zunächst einmal bestimmte Differentialgleichungen sind, die das Gesetz der Wandlung, der möglichen Zustände der Objekte angeben. Daß hierin ein Unterschied gegen Platon vorliegt, ist Heisenberg natürlich klar, auch ist Heisenberg sicher der Überzeugung, daß ein Fortschritt gegenüber Platon vorliegt. Der Fortschritt der Naturwissenschaft wird nicht geleugnet. Heisenberg ist aber der Meinung, daß hier zurückgegriffen wird auf ein Prinzip, das historisch vermutlich von Platon zuerst formuliert worden ist, wenn Platon nicht auch in diesem Gedanken pythagoräische Vorgänger gehabt hat. Dies aber ist eine Frage, die historisch schwer zu erforschen ist, und ich will mich heute nur an Platon halten. So also Heisenbergs Meinung.

Nun ist die Frage, hat diese Meinung eigentlich etwas zu besagen, und wenn ja, was? Bei Heisenberg hat sie eine ausgesprochen ästhetische Färbung. Heisenberg bekennt sich ausdrücklich dazu, daß die Naturgesetze schön sind, und daß die Symmetrien eine Gestalt sind, in der sich die Schönheit der Gesetzmäßigkeiten der Natur begrifflich fassen läßt, begrifflich spiegelt. Und daß auch für Platon das Schöne an einem der höchsten Orte steht, einen der höchsten Werte ausmacht, ist zweifellos. Auf der anderen Seite wird man fragen, ist dieser Rekurs auf das Schöne eigentlich gedanklich ausweisbar?

Handelt es sich hier um mehr als eine Impression des beweglichen künstlerischen Gemüts eines Wissenschaftlers? Ich glaube, wenn man dieser Frage nachgehen will, und das ist die eigentlich philosophische Frage, die mich hier interessiert, dann wird man zunächst fragen müssen: haben wir nicht vielleicht eine völlig befriedigende Theorie der Naturwissenschaft, die uns erklärt, warum eigentlich solche mathematischen Gesetzmäßigkeiten gelten; und ich glaube, es ist die wesentliche Pointe Heisenbergs zu sagen, nein, eine solche Theorie haben wir in dem, was heute als Wissenschaftstheorie angeboten wird, nicht. Der Rekurs auf Platon ist notwendig gerade deshalb, weil die zweifellos nicht platonischen Ansichten, die im allgemeinen in der heutigen Wissenschaftstheorie herrschen, das eigentliche Phänomen, um das es hier geht, nicht erklären. Dieses Phänomen ist, roh gesagt, zunächst einmal die Gültigkeit mathematischer Gesetze, genauer eben der Gesetze, von denen ich gerade schon gesprochen habe, also die Gültigkeit bestimmter Symmetriegesetze. Wir haben heute im allgemeinen eine mehr oder weniger empiristische Theorie der Wissenschaft, die einen Zug der Wissenschaft zweifellos richtig darstellt, nämlich daß unsere Wissenschaft anhand der Erfahrung gefunden worden ist und des Ausweises in der Erfahrung bedarf, wenn wir sie glauben sollen. Als Kontrolle der Wahrheit unserer Thesen und als Anreiz, um unsere Thesen zu entwickeln, bedürfen wir der begrifflich geordneten, sinnlichen Erfahrung. Eine These, die wohl auch Platon nicht bestritten hätte. Hingegen weist Heisenberg darauf hin, daß das bloße Faktum der Erfahrung, so wie wir es normalerweise kennen und anerkennen, nicht einleuchtend macht, warum es ganz einfache Grundgesetze geben sollte, Grundgesetze, die man mit ein paar simplen mathematischen Begriffen beschreiben kann, obwohl es Gesetze sind, die eine schlechthin unermeßliche Fülle von Einzelerfahrungen bestimmen. Warum sind die Gesetze, wenn es überhaupt welche gibt, nicht von ähnlicher Kompliziertheit wie die einzelnen Erfahrungen? Es handelt sich hier um etwas, was man rein methodologisch nicht verstehen kann, denn verschiedene Wissenschaften, die dieselbe Methode benützen, machen hier ganz verschiedene Entdeckungen. Das Wetter ist kompliziert und jeder Versuch, die Meteorologie zu einer einfachen Wissenschaft zu machen, scheitert. Wenn aber die Wetterwolken einmal weggezogen sind vom Himmel und wir die Sterne sehen, so finden wir hier das Objekt einer anderen Wissenschaft, der Astronomie, und in der Astronomie gibt es, wie z. B. im 17. Jahrhundert Kepler schon gefunden hat, ganz einfache mathematische Gesetzmäßigkeiten der Bewegung. Trotzdem sind die Grundgesetze der Meteorologie und der Astronomie, nämlich die physikalischen Grundgesetze, dieselben. Aber es gibt komplizierte Phänomene und es gibt einfache Phänomene, und dieser Unterschied läßt sich nicht methodisch wegerklären. Man kann sich nicht vorstellen, daß es eine Wissenschaft gäbe, für die die Meteorologie einfach und die Theorie der Planetenbewegung kompliziert wäre. Das heißt also, die Entdeckung der Einfachheit ist eine echte Entdeckung und nicht nur methodische Maßnahme, nicht nur ein Mittel der Denkökonomie oder wie man es nennen will. Was wird da entdeckt? Was wird entdeckt, wenn sich zeigt, daß gerade die Grundgesetze, wenn man bis zu den Atomen vordringt, wirklich einfach sind? Diese Frage stellt Heisenberg, und ich glaube, man kann mit gutem Gewissen sagen, die Wissenschaftstheorie unseres Jahrhunderts weiß darauf keine Antwort. Nun ist die Frage, weiß Heisenberg, weiß Platon, oder weiß irgendein anderer darauf eine Antwort?

Ich gehe nun zum zweiten Teil über und spreche von denjenigen Vermutungen und vielleicht Antworten, die im 17. Jahrhundert für diese Frage formuliert worden sind. Ich gehe in das 17. Jahrhundert zurück, weil im 17. Jahrhundert die Wissenschaft begonnen wurde, die heute im 20. zu einer Blüte gekommen ist, die vielleicht, jedenfalls in der Physik, auch ihrer Vollendung nahe führen kann. Ich spreche insbesondere von Galilei und von Kepler.

Galilei hat in den Anfängen des 17. Jahrunderts die These vertreten, daß das Buch der Natur, das zweite Buch Gottes – das andere ist das Buch der Erlösung, die Bibel – geschrieben ist mit mathematischen Lettern. Wer es lesen will, muß diese Lettern, also die Mathematik, lesen können. Galilei wendet sich mit dieser These gegen die Tradition der damaligen Philosophie, die sich auf Aristoteles beruft, und er beruft sich seiner-

seits auf eine andere Autorität, nämlich auf Platon und auf
Pythagoras. Galilei argumentiert hier mit der mathematischen
Naturwissenschaft Platons gegen die qualitative Naturwissenschaft des Aristoteles. Er argumentiert mit der konstruktiven
Naturwissenschaft Platons gegen die empirisch deskriptive
Wissenschaft des Aristoteles. Im späteren Wissenschaftsmy-
thos der Neuzeit sind diese Verhältnisse verkehrt worden, und
es ist, ganz entgegen der Wahrheit, gemeint worden, Galilei
habe hier für eine empirische Wissenschaft gegen eine, wie man
sagte, rein spekulative Wissenschaft argumentiert. Er hat allerdings für Erfahrung argumentiert, aber für eine durch mathematische Konstruktion durchsichtig gemachte Erfahrung;
nicht für die Deskription dessen, was man sieht, sondern für
die Konstruktion von Experimenten und das Erzeugen von
Phänomenen, die man normalerweise nicht sieht, und deren
Vorausberechnung auf Grund der mathematischen Theorie.
Ich will das jetzt nicht im Einzelnen schildern, ich müßte mich
sonst darauf einlassen zu zeigen, inwiefern z. B. das Trägheits-
gesetz oder das Fallgesetz von Galilei etwas mathematisch
beschreibt, was in genau dieser Form nicht beobachtet war und
wohl auch gar nicht in aller Genauigkeit beobachtet werden
kann, und daß Galilei gerade das Verdienst seiner Wissenschaft darin sieht, ein reines, abstraktes, mathematisches Modell zu entwerfen, mit dessen Hilfe er das Wesentliche vom
Unwesentlichen im Naturphänomen unterscheiden und dadurch sekundär auch das Unwesentliche, nämlich die Abweichung von diesem mathematischen Gesetz, einer weiteren mathematischen Analyse zugänglich machen kann. Z. B. gilt das
Fallgesetz streng, so wie er es darstellt, nur im Vakuum, das er
empirisch gar nicht kannte, sondern postulierte. Dann werden
die Abweichungen des wirklichen Fallgesetzes von dem Fallgesetz, wie es im Vakuum gilt, ihrerseits einer mathematischen
Analyse zugänglich, einer Analyse der Kräfte des Auftriebs und
der Reibung. Soweit also Galilei.

Galilei glaubt hier an die Mathematisierbarkeit der Natur-
phänomene, aber er begründet sie nicht. Er begründet sie nur
durch den Erfolg. Die Frage ist nun, ob man diese Mathematisierbarkeit, die Galilei hier postuliert, verständlich machen
kann, denn sie ist ja nicht selbstverständlich. Bei Galilei gibt es

da ab und zu theologische Formeln. Ich habe gerade schon von dem »Buch der Natur« geredet; das ist eine Metapher. Dieselbe Theologie, auf die Galilei hier locker anspielt, ist von seinem Zeitgenossen Kepler scharf durchdacht worden, und ich will hier ein paar Worte darüber sagen, wie Kepler diese Dinge gesehen hat. Kepler hat, um zunächst dieses zu sagen, die mathematisch empirische Wissenschaft der Neuzeit in einem Maße vorangetrieben, das über das, was Galilei geleistet hat, in gewisser Hinsicht hinausgeht. Ich erinnere daran, daß Kepler sein erstes Gesetz der Planetenbewegung – daß die Planeten auf Ellipsen laufen – der älteren Ansicht, daß himmlische Bewegungen notwendigerweise auf Kreisbahnen stattfinden müßten, dadurch abgerungen hat, daß er versuchte, die Beobachtungen Tycho Brahe's über die Bahn der Planeten mit der höchsten nur möglichen Genauigkeit mathematisch zu beschreiben. Er stellte fest, daß jede Kombination von Stücken von Kreisen, welche die Bewegung des Planeten Mars darstellen sollte, an die wirklich beobachtete Bewegung nur mit einem Fehler von 8 Bogenminuten herankam, und 8 Bogenminuten sind sehr wenig. 8 Bogenminuten sind etwa ein Viertel des Durchmessers des Vollmonds am Himmel. Nun würde man sagen, ob Mars da steht, wo die Bahnberechnung sagt, oder ein viertel Vollmondbreite daneben, das kann einem doch wahrhaftig gleichgültig sein. Es war Kepler aber nicht gleichgültig, und er gab die Kreisbahnen auf und wagte dafür den für seine Zeit unerhörten Gedanken, die Ellipsenbahn einzuführen, eine minder vollkommene Kurve, wie es schien, und man glaubte doch an die Vollkommenheit der himmlischen Bewegungen. Mit der Ellipse aber brachte er eine genaue Übereinstimmung zwischen Beobachtung und Berechnung zustande, und aufgrund dieses empirischen Tests akzeptierte er das neue Gesetz. So empirisch dachte Kepler, und zwar empirisch im Sinne der höchstmöglichen mathematischen Genauigkeit, d. h. er glaubte, daß die Erfahrung eine Analyse mit strenger Mathematik zuläßt. Und nun ist die Frage, warum? Seine Antwort ist direkt theologisch. Ich skizziere sie hier kurz, wie sie in seinem Werk über die Welt-Harmonik dargestellt ist: Gott hat die Welt geschaffen gemäß seinen Schöpfungsgedanken. Diese Schöpfungsgedanken sind die reinen Urgestalten, die Platon

Ideen nannte, und die für uns relevante Art dieser Urgestalten
sind die mathematischen Gestalten, sind Zahl und Figur. Diese
sind die göttlichen Schöpfungsgedanken, denn sie sind reine
Formen. Diesen Formen gemäß hat Gott die Welt geschaffen.
Der Mensch ist von Gott geschaffen nach dem Bilde Gottes.
Gewiß nicht nach dem körperlichen Bilde Gottes, denn Gott
selbst ist unkörperlich, sondern nach dem geistigen Bilde Gottes, und das heißt, daß der Mensch imstande ist, die Schöpfungsgedanken Gottes nachzudenken. Dieses Nachdenken der
göttlichen Schöpfungsgedanken ist die Physik. Die Physik ist
Gottesdienst und als Gottesdienst wahr. Das ist sehr kurz
zusammengefaßt die keplersche Philosophie, welche das empirische Faktum des Erfolgs der Mathematik in der Naturwissenschaft zu begründen sucht durch einen Rekurs auf das
Einzige, wovon Kepler überzeugt ist, daß es überhaupt diese
Sache erklären kann, nämlich das Schöpfungswerk Gottes in
der doppelten Gestalt der Erschaffung der Natur und der
Erschaffung des die Natur wissenden, verstehenden Menschen. Ich habe vor etwa 10 Jahren und mehr verschiedentlich
über diese Fragen geredet und geschrieben und habe damals
die christliche Komponente in diesen Gedanken hervorgehoben. Ich würde das auch heute nicht zurücknehmen, muß aber
doch sagen, daß ich in diesen 10 Jahren viel mehr Platon
gelesen habe als zuvor und gelernt habe, in wie hohem Maße
das, was Kepler hier sagt, eigentlich nicht christlich sondern
platonisch ist oder christlich, insofern es platonisch ist, denn
das historische Christentum ist in seiner Theologie in weitem
Umfang platonisch. Es ist platonisch, aber es ist allerdings die
Frage, ob es Platonismus auf höchstem Niveau ist, und ich
würde sagen, es ist das nicht ganz. Weder Heisenberg noch
Galilei noch Kepler hat die volle philosophische Reflexion
Platons mitvollzogen.

Ich komme nun zum dritten Teil, in dem ich versuche wenigstens anzudeuten, wie meinem Verständnis nach dieser Zusammenhang bei Platon selbst ausgesehen hat. Ich muß von
vornherein die Unvollkommenheit dessen, was ich hier vortrage, bekennen, denn ich müßte, um wirklich darzustellen,
wie die Naturwissenschaft im Zusammenhang der platonischen Philosophie steht, die gesamte Philosophie Platons ent-

wickeln. Sie wäre nicht Philosophie – ich vermeide hier jedes Epitheton ornans, das Wort Philosophie soll selbst dafür dienen –, sie wäre also nicht Philosophie, wenn sie nicht die Eigenschaft hätte, daß jeder einzelne Gedanke, aus ihr herausgegriffen und abgefragt auf seinen Inhalt, zu einem Durchgang durch das Ganze dieser Philosophie nötigt, um die Antwort zu bekommen. Wenn ich also über die Naturwissenschaft Platons spreche, kann ich nicht anders sprechen, als indem ich das mit durchlaufe, was wir vielleicht die Metaphysik Platons nennen könnten, die politische Philosophie Platons, Platons Lehre vom künstlerisch Schönen und alles andere, was es bei Platon gibt. Nun, das ist zumindest physisch an einem Abend nicht möglich, ich gebe also nur ein paar Andeutungen. Ich muß zweitens sagen, daß das, was ich sage, z. T. der Versuch der Rekonstruktion von Lehren Platons ist, die in seinen Schriften angedeutet, aber nicht ausgeführt sind. Darüber gibt es Äußerungen Platons im 7. Brief, und es gibt den berühmten Streit über die »ungeschriebene Lehre« Platons. Ich muß darauf kurz eingehen und werde meine Interpretation vortragen, ohne die Belege im einzelnen vorzulegen. Daß ich Platon nicht voll gerecht werde, weiß ich, denn es gibt bei Platon Regionen, die ich noch nicht verstanden habe, von denen ich aber überzeugt bin, daß Platon genau wußte, wovon er redete. Im Wesentlichen will ich mich an Gedanken aus dem »Timaios« halten, denn der »Timaios« ist nun einmal die Darstellung, die Platon seinem Bilde der Natur, seiner Naturwissenschaft gegeben hat.

Wenn man diesen Dialog aufschlägt, dann beginnt er alsbald mit einem vollkommenen rätselhaften Scherz: »Einer, zwei, drei, aber wo bleibt der Vierte?« sagt Sokrates, und er meint, es sind drei Gesprächspartner, und der vierte ist noch nicht da. Und doch, wenn man Platon kennt, wird man sagen, da ist ganz sicher noch auf etwas anderes angespielt. C. G. Jung hat sich zu großen Phantasien anregen lassen durch diesen Anfang des platonischen Dialogs, weil für Jung die Quaternität ein psychologisch fundamentales Phänomen war und das Vergessen des vierten und das nur Aufnehmen von dreien davon ebenfalls ein Grundphänomen. Aber ob Platon das gemeint hat? Ich würde sagen Platon hat dort wohl hingewiesen auf eine Vierheit – auf die ich nachher zu sprechen kommen werde –, die vielleicht auch angedeutet ist im Liniengleichnis der

»Politeia«. Aber das weiß ich nicht, ich sage nur, beim ersten
Satz eines solchen Dialogs bemerkt man bereits, daß hier mit
Geheimnissen gespielt wird, die voll zu enthüllen offenbar
nicht die Absicht des Verfassers war. Liest man weiter, so
findet man, daß die Gesprächspartner sich darüber unterhalten, daß Sokrates ihnen am Tage vorher erzählt hat, was in
dem uns überlieferten Dialog »Politeia«, dem »Staat«, steht.
Allerdings nicht das Ganze, sondern nur die erste Hälfte. Es hat
einige Philologen gegeben, die der Meinung waren, man sehe
daraus, daß Platon damals auch erst die erste Hälfte des
»Staats« geschrieben und gedanklich besessen habe. So war es
wohl nicht. Ich möchte viel eher glauben, daß Platon an dieser
Stelle mit einem der ihm vertrauten schriftstellerischen Mittel
darauf hinweisen will, daß man die erste Hälfte der »Politeia«
gelesen haben muß, um an die systematische Stelle zu kommen,
an der der »Timaios« einsetzt. Und das ist die Lehre von einem
Staat, in dem es einen Stand der Wächter gibt, die eigentlich
Philosophen sind, welche diesen Staat regieren kraft eines Wissens, das sie erworben haben. Dieses Wissen, das z. T. nur
durch einen göttlichen Funken in ihnen entstehen kann, ist
soweit, als es durch Erlernbares vorbereitet ist, vor allem vorbereitet durch die Erlernung von Mathematik und mathematischer Naturwissenschaft. Daß dies so ist, steht im 7. Buch des
»Staats«. Der »Timaios« ist nun, so würde ich diesen Übergang interpretieren, die Ausführung der Lehre, die im 7. Buch
des »Staats« nur angedeutet ist, die man gelernt haben muß,
wenn man politisch ein Staatswesen gut regieren will. Dazu
muß man nämlich Astronomie gelernt haben. Natürlich war
das für die Leser Platons genauso verblüffend wie für uns. Die
Frage ist: Warum ist das so? Das kann nur deshalb so sein, weil
in dieser Astronomie und in dieser Physik – dieser Elementarteilchenphysik, wie wir vielleicht sagen würden, – Grundstrukturen des Wirklichen sichtbar gemacht werden, auf welche
jeder den Blick richten muß, der imstande sein will, die sehr viel
komplizierteren, verworreneren Strukturen des Wirklichen zu
durchschauen, die sich im politischen Kampf oder in der politischen Ordnung manifestieren. Den Zusammenhang mit der
Politik schneide ich für den heutigen Vortrag hiermit ab. Ich
gehe nur auf die Lehre selbst ein.

Diese Lehre trägt nunmehr der Pythagoräer Timaios vor, ein Mann, der sonst bei Platon keine Rolle spielt, und von dem wir auch so gut wie nichts wissen. Er trägt sie vor, denn es ist manifest, daß Sokrates, der Ethiker, der politische Denker, der religiöse Denker, dergleichen nicht wußte – so wird man wohl annehmen dürfen. Timaios also trägt sie vor in zusammenhängender, feierlicher Rede. Er beginnt mit einem Unterschied, an den wir uns stets erinnern müssen, das ist der Unterschied zwischen dem, was immer ist, nie wird und nie vergeht, und dem, was nie ist, immer wird und vergeht. Dieser Unterschied, mit dem der »Timaios« eröffnet wird, ist eine Erinnerung an das, was dem Leser dieses Dialogs längst vertraut sein muß, an die Ideenlehre. D. h. die Naturwissenschaft kann überhaupt nur verstanden werden von der Basis der Ideenlehre aus.

Wir müssen uns also fragen, was ist die Ideenlehre? Und wir müssen uns fragen, was ist ihre Rolle für die Naturwissenschaft? Nun, die Ideenlehre – ich erinnere hier zunächst an Bekanntes – wird eingeführt beispielsweise im Phaidon, an dem Beispiel der Idee des Gleichen: zwei Stücke Holz, oder wenn man in einer Prüfung fragt, sagt man zwei Stücke Papier, die vor einem liegen, sind gleich. Aber sie sind ja doch nicht genau gleich. Ganz gewiß sind sie immer ungleich. Wie kann ich eigentlich sagen, sie seien ungleich, wenn ich nicht schon weiß, daß es das Gleiche gibt? Wie kann ich aber wissen, daß es das Gleiche gibt, da alles, was mir sinnlich gegeben ist, immer ungleich ist, die Gleichheit also empirisch überhaupt nie vorkommt? Hier wird nun mit dem Mythos der Anamnesis gesagt: vor all meiner sinnlichen Erfahrung, vor diesem Leben in diesem Körper hat die Seele schon einmal das Gleiche selbst geschaut und daran wird sie erinnert durch diejenigen Dinge, die nicht wahrhaft gleich sind, sondern am Gleichen nur Anteil haben. Diese Teilhabe, dieses angebliche Gleichsein, was doch nicht Gleichsein ist, daß ist das Wesen des Sinnlichen, welches entsteht und vergeht. Das Gleiche selbst aber ist sich selbst immer gleich, ist unvergänglich, immer dasselbe; das ist die »Gestalt« des Gleichen, griechisch »idea«.

Dieser klassische, bekannte Gedankengang Platons muß von uns interpretiert werden, wenn wir sehen wollen, daß er für die Naturwissenschaft relevant ist. Eine Interpretation, die naheliegt, ist die der Realisierung mathematischer Gestalten. Ich habe in früheren Vorlesungen oft einen Kreis an die Tafel gemalt und gesagt: dieser Kreis ist vielleicht ein sehr schöner Kreis, aber er ist doch kein wirklicher Kreis, und die Mathematik redet über den Kreis selbst und nicht über diese empirischen, angeblichen Kreise. Wenn die Naturwissenschaft mathematisch ist, dann schließt sie sich an die Mathematik an, die über den Kreis selbst redet, und beschreibt die Dinge, die wir sinnlich wahrnehmen als solche, die Anteil haben an den mathematischen Gestalten, die also von dem Verständnis der mathematischen Gestalten her begriffen werden können, so der Kreis an der Tafel, so die Bewegungen der Gestirne am Himmel. Nun ist aber auch hiermit nur ein Problem formuliert. Denn was heißt Anteil haben, Methexis bei Platon? Was heißt das denn, daß ich eine Figur habe, die ein Kreis ist und doch kein Kreis, sondern nur Anteil hat an der Kreisgestalt? Versteht man, was man damit meint?

Ich gebe noch ein zweites Beispiel. Im 10. Buch der »Politeia« führt Platon, vielleicht zum Schrecken mancher, die meinten, sie hätten die Ideenlehre verstanden, nunmehr sogar die Ideen von Dingen ein, z. B. die Ideen von Betten oder von Zaum und Zügel. Ich erinnere an die Struktur, die er dort gibt. Er führt zuerst die Idee der »Kline«, der Lagerstatt an, auf der man bei der griechischen Mahlzeit liegt, und sagt, es gibt dreierlei solcher Lagerstätten. Die eine, die Gott gemacht hat, die vielen, die die Handwerker machen, und dann die Bilder von diesen, die die Maler malen. Das Ganze ist im Zusammenhang der Kritik an den Dichtern und an den Künstlern gesagt, aber diese Seite der Sache lasse ich jetzt weg. Die vielen Lagerstätten, die die Handwerker machen, sind die Abbilder der einen, einzigen Lagerstatt, die Gott gemacht hat. Das ist die Kline im Himmel. Und ebenso sind dann wiederum die Gemälde, die nur so aussehen wie Lagerstätten, aber gar keine sind, Abbilder der Lagerstätten, die die Handwerker, die Tischler machen. Dann genau dasselbe für Zaum und Zügel, für das Zaumzeug. Das eine Zaumzeug, das es eigentlich in der Natur, in der Physis gibt, das kennt der Reiter. Die vielen Zaumzeuge, die tatsächlich gemacht werden, macht der Sattler. Und dann gibt es noch die Maler, die malen das ab. Ich lasse wiederum die Maler beiseite und stelle fest, die Handwerker tun in beiden Fällen dasselbe, in den beiden Fällen aber tritt in der obersten Stufe etwas Verschiedenes auf, es tritt nämlich auf Gott, der die Lagerstatt gemacht hat, und der Reiter, der das Zaumzeug weiß. Da die Parallelität dieser Stellen im Übrigen vollkommen ist, muß man schließen, daß der Reiter weiß, was Gott gemacht hat. Ich knüpfe hier eine Interpretation an und sage, ich kann diesen Text überhaupt nur so interpretieren, daß ich behaupte, wir müssen ernst nehmen, daß der Reiter weiß, was Gott gemacht hat. Bleiben wir zunächst einmal beim Reiter und sagen wir, die Rede von Gott sei bei Platon vielleicht metaphorisch. Sie ist vielleicht eine Form, in der Sprache der Volksreligion einen philosophischen Gedanken auszudrücken, der nicht leicht zu sagen ist. Was aber weiß denn der Reiter? Er kann dem Sattler sagen, wie ein Zaumzeug sein muß, damit es gut funktioniert. Der Reiter kennt nämlich die Funktion des Zaumzeugs, er kennt dessen Aufgabe. Er kennt den Zusammenhang zwischen Pferd und Mensch, der ermöglicht, daß überhaupt ein Mensch auf einem Pferd reitet, genau dann, wenn der Mensch das Pferd lenken kann, und das tut er mit Hilfe des Zaumzeugs. Dieser Zusammenhang ist ein realer Zusammenhang in der Welt. Der Zusammenhang ist aber kein materielles Ding. Er ist etwas, was man verstehen kann, wenn man die Funktions-, die Gesetzeszusammenhänge in der Welt versteht, und wenn man sagt, daß diese Welt von Gott gemacht ist, dann kann man allerdings sagen, daß Gott das eine wahre Zaumzeug gemacht hat, nämlich denjenigen gesetzmäßigen Zusammenhang, der ermöglicht, daß ein Mensch mit Hilfe des Zaumzeugs ein Pferd regieren kann.

Ich will diesen selben Gedanken in moderner Fassung wenden, indem ich einen heutigen Autor zitiere. Konrad Lorenz hat über die Graugans geschrieben – u. a. in seinem Buch über »Das sogenannte Böse« – und er schildert dort, daß die Graugans, die der Zoologe oder der Ethologe, der Verhaltensforscher, beschreibt, ein Wesen ist, das es nie und nirgends gibt, sowenig es den vollkommenen Kreis auf der Welt gibt. Die Graugans, so wie nach Lorenz der Ethologe und Zoologe sie beschreibt, ist dasjenige Wesen, das die ökologische Nische der Graugans, also die Lebensbedingungen der Graugans, optimal als Graugans ausfüllt. Die wirklichen Graugänse sind davon immer verschieden. Ich wiederhole, was Lorenz in diesem Zusammenhang sagt. Die Graugänse sind, wie wir wissen, monogam. Das scheint für die Lebensweise der Graugans auch optimal zu sein. Als Lorenz dann aber die vielen Graugansbiographien, die er selbst beobachtet hatte, mit einer Mitarbeiterin zusammen durchsah, stellte er fest, daß seine Graugänse empirisch doch nicht immer so ganz monogam gelebt hatten. Und darüber wurde er böse. Das ist sehr charakteristisch für ihn, daß er darüber böse wurde. Und dann sagte seine Mitarbeiterin, er solle sich doch darüber nicht ärgern, die Graugänse seien schließlich auch nur Menschen. Nun, »sie sind auch nur Menschen« heißt, sie haben nur eine methexis an der wirklichen Graugans. Die wirkliche Graugans, die der Zoologe beschreibt, die ist schon monogam, aber die gibt es nicht. Doch die empirischen Graugänse, die es gibt, wie man so sagt, – wer gibt da eigentlich, »es« gibt – die empirischen Graugänse sind nur möglich, weil es die reine Gestalt der Graugans in einem anderen Sinne gibt, nämlich als dasjenige Gesetz, welches das optimale Funktionieren der Graugans beschreibt. Und Lorenz ist Darwinist. Nach Darwin wird sich diejenige Form der Graugans im Kampf ums Dasein immer wieder durchsetzen, welche optimal angepaßt ist an diese Bedingungen, die nur der Zoologe weiß, die keine Graugans weiß, und ohne die es die Graugänse nicht gäbe. Das heißt, Lorenz hat den schönen Gedanken, daß die Realisierung der platonischen Idee in der modernen Naturwissenschaft gerade dadurch geschieht, daß alles ganz naturwissenschaftlich zugeht, so wie z. B. Darwin es beschreibt. Zwischen Platon und Darwin ist hier kein Gegensatz. Allerdings hat Lorenz nicht ganz gewagt, so platonisch zu reden, wie ich hier rede. Ich habe mich dann einmal mit Lorenz unterhalten und habe gesagt, ich möchte ihm dazu Mut machen. Dies ist Platonismus. Es ist natürlich nicht genau das, was in den platonischen Dialogen steht, aber ich meine, es ist damit im Einklang.

Nun ist aber damit im Grunde auch wieder nur ein Problem formuliert. Platon hat sich gewiß mit Tischen und Zaumzeugen und Gänsen auch beschäftigt, aber er hat insbesondere nach dem gefragt, wonach in der heutigen Naturwissenschaft der Physiker fragen wird, wenn er sich darüber Gedanken macht, inwiefern denn eigentlich Graugänse möglich sind. Was eigentlich sind Gesetzmäßigkeiten, die zugrundegelegt sind, wenn man so wie diese Zoologen redet? Aber gerade, wenn man schöne materialistische Naturwissenschaft macht, ganz treu an der Materie bleibt und an deren Gesetzen, dann kommt man nämlich zu Platon, sonst, wenn man zu schnell den Sprung ins Spirituelle wagt, nicht. Die Graugans ist, so sagt der Naturwissenschaftler, aus Molekülen und diese sind aus Atomen zusammengesetzt. Die Atome genügen den Gesetzen der Quantenmechanik, und sie sind die eigentlichen Gesetze der modernen Physik, der Elementarteilchenphysik.

Was entspricht dem bei Platon? Zunächst einmal, daß die Grundgesetze der Natur mathematisch sind. Aber warum sollen sie mathematisch sein? Damit werden wir wieder zurückgeführt auf die Frage, wieso es eigentlich in der Natur, in dem, was wir die sinnliche Wirklichkeit nennen, so etwas wie die Kreise gibt, die an der Gestalt des Kreises selbst, den die Mathematik beschreibt, Anteil haben. Wir sind jetzt im Eintrittstor zum Vorhof der Ideenlehre, denn alles, was ich bisher gesagt habe, war ja nur die Verwendung des Begriffs »Idee«, um einige Phänomene zu beschreiben. Ich will den Schritt, der hier gemacht werden muß, mit eigenen Worten systematisch so charakterisieren: Ich habe also einen Kreis an die Tafel gemalt und habe gefragt, was ist das, und die Antwort war: »ein Kreis«. Nun, es ist vielleicht kein guter Kreis, aber was ist denn ein Kreis? So frage ich, um überhaupt zu sehen, inwiefern es ein Kreis ist und inwiefern nicht. Dann sage ich, der Kreis ist der geometrische Ort der Punkte, die von einem gegebenen Punkt konstanten Abstand haben in einer Ebene. Jetzt habe ich eine mathematische Definition gegeben; der Kreis ist also eine mathematische Gestalt. Diese nennt Platon eine Idee. Die mathematischen Gestalten sind nicht die höchsten Ideen. Es gibt eine platonische Terminologie, nach der die »mathematika« noch nicht eigentliche Ideen sind; diese Unterscheidungen vernachlässige ich hier für einen Augenblick. Der Kreis ist also eine Idee. Ich rekapituliere und frage: Was ist das? Ein Kreis. Was ist ein Kreis? Eine Idee. Aber was ist eine Idee? Nun, wie sind wir bisher vorgegangen? Wir sind vom häufig Vorkommenden, systematisch Niedrigeren, durch die Rückfrage »was ist das?« zum Nächst-Höheren aufgestiegen. Es war stets die Erklärung durch das, was wir logisch einen Oberbegriff nennen würden; das reicht allerdings nicht aus zur Charakterisierung. Denn: was ist nun der mögliche Oberbegriff, durch den man bestimmen kann, was eine Idee ist? Würde man sagen: »eine Idee ist das und das« und würde dabei auf irgendetwas zeigen, so hätte man die ganze gedankliche Bewegung verfehlt. Dann hätte man das Erklärungsprinzip durch dasjenige erklärt, was mit Hilfe dieses Prinzips erklärt werden soll. Die Antwort auf die Frage: »was ist eine Idee?« kann zunächst der Versuch sein, zu charakterisieren, welche Eigenschaften Ideen haben, so wie ich vorhin den Kreis charakterisiert habe durch eine mathematische Definition. Was sind die Eigenschaften der Idee? Die Idee, so sagt Platon z. B. in der Mitte der »Politeia«, ist *eine,* verglichen mit den vielen Realisierungen; so hat er auch gesagt, Gott hat das *eine* Bett gemacht. Die Graugans, wie der Zoologe im Singular sagt, ist *eine.* Denn der gesetzmäßige Zusammenhang, von dem hier die Rede ist, ist einer. Die Idee ist also eine.

Die Idee ist *gut.* Der Kreis, den der Mathematiker beschreibt, ist ein guter, ein *wirklicher* Kreis, im Unterschied zu den schlechten Kreisen, die man von Hand macht. Die Idee *ist,* sie ist wirklich. Das, was ein Ding ist, beschreibe ich, indem ich seine Idee nenne, also beschreibe ich sein Sein durch seine Idee. Die Ideen sind also charakterisiert durch Sein, im Unterschied zu Entstehen und Vergehen.

Die Idee kann man verstehen. Sie ist sogar das Einzige, was man verstehen kann, und sie ist in diesem Sinne unverborgen, wie Heidegger sehr gut übersetzt, sie ist alethes, sie ist wahr. Das Wort »wahr« wird im heutigen Sprachgebrauch meistens so verwendet, daß wir es nur von Sätzen aussprechen und nicht von Gestalten. Deshalb ist die Übersetzung »unverborgen« besser, denn wenn ich etwa dieses Gebilde, was ich an die Tafel zeichne und »Kreis« nenne, verstehen will, so verstehe ich es, *insofern* ich es »Kreis« nenne. Also verstehe ich seine Idee. Die Abweichungen von der Idee sind mühsam zu verstehen. Da könnte ich sagen: das sind Kreidemoleküle. Ja, Kreide gewiß, aber was ist Kreide? Das ist auch wieder eine begriffliche

Kennzeichnung, und wenn ich es genau sagen will, so komme ich vielleicht auf so etwas, wie die Idee der Kreide. Also, was ich verstehe, ist immer die Idee. Und das ist das Wesen der Idee. Jetzt habe ich die Ideen charakterisiert durch die Transzendentalien eins, gut, wahr, seiend. Diese sind die klassischen Transzendentalien, und sie stehen alle bei Platon in der »Politeia«.

Die Rückfrage, die ständig weitergeführt hat, führt über die Idee hinaus zum Einen. In der »Politeia« ist nun gesagt, daß so wie die Sonne den Pflanzen und Tieren Sein und Licht, Sein und Sichtbarkeit gibt, die Idee des Guten – die als oberste Idee, als das oberste mathema, das oberste Lehrstück, eingeführt wird, – allem wahrhaft Seienden, d. h. den Ideen, Sein und Sichtbarkeit, on und alethes als Eigenschaften gibt. Daß dieses Gute, wovon hier die Rede ist, systematisch dasselbe ist wie das Eine, ist zwar in den platonischen Schriften nicht explizit gesagt, ist aber von Aristoteles überliefert, und ich meine, wir dürfen es akzeptieren. Die Transzendentalien stehen also noch in einem nicht ganz leicht enthüllbaren Zusammenhang, und ich charakterisiere sie jetzt durch das Eine, to hen, das Einssein. Die platonische Ideenlehre also erfüllt sich demnach, wenn sie sich überhaupt erfüllen kann, in der Lehre vom Einen. Aber was ist das Eine? Nun, das Eine noch einmal auf etwas anderes zurückzuführen ist offenbar ein hoffnungsloses Unterfangen. Dann wäre es ja nicht das Eine, sondern ein Zweites oder Drittes. Ich kann hier Platons Philosophie des Einen, wie sie im Parmenides dargelegt ist, nicht darstellen, obwohl ich erst damit nicht nur die Tür zum Vorhof, sondern vielleicht die Tür zum Vorheiligtum dieses Tempels durchschritte. Erst dort beginnt eigentlich die Ideenlehre. Aristoteles überliefert uns, daß Platon der Meinung gewesen sei, es gebe zwei Prinzipien, das eine von ihnen heiße »to hen«, das Eine, das andere habe verschiedene Namen, das »Große-und-Kleine« oder die »unbestimmte Zweiheit«; man kann vielleicht auch sagen, das Kontinuum. Diese zwei Prinzipien habe Platon benützt, um die Ideen zu gewinnen und alles, was an den Ideen Anteil hat.

Fragt man sich nun, nachdem man gerade den Gedankengang, den ich hier vorgeführt habe, durchlaufen hat, wie das denn sein kann, so muß man sich wundern; denn wie kann es ein *Prinzip* geben, wenn es mehr als Eines ist? Die Reduktion

führt doch notwendig auf das Eine und endet dort. Wie aber
kann es zwei Prinzipien in einer Philosophie geben, die so
streng gebaut ist, wie die platonische? Auf der anderen Seite,
wie kann es möglich sein, aus einem einzigen Prinzip überhaupt irgendetwas von der Vielheit abzuleiten, in der wir doch
leben und weben? Das Aufzeigen dieser Spannung der Einheit
des Prinzips im Hinblick auf eine Mehrheit von Prinzipien, ist
eine der Weisen, wie man den platonischen »Parmenides«
interpretieren kann. Dieser Dialog versucht ja noch zu zeigen,
daß, wer das Eine überhaupt zu denken sucht, nicht anders
kann, als das Eine in dieser Bewegung von Einheit und Vielheit
zu denken.

Nun aber kommen wir vom Aufstieg zurückkehrend zum
Abstieg, und erst der Abstieg ist, wenn ich Platon richtig verstehe, Naturwissenschaft. Erst der Abstieg ist auch Politik. Im
Höhlengleichnis der »Politeia« stellt Platon ja dar, wie wir
Menschen alle vergleichbar sind Gefangenen in einer Höhle,
die gefesselt sitzen und auf die Wand der Höhle schauen, auf
der sie bewegte Schatten sehen – die Schatten der Gegenstände,
die hinter ihrem Rücken vorbeigetragen werden, beleuchtet
von einem noch weiter hinten liegenden Feuer. Wenn wir in der
Höhle sitzend den Blick nicht umwenden, so halten wir die
Schatten für das einzig Wirkliche. Das ist die sinnliche Welt.
Das ist, im Bereich der Politik, der Sieg in Wahlen und ähnliches. Bleiben wir aber in der Physik. Wenn wir beschreiben,
was wir sinnlich wahrnehmen, meinen wir, das sinnlich Wahr-
genommene seien die Dinge selbst. Nun muß eine Umwendung
der ganzen Seele geschehen, und wir müssen hinaufgeführt
werden aus der Höhle, so daß wir erst die Gegenstände sehen,
deren Schatten wir an der Höhlenwand gesehen haben; treten
wir aus der Höhle, um dort die wirklichen Gegenstände zu
sehen, so ist unser Auge zuerst schmerzhaft geblendet und
kann sie nicht fassen, weil es dafür noch nicht vorbereitet ist; es
kann nur ihre Schatten und Spiegelbilder sehen, dann aber
sieht es die Dinge selbst im Lichte der Sonne, und schließlich
kann es einen Blick werfen auf die Sonne selbst. Und die Sonne,
so sagt Platon ausdrücklich, ist das Gleichnis für das Gute, ist
Erscheinung der Idee des Guten. Wenn nun der Mensch bis
dahin aufgestiegen ist, so wird er wünschen, immer nur die

Dinge selbst zu sehen, wie sie an sich selbst sind; er wird aber zurückkehren müssen in die Höhle, schon um der anderen Menschen willen, die in der Höhle geblieben sind, um sie sehen zu lehren. Im Abstieg durchläuft er alle Stufen wieder, und er kehrt bis dorthin zurück, wo er von neuem auf seinem Stuhle sitzend von neuem die Schatten an der Wand sieht, nichts anderes sieht als alle anderen auch sehen, aber weiß; weiß, was das ist, was er hier sieht. Ich würde sagen, daß die Spätphilosophie Platons die Philosophie des Abstiegs, der Rückkehr in die Höhle ist, welche von den höchsten Prinzipien her erklärt, was das ist, was wir in der Höhle sehen.

In dieses Gefüge des Abstiegs, so scheint mir, tritt die Lehre ein, die im »Timaios« entwickelt ist, auf die Heisenberg Bezug genommen hat, die Lehre von den Polyedern, aus denen die physischen Elemente bestehen. Platon gibt im »Timaios« an einer Reihe von Stellen vollkommen eindeutige Winke, daß er hier einiges verschweigt. Denn er führt ein paar Sätze, ganz rätselhaft, mit präzisen Behauptungen ein, und es scheint mir undenkbar, daß Platon diese Behauptungen anders als präzis gemeint hätte, obwohl er sie nicht erklärt. Ich folge gern, vielleicht nicht in jeder Einzelheit, aber doch im Grundansatz der in der Tübinger Schule entwickelten These, der These von Krämer und Gaiser, daß die ungeschriebene Lehre Platons, von deren Existenz Aristoteles spricht, wirklich existiert hat, und daß ein wesentlicher Teil dieser Lehre der Entwurf dieser mathematischen Naturwissenschaft war. Was Aristoteles darüber berichtet, z. B. in »de Anima«, ist allerdings ebenso rätselhaft, und wenn man nur diese Berichte des Aristoteles und einiger anderer vor sich hat, so hat man zunächst das Gefühl: das ist eine vollkommen versponnene und unbegreifliche Philosophie und eigentlich Platons nicht würdig. Der Widerstand gegen diese Interpretation der ungeschriebenen Lehre, der sich vielfach geregt hat, scheint mir insbesondere damit zusammenzuhängen, daß man meint, Platon gegen den Vorwurf, eine so schlechte Philosophie gemacht zu haben, schützen zu müssen. Ich möchte aber meinen, daß diese Philosophie nicht schlecht ist, sondern daß sie nur verschwiegen wurde, weil Platon genau wußte, daß sie hypothetisch war, und weil Platon das Gerede zu vermeiden suchte, das entstehen mußte über Hypothesen, die symbolisch andeuten, wie der Zusammenhang sein kann. Auch das ist eine Vermutung, man kann darüber streiten, ich würde es gerne so ansehen.

Was ist der Inhalt? Der Inhalt ist unter anderem – so Aristoteles in »de Anima« –, daß Platon gelehrt habe, es gebe einen vierstufigen Abstieg von den reinen Zahlen, welche die Ideen sind, zu den Linien, von dort zu den Flächen und von dort zu den Körpern. In diesen vier Stufen vollziehe sich die vollständige Aufzählung dessen, was die Natur eigentlich ausmacht. Diesen Aufstieg oder Abstieg, je nachdem von welcher Seite man kommt, würde ich folgendermaßen deuten. Betrachten wir einmal die Frage, was ist eigentlich ein Körper? Zunächst mathematisch. Platon lehrt ja, daß z. B. das Feuer aus Tetraedern besteht, also aus bestimmten kleinen Körpern. Was ist also ein Tetraeder? Oder was ist ein Würfel? Nun, das ist ein Volumen, das umgrenzt ist von gewissen Flächen. Diese Flächen sind Dreiecke im Fall des Tetraeders. Das Tetraeder hat seine Grenze im Dreieck. »Peras«, Grenze, ist ein platonischer Terminus, der systematisch auch an der Stelle stehen kann, wo sonst »Idee« steht. Die Idee ist dasjenige, was dem Ding seine Form gibt, woran es Anteil hat, insofern es eine Form hat, und die Form ist hier verstanden als der Umriß. Die Grenze also des Körpers Tetraeder ist das Wesen oder die Idee dieses Körpers, und das ist eine gewisse Anordnung von Dreiecken. Was aber ist ein Dreieck? Das ist eine ebene Figur, sie ist charakterisiert durch ihre Grenze, nämlich etwa das gleichseitige Dreieck durch drei gleiche Linien. Diese Linien also sind das, was das Wesen des Dreiecks ausmacht. Die Idee des Dreiecks liegt in seinen Grenzlinien. Was aber ist eine Linie? Eine Linie ist begrenzt durch eine bestimmte Anzahl, in diesem Fall zwei, Punkte. Das Wesen dieser Linie ist gegeben durch die Punkte, die sie begrenzen. Die Punkte selbst haben keine Ausdehnung mehr. Sie haben keinen Anteil mehr an der Erstreckung, am Großen und Kleinen, sie haben aber noch eine Zahl. Was ist das Wesen von Punktkonfigurationen? Es ist zum mindesten ihre Zahl.

Jetzt habe ich einen Aufstieg gemacht durch die Dimensionen hindurch vom Körper zur Zahl, immer operierend mit dem Begriffspaar der Sache und deren Wesen. Das Wesen ist die

Idee, ich habe also die Ideenlehre dreifach iteriert. Ich möchte nun glauben, daß das mindestens der platonischen Konstruktion ein Stück weit nachtastet; und wenn das so ist, dann kann man die Lehre im »Timaios« allerdings verstehen. Dann sind nämlich diese Tetraeder, die so spitz sind und deshalb erklären, daß das Feuer brennt, weil sie sich mit ihren Spitzen eindrängen in unsere Haut, einerseits ein Versuch, auch solche physiologischen Zusammenhänge begreiflich zu machen, andererseits sind sie aber nur die unterste Stufe eines Derivationssystems, wie das die Tübinger nennen, welches das, was das Wesen des Feuers ausmacht, zurückführt über die Dreiecke, über die Linie auf die Zahl. Die Zahl ihrerseits ist das, was durch das Fortschreiten aus dem Einen heraus entwickelt wird – also letzten Endes durch die zwei Prinzipien des Einen und der unbegrenzten Zweiheit, d. h. des Prinzips von Vielheit überhaupt. Es ist dieses ein Versuch, in symbolischer Weise darzustellen, inwiefern die Sinnenwelt gerade nicht etwas ist, was in einem radikalen Dualismus der Welt der Ideen gegenübersteht, wie man dann oft gelehrt hat, sondern zu zeigen, inwiefern die Sinnenwelt dasjenige ist, worin sich die Idee selbst darstellt, insofern sie sich vervielfältigt gemäß dem Prinzip der Vielheit, der unbestimmten Zweiheit. Es ist also ein Versuch einer deduktiven Naturwissenschaft.

Wenn man daher fragt, warum gelten mathematische Gesetze in der Natur, dann ist die Antwort, weil diese ihr Wesen sind, weil die Mathematik das Wesen der Natur zum Ausdruck bringt. In der von Kepler übernommenen Sprache heißt das, Gott habe die Welt gemäß seinen Schöpfungsgedanken geschaffen, die die reinen Formen sind. Der Demiurg, der im »Timaios« eingeführt wird, der göttliche Handwerker, der die Welt macht, ist ja doch wohl zunächst einmal die symbolische Darstellung dieses Wesenszusammenhanges. Wieweit Platon damit die Lehre von einem bewußten, persönlichen Wesen, von einer Weltseele, von einer Weltintelligenz verbunden hat, ist etwas, was er selbst hinter dem Schleier seiner symbolischen Ausdrucksweise verborgen hat, und was ich nicht versuchen will, hier auseinanderzunehmen.

Der entscheidende Übergang, von dem ich hier gesprochen habe, vom Einen zur Vielheit, hat nun wesentlich noch zu tun

mit dem Prinzip der Bewegung. Ich muß daher ein paar Worte
noch über Platons Lehre von der Bewegung und von der Zeit
sagen. Hier erreiche ich dann auch den Punkt, in dem die
neuzeitliche Naturwissenschaft nach und nach gelernt hat, wie
sie sich von Platon abgrenzen muß. Die neuzeitliche Naturwissenschaft ist ja alsbald begonnen worden als eine Lehre von der
Mathematisierung der Bewegung; das hat Galilei getan. Er hat
die Bewegung mathematisiert im Unterschied zu der Mathematisierung der Gleichgewichte, der Statik, die in der Antike
schon vorlag. Die Unterscheidung ist aber nicht ganz scharf,
denn in der antiken Astronomie war Bewegung auch schon
mathematisiert. Wie denkt nun Platon die Bewegung, wie
denkt er die Zeit, in der, wie wir sagen, die Bewegung ist? Ich
könnte hier noch einmal sagen, daß ich mit dieser Frage erst ins
Tor zur platonischen Philosophie trete. Ich möchte meinen,
daß die Spätphilosophie Platons wesentlich Philosophie der
Bewegung ist.

Im »Timaios« gibt Platon eine Definition der Zeit. Sie sei das
nach der Zahl fortschreitende Abbild des im Einen verharrenden »aion«, und zwar das aionische Abbild. Was heißt aion?
Wir übersetzen es mit Ewigkeit, man kann es aber nach griechi-
schem Sprachgebrauch zunächst als eine sinnvolle, erfüllte
Zeitspanne bezeichnen. Es ist ein Terminus, der bei Platon
ohne Erklärung auftritt. Jedenfalls ist die Zeit ein Abbild von
etwas anderem, Chronos ist ein nach der Zahl fortschreitendes
Abbild von etwas anderem. Das ist die zahlenmäßig meßbare
Zeit. Unmittelbar daran anschließend spricht er davon, daß
das Himmelsgewölbe vom Demiurgen geschaffen wurde, damit die Zeit sei, denn die Zeit wird gemessen durch die Umläufe der Himmelskörper. Die Ideen erscheinen bei Platon als
unbewegt; dann aber, im »Sophistes«, spricht er von ihnen
doch so, als seien sie nicht unbewegt, sondern vielleicht in einer
Bewegung befindlich, die aber dann wohl immer dieselbe ist.
Auch dies wird nur angedeutet, und ich will es hier nicht
durchdringen. Die Weise, wie sich die Zeit im Himmelsgewölbe darstellt, ist nun die folgende: Am Himmel gibt es zwei
Kreise, den Kreis des Gleichen und den Kreis des Ungleichen;
das nennen wir den Äquator und die Ekliptik. Und auf dem
einen Kreis wird der Tag gemessen, in dem das ganze Himmels-

gewölbe in 24 Stunden einmal um die ruhend gedachte Erde kreist. Auf dem anderen Kreis laufen die Planeten, auf der Ekliptik, und die Planeten unterscheiden durch ihre immer wechselnden Stellungen die verschiedenen Tage voneinander. Ich habe das gelegentlich so ausgedrückt: man braucht, um die Zeit zu messen, eine Uhr und einen Abreißkalender, etwas was immer gleichbleibend umläuft, und etwas, was jedesmal wieder anders ist, so daß man wissen kann, den wievielten Umlauf man vor sich hat. Dieses ist in der platonischen Konstruktion dargestellt durch den Tag und andererseits durch die Planetenumläufe. Platon knüpft aber hier an eine babylonische Lehre an, wie ich von van der Waerden gelernt habe, nämlich die Lehre vom großen Jahr oder, wie man auch sagt, vom platonischen Jahr. Das ist diejenige Zeitspanne, nach der alle Planeten wieder so stehen wie zuvor. Platon deutet zumindest den Gedanken an – der an anderen Stellen auch in der griechischen Tradition ausdrücklich ausgesprochen ist – daß, wenn alle Planeten wieder stehen wie zuvor, die Welt im Prinzip wieder so ist, wie sie damals war. Diese Zeit ist also schon der astronomischen Konstruktion nach zyklisch, und ich würde meinen, daß auch dem philosophischen, dem metaphysischen Ansatz nach diese Zeit als zyklisch gedacht werden muß, denn wie soll die Zeit Abbild des im Einen Verharrenden sein, wenn sie ihrerseits aus dem Einen herausläuft, um nie wieder dahin zurückzukehren, woher sie gekommen ist. Das nach der Zahl fortschreitende Vorschreiten der Zeit muß, wenn die Zeit wirklich Abbild der Ewigkeit sein soll, ein Rückkehren sein. Ich möchte hier die Formel noch einmal gebrauchen: wenn man platonisch denkt, so ist die Herrlichkeit der Welt, daß es in ihr nichts Neues gibt. Gäbe es in ihr Neues, so hätte es ja eine Zeit gegeben, in der die Welt nicht so gut war, wie sie sein kann. Es ist aber nicht einmal zu denken erlaubt, so steht im »Timaios«, daß die Welt schlechter sein könnte als ihr möglich ist, daß der Demiurg nach einem anderen Vorbild geblickt hätte als dem besten. Die Herrlichkeit der Welt also verlangt, daß es in ihr nichts Neues gibt, und das bedeutet, daß die Zeit zyklisch ist.

Gehen wir nun in die Neuzeit, so finden wir von diesem platonischen Entwurf natürlich viele Abweichungen und doch auch eine prägende Wirkung, die alles durchdringt, und es ist die Frage, wieviel davon in der neuzeitlichen Naturwissenschaft realisiert ist. Kehren wir also noch einmal zurück zum 17. Jahrhundert, zu Kepler und Galilei. Für sie ist dieser platonische Entwurf nicht eigentlich eine durchsichtige philosophische Theorie, sondern das große Reservoir der Bilder, durch die man zum Ausdruck bringt, woran man glauben muß, wenn man Naturwissenschaft treiben will. Die eigentliche Strenge der Argumentation ist in dieser Naturwissenschaft des 17. Jahrhunderts nicht gesehen, aber wohl doch geahnt. Da aber diese Strenge nicht wirklich gesehen ist, und da andererseits Erfahrungen nun in immer rascherer Folge eintreten, von denen Platon keine Ahnung hatte – und die man mit den speziellen Konstruktionen Platons ganz gewiß nicht fassen konnte – glitt die Naturwissenschaft von diesem platonischen Podest herab. Wir finden z. B. anstelle der persönlichen Frömmigkeit und der persönlichen künstlerischen Phantasie Keplers, die nicht übertragbar war, später dieselben physikalischen und astronomischen Erkenntnisse, die Kepler hatte, verbunden mit vollkommen anderen Philosophien, beispielsweise dem mechanischen Weltbild. Das mechanische Weltbild erklärt die Gesetzmäßigkeiten der Natur so, daß die Dinge der Natur letzten Endes aus Materie bestehen, die keine andere definierende Eigenschaft hat als die Undurchdringlichkeit; und deren Gesetze könnten erklärt werden durch Druck und Stoß, d. h. durch die Wirkung, die ein undurchdringlicher Körper auf einen anderen undurchdringlichen Körper ausübt. Diese Lehre hat dann einige Jahrhunderte neuzeitlicher Naturwissenschaft, wenn nicht beherrscht, so doch stark beeinflußt. Diese Lehre ist in der Atomphysik unseres Jahrhunderts vollkommen verschwunden, denn für uns sind die sogenannten Atome gerade nicht kleine Billardkugeln, gerade nicht undurchdringliche Materie. Wir beschreiben sie durch die mathematischen Gesetzmäßigkeiten der Quantentheorie und nicht durch diese anschaulichen Bilder. Man kann auch sehr leicht zeigen, zu welchen Inkonsistenzen das mechanische Weltbild, streng durchgeführt, hinführt: das will ich mir aber hier ersparen.

Es gibt dann empiristische Theorien, die nichts anderes

lehren, als daß man der Erfahrung folgen müsse und ihr mit mathematischen Hypothesen vorausgreifen könne, die man dann an der Erfahrung prüft; Theorien, die das, was in der Physik vorgeht, zwar richtig beschreiben, aber völlig unerklärt lassen, warum mathematische Hypothesen überhaupt erfolgreich sind.

Geht man nun in die Physik des 20. Jahrhunderts mit diesen Fragestellungen noch einmal hinein, so findet man in einer Physik, der alles andere im Kopf ist als gerade die Anknüpfung an Platon – wenn man absieht von ein paar großen Gestalten wie etwa Heisenberg –, daß ein Zug des platonischen Denkens sich wieder herstellt, der seit dem 17. Jahrhundert eigentlich nur in der Form des mechanischen Weltbildes gedacht worden war, nämlich der Gedanke der Einheit der Natur. Die Atomphysik nimmt in den verschiedenen Zweigen, in Evolutionslehre, Selektionslehre, Kybernetik, die Chemie und die Biologie in sich auf. Und wir wissen nicht, wieweit diese Entwicklung zur Einheit fortschreiten kann. Es scheint heute, daß eine einheitliche Naturwissenschaft bis in den Bereich des organischen Lebens möglich ist. Die Physik ihrerseits wächst aus den klassischen Disziplinen zusammen in eine einzige Theorie, die Quantentheorie. Die Elementarteilchenphysik, die heute unvollendet ist, auf deren Vollendung man aber hofft, und für die gerade Heisenberg seine Entwürfe gemacht hat, versucht dann noch zu erklären, warum es genau die Elementarteilchen gibt, die es gibt und keine anderen, und versucht dies alles auf ein einziges Grundgesetz zurückzuführen. Dieses Grundgesetz hatte schon Einstein in vorquantentheoretischer Weise in seiner einheitlichen Feldtheorie ins Auge gefaßt. Heisenberg und andere Elementarteilchenphysiker versuchen heute in quantentheoretischer Weise diese Einheit besser und neu darzustellen. Hier also wird schließlich, so scheint es, das Resultat der historischen Entwicklung der Physik sein, daß sie eine Einheit als Grundprinzip hat, und die Frage ist, ob diese Einheit nicht wesentlich zu tun hat mit derjenigen Einheit, die Platon seinerzeit zu denken suchte.

Will man insbesondere den Heisenberg'schen Gedanken der Symmetrien noch einmal aufgreifen, dann kann man sagen, daß Platon die Symmetriegruppen, die Heisenberg einfach

postuliert, in gewisser Weise noch hypothetisch und, wie wir
freilich sagen müssen, nicht sachlich zutreffend zu erklären
suchte. Die regulären Körper erklärt Platon dadurch, daß sie
alle dieselben Dreiecke als Grenzen haben; daß diese Dreiecke
aber alle gleich sind, erklärt er dadurch, daß sie alle die gleichen Seiten haben, und daß diese Seiten gleich sind, erklärt er
dadurch, daß diese Seiten letzten Endes eben die Realisierung
des Prinzips der Gleichheit sind, das am Anfang der ganzen
Konstruktion steht. Hier kommt die wiederum literarisch
schlecht ausgewiesene Lehre von den unteilbaren kleinsten
Linien herein, und diese Lehre ist gleichsam ein Versuch, auch
die Mathematik des Kontinuums noch einer letzten Einheit zu
unterwerfen. Das wiederum verliert sich in dem, was wir philologisch kaum mehr fassen können. Ich sage nur, daß Platon
versucht hat, die Symmetrie dieser Körper noch zu erklären. Er
geht also hier wiederum im Ansatz über das hinaus, was Heisenberg tatsächlich wagt. Aber auch Heisenberg würde sich
einer Erklärung dieser Symmetrien nicht widersetzen, wenn
jemand sie liefern könnte.

Es scheint also, daß wir mit unserer Physik gleichsam rekapi-
tulierend die verschiedenen Gedanken, die bei Platon entworfen sind, durchgehen; aber dann doch mit einem wesentlichen
Unterschied. Der wesentliche Unterschied liegt, wie ich glaube,
in unserer Auffassung von der Zeit. Die Zeit, so wie wir sie
verstehen, ist nicht zyklisch, sie hat die offene Zukunft, die
faktische Vergangenheit, die sich nie wiederholt. Sie ist die Zeit
der Geschichte. In unserer Physik wird die Zeit dann mit dem
Raum zusammengesehen, so wie das etwa in der Relativitätstheorie geschieht, die in der antiken Philosophie keine echte
Parallele hat. Man kann also keinesfalls sagen, daß wir zum
platonischen Bild zurückgekehrt seien, und ich würde falsch
verstanden, wenn es so schiene, als wollte ich hier nur eine
Revindikation Platons leisten. Ich will vielmehr sagen, daß die
Naturwissenschaft der Neuzeit, die sich zu Anfang einmal auf
Platon berief, ohne ihn philosophisch ganz zu vollziehen, eben
an den Stellen, wo sie ihn nicht vollzogen hat, auf die Probleme
zurückgeführt worden ist, die Platon schon recht genau gesehen hat, und daß eine Vollendung der Physik, so wie sie heute
als möglich am Horizont zu stehen scheint, eine philosophi-

sche Reflexion verlangt, die der platonischen philosophischen Reflexion als Partner gegenüberstehen würde. Ich sage allerdings als letztes dazu, nicht ohne die Vermittlung Kants. Denn die Formulierung, die jedenfalls mir unerläßlich scheint, um begreiflich zu machen, inwiefern wir mathematische Naturgesetze glauben können, muß den Satz enthalten, daß diese Gesetze Bedingungen der Möglichkeit von Erfahrung sind. Sonst können wir den Zusammenhang zwischen der empirischen Bewährung dieser Wissenschaft und der Unmöglichkeit, sie empirisch zu begründen, nicht wirklich denken. Dieser Gedanke Kants, daß die Naturgesetze die Bedingung der Möglichkeit der Erfahrung sind, müßte hineinkommen, wenn wir die Auseinandersetzung mit dem alten platonischen Ansatz leisten wollten. Sie sehen sofort, daß dieses ein neuer, mindestens ebenso langer Vortrag wäre, den ich jetzt nicht halten werde. Ich danke Ihnen für Ihre Geduld.

III, 2. Ein Liebesgedicht

Wiederfinden

Ist es möglich! Stern der Sterne,
Drück ich wieder dich ans Herz!
Ach, was ist die Nacht der Ferne
Für ein Abgrund, für ein Schmerz!
Ja, du bist es! meiner Freuden
Süßer, lieber Widerpart;
Eingedenk vergangner Leiden
Schaudr' ich vor der Gegenwart.

Als die Welt im tiefsten Grunde
Lag an Gottes ew'ger Brust,
Ordnet' er die erste Stunde
Mit erhabner Schöpfungslust,
Und er sprach das Wort: ›Es werde!‹
Da erklang ein schmerzlich Ach!
Als das All mit Machtgebärde
In die Wirklichkeiten brach.

Auf tat sich das Licht! So trennte
Scheu sich Finsternis von ihm,
Und sogleich die Elemente
Scheidend auseinander fliehn.
Rasch, in wilden, wüsten Träumen
Jeder nach der Weite rang,
Starr, in ungemessnen Räumen,
Ohne Sehnsucht, ohne Klang.

Stumm war alles, still und öde,
Einsam Gott zum erstenmal!
Da erschuf er Morgenröte,
Die erbarmte sich der Qual;
Sie entwickelte dem Trüben
Ein erklingend Farbenspiel,
Und nun konnte wieder lieben
Was erst auseinanderfiel.

Und mit eiligem Bestreben
Sucht sich, was sich angehört,
Und zu ungemessnem Leben
Ist Gefühl und Blick gekehrt.
Sei's Ergreifen, sei es Raffen,
Wenn es nur sich faßt und hält!
Allah braucht nicht mehr zu schaffen,
Wir erschaffen seine Welt.

So, mit morgenroten Flügeln,
Riß es mich an deinen Mund,
Und die Nacht mit tausend Siegeln
Kräftigt sternenhell den Bund.
Beide sind wir auf der Erde
Musterhaft in Freud' und Qual,
Und ein zweites Wort: Es werde!
Trennt uns nicht zum zweitenmal.

Ein gutes Gedicht kann Wort für Wort ausgelegt werden. Versuchen wir's!

Ist es möglich, Stern der Sterne, drück ich wieder dich ans Herz? Das reine Entzücken, fließend dahingesagt, fast in der Sprache des Alltags. Wie strömen die Verse, überwältigt von dem einen Glück, dem *Wiederfinden,* wann?: am 23. September 1815 in Heidelberg, gespiegelt in jenem Orient, wo *Dichterworte um des Paradieses Pforte immer leise klopfend schweben, sich erbittend ew'ges Leben.* Jedes dieser Worte ist eine deutbare Chiffre, und weil es auf ewiges Leben weist, ist es im Alltag sagekräftig.

Ist es möglich? Was wirklich ist, beweist seine Möglichkeit durch seine Wirklichkeit. Aber die wirklichste Erfahrung muß unmöglich erscheinen. *Ist's möglich, daß ich Liebchen dich kose, vernehme der göttlichen Stimme Schall! Unmöglich scheint immer die Rose, unbegreiflich die Nachtigall.* Rose und Nachtigall, die alltäglichsten Requisiten persischer Liebeslyrik, die Rose, die in jedem Garten blüht, die Nachtigall, die in jeder Nacht trillert, sie sind der Inbegriff des Entzückens, des Unmöglichen. *Liebchen,* so heißt es noch in diesem anapästisch rasch fließenden Vierzeiler aus glücklichen Tagen des

Beisammenseins. Jetzt aber ist die Frage tödlicher Ernst, der
Schritt des Verses ist in Trochäen, der Ton liegt auf dem ersten
Wort: *Ist. Ist es möglich?* Jede der sechs Strophen des Gedichts
beginnt mit einem einsilbigen vollen Wort, das für die ganze
Strophe den Ton angibt. Hat Goethe das selbst gewußt? Was
für eine Frage bei einem reifen Dichter, dessen Bewußtheit
Spontaneität geworden ist.

Stern der Sterne! Wieder Gleichnisrequisiten der Orientalen.
Die Sterne des unverhüllten subtropischen Nachthimmels
überstrahlen das Leben: *und ich reise froh in alle Ferne, über
meiner Mütze nur die Sterne.* Die Sterne lenken das Schicksal.
Der Geliebte, der mein Schicksal wird, ist mein Stern, seit
Platons Liebesepigramm. Aber nun muß in ganz schlichten
Worten orientalisch übertrieben werden. Die wiedergefundene
Geliebte ist der *Stern der Sterne.*

Drück ich wieder dich ans Herz! Goethe reimt im Divan
unbefangen *Freuden* auf *Leiden, Herz* auf *Schmerz.* Er braucht
nicht mehr zu beweisen, daß er zur erlesenen Wortwahl fähig
ist. Die banalen Reime konnten nur banal werden, weil sie die
allgegenwärtige Wirklichkeit sagen. Das *Herz* ist der Ort der
Liebe und der Schmerzen, so fühlen wir es leiblich; der Leib ist
die Seele.

*Ach, was ist die Nacht der Ferne für ein Abgrund, für ein
Schmerz.* Es ist tödlich ernst – *Nacht, Abgrund, Schmerz.*
Goethe und Marianne hatten sich getrennt und kein Wiederse-
hen vereinbart. Willemer und Marianne reisten ihm unange-
sagt nach Heidelberg nach. Das Wiedersehen erschien in der
Tat unmöglich. *Du bist es, Widerpart meiner Freuden.* Die
Liebe wurde zur Freude in der begegnenden Freude; hier darf
eine Erinnerung an das Liebesgeflüster anklingen: *süß, lieb.*
Und in der Begegnung ist das *Leiden* der *Ferne* noch da. *Der
Vergangenheit eingedenk schaudr' ich vor der Gegenwart.* Das
unbegreifliche Glück ist ein Schauder, der durch den ganzen
Leib läuft, ein Schauder der Seele.

Als die Welt im tiefsten Grunde – wo bist du, Liebender, bei
mir oder beim tiefsten Grund der Welt? Ich bin beim tiefsten
Grund der Welt, denn ich bin bei dir. Ich erzähle dir die
Geschichte unserer Liebe. Im Persönlichsten, wenn wir es erfahren und nicht dem Rausch erliegen, werden wir ganz unper-

sönlich. Im Schauder der Gegenwart ist die Einheit der Zeiten da. Es ist wahr, ich erzähle dir unsere Liebe.

Der Leser möge verzeihen, daß ein Altersgenosse des Dichters sich zuerst mit dem Dichter in den Strom seines Erlebens stürzt. Wie könnte man die Schöpfungstheologie dieses Gedichts auslegen, wenn nicht getragen von dem Erlebnis, das dem Dichter den Mund geöffnet hat?

Als die Welt – das Wort »*Ist*«, mit dem die erste Strophe begann, bezeichnete die Gegenwart und den Schauder der Gegenwart; das Wort »*Als*« bezeichnet nun den tiefsten Grund, den wir als fern, als die früheste Vergangenheit vorstellen. Alles in der Welt hat einen Grund, auf dem es ruht, aus dem es wächst – nichts ist ohne Grund. Das Haus steht auf dem Grund, die Pflanze wächst aus dem Grund, eine aufgerissene Schlucht läßt uns den Abgrund unter der Erde ahnen. Der Grund des Grundes, der *tiefste Grund*, ist Gott. *Die Welt lag im tiefsten Grunde, an Gottes Brust.* Da *ordnete Gott die erste Stunde,* er schuf die Zeit, in der alles ist, was ist, *mit erhabner Schöpfungslust.* Schöpfung ist Lust für Gott, wir müssen sagen erhabene Lust. *Im Namen dessen, der sich selbst erschuf, von Ewigkeit im schaffenden Beruf* – beginnt das *Prooemion* der Zeitschrift *Zur Naturwissenschaft überhaupt.*

Was für eine Schöpfungstheologie wird uns hier vorgetragen? Eine jüdisch-christlich-mohammedanische? Eine platonisch-plotinische? Große islamische Theologen des Mittelalters haben gelehrt, der Koran sei Gottes Offenbarung, denn er lehre alle Menschen das, was den Weisen die philosophische Einsicht lehrt. *Sagt es niemand, nur den Weisen.*

Und er sprach das Wort: Es werde! Nach der Bibel ist die Welt durch das Wort geschaffen. Im Alten Testament ist Gott für den Menschen immer nur in seinem Wort, seinem schöpferischen Gebot zugänglich. So ist es im islamischen Orient geblieben. Im Divan *flüchtet* der aufgeklärte Dichter, *im reinen Osten Patriarchenluft zu kosten . . . Will mich freun der Jugendschranke: Glaube weit, eng der Gedanke, wie das Wort so wichtig dort war, weil es ein gesprochen Wort war.* Aber im Neuen Testament beginnt das der Gnosis nächststehende Buch mit den Sätzen: Im Anfang war das Wort, und das Wort war bei Gott, und Gott war das Wort. Goethe läßt seinen Faust im

Studierzimmer, vor der Teufelsoffenbarung, mit diesen Sätzen ringen. *Im Anfang war der Sinn, die Tat.* Der Logos jener Sätze entstammt letztlich der griechischen Philosophie. Gott war der Logos.

Da erklang ein schmerzlich Ach! Für die Geschöpfe ist die Schöpfung nicht Lust. Sie ist der tiefste Schmerz. Dieser Satz ist der Angelpunkt des Gedichts. Er spricht das Geburtstrauma der Welt aus.

Dieser Satz ist Erfahrung. Niemand versteht Goethe, der von dieser Erfahrung nichts weiß. Man muß nicht zuerst nach Traditionen suchen, denen dieser Gedanke entstammen mag, obwohl es solche Traditionen gibt. Die drei Religionen der hebräischen Tradition haben Gott nicht mit der Verursachung des Schöpfungsschmerzes belasten wollen und haben dafür den Mythos des Sündenfalls eingesetzt. Buddha lehrte, Sein sei Leiden. Die Manichäer machten den Schöpfergott zum Quell des Leidens. In mystischen Traditionen, so in der Kabbala, gab es Spekulationen über die Schöpfung durch das »Zerbrechen der Gefäße«. Goethe war vielleicht der philosophisch konsistentesten Lehre, der neuplatonischen, am nächsten. Wie erklärt er den *Schmerz?*

Das Wort *Schmerz* ist in diesem Gedicht schon vorgekommen. Die *Nacht der Ferne* ist der *Abgrund,* der *Schmerz. Ferne* ist unverbundene Vielheit. *Als das All mit Machtgebärde in die Wirklichkeiten brach.* Brach es in schon bestehende Wirklichkeiten ein? Gewiß nicht. Das *All* ist das Eine – Hen kai Pan, *Eins und Alles.* Es zerbricht in das Viele, in die Wirklichkeiten. Erst wenn es Vieles gibt, gibt es Macht. Gottes für alle Geschöpfe furchtbare Gebärde ist die Gebärde seiner Macht.

Auf tat sich – die Fülle der Wirklichkeiten öffnet sich, tut sich *auf. Auf tat sich das Licht.* Auch in der Bibel wird zuerst von den geordneten Dingen das Licht geschaffen. Und Gott sprach: Es werde Licht! Und es ward Licht. In der Philosophie ist das Licht Metapher oder eigentlich wesensgleiches Vehikel des erkennenden Geistes, Erkennen ist Sehen; der menschliche Geist aber erkennt, weil er Teil – oder Funke, oder Abbild – des göttlichen Geistes ist.

So trennte scheu sich Finsternis von ihm. In der Bibel: Und Gott sah, daß das Licht gut war. Da schied Gott das Licht von der Finsternis und nannte das Licht Tag und die Finsternis Nacht. Die Finsternis wird eigentlich nicht geschaffen, sie wird vom Licht geschieden. Die Schöpfung des Guten ist die Erzeugung der Polarität, der Zweiheit, der Trennung. Die *Finsternis trennt sich »so«* vom *Licht, scheu,* als das, was sich nicht zeigt, denn zeigen ist beleuchten. *Und sogleich die Elemente scheidend auseinanderfliehn.* Die *Elemente* (die Buchstaben des Seienden, griechisch stoicheia, lateinisch LMN = elementa), das, woraus alles ist, was ist, vervielfachen sich, fliehen auseinander. Ist eine Zweiheit gesetzt, so folgt die Vielheit bis ins Unendliche – so in der zweiten Hypothese des platonischen Parmenides.

Zeitgenossen der heutigen Kosmologie des expandierenden Universums haben in Goethes und in Schellings verwandten Gedanken eine Art Vorahnung späterer Naturwissenschaft gesehen. Das ist oberflächlich. Alle Schöpfungsphilosophien denken, meist implizit und darum oft metaphorisch, im Schema der geschichtlichen Zeit, in der die Zukunft das Mögliche und, wie sich in innerer Logik ergibt, die wachsende Fülle der Möglichkeiten ist. Und eben diese Zeitstruktur liegt, davon bin ich überzeugt, dem Phänomen der Expansion des Systems der Spiralnebel zugrunde, die Anlaß zu der Modellhypothese des »Urknalls« gegeben hat. Schöpfung muß in der Zeit wie eine Explosion erscheinen.

Dies nun malt der Dichter aus. *Rasch, in wilden, wüsten Träumen jedes nach der Weite rang, starr, in ungemessnen Räumen, ohne Sehnsucht, ohne Klang.* Ohne Wechselwirkung der Elemente haben sie kein Bewußtsein, nur *Träume,* sie *ringen,* fern voneinander zu sein, *ungemessen* sind die *Räume,* die sie, innerlich unbewegt, *starr,* zu erfüllen streben. Der Schmerz ist so tief, daß er sich seiner nicht bewußt werden kann, er ist *ohne Sehnsucht* nach Einheit, ohne die Harmonie der Sphären, *ohne Klang.*

Stumm war alles. »Stumm« ist das Leitwort der vier vorangehenden und der zwei folgenden Zeilen. *Gott ist einsam.* Er ist *zum erstenmal einsam,* denn das All war die Einheit der Fülle. Das Eine ist nicht ärmer, es ist reicher als Name und Form, jenseits der Seiendheit, epekeina tes usias. Der Gott, der die Welt aus sich entlassen hat, ist *einsam.* Aber schon dies zu denken hebt eben diesen Gedanken auf. *Da erschuf er Morgen-röte.* Rot ist die leuchtendste Farbe und der Anfang des Tags. Die *Ferne,* die *Qual* war die *Nacht.* Es ist als sage der Dichter der Geliebten: Verstehst du jetzt, daß meine Farbenlehre, von der ich dir so viel erzählt habe, nichts anderes war als die Geschichte unserer Liebe? Das *Trübe* mit dem Licht und dem Dunkel schafft die Farben, Licht durch das Trübe gesehen gelb und rot, Dunkel durch das Trübe gesehen blau. *Die Farben klingen. Welch Getöse bringt das Licht! Und nun konnte wieder lieben, was erst auseinanderfiel.* Jetzt erst fällt das entscheidende Wort: *lieben.* Deshalb ist das Schöpfungsge-dicht ein Liebesgedicht. Wechselwirkung, wie die Physiker sagen, *Sehnsucht, Klang, Farbe* ist wesentlich *Liebe.*

Und mit eiligem Bestreben. – Dies ist das betonte, beginnen-de *Und,* nicht bloß Anknüpfung, sondern *Steigerung* im Sinne Goethes. Als er 1814 zur ersten Reise nach Frankfurt, nach den langen Kriegsläuften, ausfuhr, war in ihm die Liebe schon gegenwärtig, die ihm dann dort begegnete. Im Reisewagen dichtete er das Gedicht *Im Gegenwärtigen Vergangenes,* das mit der Schilderung der seit so vielen Jahrzehnten vertrauten thüringischen Landschaft anfängt: *Ros' und Lilie morgentau-lich blüht im Garten meiner Nähe; hinten an, bebuscht und traulich, steigt der Felsen in die Höhe . . .* Die nächste Strophe beginnt mit dem herrlichsten, voll betonten steigernden »*Und*« Goethes: *Und da duftets wie vor alters, als wir noch von Liebe litten und die Saiten meines Psalters mit dem Morgenstrahl sich stritten.*

Und mit eiligem Bestreben sucht sich, was sich angehört. Nun sind nicht mehr die *Räume ungemessen,* sondern das *Leben,* zu dem *Gefühl und Blick sich kehren. Ergreifen* und *Raffen,* aller Egoismus der Leidenschaft ist verziehen, wenn die Liebenden nur einander fassen und halten, denn: *Allah braucht nicht mehr zu schaffen, wir erschaffen seine Welt.* Wir, die Geschöpfe, sind nun schöpferisch durch die Einung der Liebe. So ist die ganze Welt, noch einmal in den Worten des *Prooemions* gesagt: *So weit das Ohr, so weit das Auge reicht, du findest nur Bekanntes, das ihm gleicht.* Es scheint, als könnten wir die Welt kennen und schlössen aus ihr auf den Schöpfer. So ist es aber nicht. Wir selbst erschaffen nun seine

Welt, und alles, was wir in der Welt finden können, ist uns
bekannt, weil es, wie wir, *ihm gleicht.* Und so wird die kleine
Wendung des Übermuts wohl entschuldigt, daß, seit wir schaffen, Allah nicht mehr zu schaffen braucht.

So, mit morgenroten Flügeln – das »*So*« ist die Rückkehr
von der Weltschöpfung zu Hatem und Suleika, zu Goethe und
Marianne. Es spricht die platonische Teilhabe, die Methexis
aus. Die *Morgenröte* ist auch für uns *erschaffen.* Nähme ich
Flügel der Morgenröte und flöge ans äußerste Meer, so wärest
du da, sagt der Psalm. *Mit morgenroten Flügeln riß es mich an
deinen Mund.* Wieder sind die *Sterne* da, *tausend Siegel des
Bundes. Beide sind wir auf der Erde musterhaft in Freud' und
Qual.* Sind wir besser als andere Liebende? Nein. *Hör und
bewahre sechs Liebespaare. Denke nun, wie von so langem
prophezeit Suleika war.* Liebende sind *Muster* von *Freude und
Qual.* Ein halbes Jahr später wird Goethe das Gedicht »*Lesebuch*« schreiben: »*Wunderlichstes Buch der Bücher ist das
Buch der Liebe . . . Wenig Blätter Freuden, ganze Hefte Leiden; einen Abschnitt macht die Trennung. Wiedersehn – ein
klein Kapitel. Fragmentarisch! Bände Kummers, mit Erklä-
rungen verlängert, endlos, ohne Maß . . . Unauflösliches, wer
löst es? Liebende, sich wiederfindend.*« – *Der Augenblick ist
Ewigkeit. Und ein zweites Wort: Es werde! trennt uns nicht
zum zweitenmal.*

Goethe und Marianne haben einander nach dieser Begegnung nie wiedergesehen.

Für einen Mann, dem die Versuchung naheliegt, sich mit dem
Dichter zu identifizieren, ist es gut, mit verständnisvollen
Frauen zu sprechen. In einem Gespräch mit einer klugen jun-
gen Germanistin über dieses Gedicht kam die alte Frage auf, ob
Goethe eigentlich die Frauen, denen er nahekam, geliebt habe,
oder ob er nur seine Liebe geliebt habe. Als er *Im Gegenwärti-
gen Vergangenes* schrieb, war die kommende Liebe dieser zwei
Jahre schon in ihm, und noch kannte er den *Widerpart seiner
Freuden* nicht. Im dritten Jahr nahm er das Umwerfen der
Kutsche, in der er zur dritten Reise nach Frankfurt angesetzt
hatte, als Anlaß, umzukehren. Marianne sandte ihm Briefe,
Geschenke, leise und unüberhörbar bat sie um sein Kommen.

Sag ihm, aber sags bescheiden, seine Liebe sei mein Leben.
Goethe wehrte leise und unüberhörbar ab.

Nicht die Leidenschaft und nicht die Verse beweisen, daß er die Frauen geliebt hat, nicht das Zurückweichen beweist, daß er sie nicht geliebt hat. Goethe war fähig, den Mitmenschen in dessen Lebensbedingungen sehen zu lernen, er arbeitete sein Leben lang daran, und er verzichtete darauf, sich zu erklären, wo er nicht verstanden werden konnte. Er vermied die Tragödie. Er hat keine Ehe zerstört, und er hat die eine Frau geheiratet, die, um weiterleben zu können, seiner bedurfte.

Im Nachlaß zum Divan findet sich das Gedicht, das beginnt: *»Nicht mehr auf Seidenblatt Schreib ich symmetrische Reime. . . . Dem Staub, dem beweglichen eingezeichnet, Überweht sie der Wind, aber die Kraft besteht. . . . Und der Wanderer wird kommen, Der Liebende. Betritt er Diese Stelle, ihm zuckt's Durch alle Glieder. ›Hier vor mir liebte der Liebende‹ . . .« Suleika, du aber ruhst Auf dem zarten Polster, Das ich dir bereitet und geschmückt. Auch dir zuckt's aufwachend durch die Glieder. ›Er ist, der mich ruft, Hatem. Auch ich rufe dir, o Hatem! Hatem!‹*

Nachweise

Dem Leser sei empfohlen, eine kommentierte Ausgabe von Goethes *West-östlichem Divan* zur Hand zu nehmen, etwa den 2. Band der Hamburger Ausgabe (bei Christian Wegner, Hamburg, jetzt bei C. H. Beck, München). Vielleicht mag er auch mein Nachwort zum 13. Band der Hamburger Ausgabe nachlesen, abgedruckt in »Die Tragweite der Wissenschaft« als zweiter Anhang.

Wiederfinden. Im *Buch Suleika.* Hamburger Ausgabe II, S. 83.

. . . Dichterworte . . .: Schluß von *Hegire,* dem ersten Gedicht des Divan. HA II, S. 7.

Ist's möglich, daß ich Liebchen dich kose . . . Buch Suleika. HA II, S. 64.

. . . und ich reite froh in alle Ferne . . . Freisinn in *Buch des Sängers,* HA II, S. 9.

Platons Liebesepigramm. Anthologia Lyrica Graeca I, 88.

’Αστέρας εἰσαθρεῖς, ’Αστὴρ ἐμός· εἴθε γενοίμην
οὐρανός, ὡς πολλοῖσ’ ὄμμασιν εἰς σὲ βλέπω.

Zu den Sternen blickst du, mein Stern. O, wär ich der Himmel,
    Um mit tausend Paar Augen dich wieder zu sehn!
                                          übs. Karl Reinhard (1769–1840).

Prooemion. In der Ausgabe letzter Hand erstes Gedicht der Gruppe
Gott und Welt. Zuerst gedruckt 1817 als Einleitungsgedicht des
1. Hefts der Goetheschen Zeitschrift *Zur Naturwissenschaft überhaupt.* HA I, S. 357.

Große islamische Theologen: Richard Walzer, gesprächsweise.

Sagt es niemand, nur den Weisen: Selige Sehnsucht. Buch des Sängers,
HA II, S. 18.

. . . im reinen Osten . . .: Hegire, HA II, S. 7.

Im Anfang war das Wort . . .: Evangelium Johannes, erste Verse.

. . . der Sinn, die Tat: Faust I, Studierzimmer.

Kabbala: Vgl. G. Scholem, Die jüdische Mystik in ihren Hauptströ-
mungen, Frankfurt, Metzner 1957, S. 291 f.

Eins und Alles. Gedicht in der Reihe *Gott und Welt.* HA I, S. 368.

Und Gott sprach: Es werde Licht: 1. Mos. 1, 3.

Die Schöpfung des Guten . . .: west-östliche Lehre. S. Laotse, Tao Te
King, I,2: Wenn auf Erden alle das Gute als gut erkennen, so ist
dadurch schon das Nichtgute gesetzt (übs. Richard Wilhelm). Vgl. das
Bonhoeffer-Zitat S. 470.

. . . Name und Form: buddhistische Formel

. . . jenseits der Seiendheit: Platon, Politeia, 509 B.

Welch Getöse bringt das Licht: Faust II, Anfang.

Steigerung: Erläuterung zu dem aphoristischen Aufsatz »Die Natur«.
Goethe an den Kanzler von Müller. HA 13, S. 48.

Im Gegenwärtigen Vergangenes. Buch des Sängers, HA II, S. 15

Nähme ich Flügel der Morgenröte: Psalm 139,9.

Hör und bewahre sechs Liebespaare. Musterbilder in *Buch der Liebe,*
HA II, S. 27.

Denke nur . . . in *Sag', du hast wohl viel gedichtet* . . ., *Buch Suleika,* HA II, S. 67.

Lesebuch. Buch der Liebe, HA ii, S. 28.

Germanistin. Anläßlich einer Radiosendung über dieses Gedicht. Bayer. Rundfunk. 1976 aufgenommen. Sendung 1978.

Sag ihm, aber sag's bescheiden . . . *Ach, um deine feuchten Schwingen. Buch Suleika,* HA II, S. 82. Gedicht Mariannes.

Nicht mehr auf Seidenblatt . . .: Nachlaß zum Divan. HA II, S. 125.

III, 3. Zu Hegels Dialektik*

Auf der Suche nach dem Grunde der Ambivalenz des Fortschritts sind wir auf das Phänomen der Zersplitterung der Wahrheit im Fortschritt der Aufklärung gestoßen (S. 85). Als eine Antwort auf diese Zersplitterung erschien uns das »heroische Unternehmen der Philosophie«, einmal im antiken Griechenland und noch einmal in Deutschland von Kant bis Hegel. Jetzt befinden wir uns im Gespräch mit dieser Philosophie.

Dabei hat das Gespräch mit Hegel einen spezifischen Grund. Man kann nicht leugnen, daß Hegel in seiner Dialektik eben das Phänomen denkerisch angreift, das ich bisher Ambivalenz genannt habe. Seine Nachfolger, zumal Marx und die subtileren Marxisten, besitzen in der Dialektik ein Denkmittel, das ihnen der ambivalenzblinden positiven Wissenschaft und liberalen Politik gegenüber eine methodische Überlegenheit gibt. Man kann mir also entgegenhalten: Was du hier privatim und stolpernd für dich wiederentdeckst, ist längst bekannt und durchdacht; lerne es und schließe dich den Dialektikern an! Deshalb das Gespräch mit Hegel.

1. Hegels Entwurf

Der gegenwärtige Abschnitt soll nur Hegels Entwurf unter den Gesichtspunkten, unter denen ich ihn diskutieren will, erinnernd vor Augen stellen. Die beiden nächsten Abschnitte werfen anschließend an Hegels historische Wirkung und mit einmaligem Seitenwechsel die Frage nach der Relevanz Hegels für *uns* auf. Dieses einleitende Trivium ist für Hegelkenner günstigenfalls trivial; der Ton liegt auf der Relevanz für uns. Es folgt ein Quadrivium der näheren Auseinandersetzung mit vier Positionen Hegels.

---

* Für dieses Buch leicht redigiertes Arbeitspapier, vorgelegt für eine institutsinterne Diskussionswoche über Hegel im Sommer 1971. Vgl. Fußnote zu I, 3., S. 63.

Wer die »Phänomenologie des Geistes« mit dem Abschnitt über die sinnliche Gewißheit zu lesen beginnt, findet sich alsbald in einen Maelstrom der fortgesetzten Reflexion hineingerissen, der ihn erst auf der letzten Seite des Buches wieder entläßt. Was ist die wirbelnde Bewegung dieses Stroms? Sie ist Dialektik; aber was ist Dialektik? Man kann sie als den systematisch durchgehaltenen *philosophischen Prozeß* auffassen. Dieser Prozeß ist für die abendländische Philosophie in der Person des Sokrates verkörpert. Sokrates philosophierte im Gespräch. Er nahm die Behauptungen seines Partners so wie dieser sie gab und stellte, in jeweils der Situation angemessener Abwandlung, nur die eine Rückfrage: »Weißt du, was du sagst?« Diese Frage führte, wenn wir Platons Darstellung trauen dürfen, unfehlbar zur Entlarvung des Nichtwissens. Dabei blieb es aber nur für die unphilosophischen Köpfe, die sich deshalb ärgerten. Die zur Philosophie Fähigen erfuhren, daß sie das Nichtwissen nur hatten erkennen können, indem sie das scheinbare Wissen an einem Wissen davon, was Wissen sei, maßen. Sie erfaßten im Nichtwissen ein Wissen, das sie besessen hatten, ohne es zu wissen.

Nach der gemeinsamen Überzeugung der klassischen Philosophie endet der streng durchgeführte philosophische Prozeß nicht im Leeren, sondern in einem Ziel. Wenn er in Schritten oder Stufen durchgeführt wird, so macht jeder Schritt das erst begreiflich, was in den früheren Schritten als Erkenntnis erschien. Der Prozeß führt vom jeweils Bedingten zu seiner Bedingung. Dann wäre aber kein Wissen begründet ohne eine letzte, selbst unbedingte Bedingung. Dies von Bedingungen Losgelöste heißt für Hegel das Absolute. Wahres Wissen ist Wissen des Absoluten und das in ihm begründete oder enthaltene Wissen. Nur dieses Wissen nennt Hegel »die Wissenschaft«.

Spätestens hier kann der skeptische Einwand nicht mehr zurückgehalten werden: Ist absolutes Wissen überhaupt möglich? Ist das Absolute nicht das seinem Wesen nach Unwißbare? Steckt in dem Gedankengang, der zu diesem Anfang führt, nicht das Wunschdenken einer petitio principii?

Es ist ein wesentliches methodisches Prinzip der Hegel-Inter-

pretation,* skeptische Einwände nicht zurückzuhalten. Wenn
der philosophische Prozeß die durchgehaltene skeptische
Rückfrage ist: »Weißt du, was du sagst?«, so muß auch er sich
diese Rückfrage gefallen lassen. Sie muß sich als Teil des Prozesses enthüllen, zumal wenn die Gegenfrage gestellt wird:
»Weißt du, was du fragst?« Auf das Absolute angewandt: eben
um dieser Frage willen steht *vor* dem Einsetzen des dialektischen Stroms in der »Phänomenologie des Geistes« das als
»Einleitung« betitelte Stück. Ich gebe ihm als Antwort auf die
Skepsis gegenüber dem Absoluten diese Wendung: Bei jedem
bedingten Wissen kann es sein, daß zwischen unserer Erkenntnis und dem zu erkennenden Gegenstand ein Mittelglied notwendig ist, eine Erkenntnisbedingung, auf die vielleicht in
einem besonderen Akt zu reflektieren ist. Nur gerade beim
Unbedingten kann das nicht so sein. Wenn das Absolute »nicht
an und für sich schon bei uns wäre und sein wollte«,** so
könnte es uns durch kein »Werkzeug« näher gebracht werden;
es gäbe dann kein Wissen des Absoluten und folglich kein
anderes wahres, nämlich die skeptische Rückfrage aushalten-
des Wissen. Man kann sich diesen Gedanken erleichtern, wenn
man für einen Augenblick das Absolute näher bestimmt als das
Wissen selbst. Alles Wissen von besonderen Gegenständen
steht unter Bedingungen ihres Wissens. Was aber überhaupt
Wissen ist, das ist »an sich« immer »schon bei uns«, wenn wir
überhaupt etwas wissen, und ohne dieses, daß überhaupt Wissen ist, gäbe es keinerlei besonderes Wissen.

Doch auch diese Antwort ist der skeptischen Rückfrage
ausgesetzt. »Aber die Wissenschaft darin, daß sie auftritt, ist
sie selbst eine Erscheinung« (II 70). Wie will sie ihren besseren
Anspruch gegenüber anderen, von ihr her gesehen unwahren
Weisen des Wissens ausweisen? »*Ein* trockenes Versichern gilt
. . . gerade so viel als ein *anderes*.«*** (II 70–71). »Aus diesem
Grunde soll hier die Darstellung des erscheinenden Wissens

---

* Vgl. Ruth-Eva Schulz, Interpretationen zu Hegels Logik, Diss. Heidelberg
1954, Ms. S. 66–67.
** Phänomenologie, II 60. Ich zitiere durchgehend nach der Glocknerschen
Ausgabe.
*** Sperrungen in zitierten Hegelschen Texten sind stets von Hegel.

vorgenommen werden.« (II 71). D. h. das erscheinende Wissen soll solange der skeptischen Rückfrage unterworfen werden, bis sich enthüllt hat, *was* in ihm erscheint, nämlich das Absolute.

Die Philosophie Hegels, selbst als Erscheinung genommen, ist (wir drücken ihr Erscheinen besser aus, wenn wir sagen: war) ein zweimaliger dialektischer Gang, einmal in der Phänomenologie, ein zweites Mal im System, das mit der »Wissenschaft der Logik« einsetzt und in der Enzyklopädie im Überblick dargestellt ist. Die Phänomenologie führt das bisher erschienene Wissen auf seinen Grund im absoluten Wissen zurück, das System entfaltet das absolute Wissen nach seiner inneren Struktur.

Der Weg der Erkenntnis, den die Phänomenologie nachzeichnet, ist der Weg des Geistes zu sich selbst. Dem Verstande ist der Gegenstand etwas von ihm selbst Verschiedenes. Hierin liegt eine Unwahrheit, die im dialektischen Prozeß überwunden wird. Das Bewußtsein gelangt dazu, Selbstbewußtsein zu sein. »Ich unterscheide mich von mir selbst, und es ist darin unmittelbar für mich, daß dies Unterschiedene nicht unterschieden ist.« (II 137).

Die Vernunft aber bezieht alle Gegenstände in die Selbsterkenntnis ein. »Die Vernunft ist die Gewißheit des Bewußtseins alle Realität zu sein.« (II 183). »Die Vernunft ist Geist, indem die Gewißheit, alle Realität zu sein, zur Wahrheit erhoben, und sie sich ihrer selbst als ihrer Welt, und der Welt als ihrer selbst bewußt ist.« (II 335). Die Religion ist das Wissen, daß der Geist alle Realität ist, in der Form der Vorstellung; sie begreift das Absolute als Gott. Das absolute Wissen ist eben dasselbe Wissen in der Form des sich selbst begreifenden Begriffs. »Der Geist, in diesem Elemente (dem Begriff) dem Bewußtsein *erscheinend,* oder was hier dasselbe ist, darin von ihm hervorgebracht, *ist die Wissenschaft.*« (II 611).

»Wenn in der Phänomenologie des Geistes jedes Moment der Unterschied des Wissens und der Wahrheit und die Bewegung ist, in welcher er sich aufhebt, so enthält dagegen die Wissenschaft diesen Unterschied und dessen Aufheben nicht, sondern indem das Moment die Form des Begriffs hat, vereinigt es die gegenständliche Form der Wahrheit und des wissen-

den Selbsts in unmittelbarer Einheit. Das Moment tritt nicht
als diese Bewegung auf, aus dem Bewußtsein oder der Vorstellung in das Selbstbewußtsein und umgekehrt herüber und
hinüber zu gehen, sondern seine reine von seiner Erscheinung
im Bewußtsein befreite Gestalt, der reine Begriff und dessen
Fortbewegung hängt allein an seiner reinen *Bestimmtheit*. Umgekehrt entspricht jedem abstrakten Momente der Wissenschaft eine Gestalt des erscheinenden Geistes überhaupt. Wie
der daseiende Geist nicht reicher ist als sie, so ist er in seinem
Inhalte auch nicht ärmer.« (II 617–18).

Es mag verwirrend erscheinen, daß die Wissenschaft zwar
nicht »diese Bewegung« ist, in der sich »der Unterschied des
Wissens und der Wahrheit ... aufhebt«, daß aber die »reine
Bestimmtheit des Begriffs« ihm doch eine »Fortbewegung«
auferlegt. Warum ist nicht nur die Phänomenologie des Geistes, sondern die Wissenschaft selbst – man ist versucht zu
sagen: nochmals – ein dialektischer Gang? Ich komme auf
diese Frage im 4. Abschnitt zurück und skizziere hier nur die
Struktur dieses Gangs.

Die Logik kann (vgl. die Logik der Enzyklopädie, VIII 201)
als eine Folge von »Definitionen des Absoluten« aufgefaßt
werden. Sie beginnt mit der unausweichlichsten und inhaltlo-
sesten Bestimmung, dem reinen Sein. Dieses, von jeder näheren
Bestimmung ferngehalten, erweist sich als Nichts. Das Nichts
aber, insofern es ist, erweist sich als Sein. Dieser Übergang,
dieses Sich-Erweisen-als erweist sich als Werden. Die Kette der
reflektierend gewonnenen Bestimmungen führt vom Sein zu
dem, was das Sein ist, dem Wesen, und vom Wesen zum
Begreifen des Wesens, dem Begriff. Das Absolute ist. Es ist das
Sein. Es ist, was das Sein ist, das Wesen. Es ist, was im Wesen
begriffen wird, der Begriff. Es ist selbst der Begriff, also der
Begriff, der sich selbst begreift, die Idee.

Für den Übergang in die Natur und die Geschichte greife ich
noch einmal auf die knappe Skizze der Wissenschaft am Schluß
der »Phänomenologie des Geistes« zurück. »Das Wissen kennt
nicht nur sich, sondern auch das Negative seiner selbst, oder
seine Grenze. Seine Grenze wissen, heißt sich aufzuopfern
wissen. Diese Aufopferung ist die Entäußerung, in welcher der
Geist sein Werden zum Geiste, in der Form des *freien zufälligen*

Geschehens darstellt, sein reines *Selbst* als *die Zeit* außer ihm, und ebenso sein *Sein* als den Raum anschauend. Dieses sein letzteres Werden, die *Natur,* ist sein lebendiges unmittelbares Werden; sie, der entäußerte Geist, ist in ihrem Dasein nichts als diese ewige Entäußerung ihres *Bestehens* und die Bewegung, die das *Subjekt* herstellt. Die andere Seite aber seines Werdens, die *Geschichte,* ist das *wissende* sich *vermittelnde* Werden – der an die Zeit entäußerte Geist; aber diese Entäußerung ist eben so die Entäußerung ihrer selbst; das Negative ist das Negative seiner selbst. Dies Werden stellt eine träge Bewegung und Aufeinanderfolge von Geistern dar, eine Galerie von Bildern, deren jedes mit dem vollständigen Reichtume des Geistes ausgestattet, eben darum sich so träge bewegt, weil das Selbst diesen ganzen Reichtum der Substanz zu durchdringen und zu verdauen hat.« (II 618–619).

Die Sachfragen, die uns Menschen konkret beschäftigen und die im Aufstieg der Phänomenologie zum absoluten Wissen mit einer gewissen Ungeduld durchlaufen wurden, erfahren ihre Entfaltung in dieser Philosophie der Natur und des Geistes. Die Möglichkeit der Naturwissenschaft erweist sich der Vernunft, weil die Natur objektiv vernünftig ist, weil sie Geist ist, der sich nicht als Geist kennt. Noch stärker schlägt Hegels Herz in der These, daß die Geschichte objektiv vernünftig ist; sie ist die Arbeit des Geistes, der zu sich findet. Diese Arbeit ist primär nicht die Arbeit der Erkenntnis und nicht die bloße Entwicklung des Individuums, sondern das reale Leben der Menschen in der menschlichen Gemeinschaft. »Das Selbstbewußtsein ist *an* und *für sich,* indem, und dadurch, daß es für ein Anderes und für sich ist; d. h. es ist nur als ein Anerkanntes.« (II 148). Das reale Leben der Menschen ist Herrschaft und Knechtschaft, es ist Sittlichkeit, entfremdende Bildung, Moralität, es ist Familie, Gesellschaft, Recht und Staat. All dies sind nicht kontingente Ereignisse und ebensowenig ewige Ordnungen; sie sind vielmehr der reale Weg der Wahrheit. »Ehe daher der Geist nicht *an sich,* nicht als Weltgeist sich vollendet, kann er nicht als selbstbewußter Geist seine Vollendung erreichen.« (II 614).

In einem gewissen Sinne des Wortes ist in Hegels System die Geschichte zum erstenmal zum Thema der Philosophie geworden. Das Thema der Philosophie ist die Wahrheit. Diese wurde seit der griechischen Philosophie als das Unvergängliche verstanden, im Gegenzug zur Vergänglichkeit des Menschen, die stets gewußt wurde und die schon Homers Thema ist, und zur Relativität der Meinungen, die die Sophistik aufgedeckt hatte. Die Geschichte, das Vergängliche, mußte entweder als das der Wahrheit Entgegengesetzte erscheinen, oder als das unvollkommen an ihr Teilhabende oder, schon sehr neuzeitlich, als eine unendliche Annäherung an die unvergängliche Wahrheit. Hegel sieht, daß jede dieser Thesen unzureichend ist. Er fühlt das nicht nur in der Weise des unartikulierten Schwimmens in der Geschichte, das sich etwa in einem naiven Fortschrittsglauben ausspricht; wenn man auch den Hintergrund eines solchen neuzeitlichen Gefühls bei Hegel nicht unterschätzen darf. Aber diesem Gefühl wirkt bei ihm schon die tiefe Erfahrung der Entfremdung, eben der Ambivalenz des Fortschritts entgegen und nötigt ihn zu seinem Ernstnehmen des Negativen. Hegel denkt vielmehr die innere Inadäquatheit jener Thesen durch; er stellt an sie selbst die skeptische Rückfrage. Wie kann für uns Menschen überhaupt von Wahrheit die Rede sein, wenn unsere Vergänglichkeit uns wesensmäßig vom Wesen der Wahrheit, der Unvergänglichkeit, trennt? Wie kann dann das Absolute an und für sich schon bei uns sein und bei uns sein wollen? Hegel ist durch diese Fragen gezwungen, die Wahrheit der Geschichte als Geschichte der Wahrheit zu denken. In der Ausführung ist dies z. B. die Philosophie der politischen Geschichte als des Wegs zur freien Gesellschaft, denn Freiheit ist die Gestalt des Daseins der Wahrheit.

Dieser Gedanke beleuchtet wie ein Blitz die dunklen Konturen der realen Geschichte. Noch das dumpfe Donnerrollen seiner Nachfolger hat sich als eine gewaltige politische Macht in mehr als einem Jahrhundert erwiesen. Wir dürfen aber nicht übersehen, daß Hegel hier philosophisch etwas unternimmt, was ebensowohl von der klassischen Philosophie wie vom durchschnittlichen modernen Bewußtsein her gesehen ungeheuerlich ist. Geschichte der Wahrheit soll ja gerade nicht heißen Geschichte der fortschreitenden Erkenntnis einer an sich bestehenden Wahrheit, und ebensowenig soll es heißen, daß es eigentlich überhaupt keine Wahrheit, sondern bloß eine

Abfolge erfolgreicher Meinungen gibt. Wie kann Wahrheit selbst eine Geschichte, eine innere Bewegung, ein Werden haben?

Hegels Weise, sich diesem Problem zu stellen, liegt darin, wie er das Verhältnis der Selbstbewegung des Begriffs zum Absoluten denkt. »Es kommt nach meiner Einsicht, welche sich nur durch die Darstellung des Systems rechtfertigen muß, alles darauf an, das Wahre nicht als *Substanz,* sondern ebensosehr als *Subjekt* aufzufassen und auszudrücken.« (II 22). Das Absolute ist am Anfang der Bewegung nur an sich, als bloßes Sein, aber es soll an und für sich sein. »Das Wahre ist das Ganze. Das Ganze aber ist nur das durch seine Entwicklung sich vollendende Wesen. Es ist von dem Absoluten zu sagen, daß es wesentlich *Resultat,* daß es erst am *Ende* das ist, was es in Wahrheit ist; und hierin eben besteht seine Natur, Wirkliches, Subjekt, oder Sichselbstwerden zu sein.« (II 24). »Die Zeit erscheint daher als das Schicksal und die Notwendigkeit des Geistes, der nicht in sich vollendet ist.« (II 613). »Sie ist das *äußere* angeschaute vom Selbst *nicht erfaßte* reine Selbst, der nur angeschaute Begriff.« (II 612). »Deswegen erscheint der Geist notwendig in der Zeit und er erscheint so lange in der Zeit, als er nicht seinen reinen Begriff *erfaßt,* d. h. nicht die Zeit tilgt.« (II 612). »Diese Substanz aber, die der Geist ist, ist das *Werden* seiner zu dem, was er *an sich* ist: und erst als dies sich in sich reflektierende Werden ist er an sich in Wahrheit der *Geist.* Er ist an sich die Bewegung, die das Erkennen ist, – die Verwandlung jenes *Ansichs* in das *Fürsich,* der *Substanz* in *das Subjekt,* des Gegenstandes des *Bewußtseins* in Gegenstand des *Selbstbewußtseins,* d. h. in eben so sehr aufgehobenen Gegenstand oder in den *Begriff.* Sie ist der in sich zurückgehende Kreis, der seinen Anfang voraussetzt und ihn nur im Ende erreicht.« (5II 613).

Diese Philosophie also kennt ein *Ende,* und nicht aus Willkür, sondern aus spekulativer Notwendigkeit. Man kann sagen, sie kenne es aus demselben Grund, aus dem sie einen Anfang kennt, der nämlich an sich schon das Ende ist. Deshalb muß die Erörterung des Absoluten, das schon bei uns ist und sein will, vor dem Beginn der dialektischen Schiffahrt stehen. Präziser kann man sagen, auch Hegels Begriff von Wahrheit,

wie sie an und für sich ist, schließt die Zeit aus; darum muß am
Ende die Zeit getilgt werden. Noch einmal, dies ist nicht Willkür. Es ist die Folge davon, daß es Hegel mit der Wahrheit in
der Geschichte *als* Wahrheit in dem einzigen Sinne, in dem die
Philosophie bis zu ihm Wahrheit zu denken vermochte, ernst
ist. Wer es anders will, zeige, daß er Wahrheit anders denken
kann, oder, was noch schwerer ist, daß er in Wahrheit ohne
Wahrheit auskommen kann.

2. Kritiken an Hegel

In der vorangehenden Darstellung habe ich die sich aufdrän-
gende skeptische Rückfrage nun doch an sehr vielen Stellen
durch schlichtes Weiterreden überspielt. Wenn wir Hegel in
der Ansicht folgen, daß die Geschichte objektiv vernünftig ist,
so müssen wir auch in der Wirkungsgeschichte seiner Philosophie Vernunft entdecken können. Zu dieser Wirkungsgeschichte gehört der sogenannte Zusammenbruch des Hegelschen Systems in der Mitte des 19. Jahrhunderts unter einer
Fülle heterogener Kritiken. Hier haben wir einen zoologischen
Garten skeptischer Rückfragen, meist in der reflektionslosen
Form der Feindseligkeit. Ich möchte einige dieser Kritiken
klassifizieren und artikulieren, um sie auf ihren Wert prüfen zu
können.

Methodisch kann man versuchen, die Kritiken in externe,
immanente und zersplitternde einzuteilen. Eine externe Kritik
läßt sich auf Hegels Denkbewegung nicht ein, sondern kritisiert nur die präsentierten Resultate. Eine immanente Kritik
meint, Hegels Gedanken zu einem anderen als dem Hegelschen
Resultat zu führen; sie versteht sich wohl meist als ein Hinausgehen über Hegel. Zersplitternd nenne ich eine Kritik, die es
sich ermöglicht, gewisse Gedankenfäden immanent zu neuen
Zielen hin zu verfolgen, indem sie andere extern abschneidet.
Letzten Endes ist wohl jede historisch aufgetretene immanente
Kritik de facto zersplitternd gewesen.

Hegels Philosophie bietet sich dieser Gliederung der Kritiken besonders an durch ihren Doppelanspruch strengen gedanklichen Vollzugs in jedem dialektischen Einzelschritt und

systematischer Einheit des Ganzen. Der Zusammenhang der
Einzelschritte mit dem Ganzen besteht nicht, wie eine zu oberflächliche Kritik (und eine ebenso oberflächliche epigonale
Anwendung) meint, in einem Formalismus des dialektischen
Denkens, der gleichsam mechanisch in jedem Einzelfall angewandt werden könnte. Die Rückfrage ist in jedem einzelnen
Fall die Frage nach dem Wesen der jeweiligen Sache; sie kann
nicht als Verfahren »angewandt« werden, sondern muß jedesmal von neuem spontan gedacht werden. Die Dialektik verliert
ihren Sinn, wo diese Forderung fallengelassen wird. Aber dies
hat zur Folge, daß Hegel als Person in jedem einzelnen Fall
darauf angewiesen war, daß er die gerade vorliegende Sache
tatsächlich adäquat intellektuell anzuschauen vermochte. Aus
dem Versuch, als einzelner Mensch diese sachbedingte Forderung zu erfüllen, ergibt sich der eigentümliche Titanismus des
Hegelschen Werks. Man mag psychologisch sagen, daß eine
Allmachtstendenz, ein in die Philosophie versetztes Staufertum
mit leicht philiströser, professoraler Absicherung dieses titanische Unternehmen ermöglicht hat. Aber welcher Professor
dürfte hier den ersten Stein werfen? Und man muß doch vor
allem die philosophische Konsistenz des Unternehmens sehen.
Wenn eine Philosophie das absolute Wissen als Resultat auf-
weisen will, so muß sie dies in jedem Schritt vollziehen, sonst
verfällt sie der Kritik, nicht zu tun, was sie sagt, der Kritik der
Unwahrheit. Eine relevante Kritik des Hegelschen Systems als
System müßte daher nicht an seinen Fehlgriffen oder an der
Person seines Schöpfers mäkeln, sondern sie müßte die essen-
tielle Unmöglichkeit und Falschheit des ganzen Unternehmens
nachweisen. Für eine derart immanente Systemkritik wäre
dann die Kritik der Einzelheiten wichtiges Beispielmaterial.
Tatsächlich ist die Kritik des Systems als System aber meist
extern geblieben. Man gewöhnte sich schlicht an die These
vom Zusammenbruch dieses Systems und aller Systeme und
der Unmöglichkeit systematischer Philosophie überhaupt.

Mit der externen Preisgabe aber des Systems war alle Einzelkritik de facto zersplitternd; und eben dies machte es ihr leichter, sich selbst da und dort doch als immanent zu deuten. Ich
möchte drei Gruppen von Einzelkritiken besprechen: die Kritik aus der positiven Wissenschaft, die Kritik an der Religionsphilosophie, und die politische Kritik.

Die Kritik aus der *positiven Wissenschaft* war überwiegend extern, und sie vor allem hat einem Jahrhundert sein negatives Bild von Hegel vermittelt. Sie hatte in der Tat gute oder mindestens sehr plausible externe Gründe vorzubringen. Ich bespreche die Kritik seitens der Logik, der Naturwissenschaft und der Geschichtswissenschaft; die positivistische Sozialwissenschaft unseres Jahrhunderts ist in dieses Erbe schlicht eingetreten.

Die Kritik seitens der *Logik* beruht darauf, daß Hegel die Dialektik als Bewegung durch den Widerspruch versteht. Die von ihm konstruierten realen Widersprüche haben den Spott und Hohn der modernen Logiker herausgefordert. Bertrand Russell sagt, Hegels Dialektik sei nichts anderes als die Wiederholung derjenigen Denkfehler, deren Überwindung Aristoteles durch die Schaffung der wissenschaftlichen Logik schon geleistet habe. Ich werde dieser Frage den ganzen vierten Abschnitt dieses Aufsatzes widmen.

Die Kritik seitens der *Naturwissenschaft* enthält nicht weniger Spott und Hohn, exemplifiziert etwa an dem jugendlichen Mißgeschick Hegels in der Begründung der Siebenzahl der Planeten, die mit der Entdeckung des achten (Ceres) zeitlich zusammenfiel. In dieser relativ belanglosen Anekdote (wer hat nicht schon falsche Theorien für wahr gehalten?) spiegelt sich doch der gesunde Widerwille einer Armee von Empirikern gegen apriorische Konstruktionen am Schreibtisch. Dieser historisch bedingte und m. E. in seiner Unreflektiertheit nur historisch gerechtfertigte Widerwille erzeugte eine Atmosphäre, in der eine gerechte Prüfung der Hegelschen Naturphilosophie unmöglich war. Aber wenn man auch heute die Gründlichkeit der Kenntnisse Hegels in der Wissenschaft seiner Zeit und das Reflexionsniveau vieler seiner Gedanken besser zu würdigen gelernt hat, so wird dadurch doch der große Wurf seiner Naturphilosophie inhaltlich m. E. nicht gerechtfertigt. Ich habe den Eindruck, daß sie uns heute nicht ernstlich belehren kann. Gleichwohl möchte ich die Fragestellung, aus der sie hervorgegangen ist, völlig ernstnehmen; darüber im 3. und 5. Abschnitt.

Die Kritik seitens der *Geschichtswissenschaft* hat in höherem Maß die Form der Auseinandersetzung zwischen Kollegen. Freilich hat auch hier die positive Forschung des 19. Jahr-

hunderts im großen und ganzen Hegels gesamtes Prinzip als
konstruktive Zwangsjacke verworfen. Jacob Burckhardt
spricht über Hegel in den Weltgeschichtlichen Betrachtungen:
»Er sagt, der einzige Gedanke, den die Philosophie *mitbringe,*
sei der einfache Gedanke der Vernunft, der Gedanke, daß die
Vernunft die Welt beherrsche, daß es also auch in der Weltgeschichte vernünftig zugegangen sei, und das Ergebnis der Weltgeschichte *müsse* (sic!) sein, daß sie der vernünftige, notwendige Gang des Weltgeistes gewesen sei, – was alles doch erst zu
beweisen und nicht »mitzubringen« war. . . . Wir sind aber
nicht eingeweiht in die Zwecke der ewigen Weisheit und kennen sie nicht. Dieses kecke Antizipieren eines Weltplanes führt
zu Irrtümern, weil es von irrigen Prämissen ausgeht. . . . *Unser*
Ausgangspunkt ist der vom einzigen bleibenden und für uns
möglichen Zentrum, vom duldenden, strebenden und handelnden Menschen, wie er ist und immer war und sein wird;
daher unsere Betrachtung gewissermaßen pathologisch sein
wird.«* So tröstlich der Ton skeptischer Humanität in diesem
Text ist, so entgeht er doch nicht dem ungeprüften Statuieren
eigener geschichtsphilosophischer Prämissen (»wie er ist, war
und sein wird«). Hegel hat diesen Fehler ungeprüfter philosophischer Prämissen in der positiven Wissenschaft oft gerügt.
Burckhardt entgeht auch nicht der Oberflächlichkeit der Kritik, da Hegel in eben der Einleitung zur Philosphie der Geschichte, aus der Burckhardt zitiert, über den Glauben an die
Vernunft in der Geschichte sagt: »In der Tat aber habe ich
solchen Glauben nicht zum voraus in Anspruch zu nehmen . . .
Es hat sich also erst aus der Betrachtung der Weltgeschichte
selbst zu ergeben, daß es vernünftig in ihr zugegangen sei, . . .«
(XI 36). Burckhardt freilich wird der Meinung gewesen sein,
keine denkbare seriöse Betrachtung der Weltgeschichte könne
zu einem solchen Ergebnis führen.

Gehen wir ins einzelne, so fällt es dem heutigen Historiker
sehr viel leichter als dem heutigen Naturwissenschaftler, viele
einzelne Beobachtungen und Reflexionen Hegels lehrreich und
diskussionswürdig zu finden. Ich persönlich finde es lohnend,
zu jedem historischen Vorgang, über den Hegel geschrieben

---

* »Weltgeschichtliche Betrachtungen«, Einleitung (Kröner 1935, S. 4–6).

hat, bei gegebenem Anlaß seine Meinung durchzumeditieren. Wohl immer trifft er einen wesentlichen Nerv des Geschehens oder, in der Geistesgeschichte, der Gedanken. Andererseits finde ich, subjektiv, so gut wie nie, daß er das Ganze des Vorgangs adäquat sieht, auch nur so, wie man es mit den ihm verfügbaren Kenntnissen sehen konnte. Ein Zug genialer Gewaltsamkeit bleibt seinen Interpretationen. Oft sieht er auch mehr als man sehen kann; die Tugend des behutsamen Zugriffs ist ihm nicht gegeben.

Spannend ist die Frage, wie wir uns seinem großen geschichts-philosophischen Entwurf gegenüber verhalten. Seine Einseitigkeit springt in die Augen, nicht nur in der überlieferten Identifizierung der europäischen Geschichte mit der Weltgeschichte, sondern auch in seiner willkürlichen Auswahl aus dieser Geschichte. Aber Hegel hat in seiner beleidigenden These, daß in jeder Epoche nur *ein* Volk in der Weltgeschichte sei (Rechtsphilosophie § 347 VII 447), selbst das Auswahlprinzip formuliert. Dort in der Geschichte, wo wir Heutigen am ungebrochensten an Wahrheit glauben, nämlich in der Geschichte der exakten Wissenschaften, ist es auch uns natürlich, demjenigen Strang der Entwicklung, der zur heute erkannten Wahrheit führt, einen Vorrang zuzubilligen, und den geschichtlichen Rang alles anderen hieran zu messen. Unser Urteil über Hegels Auswahlprinzip wird also letztlich an unserer Auffassung über die Wahrheit in der Geschichte hängen; man entgeht der Philosophie nicht durch die Flucht in die Positivität. Die beiden verbleibenden Gruppen von Kritiken hängen eng mit dieser Frage nach der Wahrheit in der Geschichte zusammen.

Hegels *Religionsphilosophie* ist von entgegengesetzten Seiten her kritisiert worden, von Ungläubigen (z. B. Feuerbach) und von Gläubigen (z. B. Kierkegaard). Eigentümlicherweise sind diese Kritiken weniger entgegengesetzt als die Standpunkte der Kritiker. Ihr gemeinsamer Zug könnte als Ideologievorwurf bezeichnet werden. Feuerbachs schon auf die antike Sophistik zurückgehende Religionskritik, daß der Gott nach des Menschen Bilde gemacht sei, findet in Hegels Philosophie eine sehr natürliche Anlehnung. Hegel hält mit eiserner Konsequenz daran fest, daß von nichts in der Philosophie sinnvoll die

Rede sein kann als von wirklich Gewußtem. Seine immanente
Kritik bestimmter historischer Gestalten des Christentums unter den Titeln des unglücklichen Bewußtseins und des Glaubens ist gerade, daß diesen Menschen ihr eigenes Selbst unter
dem Bilde eines jenseitigen Gottes in die Unerreichbarkeit
entschwindet. Die einzige, freilich entscheidende Rechtfertigung des religiösen Bewußtseins, die in Hegels Philosophie
möglich ist, ist, daß Gott selbst, der Geist selbst, im menschlichen Bewußtsein sich selbst als alle Realität erkennt. Ein einzi-
ger, fast allen späteren Hegelinterpreten gemeinsamer Schritt
zersplitternder Kritik genügt, um diese Metaphysik als unhalt-
bar erscheinen zu lassen: das ist die Verwerfung der Naturphilosophie. Wenn die Natur nicht selbst Geist ist, wenn also der
Geist kein Recht hat, sich als alle Realität zu begreifen, so wird
das Problem der Religion geschichtsimmanent; es wird in moderner Sprechweise existenziell. Man mag dann traditionell
christlich die Natur und den Menschen als Gottes Schöpfung
betrachten oder im Sinne des naturwissenschaftlichen Materialismus des 19. Jahrhunderts die Materie als das Wirkliche
und Gott als Erfindung, jedenfalls denkt nun in der Religion
nicht mehr der göttliche Geist sich selbst. In ihr hat es nun der
Mensch nur noch entweder mit sich zu tun oder aber mit einem
»ganz anderen«. Für beide Auffassungen ist dann Hegels Ansicht eine Ideologisierung, eine Flucht aus der realen Situation
des Menschen in Träume der Metaphysik.

Geht man auch hier wieder ins einzelne, so zeigt Hegels
Religionsphilosophie von neuem einen erstaunlichen Zugriff
auf den Nerv der Dinge in vielen einzelnen Positionen, von der
Erfahrung des »Lichtwesens« (II 529) über manche Züge der
orientalischen, ägyptischen, griechischen Religion bis zum
Christentum, wenn auch wiederum nie ohne Gewaltsamkeit.
Die Gewaltsamkeit entspringt oft dem Bedürfnis der Einordnung, so wenn er bei erstaunlicher Detailkenntnis und treffen-
der Beschreibung vieler Züge der indischen Religion und Kultur doch der dortigen Lehre den Rang als gleichwertiger Gesprächspartner unserer Tradition nicht zubilligen kann und
absprechend urteilt, wo er wissen müßte, daß ihm die kontrol-
lierende Erfahrung fehlt. Die mystische Erfahrung ist ihm unbekannt. An ihre Stelle tritt die Vernunft als der sich wissende

Geist, und die Mystik wird als bloßes Gefühl abgewertet; die unio mystica erscheint nur im Sakrament (XVI 338). Ich persönlich finde seine theologische Auslegung des christlichen Dogmas den orthodoxen, rationalistischen, liberalen und existenzialistischen Ansätzen weit überlegen und glaube doch kaum, daß ein Mensch auf ein so ausgelegtes Christentum sein Leben wagen würde. Diese Philosophie ist eine Kathedrale zur Ehre Gottes, gebaut aus Gedanken, aber sie ist nicht der lebendige Geist Gottes unter den Menschen. Und philosophisch gesagt, der Einwand ist nicht, daß es das Absolute nicht gebe, sondern die Frage, ob das offenbar gewordene Unbedingte nicht mehr sei als dies. Aber wieder: wer wirft den ersten Stein?

Die *politische Kritik* hat ihre rohe und vordergründige Gestalt in der These gefunden, Hegel habe so wie in seiner Philosophie die Selbsterkenntnis des Weltgeistes, ebenso im preußischen Staat das Ziel der Weltgeschichte verherrlicht. Diese Kritik ist extern und ungerecht. Ich verweise u. a. auf J. Ritters Darstellung (»Hegel und die französische Revolution«, edition Suhrkamp 1965), die zeigt, daß Hegels Selbstverständnis sehr viel besser getroffen wird, wenn man ihn als den Philosophen der französischen Revolution versteht. In der Revolution ist die Freiheit aller zum Prinzip geworden, und dies ist das politische Ziel der Weltgeschichte. W. Lübbe hat darauf hingewiesen, daß unter den Schülern Hegels die sogenannte Hegelsche Rechte reformerisch liberal und nicht etwa konservativ war. Wenn aber die Hegelsche Linke das Hinausgehen über Hegel als Übergang der Philosophie aus dem Gedanken in die revolutionäre Tat verstand, so war dies immanent-zersplitternde Hegelkritik; so dachte Hegel nicht. Ich möchte in diesem Aufsatz die Auseinandersetzung mit der Hegelkritik von Marx, die breit werden müßte, nicht aufnehmen. Sicher hatte Marx recht, daß Hegel das, was Marx politisch wollte, nicht nur akzidentell, sondern wesentlich nicht wollte, und dies, obwohl es möglich ist, Hegels Philosophie so weiterzudenken, daß er es hätte wollen müssen. In der Hegelkritik der Hegelschen Linken erscheint dann Hegels Religionsphilosophie als der Rückzug in die konservative Ideologie, als die Absage an die Tat.

Was hat Hegel politisch gewollt, in der Konsequenz seiner Philosophie und als die empirische Person, die er war? Im

empirisch Persönlichen abstrahiere ich aus Ritters und Popitz'
(»Der entfremdete Mensch«, Europäische Verlagsanstalt
1967) Darstellung folgendes Bild. Der junge Hegel empfand
mit seiner ganzen Generation in Deutschland tief die Selbstent-
fremdung des Menschen in der modernen Welt. In diese kritische Bereitschaft traf das bestimmende Erlebnis der französischen Revolution. Vom politischen Standpunkt aus kann man
mit Ritter Hegels ganze Philosophie als die Anstrengung verstehen, das hiermit in die Weltgeschichte Eingetretene zu begreifen und damit zugleich real möglich zu machen. Möglich
machen heißt, weder restaurativ verhindern noch ins Chaos
gleiten lassen. Beide Gefahren sind in Wahrheit nur eine, denn
die Restauration erzwingt, ohne es zu wissen, den Gegenschlag
des Chaos. Diese Gefahren sieht gerade Hegels späte Schrift
über die englische Reformbill vor Augen. Persönlich sucht
Hegel die Stabilität und leidet unter der bis an sein Lebensende
nicht aufhörenden politischen Ungewißheit. Die Stabilität aber
soll die Stabilisierung der Freiheit aller sein. Der Staat ist die
objektive Gestalt des Geistes, die diese Stabilität gewährleisten
kann. Zwar ist die klassische Nationalökonomie eines der
großen Modelle dafür, daß die Vernunft in der Geschichte
wirkt, ohne daß der einzelne dies zu wissen braucht; sie ist das
Gegenbeispiel gegen die platonischen Philosophenkönige.
Aber (Rechtsphilosophie § 243, VII 318) die Industrie der
bürgerlichen Gesellschaft erzeugt »Abhängigkeit und Not der
an diese Arbeit gebundenen Klasse«. Nicht im freien Spiel der
gesellschaftlichen Kräfte ist die Gewähr der Freiheit aller. »Der
Staat ist die Wirklichkeit der sittlichen Idee, – der sittliche
Geist, als der *offenbare,* sich selbst deutliche, substantielle
Wille, der sich denkt und weiß und das, was er weiß, und
insofern er es weiß, vollführt.« (Rechtsphilosophie § 257, VII
328).

Biographisch-historisch betrachtet, ist Hegels politische Philosophie eine intelligente und gediegene Weise, die Probleme
seiner Zeit und seines Standes in Europa für eine Weile durch
ein gutes Konzept zu ordnen. Derartige politische Theorien
aber werden oft entworfen und haben nach einiger Zeit nur
noch historisches Interesse. Lohnender ist es, in die volle philosophische Konsequenz seiner Theorie einzutreten, auch wenn

sie dadurch fremdartiger wird. Wir können sie dann nicht aus dem Zusammenhang mit der Religionsphilosophie lösen. Die Offenbarung Gottes vollendet sich in der sinnlichen Wirklichkeit der Einheit der göttlichen und menschlichen Natur, indem der Geist »als ein wirklicher Mensch *da* ist«; »Es ist *wirklich an dem*« (II 576). Die Gemeinde Christi, im Reich des Geistes, lebt in diesem Wissen. »Die Subjektivität, die ihren unendlichen Wert erfaßt hat, hat damit alle Unterschiede der Herrschaft, der Gewalt, des Standes, selbst des Geschlechts aufgegeben: vor Gott sind alle Menschen gleich. In der Negation des unendlichen Schmerzes der Liebe liegt auch erst die Möglichkeit und Wurzel des wahrhaft allgemeinen Rechts, der *Verwirklichung der Freiheit.*« (Religionsphilosophie, XII, 313). »In der Organisation des Staates ist es, wo das Göttliche in die Wirklichkeit eingeschlagen, diese von jenem durchdrungen und das Weltliche nun an und für sich berechtigt ist, denn ihre Grundlage ist der göttliche Wille, das Gesetz des Rechts und der Freiheit. Die wahre Versöhnung, wodurch das Göttliche sich im Felde der Wirklichkeit realisiert, besteht in dem sittlichen und rechtlichen Staatsleben: dies ist die wahrhafte Subaktion der Weltlichkeit« (XVI 343–344). Die politische Freiheit im Staat ist also in der Tat die Erfüllung der Weltgeschichte; Hegel hat sich selbst genötigt, das politische Thema seiner Zeit als Verwirklichung des Absoluten zu begreifen.

Wie aber kann eine solche Philosophie bestehen, wenn die Geschichte weitergeht? Man könnte die These vertreten, daß auch heute das politische Grundthema kein anderes sei. Diesen Ausweg wähle ich nicht. Gewiß ist Hegel auch politisch nicht einfach veraltet. Aber bei geeigneter Interpretation gilt dasselbe sogar von Platon. Diese Seite der Philosophen muß man hervorheben, wenn man die aktuelle Relevanz der Beschäftigung mit ihnen einleuchtend machen will. Höher ehren wir sie und mehr lernen wir von ihnen, wenn wir in der harten Rückfrage die Stelle ihres Scheiterns aufsuchen. »Ehe . . . der Geist nicht *an sich,* nicht als Weltgeist sich vollendet, kann er nicht als *selbstbewußter* Geist seine Vollendung erreichen« (II 614) oder poetischer: »Die Eule der Minerva beginnt erst mit der einbrechenden Dämmerung ihren Flug« (Vorrede zur Rechtsphilosophie, VII 37). Wenn ich dies oben (S. 362 f.) richtig interpretiert habe, verlangt Hegels Begriff von der Wahrheit der Geschichte dieses Ende. Hegel als intelligenter Zeitgenosse war offen für das Kommende; seine philosophische Selbstinterpretation durfte essentiell Neues in der Geschichte nicht mehr zulassen.

3. Gegenkritik

Um die Kritiken auf das angemessene Niveau zu heben, habe ich ihnen vielfach widersprochen, und habe so in einem angenehmen Ton des Respekts und der Sympathie mit Hegel diskutiert. Wenn wir fragen, was *wir* noch von Hegel haben können, so scheint dennoch ein vernichtendes Resultat übrigzubleiben. An das System glaubt niemand mehr. Die Dialektik als Bewegung durch den Widerspruch ist von der Logik verworfen. Die Naturphilosophie ist für den heutigen Physiker irrelevant. Die Geschichtsphilosophie enthält kluge Betrachtungen und einen Systemzwang, zu dem nicht historische Empirie, sondern allenfalls eine eigene systematische Entscheidung uns positiv einstellen kann. Die Religionsphilosophie erscheint den Ungläubigen wie den Gläubigen als Ideologie, als Flucht in fragwürdige Metaphysik. Die politische Philosophie mag Marxisten in partiellem Widerspruch, Liberale in gebührend skeptischer Distanz inspirieren; sie ist aber politisch überholt und durch Systemzwang auf ihre Überholtheit festgelegt. Der große Versuch, die Wahrheit der Geschichte als Geschichte der Wahrheit zu denken, hat sich 1830 festgefahren. Hegel ist nun eben ein interessanter Gegenstand der Philosophiegeschichte geworden. Die Eule der Minerva hat ihren Flug seit langem beendet.

Gegen diese Kritik will ich eine Gegenkritik formulieren. Sie soll nichts von dem soeben Behaupteten anfechten, kann also kein Zurück zu Hegel bedeuten. Sie besagt nur, daß diese Kritik uns mit eben der Zersplitterung der Wahrheit zurückläßt, um derentwillen wir die Frage nach Hegel gestellt haben. Dieses Resultat braucht uns nicht zu wundern. Daß Hegels Philosophie dem ambivalenten Fortschritt nicht standgehalten hat, wußten wir vorweg. Aber ebensowenig halten die Positionen, in denen dieser Fortschritt sich heute interpretiert, der skeptischen Rückfrage stand. Wir haben von neuem zur Rückfrage anzusetzen, so wie die Philosophie es immer getan hat, wie es auch Hegel angesichts der zu seiner Zeit vergangenen Philosophien getan hat.

Wir haben heute in der Sozialwissenschaft die Position der Dialektiker.* Sie stellen gegenüber den angeblich neutralen Resultaten der Positivisten die skeptische Rückfrage, theoretisch nach der Berechtigung der Auswahl isolierender Fragestellungen, praktisch nach den diese Auswahl leitenden Interessen. Wir haben auch ihnen gegenüber die skeptische Rückfrage zu stellen. Was heißt in diesem Verfahren Dialektik? Was zeichnet die Kraft der Dialektik in gesellschaftlich-geschichtlichen Fragen aus? Ist sie Dialektik im Sinne Hegels? Weiß sie, was sie unter einem Widerspruch versteht? Wie verhält sie sich zur Natur? In einem Gespräch mit J. Habermas 1962 habe ich mich zu der Behauptung hinreißen lassen, das Rhodus für den saltus der Dialektik sei nicht die Geschichte, sondern die Natur.** Genau wenn wir die Natur dialektisch verstehen könnten, sei ich bereit, auch in der Geschichte die Dialektik für mehr zu halten denn als eine Aushilfe in der Nacht, in der die Katzen schwarz sind. Das sollte nicht heißen, daß ich auf Hegels Naturphilosophie Hoffnungen setze, sondern daß die Dialektik, wenn ihr der Satz, das Wahre sei das Ganze, noch ehrwürdig ist, ihre Probe im härtesten Material erst vor sich hat. Auch der Rückzug der Dialektik von der religiösen Thematik kann nicht bestehen. Das bloße Absehen von der Religion, insoferne sie sich als reaktionäre Ideologie erweist, ist nicht auf dem Niveau, das der Dialektik zugänglich ist. Religion kann nicht belanglos sein. Sie ist die Wahrheit oder die Lüge.

Es scheint, daß wir genötigt sind, das, was man die dialekti-

---

* Vgl. »Der Positivismusstreit in der deutschen Soziologie«, Neuwied, Luchterhand 1970.
** So habe ich 1971 geschrieben. Eine Weise, Dialektik in die Natur abzubilden, ist die Denkweise in Ebenen und Krisen, angewandt auf die organische Natur, vgl. I, 3., 4. und das zweite Kapitel. Eine andere läge möglicherweise in der Theorie des Subjekts in der Quantentheorie, vgl. II, 1. Die Frage, die uns jetzt angeht, ist aber, ob der Begriff der Dialektik besonders geeignet ist, diese Strukturen darzustellen.

sche Bewegung nennt, in der offenen Zeit zu denken. Im gegenwärtigen, auf Hegel konzentrierten Aufsatz will ich an Hegel
nunmehr vier Fragen stellen: nach der dialektischen Bewegung
und dem Widerspruch, nach der Zeit in der Naturphilosophie,
nach dem Verhältnis von Dialektik, Entfremdung und Ambivalenz in der menschlichen Geschichte und nach dem Verhältnis des Absoluten zur Zeit.

4. Dialektik als Bewegung durch den Widerspruch

»Wenn nun die ersten Reflexionsbestimmungen, die Identität,
die Verschiedenheit und die Entgegensetzung, in einem Satze
aufgestellt werden, so sollte noch vielmehr diejenige, in welche
sie als in ihre Wahrheit übergehen, nämlich der *Widerspruch,*
in einen Satz gefaßt und gesagt werden: *Alle Dinge sind an sich
selbst widersprechend,* und zwar in dem Sinne, daß dieser Satz
gegen die übrigen vielmehr die Wahrheit und das Wesen der
Dinge ausdrücke. . . . Es ist aber eines der Grundvorurteile der
bisherigen Logik und des gewöhnlichen Vorstellens, als ob der
Widerspruch nicht eine so wesenhafte und immanente Bestimmung sei, als die Identität; ja, wenn von Rangordnung die
Rede, und beide Bestimmungen als getrennte festzuhalten wären, so wäre der Widerspruch für das Tiefere und Wesenhafte-
re zu nehmen. Denn die Identität ihm gegenüber ist nur die
Bestimmung des einfachen Unmittelbaren, des toten Seins; er
aber ist die Wurzel aller Bewegung und Lebendigkeit; nur
insofern etwas in sich selbst einen Widerspruch hat, bewegt es
sich, hat Trieb und Tätigkeit.« (»Wissenschaft der Logik«, Der
Widerspruch, Anm. 3; IV 545–546).

   Es scheint mir notwendig und möglich – um einen Ausdruck
von W. Krohn* zu benützen – Hegel mit dieser Behauptung
zur Kasse zu bitten. Ich halte mich dafür zunächst an Beispiele,
die in der Krohnschen Arbeit besprochen sind. Sie stehen in der
subjektiven Logik in der Lehre vom Schluß (V 127–128). Um
sie zu verstehen, müssen wir uns zunächst den Hintergrund der

---

* W. Krohn, Die formale Logik in Hegels ›Wissenschaft der Logik‹,
München, Hanser 1972.

Lehre Hegels vom Schluß vergegenwärtigen. Ich fasse mich knapp und nehme die resultierende Undeutlichkeit in Kauf.

»Der Schluß ist . . . der vollständig gesetzte Begriff; er ist daher das *Vernünftige*. Der Verstand wird als das Vermögen des *bestimmten* Begriffes genommen, welcher durch die Abstraktion und Form der Allgemeinheit *für sich* festgehalten wird. In der Vernunft aber sind die *bestimmten* Begriffe in ihrer *Totalität* und *Einheit* gesetzt. Der Schluß ist daher nicht nur vernünftig, sondern *alles Vernünftige ist ein Schluß*.« (V 118–119).

Man erleichtert sich das Verständnis Hegelscher Sätze oft, indem man für seine Substantive Verben setzt, da er in den Substantiven, welche Begriffe bezeichnen, stets die Bewegung des Begriffs mitdenkt. So wollen wir hier für den Begriff Begreifen, für Urteil Urteilen, für Schluß Schließen sagen. Das Urteilen ist dann das Explizieren des Begreifens, und das Schließen das Begründen des Urteilens. Der Begriff in seiner Unmittelbarkeit bezeichnet das Gemeinte, aber begreift es noch nicht. In (kategorischen) Urteilen wird er expliziert, indem ihm als Subjekt seine Bestimmtheiten als Prädikate zugesprochen werden. Dieses Zusprechen aber ist damit selbst noch nicht begründet. Ein kategorisches Urteil »E ist A« wird begründet vermittels eines Medius Terminus B durch einen Schluß der Form »E ist B; B ist A; also ist E A.« Die Wahl der Buchstaben bezeichnet, daß Hegel hier den zugrundeliegenden Begriff als ein einzelnes (E) meint, von dem das zu begründende Urteil ein Allgemeines (A) aussagt; die Vermittlung geschieht durch ein Besonderes (B).

Hegel will durch die hier nur angedeuteten Überlegungen zeigen, daß die überlieferten Formen der Urteile und Schlüsse nicht (mit Kant zu sprechen) rhapsodisch zusammengerafft sind, sondern sich aus dem Wesen des Begreifens notwendig ergaben. Dann ist klar, daß die soweit gegebene Herleitung des Schlusses unvollständig ist, denn wenn jedes Urteil einer Begründung bedarf, dann auch die beiden Prämissen »E ist B« und »B ist A«. Hier weitere Schlüsse nach demselben Schema einzuschalten, würde zu einem unendlichen Rekurs führen. Hegels Lösungseinfall, diese Begründung der Prämissen der ersten Figur E-B-A in den anderen Schlußfiguren B-E-A und

E-A-B zu finden (einen Einfall, der mir trotz Krohns erhellender Kommentierung suspekt bleibt), lasse ich hier beiseite. Die Beispiele, die uns jetzt angehen, sollen das Ungenügen der ersten Schlußfigur weiter illustrieren. Sie läßt die Erläuterung des Begriffs unbestimmt, ja angeblich widersprechend.

»Es ist . . . überhaupt *völlig zufällig* und *willkürlich,* welche der vielen Eigenschaften eines Dinges aufgefaßt, und von der aus es mit einem Prädikat verbunden werde; andere Medii Termini sind die Übergänge zu anderen Prädikaten, und selbst derselbe Medius Terminus mag für sich ein Übergang zu verschiedenen Prädikaten sein, da er als Besonderes gegen das Allgemeine mehrere Bestimmungen enthält. Nicht nur aber ist für ein Subjekt eine unbestimmte Menge von Schlüssen gleich möglich, und ein einzelner Schluß seinem Inhalte nach *zufällig,* sondern diese Schlüsse, die dasselbe Subjekt betreffen, müssen auch in den *Widerspruch* übergehen. . . . Indem nun nach der qualitativen Natur der Terminorum, im formellen Schlusse, das Konkrete nach einer einzelnen der Bestimmungen aufgefaßt wird, die ihm zukommt, so teilt ihm der Schluß das diesem Medius Terminus korrespondierende Prädikat zu; aber indem von einer anderen Seite auf die entgegengesetzte Bestimmtheit geschlossen wird, so zeigt sich jener Schlußsatz dadurch als falsch, obgleich für sich dessen Prämissen und ebenso dessen Konsequenz ganz richtig sind. – Wenn aus dem Medius Terminus, daß eine Wand blau angestrichen worden, geschlossen wird, daß sie hiermit blau ist, so ist dies richtig geschlossen; aber die Wand kann unerachtet dieses Schlusses grün sein, wenn sie auch mit gelber Farbe überzogen worden, aus welchem letzteren Umstande für sich folgen würde, daß sie gelb sei.« (V 127–128). Es folgen noch drei weitere Beispiele, die ich, Krohn folgend, schematisch folgendermaßen darstelle (S. 50–51 seiner Arbeit):

2. a) Mensch – sinnliches Wesen – weder gut noch böse
   b) Mensch – geistiges Wesen – moralisches Wesen
3. a) Himmelskörper im Sonnensystem – schwer – in die Sonne fallend
   b) Himmelskörper im Sonnensystem – unter der Zentrifugalkraft stehend – die Sonne fliehend
4. a) Mensch – soziales Wesen – Gütergemeinschaft
   b) Mensch – individuelles Wesen – Auflösung des Staates.

Jeder Logiker, dem man diese Beispiele zeigt, wird sie als grotesk erklären. Wenn gemeint ist, daß eine mit blauer Farbe gestrichene Wand außerdem auch mit gelber Farbe gestrichen sein kann, so ist die Prämisse »eine blau gestrichene Wand ist blau« schlicht falsch. Die These, die Prämissen seien für sich ganz richtig, ist einfach Unsinn. Man kann nur sagen, unter Voraussetzung der ungeprüften Prämissen sei formal richtig geschlossen worden. Aber eben dazu kann man die Logik benutzen, um durch formal richtige Schlüsse und resultierende Widersprüche falsche Prämissen zu eliminieren. Ebenso durchsichtig falsch ist das dritte Beispiel. Die Meinung, ein schwerer Körper müsse ins Schwerezentrum fallen, ist ein populäres Mißverständnis des Kraftbegriffs. Nach Newtons zweitem Axiom bewirkt die Kraft eben gerade eine Änderung des Geschwindigkeitsvektors. Der Begriff »Zentrifugalkraft« ist nur sinnvoll als Ausdruck der Trägheitsreaktion bei einer zwangsweisen Führung des Körpers auf einer krummen Bahn. Man sieht hier, wie Hegel ein Opfer der bekannten Begriffsschlamperei in der Ausdrucksweise der Physiker wird. In den beiden anthropologischen Beispielen ist nur die richtige Auflösung nicht so manifest, da sie von der gewählten Ansicht über den Menschen abhängt; je nach dieser Ansicht wird man sich entscheiden, welche der Prämissen unter a. oder b., wenn nicht alle, man für falsch erklärt.

Krohn sucht Hegels Beispiele gegen diese naheliegenden Einwände zu retten. »Und gegen diesen Einwand hilft es nicht, Substitutionen von der Art der hegelschen Beispiele in die Form der Schlüsse zu verbieten. Denn eine solche Restriktion hätte sich schon auf den Boden der hegelschen Behauptung gestellt, daß die Form der Schlüsse kein richtiges Schließen garantiere.« (S. 51). Ich glaube nun in der Tat, daß Hegels Betonung der Bedeutung des Widerspruchs, richtig interpretiert, zutreffend ist. Aber die Beispiele in ihrer Unmittelbarkeit sind m. E. nicht zu retten; man muß dazu weiter ausholen. Dafür kann ich an die Krohnsche Bemerkung anschließen.

Krohn sagt kurz vorher: »Nun hat die Diskussion der Syllogistik an Beispielen leicht zur Folge, was die Idee der Formalisierung gerade zu vermeiden zum Ziele hat: einen Streit, der durch verschiedene Standpunkte zu den in den Prämissen ge-

äußerten Sachverhalten verursacht ist.« Ich würde sagen: ein
Hauptzweck der Formalisierung ist gerade die Ermöglichung
eines kontrollierbaren Streits solcher Standpunkte. Wenn nach
Kapp die Logik historisch als Theorie der Strategie eines Dis-
kussionsspiels entstanden ist, in dem gerade der zu umstreiten-
de Schlußsatz vorweg bekannt gegeben war, so dient die Syllogistik dazu, den notwendigen Zusammenhang dieser als strit-
tig vorgegebenen Konklusion mit bestimmten Prämissen einzusehen und so klar zu machen, über welche Prämissen zu
streiten lohnt. Man muß deshalb in der Tat keineswegs Substitutionen von der Art der hegelschen Beispiele verbieten. Aufge-
ben muß man nur die irrige Meinung, formal richtige Schlüsse
müßten nach der Intention der Logik zu inhaltlich wahren
Sätzen führen oder formal richtige Schlüsse aus unvereinbaren
Prämissen hätten einen anderen Zweck als durch den Aufweis
des resultierenden Widerspruchs die Unvereinbarkeit der Prämissen aufzudecken.

Wir nähern uns Hegels Anliegen, wenn wir uns an den Sinn
erinnern, den er dem Schließen gibt: die Begründung einer
Explikation eines Begriffs. Was muß folgen, wenn man mit
Hegel der Meinung ist, alle Dinge seien an sich selbst widersprechend, und in diesem Widerspruch liege ihre Lebendigkeit? Der Begriff eines solchen Dinges muß dann in sich einen
Widerspruch enthalten. Dieses »Enthalten« vermag der Logiker sich zunächst nicht vorzustellen. Aber nun schreiten wir
zur Explikation des Begriffs in Urteilen. Wenn wir das in dem
Begriff Gedachte dabei richtig in den Urteilen ausdrücken, so
werden wir genötigt sein, unvereinbare Urteile auszusprechen.
Diese ihre Unvereinbarkeit werden wir bloßstellen, indem wir
sie wahlweise als Prämissen benützen und widersprechende
Konklusionen gewinnen. Bei diesem Widerspruch nun aber
will Hegel so wenig stehen bleiben wie der Logiker. Beide
streben vielmehr dahin, den Widerspruch aufzulösen. Nur
über das Resultat dieser Auflösung sind sie verschiedener
Meinung.

Der Logiker sieht die mit dem anfangs genannten Begriff
verbundenen Vorstellungen als unklar an. Diese Unklarheit ist
durch die dann formulierten Urteile an den Tag gekommen.
Nun muß man sich entscheiden, welche dieser Urteile man

beibehalten will. Sie müssen jedenfalls der Bedingung genügen, keinen Widerspruch mehr zu implizieren. Im übrigen ist die Auswahl vom Standpunkt des Logikers aus beliebig. Die Entscheidung über diese Auswahl läuft darauf hinaus, wie man sich entschließt, den nun geklärten Begriff zu definieren. Vielleicht löst man das Problem am besten durch eine Distinktion, welche die mit dem ursprünglichen »Begriff« verknüpften Urteile auf zwei oder mehr neue, nunmehr geklärte Begriffe verteilt.

Indem ich Hegel zunächst beiseitelasse, möchte ich bemerken, daß dieses hier in idealer Reinheit geschilderte Verfahren in der Wirklichkeit so fast nie glückt. Es ist z. B. in der Physik nicht klar, ob irgendeine ihrer bisherigen Theorien widerspruchsfrei ist. Sie mag einen mathematisch widerspruchsfreien Formalismus enthalten (wenn wir von den mathematischen Widerspruchsfreiheitsproblemen absehen dürften). Aber eine physikalische Theorie ist sie erst durch eine Semantik, die angibt, was in der beobachtbaren Wirklichkeit die Größen des Formalismus bedeuten sollen. Die Forderung der semantischen Konsistenz ist gerade die Forderung nach einer einschließlich ihrer Semantik widerspruchsfreien Theorie. Es ist nun meine Vermutung, daß es vielleicht überhaupt nur eine einzige semantisch konsistente physikalische Theorie geben kann, nämlich die wahre einheitliche Physik. Sollte dies wahr sein, so wäre in der eingeschränkten Form mathematisierter Theorien auch in der Physik das Absolute wesentlich Resultat, und durch einen Prozeß fortschreitender Reflexion zu gewinnen. Natürlich ist es denkbar, daß selbst eine endgültige einheitliche Physik nicht voll semantisch konsistent wäre, sondern diejenigen Widersprüche noch enthielte, die daher rühren, daß sie überhaupt Physik ist, z. B. daß sie das Ganze der Wirklichkeit in isolierte Objekte oder Alternativen auflöst. Ich neige zu dieser Ansicht, die ich bisher mit Platons »Parmenides« in Verbindung gebracht habe, die aber auch zu Hegel eine natürliche Brücke schlägt.

Der Aufbau von Hegels System schreitet nun gerade so fort, daß aus dem Verständnis jedes Begriffs durch tieferdringende Reflexion in ihm enthaltene Widersprüche gefunden werden, deren Behebung zu einem neuen Begriff führt. Die Behaup-

tung, daß dieser Prozeß vor der Vollendung des absoluten
Wissens nicht abreißt, genügt zur Begründung der These He-
gels, daß alle Dinge an sich selbst widersprechend sind, wenn
man nur bedenkt, daß hier von keinen anderen Dingen die
Rede sein kann als von solchen, von denen es wenigstens einen
Begriff an sich gibt.

Wollten wir, diesem Gedanken gemäß, Hegels System im
einzelnen nachvollziehen, so müßten wir in Strenge darauf
achten, daß Reflexion ein zeitlicher Prozeß ist. Ich vermute
freilich, daß wir dann im einzelnen auf eine Fülle von Willkür-
lichkeiten in Hegels faktischem dialektischem Vollzug stoßen
werden. So meine ich dabei bleiben zu müssen, daß Hegels
vorhin diskutierte Beispiele das, was sie illustrieren sollen,
überhaupt nicht illustrieren. Das Wand-Beispiel ist gleichsam
direkt fehlerhaft, denn es steckt den Widerspruch in die Prämissen unmittelbar hinein. Das Schwere-Beispiel weist allenfalls auf eine Unklarheit in dem Gebrauch hin, den die Physiker
lange Zeit vom Begriff der Zentrifugalkraft gemacht haben.
Die anthropologischen Beispiele mögen in die Dialektik des
Begriffs Mensch hineingehören. Alle Beispiele geben dann aber
eben nur die Dialektik des Bereichs an, dem sie entstammen.
Sie zeigen damit gerade nicht einen Mangel oder eine immanente Dialektik der Syllogistik an, es sei denn man wolle diese
zu Zwecken gebrauchen, für die sie nie gemeint war. Ich vermute, daß Hegel hier und an vielen Stellen seines Systems von
den in Wahrheit historisch recht zufälligen Gedankenformen
abhängig war, die er mit der Sanktion einer Tradition vorfand,
und daß er, um sie zu konstruieren, einen Tiefsinn in sie
hineinlesen mußte, den sie nicht zu tragen vermögen. Auf die
Verhakung von Zufall und Notwendigkeit im geschichtlichen
Prozeß will ich im 7. Abschnitt nochmals kurz eingehen. Hier
möchte ich nur sagen, daß ich weder von der Natur der Dialektik noch von der der Geschichte her einen Zwang sehe, warum
es sich beim dialektischen Prozeß um einen so linearen Ablauf
handeln müßte, wie Hegel ihn darstellt. Ebensowenig ist unmittelbar durchsichtig, warum die Reflexion einen zum historischen Hergang parallelen Verlauf nehmen und die Bewegung
des Begriffs in diesem Sinne die Lebendigkeit des geschichtlichen Vorgangs direkt begreiflich machen sollte. Der gemeinsa-

me Grund beider liegt in ihrer Zeitlichkeit. Nur weil für Hegel,
seinem Wahrheitsbegriff gemäß, der Begriff und seine Bewegung primär und die Zeit eine Darstellung dieser Bewegung ist,
eine Darstellung, die am Ende zu tilgen ist – nur deshalb
entsteht für ihn dieses Bild der zwangsläufigen Zusammengehörigkeit der Bewegung des Begriffs mit der Geschichte. Ich
glaube, daß dies manches an der Zwangshaftigkeit seines Ge-
schichtsbildes erklärt.

5. Die sinnliche Gewißheit

In der »Phänomenologie des Geistes« sind die Kapitel »Bewußtsein« (II 81–138) und »Beobachtung der Natur« (II
192–232) den Grundlagen der Naturwissenschaft gewidmet.
Wir vergegenwärtigen uns zunächst den Gedankengang.

Hegel beginnt (I.) mit der *sinnlichen Gewißheit,* also mit
dem, was ich hier und jetzt unmittelbar aufnehme. Es erweist
sich, daß dies weder gesagt noch erkannt werden kann anders,
als indem es als ein Allgemeines aufgefaßt wird. »Die unmittelbare Gewißheit nimmt sich nicht das Wahre, denn ihre Wahrheit ist das Allgemeine, sie aber will das *Dieses* nehmen. Die
Wahrnehmung nimmt hingegen das, was ihr das Seiende ist,
als Allgemeines« (II 92). Der *Wahrnehmung* (II.) ist das Seiende »das Ding von vielen Eigenschaften« (II 93). Das Ding ist
eigentlich nichts anderes als die Vielheit dieser gegeneinander
gleichgültigen Eigenschaften. Es ist aber zugleich die schlecht-
hinnige Einheit dieser Eigenschaften in ihrer gegenseitigen
Durchdringung. Dieses Zusammensein ist nur möglich, wenn
sich als seine Wahrheit, als das, was es zusammenhält, die
Kraft (III.), das Spiel der Kräfte (II 117) erweist. Die Kraft aber
ist nichts unmittelbar Erscheinendes mehr und lenkt uns auf
das wahre Wesen der Dinge als »das Innen oder das übersinnliche Jenseits« (II 119). »Die übersinnliche Welt ist . . . ein
ruhiges Reich von Gesetzen, zwar jenseits der wahrgenommenen Welt, denn diese stellt das Gesetz nur durch beständige
Veränderung dar, aber in ihr eben so *gegenwärtig,* und ihr
unmittelbar stilles Abbild. Dies Reich der Gesetze ist zwar die
Wahrheit des Verstandes . . .; es ist aber zugleich nur seine

erste Wahrheit . . . Die vielen Gesetze muß er . . . vielmehr in
Ein Gesetz zusammenfallen lassen, wie z. B. das Gesetz, nach
welchem der Stein fällt, und das Gesetz, nach welchem die
himmlischen Sphären sich bewegen, als *Ein* Gesetz begriffen
worden ist.« (II 122). Durch eine Dialektik, die ich hier
übergehe, kommt Hegel dazu, »daß im Innern der Erscheinung
der Verstand in Wahrheit nicht etwas Anderes als die Erscheinung selbst, aber nicht wie sie im Spiel der Kräfte ist, sondern
dasselbe in seinen absolut-allgemeinen Momenten und deren
Bewegung, und in der Tat nur *sich selbst* erfährt.« (II 137).

So ist der Übergang zum Selbstbewußtsein gemacht. Es ist
wesentlich, das Selbstbewußtsein nicht nur im Ich, sondern
seine Wirklichkeit als *Leben* und das Leben als das Sein des
Gegenstandes, d. h. den Gegenstand, den bisher nur die Physik
studierte, als Lebendigen zu erfassen. Dies wird (IV.) in der
Einleitung zum Kapitel Selbstbewußtsein unter dem übergreifenden Titel »Die Wahrheit der Gewißheit seiner selbst« abge-
handelt. Diese Wahrheit ist dann, daß das Selbstbewußtsein
nicht einsam zu denken ist. »Das Selbstbewußtsein erreicht
seine Befriedigung nur in einem anderen Selbstbewußtsein.« (II
146). Dies führt nun zunächst zur Dialektik der Selbständig-
keit und Unselbständigkeit und der Freiheit des Selbstbewußtseins in Herrschaft und Knechtschaft, Skeptizismus, Stoizis-
mus und dem realen Auftreten der Frage nach der Einheit oder
Ferne zwischen Mensch und Gott im »unglücklichen Bewußtsein«. Zur Natur noch einmal zurück lenkt jedoch der Einsatz
der Vernunft (V.) als der »Gewißheit alle Realität zu sein«. (II
183). »Dieses Bewußtsein, welchem das *Sein* die Bedeutung
des *Seinen* hat, sehen wir nun zwar wieder in das Meinen und
die Wahrnehmung hineingehen, aber nicht als in die Gewißheit
eines nur *Anderen,* sondern mit der Gewißheit, dies Andere
selbst zu sein.« (II 190). Dies ist die beobachtende Vernunft.
»Das Bewußtsein dieses Beobachtens meint und sagt wohl, daß
es *nicht sich selbst,* sondern im Gegenteil *das Wesen der Dinge
als der Dinge* erfahren wolle. Daß dies Bewußtsein dies meint
und sagt, liegt darin, daß es Vernunft *ist,* aber ihm die Vernunft
noch nicht als solche Gegenstand ist.« (II 191). Weiterhin
bezeichnet Hegel dieses Bewußtsein mehrfach als »Vernunftinstinkt« (II 196 f.) oder »die Vernunft, welche noch Instinkt ist«
(II 200).

Ehe ich auf die beobachtende Vernunft noch etwas näher eingehe, ein paar Worte zur Bedeutung dieser Überlegungen für *uns*. Sie scheinen mir in der Tat, locker geführt vom Gang der Wissenschaft im 17. und 18. Jahrhundert, einige zentrale Erkenntnisse über das Wesen der Naturwissenschaft auszusprechen. Der Naturforscher hofft, die Gewißheit in der einzelnen sinnlichen Wahrnehmung zu finden, vermag diese aber überhaupt nur in begrifflicher Allgemeinheit zu haben (I.). Auf späterem Reflexionsniveau gesagt: »Erst die Theorie bestimmt, was beobachtet werden kann« (Einstein – Heisenberg). Die klassische Naturwissenschaft unterwirft sich einer Ontologie von Dingen und ihren Eigenschaften (II.), in der das Ding eigentlich nur als die Einheit einer Gruppe von Eigenschaften besteht. Diese Einheit ist real nur möglich durch die Kräfte (III.), die deshalb zum zentralen Gegenstand der Physik werden (heute: Theorie der Wechselwirkung). Den Übergang über das organische Leben zum Bewußtsein hat die Naturwissenschaft noch nicht vollzogen, aber sie sieht ihn als Aufgabe vor sich. Andererseits weiß sie seit jeher, daß sie in den Naturgesetzen »eine Art von Vernunft« studiert (V.), also in einer Weise sich selbst begegnet, die freilich den Naturforschern in ihrem »Vernunftinstinkt« undurchschaubar bleibt, aber doch immer wieder ihr tiefstes Erlebnis ist.

»Wenn es diesem Suchen und Beschreiben nur um die Dinge zu tun scheint, so sehen wir es in der Tat nicht an dem *sinnlichen Wahrnehmen* fortlaufen, sondern das, woran die Dinge *erkannt* werden, ist ihm wichtiger als der übrige Umfang der sinnlichen Eigenschaften, welche das Ding selbst wohl nicht entbehren kann, aber deren das Bewußtsein sich entübrigt. Durch diese Unterscheidung in das *Wesentliche* und *Unwesentliche* hebt sich der Begriff aus der sinnlichen Zerstreuung empor, und das Erkennen erklärt darin, daß es ihm wenigstens ebenso wesentlich *um sich selbst,* als um die Dinge zu tun ist.« (II 194). Zu dem Bekenntnis dieses letzten Halbsatzes wird sich der Naturforscher, dem die Ehrfurcht vor der Natur das Grunderlebnis ist, freilich schwer bewegen lassen, und solange mit Recht, als er unter »sich selbst« seine private Subjektivität und nicht die Vernunft, die alle Realität ist, versteht. Methodologisch drücke ich das hier Gemeinte gern in dem Satz aus, Information gebe es nur unter einem Begriff.

»Die Merkmale sollen nicht nur wesentliche Beziehung auf
das Erkennen haben, sondern auch die wesentlichen Bestimmtheiten der Dinge, und das künstliche System soll dem System
der Natur selbst gemäß sein, und nur dieses ausdrücken. . . .
Die Unterscheidungsmerkmale der Tiere z. B. sind von den
Klauen und Zähnen genommen; denn in der Tat *unterscheidet*
nicht nur das Erkennen dadurch ein Tier von dem anderen;
sondern das Tier *scheidet* sich dadurch selbst ab; durch diese
Waffen erhält es sich *für sich,* und gesondert von dem Allgemeinen.« (II 194–195). Hier tritt die Beziehung zwischen öko-
logischer Nische, Gestalt der Spezies und Begriff hervor. Daß
es in der Komplikation hochmolekularer Verbindungen, im
organischen Leben überhaupt die Möglichkeit deutlicher begrifflicher Scheidungen gibt, hängt an den Bedingungen der
Selbsterhaltung.

Der Vernunftcharakter des Gesetzes zeigt sich in seiner Allgemeinheit. »Aber daß es wesentlich als Begriff ist, widerstrei-
tet nicht nur dem nicht, daß es für die Beobachtung vorhanden
ist, sondern hat darum vielmehr notwendiges *Dasein,* und ist
für die Beobachtung.« (II 197). Das beobachtende Bewußtsein
mag einen Gegensatz empfinden zwischen der Allgemeinheit
des Gesetzes und der Tatsache, »daß die Wahrheit des Gesetzes
wesentlich *Realität«,* also für die einzelne Beobachtung, ist.
»Allein es widerlegt diese seine Meinung durch die Tat, in
welcher es selbst seine Allgemeinheit nicht in dem Sinne
nimmt, daß *alle einzelnen* sinnlichen Dinge ihm die Erscheinung des Gesetzes gezeigt haben müßten, um die Wahrheit
desselben behaupten zu können.« (II 198). Empirie ist Erkenntnis des Allgemeinen *im* Einzelnen. Die gesamte Proble-
matik des Induktionsprinzips bleibt unlösbar, wenn diese Einsicht nicht phänomenologisch zugrundegelegt wird.

Ich verzichte darauf, noch dem Übergang ins Organische mit
der Zweckproblematik zu folgen. Dieser Abriß von Hegels
phänomenologischer Theorie der Naturwissenschaft sollte nur
den Hintergrund bilden für eine etwas nähere Betrachtung des
Kapitels über die sinnliche Gewißheit. Auch hier ist es sinnvoll,
Hegel »zur Kasse zu bitten«, d. h. zu prüfen, ob wir seinem
Gedanken mit skeptischer Rückfrage im einzelnen folgen können. Dies ist einer der genialsten Texte Hegels; wenn ich ihn

kritisiere, trage ich ihm Dank ab. Ich beschränke mich dabei auf ein einziges Thema, die *Zeit*.

In der sinnlichen Gewißheit ist »eines als das einfache Un-mittelbarseiende gesetzt, der *Gegenstand,* Der Gegenstand also ist zu betrachten, ob er in der sinnlichen Gewißheit selbst, als solches Wesen ist, für welches er von ihr ausgegeben wird. ... Wir haben zu dem Ende nicht über ihn zu reflektieren und nachzudenken, was er in Wahrheit sein möchte, sondern ihn nur zu betrachten, wie ihn die sinnliche Gewißheit an ihr hat.«

»Sie ist also selbst zu fragen: *Was ist das Dieses?* Nehmen wir es in der gedoppelten Gestalt seines Seins, als das *Jetzt* und das *Hier,* so wird die Dialektik, die es an ihm hat, eine so verständliche Form erhalten, als es selbst ist. Auf die Frage: *was ist das Jetzt?* antworten wir also zum Beispiel: *das Jetzt ist die Nacht.* Um die Wahrheit dieser sinnlichen Gewißheit zu prüfen, ist ein einfacher Versuch hinreichend. Wir schreiben diese Wahrheit auf; eine Wahrheit kann durch Aufschreiben nicht verlieren; eben so wenig dadurch, daß wir sie aufbewahren. Sehen wir *Jetzt, diesen Mittag,* die aufgeschriebene Wahrheit wieder an, so werden wir sagen müssen, daß sie schal geworden ist.«

»Das Jetzt, welches Nacht ist, wird *aufbewahrt,* d. h. es wird behandelt als das, für was es ausgegeben wird, als ein *Seiendes;* es erweist sich aber vielmehr als ein Nichtseiendes. Das Jetzt selbst erhält sich wohl, aber als ein solches, das nicht Nacht ist; ebenso erhält es sich gegen den Tag, der es Jetzt ist, als ein solches, das auch nicht Tag ist, oder als ein *Negatives* über-haupt. Dieses sich erhaltende Jetzt ist daher nicht ein unmittel-bares, sondern ein vermitteltes. ... Ein solches Einfaches, das durch Negation ist, weder Dieses noch Jenes, ein *Nichtdieses,* und ebenso gleichgültig, auch Dieses wie Jenes zu sein, nennen wir ein *Allgemeines;* das Allgemeine ist also in der Tat das Wahre der sinnlichen Gewißheit.« ...

»Es wird derselbe Fall sein mit der anderen Form des Dieses, mit *dem Hier. Das Hier* ist z. B. *der Baum.* Ich wende mich um, so ist diese Wahrheit verschwunden, und hat sich in die entge-gengesetzte verkehrt: *Das Hier ist nicht ein Baum, sondern vielmehr ein Haus. Das Hier* selbst verschwindet nicht; sondern *es ist* bleibend im Verschwinden des Hauses, Baumes und so fort, und gleichgültig, Haus, Baum zu sein.« (II 83–85).

Für den Zweck, den Hegel selbst verfolgt, nämlich das Allgemeine als das Wahre der sinnlichen Gewißheit zu erweisen, ist dieser Text so gut wie vollkommen. *Wir* müssen aber die Frage nun auch in umgekehrter Richtung stellen. In dem Experiment mit dem Aufschreiben der Nacht tritt für einen Augenblick die große Wirklichkeit direkt in den Blick, vor deren Hintergrund wir überhaupt nur Allgemeines kennen: die Vergänglichkeit, die Zeit. Hegel zeigt sie nur, um zu verdeutlichen, daß sie unsagbar ist. Jedes Wort bezeichnet ein Allgemeines; Vergänglichkeit, Zeit, Jetzt, sind selbst Worte und sind Allgemeines. Aber an Hegels eigenen Worten kann man zeigen, daß man mehr und Deutlicheres über die Zeit sagen kann als er zu sagen bereit ist. Was erfahren wir in diesem Beispiel über die Zeit?

Ich möchte hier meine Subjektivität als Meßgerät ins Spiel bringen. Als ich diesen Text vor 26 Jahren (1945) zum erstenmal las, habe ich mich sehr über ihn geärgert, weil ich ihn voller Taschenspielertricks fand. In bezug auf einiges Zentrale, was ich damals nicht verstand, muß ich heute Abbitte leisten. Aber die Aufdeckung der Taschenspielerei kann heute zur Verdeutlichung helfen. Hegel tut hier mehrfach nicht das, was er angekündigt hat, sondern etwas anderes.

»Der Gegenstand ist also zu betrachten ... wie ihn die sinnliche Gewißheit an ihr hat.« Was für ein Beispiel eines Gegenstandes würde man hier erwarten? Doch wohl ein solches, wie es am Ende unter dem Titel »Hier« erscheint, also etwa einen Baum oder ein Haus. Ein Baum ist gewiß ein Gegenstand, der sinnlich anwesend sein kann. Statt dessen fährt Hegel fort: »Was ist das Dieses?« Hier zunächst ein sprachlicher Protest. Wir befragen die sinnliche Gewißheit, also das Alltäglichste. Redet man im Alltag so? Man fragt vielleicht: »was ist dieses?« oder »was ist dies da?« oder gar »was ist jetzt dies da?« Hingegen »das Dieses« sagt höchstens ein Philosoph, der die Gewohnheit des sprachlichen Hypostasierens der Phänomene schon so sehr angenommen hat, daß er gar nicht mehr merkt, was er tut, nämlich statt des sinnlich Gegenwärtigen die Reflexion darauf zu betrachten. Und so enthüllt sich auch der Ansatz zur Antwort. Das Dieses ist weder Haus noch Baum, es ist überhaupt kein Gegenstand, sondern es hat eine gedoppelte Gestalt seines Seins als »das Jetzt« und »das Hier«. Auch danach kann man fragen, aber es ist eine andere Frage als die angekündigte.

Wiederum: kein normaler Mensch fragt »was ist das Jetzt?« Er fragt allenfalls »was ist jetzt?« Z. B. der Schüler bei Anfang einer neuen Schulstunde: »was ist jetzt?« oder »was haben wir jetzt?«; Antwort z. B. »Englisch«. Man kann sich auch denken, daß jemand fragt: »was ist jetzt?«, etwa beim Aufwachen auf einer Reise, und die Antwort bekommt: »Jetzt ist Nacht«, oder auch »es ist jetzt Nacht«. »Jetzt« ist kein Gegenstand, und die Nacht ist eigentlich auch keiner, und nur der sprachwidrige doppelte Artikel »*Das* Jetzt ist *die* Nacht« erzeugt hier die Illusion, man habe eine Antwort auf die Frage nach dem Gegenstand der sinnlichen Gewißheit vor sich.

Warum diese Pedanterie? Das, was wir mit »jetzt« meinen, kann man doch terminologisch als »das Jetzt« bezeichnen, und dies, auch wenn es kein Gegenstand wie Baum und Haus ist, ist jedenfalls ein Merkmal, wohl das definierende Merkmal der sinnlichen Gewißheit. Was dieses Jetzt eigentlich sei, möchten wir gerne wissen. Und der sprachgerechte Satz »jetzt ist Nacht«, aufgeschrieben und aufbewahrt, wird ganz gewiß ebenso falsch wie sein anspruchsvollerer Vorgänger. Hegel treibt hier Dialektik. Er weist einen Widerspruch in den Urteilen auf, in denen wir den Begriff der sinnlichen Gewißheit explizieren. »Eine Wahrheit kann durch Aufschreiben nicht verlieren; ebensowenig dadurch, daß wir sie aufbewahren.« Wollen wir das leugnen? Der Satz »jetzt ist Nacht«, der wahr war im Augenblick des Aufschreibens, ist jetzt, beim Lesen falsch. Wer kann das bestreiten? Wie lösen wir also den Widerspruch?

Zunächst: wie löst Hegel den Widerspruch? Unser Text belehrt uns darüber nicht ganz deutlich. Wenn er folgert, das Wahre der sinnlichen Gewißheit sei das Allgemeine, so scheint er zu implizieren, daß »das Jetzt« und »die Nacht«, je als Allgemeines genommen, wahre Begriffe sind. Das Urteil »das Jetzt ist die Nacht« expliziert aber keinen von beiden in seiner Wahrheit. Es ist eigentlich kein Urteil, sondern nur ein Satz (vgl. dazu das Kapitel über das Urteil in der »Wissenschaft der

Logik«, V 69), keine Begriffsbestimmung. Dieser Satz ist nicht
»eine Wahrheit«. Dies löst den Widerspruch auf und gestattet
Hegel (nach analoger Behandlung des Hier und des Ich) zum
nächsten dialektischen Schritt, dem Widerspruch im Begriff
des Dings mit seinen Eigenschaften überzugehen.

Aber Hegel läßt uns mit einem ungelösten Problem zurück.
Die gesamte Sprache des Alltags, also des Daseins, verständigt
sich in Sätzen von ähnlicher Valenz wie »jetzt ist Nacht«. Der
gegenwartsbezogene Satz ist eine unentbehrliche Grundfigur
der Sprache des menschlichen Lebens. Wie soll ich sein
Wahrsein, Richtigsein, Zutreffen – oder welchen anderen vor-
sichtigen Terminus wir wählen wollen – verstehen, wenn ich
annehme, daß er durch Aufschreiben und Aufbewahren nicht
unwahr, unrichtig, unzutreffend werden kann? Oder was heißt
wahr, richtig, zutreffend, wenn ihm dieser Umschlag ins Gegenteil durch bloßes Abwarten zustoßen kann? Wir stehen hier
vor dem Problem der Logik zeitlicher Aussagen.

Man könnte versucht sein, Hegel die Antwort in den Mund
zu legen: »Diese Logik gibt es nicht. Die Zeit ist die Gestalt des
nicht zu sich gekommenen Geistes, und in ihr ist der Widerspruch unvermeidlich.« Aber das würde unserem gewonnenen
Verständnis der Dialektik widersprechen. Wenn die Dialektik
in der Logik ihr Bestehen hat, aber die Logik selbst dialektisch
ist (Krohn), so ist auch die allgemeine, zeitlose Logik gerade
Instrument der *Bewegung* des Begriffs, und es gibt dann keinen
Grund a priori, warum nicht auch eine Logik zeitbezogener
Sätze möglich sein soll.

Ich will hier nicht die Ansätze der Logik zeitlicher Aussagen
entwickeln. Ich glaube aber zeigen zu können, wie Hegel in
seiner Sprechweise »stillschweigend«, d. h. ohne explizite Reflexion, die Strukturen benützt, die eine solche Logik beschreiben muß. Wir müssen dafür den Unterschied ausnutzen zwischen einem Gegenstand wie dem Baum und etwas wie dem
Jetzt, den wir soeben angemerkt haben.

»Das Jetzt, welches Nacht ist, wird *aufbewahrt,* d. h. es wird
behandelt als das, für was es ausgegeben wird, als ein *Seiendes.*« Was ist ein Seiendes, das man aufbewahren kann? Dar-
unter wird man sich doch einen Gegenstand vorstellen, wie den
Baum. Der Baum bleibt da, auch über Nacht, während ich

schlafe. Sollte ihn aber über Nacht der Holzdieb umgehauen oder der Blitz verbrannt haben, so bleibt doch seine physische Materie, denn für diese gilt ein Erhaltungssatz. Seiendes, das man aufbewahren kann, ist Bleibendes. Es überbrückt die Zeit, es trotzt der Vergänglichkeit, es ist nicht nur jetzt. Will man explizieren, was man unter einem Seienden im Sinne des Bleibenden versteht, so muß man an ein vorgängiges Verständnis dafür apellieren, was Vergänglichkeit, was »jetzt« ist. Das Bleibende ist essentiell das, was nicht nur jetzt ist. Dann ist es eine logische Perversion, eben ein Taschenspielertrick, dadurch einen Widerspruch zu erzeugen, daß man das Jetzt als Seiendes im Sinne des Bleibenden, also als Nicht-nur-jetzt explizit erklärt. Natürlich kann man sagen, daß Hegel eben die Perversion der Auffassung des Jetzt als derart Seiendes bloßstellen wollte. Aber darauf ist zu erwidern, daß jedenfalls dann die Praxis unserer Umgangssprache mehr philosophischen Takt verrät als die Philosophie, die Hegel dem Gläubigen der sinnlichen Gewißheit imputiert. Freilich mag Hegel leider mit dieser Imputation historisch Recht haben, denn auch die heutigen Physiker behandeln »Zeitpunkte« wie Seiendes und verschieben das gesamte Problem, was »Gegenwart«, also »jetzt« heißen soll, ins Niemandsland des bloß Subjektiven; und trotzdem behaupten sie den empirischen Charakter ihrer Wissenschaft, trauen also der sinnlichen Gewißheit jetzt. Auch die Physiker sind schlechtere Philosophen als die indogermanische Grammatik, die wir unreflektiert gebrauchen.

Eine weitere Verwirrung stiftet Hegel, wenn er fortfährt: »Das Jetzt selbst erhält sich sehr wohl« und es so als Allgemeines definiert. Freilich hat er, so wie er es meint, durchaus Recht. Aber damit hat »das Jetzt« eine andere Bedeutung angenommen als »jetzt«. Denkt man sich, in einer noch völlig unzureichenden Theorie der Zeit, die Zeit wie eine Gerade dargestellt, auf der die Jetztpunkte liegen, so verhält sich »das Jetzt« zu all diesen »jetzt« wie das Allgemeine zu den Einzelfällen. Wenn ich sage »jetzt ist Nacht«, meine ich damit dann dezidiert nicht »das Jetzt ist die Nacht«; so wie »die Katze schläft« nicht den (falschen) zoologischen Satz meint »die Katze ist eine schlafende Spezies«. Einmal meine ich die individuelle Katze Mimi, das anderemal die Spezies »Katze«. Ebenso meine ich einmal »jetzt«, meine Gegenwart in dieser Nacht, das anderemal »das Jetzt«, die allgemeine Struktur der Gegenwärtigkeit. Hegels Auffassung des Jetzt ist aber genauer als die Theorie der Zeitgeraden. Das Jetzt erhält sich. Das Jetzt ist also in der Tat etwas, was der Vergänglichkeit trotzt (während das Bild der Zeitgeraden weder die Gegenwart noch die Vergänglichkeit zum Ausdruck bringt). Ja, es gibt nur Vergänglichkeit, insofern jederzeit »jetzt« ist; sonst könnte man ja nicht einmal sinnvoll sagen, was einst »jetzt« war, sei jetzt vergangen.

Auf die Frage, woran die Schwierigkeit liegt, das Verhältnis des Jetzt zum »jetzt« richtig auszudrücken, gibt es noch eine deutliche Antwort. Wir hatten Skrupel, das Verhältnis des Allgemeinen zum Einzelfall hier anzuwenden, obwohl sich kein anderes überliefertes Begriffsverhältnis anbot; Skrupel, weil die Definition des Jetzt als Bleibendes, also explizit als Nicht-nur-jetzt, den Verdacht des Zirkulären oder vielleicht Widerspruchsvollen erweckt. Nun beruht vermutlich jede ausdrückliche Definition des Allgemeinen auf einem Vorverständnis von Zeit, insofern nämlich Möglichkeit als zeitliche Modalität verstanden wird, und das Allgemeine das ist, was im Einzelfall da sein *kann*. Offenbar gerate ich mit dieser These tiefer in die Theorie der Zeit als der Umfang dieses Aufsatzes gestattet. Ich bemerke nur, daß Hegels Erklärung des Allgemeinen als »Nicht dieses, und eben so gleichgültig, auch Dieses wie Jenes zu sein« im »gleichgültig, zu sein« eben die Möglichkeit, das Können enthält. Sollte aber Zeit, also auch »jetzt«, Vorbedingung des Verständnisses von Allgemeinheit sein, so werden wir nicht erstaunen, wenn wir das Jetzt durch die gesamte Begrifflichkeit des Allgemeinen und Einzelnen nicht adäquat erklären können. Ich behaupte, daß Hegel, trotz seines Ansatzes der Geschichte der Wahrheit, mit praktisch der gesamten klassischen Philosophie vor diesem Problemkreis der Zeit zurückgewichen ist.

Zuletzt nur die Bemerkung, daß auch die symmetrische Behandlung von Jetzt und Hier ungenau ist. Man sieht das schon an Hegels eigenen Beispielen. Das Hier kann ich durch einen Entschluß wechseln; es hängt an mir, ob der Baum oder das Haus hier ist. Das Jetzt kann ich nicht wechseln; die Nacht kann ich nur abwarten. Und diese Asymmetrie hängt nicht daran, daß ich ein Mensch bin, der wollen kann; sie hängt nicht an einer besonderen Affinität der menschlichen Geschichte zur Zeit. Die verstandene Natur zeigt dieselbe Eigenschaft. Man kann sinnvoll sagen, ein Ding *könne* da oder dort sein. Interpretiert man die Möglichkeit auch hier streng futurisch, so bedeutet eben dies die Möglichkeit, daß das Ding da oder dorthin bewegt werde; und eben diese Möglichkeit der Bewegung liegt der begrifflichen Struktur der Naturwissenschaft zugrunde. Man kann aber nicht im selben Sinne sagen, ein Ding könne zu dieser oder jener Zeit sein, also futurisch: es könne in Zukunft in diese oder jene Zeit gebracht werden. Am deutlichsten wird der Unsinn dieser Sprechweise, wenn man unterstellt, es werde in Zukunft in eine vergangene Zeit gebracht werden; der Unsinn ist aber derselbe, wenn man sagt, es werde in Zukunft in eine andere Zeit gebracht als in die, die dann eben sein wird. Auch für die Natur hat die Zeit eine Priorität vor dem Raum, und Hegels Einteilung von Natur und Geschichte als Entäußerung des Geistes einerseits in den Raum, andererseits in die Zeit ist falsch.

6. *Entfremdung*

Wir kehren zurück zur Frage nach der Ambivalenz. Wie hat Hegel dieses Phänomen beschrieben? Zwei Begriffe bieten sich dafür an, der spekulative des Negativen und der historische der Entfremdung.

Der Geist wird nur wirklich, er ist nur lebendig, indem er sich von sich unterscheidet, und dieser Unterschied ist Negation. Das unmittelbar Positive ist nur an sich; für sich wird es durch die Selbstunterscheidung, durch die Negation; an und für sich durch die Negation der Negation. »Das Leben Gottes und das göttliche Erkennen mag also wohl als ein Spielen der Liebe mit sich selbst ausgesprochen werden; diese Idee sinkt zur Erbaulichkeit und selbst zur Fadheit herab, wenn der Ernst, der Schmerz, die Geduld und Arbeit des Negativen darin fehlt.« (II 23). Die Dialektik führt *stets* zu etwas anderem als dem Angestrebten. Wenn die Wirklichkeit dialektisch ist oder

nur dialektisch zu begreifen ist, so ist Ambivalenz eine Grundstruktur des Seins überhaupt. Ambivalenz ist dann nicht eine
störende Eigenschaft des Fortschritts, sondern sie ist das Wesen des Fortschritts. Sie kann erst dort enden, wo der Fortschritt endet, im Zusichgekommensein des absoluten Geistes.

Diese Antwort weist uns auf den Untergrund unserer ganzen
Existenz. Soll unsere gefährliche Naivität erschüttert werden,
so muß diese Verwurzelung der Ambivalenz im geschichtlichen Dasein überhaupt einmal gesehen sein. Aber die Antwort
genügt uns nicht, aus zwei Gründen. Sie ist zu allgemein, und
dann doch wieder zu sehr an bestimmten fragwürdigen Zügen
des Hegelschen Systems orientiert.

Die Antwort ist zu allgemein. Wir haben es mit scharf umris-
senen Ambivalenzen zu tun, zu denen wir uns praktisch verhalten müssen; mit den Ambivalenzen der Technik, des Liberalismus, des Sozialismus, mit den Ambivalenzen der menschlichen
Natur, der gesellschaftlichen Fehlentwicklungen, des sich
selbst bekämpfenden Ich. Zu ihnen suchen wir Rat. Und Hegels System läßt uns hier nicht ohne Rat. Es handelt einen
erheblichen Teil dieser Ambivalenzen unter verschiedenen Titeln, vor allem aber unter dem Titel der Entfremdung ab.
Andererseits führen uns diese konkreten Beispiele gefährlich
nahe an das ungelöste Problem heran, ob Hegels Lebenszeit,
eine spätere oder gar keine das Ende des Fortschritts als das
Beisichsein des Geistes bedeute. Es lohnt aber, uns diesem
Problem frontal zu stellen, indem wir Hegels Theorie der Entfremdung betrachten.

Die »Phänomenologie des Geistes« enthält einen Abschnitt
»Der *sich entfremdete* Geist, die Bildung«. Er ist der mittlere
Teil des Kapitels »Der Geist«, das in lockerer Weise der abend-
ländischen Geschichte folgt. Der erste Abschnitt »Der *wahre*
Geist, die Sittlichkeit« ist im wesentlichen die Darstellung der
griechischen und römischen Gesellschaft. Unser Abschnitt ver-
folgt Grundmotive der Neuzeit bis zur französischen Revolu-
tion. Der letzte Abschnitt »Der *seiner selbst gewisse* Geist, die
Moralität« umfaßt eine breite Auseinandersetzung mit Kants
Ethik und unter dem Titel des Gewissens diejenige Weise des
Menschseins, welche diese vielfachen Ambivalenzen überwunden hat und als Selbstgewißheit zum absoluten Wissen vorbe-

reitet ist. Es folgt das nochmals in die Tiefe der Geschichte greifende Kapitel über die Religion und das Schlußkapitel über das absolute Wissen.

Man sieht sofort, daß Entfremdung für Hegel nicht ein Akt oder Zustand »struktureller Gewalt« ist, den ein Teil der Gesellschaft dem Rest antut. Sie kann zwar auch diese Gestalt annehmen. Aber essentiell ist sie etwas, was der Geist im Menschen sich selbst antut, auf dem langen Wege der schweren Arbeit, zu sich zu finden. Wenn er an sich schon bei sich war, so muß er sich entfremdet werden, um zu lernen, für sich zu sein. Das Fürsichsein hat die Gestalt der Entfremdung, die notwendig ist, um am Ende begreifend bei sich, an und für sich Geist zu sein.

Ich lasse hier die Antike beiseite. Das Mittelalter verschweigt Hegel meist. Was die Neuzeit ausarbeitet, ist vor allem der menschliche Wert des Individuums, der uns durchs Christentum eröffnet ist. Die Welt des sich entfremdeten Geistes »zerfällt in die gedoppelte; die erste ist die Welt der Wirklichkeit oder seiner Entfremdung selbst; die andere aber die, welche er, über die erste sich erhebend, im Äther des reinen Bewußtseins sich erbaut. Diese, jener Entfremdung entgegengesetzt, ist eben darum nicht frei davon, sondern vielmehr nur die andere Form der Entfremdung, welche eben darin besteht, in zweierlei Welten das Bewußtsein zu haben, und beide umfaßt. Es ist also nicht das Selbstbewußtsein des absoluten Wesens, wie es *an* und *für sich* ist, nicht die Religion, welche hier betrachtet wird, sondern der *Glauben,* insofern er die *Flucht* aus der wirklichen Welt und also nicht *an* und *für sich* ist.« (II 376). Wir sehen hier die Grundstruktur dessen, was später Ideologie genannt wurde, als Entfremdung bezeichnet. »Aber das Dasein dieser Welt, so wie die Wirklichkeit des Selbstbewußtseins beruht auf der Bewegung, daß dieses seiner Persönlichkeit sich entäußert, hierdurch seine Welt hervorbringt, und sich gegen sie als eine fremde so verhält, daß es sich ihrer nunmehr zu bemächtigen hat. . . . Oder das Selbstbewußtsein ist nur *Etwas,* es hat nur *Realität,* insofern es sich selbst entfremdet.« (II 376–377) Ich meine in diesen Worten eine Struktur der Neuzeit beschrieben zu sehen, die heute stärker herrscht als je.

Die Schilderung der Dialektik der das 17. und 18. Jahrhundert kennzeichnenden Mächte möchte ich hier nicht im Einzelnen verfolgen. Staatsmacht und Reichtum – wir würden sagen Absolutismus und Kapitalismus – werden in ihren positiven und negativen Aspekten gekennzeichnet. Die Unwiderstehlichkeit der Aufklärung wird geschildert. »Die Mitteilung der reinen Einsicht ist . . . einer ruhigen Ausdehnung und dem *Verbreiten* eines Duftes in der widerstandslosen Atmosphäre zu vergleichen. Sie ist eine durchdringende Ansteckung, welche sich nicht vorher gegen das gleichgültige Element, in das sie sich insinuiert, als Entgegengesetztes bemerkbar macht, und daher nicht abgewertet werden kann.« (II 418) Sie wird aber »als Einsicht zum Negativen der reinen Einsicht, sie wird Unwahrheit und Unvernunft . . . dadurch, daß sie sich in Streit einläßt und etwas *Anderes* zu bekämpfen meint.« (II 420). Ihr steht der oben schon charakterisierte Glaube gegenüber. In der Schilderung der Fortentwicklung der Aufklärung findet sich der schöne geschichtsdialektische Satz »Eine Partei bewährt sich erst dadurch als die *siegende,* daß sie in zwei Parteien zerfällt; denn darin zeigt sie das Prinzip, das sie bekämpfte, an ihr selbst zu besitzen, und hiermit die Einseitigkeit aufgehoben zu haben, in der sie vorher auftrat.« (II 442). Die Welt der Nützlichkeit, die absolute Freiheit und der Schrecken (»das einzige Werk und Tat der allgemeinen Freiheit ist daher der Tod.« II 454) sind Ergebnis dieser Entwicklung. Wir münden hier in die politische Philosophie ein, die oben besprochen wurde.

In Hegels Theorie der Entfremdung ist die Schilderung der vielfältigen Phänomene oft von großer Deutlichkeit und Brillanz. Die Diagnose der Neuzeit als Zeit der Entfremdung erscheint bis heute wahr, ja wachsend wahr. Die Hoffnung, daß sich in dieser Entfremdung der Geist zu sich selbst heraus oder hinein arbeite, hat abgenommen. Die Identifikation bestimmter Ereignisse der neueren Geschichte mit der Überwindung der Entfremdung wird kaum jemand mehr wagen, es sei denn er unterliege einem inneren ideologischen Zwang, der dann wohl eher die Verdrängung der Verzweiflung bedeutet. Die inhaltliche, weit über Hegel hinausgehende Frage einer Diagnose der heutigen Zeit stelle ich in diesem Aufsatz nicht. Ich frage nur, welche innere Konsequenz im Hegelschen Denken, soweit wir es meinen, übernehmen zu können, zu erwarten ist.

Die wesentlich optimistische Auffassung, daß die Entfremdung, als eine besondere historische Form der Negativität, eine Gestalt von Ernst, Schmerz, Geduld und Arbeit des zu sich gehenden Geistes ist, ist für Hegels *System* unerläßlich. Vom Christentum her gesehen kann Hegels Auffassung der Neuzeit als eine evolutionistische Deutung der Eschatologie aufgefaßt werden, im Sinne von Schillers Satz: »Die Weltgeschichte ist das Weltgericht«. Aber wenn dies auch biographisch und insofern realiter ein Motiv für Hegel gewesen sein mag, von der inneren Konsequenz seines Denkens aus spielt die christliche Eschatologie keine tragende Rolle. Diese Rolle fällt vielmehr seinem Begriff von der Wahrheit der Geschichte, also von dem Absoluten als Resultat zu. Wenn uns nun die Realität der Geschichte, schon in Hegels eigener Zeit und seitdem, diese Versöhnung nicht zeigt und wir gleichwohl nicht leichtfertig allen Grundgedanken Hegels absagen wollen, so lassen sich zwei Auswege denken: ein Hinausverlegen der Zeit der Versöhnung in die Zukunft oder der radikale Verzicht auf diese Erwartung.

Als das größte Beispiel des Hinausverlegens der Erwartung empfinde ich den Marxismus. Er ändert nicht nur, nicht einmal wesentlich, die Zeitskala, sondern die Struktur der erwarteten Versöhnung, indem er einen revolutionären ökonomisch-politischen Schritt hinzufügt, der von Hegel nicht vorgesehen war. Ob dieser Schritt mit dem Hegelschen Konzept vereinbar ist, lasse ich wie die ganze Auseinandersetzung mit dem Marxismus hier beiseite. Es ist für Marxisten natürlich keineswegs notwendig, ja auch nur erwünscht, Hegels Systemgedanken zu übernehmen. Ich möchte hier nur darauf hinweisen, daß *Hegels* Glaube an eine Versöhnung der Entfremdung allerdings essentiell mit seinem Systemgedanken verknüpft ist und daß ihm dieser Glaube ohne sein System hätte schlechthin bodenlos erscheinen müssen.

Verzichten wir auf Hegels Systemgedanken, so stellt sich die Frage, ob Dialektik ohne diesen Gedanken überhaupt ein strenger, tragfähiger Begriff ist. Weil ich dies für zweifelhaft ansah, habe ich im ersten Kapitel überhaupt auf den Begriff der Dialektik verzichtet und ihn durch den Begriff der Ambivalenz ersetzt, der sich von vorneherein nicht als bekannt, sondern als Problem gab. Jedenfalls haben wir nach einem Verzicht auf Hegels Systemgedanken zu prüfen, ob wir überhaupt einen vernünftigen Grund haben, eine Versöhnung oder Überwindung der Entfremdung zu erhoffen, ja zu wünschen.

Ich möchte daher den Schluß dieses Aufsatzes dazu verwenden, im Lichte der bisherigen Überlegungen noch einmal zu prüfen, was im Sinne möglichst strengen Philosophierens für uns heute aus Hegels Systemgedanken werden könnte.

7. Das Absolute und die Zeit

Das entscheidende Problem ist das Verhältnis von Zeit und Wahrheit. Wenn die Wahrheit ihrem Wesen nach überzeitlich ist, wie kann sie sich dann in der Zeit zeigen? Die Lösung der griechischen Philosophie für diese Frage ist die zyklische Zeit. Es ist vielleicht nötig, hervorzuheben, daß die zyklische Auffassung der Zeit keineswegs ein gemeingriechisches Vorurteil war. Nicht weil die Griechen die Zeit zyklisch verstanden hätten, verstanden sie auch ihre Philosophen so. Umgekehrt, obwohl der griechische Mythos nicht zyklisch ist und das alltägliche Zeitverständnis des durchschnittlichen Griechen wohl ebensowenig, wurde die griechische Philosophie durch spekulative Notwendigkeit zum Gedanken der zyklischen Zeit gedrängt. Für Platon ist die Zeit (χρόνος) das aionische, nach der Zahl fortschreitende Abbild des im Einen verharrenden Aion und ist realisiert in den Himmelsbewegungen. Nur die Kreisbewegung kann als Abbild des im Einen Verharrenden gelten. Der babylonische astronomische Gedanke des Großen Jahres, in dem alle Planeten zur Anfangsstellung zurückkehren, ermöglichte es, diesem Begriff der zyklischen Zeit Bildhaftigkeit zu geben. Abbild der Ewigkeit aber muß die Zeit sein, damit in ihr Abbilder der ewigen Wahrheit sein können. Eine Geschichtsphilosophie in einer zyklischen Zeit kann mit den Figuren der Unveränderlichkeit, des Fortschritts, des Verfalls und der Katastrophe arbeiten, und alle diese Figuren sind verwendet worden. Daß auch die zyklische Zeit strukturell nicht umkehrbar ist und darin Elemente dessen bewahrt, was wir als geschichtliche Zeit ansehen, erweist sich, nebenbei gesagt, darin, daß man in ihr zwar plötzliche Katastrophen, nicht aber ihre Umkehrung, plötzliche Schöpfungen als natürliche Ereignisse ansah.

Hegels Zeitbegriff ist spekulativ noch immer in gewissem Sinne zyklisch, wenn man Sätze wie den schon einmal zitierten als Beleg nehmen darf: ». . . die Bewegung, die das Erkennen ist . . . ist der in sich zurückgehende Kreis, der seinen Anfang voraussetzt und ihn nur im Ende erreicht.« (II 613). Aber die Vermittlung dieses Gedankens mit der abläufigen geschichtlichen Zeit ist das ungelöste Problem des Hegelschen Systems, das uns hier beschäftigt. Der Natur spricht Hegel die Entwicklung in der Zeit ab. »Es ist eine ungeschickte Vorstellung älterer, auch neuerer Naturphilosophie gewesen, die Fortbildung und den Übergang einer Naturform und Sphäre in eine höhere für eine äußerlich-wirkliche Produktion anzusehen, die man jedoch, um sie *deutlicher* zu machen, in das *Dunkel* der Vergangenheit zurückgelegt hat.« (Naturphilosophie, Einleitung. IX 59). Die menschliche Geschichte hingegen überblickt er als einen einmaligen Verlauf. Der Geist »erscheint so lange in der Zeit, als er nicht seinen reinen Begriff *erfaßt, d. h. nicht die Zeit tilgt.*« (II. 612). Nun kann man wohl denken, daß man in der Auffassung des Begriffes die Spuren der Bewegung in ihm und insofern die Zeit tilgt. Wer eine ewige Wahrheit anschaut, der ist für den Augenblick, in dem er sie anschaut, in der Ewigkeit. Aber die Frage, wie die Geschichte weitergeht, bleibt offen. In einer echt zyklisch gedachten Zeit ist die ewige Wiederkehr natürlich. So hat Hegel nicht gedacht. Er hat mit philosophischer Strenge Aussagen über die Zukunft verweigert. »Das *was ist* zu begreifen, ist die Aufgabe der Philosophie, denn das *was ist,* ist die Vernunft. Was das Individuum betrifft, so ist ohnehin jedes ein *Sohn seiner Zeit;* so ist auch die Philosophie, *ihre Zeit in Gedanken erfaßt.* Es ist eben so töricht zu wähnen, irgendeine Philosophie gehe über ihre gegenwärtige Welt hinaus, als ein Individuum überspringe seine Zeit, springe über Rhodus hinaus.« (Vorrede zur Rechtsphilosophie, VII 35). Dieser Gedanke aber steht unversöhnt neben der systematischen Auszeichnung, die Hegel sowohl seiner eigenen Philosophie gibt und geben muß, wenn er das absolute Wissen nicht nur ankündigt, sondern vollzieht, wie auch dem

Weltgeist seiner Zeit, da sich der Weltgeist an sich vollendet haben muß, ehe er als selbstbewußter Geist seine Vollendung erreicht. Die einzige denkbare Überbrückung der Kluft zwischen beiden Äußerungen enthält der Satz, der der Eule der Minerva vorausgeht: »Wenn die Philosophie ihr Grau in Grau malt, dann ist eine Gestalt des Lebens alt geworden, und mit Grau in Grau läßt sie sich nicht verjüngen, sondern nur erkennen.« (Vorrede zur Rechtsphilosophie, VII 37). Hier ist von *einer* Gestalt des Lebens die Rede. Wenn nicht in Wahrheit das Ende der Weltgeschichte deklariert werden soll, so muß Hegel hier die Entfaltung des absoluten Geistes als *eine* Gestalt des Lebens betrachtet haben, über die hinaus etwas Weiteres geschehen mag. Er hat dann hier die Grenze seiner Philosophie gedacht.

Wie müssen sich Hegels Probleme darstellen in einer Philosophie, die die Zeit explizit und thematisch als offen denkt? Man könnte naiv meinen, man müsse dann eben das Absolute fortlassen und könne die Dialektik als selbst offenen, vielleicht unendlichen, jedenfalls pragmatisch unabgeschlossenen Prozeß beibehalten. Von dieser Ansicht habe ich mich assertorisch schon oben distanziert. Ich möchte das hier näher begründen. Auch in einer Philosophie der offenen Zeit stellt sich die Frage, wie sie die Wahrheit denkt. Auch in ihr wird es etwas geben, was wie das Absolute bei Hegel schon vor dem Anfang »bei uns« ist. Vielleicht ist diese unbedingte Bedingung hier die Zeit selbst. Oder sie ist die Vergangenheit. Ein Anfangssatz der Philosophie der offenen Zeit muß lauten: Wir philosophieren *jetzt*. Ich kann hier nichts davon durchführen, sondern werfe nur gewisse Grundfragen Hegels unter diesen Gesichtspunkten noch einmal auf.

So wie Hegel den systematischen Text der »Phänomenologie des Geistes« mit der Einleitung über das Absolute beginnt, so den systematischen Text der »Wissenschaft der Logik« mit dem Abschnitt »Womit muß der Anfang der Wissenschaft gemacht werden?« Er entschließt sich, mit dem Sein anzufangen und fährt fort: »Aber auch die bisher als Anfang angenommene Bestimmung *des Seins* könnte weggelassen werden, so daß nur gefordert würde, daß ein reiner Anfang gemacht werde. Dann ist nichts vorhanden als der *Anfang* selbst, und es wäre zu sehen, was er ist.« (IV 77). Man kann mit Ruth-Eva Schulz hier schon aufhören und sagen: Wenn gefragt wird, was der Anfang ist, so *ist* er also. Dieses Ist ist also das erste Ergebnis der Reflexion auf den Anfang. Dies ist das Sein, an welches die weitere Reflexion anknüpft. Hegel selbst erwägt: »Es ist noch nichts und es soll etwas werden. Der Anfang ist nicht das reine Nichts, sondern ein Nichts, von dem etwas ausgehen soll; das Sein ist also auch schon im Anfang enthalten. . . . Ferner aber *ist* das, was anfängt, schon, eben so sehr aber *ist* es auch noch *nicht*. Die Entgegengesetzten, Sein und Nichtsein sind also in ihm in unmittelbarer Vereinigung; oder er ist ihre *ununterschiedene Einheit.« (IV 78)*.

Im 4. Abschnitt dieses Aufsatzes (S. 382) habe ich geschlossen, man könne Hegels Dialektik nur nachvollziehen, wenn man sie in Strenge als zeitlichen Prozeß verstehe. Wie stehen wir dann zu diesem Problem des Anfangs? Wir philosophieren *jetzt*. Wir haben gelebt und philosophiert, ehe wir von dem Problem des Anfangs gehört haben, welches die Philosophen vor 160 Jahren so beschäftigt hat. Wir werden also nicht sagen »der Anfang ist«, sondern allenfalls »im Anfang war«. Wir sind damit zunächst, wie seinerzeit Hegel selbst, in der Situation der »Phänomenologie des Geistes« und nicht des Anfangs der »Wissenschaft der Logik«. Wir haben zwar nicht das Bewußtsein von 1807, sondern das von 1971 aufzuarbeiten. Aber diesen Unterschied können wir nur machen, weil uns die Geschichte als Hergang strukturell ebenso vertraut ist wie einst Hegel. Wie kam nun Hegel bis an die Stelle, an der er den Anfang der »Wissenschaft der Logik« machen konnte? Durch Vollzug der Darstellung des erscheinenden Wissens bis zum absoluten Wissen. Falls es in einer Philosophie der offenen Zeit keine Station gibt, die das absolute Wissen heißt, so werden wir nie an die Stelle kommen, an der wir unsere »Wissenschaft der Logik« beginnen könnten. Wir können aber freilich *Hegels* »Wissenschaft der Logik« vornehmen und versuchen, sie in skeptischer Rückfrage nachzuvollziehen.

Aber diese Historisierung ist zu nivellierend. Es gibt auch in der offenen Zeit Stationen. Werfen wir einen Blick auf den kosmologischen Aspekt unserer Philosophie der Zeit, auf die Einheit der Natur. Wir denken ja auch die Natur primär von der Zeit her. Ein anderer Aspekt des zweiten Hauptsatzes der Thermodynamik ist das Gesetz vom Wachstum der Fülle der Gestalten. Die höheren Gestalten, nämlich die Makromoleküle und die Organismen, beginnen eine erste Form von »Wahrheit« zu haben, nämlich die Anpassung (adaequatio) der Gestalt und dann auch des Verhaltens an die Umwelt. Noch höhere Organismen (höhere Tiere, der Mensch) haben die Wahrheit der Vorstellung, des »Modellhandelns«. Der Mensch schließlich hat die Wahrheit der Reflexion, der Vorstellung der Vorstellung. Dies ist nicht die letzte Stufe der Wahrheit. Hegels absoluter Begriff intendiert eine weitere Stufe. Auch ist Gestaltwahrnehmung etwas anderes als Modellhandeln, meditative Erkenntnis ist etwas anderes als reflexive, künstlerische und religiöse Erkenntnis, Moral und Gewissen sind in diesem simplen Schema nicht gefaßt. Aber dies ist die Stufe, die wir im Augenblick diskutieren können. Die Reflexion stellt die Vorstellungen, die vorher nur an sich etwas vorstellten, vor sich. (»Vor« und »für« sind sprachgeschichtlich oft vertauschbar.) Die Reflexion ist stets später als das, worauf sie reflektiert. Neue Gestalten können nun, wenn ein bestimmter Komplikationsgrad erreicht ist, eine vorher unzugängliche Art der Einheit gewinnen, so die Zelle und später der vielzellige Organismus. In diesem Sinne kann die Reflexion gerade mit wachsender Kompliziertheit zu größerer Einheit fortschreiten. Die Einheit selbst wurde in der griechischen Philosophie gedacht, und diesem Gedanken entstammt das Absolute Hegels. Wir können heute beginnen, die Zeit zu denken, in der diese fortschreitende Reflexion geschieht. Die Zeit selbst wird reflexiv später gedacht als das, was in ihr geschieht. Indem wir in der Zeit mit der Zeit beginnen, haben wir keinen Anlaß mehr, mit dem Ich, dem Sein oder dem Anfang zu beginnen. All dies liegt in dem Satz: wir philosophieren *jetzt*.

Der Einwand Schellings, daß Hegels Logik nicht die Schöpfung darstellen könne, da sie mit dem Ärmsten, dem leeren Sein beginne, ist in bestimmter Weise richtig. Diese Reflexion vollzieht weder den zeitlichen Werdegang noch den systematischen Aufbau dessen nach, worauf sie reflektiert. Der geschichtliche Prozeß ist viel reichhaltiger und freier. Aber indem die Reflexion Widersprüche bloßstellt und auflöst, stellt sie das an sich schon Gewußte vor sich. Und sie kann die »objektive Dialektik« des Geschichtsprozesses immerhin erläutern. Die Bloßstellung von Widersprüchen geschieht in der Verhaltenswahrheit objektiver Gestalten ebenso wie in der Vorstellungswahrheit der Reflexion. Philosophisch müssen wir so streng wie Hegel daran festhalten, daß im Wissen nur Gewußtes vorkommt. So ist eine Grundfrage der Philosophie des Wissens in der Zeit, in welcher Weise das Vergangene, das gewußt werden *kann,* und das Zukünftige, das geschehen *kann,* zu denken ist. Es handelt sich um das Denken der Möglichkeit.

Dies führt noch einmal zur Logik zeitlicher Aussagen. Die klassische formale Logik ist die Lehre von den Urteilen und Schlüssen bei festgehaltenen Begriffsbedeutungen und Wahrheitswerten. Eine präsentische Wahrheit kann, mit Hegel zu sprechen, schal werden. Das Mögliche ist andererseits, in aller Strenge aufgefaßt, stets ein noch nie Dagewesenes. Mit konstanten Begriffsbedeutungen können wir nur Kombinationen (seien es auch neue) von schon Dagewesenem denken. Die zeitliche Logik kann also weniger fordern als die klassische Logik. Sie stellt nicht an sich feststehende Strukturen, sondern feststehende Strukturen von Veränderungen, von Möglichkeiten dar. Solche feststehenden Strukturen gibt es, soweit der zeitliche, indeterministische Fortgang immerhin als ein Fortgang von einer feststehenden zu einer anderen feststehenden Position (von einer klassisch beschriebenen Messung zur anderen klassisch beschriebenen Messung) beschrieben werden kann. Rückgewendet beherrscht die zeitliche Logik die Beschreibung der Handlungen, in denen die klassische Logik begründet wird. Also wäre wohl die zeitliche Logik die Logik der Reflexion.

Es wird hier gut sein, aufzuhören, auch wenn offensichtlich ist, daß ich das Problem der Relevanz der Hegelschen Dialektik nicht gelöst habe. Ich hoffe, Fragen bezeichnet zu haben, die man stellen muß, wenn man es lösen will.

III, 4. Erinnerungen an Martin Heidegger*

Die erste persönliche Begegnung war in Todtnauberg im
Herbst 1935. Jemand, ich glaube der Physiologe Achelis, hatte
sich ausgedacht, Viktor v. Weizsäcker und Werner Heisenberg
sollten in Heideggers Gegenwart miteinander über die Einführung des Subjekts in die Naturwissenschaft sprechen. Wir
wurden Heideggers Gäste zu einem mehrtägigen Gespräch.
Wir wohnten im Gasthof, das Gespräch fand in Heideggers
kleiner Hütte hoch oben am Wiesenhang, nahe dem Waldrand, statt. Eng saßen wir, wenn ich mich recht erinnere zu
siebt, am Holztisch in der winzigen Stube. Am türwärtigen
Tischende saß Heidegger, in der von ihm damals bevorzugten
selbstentworfenen volkstümlich-adretten Tracht, eine Zipfel-
mütze auf dem Kopf, klein, gesammelt. Mein Onkel und Heisenberg saßen zu seinen beiden Seiten an den Breitseiten des
Tischs, neben ihnen Achelis, der hochbegabte Mitarbeiter meines Onkels Prinz Auersperg, und der Kunsthistoriker Bauch;
am anderen Tischende, Heidegger ins Gesicht schauend, ich als
Jüngster. Der Inhalt des Gesprächs ist mir kaum erinnerlich,
aber der Habitus. Die beiden Protagonisten sprachen lange
Zeit allein miteinander, jeder am anderen interessiert, aber
eigentlich durch eine Kluft getrennt. Heisenberg fühlte tief,
welcher Abgrund durch die ungesuchte Entdeckung der Un-
trennbarkeit von Subjekt und Objekt in der Quantentheorie
eröffnet ist, aber er empfand auch, daß man im Abgrund nicht
leben kann; er hielt sich an die präzise Erklärung der Rolle des
Subjekts als Beobachter, als Experimentator. Viktor v. Weizsäcker hingegen wollte das Subjekt ebensosehr als den lebendigen Gegenstand, als den Partner »in die Medizin einführen«
wie philosophisch als pathischen Träger des Unternehmens der
Wissenschaft sehen; »um das Leben zu verstehen, muß man
sich am Leben beteiligen.« Er empfand den objektiven Beob-

---

* Erschienen in »Erinnerung an Martin Heidegger« (Hrsg. G. Neske), Neske
Verlag, Pfullingen 1977.

achter der Quantentheorie noch gar nicht als das Subjekt. Wenn nun die beiden nach einer Stunde sich in sinnvollen Mißverständnissen festgeredet hatten, nahm Heidegger das Wort. »Sie, Herr v. Weizsäcker, scheinen mir folgendes zu meinen:« Drei kristallklare Sätze. »Ja, genau das wollte ich sagen.« »Und Sie, Herr Heisenberg, meinen doch wohl dies:« Drei ebensolche Sätze, und die Antwort: »Ja, so stell ich mir's vor.« »Dann könnte der Zusammenhang folgender sein:« Vier bis fünf knappe Sätze. Beide stimmten zu: »So könnte es sein.« Der Dialog ging weiter bis Heidegger den beiden aus dem nächsten Engpaß helfen mußte.

Beim Abschied sagte mir Heidegger sehr freundlich, ich solle wiederkommen, wann immer ich wolle. Seitdem habe ich ihn regelmäßig, vielleicht im Durchschnitt einmal in zwei Jahren, besucht, sei es auf der Hütte, sei es im Freiburger Haus, von Frau Heidegger gastlich empfangen. Später begegneten wir uns auch in objektivierten Zusammenhängen, so bei einer Vortragstagung über Sprache in München und Berlin. Anläßlich einer in Bregenz gehaltenen Vorbesprechung hierzu mit Martin Buber und Clemens Graf Podewils besuchte er mit mir meine Mutter in dem alten kleinen Bauernhaus bei Lindau, das sie seit langem bewohnt. Unvergeßlich ist mir sein unmittelbares Wohlbefinden in der Gastlichkeit dieser niederen Zimmer. In den Sechzigerjahren war er als alter Mann dreimal mein Gast in Hamburg zu Seminarwochen mit je sechs meiner Mitarbeiter, in meinem Haus; meiner Frau ein besonders lieber, stiller, freundlich-umsichtiger Hausgast, dessen abendliche Hebel-Lektüre sich uns für immer eingeprägt hat.

Heideggers Bücher habe ich so zögernd gelesen, wie ich überhaupt Philosophie zu assimilieren imstande war. »Sein und Zeit« kaufte ich mir im Winter 33/34 in Kopenhagen, als ich bei Bohr arbeitete (mein Exemplar trägt noch die Buchhändlermarke »Høst & Søn, Bredgade, København«). Ich las gleichzeitig Kant. Bei beiden erlebte ich die in der Sache, eben in der Stärke der Philosophie wurzelnde unendliche Schwierigkeit des Verstehens, aber ich empfand, Heidegger sei den ungelösten Problemen, auf die ich zuging, näher als irgendein anderer Philosoph. Zu einem Symbol dieser Reaktion wurde mir dann die Erinnerung an die einzige akademische Vorlesungs-

stunde, die ich bei ihm gehört habe, bei einem Freiburger
Besuch in den späten Dreißigerjahren. Das Thema hieß »Logik«, tatsächlich sprach er von Heraklit. Da ging der kleine
Mann in seiner grünen Tracht durch den ganz überfüllten
Hörsaal zum Katheder und begann die Rekapitulation der
letzten Stunde, im südschwäbischen Tonfall, Satz für Satz
knapp ausformuliert, man hielt den Atem an, und meine Reaktion war: »Das ist Philosophie. Ich verstehe kein Wort. Aber
das ist Philosophie.«

Unsere Gespräche bei meinen Besuchen hielten sich an einen
zwanglosen Ritus. Er empfing mich freundlich und erkundigte
sich eingehend nach Heisenberg, nach meiner Familie, nach
meinem eigenen Ergehen. Der Übergang zum Arbeitsgespräch
war eine fast lautlose Zäsur. Er setzte sich gerade vor seinen
Arbeitstisch, der fast leer war; wenige sauber beschriebene
Blätter lagen rechtwinklig vor ihm. Mir fielen meines Freundes, seines Schülers Georg Picht Worte über ihn ein: »Heidegger ist von Natur konzentriert. Wenn er sich gehen läßt, ist er
konzentriert.« Er fragte mich, worüber ich soeben arbeite, und
ich referierte darüber, oft eine Stunde und länger. Mit stiller,
gespannter Aufmerksamkeit hörte er zu, auch und gerade
wenn ich von theoretischer Physik sprach, der er mathematisch
nicht folgen konnte, oder von Grundlagen der Mathematik
und von temporaler Logik, die ich mir selbst ausgedacht hatte.
Seine kurzen Zwischenfragen waren fast nur sachliche Erkun-
digungsfragen. Aber das, was ihm in meiner Darlegung jeweils
unklar blieb und seine Rückfragen auslöste, war mit beunruhi-
gender Treffsicherheit fast immer das, was ich mir selbst nicht
wirklich klargemacht hatte. Und wenn der Bericht abgeschlossen war, so durfte ich mit Sicherheit erwarten, daß seine wei-
terführenden Fragen die bröckligen Stellen meines Gebäudes
trafen und aushöhlten, bis sie sauber waren oder eine Mauer
fiel. Von Physik und Mathematik ausgehend war man mit der
der Sache innewohnenden Kontinuität mitten in die großen
gedanklichen Entscheidungen der neuzeitlichen und der griechischen Philosophie gelangt. Dasselbe geschah, wenn ich in
den späteren Jahren von meinen politischen Analysen und
Engagements erzählte. Er begegnete meinen politischen Stel-
lungnahmen fast immer mit Sympathie, er wünschte aufrichtig

ihren Erfolg, und er erweckte mit wenigen Fragen mein unter
dünner Decke schlummerndes Wissen darüber, warum sie vergeblich bleiben mußten.

Der Auskunft über meine Arbeit folgten weiterführende
philosophische Gespräche. Gelegentlich lasen wir einen kurzen klassischen Text miteinander, so einmal Aristoteles Metaphysik Θ 10, oder einen Passus bei Kant oder Hegel. Ganz
selten kamen auch eigene Texte von ihm an die Reihe. Über
»Sein und Zeit« sprach er wie über ein Buch eines älteren
Philosophen; er empfahl etwa, diesen oder jenen Paragraphen
nachzulesen und zu durchdenken. Einmal, während der
Sprachtagung, las er mir seinen Vortrag, den ich nicht hatte
hören können, in seinem Hotelzimmer im Berliner Hotel am
Steinplatz allein vor; in Hamburg las er der Seminargruppe
seinen späten Text »Zeit und Sein«. In Todtnauberg wurde das
Gespräch fast stets auf längeren Spaziergängen fortgeführt,
und manche Formulierungen, nun auch von lockererer Art,
sind mir mit der Naturumgebung eingeprägt geblieben.

So führte er mich einen Waldweg, der abnahm und mitten
im Wald an einer Stelle aufhörte, wo aus dem dichten Moos
Wasser austrat. Ich sagte: »Der Weg hört auf.« Er sah mich
pfiffig an und sagte: »Das ist der Holzweg. Er führt zu den
Quellen. Das habe ich freilich nicht in das Buch geschrieben.«

An einem Sommerabend saßen wir vor der Hütte. Die Sonne
ging im Abendrot unter, und über den Wald des Osthimmels
hob sich im Blaudunkel die metallene Scheibe des Vollmonds.
Er sagte zu mir: »Sie als Naturwissenschaftler dürfen doch
nicht sagen, die Sonne gehe unter. Sie müssen sagen, der Horizont hebe sich.« Ich antwortete: »Nein. Ich muß nur wissen,
was meine Worte bedeuten. Wenn ich im Schiff über den
Atlantik nach Amerika fahre, ein Schiff von drüben kommt
uns entgegen, passiert uns, ich stehe am Heck und schaue ihm
nach, wie es im Osten hinter dem Horizont versinkt, so weiß
ich, daß für einen, der dort am Heck steht, unser Schiff versinkt. Jeder von uns hat recht mit seiner Beschreibung, gerade
weil er weiß, daß sie der des Andern nicht widerspricht.«
Heidegger versank in Nachdenken; zufrieden war er nicht mit
meiner Antwort.

Einmal, im Krieg, war ich zu Fuß nach Todtnauberg gekom-

men und mußte zu Fuß zurück zum Schauinsland gehen. Er
begleitete mich ein langes Stück. Vor einem Waldrand sagte ich
ihm, ich meine verstehen zu können, daß man philosophiere
wie er, und daß man der Naturwissenschaft nur eine seinsver-
gessene Projektion der Wahrheit zubillige. Aber mir sei nicht
klar, wie man in seiner Philosophie verständlich mache, daß
die Naturwissenschaft überhaupt gelingt. Wir waren inzwischen in den sonnendurchleuchteten Wald eingetreten. Er
blieb stehen, schaute an mir hinauf und sagte: »Das weiß ich
auch nicht.«

Eine gewisse Hemmung im Gespräch mit ihm, wenn es um
seine eigene Philosophie ging, habe ich nie verloren. Ich fühlte
mich im Grunde dazu immer noch nicht reif. Auf die Neologis-
men seiner veröffentlichten Schriften vermochte ich weder in
derselben Sprache (was er mit Sicherheit verhindert hätte)
noch in unbefangener Umgangssprache einzugehen, auch
wenn ich, wenigstens in späterer Zeit, keine Schwierigkeiten
hatte, sie Dritten zu erklären. Sein Gespräch war freilich von
»Heideggerismen« ganz frei, oder sie kamen so natürlich, in
direkter Aussage, daß sie gar nicht als solche auffielen. Die
Marburger Vorlesungen, deren Veröffentlichung inzwischen
begonnen hat, sind ebenso umgangssprachlich. Ich empfinde
sie als etwas vom Besten, was er je geschrieben hat. In ihnen
finde ich die Luzidität wieder, die ich aus seinem Gespräch
kannte. Wo ich mit seiner schriftlichen Diktion Schwierigkeiten hatte, half ich mir manchmal mit bescheiden vorgebrachten Albernheiten, die er oft erstaunlich positiv quittierte. So
erzählte ich ihm nach der privaten Vorlesung seiner Rede über
die Sprache die ostjüdische Geschichte von dem Mann, der
immer im Wirtshaus sitzt, und befragt, warum, sagte: »Ja,
meine Frau!« »Was ist denn mit der?« »Ja, die redt und redt
und redt und redt und redt . . .« »Was redt sie denn?« »Das
sagt sie nicht!« – »So ist es«, sagte Heidegger. – Zum Terminus
»Vorstellung« erzählte ich ihm den Münchener Kalauer: »Was
stellen die beiden Löwen vor der Feldherrnhalle vor?« »Der
eine den rechten, der andere den linken Fuß.« – »Das meine
ich«, sagte Heidegger.

Bei den späten Hamburger Besuchen, im Milieu akademischer Philosophie, erzählte er gern von seinen jungen Jahren,

am meisten – nicht unkritisch – von Husserl. Eigentlich war der Raum seiner menschlichen Erfahrungen begrenzt; er umfaßte neben der engen ackerstädtischen Heimat fast nur die kontinentaleuropäische Universitätswelt. Seine Reaktion auf Menschen konnte, wie jeder weiß, sehr kritisch sein, freilich oft schlagend wahrgenommen. Ich hatte das Glück, seine Gunst nie zu verlieren, und habe die Schärfen nur am Rande gesehen. Einmal saßen wir im Kollegenkreis im philosophischen Gespräch auf einer sommerabendlichen Terrasse. Sein Gegenüber geriet in einen Exkurs über die Auffassung eines bestimmten Problems von den Griechen bis zur Gegenwart. Heidegger unterbrach ihn plötzlich und sagte: »Herr X., die Geschichte der Philosophie scheint Ihnen völlig klar zu sein.« Der Angesprochene, ein sehr netter Mann, lachte etwas verlegen und der Exkurs war zu Ende. Über einen anderen, Jüngeren, den ich ihm wegen seiner umfassenden philosophischen Kenntnisse lobte, sagte er mir unter vier Augen: »Der sieht ja nichts. Der ist blind.« Er sprach damit das für ihn entscheidende Kriterium aus. Ein kluger jüngerer Beobachter sagte über Heidegger: »Eigentlich ist er nicht intelligenter als mancher Andere. Aber er ist ein Augenzeuge.« So ist meine Erfahrung mit ihm. Nicht das im philosophischen Milieu so verbreitete Diskutieren hatte man von ihm zu lernen – mit berechtigter Verächtlichkeit sprach er von »Herumargumentieren« – sondern nur das Sehen. Darum konnte man ihm auch nicht mit Argumenten antworten, sondern nur, indem man ihm selbst etwas zu sehen gab.

Ich täte einem großen Mann nicht die ihm gebührende Ehre an, wenn ich seinen politischen Irrtum gegenüber dem Anfang der nationalsozialistischen Herrschaft mit Schweigen überginge. Ich gehöre einer Generation in Deutschland an, die in ihrer Mehrheit diesem Irrtum unterlegen ist; ich kann jedes der Motive für diesen Irrtum in mir nachvollziehen, und ich habe selbst dem Irrtum nicht mit der Klarheit widerstanden, die ich mir nachträglich wünschen möchte. Mein Vater hat, innerhalb eines engeren, stärker politischen Horizonts, hier klar gesehen, ich innerhalb des meinen nicht. Heidegger hat über sein Verhalten im Jahr 1933 nachher fast jedermann gegenüber geschwiegen. Zu mir jedenfalls hat er nicht darüber gesprochen, und ich habe ihm gegenüber nicht davon angefangen; als ich ihn kennenlernte, war dies schon Vergangenheit. Nun ist inzwischen, seinem Wunsch gemäß nach seinem Tode, sein Spiegel-Interview erschienen. Er verteidigt sich darin, ohne Zweifel zurecht, gegen Vorwürfe, die ihm eine billige Komplizenschaft mit dem Regime unterstellen. Aber es hat mir leidgetan, daß er nicht fähig war, das Gespräch in einer stärkeren Weise zu führen, zu der er das Recht gehabt hätte. Durch ein bewußtes und massives Bekenntnis des eigenen Irrtums hätte er mit einem Schlag die Überlegenheit über das gesamte Niveau der Fragen erreicht, die man ihm hier stellte. Er hätte, vielleicht nicht den ihn befragenden Journalisten, aber manchem spürenden Leser die Augen öffnen können für seine Diagnose unserer Zeit, ohne die sein Irrtum ja niemals begreiflich werden kann.

Es sei mir erlaubt, hierzu vorweg ein paar anekdotische Erinnerungen beizutragen. Ich habe erzählen hören, daß er schon vor 1933 Hoffnungen auf den Nationalsozialismus setzte. Im Winter 1933/34 erzählte mir ein aus Freiburg gekommener Student: »In der Umgebung Heideggers haben sie den Freiburger Nationalsozialismus erfunden. Hinter vorgehaltener Hand sagen sie, das wahre Dritte Reich habe ja noch gar nicht begonnen, das komme erst.« Am Tag seines Rücktritts vom Rektoramt soll ihm Schadewaldt in der Straßenbahn begegnet sein und ihn gefragt haben: »Nun, Herr Heidegger, sind Sie aus Syrakus zurück?« Der Vergleich mit dem Irrtum Platons über Dionysios hat einen Erklärungswert. Heideggers Analyse der fortschreitenden Seinsvergessenheit der europäischen Geschichte, später in die These vom Ge-Stell verdichtet, konnte ihn von denjenigen Bewegungen unseres Jahrhunderts, die sich selbst für vernünftig halten, nur immer tiefere Verblendung erwarten lassen. Diese Erinnerungen sind nicht der Ort, die Wahrheit dieser Sichtweise zu untersuchen; anderswo will ich darauf eingehen. Unterstellen wir für einen Augenblick, er habe hierin richtig gesehen. Ist es unbegreiflich, daß er im Nationalsozialismus, der sich als eine Gegenbewegung gegen den »westlichen« Rationalismus verstand, auf eine nicht durch die übermächtigen Begriffssysteme verstellte Direktheit zum Wirklichen hoffte? Die unverstellte Erfahrung der Wirklichkeit kam dann allerdings, nämlich als die Erfahrung beschleunigter Selbstzerstörung. Der Heidegger, den ich gekannt habe, hat sich darüber nicht mehr getäuscht. Das war 1935 nicht anders als 1967. Im letztgenannten Jahr saßen wir in Hamburg nach einer der Seminarwochen im größeren Kreis zum Abendgespräch beisammen, und das unvermeidliche Thema der Studentenbewegung, der Neuen Linken, kam auf. Große Hoffnungen wurden laut. Ich stimmte den Hoffnungen nur unter der Bedingung zu, daß die unverzichtbaren Güter der Liberalität gewahrt blieben. Die Debatte war lang und heftig. Heidegger saß schweigend dabei. Zuletzt wandte ich mich an ihn: »Herr Heidegger, was sagen Sie zu diesem Gespräch?« Er zögerte kurz, dann sagte er nur zwei Sätze: »Ihr macht alle die Rechnung ohne den Wirt. Nur der Gott kann uns noch retten.«

Der späte Heidegger litt unter seiner Zeit, aber er lebte, wenn ich es richtig gespürt habe, nicht in einer Stimmung der Rettungslosigkeit. Wenn er als Philosoph obstinat von Gott schwieg, so war das nicht Unglaube, sondern der Respekt vor einer Wirklichkeit, die unsere Metaphysik nicht mehr berechtigt war, auszusprechen. Er achtete, so schien mir, die naive Rede von Gott, wo sie ihm begegnete; die reflektierte durchschaute er in ihrer Grundlosigkeit. In der Dichtung Hölderlins fand er die Rede, der er traute. Er sagte mir einmal, seine Philosophie solle nichts Anderes als die Dichtung Hölderlins, die vor ihm da war, nachträglich möglich machen. Ich habe mich nie aufgefordert gefühlt, dies wie eine Privatreligion mitzumachen. Er spürte hier etwas, was am Rande seines Wahrnehmungsvermögens lag, und jenseits des Wahrnehmungsbereichs fast aller, die ihn meinten kritisieren zu sollen. In den Sechzigerjahren erzählte er mir von dem tiefen Eindruck, den ihm im Besuch bedeutender Japaner der Zen-Buddhismus gemacht hatte, der das Entscheidende ganz unmetaphysisch sagt; es war als sei ihm hier eine Tür aufgegangen. Unvergeßlich ist mir die leise, zögernde Weise, in der er mir in Hamburg zum Aufsatz »Zeit und Sein« sagte: »Manchmal ist mir dieser Text so fremd als hätte ihn ein ganz Anderer geschrieben, den ich nicht verstehe. Dann wieder ist er mir wie selbstverständlich.«

Mein letzter Besuch bei ihm war im Spätherbst 1972 in dem kleinen Gartenhaus, das für ihn als Altenteil in seinem Frei-

burg-Zähringer Grundstück gebaut worden war. Ich war in-
struiert, ihn zu schonen, möglichst nur eine halbe Stunde zu
bleiben. Er aber hielt mich über zwei Stunden fest und er prüfte
mich auf Herz und Nieren wie eh und je. Ich mußte ihm über
meine Behandlung der Zeit in Physik und Logik Auskunft
geben, und er gab mir den Auftrag mit, eine Stelle in »Sein und
Zeit« nachzulesen, die mir nicht präsent gewesen war. Er war
von verhaltener Wärme und mit blitzenden Augen wie immer.
Ein alter Mann ist kein anderer als in jungen Jahren, nur mehr
er selbst.

III, 5. Heidegger und die Naturwissenschaft*

»Die Wissenschaft ist eine und zwar entscheidende Weise, in der sich uns alles, was ist, darstellt.

Darum müssen wir sagen: die Wirklichkeit, innerhalb der sich der heutige Mensch bewegt und zu halten versucht, wird nach ihren Grundzügen in zunehmendem Maß durch das mitbestimmt, was man die abendländisch-europäische Wissenschaft nennt.

Wenn wir diesem Vorgang nachsinnen, dann zeigt sich, daß die Wissenschaft im Weltkreis des Abendlandes und in den Zeitaltern seiner Geschichte eine sonst nirgends auf der Erde antreffbare Macht entfaltet hat und dabei ist, diese Macht schließlich über den ganzen Erdball zu legen.« (Heidegger, Wissenschaft und Besinnung, in »Vorträge und Aufsätze«, 1954, S. 45).

Unser Jahrhundert ist ein Jahrhundert der Naturwissenschaft. In unserem Jahrhundert scheint sich sogar die Naturwissenschaft als der harte Kern der Neuzeit zu enthüllen. Soll man genau einen Philosophen unseres Jahrhunderts nennen, so wird man nicht umhin können, Martin Heidegger zu nennen. Heidegger aber war kein Philosoph der Naturwissenschaft. Sie war weder der Ausgangspunkt noch das Ziel seines Denkens. Wie reimt sich das? Die soeben zitierten Sätze Heideggers zeigen den Weg zur Antwort. Heidegger sah die entscheidende Rolle der Wissenschaft für unsere Zeit. Er litt unter dieser unserer, seiner Zeit. Dieses Leiden nahm in seinen jüngeren Jahren die Form fordernder Kritik an, in seinen späten Jahren die Form des tief besorgten Durchdenkens eines Schicksals.

Die Naturwissenschaft hat das, was Heidegger ihr zu sagen hatte, bisher nicht verstanden. Heidegger umgekehrt hat, so

---

* Vortrag in Freiburg im Breisgau, Dezember 1976, Gedruckt in »Heidegger. Freiburger Universitäts-Vorträge zu seinem Gedenken«. Alber Verlag, Freiburg 1977.

scheint mir, die Naturwissenschaft nicht bis auf den Grund zu durchdenken vermocht. Diese zweiseitig unerfüllte Aufgabe zu bezeichnen und als Herausforderung anzunehmen, ist das Motiv, unter dem ich den Auftrag, heute über Heidegger und die Naturwissenschaft zu sprechen, gerne übernommen habe. Dies soll in drei Schritten geschehen. Zuerst möchte ich die unter dem Titel des Ge-stells symbolisierte geschichtliche Rolle, in welcher der spätere Heidegger die Naturwissenschaft und Technik sah, uns noch einmal vor Augen führen. Dann will ich dem ontologischen Problem ein Stück weit nachgehen, in dem sich für den frühen Heidegger seine Sichtweise der Wissenschaft entschied. Schließlich wage ich die Antwort eines Physikers auf Heidegger.

1. Das Ge-stell

Zunächst ein nur knapp kommentiertes Referat. Es stützt sich auf genau zwei thematische Äußerungen Heideggers zur Naturwissenschaft. Die erste ist der Vortrag »Die Zeit des Weltbildes« (1938, in den »Holzwegen« 1950 gedruckt).* Die zweite besteht aus den beiden zusammengehörigen Vorträgen »Die Frage nach der Technik« und »Wissenschaft und Besinnung« (1953, in den »Vorträgen und Aufsätzen« 1954 gedruckt).**

Der erste dieser Vorträge beginnt mit den Sätzen: »In der Metaphysik vollzieht sich die Besinnung auf das Wesen des Seienden und eine Entscheidung über das Wesen der Wahrheit. Die Metaphysik begründet ein Zeitalter, indem sie ihm durch eine bestimmte Auslegung des Seienden und durch eine bestimmte Auffassung der Wahrheit den Grund seiner Wesensgestalt gibt« (ZW 69). Das Zeitalter, von dem der Vortrag spricht, ist die Neuzeit. Heidegger sieht die Neuzeit durch die Metaphysik, also durch eine Entscheidung über das Wesen der Wahrheit bestimmt, freilich in einer gegen die erste Erscheinung der Metaphysik in der griechischen Philosophie verän-

---

* Zitiert als ZW.
** Zitiert als FT und WB.

derten Gestalt. Heidegger zählt fünf wesentliche Erscheinungen der Neuzeit auf: die Wissenschaft, die Maschinentechnik, die Ästhetik, die Kultur, die Entgötterung; der Vortrag beschränkt sich auf die neuzeitliche Wissenschaft. Diese ist, im Unterschied zur doctrina und scientia des Mittelalters und zur griechischen ἐπιστήμη, wesentlich Forschung. Forschung in einem Bereich des Seienden, z. B. der Natur, entwirft vorweg einen bestimmten Grundriß vom Wesen dieses Seienden, hier der Naturvorgänge. Die neuzeitliche Physik ist mathematisch durch »den Entwurf dessen, was für das gesuchte Erkennen der Natur künftig Natur sein soll: der in sich geschlossene Bewegungszusammenhang raum-zeitlich bezogener Massenpunkte«. (ZW 72) Im späteren Vortrag (WB 60–61) sieht Heidegger den mathematischen Vorentwurf durch alle Wandlungen der modernen Physik bis in die Gegenstandskritik der Quantentheorie durchgehalten.

Was ist der Zweck des Vorentwurfs? »Die Tatsachen sollen ... gegenständlich werden. Das Vorgehen muß daher das Veränderliche in seiner Veränderung vorstellen, zum Stehen bringen und gleichwohl die Bewegung eine Bewegung sein lassen ... Das Beständige der Veränderung in der Notwendigkeit ihres Verlaufs ist das Gesetz. Erst im Gesichtskreis von Regel und Gesetz werden Tatsachen als die Tatsachen, die sie sind, klar ... Weil die neuzeitliche Physik eine im wesentlichen mathematische ist, deshalb allein kann sie experimentell sein« (ZW 73–74). Hinter diesen Sätzen steht eine Einsicht in das Wesen der Physik, die durch Kant hindurchgegangen und dem Satze Einsteins* verwandt ist: »Erst die Theorie entscheidet darüber, was man beobachten kann.« Dieser Vorentwurf ermöglicht, daß die Wissenschaft zum Betrieb wird. »Der Gelehrte verschwindet. Er wird abgelöst durch den Forscher, der in Forschungsunternehmungen steht«. (ZW 78).

»Welche Auffassung des Seienden und welcher Begriff von der Wahrheit begründen, daß die Wissenschaft zur Forschung wird? ... In der Vorausberechnung wird die Natur, in der historischen Nachrechnung wird die Geschichte gleichsam gestellt ... Diese Vergegenständlichung des Seienden vollzieht

---

* vgl. W. Heisenberg, Der Teil und das Ganze, S. 92.

sich in einem Vorstellen, das darauf zielt, jegliches Seiende so
vor sich zu bringen, daß der rechnende Mensch des Seienden
sicher und d. h. gewiß sein kann. Zur Wissenschaft als Forschung kommt es erst dann, und nur dann, wenn die Wahrheit
zur Gewißheit des Vorstellens sich gewandelt hat.« (ZW 80).
Erst unter der Herrschaft des Vorstellens gibt es ein Weltbild –
daher der Titel »Die Zeit des Weltbildes«. »Weltbild, wesentlich verstanden, meint daher nicht ein Bild von der Welt,
sondern die Welt als Bild begriffen.« (ZW 82). »Der Grund-
vorgang der Neuzeit ist die Eroberung der Welt als Bild. Das
Wort Bild bedeutet jetzt: das Gebild des vorstellenden Herstellens.« (ZW 87).

Der fünfzehn Jahre später geschriebene Vortrag »Die Frage
nach der Technik« zieht die hier angedeutete Verbindung zur
Technik aus. Technik ist ihm nicht angewandte Naturwissenschaft, sondern eine eigene, die Naturwissenschaft selbst bestimmende Weise der Wahrheit, oder, wie Heidegger jetzt sagt,
des Entbergens (FT 20, 21). »Die Technik west in dem Bereich,
wo Entbergen und Unverborgenheit, wo ἀλήθεια, wo Wahrheit geschieht.« (FT 21). »Das in der modernen Technik wal-
tende Entbergen ist ein Herausfordern, das an die Natur das
Ansinnen stellt, Energie zu liefern, die als solche herausgeför-
dert und gespeichert werden kann.« (FT 22). Heidegger spielt
nun in der Weise seines Spätstils mit den Worten des Stellens.
»Das so Bestellte hat seinen eigenen Stand. Wir nennen ihn den
Bestand.« (FT 24). »Wer vollzieht das herausfordernde Stellen, wodurch das, was man das Wirkliche nennt, als Bestand
entborgen wird? Offenbar der Mensch ... Allein über die
Unverborgenheit, worin sich jeweils das Wirkliche zeigt oder
entzieht, verfügt der Mensch nicht ... Nur insofern der
Mensch seinerseits schon herausgefordert ist, die Naturener-
gien herauszufördern, kann dieses bestellende Entbergen geschehen.« (FT 25). »Wir nennen jetzt jenen herausfordernden
Anspruch, der den Menschen dahin versammelt, das Sichent-
bergende als Bestand zu bestellen – das *Ge-stell*.« (FT 27).
»Die neuzeitliche Physik ist der in seiner Herkunft noch unbekannte Vorbote des Ge-stells.« (FT 29).

Ich setze voraus, daß, wer meinen heutigen Vortrag anhört,
sein Befremden nicht durch die bequeme Verwerfung des

Heideggerschen Sprachmanierismus wegerklären will. Es ist aber wohl doch angebracht, die eigentlich befremdenden Linien dieser Gedanken in konventioneller Sprache behutsam nachzuzeichnen. Daß Naturwissenschaft und Technik die Natur dem neuzeitlichen Menschen in der Weise der Vorstellbarkeit verfügbar, in der Form der Verfügbarkeit vorstellbar machen, ist heute vielen Menschen ein geläufiger Gedanke. Technokraten denken so: wir herrschen, weil wir erkennen, wir erkennen um zu herrschen, Wissen ist Macht. Sozialkritiker und Naturschützer wenden denselben Gedanken umgekehrt: die Form dieser Erkenntnis ist durch den Machtwillen bestimmt; die Unglaubwürdigkeit solcher Wissenschaft wird dann oft behauptet und durch ihre zerstörenden Wirkungen begründet. Beide Versionen folgen mit entgegengesetzten Bewertungen demselben Schema. Der Mensch erscheint in beiden als der Handelnde, als der Autor des Geschehens, und zwar durch seine Erkenntnis. Daß wahre Erkenntnis zuträglich sei, wird vorausgesetzt; deshalb erscheint die Naturwissenschaft dem Technokraten wahr, dem Sozialkritiker und Naturschützer verdächtig.

Gehören Heideggers Gedanken einer dieser beiden Versionen zu? Zu den Technokraten wird ihn niemand rechnen. Gehört er in die Gruppe, die ich hier etwas locker Sozialkritiker und Naturschützer genannt habe? Daß sein subjektives Empfinden gegenüber der Welt der Technik ein Empfinden des Schreckens, ja der Feindschaft war, wird nur zu deutlich. Man könnte sich auf einen Satz des Technik-Vortrags berufen: »So ist denn, wo das Ge-stell herrscht, im höchsten Sinne Gefahr.« (FT 36). Heidegger fährt jedoch mit dem Hölderlin-Zitat fort:

> »Wo aber Gefahr ist, wächst
> Das Rettende auch.«

Das ist nicht nur die Hoffnung auf den unbekannten Retter. Freilich, nicht bloß im Spiegel-Interview, sondern in mir unvergeßlich eindrucksvoller Weise auch in einer Gesprächsrunde in meinem Haus in Hamburg hat er gesagt: »Nur der Gott kann uns noch retten.« Aber die Verbindung von Wahrheit, Gefahr und Rettung ist für ihn unlösbar innig. »Das Wesen der Technik ist als ein Geschick des Entbergens die Gefahr.« (FT 36).

»Geschick« ist hier das Wort für Geschichte, und zwar für Geschichte, deren Autor nicht der sich für frei haltende Mensch ist. Entbergen ist Wahrheit, und so lautet der Satz, konventionell zurückübersetzt: »Das Wesen der Technik ist die Gefahr, weil dieses Wesen zur Geschichte der Wahrheit gehört.«

Hier ist etwas inhaltlich doppelt Befremdendes behauptet. Erkenntnistheoretisch: das Wesen der Technik ist nicht Anwendung von Wahrheit, sondern selbst Wahrheit. Geschichtlich: die Wahrheit selbst ist Gefahr. Sie ist ebenso Rettung. »Das Gewährende, das so oder so in die Entbergung schickt, ist als solches das Rettende.« (FT 40). »Solange wir die Technik als Instrument vorstellen, bleiben wir im Willen hängen, sie zu meistern. Wir treiben am Wesen der Technik vorbei.« (FT 40). »Das Wesen der Technik ist in einem hohen Sinne zweideutig. Solche Zweideutigkeit deutet in das Geheimnis aller Entbergung, d. h. der Wahrheit.« (FT 41). »Das Unaufhaltsame des Bestellens und das Verhaltene des Rettenden ziehen aneinander vorbei wie im Gang der Gestirne die Bahn zweier Sterne. Allein dieser ihr Vorbeigang ist das Verborgene ihrer Nähe.« (FT 41).

Ich möchte diese Sätze hier unkommentiert lassen. Heidegger ist auch in der Stilisierung seines Spätstils, einem Merkmal der Vereinsamung, präzis im Sagen und präzis im Andeuten und Verschweigen dessen, was er nicht mehr zu sagen vermochte.

2. Ontologie, Logik und Wahrheit

Das Gespräch zwischen Heidegger und der Naturwissenschaft kann nicht anhand isolierter Texte seiner Spätzeit geführt werden. Diese Texte gehören der Endphase einer Lebensarbeit an. Die das Verhältnis zur Naturwissenschaft bestimmende Entscheidung in Heideggers Denken ist aber in seiner Frühzeit gefallen. Sie war vollzogen, ehe der erste Satz von »Sein und Zeit« niedergeschrieben wurde. Die immense Gedankenarbeit der Frühzeit beginnt erst jetzt durch die Veröffentlichung seiner Marburger Vorlesungen dem lesenden Publikum bekannt zu werden. In diesen Vorlesungen spricht er noch die Sprache der Wissenschaft und der überlieferten Philosophie. In dieser Sprache führt er den Dialog mit demjenigen Denken, das sich eben in ihr adäquat ausgedrückt hat. Ausführlich und luzide legt er die Gründe dieses Denkens und die in ihnen liegenden ungeklärten Fragen bloß. Der Entschluß zur terminologischen Selbststilisierung im publizierten Werk, die mit »Sein und Zeit« einsetzt, ist eine Folge dieser kritischen Analyse der Sprache, d. h. des Denkens der Überlieferung. Eben damit aber reißt das direkte Gespräch mit dem überlieferten Denken ab; wer von nun an Heideggers von ihm selbst zum Druck gebrachte Äußerungen verstehen will, muß sich seiner Sprache und damit seiner denkerischen Position anpassen. Die Naturwissenschaft aber wird den Übertritt in Heideggers neue Diktion nicht vollziehen. Deshalb ist der Heidegger der Marburger Vorlesungen ihr Partner, wenn es sich nicht um Winke, sondern um ein Gespräch handeln soll. Erst nach diesem Gespräch ist die Rückkehr zu den Texten sinnvoll, die wir zu Anfang gelesen haben.

In der Gesamtausgabe sind bisher zwei Vorlesungsbände veröffentlicht: Band 21 »Logik. Die Frage nach der Wahrheit« und Band 24 »Die Grundprobleme der Phänomenologie«. Phänomenologie heißt hier Ontologie. Die Naturwissenschaft wird in diesen Bänden nicht zum Thema. Damit es zu einem Gespräch mit der Naturwissenschaft kommen kann, sei mir daher in einem Vorgriff auf den dritten Teil meines Vortrags erlaubt, das Bild zu skizzieren, das ich mir von der Beziehung der Naturwissenschaft zu Logik und Ontologie gemacht habe.

Die Naturwissenschaft entwickelt sich faktisch zu einer systematischen Einheit hin. Die Vielheit der Disziplinen steht dem nicht im Wege, im Gegenteil, sie trägt zur Beschleunigung des systematischen Fortschritts bei, dessen Folge sie ist. Es zeigt sich, daß in allen Bereichen, die wir auch nur irgendwie unter den Titel »Natur« bringen können, dieselben Grundgesetze gelten. Physik ist der Name der Wissenschaft, die diese Grundgesetze formuliert. Für den Bereich des Anorganischen ist diese Entwicklung seit langem manifest. Im Bereich des organischen Lebens macht sie in den letzten Jahrzehnten rapide Fortschritte. Man kann zum mindesten sagen, daß der Physikalismus, d. h. die Hypothese, die Gesetze der Physik seien auch hier die einzigen fundamentalen Gesetze, heuristisch erfolgreich und nirgends widerlegt ist. Es gibt ferner keine allgemein anerkannte Trennungslinie, welche den Menschen oder gewisse Aspekte der menschlichen Existenz von der Subsumtion unter den Begriff der Natur auszunehmen gestattet; auf dieses im wissenschaftlichen Bewußtsein unserer Zeit völlig ungelöste Problem komme ich am Schluß zurück.

Die Physik selbst entwickelt sich ebenfalls faktisch zu einer systematischen Einheit hin. Die Zentraldisziplin dieser Einheit ist heute die Quantentheorie, die ihre endgültige Gestalt unter den Händen von Bohr und Heisenberg in eben jenen, jetzt um ein halbes Jahrhundert zurückliegenden Jahren gewann, in denen Heidegger die Marburger Vorlesungen hielt und »Sein und Zeit« schrieb. Die allgemeine oder abstrakte Quantentheorie kann man als eine nichtklassische Wahrscheinlichkeitsrechnung beschreiben. Das Wort »nichtklassisch« bezeichnet hier formal eine der Wahrscheinlichkeitsbewertung zugrundegelegte Mannigfaltigkeit möglicher Ereignisse, die von derjenigen abweicht, die man durch Anwendung der klassischen Aussagenlogik (Boolesche Algebra) herleiten würde. Man spricht gelegentlich von einer »Quantenlogik«. Der Grund dieser nichtklassischen Logik liegt in einer, freilich von den Physikern nicht ausgearbeiteten, sondern nur verbal umschriebenen Abweichung von der klassischen Ontologie. Man kann in der Quantentheorie ein mögliches Ereignis nur noch in Bezug auf einen möglichen Beobachter definieren. Die Subjekt-Objekt-Beziehung wird hier, zum erstenmal in der neuzeitlichen Physik, thematisch.

Es ist nicht meine Aufgabe in diesem Vortrag, die Quantentheorie weitergehend zu analysieren. Das Gesagte genügt wohl, um uns zu zeigen, daß Heideggers Analyse der Grundlagen der Ontologie und Logik, wenn sie zutrifft, für den Kern aller Naturwissenschaft von direkter Bedeutung ist. Dies war Heidegger selbst natürlich voll bewußt, und zwar schon ehe er die Quantentheorie kennenlernte.

Der erste Teil der kurz nach der Abfassung von »Sein und Zeit« gehaltenen Vorlesung »Die Grundprobleme der Phänomenologie« (Sommer 1927) erörtert in vier Kapiteln Grundthesen der überlieferten Ontologie.

Es sind

1. Kants These »Sein ist kein reales Prädikat«,
2. die scholastisch-aristotelische Unterscheidung von Essenz und Existenz,
3. die Cartesische Konfrontation von res extensa und res cogitans,
4. die logische Charakterisierung des Seins durch die Kopula im prädikativen Satz.

In kaum mehr erlaubter Abkürzung hebe ich das für unser Problem Relevante aus den vier Kapiteln kommentierend hervor.

Die Einleitung statuiert mit dem Problem zugleich Heideggers Lösungsentwurf. Die ontologische Differenz, »d. h. die Scheidung von Sein und Seiendem« (S. 22) präzisiert die Frage nach dem Sein. »Das Sein ist das echte und einzige Thema der Philosophie.« (S. 15). »Das Sein ist als Apriori früher als das Seiende. Bis heute ist der Sinn dieses Apriori, d. h. der Sinn des Früher und seine Möglichkeit nicht aufgeklärt . . . Das Früher ist eine Zeitbestimmung, aber eine solche, die nicht in der Zeitordnung der Zeit liegt, die wir mit der Uhr messen . . .« (S. 27). »Das Sein eines Seienden begegnet uns im Verstehen von Sein. Das Verstehen ist es, das dergleichen wie Sein allererst aufschließt, oder, wie wir sagen, erschließt.« (S. 24). »Sein gibt es nur, wenn Erschlossenheit ist, d. h. wenn Wahrheit ist. . . . Sein gibt es nur, wenn Wahrheit, d. h. wenn Dasein existiert.« (S. 25). »Die Ontologie läßt sich selbst nicht rein ontologisch begründen. Ihre eigene Ermöglichung wird auf ein Seiendes, d. h. Ontisches zurückverwiesen: das Dasein.« (S. 26). »Ontologie hat ein ontisches Fundament«, schon im Satz des Aristoteles: »Die erste Wissenschaft, die Wissenschaft vom Sein ist Theologie«. (S. 26). »Wenn die Zeitlichkeit den Seinssinn des menschlichen Daseins konstituiert, zur Seinsverfassung des Daseins aber Seinsverständnis gehört, dann muß auch dieses Seinsverständnis nur auf dem Grunde der Zeitlichkeit möglich werden. . . . Der Horizont, aus dem her dergleichen wie Sein überhaupt verständlich wird, ist die Zeit. Wir interpretieren das Sein aus der Zeit.« (S. 22).

Das erste Kapitel bereitet dann alsbald das zweite vor, indem es in Kants These, Sein sei kein reales Prädikat, Sein als existen-

tia, reales Prädikat als Bestandstück der essentia deutet. Die
ontische, nämlich theologische Basis der klassischen Ontologie
tritt darin hervor, daß Kant seine These in der Kritik der
Gottesbeweise entwickelt. Kants Erklärung des Seins als Position bezeichnet ein Verhältnis des Objekts zum Erkenntnis-
vermögen, also zum ontischen Grund der Ontologie im erkennenden Subjekt. Hieran knüpft Heidegger die Phänomenologie der Intentionalität: »Das Wahrnehmen ist freigebendes
Begegnenlassen von Vorhandenem.« (S. 98). Sein als Vorhandenheit ist die weiter aufzuklärende Auffassung von Sein.

Das zweite Kapitel folgert aus den Thesen der Scholastik von
Thomas bis Suarez: ». . . das Problem der Unterscheidung von
essentia und existentia in ente creato hängt davon ab, ob man
überhaupt die Interpretation des Seins im Sinne der Existenz
auf Verwirklichung, auf Schaffen und Herstellen hin orientiert.« (S. 138). »Wenn geschaffenes Seiendes als Geschaffenes
möglich sein soll, muß zur Möglichkeit die Wirklichkeit hinzu-
kommen können, d. h. beide müssen realiter verschieden sein.«
(S. 139). Heidegger führt dieses Denkschema auf die griechische Ontologie zurück. Der »Leitfaden ihrer Interpretation«
ist ihm »der Hinblick auf das Herstellen«. »Der Töpfer bildet
aus Ton einen Krug . . . Im Hinsehen auf das vorweggenommene Aussehen des zu bildenden, prägenden Dinges wird dieses
hergestellt. Dieses vorweggenommene und zuvor gesichtete
Aussehen des Dinges ist es, was die Griechen mit εἶδος, ἰδέα
ontologisch meinen. Das Gebilde, das nach dem Vorbild gebildet ist, ist als solches das Ebenbild des Vorbildes.« (S. 150).
Der griechische Hinblick auf das Herstellen läßt nun nicht
etwa alles Seiende als Hergestelltes erscheinen. Hergestellt
wird das Gebilde aus vorgefundenem Stoff. »Im Herstellen
also stoßen wir gerade auf das Herstellungsunbedürftige.«
(S. 164). Aber eben darum: »Herstellungsunbedürftiges kann
überhaupt nur innerhalb eines Seinsverständnisses des Herstellens verstanden und entdeckt werden.« (S. 163). »Die Begriffe
Materie und Stoff haben ihre Herkunft aus einem Seinsverständnis, das sich am Herstellen orientiert.« (S. 164). Kann
aber alles Seiende »als Vorhandenes begriffen werden«?
(S. 169). Am wenigsten der Mensch. Dies führt zur neuzeitlichen Subjekt-Objekt-Unterscheidung.

Das dritte Kapitel behandelt den Unterschied von Person und Sache im wesentlichen in seiner Ausprägung in Kants praktischer Philosophie. »So läge die spezifische Seinsart der moralischen Person im freien Tun. Kant sagt einmal: ›Intellektuell ist es, dessen Begriff ein Tun ist.‹ . . . Das Ich ist ein ›Ich tue‹, und als solches ist es intellektuell.« (S. 200). »Die Intelligenzen, die moralischen Personen, sind Subjekte, deren Sein ein Handeln ist.« (S. 200). Heideggers weiterführende Kritik an Kant setzt so ein: »Es liegt bei Kant ein eigentümliches Versäumnis vor, sofern es ihm nicht gelingt, die Einheit des theoretischen und praktischen Ich ursprünglich zu bestimmen.« (S. 207). »Kant spricht vom Dasein der Person als vom Dasein eines Dinges. . . . Es liegt im Begriffe des Dinges an sich, mag es in seiner Washeit erkennbar sein oder nicht, schon die traditionelle Ontologie des Vorhandenseins beschlossen.« (S. 209). Dies führt zu einem Exposé von Heideggers Ontologie des Daseins als In-der-Welt-Sein, die hier nicht zu referieren ist.

Das vierte Kapitel beginnt mit der Interpretation der Kopula bei Hobbes, Mill und Lotze. Es ist schmerzlich, daß der frühe Heidegger zwar dieser Tradition und Husserl begegnet ist, aber nicht der Zentralgestalt der neuzeitlichen Logik, Gottlob Frege.* Heideggers Frege-Kritik wäre das Rhodus seines Sprungs durch das kalte Feuer der Logik geworden. Heideggers spezielles Problem in diesem Kapitel ist die Indifferenz des Seins im Sinne der Kopula gegenüber seiner Interpretation gemäß den klassischen ontologischen Unterscheidungen, als Essenz oder Existenz, als Person oder Sache. Ich lasse offen, ob diese Auffassung Heideggers logisch haltbar ist. Wesentlich ist für uns der Begriff von Wahrheit, den er zu ihrer Erklärung benützt. »Es muß . . . der primäre Charakter der Aussage als Aufweisung festgehalten werden. Nur aus diesem Aufweisungscharakter ist die prädikative Struktur der Aussage zu bestimmen. Danach ist das Prädizieren primär ein Auseinan-

---

* Heidegger hat freilich in seiner Frühzeit Frege gelesen, vgl. seine Besprechung: Neuere Forschungen über Logik. In: Literarische Rundschau für das katholische Deutschland 38 (1912); über Frege S. 468, über mathematische Logik S. 570. Ich danke Herrn Winfried Franzen für den Hinweis.

derlegen des Vorgegebenen, und zwar ein aufzeigendes Aus-
einanderlegen.« (S. 298). »Die Aussage als ausgesprochene ist
Mitteilung. ... In der Mitteilung und durch sie kommt ein
Dasein mit dem anderen, dem Adressaten, in dasselbe Seins-
verhältnis zu dem, worüber die Aussage geht, wovon die Rede
ist. ... Aus all dem wird deutlich, daß die Aussage keine
primäre Erkenntnisfunktion hat, sondern nur eine sekundäre.
Seiendes muß schon enthüllt sein, damit eine Aussage darüber
möglich ist.« (S. 299). Daraus folgt dann: »Das ›ist‹ kann in
seiner Bedeutung indifferent sein, weil der differente Seinsmo-
dus im primären Verstehen des Seienden schon fixiert ist. ...
Die Indifferenz der Kopula ist kein Mangel, sondern sie charakterisiert nur den sekundären Charakter alles Aussagens.«
(S. 301).

Heidegger statuiert also eine Rangliste. Der Aussagesatz ist
als Aufweisung primär gegenüber seinen Teilen. Der Begriff ist
als möglicher Teil des Satzes zu definieren, nicht der Satz als
Komposition von Begriffen. Die Erschlossenheit des Seienden
ist primär gegenüber der Aussage. Wahrheit als Unverborgenheit ist primär gegenüber der Satzwahrheit. Sätze können richtig oder falsch sein, und nur durch diese binäre Struktur ist die
Logik als Wissenschaft ermöglicht; die Theorie der richtigen
Folgerung setzt die Möglichkeit der falschen Folgerung voraus. Wahrheit als Unverborgenheit aber ist Vorbedingung der
Unterscheidung des Richtigen vom Falschen. »Das Dasein existiert in der Wahrheit, d. h. in der Enthülltheit seiner selbst und
des Seienden, wozu es sich verhält. Nur weil es existierend
wesenhaft schon in der Wahrheit ist, kann es als solches irren
und gibt es Verdeckung, Verstellung und Verschlossenheit des
Seienden.« (S. 308). Und die Rückwendung zur ontischen Basis der Ontologie: »Wahrheit, Enthüllen und Enthülltheit, gibt
es nur, wenn und solange Dasein existiert.« (S. 313).

Ich brauche nicht nachzuzeichnen, wie von diesen Entscheidungen Heideggers Weg über »Sein und Zeit« zur Spätphilosophie mit tiefer innerer Notwendigkeit führt. Wie aber sollte auf
diese Eintscheidungen ein heutiger Physiker antworten, also
ein Mensch, der das letzte vom späten Heidegger beschriebene
Stück des Weges der Metaphysik aktiv und mit innerer Zustimmung durchläuft? Wie verhält sich für ihn Wahrheit und
Seiendes, Gefahr und Rettung?

3. Antwort eines Physikers

Die Physiker haben das, was Heidegger ihnen zu sagen hatte, bisher nicht verstanden. Schon deshalb kann ich nicht im Namen der Physik, nur in persönlicher Verantwortung als ein Physiker sprechen. Ich spreche nun aber auch nicht mehr als Ausleger Heideggers, denn ich glaube nicht, daß er die Realität der Physik tief genug zu durchdenken vermocht hat. Die Antwort bleibt auch ihm gegenüber ein Wagnis.

Heidegger hat, so scheint mir, die geschichtliche Rolle der Naturwissenschaft richtiger gesehen als ihre Anhänger sowohl wie auch als ihre Kritiker. Er sieht, daß die Naturwissenschaft für uns schicksalsbestimmend ist, weil sie die für die Neuzeit zentrale, ihre eigentliche Form der Wahrheit ist. Die volle Klarheit hierüber ist ihm erst im Lauf seines Lebens zugewachsen, obwohl sie eine Konsequenz der Entscheidungen seiner Marburger Philosophie ist. Dies mag ein mitwirkender Grund dafür sein, daß seine Spätphase in der akademischen Philosophie bislang weniger geschätzt wird als die frühere. In der früheren Zeit teilte er noch den überlieferten Irrtum, Naturwissenschaft sei eine regionale Wissenschaft. Diese Ansicht ist ja nicht nur eine auf den ersten Blick einleuchtende, ja scheinbar selbstverständliche wissenschaftstheoretische Behauptung, sondern sie war (und ist z. T. heute noch) eine Maginotlinie, die Bastion einer Defensivstrategie gegen den Wirklichkeitsentwurf der klassischen Physik. Positionen, die durch diese Bastion geschützt sein sollten, waren z. B. der Vitalismus in der Biologie, der Versuch der Dilthey-Rickertschen Ära, die Geisteswissenschaften als von den Naturwissenschaften essentiell unabhängig zu etablieren, Husserls Regionalontologien und, in radikaler Einfachheit, der Cartesische Dualismus. Beim frühen Heidegger finden sich mehr oder weniger periphere Zustimmungen zu manchen dieser in seiner akademischen Umwelt verbreiteten Positionen. Aber die Stoßrichtung seiner Kritik ist im Grunde ihnen allen von Anfang an entgegengesetzt.

Die Hoffnung, positive Wissenschaften zu etablieren, welche die im klassisch-physikalischen Entwurf gelegene Verkürzung der Wirklichkeit vermeiden, wie vitalistische Bio-

logie oder verstehende Geisteswissenschaft, läßt er im Periphe-
ren, in der vorausgesetzten Regionalisierung des Seienden,
bestehen, destruiert sie jedoch im Kern. Alle diese Wissenschaften stellen das Seiende, das sie studieren, als Gegenstand
vor, auch wenn die subjektive Intention ihrer Träger das Gegenteil beabsichtigt; vgl. das obige Zitat aus »Die Zeit des
Weltbildes« über die Geschichtswissenschaft. Sie sind dazu
gezwungen durch ihren Anspruch auf Wissenschaftlichkeit,
d. h. Gewißheit. Die Intersubjektivität der Wissenschaft erscheint in ihnen de facto nicht fundiert durch ein gemeinsames
In-der-Wahrheit-Sein der Wissenschaftler, sondern die Kommunikation der Wissenschaftler über ihre gemeinsame Wahrheit wurzelt im Anspruch der Objektivität der Forschungser-
gebnisse.

Die Regionalontologien bleiben für den frühen Heidegger
ebenso peripher liegen neben dem großen Entwurf der Funda-
mentalontologie. Diese wird von ihm noch als eine wissenschaftliche, phänomenologische Philosophie konzipiert, die
mit dem ontologischen Kern der Cartesischen Frage ernst-
macht, der Unterscheidung des existierenden vom vorhandenen Seienden, des Existenzials von der Kategorie. Auch dies ist
noch eine Regionalisierungsstrategie. Die Fundamentalonto-
logie konnte nun als diejenige Wissenschaft erscheinen, die
nicht objektiviert. Der Kompromißcharakter dieser Position
wird erkannt in der Nichtveröffentlichung des zweiten Bandes
von »Sein und Zeit« und dem Verzicht der späteren Schriften
auf den Anspruch, Wissenschaft zu sein. Erst Heideggers Spätphilosophie, die keinen Ort im Lande der Wissenschaft selbst
mehr besetzt zu halten sucht, gewinnt den offenen Blick auf die
Wissenschaft als eine einheitliche – die der Neuzeit zentrale –
Form der Wahrheit.

Dieser große Fortschritt wird aber mit einem schwerwiegen-
den Verlust bezahlt; nicht umsonst begleitet Heideggers späteren Denkweg über lange Strecken ein Erlebnis des Scheiterns.
Als Physiker versuche ich den Verlust von der Wissenschaft her
zu bezeichnen: es ist der Verlust der Möglichkeit, nach dem
Grund des faktischen Erfolgs der Wissenschaft auch nur zu
fragen. In den Marburger Vorlesungen ist das Sein als Vorhandenheit der ontologische Entwurf, der die Wissenschaft er-

möglicht. Er ist seinerseits ontisch fundiert, in der Seinsverfassung des Menschen als eines herstellenden Wesens. Diese erscheint als ein Apriori; der Physiker würde sagen, sie ist aus der vorwissenschaftlichen Erfahrung bekannt. Der Fundamentalontologe sucht nach einer volleren existenzialen Bestimmung des Menschen; auf dieser Suche hat er den schon erschlossenen Bereich von Herstellen und Vorhandenheit gleichsam gefahrlos im Rücken. Dies ist eine Forschungssituation und keine Antwort. Man mag hoffen, wenn die Strukturen der Existenz erschlossen sind, den Ort des Herstellens in ihnen besser zu bestimmen. Die Spätphilosophie aber sieht den Menschen in einer Geschichte, die als Geschick interpretiert wird, und in der die Entbergung des Seienden im Ge-stell der letzte noch erkennbare Schritt ist. Wie diese Wahrheit zu anderen Weisen der Wahrheit steht, bleibt uns eben durch dieses Geschick verborgen. Der Rede vom Ereignis, das noch durch das Ge-stell verstellt ist, bleibt ein sibyllinischer Ton.

Als Physiker glaube ich nun, einer der Gründe dieser Verhülltheit liege darin, daß der Weg der Wissenschaft nicht zu Ende gegangen ist. Das verpflichtet mich, anzudeuten, was unter dem Zu-Ende-Gehen dieses Wegs zu verstehen wäre. Ich tue das in wissenschafts-immanenter Sprache, anknüpfend an die Bemerkungen im zweiten Teil.

Die Naturwissenschaft entwickelt sich gleichzeitig zu systematischer Einheit der Gesetze und zu unbegrenzter Vielheit der Disziplinen. Die begriffliche Form der Grundgesetze hat die Möglichkeit dieser Vielheit zur logischen Folge. Z. B. haben Grundgesetze einer bestimmten, vermutlich vorletzten Stufe die mathematische Gestalt von Differentialgleichungen. Eine Differentialgleichung hat im allgemeinen unendlich viele Lösungen; sie charakterisiert also eine Klasse möglicher Funktionen. Die Einzeldisziplinen erscheinen dann als Theorien gewisser Teilklassen der Gesamtheit aller Lösungen, oder gewisser Annäherungen an Lösungen einer Teilklasse. Den Weg der Naturwissenschaft zu Ende gehen heißt nicht die Fülle der naturwissenschaftlich beschreibbaren Realität erschöpfen, was unmöglich ist; es heißt letzte Grundgesetze finden. Wie wenig eine Wissenschaft durch die Angabe von Grundgesetzen erschöpft ist, zeigt die axiomatische Mathematik. Die Axiome

der euklidischen Geometrie lassen sich auf wenigen Drucksei-
ten aufzählen; die Fülle geometrischer Gestalten und ihrer
Beziehungen ist ein unerschöpflicher Reichtum. Die Grundgesetze ihrerseits, wenn es sie gibt, sind wiederum nicht die letzte
Wahrheit des Seins. Heidegger hat in einer oben zitierten Stelle
klargemacht, daß der Begriff des Gesetzes schon einen Entwurf
der Seinsart des Seienden als eines im Sinne von Heideggers
Terminologie Vorstellbaren voraussetzt. Was wir philosophisch wissen wollen, ist, ob es Grundgesetze der Physik gibt,
und was sie definieren. Daß es sie gibt, unterstelle ich hier, um
die Argumentation nicht auszudehnen. Was sie definieren, ist
nicht eine Region des Seienden, sondern eine Weise, das Seiende zu verstehen. Wie ist diese Weise bestimmt?

  Die Hypothese, die ich persönlich verfolge, schließt an Kant
an und besagt, daß die Grundgesetze der Physik nur die Bedingungen der Möglichkeit objektivierbarer Erfahrung aussprechen. Sie sind nicht nur regulative Grundsätze des reinen Verstandes, sondern positive Gesetze, wie sie Kant in den metaphysischen Anfangsgründen der Naturwissenschaft und dem
Opus Postumum suchte; durch die systematische Einheit der
Naturwissenschaft fällt das Problem irreduktibler spezieller
Naturgesetze fort. Die abstrakte Quantentheorie ist eine allgemeine Wahrscheinlichkeitstheorie. Wahrscheinlichkeit ist
quantifizierte Möglichkeit. Möglichkeit ist hier ein Prädikat
zukünftiger Ereignisse, also eine temporale Modalität. Erfahrung ist ebenfalls ein temporaler Begriff; Erfahrung heißt, aus
der Vergangenheit für die Zukunft lernen. Objektivierbare
Erfahrung ist solche, die der Logik unterliegt. Logik bedeutet
die Unterscheidung von richtig und falsch. Logik, angewandt
auf Erfahrung, verlangt, daß die Erfahrung in entscheidbaren
Alternativen, Ja-Nein-Entscheidungen im Sinne der Informa-
tionstheorie formuliert wird. Die Hypothese besagt also, daß
die Grundgesetze der Physik nichts als die Logik objektivierbarer Erfahrung formulieren.

  Soweit schmiegt sich die Hypothese, wenn ich nicht irre,
dem Denken Heideggers bruchlos an. Sie hat aber drei Univer-
salitätseigenschaften, die über das von ihm ausdrücklich Gedachte hinausgehen. Erstens behauptet sie die notwendige systematische Einheit der Naturwissenschaft auf philosophi-

scher Basis; sie bricht gerade mit der methodischen Trennung von positiver Wissenschaft und Philosophie, soweit Philosophie begrifflich bleibt. Zweitens würde sie begreiflich machen, warum eine regionale Abgrenzung der Naturwissenschaft sich nie hat deutlich rechtfertigen lassen. Naturwissenschaft im hier entworfenen Sinne ist vermutlich koextensiv mit begrifflichem empirischem Denken überhaupt. Die Begründung dieser These würde freilich eine erneute Analyse des begrifflichen Denkens, also des Wesens des Begriffs erfordern. Hieraus folgt eine dritte, noch weitergreifende Bemerkung. Die so definierte Wissenschaft macht beim Menschen nicht halt, soweit über ihn begrifflich gesprochen werden kann. Die Kontinuität des Menschen mit der Natur ist durch die Evolutionstheorie ohnehin zum Bestandteil der Wissenschaft geworden. In dieser Lage können sich phänomenologische und empirisch-naturwissenschaftliche Erkenntnis über den Menschen nicht, wie in den einstigen phänomenologischen Ansätzen, nach dem traditionellen Schema von Apriori und Aposteriori zueinander verhalten. Die reflektierende oder phänomenologische Selbsterkenntnis des Subjekts kann durch naturwissenschaftlich-kausale Erkenntnis gestützt oder korrigiert werden. Ich rechtfertige hier nur, was in der heutigen Wissenschaft längst geschieht, gegen nicht haltbare philosophische Defensivpositionen.

Die Frage nach dem Grund der Möglichkeit der Naturwissenschaft schließt sich so aufs engste zusammen mit der Frage nach dem Grund der Möglichkeit begrifflichen Denkens überhaupt. Hier erlaubt die heutige Wissenschaft eine Erläuterung der ontischen Fundamente der Ontologie durch die Einfügung des Menschen in die Natur, die Einfügung seiner Geschichte in die Geschichte des organischen Lebens. Die oben skizzierte dreistufige Rangordnung Unverborgenheit – Satz – Begriff hat einen Vorläufer im tierischen Verhalten. Tierisches Verhalten hat seine eigene Richtigkeit und Falschheit. Sie basiert darauf, daß Verhalten glücken oder nicht glücken kann, ist damit aber nicht identisch. Richtigkeit des Verhaltens ist adaequatio actionis ad rem, Anpassung an die Bedingungen der ökologischen Nische. Nicht ob das Verhalten im Einzelfall glückt oder mißglückt, macht seine Richtigkeit oder Falschheit aus, sondern ob es der Situation grundsätzlich angepaßt ist oder nicht.

Adaequatio ist hier nicht die Übereinstimmung des Nachbilds
mit dem Vorbild, sondern die Angepaßtheit zwischen Schlüssel
und Schloß. So charakterisiertes richtiges Verhalten ist der
Vorläufer des allgemeinen Satzes. Die Zerlegung des der
Handlungseinheit entsprechenden Satzes in wiederum allgemeine Begriffe ist erst eine menschliche Leistung, vermittelt
durch die Fähigkeit der Vorstellung; sie bedeutet den Schritt
vom Handelnkönnen zur akkumulierbaren Macht. Vorstellung ist zunächst nicht Vorstellung vorhandener Dinge, sondern möglicher Handlungen – so stellt Heidegger in »Sein und
Zeit« der Vorhandenheit die Zuhandenheit voran. Der Einzelfall, also das, was die empiristische Erkenntnistheorie für das
Gegebene hält, ist genetisch eine späte Stufe der Erkenntnis; er
ist eigentlich nur der spezialisierte Begriff. Genetisch gibt es
zuerst Sätze (»Feuer!«), dann Begriffe (»das Feuer«, »bren-
nen«), dann Eigennamen (»der Brand von Moskau«). Hand-
lungseinheiten aber gibt es nur in einer schon erschlossenen
Umwelt. Diese Erschlossenheit ist vorweg und unausdrück-
lich, sie ist nicht vorgestellt und bedarf nicht der Vorgestellt-
heit. Ihrer innezuwerden ist etwas Anderes als Vorstellen.

Solche Betrachtungen vollziehen den von Heidegger oft genannten philosophischen Zirkel mitten in der Wissenschaft.
Sie benützen die Sprache der empirischen Verhaltensforschung, um die Vorbedingungen begrifflich-empirischen Denkens, sein genetisches Apriori zu beschreiben. Diese Sprache
der empirischen Wissenschaft setzt die Strukturen der Natur
faktisch voraus, welche durch die Physik aus Grundgesetzen
heraus kausal erklärt werden. Diese Grundgesetze aber formulieren die Art und Weise, wie einem begrifflich-empirischen
Denken Seiendes gegeben sein kann, also auch das organische
Leben, der Mensch und sein begrifflich-empirisches Denken
selbst. Hierbei bleibt der Phänomenologie ein methodisches
Apriori, das jedoch keinen Gewißheitsanspruch begründen
kann, ein Apriori des Einstiegs in den Zirkel. Denn man kann
nur kausal erklären, was man irgendwie schon wahrgenommen, und insofern schon verstanden hat.

Die Überleitung zum Schluß möchte ich durch eine persönliche Bemerkung machen. Die Haltung zur Naturwissenschaft,
aus der diese Antwort hervorgeht, weicht von derjenigen

Heideggers in jeder Phase seines Denkens grundsätzlich ab. Heidegger konnte sich in unseren durch vier Jahrzehnte fortgesetzten persönlichen Begegnungen darüber nicht täuschen. Er hat nie versucht, mich von meiner Haltung abzubringen, er hat mich nur durch Fragen, die ins Schwarze trafen, gezwungen, sie mir klarzumachen. Die Darstellung einer Haltung, die sich ohne ihn nicht verstehen gelernt hätte, ist ein Dank, den wir einem großen Manne darbringen können. Wenn ich meine, an einigen Stellen mehr zu sehen, als er sehen konnte, so ist mir bewußt, daß ich ohne Zweifel an anderen, zentralen Stellen nicht habe wahrnehmen können, was er geahnt, gesehen, ausgesprochen hat.

Ich bin überzeugt, daß er in seiner späten Zeit die Signatur unseres Zeitalters in einem entscheidenden Punkt richtig gesehen hat. Das Ge-Stell ist die Zerlegung der Wirklichkeit in begriffliche Vorstellungsakte und der Versuch der Wiederherstellung des Ganzen als Summe wechselwirkender Elemente. Diese begriffliche Wiederherstellung eines Ganzen nennt man heute Systemtheorie. Das ist das unvermeidliche Weltbild der Willens- und Verstandeswelt, die als eine mögliche gesellschaftliche Verhaltensweise des Menschen spätestens seit der Verwandlung der Natur durch den Ackerbau, eher wohl seit den Jagdkulturen angelegt ist. Dieses Denken ist im selben Akt, durch dieselben Wesenszüge, Wahrheit als Sichtbarmachen der Strukturen und tödliche Gefahr. Diese Wahrheit ist zugleich Unwahrheit, denn die als selbstständig vorgestellten Teile, mögen sie atomare Gegenstände oder atomare Funktionseinheiten sein, sind selbst Produkte des Begriffs, sie sind Wirklichkeit, in einem seiner selbst unbewußten Spiegel gespiegelt, sind nicht selbst wirklich. Das Rettende ist mitten in dieser Welt der Greifbarkeiten ungreifbar schon da. Dem Planen zugänglich und darum Pflicht ist das Suchen und Betreten von Wegen in der Gefahr. Das Zutrauen in die Sicherheit durch Planung, der sogenannte pragmatische Optimismus der Planenden, ist ein Mittel, der rettenden Wahrheit den Zutritt zu verwehren. Das Leiden des späten Heidegger an unserer Welt war sein Geschenk an sie. Denn damit wich er ihr nicht aus.

III, 6. Die Zeit und das Eine*

I. Theorie und Praxis

Die Gegenwart erlebt einen Streit der Theoretiker, insbesondere der Gesellschaftstheoretiker über Theorie und Praxis. Die Theorie unserer überlieferten Theorie behauptete einen Vorrang der Theorie vor der Praxis. Man darf sagen, daß demgegenüber die Praxis der neuzeitlichen Praxis unter einem Vorrang der Praxis vor der Theorie stattgefunden hat und noch stattfindet. Jene Theoretiker der Gegenwart behaupten einen Vorrang der Praxis vor der Theorie, eben indem sie einen überwiegenden Teil dessen, was ich im vorangehenden Satz Praxis genannt habe, nicht als Praxis, sondern als bloßes technisches oder pragmatisches Handeln anerkennen. Sie bedienen sich dabei der theoretischen Unterscheidung des Aristoteles, der unter Praxis dasjenige Leben versteht, das seinen Zweck in sich selbst hat, im Unterschied zu dem Machen, der Poiesis, von etwas zu einem außerhalb davon liegenden Zweck, das wir heute gerne Technik nennen. Praxis ist also, modern gesagt, Handeln, das selbst ein Wert ist. Nach Aristoteles aber ist der höchste Wert die reine Anschauung der Wahrheit, die Theorie, die vita contemplativa. Insofern könnte man sagen, daß für ihn Theorie die höchste Praxis ist. Dieses letztere aber bestreiten ihm diese modernen Theorien. Warum?

Ein Zwischenglied in dieser Auseinandersetzung ist die neuzeitliche Naturwissenschaft. Sie hat ihre eigene Theorie – eine weitgehend mathematische – und ihre eigene Praxis – eine weitgehend technische. Sie hat eine Schlüsselrolle in der Neuzeit. Primär durch sie unterscheidet sich die neuzeitlich-abendländische Kultur von allen anderen Kulturen. Ihre Theorie ist insofern praxis- oder technik-orientiert, als sie die experimentelle, oder empirische Bestätigung zum theoretisch valenten Wahrheitskriterium gemacht hat. Ihre Praxis ist insofern theorie-orientiert, als das Ziel der Empirie in der herrschenden

* Private Notiz 1971.

Denkweise der Naturwissenschaftler die Theorie ist. Theorie und Technik (im Sinne nutzbringender Anwendungen) fordern sich in ihr gegenseitig. Das 20. Jahrhundert läßt mit seinen theorieinduzierten Anwendungen die These zu, Theorie sei die radikalste Praxis. Dies ist eine Abwandlung der These des Aristoteles, insofern Radikalität ein Terminus der Weltveränderung, Anschauung ein Terminus der Weltbewahrung ist. Die Träger unserer klassischen Kultur, deren Theoriebegriff von der Kontemplation bestimmt ist, betrachten daher die naturwissenschaftliche Theorie vielfach überhaupt nicht als Theorie, sondern als eine Strategie der Technik; dies steckt hinter C. P. Snows zwei Kulturen. Andererseits haben die großen Theoretiker der Naturwissenschaft sich oft der griechischen Theorie (Platon, Archimedes) sehr nahe gefühlt.

Die heutige theoriekritische Theorie sieht andererseits im überlieferten Theoriebegriff die Verweigerung der Teilnahme an der Weltveränderung. Weltveränderung ist ihr ein zentraler Wert der Praxis. Sie sieht gerade am Modell der Naturwissenschaft im Primat der Theorie eine Ideologie, welche die Abhängigkeit von einer extern gesteuerten, einer interessengebundenen Technik verschleiert. Ihre Anhänger vertreten mit der Forderung des Primats der Praxis ein entscheidend wichtiges Anliegen, das sie aber m. E. bisher weder theoretisch noch praktisch haben adäquat artikulieren können.

Praktisch gesehen sind sie das, als was ich sie in dieser Notiz obstinat bezeichne, nämlich Theoretiker. Soziologisch betrachtet gehören sie zu der Menschengruppe, die unter dem Leitbild der Theorie für die Weitergabe und Anwendung der Theorie geschult und bezahlt werden. Sie wissen selbst am besten, daß sie nicht dadurch frei sind, daß sie ihrer Ketten spotten. Eine dieser Ketten ist der überlieferte Theoriebegriff. Indem sie die sozialtechnische Funktion dieses Theoriebegriffs hervorheben, kommen viele von ihnen zum Programm einer sozialen Revolution. Insofern diese Revolution Programm, also theoretisch gedacht ist und der Weg zu ihrer Verwirklichung eine Strategie erfordert, gibt sie ein Beispiel für die These, Theorie sei die radikalste Praxis. Die neuzeitlichen Revolutionen sind fast durchgehend von Theorien bestimmt und durch Theorien praktisch ermöglicht.

Verstehen diese Theorien sich selbst theoretisch? Ich glaube nicht. Unter Überspringung aller vermittelnden Stufen, die für den realen Vollzug unerläßlich sind, springe ich in dieser Notiz unmittelbar zu dem, was mir als die letzte uns heute gedanklich zugängliche theoretische Entscheidung erscheint.

2. Das Eine und die Zeit

Kontemplation gibt es in zwei wesentlich verschiedenen und doch aufeinander bezogenen Gestalten: als reflektierende und als meditative Kontemplation. Dies berührt sich, ist aber nicht identisch mit dem Unterschied theoretischer und mystischer Kontemplation. Denn Theorie im vollen Sinne, wie Aristoteles sie vor Augen hat, enthält praktisch ebensowohl Meditation wie Reflexion. Theorie ist intellektuelle Anschauung; intellektuell, also durch Reflexion vorangetrieben und kontrolliert, Anschauung, also in meditativer Hingabe an das Angeschaute anzueignen. Mystik ist andererseits eine kontemplative Praxis, die ohne intellektuelle Kontrolle lebensgefährlich ist, in der freilich die intellektuelle Kontrolle mehr den meditativen Vorgang als die Reflexion auf den Inhalt betrifft. Wieso es Reflexion und Meditation überhaupt gibt, wie sie zu definieren wären, was ihre gemeinsame Wurzel und ihr Unterschied ist, und wie sich dann Theorie und Mystik unterscheiden, alle diese Fragen wären einer meditierenden Reflexion vorzulegen, die ich in dieser Notiz nicht versuche. Hier gibt es auch kulturelle Unterschiede. Die abendländische Kultur ist mehr von der Reflexion, die asiatischen Kulturen sind mehr von der Meditation bestimmt. Die Begegnung beider erscheint mir manchmal als das eigentliche weltgeschichtliche Ereignis der gegenwärtigen Jahrhunderte. Aber in dieser Notiz bleibe ich im Rahmen unserer abendländischen Tradition.

In der griechischen Philosophie ist die Theorie bis zum Einen aufgestiegen. Eben dahin führt die mystische Erfahrung. (Daher, um diesen Blick nach Asien doch zu tun, die große Nähe zwischen Platonismus, Buddhismus und Vedanta). Diese Theorie ist spekulativ genötigt, die Darstellung des Einen in einer zyklischen Zeit zu denken. Prinzipieller Fortschrittsglaube wäre in dieser Theologie blasphemisch; er würde leugnen, daß die Welt so gut ist, wie sie sein kann. Es gibt nur Rückkehr einer von der Vollkommenheit abgefallenen Welt zur Vollkommenheit. Die höchste Praxis ist, diese Vollkommenheit zu denken; ihre immer wiederkehrende Herstellung oder Annäherung in der Zeit hängt daran, daß sie geistig angeschaut wird. Theorie ist Heilung der Praxis.

Neben dieser Tradition hat das Abendland die andere, jüdisch-christliche. Diese kennt in der reinen Gestalt des alten Testaments und in wesentlichen Zügen des neuen Testaments weder Theorie noch Mystik, sondern eine Lebenspraxis unter dem gesprochenen Wort des Gottes, dem man sich nicht anschauend nähern kann. Die Zeit dieser Praxis ist nicht zyklisch, sondern zunächst ist sie die natürliche offene Zeit unseres alltäglichen Verständnisses. In der großen, geglaubten Bildersprache wird sie ein Ablauf von der Schöpfung bis zum Kommen des Messias, der Wiederkunft Christi. Glaube ist kein Fürwahrhalten (also unvollkommene Theorie), sondern ein Vertrauen in der Praxis.

Dieser Gegensatz ist, in Wiederaufnahme des gewaltigen Angriffs Luthers auf die griechische Theologie, vor allem von protestantischen Theologen unseres Jahrhunderts scharf betont worden. Sie stehen damit auf der Seite des Primats der Praxis. Aber ich glaube, daß auch sie sich selbst theoretisch nicht verstehen. Sie bleiben Theologen, was ein Begriff griechischer Theorie ist, und versuchen in der Tat, ihre Auffassung in Begriffen auszusprechen. Wie ein Begriff anders als im Verständnis der griechischen Theorie zu begreifen ist, ist völlig ungeklärt. Die moderne Wissenschaftstheorie benutzt die Merkmale, die der Begriff im Rahmen der griechischen Theorie hat, aber ohne diesen Rahmen, und sie entdeckt daher, wo sie redlich und intelligent ausgeführt wird, nur ihre eigenen Selbstwidersprüche. Die neuere deutsche Philosophie von Kant bis Heidegger hat sich um eben dieses Problem bemüht, und was ich hier sage, wäre ohne diese Philosophie unmöglich.

Die Reflexion führt uns bis zum Begriff der offenen Zeit. Vom Einen sind wir dadurch nicht, wie viele Theologen und viele Anhänger des Primats der Praxis meinen, dispensiert. Denn sonst fiele die Wirklichkeit in inkohärente Stücke, in ein begriffloses Funkenchaos auseinander. Picht bezeichnet den

Zusammenhang des Einen mit der Zeit in der Formel der
Einheit der Zeit. In dieser Einheit wird die iterierende Sprechweise der Zeitmodi möglich wie Zukunft der Vergangenheit,
Gegenwart der Zukunft. Was in der Theorie des Einen als
ewige Gegenwart gedacht wurde, findet sich in dieser Einheit
der Zeit abgewandelt. Die Unvergänglichkeit der Idee findet
sich wieder im Nichtvergehen des Vergangenen und der Ermöglichung der Zukunft durch die Gegenwart der Vergangenheit. Die Offenheit der Zukunft macht das Ideenreich zu einem
wachsenden Reich, dessen Positionen zugleich bleiben und
ihren Sinn ändern.

In der realen Geschichte des organischen Lebens kann
Wahrheit zuerst als Anpassung des Verhaltens an die Lebensbedingungen gedacht werden. Insofern ist übrigens »Lebensbedingungen« ein unmittelbar wahrheitsbezogener Begriff.
Dieser Wahrheitsbegriff hat sein Wesen in der Praxis. Die
höheren, d. h. differenzierteren Stufen der Wahrheit sind vor-
stellendes Begreifen, Reflexion und Meditation. In ihnen
kommt die vorgestellte oder angeschaute Wahrheit als theoretische Wahrheit vor, Begreifen, Reflektieren, Meditieren als
Weisen der Praxis. Der naive Gegensatz von Theorie und
Praxis endet hier. Man kann diese Wahrheit nicht mit den
überlieferten Begriffen von Theorie und Praxis erklären; man
kann versuchen, Begriffe von Theorie und Praxis vor dem
Hintergrund dieser Wahrheit zu definieren. Picht versteht das
Denken der Einheit der Zeit selbst als eine höchste, nur von der
Zukunft her mögliche Stufe.

Weltveränderung ist in dieser Denkweise ein unausweichli-
ches Geschehen. Die Welt verändern wollen ist hier nicht
sinnvoll als Protest gegen ein Bewahren, sondern nur als ein
wählendes Wollen in einem Einigwerden mit dem Prozeß, der
durch Bewahren verändert, durch Verändern bewahrt. Dabei
sind radikal konservative und radikal revolutionäre Haltungen gleicherweise möglich, denn der Prozeß vollzieht sich,
wegen der notwendigen Stabilisierungstendenz jeder komplexen Gestalt, notwendigerweise immer wieder in revolutionären Schritten, deren Berechtigung nicht selbstverständlich,
sondern in jedem einzelnen Fall zu erweisen ist. (Bis in die
Wissenschaftsgeschichte hinein, Th. Kuhn).

Der entscheidende Vorgang ist nach meiner Überzeugung die Umgestaltung der religiösen Erfahrung durch die Erkenntnis der offenen Zeit. Die überlieferten Religionen verharren hier teils in einer nicht mehr möglichen Bewahrung eines Begriffs vom Einen und seiner Ordnung, teils in einer Auslieferung ihrer Substanz an das Positive der Geschichte, das, für sich genommen, zum Chaos führt. Ich habe hier soweit geredet, als Reflexion mich heute führt. Ohne Meditation ist die Reflexion vergeblich.

Viertes Kapitel
Theologie und Meditation

IV, 1. Notizen zum Gespräch über Physik und Religion*

Die durchschnittliche Haltung heutiger Physiker zur Religion scheint mir agnostisch, aber offen zu sein. Meinem Eindruck nach sind bewußt antireligiöse Überzeugungen bei Physikern seltener als bei Biologen und viel seltener als bei Soziologen. Dies mag daran liegen, daß die Zeit des Streits mit der Kirche bei der Physik historisch schon am weitesten zurückliegt. Es fragt sich, was diese geschichtliche Abfolge bedeuten mag.

Freud spricht (»Eine Schwierigkeit der Analyse«, 1917) von den drei Kränkungen des menschlichen Selbstbewußtseins durch Kopernikus, Darwin und die Psychoanalyse. Wir hatten zu lernen, daß unser Ort in der Welt nicht deren Mitte ist, daß die anderen Geschöpfe unsere Brüder sind, und daß »das Ich nicht Herr im Hause« ist. Die dritte Kränkung ist die tiefste. Lösen wir diese Beobachtung aus dem besonderen Zusammenhang mit der Psychoanalyse, so ließe sich sagen: die ernüchternde Selbsterkenntnis durch die Wissenschaft rückt immer näher auf den Personkern des Menschen vor.

Daß diese fortschreitende Ernüchterung einen fortschreitenden Konflikt mit der Religion bedeute, muß man aber nur dann folgern, wenn man in der Religion von vornherein einen Repräsentanten der Selbstherrlichkeit des menschlichen Ich sieht. Man könnte umgekehrt in der Ernüchterung über das Ich eine Annäherung an den Kern religiöser Erfahrung sehen. Sollte Religion uns nicht demütig machen? Aber die wissenschaftliche Ernüchterung ist bisher inhaltlich nicht religiös, und das Ich findet die Kompensation der Kränkung darin, sich selbst als Träger der Erkenntnis zu fühlen.

Die Physik hat aber einen doppelt positiven Zugang, zum mindesten zur religiösen Frage. Der eine Zugang mag an Ge-

---

* Verfaßt 1976 für das Interdisziplinäre Seminar der Universität München als Diskussionsbeitrag zur Sitzung über Physik einer Seminarreihe über Wissenschaft und Religion.

stalten wie Kepler verdeutlicht werden. In den mathematischen Gesetzen der Natur enthüllt sich eine ungeahnte Herrlichkeit. Kepler interpretierte diese vielen Physikern gemeinsame Erfahrung in christlichem Platonismus. Die Welt ist nach
Gottes Schöpfungsgedanken, d. h. in mathematischer Harmonie, gebaut. Der Mensch, nach Gottes Bilde geschaffen, vermag diese Gedanken nachzudenken. Naturwissenschaft ist
Gottesdienst.

Den anderen Zugang hat die Physik des ersten Drittels unseres Jahrhunderts eröffnet. Das Weltbild der klassischen Physik war objektivistisch, deterministisch; das Bewußtsein stand
außerhalb der so beschriebenen Natur. Die Quantentheorie ist
nur interpretierbar, wenn man die Bezogenheit der objektivierenden Naturbeschreibung auf den Beobachter explizit be-
rücksichtigt. So wurde die primitive Ontologie der klassischen
Naturwissenschaft erschüttert. Philosophische Fragen wurden
eröffnet, die noch nicht beantwortet sind.

Die Beendigung des Streits zwischen Physik und Kirche (die
»Revision des Galilei-Prozesses«) scheint mir nicht das Wichtigste der heutigen Situation. Naturwissenschaftler und Christen können einander einen wichtigeren Dienst tun, wenn sie
einander kritische Fragen stellen.

Christen müssen die Naturwissenschaftler fragen, ob das,
was sie der Welt antun, nicht vielleicht objektiv verbrecherisch
ist (Weltzerstörung durch Folgen objektivierender Erkenntnis). Fragen, nicht anklagen. Nur die Selbstanklage eröffnet die
Quellen der Gnade; gegen eine fremde Anklage kann und darf
man sich verteidigen. Objektiv, nicht subjektiv verbrecherisch;
die erlösende Erfahrung der Sünde beginnt, wo wir uns mit
unserem Handeln identifizieren lernen, obwohl die subjektive
Intention nicht böse war. Eine durch diese Erfahrung hin-
durchgegangene Wissenschaft könnte zu sich selbst finden;
eine gegen diese Erfahrung abgeschirmte Wissenschaft wird
objektiv böse.

Naturwissenschaftler müssen die Christen fragen, ob sie das
moderne Bewußtsein vollzogen haben. In der protestantischen
Theologie der letzten zwanzig Jahre ist sehr viel von diesem
Vollzug nachgeholt worden. Hier wurde zum Teil das moderne Bewußtsein zu simpel als Wahrheit akzeptiert. Aber als

Abbau einer unhaltbaren (und durch Angst bedingten) kirchlichen Selbstbehauptung war der Vorgang notwendig. Vielleicht gilt für die notwendige Erfahrung der Kirche mutatis mutandis dasselbe wie für die notwendige Erfahrung der Wissenschaft. Es ist keine Schande und keine Gefährdung, zuzugeben, daß die gedanklichen Probleme zwischen religiöser Wahrheit und modernem Bewußtsein ungelöst sind.

IV, 2. Bergpredigt, Altes Testament
und modernes Bewußtsein*

Sie fragen mich, ob ich die Bibel lese, und was mir diese Lektüre
bedeutet.

Ich glaube, ich sollte zuerst sagen, daß mir als Kind, ich war
etwa elf Jahre alt, die Bibel zu etwas sehr Wichtigem geworden
ist. Ich hatte ein kleines Neues Testament geschenkt bekommen und habe angefangen darin zu lesen. So bin ich an die
Bergpredigt geraten. Ich wuchs in einer liberalen, aber christ-
lich-frommen Familie auf und glaubte also, daß, was in diesem
Text steht, wahr ist. Und das hat mich dann ungeheuer erschreckt. Denn ich mußte die Folgerung ziehen: wenn das, was
da steht, wahr ist, dann ist mein Leben falsch. Dann ist das
Leben, das in meiner Umwelt geführt wird, auch falsch. Woran
in unserer Welt soll ich mich dann orientieren?

Darf ich von einer eher spaßhaften Seite her beginnen? Ich
war ein sehr sprechlustiger Bub, und da stand nun: Deine Rede
sei Ja, Ja, Nein, Nein, und was darüber ist, das ist vom Übel.
Ich verstand gar nicht, daß sich dieser Passus auf das Schwören
bezog, und dachte nur: Um Gottes willen, wie kann ich rechtfertigen, daß ich so viel rede? In Wirklichkeit heißt diese Stelle
ja wohl: Du sollst nicht eine feierliche Form wählen, wenn du
die Wahrheit sagen willst, und sonst darfst du lügen; sondern
das Wahrheitsgebot gilt jeden Augenblick im Alltag. Dann,
wenn es hieß: Euch ist gesagt, ihr sollt nicht ehebrechen, aber
wer ein Weib ansieht, ihrer zu begehren, der hat schon in

---

* Frei gesprochener Beitrag zu einer Sendereihe des Süddeutschen Rundfunks
1974. Veröffentlicht in H. J. Schultz (Hrsg.) »Sie werden lachen – die Bibel.
Überraschungen mit dem Buch«. Stuttgart-Berlin, Kreuz-Verlag 1975. Der
Text wurde für den Druck nach der Tonbandnachschrift nur soweit redigiert,
daß er der Grammatik der geschriebenen Rede angepaßt ist, aber die spontane
Anrede an den Hörer erkennbar bleibt. In diesem Beitrag habe ich vielfach
nach dem Gedächtnis aus der kurz vorher geschriebenen »Selbstdarstellung«
zitiert, die am Schluß dieses Buches abgedruckt ist; der Leser möge die dadurch
bedingten Wiederholungen entschuldigen.

seinem Herzen mit ihr die Ehe gebrochen – das habe ich damals nicht kapiert. Aber ich konnte sehr gut begreifen, daß da stand: »Euch ist gesagt, du sollst nicht töten. Ich aber sage euch, wer seinem Bruder zürnt, der ist selbst schon des Gerichts schuldig.«

Als ich ein Kind war, war Krieg. Meine erste Erinnerung ist, daß die Männer im Krieg sind. Es war ein paar Jahre nach dem Ersten Weltkrieg, als ich die Bergpredigt las. Damals sollte ich einmal einen Aufsatz über meine Berufswahl schreiben. Ich schrieb darin: »Es gibt sehr viele Berufe, die ich wählen könnte; am liebsten würde ich Astronom. Es gibt aber auch einige Berufe, die ich nicht ergreifen möchte. Ich möchte zum Beispiel nicht Soldat werden, denn ich möchte niemanden töten.« Meine Mutter, die aus einer Offiziersfamilie stammt, las das und war darüber sehr erschüttert. Sie versuchte mir klarzumachen, daß man doch als Soldat sein Vaterland verteidigt – man sagte ja damals noch Vaterland – und das heißt, seine Mitmenschen rettet. Ich kam in einen großen Konflikt, denn ich hatte kein Bedürfnis, Streit zu haben mit meiner Mutter, aber da stand es doch. Ich habe damals bis zu Tränen verteidigt, daß man den Kriegsdienst verweigern müsse. Nun, das war eine kindliche Reaktion auf einen Text. Aber der Text übersteigt ja das, was jeder leisten kann. Wenn ich ihn heute als über Sechzigjähriger lese, geht es mir ganz genau so. Weder damals noch jemals in der Zwischenzeit noch heute habe ich die Ausflucht wählen können, der Text sei nicht wahr. Dieser Text ist offensichtlich wahr.

So bin ich an die Bibel gekommen, und das genügt eigentlich als Antwort. Ich könnte jetzt schon aufhören zu reden. Aber vielleicht sollte ich mehr sagen. Man wird ja auch älter, man wird aufgeklärt und rational und überlegt sich vieles dabei. Ich erinnere mich sehr gut, wie ich als Fünfzehnjähriger plötzlich entdeckte – und das erschütterte mich sehr – daß ich an meinen Kinderglauben nicht mehr gebunden war. Ich habe mich seitdem gewundert, daß es Intellektuelle gibt, die dieses Erlebnis nicht durchgemacht haben, für die die Freiheit vom Kinderglauben nicht konstitutiv geworden ist.

Ich wurde vom Kinderglauben nicht dadurch gelöst, daß ich Naturwissenschaftler war. Freilich war ich das. Aber daß das

Weltbild der Bibel nicht dasselbe ist wie das der modernen
Naturwissenschaft, und die Wundererzählungen und dergleichen, das hat mich alles nicht sehr gestört. Wenn ich es an den
Wundern erläutern soll: Da wird eine Wunderheilung berichtet, und dann lerne ich, daß es psychosomatische Medizin gibt.
Das könnte doch so zugegangen sein, daß ein ungewöhnlicher
Mensch eine ungewöhnliche Heilung vollbracht hat. Warum
soll das überhaupt der Naturwissenschaft widersprechen? Außerdem weiß ich doch: es gibt die Psychologie der Zeugenaussage, und dieses Wunder ist lang weitererzählt worden; wie
mag das wirklich gewesen sein? Ich hatte insbesondere das
Gefühl, es sei nicht besonders fromm, zu meinen, Gott sei nur
dort wirksam, wo er die Naturgesetze durchbricht. Ich fand,
wenn man fromm ist, dann glaubt man, daß er in den Naturgesetzen schon wirkt.

Das also war nicht mein Problem, hingegen kam das Problem aus dem geisteswissenschaftlichen, dem historistischen
Argument: Ich bin in der lutherischen Kirche getauft und
aufgewachsen. Ich hatte katholische Freunde. Das Faktum,
daß ich zufällig Lutheraner bin, ist doch überhaupt kein Argument dafür, daß die Katholiken unrecht haben. Ich bin als
Christ getauft, als Christ aufgezogen. Das Faktum, daß ich,
weil ich in Europa geboren bin, Christ bin, besagt nicht das
geringste darüber, daß das Christentum eher rechthabe als der
Buddhismus oder als der Hinduismus, von dem ich erst später
etwas zu verstehen begann. Ich bin in einer religiösen Tradition
aufgewachsen. Das heißt: solange ich an Autoritäten gebunden bin, weil es die Autoritäten sind, in deren Schatten ich
zufällig aufgewachsen bin, hat das mit der Wahrheitsfrage
nichts zu tun. Ich habe also die Wahrheitsfrage gestellt. Ich
konnte, ich durfte nur noch das glauben, was ich selbst erfahren hatte. Zum Erfahren gehört auch, daß ich, wenn ich den
Text der Bergpredigt las und mich fragte: »Kannst du meinen,
das sei nicht wahr?«, antworten mußte: »Nein, das kann ich
nicht meinen.«

Ich habe zuerst geschildert, wie ich als Kind reagiert habe,
wie eben Kinder, die in einer religiösen Tradition aufgewachsen sind, zunächst reagieren. Da war die Bibel das Wort Gottes, und sie war wahr, weil sie das Wort Gottes war. Dann war

ich ein moderner Mensch und hatte Naturwissenschaft und Geschichte gelernt, und nun sah ich, daß viele Sachen in der Bibel stehen, die faktisch gar nicht stimmen. Auf einmal war ich von diesen gar nicht mehr betroffen, außer eben bei so durchschlagend wahren Texten wie der Bergpredigt. Und dann, als längst Erwachsener, lernte ich auch die anderen Texte mit modernen Augen des Verständnisses lesen. Im Alten Testament ist eine unendliche Fülle von Geschichten erzählt. Was bedeuten die? Hier danke ich nun der alttestamentlichen Wissenschaft. Persönlich habe ich Kontakt gehabt mit Gerhard von Rad, mit Walter Zimmerli in Göttingen. Ich habe auch die Interpretation des Alten Testaments durch einen Mann wie Martin Buber kennengelernt. Aber zunächst danke ich der soliden philologischen Wissenschaft, die dieses alte Buch aufschließt als eine Quelle wie andere Quellen auch. Da tut sich eine Entdeckung auf. Ich bin nichts mehr zu glauben verpflichtet. Ich stelle fest: da ist 900 Jahre vor Christus etwas geschrieben worden über Ereignisse, die damals schon 100 Jahre zurücklagen, das ist eine Quelle, die man mit aller Vorsicht der Quellenkritik betrachten muß. Aber die erzählten Ereignisse, das sind ja großartige Ereignisse.

Ich habe z. B. von den Theologen gelernt, die Bücher Samuel zu lesen. Das sind im wesentlichen die Geschichten über David, ehe er König war, als er jung war, und die Geschichten über den König David, als er alt war und seine verschiedenen Söhne von seinen verschiedenen Frauen darum intrigierten, wer sein Nachfolger werden würde. Ich kann jedem, der das, was ich jetzt sage, hört, nur raten, seine Bibel zur Hand zu nehmen und diese Bücher zu lesen. Wenn man theologischer Laie ist, ist es am besten, noch eine kommentierte Ausgabe zur Hand zu nehmen, z. B. aus der Reihe »Altes Testament Deutsch«, damit man ein paar Erläuterungen bekommt; sonst stößt man sich vielleicht daran, daß plötzlich ein Mirakel erzählt wird, oder daß ein schwacher Text mitten zwischen starken Texten steht. Ich gestehe, ich kann auch heute die Geschichte im Grunde nicht ohne Tränen lesen, wie der alte König David den von ihm geliebten Sohn im Krieg bekämpfen muß, weil er nach seiner Krone getrachtet hat, und dann befiehlt, man solle den Knaben Absalom schonen, und er wird umgebracht aus Staatsräson.

So menschlich wie das erzählt ist – ich glaube es gibt überhaupt keine besseren Erzähler in der Weltliteratur. Gerhard von Rad hat zudem einmal in einer sehr schönen Besprechung über den Josephsroman von Thomas Mann geschrieben: Gewiß, das ist ein großes Buch, das von Thomas Mann. Es stellt auf wunderbare Weise für moderne Menschen die vergangene Welt des Mythos dar. Es unterscheidet sich aber von seinem Vorbild, der Josephs-Erzählung, der Josephsnovelle aus dem Buche Genesis, dadurch, daß diese biblische Josephs-Erzählung allerdings radikal unmythisch ist. Diese alte Erzählung ist gleichsam vollmodernes Bewußtsein. Was heißt hier modernes Bewußtsein? Wenigstens, daß in der alten Erzählung nichts geschieht, weil der Mythos das so fordert, sondern weil Menschen so handeln, wie Menschen eben handeln.

Dann gibt es im Alten Testament die prophetischen Schriften. Da gibt es den Propheten Amos, der als Bauer vom Feld kommt in die Zentrale der religiösen Begehungen, nach Bethel. Er sagt der Festversammlung dort verwirrende Sprüche. Zuerst ruft er die Strafe Gottes auf alle ihre Nachbarvölker herab für das Unrecht, das sie getan haben und tun, und zum Schluß ruft er die größte und eigentliche Strafe herab auf sein eigenes Volk. Denn Gott will von euch nicht Opfer, er will, daß ihr den Armen helft. Das ist gewiß eine ferne Kultur, das können uns die Gelehrten deutlich machen. Aber zugleich ist es genau in unserer Zeit. Uns geht es an.

So habe ich die Bibel lesen gelernt, endlich freigeworden von dem, wovon die heutige jüngere Generation vielleicht von selber frei ist, von dem Ballast der traditionellen Autorität dieses Buches. Dann habe ich von meinen alttestamentlichen Freunden auch gelernt, daß die Schöpfungsgeschichte der Bibel eine Antwort auf babylonische Weltentstehungsmythen ist, und daß sie eigentlich ein Vorklang der Rationalität ist, ein Vorklang des Erkennens der großartigen Ordnung der Welt. Deshalb die sechs Schöpfungstage: alles ist gezählt und hat seinen Platz. Die Tiere sind »je nach ihren Arten« von Gott gemacht. Darüber könnte man viel sagen, das lasse ich heute beiseite.

Ich bin dann einmal, nach dem Zweiten Weltkrieg, in Amerika mit einer Menschengruppe zusammengetroffen, die mir einen tiefen Eindruck gemacht hat. Das waren die Quäker. Ich bin selber kein Quäker geworden; vielleicht ist das Hin- überwechseln von einer Stelle zur andern nicht das, was von uns verlangt ist. Aber sie haben mir einen tiefen Eindruck gemacht. Hier lernte ich zum erstenmal eine Gruppe von Men- schen kennen, die an die Bergpredigt glaubt. Die Kirche glaubt die Bergpredigt ja normalerweise nicht, sondern sie erklärt sie weg. Bei diesen Leuten zeigte sich, daß man so leben kann, mindestens wie man die Bergpredigt versteht. Mein Freund Douglas Steere, Professor an der Quäker-Universität in Haver- ford, sagte mit leiser Stimme – denn so etwas kann man nicht laut verkünden – er zitierte einen Spruch, ich weiß nicht woher er stammt: Ein Christ ist drei Dinge, ich will es zuerst englisch sagen: he is three things, he is immensely happy, he is absolute- ly fearless, and he is always in trouble; grenzenlos glücklich, absolut furchtlos, und immer in Schwierigkeiten. Ich habe sofort gesehen, daß ich nicht furchtlos genug war, um so in Schwierigkeiten und so glücklich zu sein, aber ich habe gese- hen, wie das Glück ausstrahlt, das es bedeutet, das was man glaubt, auch zu tun.

Die Quäker haben natürlich die Welt nicht gerettet. Sie werden den nächsten Krieg nicht verhindern, und die Leute, die ihn durch Militärmacht verhindern wollen, werden ihn nicht nur nicht verhindern, sondern sie werden ihn führen. Und das Problem, wie man denn die Ordnung in der Welt menschlich machen kann, ist allein mit dem Gehorsam gegen die Texte und gegen die innere Stimme, den die Quäker haben, noch nicht gelöst. Hier ist eine rationale Arbeit und eine politi- sche Organisation nötig, und die modernen Quäker wissen das gut. Das ist ein weites Feld, davon spreche ich heute nicht.

Ich möchte aber auf dem Überlegungsstand, den ich jetzt anzudeuten versucht habe, noch einmal auf den Inhalt der Bergpredigt zurückkommen. Daß sie immer wieder Menschen so getroffen hat, wie eben auch die Quäker von ihr getroffen worden sind, das ist historisch wahr. Aber was bedeutet das, wenn man es mit einem modernen Bewußtsein auseinander- nimmt? Ich kann einem modernen Menschen im allgemeinen nicht ohne weiteres die Texte vorlegen und sagen: hör zu, das ist wahr. Leichter sage ich: sieh zu, das hat einmal jemand gesagt. Freilich kann ich zu den Hindus oder zu den Buddhisten gehen und ihnen diese Texte zeigen. Dann sagen sie: »Ja, das wissen wir, das ist wahr, das lehren wir auch.« Da ist nichts, was die schreckliche Vorstellung der christlichen Kirche stützt, sie sei im Alleinbesitz der Wahrheit. Im Gegenteil, dieser Text macht die Stärke des Christentums in der ganzen Welt aus, weil diejenigen, die davon überhaupt berührt werden können, wissen: hier ist auch Wahrheit, und diese Wahrheit nicht zu leugnen. Aber was bedeutet diese Wahrheit? Wahrscheinlich kann ich von einem wirklichen Buddhisten, einem wirklichen Hindu, wohl auch von einem wirklichen Moslem leichter das Zugeständnis erhalten, daß hier Wahrheit ist; aber was bedeutet diese Wahrheit für das moderne, aufgeklärte Bewußtsein?

Man kann versuchen, in der Bergpredigt drei »Schichten« zu unterscheiden. Die erste ist die Allgemeingültigkeit der Ethik, der kategorische Imperativ. Die zweite ist, daß die Ethik in der Gesinnung liegt, und nicht im äußeren Handeln. Die dritte ist der Indikativ der Seligpreisungen, im Unterschied zum Imperativ der Gebote.

Das Erste: die goldene Regel. »Was du nicht willst, daß man dir tu'«, so sagen wir im Knittelvers, »das füg auch keinem andern zu!« Das steht in der Bergpredigt. Es steht nicht nur in der Bergpredigt, sondern in einer langen Reihe von klassischen ethischen und religiösen Texten, und das ist es, was niemand leugnen kann. Geheimnisvollerweise bringt man nicht zustande, das ehrlich zu leugnen. Man handelt zwar immer dagegen, aber man kann, wenn man es einmal mit dem Herzen gehört hat, nicht mehr ehrlich sagen es sei nicht wahr. Dies ist in der Bergpredigt dann allerdings radikalisiert: »Wenn dir einer einen Streich gibt auf die rechte Backe, so biete ihm auch die linke.« Das tun wir natürlich noch viel weniger. Und die Frage ist, ob das eigentlich nötig ist. Darauf komme ich gleich zurück.

Die allgemeine Ethik, die Ethik des allgemeinen Gebots, das allen Menschen so zu handeln befiehlt, wie sie selbst behandelt sein wollen, diese Ethik ist auch ohne Religion, außerhalb des religiösen Zusammenhangs, sehr wohl denkbar. Ihre größte Formulierung, die mir bekannt geworden ist, stammt von

Kant: »Handle so, daß die Maxime deines Handelns jederzeit Prinzip einer allgemeinen Gesetzgebung werden könne«. Da ist nicht dieses oder jenes Gebot gefordert, sondern gefordert ist, daß das Gebot ein Gebot soll sein können, das heißt, daß man es an jeden richten kann. Das ist eine rationale, eine vernünftige Durchüberlegung der Bedingungen der Existenz der Gesellschaft. Eine menschliche Gesellschaft kann existieren, wenn ihre Glieder so handeln. Handeln sie nicht so, so müssen sie unlösbare Konflikte erzeugen. Und da in der Geschichte meist nicht so gehandelt wird, ist die Geschichte eine Kette unlösbarer Konflikte. Und man kann sehen, daß die Konflikte nicht nötig wären. Das ist alles schlichte Vernunft. In der Bergpredigt ist es nicht mit solch rationaler Argumentation gesagt, aber weil es so ist, so glaube ich, kann man sich ihr nicht entziehen.

Das Zweite: die Gesinnung. Fangen wir mit den überzogen scheinenden Beispielen an. Warum das mit der rechten und der linken Backe? Muß das sein? Das ist nun zunächst nicht so einfach eine Ethik der Selbsterniedrigung. Man könnte ebensogut sagen, es sei eine Ethik des Stolzes: wenn du mich so treffen willst, triff mich auch auf der anderen Backe; so triffst du mich nicht. Aber das ist noch äußerlich. Das Wesentliche läßt sich an den Beispielen ablesen, die ich eingangs zitiert habe. Du sollst nicht töten. Das ist längst gesagt und ist ein Teil der allgemeinen Ethik, denn willst du, daß man dich tötet? Aber du sollst nicht nur nicht töten, du sollst nicht töten wollen. Du sollst nicht in dir den Impuls zulassen, der, wenn du ihm folgtest, töten würde. Das ist nun genauso unwidersprechlich. Kant hat das wiederum wunderbar gesagt: Es gibt nichts in der Welt, was ohne jede Einschränkung gut genannt werden kann, als allein ein guter Wille. Der gute Wille ist gefordert. Auch dieser Forderung kann man sich nicht entziehen, und ich glaube, alle Feststellungen, es sei nicht gefordert, denn es stehe nicht in unserer Macht, sind Heuchelei.

Das Dritte: die Seligpreisungen. Es scheint zunächst nicht, daß diese Ethik zur Seligkeit führe. Der Kern der Sache ist mit ihr allein noch nicht erreicht. Lese ich diese Ethik in ihrer unwidersprechlichen Strenge, so kann ich ja nur an mir verzweifeln. Ich muß feststellen, daß ich nicht vollziehe, was ich

doch anerkenne. Friede in der Gesellschaft ist nur möglich
gemäß dem äußeren Imperativ. Reifung der Persönlichkeit ist
nur möglich, wo die Person den inneren Imperativ, den Imperativ der Gesinnung für sich als gültig anerkennt. Aber wie
führt dies zur Reifung? Das Freiwerden von den Folgen meiner
Fehler – auch das Freiwerden von den Folgen der Traumata
die mir andere angetan haben – diese Befreiung geschieht,
wenn sie überhaupt geschieht, nur wenn ich meine Fehler als
meine Fehler anerkenne und mich eben damit von ihnen unterscheide, sie als Schuld auf mich nehme. Die Befreiung beginnt
mit dem Anerkenntnis: ich könnte anders und daß ich nicht
anders gehandelt habe liegt an mir. Wenn ich das nicht zu
bekennen vermag, dann bleibt der Fehler mit seinen unvermeidlichen Konsequenzen an mir haften. Dann bin ich mit dem
Fehler identifiziert und trage die unweigerlichen Folgen. Ich
glaube, der gesamte Konflikt der Menschen mit sich selbst, den
sie dann immer nach außen projizieren, und der macht, daß sie
voller Aggressionen gegenüber Dritten sind, daß sie die Gesellschaft und ich weiß nicht wen sonst beschuldigen, dieser Konflikt beruht darauf, daß man an irgendeiner Stelle eine offensichtliche Schuld nicht auf sich genommen hat. Aber wenn ich
sie auf mich nehme, muß ich dann nicht verzweifeln?

Darauf ist die Antwort das, was am ersten Anfang der
Bergpredigt steht, das sind die Seligpreisungen im Indikativ.
Da wird nicht gesagt: »du sollst«, da wird auch nicht gesagt:
»du kannst, denn du sollst«, was nur als beleidigend empfunden werden kann, sondern da wird gesagt: »Selig bist du, wenn
du den Frieden machst, dann wirst du ein Sohn Gottes heißen.
Selig bist du, wenn du verlangst, wenn du bettelst nach dem
Geist. Dies dein Verlangen wird erfüllt werden.« Eigentlich
muß es sogar nicht im Futurum gesagt werden, sondern im
Präsens. Denn in dem Augenblick, in dem es uns erfüllt wird,
entdecken wir, daß es immer erfüllt war und wir es nur nicht
gesehen haben.

Die Erfahrung, die in diesem Indikativ ausgesprochen wird,
ist der eigentliche Kern. Sie ist das, was macht, daß – wenn ich
geläufige und doch mißverständliche Begriffe gebrauchen
darf – wovon hier die Rede ist, nicht Moral ist, sondern Religion. Es gibt ja einen tiefen Gegensatz zwischen reiner Moral

und Religion. Die Moral, die den Trost dieses Indikativs der Seligkeit nicht hat, muß fordern bis zum Unmenschlichen, oder sie belügt sich selbst. Nur der, der das Geschenk bekommt, den andern und sich lieben zu können, kann eigentlich die moralische Forderung an eine Stelle setzen, wo sie lebendig macht und nicht tötet. Der rein Moralische kann ja sich nicht lieben, er haßt ja sich, gerade weil er an sich gebunden bleibt, und deshalb muß er von den Anderen das Unerfüllbare verlangen, denn er kann nun auch sie nicht lieben. Das scheint mir in der Bergpredigt gewußt. Das ist es, was meine Hindu-Freunde oder meine buddhistischen Freunde anspricht, so daß sie sagen: Jesus war ein Wissender. Er war eine Inkarnation des Göttlichen. Wie hätte er so sprechen können, wenn er das nicht gewußt hätte. An dieser Stelle kann ich kein Bedürfnis haben, diese Freunde noch zum Christentum zu bekehren. Wozu sollte das dienen?

IV, 3. Gedanken eines Nichttheologen zur theologischen Entwicklung Dietrich Bonhoeffers*

Dietrich Bonhoeffer war ein politischer Glaubenszeuge. Durch Leben und Wort bekundete er den christlichen Glauben gegen den deutschen Nationalsozialismus. Im zweiten Weltkrieg verband er sich dem Kreis des geheimen Widerstands innerhalb der deutschen Führungsschicht, der schließlich das Attentat auf Hitlers Leben am 20. Juli 1944 ausführte; und wie viele Andere dieses Kreises wurde er von der nationalsozialistischen Justiz hingerichtet.

Bonhoeffer war ein hochbegabter, gewissenhafter, unbeirrt gedanklich weiterschreitender Theologe. Der Stationenweg seiner theologischen Entwicklung hat in den dreißig Jahren seit seinem Tode in der deutschsprachigen und in der ökumenischen Theologie eine große Wirkung ausgeübt. Wo stände er, wenn er heute, siebzigjährig, sichtbar unter uns lebte? Jedenfalls studieren wir seine Theologie, weil sie unsere eigenen Probleme betrifft.

Der gegenwärtige Vortrag ist der Vortrag eines Nichttheologen über Bonhoeffers theologische Entwicklung. Das Wort »Nichttheologe« bezeichnet hier nicht nur ein Glied der Kirche, das keine schulmäßige theologische Ausbildung und kein theologisches Amt hat. Es bezeichnet insbesondere jemanden, dessen gedankliche Arbeit vorwiegend in Gebieten geschieht, welche die christliche Theologie, wie wir sie kennen, als außerhalb ihrer selbst liegend betrachtet: Naturwissenschaft, Philo-

---

* Vortrag, gehalten in Genf im Februar 1976 in einem Symposium anläßlich des 70. Geburtstags von Dietrich Bonhoeffer. Gedruckt u. a. Hans Pfeifer (Hrsg.), Genf 1976, »Ein Bonhoeffer Symposium«, München, Chr. Kaiser, 1976. Dort schließt sich die Niederschrift einer ausführlichen Diskussion zu dem Vortrag an, auf die ich den Leser dieses Buchs ausdrücklich hinweisen möchte, da ich dort in vielen Punkten zur Verdeutlichung von im Vortrag nur knapp angedeuteten Gedanken genötigt wurde. Nur wegen ihres zu großen Umfangs habe ich diese Niederschrift nicht in dieses Buch aufgenommen.

sophie, langfristige Politik. Von meinen Kenntnissen aus kann und will ich nicht vermeiden, die christliche Theologie und die Kirche selbst, die meine Heimat ist, dem Anschein nach von außen in ihrer vollen kulturellen Bedingtheit zu sehen. Ich glaube, daß diese Sichtweise zu dem gehört, was in Bonhoeffers letzter Phase unter dem etwas mißverständlichen Titel »religionsloses Christentum« als Möglichkeit in seinen Blick getreten ist. Für die vielleicht unbefangenere Sichtweise bezahle ich mit dem Mangel breiter theologischer Kenntnisse; ich bitte um Korrektur im morgigen Seminar, wenn ich Gedanken falsch zugeordnet und Wesentliches übersehen haben sollte. Leider bin ich, obwohl ich aus demselben sozialen Milieu stamme, Dietrich Bonhoeffer, dem nur um 6 Jahre Älteren, nie persönlich begegnet. Viele seiner Angehörigen und Freunde habe ich, meist freilich erst nach dem Kriege, kennengelernt. Meine hauptsächliche Quelle für den heutigen Vortrag ist, neben Bonhoeffers eigenen Schriften, Eberhard Bethges große Biographie.

Der Vortrag wird in zweimal zwei Teile zerfallen. Ich will zuerst von Bonhoeffers Voraussetzungen, dann von seiner theologischen Entwicklung sprechen. Jeder dieser beiden Teile wird aus einer ersten, mehr referierenden, und einer zweiten, reflektierenden Hälfte bestehen.

I.

Bonhoeffers Voraussetzungen, die Einflüsse, die ihn geprägt haben, seien unter vier Titeln locker zusammengefaßt: Elternhaus, Harnack, Barth, Ökumene.

Dietrich Bonhoeffer war einer jener homines religiosi, deren Entscheidung, das eigene Leben in den Dienst Gottes zu stellen, früh in der Kindheit gefallen ist, jenseits dessen, was das Auge eines Mitmenschen hat wahrnehmen können. In der großbürgerlichen liberalen Gelehrtenfamilie gab es auch theologische Ahnen; das wohlgeordnet freie Familienleben kannte noch das Abendgebet der Kinder, jedoch nicht mehr den sonntäglichen Kirchgang. Im Kreis der acht Geschwister erschien der feststehende Entschluß des jüngsten Bruders, Pfarrer zu werden, eher ungewöhnlich und nicht ganz verständlich. Ein Kind kann, unbeschadet seiner kindlich-natürlichen Entwicklung, ein

schweigsames und intensives Leben mit Gott haben, für das
ihm die Umwelt nur die kulturell geprägten Formen bietet, in
welchen es sich seine innere Erfahrung auslegen und ausbilden
kann. Es scheint mir, daß Dietrich Bonhoeffers Lebensquelle
bis zu seinem Tode eine solche in der Kindheit eröffnete und
vielleicht nie einem Menschen gegenüber voll ausgesprochene
Erfahrung war.

Was das Elternhaus ihm für seinen späteren gedanklichen
Weg mitgab, war etwas Anderes: modernes Bewußtsein in der
Gestalt der Tradition. Modernes Bewußtsein: Die beherr-
schende Gestalt der Familie bis zuletzt war der Vater, der
Psychiater der Universität Berlin, naturwissenschaftlich ge-
prägter Mediziner. Unverwechselbar in seinen schriftlichen
Äußerungen ist der kluge, behutsame, selbstkritische und dabei so sichere Stil dieses Mannes. Dazu der älteste Bruder
Karl-Friedrich, der führende Physikochemiker Deutschlands
in seiner Generation, und die Welt liberaler rechtsstaatlicher
Politik bei den Juristen des Geschwisterkreises, dem Bruder
Klaus, den Schwägern Schleicher, Dohnanyi, Leibholz. Unter
den Theologen unseres Jahrhunderts haben manche das moderne Bewußtsein nie vollständig in sich aufgenommen; andere mußten es sich durch einen Bruch mit ihrer Tradition, also
vermutlich leidvoll, überspannt und eben darum noch fragmentarisch erringen; noch andere, jüngere, haben eigentliche
geistige Tradition vielleicht in der Kindheit gar nicht kennengelernt, sondern sind in der um eine Dimension verkürzten
Selbstzufriedenheit des Säkularismus aufgewachsen und begegneten unserer Tradition später, fast wie einer fremden Kultur. Dietrich Bonhoeffer erlebte und brauchte nie einen Bruch
mit dem Elternhaus, und eben in dieser Ungebrochenheit war
ihm modernes Denken geläufig.

Die Wahl der religiösen Lebensform für den Sohn eines
bürgerlichen, akademischen, protestantischen Hauses bedeutete das Studium der Theologie. Den ersten unter den theologischen Einflüssen, die ihn empfingen, habe ich verkürzend
durch *einen* Namen, den Namen Harnack angedeutet. Adolf v.
Harnack, Berliner Kollege des Vaters, Grunewalder Haus-
nachbar der Familie, war der berühmteste und wohl bedeutendste unter Bonhoeffers persönlichen theologischen Leh-

rern. Sein Name steht hier für die Welt der gelehrten Theologie im Sinne historisch-philologischer Forschung. Dieses Forschen, biblische Textkritik, kritische Kirchengeschichte, Sehenlernen der kirchlichen Tradition im Rahmen profaner Geschichtsschreibung, war das Geschenk des modernen Bewußtseins an die theologische Arbeit. Die dogmatische Position dieser Schule trägt in der theologischen Tradition den Namen »liberal«. In der Tat befreite die rationale Analyse der Vergangenheit das Denken von der Normativität des Positiven, von der Last, Gesagtes glauben zu müssen, nur weil es gesagt war. Harnacks Dogmengeschichte lehrte die klassischen christlichen Dogmen als Lösungsformeln von Debatten verstehen, die gewiß durch frühkirchliche Überlieferung ausgelöst, aber nur in der Sprache der griechischen Philosophie als der Begrifflichkeit der spätantiken Kultur vollziehbar waren.

Bonhoeffer nahm die Aufgeklärtheit dieser Theologie als selbstverständliches Bildungsgut mit großem rezeptivem Fleiß in sich auf. Sein eigenes gelehrtes theologisches Interesse aber war nie historisch-philologisch, sondern es war das, was man in der Sprache protestantischer Theologie systematisch nennt. Der in diesem Wort anklingende philosophische Systembegriff drückt aber die Sache, zumal die Sache Bonhoeffers, nicht aus. Einfach gesagt ging es ihm nicht darum, wer was getan oder gesagt hat, sondern darum, was wahr ist. Diese gesuchte Wahrheit hatte für ihn von Anfang an nicht die Form einer Aussage, sondern eines wirklichen Lebens. Ich empfinde ihn als einen, der sich von Anbeginn, wenngleich als gewissenhafter Schüler des Gebotenen, zur selbständigen Reise nach der Wirklichkeit aufgemacht hat. Die befreiende Wegweisung zum Anfang dieser Reise gab ihm der theologische Aufbruch jenes Jahrzehnts, der bei aller Polyphonie doch mit Recht unter dem einen Namen Karl Barths genannt wird.

Die Stärke der liberalen Theologie lag in der Freilegung des profan Erkennbaren in der christlichen Geschichte. In ihrer Frage nach der religiösen Wirklichkeit ging sie gedanklich an einem Abgrund entlang. Wenn das aufgeklärte Denken die klassische Selbstinterpretation des christlichen Glaubens hinter sich läßt, bleibt uns dann eine bessere Interpretation dieses Glaubens in den Händen, oder verschwindet der Glaube mit seinen alten Formeln? Wer aufgeklärt war und Theologe blieb, mußte auf die bessere Interpretation hoffen. Wo diese Interpretation nicht gedanklich flach und demgemäß ephemer blieb, konnte sie der begrifflichen Anleihen bei der Philosophie nicht entraten, nun nicht mehr in ihrer ursprünglichen griechischen Gestalt, sondern der modernen. Als das Haltbare in der Vielgestaltigkeit dieser Abfolge von Meinungen zeigte sich der Rekurs aufs Subjektive, auf die Weise wie Religion erfahren wird, von Schleiermachers Gefühl der schlechthinnigen Abhängigkeit bis zu Bultmanns Reservierung des Existenziellen für den Glauben gegenüber der Natur, welch letztere den objektivierenden Wissenschaften zum Fraß überlassen wird. Diese Theologie gewährte der Kirche im bürgerlichen Zeitalter eine ihrer sozialen Rolle entsprechende Selbstinterpretation. Die Kirche war als ein wohl notwendiges Glied einer de facto pluralistischen Gesellschaft, als unentbehrlicher und doch relativ unverbindlicher Sinngarant anerkannt; die Theologie der Subjektivität war flexibel genug, den Anspruch an die Seelen weiter oder enger zu stecken, ohne sich dabei als unredlich empfinden zu müssen. Schwierigkeiten bekam der liberale Staat nur mit den Katholiken und einigen calvinistischen Fundamentalisten, die keine Theologie des Gefühls hatten.

Es war nach Barths Selbstzeugnis[*] eine politische Erschütterung, die ihn aus der Schleiermacher-Nachfolge herausriß. Als linksbürgerlichem Schweizer waren ihm von Anfang an die Augen geöffnet für die moralische Unerträglichkeit der öffentlichen Identifizierung der führenden deutschen Theologen mit den pompös nationalistischen Parolen, in denen zu Beginn des Weltkriegs 1914 das lebensgefährlich bedrohte kaiserliche Deutschland seine Angst versteckte. Er las von neuem die Reformatoren und den einst für Luther entscheidenden Text aus dem neutestamentlichen Kanon, den Römerbrief. Er entdeckte von neuem das alle unsere Subjektivität von außen, »senkrecht von Oben« treffende Wort, das Wort Gottes, gesprochen durch und in Jesus Christus, also durch eine mitten in der profanen Geschichte, durch einen einmaligen Menschen

[*] Schleiermacher-Auswahl, mit einem Nachwort von Karl Barth, Siebenstern Taschenbuch, München und Hamburg 1968, S. 293.

geschehene, alle unsere philosophischen Allgemeinbegriffe durchkreuzende Offenbarung. Nach dem Krieg war in den protestantischen Kirchen des kontinentalen Europa der Boden für diese Saat gepflügt. Die Kompaßnadel der Reise Bonhoeffers nach der Wirklichkeit konnte nicht anders als sich auf diesen Pol richten. Welchen Kurs steuerte er in diesem Magnetfeld?

Als vierten Einfluß auf Bonhoeffer habe ich oben die Ökumene genannt. Damit meine ich zunächst die ökumenische Bewegung und Organisation, die sein in ihr erworbenes Heimatrecht durch die Einladung an uns alle zu diesem Abend und dieser Gesprächswoche nach Genf so überzeugend bestätigt hat. Die kirchenpolitische Geschichte dieser Beziehung ist nicht Thema meines heutigen Vortrags. Ich meine aber außerdem die Ökumene im ursprünglichen Wortsinn, die ganze von Menschen bewohnte Erde. Wie viele Andere wurde Bonhoeffer durch die ökumenische Erfahrung aus der Provinzialität gelöst, die für fast alle Kirchen die Folge der Kirchenspaltungen, des Nationalismus und insbesondere des faktischen Irrelevantwerdens des kirchlichen Denkens als Folge der Aufklärung gewesen ist; oder vielleicht hat er die ökumenische Erfahrung früher als die meisten seiner kirchlichen Landsleute gesucht, weil er von vornehrein als moderner Mensch in der vorgefundenen Provinzialität schwer atmen konnte. Er suchte nicht nur die universale Wirklichkeit der Kirche und die Vielfalt ernsthafter Meinungen in den in der ökumenischen Bewegung vereinten Kirchen der Welt. Ihn interessierte die profane, soziale Wirklichkeit der Länder, in denen er Aufenthalt nahm. Er ging nach Rom, um die katholische Kirche im Zentrum kennenzulernen. Und was wäre ihm zu Gesicht gekommen, wenn sein lang gehegter Traum einer Reise nach Asien sich erfüllt hätte, wenn er Gandhi hätte sprechen, die Wirklichkeit des Hinduismus und des Buddhismus mit seinem wachen Wahrnehmungsvermögen hätte erfahren können?

II.

Es sei mir nun erlaubt, die schon in diese Schilderung der Einflüsse eingegangene Reflexion zusammenfassend um ein Stück weiterzuführen. Unter allen vier Aspekten – Elternhaus,

Harnack, Barth, Ökumene – hat es sich um ein Gegenüber
christlicher Überzeugungen und modernen Bewußtseins gehandelt. Die biographische und historische Situation war dabei in jedem der Bereiche so, daß die christliche Überzeugung
als das Gegebene, das moderne Bewußtsein als Umwelt, als
Gesprächspartner oder als Einfluß erschien. In der jetzigen
Reflexion möchte ich von der Position des Nichttheologen
einen methodischen Gebrauch machen und die Fragerichtung
umkehren. Man kann weder die moderne Welt noch die Entwicklung der christlichen Theologie der letzten dreißig Jahre
und Bonhoeffers Wirkung in ihr verstehen, wenn man nicht in
der Haltung zu denken vermag, in der das moderne Bewußtsein das Gegebene ist, die christliche Überzeugung aber nur
einerseits ein Moment der oft fast schon vergessenen Vorgeschichte, andererseits unter Umständen ein zunächst verwir-
render, vielleicht störender Gesprächspartner. Ich folge dabei,
mit einer Verschiebung der jeweiligen Schwerpunkte, demselben Weg von vier Stationen wie zuvor.

Für die Evidenz, die das neuzeitliche Bewußtsein für Dietrich
Bonhoeffer hatte, scheint mir das Gewicht nicht gleichgültig,
das in seinem Elternhaus die Naturwissenschaft besaß, auch
wenn weder er selbst noch seine spätere Umwelt an dieser
Wissenschaftsrichtung stark interessiert war. Die Naturwissenschaft ist der harte Kern des neuzeitlichen Denkens. Damit
soll nicht behauptet sein, der Wille zur Naturwissenschaft sei
in der neuzeitlichen Geistesgeschichte führend gewesen; das
trifft allenfalls für ein paar Phasen des 17., des 19. und des
20. Jahrhunderts zu, die zeitlich und kulturell begrenzt waren.
Aber die Naturwissenschaft ist gleichsam das widerstandsfähigste gedankliche Produkt der Neuzeit, ihr härtestes Gestein.
Den historischen Materialismus hinterfragend könnte man
sagen, die von der Naturwissenschaft erkannten Gesetzmäßigkeiten seien der objektive Grund des ökonomischen und des
auf ihm aufruhenden kulturellen Fortschritts der Neuzeit gewesen, auch wo dieser Grund dem subjektiven Bewußtsein der
Träger dieses Fortschritts verborgen blieb oder unwichtig
schien. Wo bliebe die herrische und künstlerische Subjektivität
des Renaissancemenschen ohne die durch spätmittelalterliche
Technik ermöglichte Städtekultur, wo blieben Idealismus und

Romantik wie auch der willentliche Realismus des 19. Jahrhunderts ohne die technisch ermöglichte bürgerliche Lebensform der beginnenden industriellen Revolution? Und in der Ebene der Theorie reflektiert der Stammvater der strengen Subjektivitätsphilosophie, Descartes, auf die res cogitans, um zu begreifen, wie er die Natur als res extensa, d. h. mit Begriffen mathematischer Naturwissenschaft, denken kann. Wer, wie Dietrich Bonhoeffer, mit Naturwissenschaftlern gelebt hat, weiß etwas von der Unerschütterlichkeit des modernen Denkfortschritts.

Die historisch-philologische Theologie hat an dem zweiten der großen wissenschaftlichen Fortschritte der Neuzeit teil, an der Entdeckung des geschichtlichen Denkens oder allgemeiner der Geisteswissenschaft. Hier besteht die Leistung darin, fremde Individualität, ja fremde Kultur gerade dadurch zu verstehen, daß wir uns nicht mit ihr identifizieren. Eine ungeheure Horizonterweiterung gelingt dieser Denkweise. Das Du wird gerade dadurch zum Sprechen gebracht, daß ich nicht mehr meine, es habe eben das sagen wollen, was ich selbst sagen würde oder zu hören erwarte. Vorhin habe ich als Beispiel die Aufschließung der frühchristlichen Dogmengeschichte durch Harnack zitiert. Das Alte Testament ist im Grunde erst seit Wellhausen in seiner unglaublichen Fülle und Dichte und seiner Relevanz für unsere eigenen Entscheidungen wiederentdeckt worden, d. h. seit die alttestamentliche Wissenschaft uns die kulturellen und sozialen Voraussetzungen sehen gelehrt hat, die vor dreitausend Jahren in Israel bestanden und auf welche die alten Texte ohne jede christologische Umdeutung in direktester Lebendigkeit passen. Ich wage die Behauptung daß der, verglichen mit der Wissenschaft vom Alten Testament, so verwirrende Zustand der neutestamentlichen Exegese nicht enden kann ehe man den Gedanken vollzieht, daß zentrale Texte wie die Bergpredigt zu Menschen gesprochen sind, die das Leben von Bettelmönchen führen. Wer Buddha-Reden im Ohr hat oder sich erinnert, wie direkt Franziskus von Assisi diese Texte zu lesen vermochte, der weiß, wovon ich rede.

Alle drei theologischen Beispiele, die ich soeben zitiert habe, sollten unseren Schritt aber über die Schwelle zwingen, welche die beruhigte Wissenschaft Harnacks von der durch den frühen Barth symbolisierten Unruhe trennt. Die neuzeitliche Geisteswissenschaft hat ihre ungeheure Horizonterweiterung meist durch eine Neutralisierung oder, was schlimmer ist, eine Trivialisierung ihrer eigenen Werturteile erkauft. Der sogenannte Kulturprotestantismus, die Rechtfertigung des Christentums durch seinen Beitrag zur erreichten Kulturhöhe, enthält sehr gute historische Einsichten, und ist gleichwohl, isoliert genommen, eine Trivialisierung, welche die Augen vor dem Abgrund verschließt, an dem die aufgeklärte Theologie entlanggeht. Ist das Christentum durch seinen Kulturbeitrag gerechtfertigt, so wird jede Kulturkritik, jede Weltveränderung, sei sie sozialdarwinistisch, technokratisch oder marxistisch, den christlichen Glauben weiter in die vergessene Vorgeschichte sinken lassen. Barth wußte genau: wenn er es überhaupt zu Recht gewagt hatte, sein Leben auf Christus zu setzen, dann mußte Christus mehr sein als alle diese Weltveränderungen, erst recht aber mehr als die Welt, die sich so verändern ließ. Ich habe zu Karl Barth in dem einzigen, freilich langen Gespräch, das ich, Anfang der 50er Jahre, mit ihm gehabt habe, unter anderem gesagt, ich sehe den geraden Weg von Galilei zur Atombombe und sei umgetrieben von der Frage, ob ich in diesem Wissen die von mir so geliebte Physik weiter betreiben dürfe. Er antwortete: »Herr v. Weizsäcker, wenn Sie glauben, was alle Christen bekennen und fast keiner glaubt, daß nämlich Christus wiederkommt, dann dürfen, ja müssen Sie weiter Physik treiben; sonst dürfen Sie es nicht.« So mußte er reden. Er sagte mir auch, als wir auf Gogarten zu sprechen kamen: »Er findet meine Sprechweise wohl zu mythologisch, ich seine zu philosophisch.« Ich traute der Wahrheit in Barths Mythologie und habe die Physik nie aufgegeben.

Nach dieser Zustimmung zu Barths Anliegen aber ist der Nichttheologe nunmehr zur Anmeldung aller verfügbaren Skepsis verpflichtet. Es ist erstaunlich genug, daß die biblischen Texte auch zu aufgeklärten Menschen unseres Jahrhunderts noch so fordernd zu reden vermochten. Aber sie erreichten doch fast nur Menschen, die selbst noch in der kirchlichen Sprache erzogen waren, und die dialektische Theologie blieb eine Sache kirchlicher Intellektueller. Die nichtintellektuellen

Glieder der Kirche bröckeln in unserem Jahrhundert von Jahrzehnt zu Jahrzehnt ab, zum mindesten in den alten christlichen Nationen. Dies aber doch wohl, weil auch die intellektuellen Träger des modernen Bewußtseins in diesen Nationen den christlichen Inhalten ständig ferner rücken. Die Kirche hat bei uns ihren Provinzialismus gegenüber der Weite des modernen Bewußtseins nicht überwunden, und es scheint mir strukturell klar, daß sie ihn weder durch orthodoxe Insistenz noch durch die modernistische Spielart der Apologetik überwindet. Die inhaltlichen Fragen, die sich hier stellen, haben, so scheint mir, sowohl Bonhoeffers theologische Entwicklung wie seine theologische Nachwirkung bestimmt.

III.

Soweit ich die in den letzten dreißig Jahren entstandene theologische Sekundärliteratur zu Bonhoeffer habe zur Kenntnis nehmen können, interpretiert sie seine theologische Entwicklung immanent theologisch, d. h. auf ihre Aussagekraft für Theologen blickend. Dies gilt, bei aller Weite des historischen Horizonts, von Bethges Biographie* wie z. B. von Ernst Feils theologischer Monographie**. Mit diesen gründlichen und durchdringenden Studien kann und möchte ich nicht wetteifern. Ich verfolge Bonhoeffers theologische Entwicklung nur in lockerer Betrachtung und weiten Schritten unter den bis hierher im Vortrag entwickelten Fragestellungen. Ich sagte, daß ich sie als eine Reise zur Wirklichkeit empfinde. Es ist die Wirklichkeit, die sich jenseits des Provinzialismus der Kirche als der Grund der Kirche zeigen würde.

Ich folge den fünf Büchern »Sanctorum Communio«, »Akt und Sein«, »Nachfolge«, »Ethik«, »Widerstand und Ergebung«. Die ersten beiden, zur Erwerbung akademischer Grade geschrieben, können die philosophischen Bücher heißen, die nächsten beiden die ethischen, das letzte enthält in den Gefängnisbriefen das, was mir als der Durchbruch Bonhoeffers zum

---

* Eberhard Bethge, »Dietrich Bonhoeffer, Eine Biographie«. München, Chr. Kaiser, 1970.
** Ernst Feil, »Die Theologie Dietrich Bonhoeffers«, München, Chr. Kaiser, Mainz, Matth. Grünewald-Verlag, 1971.

eigenen Ursprung erscheint. Diese Einteilung entspricht etwa
Bethges Einteilung der Lebensphasen in »Zauber der Theolo-
gie«, »Kosten des Christseins«, »Teilhabe an Deutschlands
Geschick«.

In Bonhoeffers ersten Schriften, die damals kaum Beachtung
fanden, hat man nachträglich Grundgedanken seiner letzten
Wendung vorgeprägt gefunden. Die Dissertation »Sanctorum
Communio« tritt in zweifacher Hinsicht die Reise zur Wirklichkeit an, über die liberale Theologie wie über Barth hinaus.
Sie ist eine systematische, ich möchte gerne sagen eine philosophische Arbeit im Felde der Theologie. Aber inhaltlich nimmt
sie weder Begriffe individuellen religiösen Verhaltens wie etwa
den Begriff des Glaubens noch Begriffe religiöser Metaphysik
wie etwa den Begriff Gottes zum Thema, sondern die Konkretheit der religiösen Existenz im sozialen Faktum der Kirche.
Und methodisch setzt sie nicht mit theologischen Postulaten
ein, sondern geht von der profanen Wissenschaft der Soziologie aus und versucht, die Theologie der Kirche als die eigentliche, ja die einzige standfeste Erfüllung der sozialphilosophischen Lehre von der Gemeinschaft zu erweisen. »Christus als
Gemeinde existierend« ist die Formel dieser Erfüllung. Die
Habilitationsschrift »Akt und Sein« geht direkt von einer zeitgenössischen philosophischen Kontroverse aus, der Spannung
zwischen dem Verständnis des Ich, des Menschen, als transzendentales Subjekt – hier unter dem Titel »Akt« gefaßt – und
einem ontologischen Verständnis des Menschen – als »Sein«
apostrophiert. Er sieht beide Verständnisweisen in ihrer Isolierung scheitern und findet ihre mögliche Einheit wiederum in
der Kirche.

Dem altgewordenen Nichttheologen, der selbst einige Zeit
Philosophie doziert hat, sei es erlaubt, diese akademischen
Qualifikationsschriften eines sehr jungen hochbegabten Theologen einmal so zu lesen, wie man sich als Professor angewöhnt
hat, Dissertationen zu beurteilen. Der Stil ist bemerkenswert
klar und knapp, man möchte sagen, am Umgang mit Naturwissenschaftlern und Juristen geschult. Die zur Unverständ-
lichkeit führende Angst vor »ungeschützter« Sprechweise (um
einen Fachausdruck der theologischen Kollegen zu gebrauchen) ist dem Verfasser fremd. Er weiß, was er sagen will, und

sagt es. Inhaltlich gehören beide Arbeiten zu der Art von Schriften, die man in jungen Jahren schreiben muß, um noch den Mut zu ihnen zu haben. Bonhoeffers Referat und Bonhoeffers Beurteilung der sozialphilosophischen Positionen in der ersten Arbeit, der transzendentalphilosophischen in der zweiten zeugt von tiefbeteiligter, umfassender Lektüre, hält aber Philosophie noch für ein leichteres Geschäft als sie ist. Die in der Form zu simplen Behauptungen aufgeworfenen Fragen sind gleichwohl hochinteressant.

Der junge Bonhoeffer übernimmt eine in seiner Zeit verbreitete Gegenüberstellung einer phänomenologisch-apriorischen Sozialphilosophie und der empirischen Sozialforschung; die Empirie soll die Ergebnisse der Phänomenologie zur systematischen Voraussetzung haben. Die apriori gesehenen Strukturen der Gemeinschaft (von denen der Gesellschaft unterschieden) identifiziert er dann mit dem christlich-theologischen Begriff des Urstands, dem gegenüber die reale geschichtliche Gemeinschaft unter der zerstörenden Kraft der Sünde steht. Kirche, Christus als Gemeinde existierend, ist die geschichtlich allein mögliche Form, mitten in der Herrschaft der Sünde als Gemeinschaft zu leben. Heute wird kaum ein Sozialphilosoph mehr ein phänomenologisch aufweisbares Apriori vor die gesellschaftliche Erfahrung zu setzen wagen. Uns ist die geschichtliche Bedingtheit aller sozialen Formen allzu bewußt und damit die dieser Geschichte vorgegebene Anthropologie zum ungelösten Problem geworden. Die Gleichsetzung philosophisch angeschauter Idealtypen mit dem durch die biblische Erzählung vom Sündenfall motivierten Begriff des Urstands ist wohl eine in der Geschichte der christlichen Reflexion wirksame Denkfigur. Verständlich machen kann man sie aber nur geschichtlich aus der doppelten Wurzel der christlichen Theologie in der griechischen Philosophie und der Bibel. Das Wort »Theologie« selbst entstammt der Religion der griechischen Philosophie und bezeichnet den Kern dieser Philosophie. Die Gegenüberstellung von Theologie und Philosophie als zwei gesonderte Wissenschaften entstammt einer späten Phase des christlichen Denkens, der mittelalterlichen Scholastik. Sie ist ein Versuch, das gegenseitige Verhältnis der zwei Religionen, nämlich der biblischen und der philosophischen, zu bestim-

men, die in der Intellektualität des geschichtlichen Christentums zusammengeflossen sind; ein Versuch, dessen begrifflicher Apparat der einen der beiden, nämlich der Philosophie
entstammt. Die systematische Unterscheidung von Theologie
und Philosophie existiert meines Wissens in keiner der Weltkulturen außer der des zweiten christlichen, also des mittelalterlich-neuzeitlichen europäischen Jahrtausends, das jetzt zu
Ende geht.

Ich formuliere meine subjektive Meinung, wenn ich sage: Es
ist dem jungen Bonhoeffer nicht vorzuwerfen, wenn er die
geschichtliche Bedingtheit seines Problems nicht sieht, ja vielleicht bewußt unterdrückt. Er hat sich gegen eine andere Versuchung neuerer protestantischer Theologie zu wehren, in der
Harnacks und Barths Einfluß zusammenwirken, nämlich die
Tendenz, die griechische Philosophie und das heißt de facto die
Philosophie aus dem Selbstverständnis des christlichen Glaubens zu eliminieren. Was übrig bliebe, wenn dieser Versuch
glücken könnte, ließe sich nicht mehr als Theologie bezeichnen. Diese meine Ansicht, die auf der Überzeugung von der
nichttrivialen Kontinuität der Philosophie beruht, müßte ich
an einem anderen Ort verteidigen.

Wäre Bonhoeffer in der akademischen Theologie geblieben,
so hätte er, das scheint mir gewiß, die von ihm angerührten
Probleme nicht gelöst. Er wählte, in freier Entscheidung auf
geschichtlichen Zwang reagierend, einen wirklicheren Weg.
Durch Hitlers Machtergreifung kam die evangelische Kirche in
Deutschland aus dem Zustand der Irrelevanz in den Zustand
der Bedrängnis. Bonhoeffer bewies, daß er meinte, was er
sagte, wenn er die Kirche zum zentralen Begriff seiner Theologie machte. Er wurde alsbald zu einem der entschiedensten
Vorkämpfer der Bekennenden Kirche, radikaler »Dahlemer«
Richtung. Dies kostete ihn die akademische Laufbahn und
schenkte ihm die Praxis der Lebensgemeinschaft, zumal mit
jungen Theologen im Predigerseminar in Finkenwalde und
dessen hinterpommerschen Nachfolgern.

Bonhoeffers Lebensweg ging von nun an nicht, wie Tradition und Talent es nahegelegt hätten, in die Weite, sondern in
eine sich zunehmend verengende Enge: aus der Weite der
atlantischen Welt zurück nach Deutschland, von der Universi-

tät ins Predigerseminar, von dort in die vorübergehende Gastfreundschaft des Ettaler Klosters, nach kurzem Ausgreifen in der tiefverborgenen Gemeinschaft der politischen Verschwörung ins Gefängnis und nach zwei Jahren des Wartens in den Tod. Man hat auch, nicht ganz zu Unrecht, etwa in den ersten acht dieser zwölf Jahre, eine gewisse theologische Verengung konstatiert. Die Bekennende Kirche und in ihr seine und seiner Freunde Position hat einen Zug der Intransigenz. Und die Theologie der »Nachfolge« spricht eine biblizistische Sprache. Ich meine aber, daß Bonhoeffer in beidem einem inneren Kompaß für Wirklichkeit folgte.

Ich war 1933 der verfaßten Kirche zu fern und im konkreten Bewußtsein zu unpolitisch, um wahrzunehmen, was ich vierzig Jahre später aus Bethges Buch mit einer Art von Entsetzen entnahm: wie damals die Mehrzahl der protestantischen Kirchenleitungen in Deutschland zunächst auf Hitlers nationalkonservative Rhetorik hereinfiel oder mindestens das Hereinfallen zu simulieren für nötig fand. Hätten ihnen wenigstens Hitlers revolutionäre Töne imponiert! Tatsächlich waren sie wie so große Teile des konservativen Bürgertums für Hitlers wirkliche Absichten nützliche Idioten. Schon Bonhoeffers Weltläufigkeit, sein dem Elternhaus und der Ökumene verdankter politischer Horizont nötigte ihn, hiergegen Stellung zu nehmen. Freilich war der politische Horizont mancher seiner kirchlichen Gesinnungsgenossen nicht weiter als der seiner Gegner. Und die kluge, aber nicht politisch, sondern christlich fundierte Verständnisweite eines eher singulären Mannes wie des gewählten Reichsbischofs Fritz von Bodelschwingh hat Bonhoeffer in seiner kämpferischen Fixierung wohl nicht wahrzunehmen vermocht. Bodelschwingh verstand sich auf den liebenden Umgang mit psychisch Kranken, auch in der Politik.

Die bibelauslegende Theologie der »Nachfolge« ist, wie die Biographie lehrt, durch die nationalsozialistische Erfahrung nur artikuliert, aber nicht ausgelöst. War die Kirche »Christus als Gemeinde existierend«, so mußte sie fragen, »was Jesus denn von uns will.« Anders als ein so großer Teil der kirchlichen Theologie scheute Bonhoeffer sich nicht, die zentralen Texte des Evangeliums in direktem Verständnis auszulegen. Er war gebildet und intelligent, aber wichtiger war ihm, die Wirklichkeit so einfach zu sehen und zu sagen, daß sie bindend wird. So geschieht sein Durchbruch zur Bibel nicht an dem hochintellektuellen Text des Römerbriefs, sondern in der unerträglich-gnädigen Einfachheit der Bergpredigt.

Fragen wir, um selbst zu lernen, was Bonhoeffer von dem Abgrund, den dieser Text in sich birgt, verstanden hat, so fällt auf, daß seine Exegese bewußt nicht gelehrt, sondern fast in Predigtform gehalten ist. Der Sitz im Leben dieser Predigten ist zunächst das Predigerseminar, dessen Glieder sich auf ein Amt in einer verfolgten oder der Verfolgung nahen Kirche vorbereiten. Dieser Rahmen ist nahe genug den Lebensbedingungen der Jünger Jesu, um die in einer herrschenden Kirche fast unüberwindliche Angsthemmung gegen das Wörtlichnehmen dieses Textes abzubauen, um spontanes Verstehen aufleuchten zu lassen. Bonhoeffer hatte sich nicht gescheut, der Lebensgemeinschaft seiner ihm fast gleichaltrigen Pfarramtskandidaten einige der uralten, ernstem Bemühen immer von neuem hilfreichen Regeln des mönchischen Lebens anzubieten, ja aufzuerlegen: geregelten Tagesrhytmus, Gebetsliturgie, ein bescheidenes Anklopfen am unermeßlichen Erfahrungsbereich der Meditation. Wenn er dies gegenüber den eingeschliffenen protestantischen Vorurteilen durchsetzte, so sehe ich darin genau denselben Mut zur Wirklichkeit wie in der scheinbar entgegengesetzten Öffnung seiner spätesten Theologie zur Weltlichkeit. Sein Leben sollte die Erfahrung durchmessen, daß christliches Leben nur weltlicher werden kann, wenn es geistlicher wird, nur geistlicher, wenn es weltlicher wird. Beide Schritte sind Abschütteln eines Schutzes gegen die eigene Angst vor sich selbst.

Bonhoeffers Mut, jedes Wort des Textes als befreiendes Gebot auf sein eigenes Leben zu beziehen, hat ihm und jedem, der ihn lesen mag, diesen Text so weit über das übliche Maß hinaus aufgeschlossen. Er stieß damit freilich auf das unvermeidliche ethische Problem, eigentlich ein Problem der Bewußtwerdung, das sich jedem Menschen stellt, der die Bergpredigt im aufrichtigen Willen zur Nachfolge liest, ohne die Lebensbedingungen des Bettelmönches übernehmen zu können – sei es daß dieses Nichtkönnen als ein Nichtwollen oder

ein Nichtdürfen zu verstehen ist. Es scheint mir, daß sich für
Bonhoeffer in dieser Phase eine ganze Schicht des Textes nicht
erschließen konnte und später, soweit wir schriftliche Zeugnisse von ihm haben, auch noch nicht erschlossen hat. In der
Ebene ethischer Positivität weisen die Erkenntnisse der »Nachfolge« wohl auf den Pazifismus, zu dem er sich, mit unter dem
Einfluß seines Freundes Lasserre, durchrang. Eben diese politische Denkbewegung aber trennte ihn in fortschreitendem
Maße von den politischen Gedanken seiner kirchlichen Umgebung, auch naher Gesinnungsgenossen. Die soziale Realität
der protestantischen Kirche im bürgerlichen Zeitalter ließ ihr
der offiziellen Politik gegenüber fast nur die Wahl zwischen
Zustimmung und Abwendung, beides politisch unerzieheri-
sche Verhaltensweisen. Was ich vorhin Bonhoeffers Weltläufigkeit nannte, führte ihn aus dieser Horizontverengung heraus
in eine Teilhabe an aktivem politischen Wollen. Vergleicht
man Texte aus der »Nachfolge« mit dem konspirativen politischen Handeln seiner letzten Jahre in Bezug auf Fragen wie
Sagen der Wahrheit und weltliche Zielsetzungen, so wird man
jene Worte mit diesen Taten nicht voll zum Einklang bringen
können. Er hat den Konflikt zwischen der positiven Ethik der
bekennenden Nachfolge und der positiven Ethik der politischen Konspiration bewußt als ethischen Konflikt ausgetragen
und für sein persönliches Handeln schließlich zugunsten der
Politik entschieden. Schwanken nach gefallener Entscheidung
ist nicht wahrzunehmen. Ohne Zweifel erschließt ihm sowohl
das politische Handeln wie das Leiden der Haft, das die Folge
des politischen Handelns ist, eine neue Dimension der Wirklichkeit.

Die erste Phase der Ausarbeitung dieses Wirklichkeitsbe-
wußtseins bilden die Fragmente seiner »Ethik«. Nicht das ist
die Schwierigkeit: der politischen Wirklichkeit, die ihm nie
verborgen war, ansichtig zu werden, sondern die christliche
Wirklichkeit beim Sicheinlassen auf politisches Handeln nicht
zu verlieren, sie vielmehr tiefer als zuvor zu verstehen. Ohne
diese Erfahrung hätte er wohl den Anfang des ersten Ethik-
Entwurfs nicht so pointiert*: »Das Wissen um Gut und Böse

---

* »Ethik«, 6. Auflage 1975, S. 20. Kapitel: Die Liebe Gottes und der Zerfall
der Welt.

scheint das Ziel aller ethischen Besinnung zu sein. Die christliche Ethik hat ihre erste Aufgabe darin, dieses Wissen aufzu-
heben. . . . Die christliche Ethik erkennt schon in der Möglichkeit des Wissens um Gut und Böse den Abfall vom Ursprung.
Der Mensch im Ursprung weiß nur eines: Gott. Den anderen
Menschen, die Dinge, sich selbst weiß er nur in der Einheit
seines Wissens um Gott, er weiß alles nur in Gott und Gott in
allem. Das Wissen um Gut und Böse deutet auf die vorangegangene Entzweiung mit dem Ursprung.« Aus jedem überlieferten Wort Jesu spricht die wiedergefundene Einheit (l. c.
S. 29), Jesus läßt sich in die Konfliktentscheidungen der Welt
nicht hineinziehen (S. 31), »richtet nicht, daß ihr nicht gerichtet werdet«, denn das Richten ist selbst der Abfall (S. 35). Nun
aber wendet sich der Gedankengang von Bonhoeffers Ethik
von diesem Letzten den »vorletzten Dingen« zu (S. 134).
»Christlicher Radikalismus, weltflüchtiger oder weltverbes-
sernder, kommt aus dem Haß gegen die Schöpfung. Der Radikale kann Gott seine Schöpfung nicht verzeihen.« (S. 137). »Es
muß also der Begriff des Natürlichen vom Evangelium her
wiedergewonnen werden.« (S. 153). Bonhoeffers Ethik wendet sich den realen Details des Lebens und in der Geschichtsbetrachtung der realen Folge geschichtlicher Epochen zu (»Erbe
und Verfall«, S. 94 ff.). »Die Welt bleibt Welt, *weil* sie die in
Christus geliebte, gerichtete, versöhnte Welt ist. Kein Mensch
hat den Auftrag, die Welt zu überspringen und aus ihr das
Reich Gottes zu machen.« (S. 247). Bonhoeffer sah in der
Ethik damals seine vielleicht letzte, erfüllende theologische
Arbeit. Daß sie Fragment blieb, ist gewiß nicht nur Folge der
politischen Lebensumstände. Die offenen Brüche des Frag-
ments deuten auf den noch fehlenden Schritt, der sich im
Gefängnis vollzog.

Der Durchbruch, in den Briefen an Bethge dokumentiert,
vollzieht sich nach einem Jahr der Haft; er vollzieht sich mit
der Evidenz eines Erdrutsches. Nach Stilmerkmalen würde ich
sagen: dem Verfasser dieser Briefe sind die letzten Schuppen
von den Augen gefallen; er sieht die Wirklichkeit, die er immer
gespürt hat. »Wir gehen einer völlig religionslosen Zeit entgegen; die Menschen können einfach, so wie sie nun einmal sind,
nicht mehr religiös sein.« (30.4.44) »Oft frage ich mich,

warum mich ein »christlicher Instinkt« häufig mehr zu den Religionslosen als zu den Religiösen zieht, und zwar durchaus nicht in der Absicht der Missionierung, sondern ich möchte fast sagen »brüderlich«. ... Wenn die anderen in religiöser Terminologie zu reden anfangen, dann verstumme ich fast völlig.« (30. 4.). »Die Attacke der christlichen Apologetik auf die Mündigkeit der Welt halte ich erstens für sinnlos, zweitens für unvornehm, drittens für unchristlich.« (8. 6.). »Barth erkannte als erster den Fehler ... darin, ... einen Raum für Religion in der Welt oder gegen die Welt auszusparen.... aber in der nicht-religiösen Interpretation der theologischen Begriffe hat er keine konkrete Wegweisung gegeben ...« (8. 6.). »Die mündige Welt ist gottloser und darum vielleicht gerade Gott näher als die unmündige Welt.« (8. 7.). »Über das Hohe Lied schreibe ich Dir nach Italien. Ich möchte es tatsächlich als irdisches Liebeslied lesen. Das ist wahrscheinlich die beste ›christologische‹ Auslegung.« (2. 6.). Bultmanns Aufsatz über die »Entmythologisierung des Neuen Testaments« ist »nicht ›zu weit‹, wie die meisten meinen, sondern zu wenig weit gegangen.« (5. 5.). »Gott ist mitten in unserem Leben jenseits« (30. 4.). Zu W. F. Ottos Buch über »Die Götter Griechenlands«: »Verstehst Du, daß ... ich – horribile dictu! – an den so dargestellten Göttern weniger Anstoß nehme als an bestimmten Formen des Christentums? ja, daß ich fast glaube, diese Götter für Christus in Anspruch nehmen zu können?« (21. 6.). Es bewegt mich, daß er meinem Buch »Zum Weltbild der Physik« die These entnahm, »daß man Gott nicht als Lückenbüßer unserer unvollkommenen Erkenntnis figurieren lassen darf« (29. 5.) und dazu schreibt: »wenn nur ein geistiger Austausch möglich wäre« (24. 5.).

Bonhoeffer sah. Das Manuskript der begonnenen Ausarbeitung dieser Gedanken ist verloren, und ich bezweifle, daß er die Ausarbeitung der zusammengehörigen Begriffe »religionsloses Christentum«, »nicht-religiöse Interpretation«, »Arkandisziplin« (5. 5.) hätte leisten können, so daß seine Gedanken seiner eigenen Sicht genuggetan hätten. Bonhoeffers letzte Wendung ist für die Kirche wichtig als die Sprengung eines Defensivgürtels, nicht als die Grundlage einer Theologie. In geheimnisvoller Weise trägt sie die Merkmale eines Alterswerks: Sichtöff-

nung durch die Nähe des Todes, deren Ausdruck in Worten
Schritte andeutet, die der Redende gleichsam ahnend getan
hat, obwohl man sie in der Welt, in der er gelebt hat, nicht tun
kann.

IV.

Was bedeutet Religion für uns?

Zunächst: wie begegnet Religion dem modernen Bewußtsein? Machen wir vorerst die kritisierende Einschränkung des
Wortgebrauchs wieder rückgängig, unter der Barth und Bon-
hoeffer das Wort »Religion« benutzen. Öffnen wir den Blick
für die Fülle der Phänomene, die unter den Oberbegriff der
Religion gebracht werden können. Ohne systematischen An-
spruch würde ich versuchen, diese Phänomene unter vier
Aspekten zu ordnen, also vier Momente in der Religion zu
unterscheiden: Religion als Element einer Kultur, Religion als
Grund einer radikalen Ethik, Religion als innere Erfahrung,
Religion als Theologie. Alle vier Momente sind uns in diesem
Vortrag in Beispielen begegnet:

Religion als Element einer Kultur, ja als Träger einer Kultur
war das Christentum in den vergangenen zweitausend Jahren.
Religion als Träger einer Kultur formt das soziale Leben, gliedert die Zeiten, bestimmt oder rechtfertigt die Moral, interpretiert die Ängste, gestaltet die Freuden, tröstet die Hilflosen,
deutet die Welt. Die überlieferte Form dieser Religion ist es, die
dem modernen Bewußtsein entgleitet.

Religion als Grund einer radikalen Ethik steht kritisch und
darum oft verfolgt in ihrer Kultur. Überall, wo man die Bergpredigt oder wenigstens die zehn Gebote beim Wort genommen hat, war die Religion Grund einer radikalen Ethik.

Religion als innere Erfahrung ist in gewisser Weise jedes
subjektive Erleben der beiden vorgenannten Momente. Sie ist
das bewußte Leben im Glauben. Sie ist aber insbesondere das
Gebet, die Meditation, die Mystik.

Religion als Theologie ist der Versuch, die Erfahrung der
drei anderen Momente gedanklich zu verstehen. Was wir in
diesem Vortrag miteinander zu denken suchen, ist ein Stück
Theologie.

Versuchen wir die Definition eines Oberbegriffs, der diese

verschiedenen Phänomene umfaßt, so könnten wir sagen: Religion ist menschliches Verhalten angesichts eines Göttlichen. Diese Definition scheint die Neutralität der Beschreibung aufzugeben, die in der Schilderung der vier Momente gewahrt war. In der Tat: wenn wir in eine Definition der Religion den Begriff des Göttlichen aufnehmen, wie definieren wir das Göttliche? Formal kann man antworten: dies ist der philosophische Zirkel, dem keine grundsätzliche Reflexion entgeht. Eine Definition von Wahrheit will wahr sein, eine Definition von Philosophie ist selbst Philosophie, eine Definition von Religion ist Theologie als Versuch, die Erfahrung zu verstehen, die wir religiös nennen. Die formale Antwort aber soll zur fruchtbareren inhaltlichen Antwort weiterführen. Eben das ist das erstaunliche, zur Reflexion nötigende Phänomen, daß die ganze bisherige Menschheitsgeschichte überschattet ist von einer Weise des Erfahrens und Denkens, die sich selbst nur als ein Verhalten des Menschen angesichts einer göttlichen Wirklichkeit auszulegen vermag.

Nun wenden wir uns zu den mehrfachen Gestalten der Religionskritik. Es gibt eine philosophische, sich heute oft als wissenschaftlich verstehende Religionskritik. Die Rationalität der überlieferten Religion überzeugt nicht mehr. Die Frage nach dem Grund der Möglichkeit der Religion läßt entweder angesichts der Argumente rationaler Metaphysik die historische Gestalt, das Kulturträgertum, die Erlebnisse der Religion als bloße Einkleidung erscheinen, oder sie reduziert mittels radikaler Skepsis alle religiösen Erfahrungen auf den Status der Selbsttäuschung oder des Betrugs.

Das politische Pathos der Religionskritik stammt nicht aus der theoretischen Philosophie, sondern aus der Moral, aus einer gegenüber der Religion autonomen radikalen Ethik. Tantum religio potuit suadere malorum, sagt Lukrez*, zu so vielen Übeltaten konnte Religion die Menschen überreden. Der klassische Angriff der Aufklärung gegen die Religion geschieht gegen ihre Rolle als Element einer Kultur, nämlich als Träger ihrer Herrschaftsverhältnisse. Nicht der Unglaube, die Moral ist der entschiedene Gegner der Religion. Wer das nicht ernst-

---

* Lucretius Carus, De rerum natura I, 102.

nimmt, versteht die Geschichte der Aufklärung nicht. Der
Gegensatz ist latent auch in den Kompromissen, wie der Ver-
nunftsmethaphysik des 17. und 18. Jahrhunderts, die nach
den Religionskriegen ein konfessionell neutrales Naturrecht
etabliert. Der Kompromiß zersetzt sich im geschichtlichen
Fortgang, und die marxistische Phase der Aufklärung sieht in
ihm die Herrschaftsideologie der bürgerlichen Ära.

Charakteristisch verwandt und zugleich verschieden ist die
Religionskritik der alten asiatischen Kulturen. Der Konfuzianismus versteht sich nicht als Religion, sondern als eine
vernünftige Moral, die eine Kultur trägt; eben darum impo-
nierte er den europäischen Aufklärern des 18. Jahrhunderts so
sehr. Auch der Konfuzianismus ist jedoch ein begrifflicher
Kompromiß der Moral und der Religion des Himmels und
stabilisiert im System der Ehrfurchten die Herrschaft; Maos
Kritik an Konfuzius radikalisiert die Moral ins Egalitäre.

Die großen meditativen Lehren des Hinduismus und Buddhismus betrachten ihre eigene religiöse Außenseite, welche
die Kultur trägt, in der sie leben, nur als eine Darstellung der
eigentlichen Wahrheit durch die anthropomorphe, psychisch
bedingte Vorstellung von Göttern. Hier ist Religion als Element der Kultur anerkannt, aber als niedrige Stufe. Radikale
Ethik, oft ins Asketische verschärft, ist auf diesem Weg gefordert, aber nicht als autonomes Gesetz, sondern als unerläßliche
Stufe der Läuterung zur Wahrnehmungsfähigkeit für die entscheidenden Erfahrungen. Die Theologie dieser Schulen ist
eine Auslegung dessen, was die Meditation erfährt.

Wo stehen wir selbst zwischen Religion und Moral? Dem
heutigen Bewußtsein stellt sich die Frage als eine anthropologische Frage, eine Frage des Verständnisses des Menschen. Wollen wir zum Verständnis durchdringen, so sollten wir den
Gegensatz nicht abmildern, sondern in idealtypischer Schärfe
sehen. Aufklärung, als Selbstaufklärung verstanden, Ausgang
aus der selbstverschuldeten Unmündigkeit, ist ein ehrwürdiges
Beginnen. Das theoretische Pathos der Aufklärung trifft sich
mit dem moralischen in der Tugend der Wahrhaftigkeit, deren
Kern es ist, sich nicht selbst zu belügen. Das Überreden, suadere, wirft Lukrez der Religion vor; die Wahrhaftigkeit läßt
Bonhoeffer verstummen, wenn die andern in religiöser Termi-

nologie zu reden anfangen. Will nun die autonome Ethik wahrhaftig sein, so wird sie radikal. Dazu ist keine abstrakte Konsequenz nötig, es genügt der realistische Blick auf die menschliche Gesellschaft. Die Probleme der Gerechtigkeit, der Mitmenschlichkeit, ja des Überlebens bleiben ungelöst, solange jeder Einzelne und noch mehr jede soziale Gruppe die ethischen Forderungen streng nur auf die Andern, auf sich selbst aber lax anwendet. Das Resultat ist die Kette von Katastrophen, die man politische Geschichte nennt. Das Verhalten von uns Menschen in dieser Geschichte ist nicht primär böse, es ist vor allem unter unserem eigenen intellektuellen Niveau, es ist dumm. Es gibt wohl kaum einen Interessengegensatz zwischen den Menschen, der nicht im Prinzip durch allseitige Vernunft zu überwinden wäre. Die Dummheit, die die Lösung verhindert, ist durch mangelnden guten Willen produziert, und dieser Mangel ist die Folge von Angst. Der moralisch Sensible, der dies an sich selbst immer wieder beobachtet, muß sich selbst hassen. Jedes Versagen unserer Wachheit, unserer Wahrhaftigkeit, wird uns aber erlauben, diesen Haß auf andere zu projizieren. Deshalb tritt der Kampf für die Gerechtigkeit fast immer mit dem Pathos des Hasses auf. Damit rechtfertigt jedoch der Kämpfer für die Gerechtigkeit die Angst und den Haß des Gegners, den er bekämpft. Diese affektive Verstrickung zwischen den Menschen wird durch die gegenseitige Angst stabilisiert. Sie wird nicht durch rationale Überlegung, sondern nur durch einen reineren Affekt aufgelöst, durch die Liebe. Die Erfahrung, daß die Liebe möglich ist, ist der religiöse Grund der radikalen Ethik. Die Möglichkeit der versöhnenden Liebe wird als Gnade erfahren. Offene Zuwendung zu dieser Gnade ist Glaube. Der traditionelle religiöse Ausdruck dieser Erfahrung ist, daß wir den Nächsten nur in Gott wirklich lieben können. Das Gebot »liebe deinen Nächsten wie dich selbst« ist in autonomer Moral unerfüllbar, denn anders als in Gott kann ich auch mich selbst nicht sehend lieben; je sensibler ich bin, desto weniger dürfte ich mir verzeihen, daß ich bin wie ich bin.

Eine Gedankenkette wie diese kann auf das Tor zur religiösen Erfahrung weisen, aber sie breitet diese Erfahrung nicht aus. Den Menschen der abendländischen Kultur hat sich diese

Erfahrung im Blick auf Christus, in der Bindung an ihn, im Versuch seiner Nachfolge erschlossen. Diese Erfahrung bringt zugleich die Seligkeit und das Schwert. Sie öffnet den Blick für die Verwendung der Religion im Dienste des Interessengefüges der bestehenden Kultur. Die Kritik der radikalen Ethik an der Religion wird nicht darum falsch, weil radikale Ethik nur auf religiösem Grund möglich ist.

In dieser Erkenntnis entsteht das Bedürfnis, verschiedene Namen für die verschiedenen Momente der Religion zu haben. Barth wählte den Namen »Religion« für dasjenige in der Religion, was durch die Religionskritik getroffen wird*, für das andere wählte er Worte wie »Christentum« oder »Glaube«. Er war sich aber bewußt, gerade als Theologe damit eine unermeßliche Aufgabe zu übernehmen. Wie soll sich der Glaube aussprechen, ohne durch die Begriffe seiner Sprache alsbald wieder »religiös« zu werden? In jenem Gespräch mit Barth wagte ich im Tonfall einer Frage die Bemerkung, das Evangelium sei doch ein kurzer Text, seine Dogmatik aber ein langer. Er erwiderte lächelnd: »Ja, wenn wir so einfach wären wie das Evangelium, dann könnten wir auch so kurz sprechen.« Er fuhr, sinngemäß, fort, er habe in der Dogmatik nur versucht, die Fülle der Fehldeutungen des Evangeliums abzuarbeiten. Ich glaube aber, daß das Problem die Mittel überfordert, die Barth einzusetzen vermochte. Warum wählte er den Terminus »Religion« für das Bedenkliche im Christentum? Vermutlich, weil »Religion« in der religionswissenschaftlichen Denkweise des 19. Jahrhunderts der Oberbegriff war, unter den dann »Christentum« und »Glaube« als speziellere Begriffe fielen. Er hatte einen Instinkt dafür, daß das der Logik entstammende Hilfsmittel der Begriffspyramide hier die Phänomene verdeckt. In der Tat, wer, den Theoretikern hat eine Erfahrung erzählen, eine Forderung nahebringen wollen, kennt nicht die Sicherheit, mit der sie durch begriffliche Einordnung den Blick von der Erfahrung ablenken, die Forderung entschärfen können? Zugleich wollte Barth das Einfließen der Religion der griechischen Philosophie ins Christentum abwehren. Aber man muß wohl sagen, daß auch seine Theologie das Mittel des Begriffs

* Vgl. hierzu die sorgfältige Analyse bei Feil, l. c.

nicht entbehren konnte, und daß er eine Aufklärung des Zusammenhangs theologischer Begriffe mit Begriffen überhaupt, also eine philosophische Reflexion auf die durch sein Denken implizierte Philosophie nicht geleistet hat.

Auch Bonhoeffers letzte Ansätze bleiben hinter dem wahren, inhaltlichen Problem zurück. Es kann bei ihm so aussehen, als sei das »mündige« Bewußtsein der modernen Welt eine in sich konsistente Denkweise. Wäre dem so, dann könnte ich mir eine Interpretation des alten Glaubens in Begriffen dieser Denkweise kaum vorstellen. Bonhoeffers Andeutungen einer »Arkandisziplin«, »durch die die *Geheimnisse* des christlichen Glaubens vor Profanierung behütet werden« (5. 5.) weist in anderer Richtung, ebenso die Forderung: »Die Mündigkeit der Welt . . . wird nun wirklich besser verstanden, als sie sich selbst versteht, nämlich vom Evangelium, von Christus her.« (8. 6.). In dieser Linie liegt auch Gogartens spätere Theologie, welche die Säkularisierung – anders als das von ihm Säkularismus genannte Phänomen – gerade nicht als Abfall vom Glauben, sondern als Verwirklichung des Willens Gottes in der Geschichte versteht. An alle diese Ansätze ist die Frage zu stellen, wie sie sich in dem Zirkel bewegen, das Christentum im modernen Bewußtsein, das moderne Bewußtsein aber vom Christentum her zu verstehen.

Die Bezeichnung der modernen Welt als »mündig« ist irreführend, wenn man über die Parallele zur juristischen Emanzipation von elterlicher Gewalt hinausgeht. Es trifft zu, daß sich die moderne Kultur kirchlicher Gewalt nicht mehr unterwirft. Im Bewußtseinsprozeß kann man allenfalls von einer speziellen Reifungsphase sprechen, etwa von der Ausbildung der zwei zusammengehörigen Vermögen Wille und Verstand, deren gemeinsames Instrument das begriffliche Denken ist. In der Biographie einer Person wie in der Geschichte der Kultur aber bedeuten Reifungsphasen meist zugleich, daß gewisse Fähigkeiten zurückgedrängt werden, wenn andere an ihre Stelle treten. Dies gilt insbesondere von Phasen der Emanzipation, die eben darum meist dramatisch verlaufen. Emanzipation ist kein Selbstzweck, kein Erreichen eines Gleichgewichts, sondern ein Durchgang, ein Freisetzen vorher gebundener Kräfte. Heute ist die moderne Emanzipation ökumenisch geworden.

Sie hat alle Kulturen der Welt erreicht. Gleichzeitig besitzt sie nicht den moralischen Leitfaden, um die freigesetzte Welt zu gestalten. Dies gilt jedenfalls dann, wenn die vorhin angestellten Überlegungen über radikale Ethik richtig waren, denn die moderne Emanzipation strebt zur autonomen Moral. Deshalb müssen wir erwarten, daß die größten, erdumgreifenden politischen Konflikte nicht hinter uns, sondern vor uns liegen. Und es ist zu fürchten, daß das Recht – das anfangs scheinbar so klare Recht – schließlich auf keiner der streitenden Seiten sein wird.

In dieser Lage bewahrt die Kirche das Wissen von dem Einzigen, was heilt, der Liebe zum Nächsten quer durch die Fronten, die nur in Gott möglich ist. Die Kirche bewahrt dieses Wissen nicht, wenn sie auf einem Anspruch beharrt, der seinen historischen Ort vor der Emanzipation hat; dann errichtet sie zu den anderen Fronten nur ihre eigene Front, die zwischen Kirche und Welt. Ein Stück dieser Front ist auch die Front gegen die außerchristlichen Religionen. Hier handelt es sich nicht darum, den Feind zu lieben, sondern den Bruder zu verstehen. Die meisten christlichen Theologen noch so moderner Generationen wie derjenigen Barths und Bonhoeffers hielten den Irrtum aufrecht, die anderen Religionen seien, im Gegensatz zum Christentum, in ihrem Wesen nur »Religion«. Diese Meinung war ein Schutzwall um den Glauben an die Einzigartigkeit Christi, ein Schutzwall, der, wie Schutzwälle immer, Wichtiges gerade in den Aussagen Christi unverständlich gemacht hat. Die alte Kirche, welche die Religion der griechischen Philosophie in sich aufnahm, hat hierin weiser gehandelt.

Dies sind einige Landmarken des Wegs der Theologie ins moderne Bewußtsein, den Bonhoeffer als offenen Weg vor sich sah, ehe er starb. Hätte er leben dürfen, er wäre den Weg mit uns gegangen.

479

IV, 4. Ebenen der christlichen Theologie*
Eine Anmerkung zu Luther

In einigen Überlegungen der letzten Jahre habe ich von Plateaus gesprochen: in der Wissenschaftsgeschichte sind es Kuhns Paradigmen, Heisenbergs abgeschlossene Theorien, in der organischen Evolution die Spezies, im Menschsein habe ich das Nützliche, das Gerechte, das Wahre, das Schöne, das Heilige so bezeichnet. Plateaus brauchen sich, wie die letzten Beispiele zeigen, nicht historisch abzulösen, sie können, wenn sie verschieden genug sind, koexistieren; sie können einander aber auch mit innerer Notwendigkeit im historischen Prozeß verdrängen, wie eben die umfassendere Theorie die engere erklärt und eben dadurch in ihrem Wahrheitsanspruch relativiert, »als Wahrheit« verdrängt. Sprachlich scheint das Fremdwort »Plateaus« überflüssig; »Ebenen« ist dieselbe geographische Metapher.

Eine kurze Ferienlektüre in Rankes Deutscher Geschichte im Zeitalter der Reformation führte mir die Wichtigkeit der Leipziger Disputation mit Eck (1519) für Luther vor Augen. In den Verhandlungen mit Miltitz hatte Luther sich aufrichtig zur Zurückhaltung im Rahmen der päpstlichen Autorität bereit gefunden. Gerade die sachliche Stärke der Argumente Ecks zwang ihn, um der Wahrhaftigkeit willen, über alle bisherige Zurückhaltung hinaus, zu Konsequenzen, die ihm erst dann voll bewußt wurden. Daß die Autorität des Papstes nicht in der Bibel, sondern in geschichtlich erhobenen Ansprüchen begründet sei, bewies Luther gegen Eck dadurch, daß die griechische Kirche mit ihren vielen Kirchenvätern und Heiligen, obwohl sie den Papst nicht anerkennt, von der römischen Kirche nicht als häretisch (nur als schismatisch) angesehen wird. Hiermit hatte Eck Luther de facto zur klaren Abweisung der päpstlichen Autorität gezwungen. Luther wollte sich auf die Konzilien stützen. Eck bewies Luther, daß die neueren Konzilien,

---

* 1976 geschrieben, quasi als Nacharbeit zum Bonhoeffer-Vortrag.

zumal das Konstanzer Konzil in der Verurteilung von Hus, die päpstliche Autorität positiv behaupten. Nun war Luther gezwungen, zu behaupten, daß auch Konzilien irren können. Dies nötigte ihn zu seiner eigentlichen Position: die einzige unerschütterliche Autorität ist die Schrift. Wie schwer diese Schritte für Luther waren, zeigte sich in der Erschütterung, in die ihn dann in Wittenberg die gedankliche Nacharbeit stürzte. Jetzt erst begann er im Papsttum ein System zu erkennen, das in kohärenter Weise seine Macht ausbaute und ihr die Wahrheit opferte. Auf die Frage, wie Gottes Heilsplan diese Verkehrung seiner Kirche hatte zulassen können, gab es für ihn dann nur noch die eine konsequente Antwort: der Papst ist der prophezeite Antichrist. Man hat in dieser Gleichsetzung einen Beleg für Luthers Maßlosigkeit in der Gegnerschaft gesehen. In Wirklichkeit war gerade sie eine Erkenntnis des Charakters des Papsttums als echte Ebene der Geschichte, formuliert in einem der spärlichen Begriffe für Geschichtsvorgänge, welche die christliche Lehre von der Heilsgeschichte ihm bot.

Wer als Kind der Aufklärung diese Vorgänge anschaut, erkennt sofort, daß auch Luthers Ebene der Schriftautorität so wenig haltbar ist wie die Autorität des Papstes oder die der Konzilien. In aufgeklärteren Zeitgenossen, so im Abendmahlsstreit mit Zwingli, trat ihm faktisch schon die nächste geschichtliche Ebene, die Vernunft, entgegen. Die Bibelkritik späterer Jahrhunderte entdeckte in der Schrift so viele Widersprüche wie in der Kirchengeschichte. Sie rechtfertigte auf anderer Ebene eine der katholischen Thesen gegen Luther: die Schrift ist selbst ein Teil der Geschichte. Konnte der heilige Geist die unfehlbare Schrift diktieren, dann konnte er ebensowohl die Kirche durch unfehlbare Päpste oder Konzilien führen; hat er dieses nicht getan, warum sollen wir annehmen, er habe jenes getan?

So kritisiert die Ebene der aufgeklärten Vernunft die Ebenen der christlichen Theologie. Aber die bloße Emanzipation ist ja noch nie echtes Verständnis dessen, wovon man sich emanzipiert. Zu den psychologischen Bedingungen des Emanzipationsakts gehört ein Maß an geschichtlicher Verblendung. Reife stellt dann ein Verständnis der Vorfahren her, zu dem weder diese selbst fähig waren noch der nach Emanzipation

verlangende Rebell. Dies ist der (»Heisenbergsche«) Idealfall.
In der Religionsgeschichte, wie überhaupt in der Kulturgeschichte, ist jedoch Kuhns Bild der Paradigmen, deren spätere
oft auch etwas nicht mehr leisten, was frühere geleistet haben,
richtiger als in der Physik. Die Ebenen der christlichen Theologie bewahren Schätze, die gerade auf der Ebene der aufkläre-
risch verstandenen Vernunft unsichtbar, unprüfbar bleiben.

Schon eine aufgeklärt denkende Evolutionstheorie kann den
Ebenen christlicher Theologie ein Stück weit gerechtwerden;
sie kann verständlich machen, warum es auch in der Kirchengeschichte Ebenen, vielleicht eben diese gedanklichen Ebenen
gibt. Die christliche Gemeinde wußte sich vom Anfang an
durch eine in ihr lebendige Wahrheit geführt; »der Geist wird
euch in alle Wahrheit leiten.« Dies ist ein evolutiver Prozeß.
Wie alle Evolution geht er durch Versuch und Irrtum, durch
Vorstöße in verschiedene Richtungen, entstehende Richtungs-
kämpfe, Sieg der erfolgreicheren Richtung, integrative Eini-
gungen, unheilbare Entzweiungen, die getrennte Evolutions-
pfade eröffnen. Hier bieten sich nun Ebenen der Entschei-
dungsfindung an wie in allen anderen geistigen und politischen
Entwicklungen auch. Dem Ideal der Führung durch die Wahrheit gemäß ist die immer von neuem im Schoß der Gemeinde
hergestellte aufrichtige Einigung. Damit diese gelingt, muß
wenigstens eine von zwei Bedingungen erfüllt sein. Entweder
die Gemeinde muß so klein sein, daß ihre Glieder einander
kennen und im sozialen Zusammenleben die Fortdauer der
realen Übereinstimmung immer wieder überprüfen können.
Dies ist das Prinzip der Sekten, für uns Heutige am eindrucksvollsten wohl in den Quäkern verkörpert. Oder die Wahrheit
muß eine so offensichtlich überpersönliche Kraft haben, daß
auch eine weitverstreute Menschengruppe darauf trauen kann,
diese Wahrheit werde sich durch ihre überzeugende Wirkung
immer von neuem durchsetzen. Dafür ist die heutige Wissenschaft ein Modell, in der neue Erkenntnisse sich bisher durch
aktive Zustimmung der scientific community durchgesetzt haben, mit dem Randphänomen des immer erneuten Aussterbens
der nicht Überzeugten. Die christliche Kirche hat eine ähnliche
Überzeugungskraft ihrer Wahrheit, vermittelt durch ihre Predigt und den stets wirksamen heiligen Geist in Anspruch ge-

nommen. Sie hätte keine zwei Jahrtausende überlebt, wenn in diesem Anspruch nicht etwas Berechtigtes gewesen wäre (dies ist das Argument für das Papsttum, das Luther nur durch die Gleichsetzung des Papstes mit dem von Gott zugelassenen Antichrist ausräumen konnte). Der soziologisch und politik-historisch geschulte Blick erkennt freilich in der Kirchenge-schichte noch offensichtlicher als in der Geschichte der Wis-senschaft die Hilfskonstruktionen, die eben zu den drei Autori-täten des Papstes, der Konzilien, der Schrift geführt haben. Das Prinzip der Autorität tritt überall dort ein, wo die Einigung durch unmittelbar überzeugende Wahrheit nicht gelingt. Au-toritäten können mitlebend oder historisch sein. Mitlebende Autoritäten sind monarchisch oder korporativ, also episkopal oder presbyterial. Soll der katholische Zusammenhalt der Kir-che durch mitlebende Autorität garantiert sein, so legt sich bei der ungeheuren Ausdehnung der christlichen Ökumene eine Zentralgewalt als Lösung nahe: so kam es zum Papsttum. Das Prinzip der korporativen Autorität kann nur selten im ökume-nischen Rahmen praktiziert werden: so kam es zu den Konzi-lien. Die unerschütterlichste Autorität wird ein ein für allemal abgeschlossener Text sein: so kam es zum Kanon der Schrift.

Es ist evident, daß die schlichte Erkenntnis dieser Mechanis-men, wie sie der aufgeklärten Vernunft erscheinen, ausreicht, alle drei Autoritäten zu relativieren, selbst wenn man bereit ist, sich ihnen aus Gründen der Pragmatik, auch des Respekts, weiterhin zu fügen. So war Luther bereit, die Konzilien und selbst den Papst zu respektieren, bis Eck ihn zur Konsequenz der Wahrheit zwang. Für den heutigen Leser verblüffend ist, daß er bei der Schriftautorität haltmachte und später den Schritt in die nächste Ebene so entschieden verweigerte wie das Verharren in der vorangehenden; dem Antichrist Papst steht dann für ihn die Hure Vernunft gegenüber. Solche Verblüffung gegenüber einer Ebene zeigt aber stets, daß wir die Ebene nur formal, als Stabilisierungsmittel, aufgefaßt haben, und daß der Inhalt, der eben diese Stabilisierung ermöglichte, unbemerkt geblieben ist.

Die Aufklärung symbolisiert ihre eigene Ebene durch eine Halbwahrheit, den Fortschrittsglauben. Historisch war es ein ungeheurer Schritt, der in der Menschheit allgemein herrschenden Absolutsetzung der Tradition die freie Wahrheitssuche und den Glauben an eine herstellbare bessere Zukunft unter dem Prinzip der Vernunft entgegenzusetzen. Aber schon im Bereich rationaler Erkenntnis selbst hat der bloße Fortschrittsglaube etwas Eindimensionales; er vermag die inhaltlichen Gründe der epochenüberspannenden Kraft älterer Erkenntnisse oft nicht zu erkennen. Hier ist das Kuhnsche Schema der Wissenschaftsgeschichte erleuchtend. Normale Wissenschaft stellt ihr leitendes Paradigma nicht in Frage; gerade weil sie es fraglos anwendet, versteht sie im Grunde nicht, warum es funktioniert. In den großen wissenschaftlichen Revolutionen wird die Wissenschaft genötigt, zu philosophieren. Einstein verstand Newton besser, als das 18. und 19. Jahrhundert ihn verstanden hatte; er konnte ihn relativieren, weil er ihm – endlich wieder – gerecht wurde. Und kein Späterer wird dem Früheren voll gerecht, auch Einstein Newton nicht. Es war für mich das große Geschenk des beruflichen Auftrags, Philosophiegeschichte zu lehren, daß ich sehen lernte, wie weit die gesamte neuzeitliche Philosophie, obwohl sie über Platon hinausweist, hinter einem Verständnis Platos zurückgeblieben ist. Freilich war der Schleier, der über der griechischen Philosophie lag, gerade ihre Rolle als Autorität. Wo diese Autorität noch galt, blieb sie so unverstanden wie ein herrschendes Paradigma, wo sie nicht mehr galt, wurde sie vergessen wie ein Paradigma der Vergangenheit.

Das Christentum hat die Autorität Christi nie in Frage gestellt. Es hat sie durch das Dogma seiner göttlichen Natur sakrosankt gemacht. Auch diese Autorität war zugleich ein Schleier vor seiner Wirklichkeit. Daher die immer wiederkehrende Konfliktform der inneren Revolutionen der Kirche. Wer den Schleier ein Stück weit lüftete, mußte sich selbst verstehen als einer, der zum Ursprung, zum eigentlichen Christentum zurückkehrte, und mußte den Anhängern der bestehenden Autorität als ein Feind Christi, als der Anstifter eines Sakrilegs erscheinen. So auch Luther. Das Schriftprinzip hatte für ihn die Bedeutung, die überwältigende Quelle lebendigen Wassers wieder strömen zu lassen, die in der ältesten großen Theologie, der paulinischen, und in der Überlieferung von Christus selbst zu finden war. Es ging dabei, wie so oft in einem neuen Para-

digma, um einen einzigen, alles andere neu organisierenden
Gedanken, die Rechtfertigung durch den Glauben.

Dieser Gedanke ist unserer Zeit schon wieder so weit
entrückt, daß man ihn modernen Menschen kaum mehr erklären kann (ich weiß, welche Mühe ich als junger Mensch hatte,
mir überhaupt begreiflich zu machen, wovon Luther sprach;
erst als ich mir das geistesgeschichtlich auseinandergelegt
hatte, begann ich, anders als sporadisch mit ihm fühlen zu
können). Gemessen am aufklärerischen Paradigma der Vernunft und des guten Willens enthält dieser Gedanke in der Tat
zwei entgegensetzte Komponenten. In einer oberflächlichen
Schicht ist er emanzipatorisch; und ohne diese Schicht hätte er
historisch nicht so gewaltig gewirkt. In der tieferen Schicht
aber leugnet er eben das, woran die Aufklärung geglaubt hat,
die der menschlichen Natur immanente Gabe des moralischen
und rationalen Fortschritts. Mit der tieferen Schicht meine ich
die tiefere Erkenntnis – auch wenn die für Luther unerläßliche
Form dieser Erkenntnis unserer Rationalität nicht mehr gemäß
ist. Versuchen wir, wissend, daß auch sie unangemessen bleibt,
eine moderne Sprache für diese Erkenntnis.

Es ist emanzipatorisch, zu erkennen, daß wir unsere Identität nicht der Erfüllung eines von außen gegebenen Gebots
verdanken können. In diesem Satz steht der selbst der Emanzipation verdankte Begriff der Identität für den voremanzipato-
rischen Begriff der Rechtfertigung. Das von außen gegebene
Gebot steht für das, was Luther, Paulus folgend, des Gesetzes
Werke nennt. Nun war aber Paulus philosophisch gebildet. Er
konnte, in hellenistischer Version, den Gedanken denken, den
in der Neuzeit Kant am klarsten formuliert hat: daß das Gesetz
im Kern ein Gesetz der Vernunft ist, das der mündige Mensch,
kraft vernünftiger Erkenntnis, nicht umhin kann sich selbst
vorzuschreiben. Wer so denkt, darf statt Rechtfertigung Identität sagen. Paulus, und mit ihm Luther, kritisiert aber gerade
diesen zentralen Gedanken. Die Erfahrung lehrt mich, daß ich
nicht imstande bin, das Gute, das ich will, zu tun, ja, tiefer
gesehen, daß ich nicht imstande bin, das Gute, dem ich zustim-
me, zu wollen. Hier sei nicht die Rede davon, wie Kant, der
dieses Problem sah, es zu lösen versucht hat; die Aufklärung in
ihrer Breite hat das Problem nicht sehen mögen und hat es mit

dem psychischen Instrument des Optimismus verdrängt. Die Strafe für diese Verdrängung ist die »Dialektik der Aufklärung«, der immer von neuem drohende Zusammenbruch der gesamten modernen Kultur.

Wo der Rationalismus der Aufklärung des Problems inne wird, schiebt er die Schuld meist der Irrationalität der Affekte zu. Diese Stilisierung des Menschen, die Zerlegung der Seele in einen rationalen und einen irrationalen Teil, ist selbst eine Ebene der anthropologischen Theorie, ein Paradigma, das in unserer okzidentalen Tradition aus der griechischen Philosophie, aus einer (freilich ungenauen) Interpretation eines platonischen Gleichnisses stammt. Die Kulturkritik wie die Wissenschaft unserer Zeit zerstört diese glatte Lösung, enthüllt ihre falsche Eleganz. Einerseits legt die Kulturkritik uns nahe, von der Irrationalität des Rationalen zu sprechen, von der Zerstörung der Lebenswelt durch ein technisches und politisches Handeln, das vom Partikularinteresse her gesehen gerade verständig ist, und das der Optimismus der Aufklärung für vernünftig hielt. Das Mindeste, was hier philosophisch geleistet werden muß, ist die Unterscheidung des Verstandes als der Fähigkeit, begrifflich zu denken, von der Vernunft als der Wahrnehmung eines Ganzen. Wie aber kann uns Vernunft zugänglich werden? Die Wissenschaft andererseits, speziell gesagt die Ethologie und die von ihr belehrte Psychologie, lehrt uns die Rationalität des Irrationalen, die Vernunft der Affekte verstehen. Affekte sind begrifflose Wahrnehmungen; ihre Unordnungen indizieren nur die Unordnungen des steuernden Ich.

Die Erfahrung, die Luther ins Kloster und wieder hinausgetrieben hat, die er bei Paulus ausgesprochen fand, heißt in moderner Sprache, daß eben das Ich selbst der Ursprung des Übels ist, nicht gewisse ihm anhaftende Affekte. In diesen Erfahrungsbereich ist in der neueren Zeit Freud eingedrungen, freilich mit ganz anderen Vorurteilen. Freuds Beziehung zu Luthers Problem kann in dreifacher Weise angedeutet werden. Das Erste, daß ohne Zweifel die sexuellen Probleme für den jungen Luther, und das heißt letztlich für sein ganzes Leben, eine Schlüsselrolle hatten. Man meint dies dem Gesicht des jungen Asketen wie des fett gewordenen Familienvaters anzusehen. Man tut dem großen Manne Luther damit keinen Abbruch, wenn man mit Freud die Universalität des sexuellen Problems sehen gelernt hat. Die fürchterlichen Angstgefühle, das schwelende Sündenerlebnis ohne kasuistischen Grund hat Freud uns als sexuelle Verdrängungsphänomene begreifen gelehrt. Luther konnte dem Sinn der mönchischen Lebensform nie gerecht werden, weil sie ihm eine falsche Lösung dieses Problems symbolisierte; ob seine späten Depressionen damit zusammenhingen, daß auch die Ehe nicht die volle Lösung war? Das Zweite ist, daß Freud das Ich nicht als den Herrn, sondern als ein relativ kleines Organ der Psyche sehen lehrte. Hier ist Freud freilich in einen Rätselgarten eingedrungen, in ein Labyrinth, in dem auch er den Weg verlor, zumal da sein begriffliches Werkzeug, dem zeitgenössischen physikalischen Weltbild entstammend, seiner Intention nicht gemäß war. Das Dritte ist das Wichtigste. Wie Freud sah, hängt die Heilung der Neurose daran, daß ich die Taten meines Unbewußten als Taten meines eigenen Willens erkenne und auf meine Verantwortung übernehme, obwohl ich zuvor nicht gewußt habe, daß ich sie wollte. Dies ist die Erkenntnis Luthers und Paulus': Ich bin es – nicht die von mir unterschiedenen Affekte, wie sollte ich ihrer Herr werden? – ich bin es selbst, der das Böse will, das ich selbst verurteilen muß. Wie das zugeht, mag rätselhaft sein, aber das ist die Erfahrung. In religiöser Symbolsprache: Vergebung gibt es nur für den reuigen Sünder, nicht für den, der sich zu seinen Sünden nicht bekennt; und nicht einmal die Reue zu wollen, liegt in seiner Macht.

Diese Erfahrung vom servum arbitrium ist nun freilich, in immer wieder anderer kultureller Einbettung, die Ausgangserfahrung aller der Religionen, in denen von Erlösung die Rede sein kann. Im Buddhismus und im Hinduismus, bei allen Unterschieden, die sie umfassen, ist die Erlösung wie ein Erwachen erfahren. In wichtigen Traditionen spricht man von einem Erwachen zum wahren, göttlichen Selbst. Im Christentum ist die Erlösung göttliche Gnade. Luther, seiner persönlichen Erfahrung nach besonders mißtrauisch gegen jeden Besitzanspruch des Ich, auch den Anspruch auf Gnade oder auf göttliche Teilhabe, fand die Erlösung, die Form der Beziehung zu Gott, die er als Rechtfertigung beschrieb, im Glauben. Er kam damit der Vorprägung der christlichen Kultur nahe genug, daß seine eigene Erfahrung vorbildlich werden und welthistorische Wirkung entfalten konnte.

Es ist also nicht das Schriftprinzip, das die theologische Ebene Luthers auszeichnet, sondern der für ihn entscheidende Inhalt der Schrift, der Glaube. Der Gegner ist nicht der Papst, sondern das von der Scholastik bis zur Aufklärung durchgehaltene Vernunftprinzip. Es mag ein Erbe Luthers sein, daß Deutschland politisch die Aufklärung nie ganz vollzogen hat, ihr geistig nie kritiklos gefolgt ist. Deutschland bleibt so, bei aller Effizienz, ein Land tiefsinniger Konservativer. Luther vermochte seine Erfahrung nicht in anderer Rationalität zu denken als derjenigen der überlieferten Bibelauslegung. Auf seine Erfahrung im eigentlichen Sinne war keine Ebene der historischen Kirche oder Theologie zu gründen. Die protestantische Kirche wurde am Ende ein feindlicher Bruder der katholischen oder ein Promotor der Aufklärung. Erst in unserem Jahrhundert ergreift die Aufklärung die ganze Erde, verwandelt alle Kulturen. Ihre Überlegenheit über alle Traditionen ist offensichtlich, ihre Unfähigkeit, die selbsterzeugten Probleme zu lösen, zeigt sich und sollte uns nicht verwundern. Heute sind ganz andere geistige Ebenen notwendig als alle überlieferten Ebenen christlicher Theologie. Aber es wird ein Kriterium für sie sein, ob sie uns begreifen lehren, wovon in dieser Theologie die Rede war.

IV, 5. Die Seligpreisungen

1. Vorbemerkung

Zur Vorbereitung auf das Kirchentags-Referat Über Angst (I, 8.) und vor allem auf den Bonhoeffer-Vortrag (IV, 3.) habe ich im Sommer 1975 Partien des Neuen Testaments, vor allem den Römerbrief und den Anfang der Bergpredigt, im griechischen Text gelesen. Aus den Texten sprangen mir Wortbedeutungen entgegen, die der mir seit der Kindheit vertraute Luthertext, aber im Grunde die gesamte kirchliche Auslegungstradition, verdeckt hatte. Meine Aufmerksamkeit auf diese Bedeutungen war vor allem sensibilisiert durch die Übung eines Jahrzehnts der Lektüre griechischer Philosophie im Urtext, die mir das philosophische Lehramt geschenkt hatte. Eine Rolle spielte aber auch meine persönliche Begegnung mit der Wirklichkeit asiatischer Religion.

Ein Beispiel ist die gegenüber Luther sehr viel dynamischere Deutung des ἔλεγχος in Hebr. 11.1, die ich im Referat über Angst (S. 131) versuche. Das Lexikon von Bauer* bietet zur Stelle die Bedeutung *Beweis*. ἔλεγχος ist ein Wort der Gerichtspraxis, das als *Überführung* übersetzt werden kann; in der philosophischen Tradition bedeutet es seit Sokrates die *Erprobung,* d. h. meist den *Erweis der Ungegründetheit* einer vorgebrachten Meinung des Gesprächspartners. In unserer Lutherbibel wird die mögliche Bedeutung *Beweis* umgedeutet zu *Nichtzweifeln,* also dem präzisen Gegenteil des üblichen Wortsinnes. Es ist klar, welches Interesse Luthers und später welches kirchliche Interesse hinter dieser Wegnahme des konstitutiven Zweifelselements aus einem Wort steht, das ein Prädikat des Glaubens aussprechen soll; und es ist tröstlich, im Urtext eben die Bedeutung wiederzufinden, die der aufgeklärte Intel-

---

* W. Bauer, »Griechisch-deutsches Wörterbuch zu den Schriften des Neuen Testaments und der übrigen urchristlichen Literatur«, Berlin, Töpelmann 1937.

lektuelle in der lutheranischen (von Luthers eigener Dynamik dann wieder weit entfernten) Deutung vermißt. Ich habe nicht alle späteren Übersetzungen durchgeprüft, ziehe aber immer diejenige meines Urgroßvaters Carl Weizsäcker* zu Rate. Der kluge und vorsichtige liberale Übersetzer findet, wenn der griechische Text ein Wort enthält, das mehrere Deutungen zuläßt, fast stets ein deutsches Wort, das uns vor dieselbe Mehrdeutigkeit stellt, ein Verfahren, für das ich sehr viel dankbarer bin als für unkommentierte einseitige Entscheidungen. Er übersetzt die Stelle: »Es ist aber der Glaube eine Zuversicht auf Gehofftes, eine *Überführung* über Dinge, die man nicht sieht«.

Es fiel mir – so jedenfalls das subjektive Erlebnis – wie Schuppen von den Augen, als ich mit dieser Sorgfalt den vertrauten griechischen Text der Seligpreisungen las. Ich sah, daß ich meine bisherige Auffassung des Textes in einem wesentlichen Punkt ändern mußte, einem Punkt, der mit der besseren Erkenntnis des Adressatenkreises der Rede, ihres »Sitzes im Leben« zusammenhängt.** Dies möge aus der nachstehenden Übersetzung und dem anschließenden Kommentar hervorgehen. Die Übersetzung verzichtet bewußt auf die Tugend des Ahnherrn; sie legt sich auf eine Deutungsentscheidung fest und ist deshalb an einigen Stellen eher interpretierend als wörtlich. Sie erhebt eben darum keinen Anspruch auf kirchlichen Gebrauch, wohl aber auf wissenschaftliche Diskussion. Eine Erörterung der geschichtlichen Wirkung des Textes macht den Schluß.

2. Übersetzung

Math. 3,2 : Ändert euer ganzes Bewußtsein, denn das Reich der Himmel ist da.
4,8 : Wiederum nimmt ihn der Teufel mit auf einen sehr hohen Berg.

* Das Neue Testament, übersetzt von Carl Weizsäcker, Tübingen, Mohr (Siebeck)[9] 1900; weiterhin als CW zitiert. Wo ich im Folgenden Stellen aus dem Neuen Testament auf deutsch anführe, stammt der Wortlaut fast stets aus dieser Übersetzung.
** IV, 2. ist vor dieser Lektüre verfaßt, IV, 3. nachher.

4,10: Hierauf sagt Jesus zu ihm: Entweiche Satan; denn es steht geschrieben: Du sollst dem Herrn deinem Gott huldigen und ihn allein anbeten.

4,11: Hierauf verläßt ihn der Teufel, und siehe, Engel kamen und dienten ihm.

5,1 : Als er die Massen sah, stieg er auf den Berg, setzte sich und

5,2 : seine Jünger kamen zu ihm. Und er tat seinen Mund auf und lehrte sie, sagend:

5,3 : Selig sind die Bettelmönche, denn für sie ist das Reich der Himmel da.

5,4 : Selig die Trauernden, denn sie werden getröstet werden.

5,5 : Selig die Milden, denn sie werden das Land Israel erben.

5,6 : Selig, die hungern und dürsten, Gerechte zu sein, denn sie sollen satt werden.

5,7 : Selig die Erbarmenden, denn sie werden Erbarmen finden.

5,8 : Selig die im Herzen Reinen, denn sie werden Gott sehen.

5,9 : Selig die Bringer des Friedensreichs, denn sie werden Gottes Söhne heißen.

5,10: Selig, die verfolgt werden, weil sie Gerechte sind, denn für sie ist das Reich der Himmel da.

5,11: Selig seid ihr, wenn sie euch schmähen und verfolgen und über euch alles Böse lügnerisch sagen um meinetwillen. Freut euch und jubelt, denn euer Lohn wird groß sein im Reich der Himmel. So haben sie die Propheten vor euch verfolgt.

3. Kommentar

3,2 : μετανοεῖτε;. Luthers Übersetzung, von CW übernommen: *tut Buße.* Die Frage ist, ob wir das Wort *Buße* verstehen. νοεῖν bedeutet bei Homer *verstehend sehen, sehend wahrnehmen.** Von Platon und Aristoteles auf geistiges Wahrnehmen angewandt, bezeichnet es diejenige Weise des Denkens, die durch die Analogie des Sehens erläutert werden kann. Dies ist in der attischen Philosophie die höchste Tätigkeit der Seele,

---

* Vgl. B. Snell, Die Entdeckung des Geistes.

und in diesem Sinn ist νοῦς der Geist. Wieviel davon im neutestamentlichen Griechisch noch anklingt, kann offen bleiben. Jedenfalls fordert das eine Änderung der ganzen Seelenhaltung; ich versuche dies durch *euer ganzes Bewußtsein* auszudrücken. Die nächste Verwandtschaft mit dieser Forderung findet sich in Platons Auslegung des Höhlengleichnisses, Pol. 518 C, wo dem Gefangenen, der sich auf den Weg zum Licht machen soll, nottut σὺν ὅλῃ τῇ ψυχῇ … περιακτέον εἶναι, *sich mit der ganzen Seele umzuwenden.* Wir sollten voraussetzen, daß analogen Ausdrücken analoge Erfahrungen entsprechen.

ἡ βασιλεία τῶν οὐρανῶν. Luthers *Himmelreich* gebe ich mit CW als *Reich der Himmel* wieder. Ich versuche hier nicht, den formelhaften Ausdruck weiter auszulegen, als sich aus unserem Text selbst ergibt. Daß *Himmel* im Plural steht, verweist auf die Gegenwart der Engelmächte in diesem Reich.

ἤγγικεν. Luther übersetzt *ist nahe herbeigekommen,* CW korrekter *ist herbeigekommen.* Ich versuche den präsentischen Sinn des griechischen Perfekts hervorzuheben durch den Ausdruck *ist da.* Die Kirche hatte hier nach Jesu Kreuzestod das Auslegungsproblem, daß sie das Kommen des Himmelreichs erst mit seiner Wiederkunft erhoffte, also eine Art Zweideutigkeit des Ausdrucks annehmen mußte, wenn Jesus (Matth. 4,17) und gar schon Johannes (Matth. 3,2) völlig gleichlautend sagen konnten, das Reich sei schon gekommen. Das Zurückweichen vor dem Wörtlichnehmen des Textes drückt sich in Luthers Übersetzung aus. Historisch werden wir davon ausgehen müssen, daß Johannes und Jesus wörtlich dieselbe Formel gebraucht haben und also wohl dasselbe gemeint haben: ein Reich, das mit ihrem eigenen Auftreten wenigstens begonnen hat, da zu sein. Die Verkündigung verkündigt, wörtlich gelesen, etwas, was vor der Verkündigung schon angekommen ist; die Verkündigung ist nicht das Reich, sondern sie ist die Verkündigung des von nun an gegenwärtigen Reichs. Unsere Auslegung sollte versuchen, das Reich so zu verstehen, daß diese Verkündigung nicht einen phantastischen, sondern einen für die Beteiligten realen Sinn erhält.

4,8 : εἰς ὄρος ὑψηλὸν λίαν.
5,1 : ἀνέβη εἰς τὸ ὄρος.

8,1 : Καταβάντος δὲ αὐτοῦ ἀπὸ τοῦ ὄρους.

Den Text aus der Versuchungsgeschichte habe ich nur aufgenommen zum Vergleich mit 5,1. In 4,8 steht ὄρος ohne
Artikel, in 5,1 und 8,1 mit dem Artikel. Der Teufel führt ihn
auf *einen* sehr hohen Berg, in 5,1 steigt er auf *den* Berg. Die
ungezwungene Deutung scheint mir, daß er in 5,1 auf denselben dem Leser schon bekannten Berg steigt. Dies ist für meine
Deutung des Nachfolgenden nicht entscheidend, würde sie
aber stützen.

5,1 : Ἰδὼν δὲ τοὺς ὄχλους ἀνέβη εἰς τὸ ὄρος. *Er sieht*
die Massen, die ihm folgen. Wie an mehreren anderen Stellen
des NT entweicht er vor den Massen auf einen Berg.

5,1 : καὶ καθίσαντος αὐτοῦ προσῆλθον αὐτῷ οἱ μαθηταὶ
αὐτοῦ. *Als er sich gesetzt hatte, kamen zu ihm seine*
Jünger. Er tut seinen Mund auf und lehrte sie, sagend. An
dieser Stelle ist es eindeutig, daß die Bergpredigt nicht zu den
Massen, sondern nur zu den Jüngern gesagt ist. Auch Lukas
6,20 spricht er die Seligpreisungen zu seinen Jüngern. Auch
dort ist eine große Menge in der Nähe. Matth. 7,28 entsetzen
sich die Massen über seine Lehre. So konnte das Bild entstehen,
daß Jesus die Bergpredigt zu den Massen gesprochen habe. Es
scheint mir aber, daß wir uns an die klaren Einleitungsworte zu
halten haben: Die Bergpredigt ist an den auserwählten Kreis
der Jünger gerichtet. Mk. 3,13: Und er steigt auf den Berg und
er ruft zu sich, welche ihm gefielen, und sie kamen zu ihm, und
er bestellte zwölf, die er auch Apostel nannte, daß sie um ihn
seien, und daß er sie aussende zur Verkündigung und mit der
Vollmacht, die Dämonen auszutreiben. Matth. 7,14: Eng ist
die Pforte und schmal der Weg, der zum Leben führt, und
wenige sind, die ihn finden. 7,21: Nicht jeder, der zu mir sagt:
Herr, Herr wird in das Reich der Himmel eingehen.
Matth. 13,10–11: Und die Jünger kamen herzu und sagten zu
ihm: warum redest du zu ihnen mit Gleichnissen? Er aber
antwortete: weil es euch gegeben ist, zu erkennen die Geheimnisse des Reichs der Himmel, jenen aber nicht gegeben ist.

5,3 : μακάριοι. Was heißt *selig?* Gleichsam liturgisch
wird das Wort wiederholt. Es wird unerklärt eingeführt, aber
die jeder Seligpreisung nachfolgende Begründung, ebenso ste

reotyp mit ὅτι, *denn* eingeleitet, scheint den Inhalt der Seligkeit zu beschreiben.

5,3 : ὅτι αὐτῶν ἐστιν βασιλεία τῶν οὐρανῶν.
Denn ihrer ist die Herrschaft der Himmel. Der Text legt nahe,
daß sie selig sind, *weil sie die Herren im Reich der Himmel
sind.* In der Übersetzung habe ich nicht gewagt, so weit zu
gehen und habe nur gesagt, *denn für sie ist das Reich der
Himmel da.* Jedenfalls steht hier kein Futurum. *Jetzt schon ist
ihrer das Reich der Himmel.* Die Seligpreisung ist weder ein
bloßes Rühmen noch ein bloßes Versprechen für die Zukunft,
sondern sie ist eine Beschreibung der Gegenwart. Wer aber ist
selig?

5,3 : οἱ πτωχοὶ τῷ πνεύματι. Die Übersetzung *die Bettelmönche* ist nicht ganz genau, aber ich habe kein präzises
deutsches Wort gefunden, das die übliche spiritualisierende
Deutung so, wie es mir jetzt notwendig scheint, ausschließt.
πτωχός heißt seit Homer Bettler oder allenfalls bettelarm. (So
bis heute. Hoch auf der Insel Paros sagte mir ein Weinbauer:
Ja, es ist hier paradiesisch. Wir haben die Sonne, das Wasser
und die Trauben. Ἀλλὰ φτωχοὶ εἴμασθε. Aber wir sind
Bettler.) Das Lexikon von Bauer weiß als Beleg für eine über-
tragene Bedeutung außer unserer Stelle nur die ungezwungen
metaphorische Apk. 3, 17, wo der Gemeindeengel von Laodi-
cea, gerade weil er sich für reich hält, bettelarm ist. Es ist
philologisch bedenklich, eine nur einmal vorkommende Wort-
bedeutung zu statuieren, wenn an der betr. Stelle die übliche
Bedeutung einen guten Sinn gibt. Ich glaube also, daß die erste,
gewiß exemplarische, wenn nicht schon allumfassende Seligpreisung Menschen seligpreist, die im alltäglichen Sinne bettelarm sind. So spricht Jesus von sich selbst, Luk. 9, 58: Die
Füchse haben Gruben und die Vögel des Himmels Nester, der
Sohn des Menschen aber hat nicht, da er sein Haupt hinlege.
Matth. 10, 10 schreibt er den Jüngern vor: Schaffet euch kein
Gold noch Silber noch Münze an in eure Gürtel, keine Tasche
auf den Weg, keine zwei Röcke, noch Schuhe, noch Stock;
denn der Arbeiter verdient seine Nahrung. Luk. 18, 25: Denn
es ist leichter, daß ein Kamel durch ein Nadelöhr eingehe, als
daß ein Reicher in das Reich Gottes eingehe. τῷ πνεύματι
würde ich dann instrumental lesen: *Bettler durch den Geist,*

oder *um des Geistes willen.* Jedenfalls nicht, wie ich es früher
verstanden habe, Bettler um den Geist. Der Geist ist da, er
macht sie zu Bettlern. – Diese Lehre wird weniger befremdlich
vor dem Hintergrund der Religionsgeschichte. In Indien sind
zur Zeit Buddhas (6. Jahrhundert vor Christus) der Waldein-
siedler und der wandernde Bettelmönch schon feste, längst
bekannte Lebensformen. Diese Lebensformen gestatten, unge-
hindert durch die drei großen Begehren des Besitzes, der
Macht, der geschlechtlichen Liebe nur der meditativen Einsicht zu leben, dem *Geiste.* Gleichwohl ist die Übersetzung
Bettelmönche für die πτωχοὶ τῷ πνεύματι ungenau. Der
Bettelmönch im strengen Sinn einer sozialen Gruppe scheint im
damaligen Palästina keine Institution gewesen zu sein, zum
Leben Jesu und seiner Jünger hat nach den Berichten nicht der
Bettelgang gehört wie zum Leben Buddhas und seiner Jünger,
der Kreis der Jünger Jesu empfing Spenden (Luk. 8, 3), Judas
»hatte den Beutel und trug, was gegeben wurde« (Joh. 12, 6).
Paulus verdiente sein Brot durch handwerkliche Arbeit.
(Ap. 18, 3) Ob Matth. 10, 10 die Rede vom *Arbeiter,* der
seines Lohnes wert ist, andeutet, daß auch die dort ausgesandten Jünger sich durch Handarbeit ernährten, ist fraglich.
ἐργάτης meint im Sprachgebrauch in der Tat zunächst den
Handarbeiter, aber eben dieser, zumal der Arbeiter im Wein-
berg (Matth. 20, 1) ist zugleich Gleichnis für den ausgesandten
Jünger, bis in die »Sprache Kanaans« unserer Jahrhunderte. Es
klingt wahrscheinlicher, daß der Wanderprediger Gastfreundschaft in Anspruch nehmen darf, aber – eben wie der Bettelmönch – auch auf ihre Gaben angewiesen bleiben soll. Jedenfalls sind, so scheint es, die *Bettler durch den Geist* eine durch
ein bestimmtes, dem Menschen mögliches Verhalten beschriebene Gruppe, und sie sind *selig, denn ihrer ist das Reich der
Himmel.*

5,4 : μακάριοι οἱ πενθοῦντες, ὅτι αὐτοὶ παρακληθήσονται.
Selig die Trauernden, denn sie werden getröstet werden.
Ein ganz einfacher, leicht verständlicher Satz. Er ist verständlich, weil er die Kraft des Trostes selbst hat, von der er
spricht. Trösten kann, wer den Trauernden direkt anreden
kann, im Wissen von der Seligkeit, die der Trauer verheißen
ist. Solches direkte Wissen spricht aus allen überliefer-

ten Worten Jesu. Für den intellektuellen Ausleger aber stellen sich zwei Fragen. Eine Frage der Substanz: was ist denn diese Seligkeit, die der Trauer verheißen ist? In der modernen Sprechweise von Ebenen und Krisen, mit Freuds erleuchtendem Begriff der Trauerarbeit können wir uns verdeutlichen, wie gerade die unverhohlene Trauer das Versprechen der Überwindung der Krise enthält. Aber Jesus, dem diese seelischen Strukturen so gewiß vertraut waren wie jedem religiös erfahrenen Menschen, hat mehr als dieses Allgemeine gemeint. Er sagt etwas Spezifisches, und deshalb steht dieser Satz in der Reihe der Seligpreisungen. Was aber hat er gemeint? Das führt zur zweiten Frage, der Frage der Konsistenz. Ich glaube zwar, daß das direkte, unbefangen gewordene Lesen der vorangegangenen Texte ihre Deutung auf die Gegenwart und auf die kleine Gruppe der Jünger erfordert. Jetzt aber kommen Texte, die man leichter auf die vielen Trauernden und Hoffenden im Lande, ja in der Welt bezieht, und deren Verheißung eindeutig auf die Zukunft geht. παρακληθήσονται ist Futurum. Und ist es zufällig, daß hier dasselbe Wort auftritt wie in der Verheißung des künftigen Trösters, des παράκλητος* (Joh. 14, 16)? Die Kirche hat gewiß rechtgehabt, den Trost, den Jesus verspricht, als den Eingang der Trauernden in das Reich der Himmel zu verstehen. Die Sprache der Exilstrauer und der Messiashoffnung aus Psalmen und Propheten haben Jesus und seine Zeitgenossen im Ohr: Wenn der Herr die Gefangenen Zions erlösen wird, so werden wir sein wie die Träumenden. (Ps. 126, 1). Die präsentische und die futurische Deutung der Seligpreisungen sind jedoch dann vereinbar, wenn das Reich der Himmel schon begonnen hat, aber wächst: Das Reich der Himmel ist gleich einem Senfkorn, das ein Mensch nahm und säte es auf seinen Acker. Das ist der kleinste unter allen Samen, wenn es aber wächst, so ist es größer als die Kräuter und wird ein Baum, so daß die Vögel des Himmels kommen und nisten in seinen Zweigen. (Matth. 13, 31–32).

5,5 : μακάριοι οἱ πραεῖς, ὅτι αὐτοὶ κληρονομήσουσιν τὴν γῆν. *Selig die Milden, denn sie werden das Land erben.* πραΰς übersetzt Luther (ihm folgt CW) mit der ihm eigenen

---

* Vgl. IV 6.

Kraft, auch leise Töne zu modulieren, als *sanftmütig*. Ich wähle *mild* eigentlich nur, um ein so kurzes Wort wie das griechische zu benützen, und weil Luthers große Sprachschöpfungen eben durch ihre eine ganze Tradition prägende Stärke z. T. zum nicht mehr befragten Klischee der Sprache »Sprache Kanaans« geworden sind. Alle Korrekturen an Luthers Text leiden ja die Not, sprachlich schwächer sein zu müssen als er. Übrigens ist πρᾶος in der attischen Sprechweise eine aristokratische Tugend.

– τὴν γῆν heißt wörtlich *das Land*. Luther übersetzt *sie werden das Erdreich besitzen*. Er läßt damit das Wort auf die Ausdehnung des Reichs der Himmel über die ganze Erde vordeuten. Das mag per implicationem zulässig sein, drückt aber sicher nicht aus, was ein Hörer Jesu oder ein früher Leser des judenchristlichen Evangeliums unter der Formel verstand. κληρονομέω heißt *seinen Anteil empfangen, erben. Das Land* ist in der jüdischen Tradition bis heute das *Land Israel*. Die *Milden,* also nicht die Zeloten, nicht die blutigen Revolutionäre, werden das *verheißene Land Israel als ihr Erbteil empfangen.* So gelesen enthält der Satz einen politischen Anklang, der jedem Zeitgenossen Jesu auffallen mußte, und der genau mit der vielfach bezeugten Einstellung Jesu zum Zelotentum übereinstimmt. Diese Deutung würde das Wort *mild* oder *sanftmütig* aus seiner traditionellen Blässe erlösen und auch in ihm den Bezug auf konkrete, harte Entscheidungen ahnen lassen.

5,6: μακάριοι οἱ πεινῶντες καὶ διψῶντες τὴν δικαιοσύνην *Selig, die hungern und dürsten, Gerechte zu sein.* Sozialkritische Leser des Neuen Testaments könnten hier in Versuchung sein, die *Gerechtigkeit,* nach der die Menschen *hungern und dürsten,* als die soziale Gerechtigkeit, die gerechte Gesellschaftsordnung, oder bescheidener als gerechte Behandlung durch die Herrschenden zu verstehen. In der biblischen Tradition aber ist *Gerechtigkeit* eine Tugend, die Eigenschaft eines jeweiligen Menschen, und höchstens sekundär einer Gesellschaftsordnung. Dem steht nicht entgegen, daß vor allem in den vorexilischen Teilen des Alten Testaments stets das ganze Volk angesprochen wird und der Einzelne als Glied des Volkes. Auch hier wird nämlich nicht die Gesellschaftsordnung als

IV, 5. Die Seligpreisungen

gerecht verstanden, sondern das Volk soll gerecht sein als ein Volk von Gerechten. Die zehn Gebote sprechen den Einzelnen an: du sollst, du sollst nicht. Gerechte werden auch gerecht handeln – diese, vor aller griechischen Ontologie vorhandene Auffassung vom Menschen hält sich in der Scholastik durch in dem Satz: operari sequitur esse. In der Zeit Jesu, welthistorisch gesagt im römischen Reich, ist dann der direkte politische Sinn aller personalen Ethik, der im Israel der frühen Propheten so selbstverständlich ist wie in der griechischen Polis-Philosophie bis und mit Platon und Aristoteles, dadurch verschüttet, daß fast niemand mehr an der politischen Verantwortung teilhat. Allenfalls in den stoischen Kaisern und ihren Beamten berühren sich noch Politik und grundsätzliche Ethik. Der Hörer Jesu in Palästina kann sich als einen *Hungernden und Dürstenden nach Gerechtigkeit* nur so verstehen, daß er sein eigenes Zurückbleiben hinter der Forderung, gerecht zu sein, erkennt. *Satt werden* können die Sünder, die Jesus überall anspricht, nicht die, die sich schon als gerecht wissen, die Pharisäer. Auch hier scheint ein konkreter Bezug auf die politisch-religiöse Umwelt auf, und damit auf die politischen Bedingungen, die Jesus ans Kreuz gebracht haben.

5,7 : μακάριοι οἱ ἐλεήμονες, ὅτι αὐτοὶ ἐλεηθήσονται. *Selig die Erbarmenden, denn sie werden Erbarmen finden.* Wieder einer dieser wunderbar einfachen Sätze, die Trost geben, weil sie Trost sind. Auch dieser Satz spricht das schlafende spontane Wissen aller Menschen von einer Grundbeschaffenheit menschlichen Verhaltens an: Gleiches ruft Gleiches wach, Liebe erzeugt Liebe, Erbarmen erzeugt Erbarmen. Auch hier müssen und können wir in zweifacher Weise spezifischer werden. In der Substanz: was ist *Erbarmen* oder *Barmherzigkeit*, wie Luther, wieder in interpretierender Anreicherung des Wortes, sagt? ἐλεέω heißt *ich empfinde Mitleid*, dann auch *ich gebe Almosen, ich tue Barmherzigkeit*. ἐλεήμων ist derjenige, bei dem dieses Verhalten nicht zufällig, sondern habituell ist. Was ist dieses *Mitleid?* Die Mitleidsethik ist vielfach, am schärfsten vielleicht einerseits durch Nietzsche, andererseits durch den militanten Sozialismus, in Verruf gebracht worden. Diese Kritik trifft die spezifische Schwäche aller von ihrem elementaren Verhaltenssinn,

von ihrer »Vernunft« getrennten Affekte. »Affekte sind unterlassene Handlungen«, was ich nicht getan habe, ersetze ich
durch ein Gefühl. Aber das, wovon Jesus spricht, ist der
vernünftige Affekt, die Wahrnehmung fremden Leidens; aus
ihr folgt das angemessene Handeln und, fast wichtiger, die
spontane Nähe des Herzens, die eben darum auch der den
souveränen Partner achtenden Zurückhaltung fähig ist. Diese
Gegenwart des Herzens ruft Gegenwart des Herzens wach.
Deshalb *barm-herzig*. Und wieder die Konsistenz: Wessen Erbarmen werden die Erbarmenden finden? Nicht nur, nicht in
erster Linie das Erbarmen anderer Menschen. Sie werden sogar
immer wieder erleben, daß ihnen dieses Erbarmen versagt
wird, denn der schweigende Aufruf zum Erbarmen ruft auch
allen Widerstand wach, Gleiches erzeugt in der essentiellen
menschlichen Ambivalenz notwendigerweise zugleich Gleiches und Entgegengesetztes, und die Grausamkeit kann in den
psychischen Motiven dem Erbarmen näher sein als die Gleichgültigkeit. Das Erbarmen Gottes aber werden die Erbarmenden gewiß finden. Und dies ist nicht das Erbarmen in einem
erträumten Jenseits, sondern hier und jetzt, in eben jenen
realen geistigen (»geistlichen«) Vorgängen, die das Reich der
Himmel ausmachen. Geistig und darum physisch, geistig und
darum sozial.*

5,8 : μακάριοι οἱ καθαροὶ τῇ καρδίᾳ. *Selig die im Herzen
Reinen.* καθαροί *Reine* zu sein ist das große Verlangen
der Menschen, die in einer rituellen Religion stehen. Hier ist
ein tiefwurzelndes magisches Verlangen am Werk, dessen
seelische Herkunft der Erforschung wert wäre. Jesus weist
seine Zeitgenossen an vielen Stellen auf den eigentlichen
Sinn des Reinheitsstrebens. So zur rituellen oder auch medizinischen Reinheit der Speisen: Merket ihr nicht, daß alles, was
von außen in den Menschen eingeht, ihn nicht verunreinigen
kann, weil es nicht in sein *Herz* kommt, sondern in den Bauch

---

* Anmerkung bei der Korrektur: F. v. Bodelschwingh schreibt mir zu dieser
Stelle: »Hoch bedeutsam ist die Zusammenstellung von Gerechtigkeit und
Barmherzigkeit. Jesus folgt damit einer zentralen, aber weitgehend überse-
nen Aussage des Alten Testamentes, das Gerechtigkeit und Barmherzigkeit auf
das allerengste miteinander verbindet: Gerechtigkeit ohne Barmherzigkeit ist
lieblos, Barmherzigkeit ohne Gerechtigkeit ist entehrend.«

. . . Das, was aus dem Menschen ausgeht, das verunreinigt den Menschen. Denn von inwendig aus dem Herzen der Menschen gehen hervor die bösen Gedanken, Unzucht, Diebstahl, Mord, Ehebruch, Habsucht, Bosheiten, Trug, Schwelgerei, böser Blick, Lästerung, Hochmut, Leichtsinn. Alles dieses Böse geht von innen aus und verunreinigt den Menschen. (Mk. 7, 18–23) – *Im Herzen* sollen wir *rein* sein. Das Herz – das sind die Affekte. Wir finden uns aber unreinen Herzens vor. Wie können wir im Herzen rein werden? Das Entscheidende wird das Verlangen nach Reinheit sein, eben das Hungern und Dürsten nach der Gerechtigkeit, denn offenbar ist die Gerechtigkeit eben die Reinheit des Herzens von den bösen Affekten. Aber es gibt auch eine eigene Arbeit an der Reinigung. Die Gesetzeserfüllung des frommen Juden ist eine solche Askese. Nicht weil sie das Gesetz erfüllen, tadelt Jesus die Pharisäer (Matth. 5, 17–21), sondern weil sie nicht wissen, was sie damit tun, weil sie Mücken seihen und Kamele verschlucken (Matth. 23, 24), weil sie für die Vermeidung vieler kleiner Unreinheiten die übergroße Unreinheit der Selbstgerechtigkeit in ihr Herz einlassen. Man darf hier aber auch die asketischen Prinzipien der Mönchsorden zitieren, die in den späteren drei Gelübden der christlichen Mönche aufs genaueste ins Zentrum unserer affektiven Struktur zielen: Armut, Gehorsam, Keuschheit, zielend auf die drei größten Affektwurzeln: Besitz, Macht, Sexualität. Die moderne Welt sieht in diesen Gelübden das Mißverständnis einer weltverachtenden Mentalität, einer dualistischen Metaphysik. Daß weltverachtender Dualismus ein Weltbild war, das einer vorwissenschaftlichen Anthropologie diese Verzichtleistungen plausibel machte, ist historisch nicht zu leugnen. Aber die moderne Kritik sieht den Kern der Sache nicht, die Disziplinierung der Affekte, ihre Indienstnahme für ein höheres Ich.* Mönchsorden im engeren Sinne gab es wohl in Jesu Umwelt nicht, freilich die asketische Lebensgemeinschaft der Essener. Allen nomistischen Regelungen steht Jesus freilich mit überlegener Souveränität gegenüber. Aber die Substanz der drei Gelübde ist bei ihm stets gegenwärtig. Zum Besitz s. die oben (zu 5, 3) zitierten Stellen. Zur Macht

---

* Vgl. I. 9, S. 158 und »Biologische Basis religiöser Erfahrung«, S. 24–32.

Luk. 20, 25: gebt dem Kaiser, was des Kaisers ist, und Gott, was Gottes ist, und Matth. 26, 52: stecke dein Schwert in die Scheide; denn wer zum Schwert greift, soll durch das Schwert umkommen. Zur Sexualität Matth. 19, 12: und es gibt Verschnittene, die sich selbst verschnitten haben um des Reichs der Himmel willen; wer es zu fassen vermag, fasse es.

5, 8 : ὅτι αὐτοὶ τὸν θεὸν ὄψονται. *Denn sie werden Gott sehen.* Gott zu sehen ist die höchste Verheißung, die einem Menschen gegeben werden kann. Es ist die Seligkeit. Der Kommentator darf hier nur Mißdeutungen fernhalten. So wenig wie bei den anderen Seligpreisungen darf man annehmen, daß diese Verheißung auf ein Sehen jenseits des Grabes gehe. Sie gilt hier und jetzt, in der Zukunft, die schon begonnen hat. Wenn die Affekte Organe unserer Wahrnehmung sind, so ist es vernünftig, für möglich zu halten, daß die gereinigten Affekte den Raum freimachen für eine Wahrnehmung des Höchsten. Wahrnehmung ist immer Mitwahrnehmung des höheren Prinzips.* Reinheit des Herzens heißt, daß der Affekt nicht mehr an seinen unmittelbaren Gegenstand gebunden bleibt. In der Reflexion, die unsere Wissenschaft und Philosophie hervorbringt, führt die Freiheit von der Bindung der Wahrnehmung ans Objekt zum Begriff, zur Erkenntnis des Gesetzes. In der ethischen und religiösen Reifung der Person führt die Lösung von der Bindung des Affekts zur Identifikation des Ich mit dem vernünftigen Gebot und zu derjenigen Verwandlung und Intensivierung des Liebesaffektes, die als »Liebe zum Mitmenschen in Gott« bezeichnet werden kann. In der meditativen Schulung führt die Ablösung von der affektiven Objektbindung in ein Reich neuer Wahrnehmung. – Die protestantische Theologie unseres Jahrhunderts hat sich hier durch eine richtige Beobachtung in eine Sackgasse führen lassen. In der griechischen Philosophie ist die sinnliche Metapher der höchsten Erkenntnis das Sehen, der νοῦς. In der Bibel ist die sinnliche Metapher des Verhältnisses zu Gott das Hören. Hinter beiden Metaphern stehen direkte psychische und spirituelle Erfahrungen. Um die biblische Erfahrung rein zum Ausdruck zu bringen, hat die neuere Theologie nicht nur die grie-

* Vgl. II 6

chische Ontologie, sondern auch die Metaphorik des Sehens
verbannen wollen. Sie erschwert sich damit das Verständnis
des meditativen Erfahrungsweges. Und sie scheint übersehen
zu haben, daß die zentrale Rede Jesu als ihre höchste Verheißung das Sehen Gottes verspricht. Wer Gott sieht, muß sterben, ist freilich eine biblische Einsicht. Auch das Sehen Gottes,
das Jesus verheißt, geschieht nicht anders als um den Preis
eines Todes. Das Gleichnis vom Weizenkorn (Joh. 12, 24)
gehört zur Deutung der Seligpreisungen.** Die Ablösung der
Affekte geht durch eine Todeserfahrung.

5,9: μακάριοι οἱ εἰρηνοποιοί, ὅτι υἱοὶ θεοῦ κληθήσονται.
*Selig die Friedensmacher, denn sie werden Gottes Söhne hei-
ßen.* Luthers Wiedergabe von εἰρηνοποιοί als *Friedfertige*
wirkt auf uns blaß; sie sind *Friedensmacher.* Ebenso Luthers
Gottes Kinder, das Unmündigkeit ausdrückt, statt *Gottes
Söhne.* Jesus nannte zwei seiner Jünger auch υἱοὶ βροντῆς,
Donnerssöhne (Mk. 3, 17). Die Frage ist wiederum, wie die
Friedensmacher den Frieden machen. Ich sehe keine andere
Deutung, als daß der Friede, den die Welt nicht kennt, kommt,
indem das Reich der Himmel kommt. Deshalb habe ich die
paraphrasierende Übersetzung *die Bringer des Friedensreichs*
gewagt.

5,10: μακάριοι οἱ δεδιωγμένοι ἕνεκεν δικαιοσύνης. *Selig
die wegen der Gerechtigkeit Verfolgten.* Wenn oben die
Gerechtigkeit richtig gedeutet wurde, so sind es die um
ihrer Gerechtigkeit willen Verfolgten, also die, *die verfolgt
werden, weil sie Gerechte sind.* Es bleibt nur die inhaltliche Frage: wie kommt es dazu, daß Menschen verfolgt werden, *weil* sie Gerechte sind? Wir wissen, daß auch die Verfolgten so gut wie immer nicht schlechthin gerecht sind; so
kann der Verfolger sich fast stets auch vor der Welt und
insbesondere vor sich selbst mit ihren Untugenden entschuldigen. Aber das zentrale Faktum drückt unser Text genau aus.
Der wahre Grund der Verfolgung sind nicht ihre Untugenden,
sondern der wandelnde Vorwurf ihrer Gerechtigkeit. Gleiches
ruft Gleiches und Entgegengesetztes wach. Das Eindeutige,
wenn es auftritt, mobilisiert die Ambivalenz. Das Reich der

** Vgl. I 7., I 9.

Himmel kommt nicht ohne Krise. Die Verfolgung ist ein Teil der Krise. Die Seligpreisungen sind in einer Situation der Verfolgung gelesen und verstanden worden, damals und später.

5, 10: ὅτι αὐτῶν ἐστιν ἡ βασιλεία τῶν οὐρανῶν.

Denn ihrer ist das Reich der Himmel. Die Komposition endet mit der Verheißung, mit der die erste Seligpreisung begonnen hat. 5, 11, ein Nachtrag, ordnet die Verfolgung in die Geschichte ein.

4. *Deutungen*

Der Text, dessen Anfang wir gelesen haben, hat zwei Jahrtausende nicht zur Ruhe kommen lassen. Wer ihn, von neuem von ihm betroffen, von neuem zu deuten versucht, der wird sich wahrscheinlich bald in dem Schema einer der Deutungen vorfinden, die die Vergangenheit schon gegeben hat. Deshalb mag es zur Selbstkritik beitragen, sich diese Deutungen im Überblick zu vergegenwärtigen. Ich möchte sechs Reaktionsweisen auf die Bergpredigt besprechen, vier christliche und zwei außerchristliche. Christliche: diejenigen der katholischen Kirche, der Protestanten, der Sekten, der Modernisten; außerchristliche: die der Sozialisten und der Hindus. Keine dieser Gruppen hat natürlich eine in sich einheitliche Reaktion. Gemeint ist, daß jede, ihrem Prinzip nach, dazu disponiert ist, eine bestimmte Seite der Bergpredigt zu sehen.

Menschen, für welche die Bergpredigt nicht eine überlieferte Autorität ist, haben es leichter, sie unbefangen und direkt zu lesen. Sie müssen keine Angst haben, zu lesen, was dasteht, denn wenn es sie nicht überzeugt, dürfen sie es ja verwerfen oder auf sich beruhen lassen. Deshalb mögen die außerchristlichen positiven Urteile über Jesus und das frühe Christentum zum Einstieg die lehrreichsten sein. Dabei sind die Zustimmungsgründe der Sozialisten und der Hindus fast entgegengesetzt.

Beginnen wir mit *Hindus* der letzten hundert Jahre. Berühmt wurde das Auftreten Swami Vivekananda's* auf dem Weltkongreß der Religionen in Chicago 1893. Ich versuche hier wie

---

* Vgl. Swami Nikhilananda, »Vivekananda. Leben und Werk« (dt. v. H. Spengler-Zomek), München, Drei Eichen 1972.

bei den folgenden Gruppen nicht bestimmte Autoren auszulegen, sondern eine Sichtweite allgemein zu charakterisieren. Für
die Hindus macht es keine Schwierigkeit, wenn die Christen
Jesus göttliche Natur zuschreiben, ihn als Sohn Gottes verstehen. Nach hinduistischer Überzeugung treten dann und wann
in der Geschichte Menschen auf, die im eigentlichen Sinne
Inkarnationen Gottes – oder einer göttlichen Person – sind.
Alles in der obigen Darstellung, was für kirchliche Christen
befremdend ist, ist für den Hindu unmittelbarer Beleg, daß
Jesus eine der größten göttlichen Inkarnationen war. Der Inkarnierte, der Verwirklichte lebt frei von den Banden von
Besitz, Macht, geschlechtlicher Liebe, er lehrt, tröstet, heilt
Kranke, er sieht Gott, ja als voll verwirklichter Mensch ist er
Gott und wir sehen Gott in ihm. Er lebt zurückgezogen auf
dem Berg mit wenigen Jüngern oder als Wanderprediger, er
lehrt kein System, spontan kommen seine Worte zu jedem
Gesprächspartner und treffen ihn ins Herz, und so wirken sie,
wenn sie überliefert werden, durch die Geschichte weiter. Er
verändert nicht die Gesellschaftsordnung, sondern das Einzige, wo eine Änderung ansetzen kann, die menschliche Seele.
Wer ihm radikal folgen will, der nehme seine Lebensweise auf
sich. Für jede spirituelle Stufe gibt es eine angemessene Lebensweise, denn das Geistige und das Materielle sind letztlich nur
Aspekte derselben Wirklichkeit. So gibt es, wie schon oben
gesagt, in Indien seit Jahrtausenden die Lebensweisen des Ein-
siedlers und des Wandermönchs, und jedes Wort und jede
Handlung Jesu zeigt, daß ihm die Erfahrungen dieser Lebensweisen vertraut waren. Nur einen Fehler haben die Christen
gemacht. Sie haben Jesus als Einzigen, als *den* Christus erklärt
und ihn damit in ein unnachahmbares und insofern unverbind-
liches Jenseits abgeschoben, obwohl nach Paulus Christus der
Erstgeborene von vielen Brüdern (Röm. 8, 29) ist. Nichts
spricht dagegen, daß der Christ sich an Christus als den für ihn
rettenden und verbindlichen Herrn und Meister bindet. Aber
die Intoleranz, die nur Christus als göttlich kennt, ist in Wahrheit der Schutz der tiefen Angst der Christen vor der vollen
Wirklichkeit; zumal vor der Forderung, die Christus an sie
selbst stellt; eines Wirklichkeitsverlustes, der sie militant, un-
aufrichtig, neurotisch, zu Pharisäern macht.

Ganz anders sehen einige radikale *Sozialisten* Jesus an. Er ist
ihnen ein Sozialrevolutionär in einer Zeit, die noch kein wis-
senschaftliches Verständnis gesellschaftlicher Verhältnisse
hatte. Sie können einige Zeugnisse für ihre Auffassung beibrin-
gen. Gewiß scheint, daß Jesus sich immer zu den Armen und
sozial Unterdrückten gehalten hat. Einige seiner Aussprüche
nehmen marxistische Einsichten vorweg. Sätze wie *Wo euer
Schatz ist, da ist euer Herz* (Matth. 6, 21) sprechen die psychisch bestimmende Rolle des Ökonomischen aus, welche von
christlichen Kapitalisten geleugnet wurde. Dies wissen auch
die Hindus. Aber anders als die großen Hindu-Lehrer hat Jesus
sich einen politischen Prozeß zugezogen. Was immer in den
Motivationen der Anklage und der Verurteilung ein Mißverständnis seiner Lehre gewesen sein mag, alle Zeugnisse sprechen dafür, daß er sich unter dem Reich der Himmel nicht eine
sektiererische Gemeinschaft, sondern eine Verwandlung der
ganzen Welt vorstellte. Er dachte so geschichtlich wie das
prophetische und messianische Judentum. Und die Urgemeinde lebte in weitgehender Gütergemeinschaft. Man spricht vom
frühchristlichen Kommunismus. Er hat gelegentlich als einer
der historischen Belege gegolten, daß eine kommunistische
Gesellschaft möglich ist. Die Korrumpierung des Christentums
durch die Beteiligung am Herrschaftssystem des römischen
Reichs erscheint unter diesem sozialistischen Blickwinkel als
einer der vielen, unter frühen ökonomischen Verhältnissen
nach Marx unvermeidlichen Rückschläge, als das Absterben
eines verfrühten Versuchs zum Kommunismus.

Die Angehörigen der Urgemeinde lebten zwar nicht als Bettelmönche, aber in einer Minderheitsrolle, in der sie im ganzen
die Forderungen der Bergpredigt aufrichtig auf sich anwenden
konnten. Das Problem der *katholischen Kirche* war ihr historischer Sieg, die Verwandlung in eine große, schließlich herrschende Religionsgemeinschaft. Die sittliche Pflicht eigener
politischer Verantwortung, ein der Urgemeinde fernes Erlebnis, wurde für sie zur Realität. Die nah erwartete Wiederkunft
Christi war nicht eingetreten. Die Christen mußten eine Welt
verwalten, auf deren Ende sie hofften. Rückblickend darf man
pointierend sagen: Niemand hat die geschichtliche Welt so
radikal verändert wie die Christen, die auf nichts als das Ende

der Geschichte hofften. Das gilt zumal, wenn man in den säkularisierten Nachfolgern der überzeugten Christen Träger der christlichen Dynamik erkennt.* Diese Dynamik hat sich immer wieder an den radikalen Forderungen der Bergpredigt entzündet; schon daß die Kirche solche Texte überlieferte, auch wenn sie nicht nach ihnen lebte, ließ die Ruhe nicht dauernd eintreten. Aber zugleich mußte die Kirche eine Ethik, eine Moraltheologie entwickeln, die ihr gestattete, allen ihren Gliedern einhaltbare Handlungsvorschriften zu geben – eine Vorbedingung eines stabilen sozialen Gefüges. Hier boten ihr einige differenzierende Äußerungen in den kanonisierten Texten, so zur Ehe Matth. 19: *Fasse es wer kann* und bei Paulus (1. Kor. 7) die Basis, der Erkenntnis Rechnung zu tragen, daß einige Menschen strenge Forderungen auf sich anwenden können, die für die Mehrzahl unerfüllbar bleiben. In der Hindu-Gesellschaft ist diese Erkenntnis konstitutiv: jede Kaste hat andere Forderungen zu erfüllen, und die hauslosen Wandermönche wieder andere. Die Kirche stabilisierte das Priestertum und das Mönchtum. Die oben ausführlicher besprochenen Prinzipien des Mönchtums wurden als evangelische Ratschläge von den allgemeingültigen Forderungen unterschieden. Daß eine Kultur mit dieser sittlichen und spirituellen Arbeitsteilung blühen kann, beweist zumal das Mittelalter, in dem die Priester und Mönche zugleich die wichtigsten Träger des kulturellen Bewußtseins waren. Man darf hier noch einmal pointieren: Der Beitrag, den der Kontemplative für die Gesellschaft leistet, besteht gerade in seiner Kontemplation. Ein ethisch so fragwürdiges, intellektuell so unerleuchtetes, durch und durch ambivalentes Gebilde wie die menschliche Gesellschaft der Hochkulturen bis auf den heutigen Tag kann nur dann das Abgleiten in die Selbstzerstörung aufhalten, wenn immer einige in ihr leben, die um der Wahrheit willen die Teilnahme an ihren Tätigkeiten radikal verweigern. Und fast nur dort, wo Christen das wagten, blühte das spontane Verständnis der Bergpredigt auf, so bei Franziskus von Assisi.

Die *Protestanten* haben es mit der Bergpredigt schwerer als die Katholiken. Mit der Abschaffung des Mönchtums, der

---

* Vgl. »Die Tragweite der Wissenschaft«, 10. Vorlesung.

Aufhebung der Lehre von den evangelischen Ratschlägen, der These vom allgemeinen Priestertum, dem neuen Ernstnehmen aller Gebote, und, wenigstens bei den Reformierten, der presbyterialen Verfassung, ist der Protestantismus auf dem Wege der neuzeitlichen Demokratisierung. Um unter diesen Voraussetzungen die Bergpredigt erträglich zu machen, muß man sie stärker in eine bloße Forderung an die Gesinnung, die Innerlichkeit umdeuten. Ein kluger psychologischer Beobachter* hat die kompensatorische Rollenverteilung zwischen Theologie und Praxis so beschrieben: die Protestanten verkünden die Rechtfertigung durch den Glauben und sind rastlos werkgerecht; die Katholiken vertrauen der Rechtfertigung durch die Werke und leben so ihres Glaubens. Solche Kompensationen übers Kreuz bei streitenden Gruppen gibt es auch sonst. Hinter der protestantischen Spannung steht als letzter Grund, vielfach unbewußt, wieder die Bergpredigt. Die Selbstkritik, an der Luther im Kloster scheiterte, entstammt einer Erkenntnisstufe, die in der Bergpredigt gelehrt wird. Den Trost, die Rettung freilich fand er nicht bei den Worten Jesu, sondern bei einem Nachfolger, der schon ein ähnliches Problem hatte wie Luther selbst, bei Paulus, in der Rechtfertigung durch den Glauben. Die christliche Tradition sieht die sittlichen Probleme als ein personales Verhältnis zwischen Gott und Mensch und daher unter dem Titel der Rechtfertigung.** Wie alle großen Symbole drückt diese personale Auffassung Phänomene von zentraler Bedeutung aus. Aber gerade das rationale Weiterdenken an den Symbolen, das einen so großen Teil der historischen Theologie ausmacht, verliert sich dann in lauter unlösbaren Problemen, weil Symbol und rational faßbare Wirklichkeit unentwirrbar durcheinander geraten, und die wahrsten, tragfähigsten theologischen Lehren müssen dann die Form des Paradoxons annehmen. So wurde es für Luther offenkundig, daß mönchische Askese nicht als eine Leistung gerechtfertigt werden kann, die der Mensch darbringt, um Gottes Willen genugzutun. Ihr realer Sinn, die Erreichung eines in der Tat in aller bisherigen Geschichte nur wenigen Menschen zugänglichen

---

* W. Kütemeyer, mündlich zum Verfasser.
** Vgl. IV. 4.

inneren Zustands zu erleichtern, wurde nun mitsamt der Werkgerechtigkeit verworfen. Mit der Rechtfertigung durch den Glauben ist aber das Gesetz nicht aufgehoben, und so wurde jetzt de facto die Ethik der Bergpredigt, als Jesu Auslegung des Gesetzes, zu einer Forderung an alle Gläubigen. Damit kam es einerseits zu der hochgespannten Werktätigkeit – und damit Werkgerechtigkeit – der Protestanten bis hin zu ihrer von Max Weber beschriebenen Wirkung auf die Entstehung des Kapitalismus, andererseits zum Gewissenstrost der Religion als bloße Innerlichkeit.

Die *Sekten* sind vielgestaltig, aber eines ihrer häufigen Motive ist, daß sie, naiv getroffen vom Wort der Bergpredigt, diese zu praktizieren begannen. Dadurch traten sie, fast automatisch, wieder in die Minderheitenrolle ein, welcher der Text entstammt. Sie schufen sich die Situation der Verfolgtheit, auf die seine Verhaltensvorschriften passen. Sie konnten nun erproben, daß dieses Verhalten, wo wir in intelligenter Weise der Führung des Geistes trauen, wirklich zum Frieden führt, wie es etwa die Geschichte der Quäker zeigt. Die seelische Wandlung der Verfolger, das eigentliche Wunder der Mission, liegt freilich nur als Möglichkeit im inneren psychischen Drama der Verfolger und damit, vom Verfolgten her gesehen, nicht in seiner, sondern in Gottes Hand.

Der *Modernismus* in den christlichen Kirchen ist die innerkirchliche Reaktion auf die unaufhaltsame Überwältigung des überlieferten Christentums durch die Aufklärung. Meist ist er nicht minder eine Defensivposition auf dem Rückzug als die Orthodoxie. Seine eigentliche Aufgabe ließe sich wohl so andeuten: Die Rationalität der modernen Willens- und Verstandeswelt ist den selbsterzeugten Problemen nicht gewachsen. Die Rationalität unserer religiösen Überlieferung bleibt ihr gleichwohl unterlegen, weil sie Symbol und Wirklichkeit nicht auf der heute zugänglichen Bewußtseinsstufe hat unterscheiden können. Der Modernismus müßte unbeirrbar dem heutiger Rationalität faßbaren Realitätsgehalt der überlieferten Symbole nachgehen; er würde dadurch die heutige Rationalität selbst verwandeln, sie aus allen ihren Vorurteilen hinausdrängen. Einen Schritt auf diesem Weg versucht auch das gegenwärtige Buch. Tatsächlich ist der Modernismus so vielge-

staltig wie die Moderne. Der liberale Modernismus steht meist
der Bergpredigt fern, der sozialistische Modernismus, den uns
das letzte Jahrzehnt zumal in den Kirchen der Dritten Welt
kennengelehrt hat, steht vor der Frage, ob der Sozialismus das
Evangelium richtig versteht.

Damit sind wir wieder am Ausgangspunkt. Die tiefen Ambivalenzen des *Sozialismus* waren eines der Themen im ersten
Kapitel. Der Sozialismus, der vielleicht unser Schicksal ist,
wird notwendigerweise zur Barbarei, wenn er fortfährt, zu meinen, die gerechte Ordnung sei durch Willen und Verstand
allein herstellbar. Die Frage der heutigen Jugend nach den
asiatischen Religionen hat den richtigen Instinkt; sie sucht
genau die Substanz, die der Aufklärung fehlt. Aber die
schlichte Einordnung Jesu unter die Inkarnationen ist wiederum Symbolik, wo Wirklichkeit nötig wäre. In Wahrheit
sind die asiatischen Religionen schon durch ihre Begegnung
mit Christentum und Aufklärung verändert. Kein Hindu alter
Zeiten hätte geredet wie Vivekananda oder gehandelt wie
Gandhi. Der Weg führt auch in der Religion in eine Zukunft,
der die Vergangenheit nicht zum Beispiel dienen kann. Was
Jesus das Reich der Himmel genannt hat, ist heute noch immer
möglich und noch nicht vollzogen. Zweitausend Jahre sind
keine lange Zeit.

IV, 6. Zwei Predigten

Zweimal in den letzten zehn Jahren hat mich der Gemeinde-pfarrer der evangelisch-lutherischen Kirchengemeinde, in der ich jeweils gerade lebte, 1969 in Hamburg-Wellingsbüttel, 1974 in Starnberg, gebeten, einmal im sonntäglichen Gottes-dienst eine Laienpredigt zu halten. Auf die Frage nach dem Text, über den ich predigen wolle, antwortete ich beidemale: »Über den von der Kirche bestimmten Text des betreffenden Sonntags.« So haben zufällig sich ergebende Daten zur Wahl der beiden Texte geführt, deren erster den Anfang, deren zwei-ter das Ziel der biblischen Verkündigung behandelt: die Beru-fung Mose's und die Zusage des Heiligen Geistes durch den scheidenden Jesus. Verglichen mit den voranstehenden theolo-gischen Beiträgen enthalten diese Predigten nichts Neues. Eini-ges in ihnen bezieht sich auf in der damaligen Situation der betreffenden Gemeinden aktuelle Diskussionen. Ich habe sie hier aufgenommen, um anzudeuten, daß die in diesem Buch versuchte Theologie in die Kirche herein, nicht aus ihr hinaus-führen will.

Predigt
am 26. Januar 1969 in der Lutherkirche
in Hamburg-Wellingsbüttel.

Der Predigttext für den heutigen Sonntag steht im 2. Buch Mose, im 3. Kapitel, Vers 1–10 und 13–14:

»Mose aber hütete die Schafe Jethros, seines Schwiegerva-ters, des Priesters in Midian, und trieb die Schafe hinter die Wüste und kam an den Berg Gottes, Horeb. Und der Engel des Herrn erschien ihm in einer feurigen Flamme aus dem Busch. Und er sah, daß der Busch mit Feuer brannte und ward doch nicht verzehrt,

Und sprach: Ich will dahin und beschauen dies große Ge-sicht, warum der Busch nicht verbrennt. Da aber der Herr sah, daß er hinging zu sehen, rief ihm Gott aus dem Busch und sprach: Mose, Mose! Er antwortete: Hier bin ich. Er sprach: Tritt nicht herzu, ziehe deine Schuhe aus von deinen Füßen; denn der Ort darauf du stehst, ist ein heilig Land.

Und sprach weiter: Ich bin der Gott deines Vaters, der Gott Abrahams, der Gott Isaaks und der Gott Jakobs. Und Mose verhüllte sein Angesicht; denn er fürchtete sich, Gott anzuschauen. Und der Herr sprach: Ich habe gesehen das Elend meines Volkes in Ägypten und habe ihr Geschrei gehört über die, so sie drängen; ich habe ihr Leid erkannt und bin niedergefahren, daß ich sie errette von der Ägypter Hand und sie ausführe aus diesem Lande in ein gutes und weites Land, in ein Land, darin Milch und Honig fließt, an den Ort der Kanaaniter, Hethiter, Amoriter, Pheresiter, Heviter und Jebusiter. Weil denn nun das Geschrei der Kinder Israel vor mich gekommen ist und ich auch dazu ihre Angst gesehen habe wie die Ägypter sie ängsten, so gehe nun hin, ich will dich zu Pharao senden, daß du mein Volk, die Kinder Israel aus Ägypten führest.

Mose sprach zu Gott: Siehe, wenn ich zu den Kindern Israel komme und spreche zu ihnen: der Gott eurer Väter hat mich zu euch gesandt, und sie mir sagen werden: wie heißt sein Name? Was soll ich ihnen sagen? Gott sprach zu Mose: Ich werde sein der ich sein werde. Und sprach: Also sollst du zu den Kindern Israel sagen: Ich werde sein hat mich zu euch gesandt.«

Was ist das für eine Geschichte? Was geht sie uns an?

Dieser Text ist in seinem Kern wohl dreitausend Jahre alt. Wir heutigen Menschen haben geschichtlich denken gelernt. Wenn wir diesen Text nicht bloß aus frommer Tradition in der Kirche lesen wollen, sondern weil er uns betrifft, dann müssen wir uns zuerst das geschichtlich Einmalige, das Vergangene an ihm klarmachen. Dann wird uns vielleicht, wie ein Blitz, aufleuchten, was er uns heute angeht.

Dies ist ein Text aus dem Gesetz der Juden, das wir Christen als das Alte Testament, das alte Zeugnis Gottes, in unsere Bibel übernommen haben. Jesus selbst hat seine Zeitgenossen auf Mose und die Propheten verwiesen. Und das jüdische Volk hat, den Bund wahrend, den es unter Moses Führung mit Gott geschlossen hatte, durch drei Jahrtausende seine religiöse und nationale Existenz bewahrt. Unser Text war für die Juden stets ein heiliger Text, denn er schildert die Berufung Moses durch

Gott. Was an diesem Text historisch genau ist und was legen-
därer Rahmen, darüber sind die Gelehrten nicht einig. Vielleicht ist das auch nicht das Wichtigste. Sein Kern ist die
Stiftung eines Bundes, der wirklich ist und bis heute dauert.
Manche Einzelheiten kommen mir so vor, als könnte sie nicht
leicht ein späterer Erzähler erfunden haben. Wie dem auch sei,
versuchen wir zunächst die Geschichte so zu verstehen, wie sie
einst erzählt und verstanden worden ist. Versuchen wir dabei,
uns das Ferne an ihr durch gelegentliche Vergleiche mit unserer
Gegenwart zu verdeutlichen.

Eine nomadische Sippe, die Kinder des Stammvaters Israel,
ist in einer Hungersnot ins mächtige, wohlernährte, damals
schon uralte Reich Ägypten gezogen. Dort sind sie zum Volk
herangewachsen, und der ägyptische König, wohl einer jener
späten Herrscher, die den Namen Ramses führten, verknechtet
sie als Fronarbeiter beim Städtebau. Das Urphänomen von
6000 Jahren politischer Geschichte der Menschheit: Herrschaft von Menschen über Menschen. Aber hier ist noch ein
besonderes Völkerschicksal: Das Volk Israel findet sich in dem
ersten Augenblick, in dem es überhaupt ein Volk ist, in der
Fremde, unter fremden Herren, im Exil vor; im Exil, das die
Form seines Lebens im größten Teil seiner späteren Geschichte
sein wird. Exil und Verheißung der Rückkehr: das ist jüdisches
Schicksal.

Mose, ein Mann israelitischer Abstammung, wächst in den
Hofkreisen Ägyptens auf. Ihm ist die Anpassung an das
Gastvolk gelungen, er trägt einen ägyptischen Namen – Mose
ist ägyptisch –, er ist, was man später einen assimilierten Juden
nennt, er ist ein sozial aufgestiegener Mann. Da entdeckt er in
der Sklaverei seiner Volksgenossen, daß er im Herzen zu ihnen,
den Unterdrückten, gehört. Er erschlägt einen Aufseher, der
Israeliten mißhandelt: er tötet im Jähzorn des aufwallenden
Rechtsempfindens. Er flieht aus Ägypten in die Wüste; dort
heiratet er die Tochter des Priesters der nomadischen Midiani-
ter. Sein Leben scheint nun beruhigt. Hier findet ihn unser
Text.

Er ist Schafhirt – später wird er Menschenhirt sein – und er
treibt die Schafe durch die übliche Steppenweide, hier Wüste
genannt, bis zu den fernen Bergen. Da hat er eine Vision. Wie es

von Visionen manchmal berichtet wird, sieht er etwas, was
natürlicherweise nicht vorkommt: er sieht einen Dornbusch,
der brennt und doch nicht verbrennt. Wir wissen, daß der Geist
Gottes oft unter dem Bild des Feuers gesehen worden ist, eines
Feuers, das reinigt, aber nicht vernichtet. Mose weiß noch
nicht, was es ist, das er sieht; in vernünftiger Neugier tritt er
näher. Da hat er auch eine Audition, er hört eine Stimme. Wer
spricht zu ihm? Vorher hieß es: der Engel des Herrn erschien
ihm in der Flamme. Engel, angelos, heißt Bote. Jetzt spricht der
Herr selbst. Man soll das wohl nicht so verstehen, daß ein
Anderer spricht als der sich im Feuer gezeigt hat. Der Übergang, daß in derselben Geschichte bald der Bote Gottes, bald
Gott selbst sprechend eingeführt wird, kommt auch sonst im
Alten Testament vor. Der Bote Gottes kann auch in gewöhnli-
cher Menschengestalt erscheinen. Gott selbst kann man nicht
eigentlich sprechen hören; er spricht in einer Stimme, die wir,
wenn wir genau sind, die Stimme seines Boten nennen müssen.

Was sagt Gott zu Mose? Er ruft ihn beim Namen: »Mose!« –
»Hier bin ich.« – »Ziehe deine Schuhe aus, du stehst auf
heiligem Land.« Eine alte Geste religiöser Ehrfurcht wird ihm
befohlen. Und nun: »Ich bin der Gott deines Vaters und der
Gott deiner Stammväter.« Mose verhüllt sein Gesicht; wer
Gott sieht, stirbt. Der alte Gott, der sie bis hierher geführt hat,
spricht nun zu ihm. »Ich habe euer Elend gesehen, euer Geschrei gehört, euer Leid erkannt. Nun will ich euch retten und
in die Freiheit führen. Und dich, Mose, will ich senden, daß du
dein Volk führst.«

Welch überwältigende Zusage des Glücks! Unser Elend ist
gesehen – wirklich gesehen – und wir sollen frei werden, in
einem Land, das uns gehören wird, in dem Milch und Honig
fließt. Und Mose soll der Führer in die Freiheit sein. Was tut
Mose auf diese Zusage und diesen Befehl? Er sträubt sich.
Herr, sende, welchen du willst; d. h. nur mich nicht. In dem
Text, der als Predigttext zurechtgeschnitten ist, sind die Stellen
seiner Gegenwehr, bis auf eine Gegenfrage, weggelassen. Aber
sie sind wichtig. So reagieren die Propheten fast immer, wenn
sie berufen werden. Warum?

Mose ist kein Feigling. Vielleicht liebt er jetzt das beruhigte
freie Leben des Schafhirten. Wer verstünde das nicht. Aber vor

allem ist er klug, und er reagiert wie ein kluger Mensch bei
solcher Forderung reagieren muß. Zwar weiß er noch nicht im
Einzelnen, was ihm bevorsteht. Wir, die wir die Geschichte
kennen, wissen es. Er wird Gottes Befehl folgen. Wehrlos,
machtlos wird er vor Pharao stehen und die Freiheit seines
Volkes fordern. Der König wird ihn verlachen und sein Volk
wird ihn verfluchen, weil er die Lage schlimmer gemacht hat
als sie war. Die schrecklichsten Schrecken, zuletzt der Tod aller
erstgeborenen Söhne, nötigen den Ägyptern die Freigabe des
Volkes ab. Unter Lebensgefahr waten sie durchs Schilfmeer, in
dem der nachsetzende Pharao ertrinkt. In der Wüste drohen
Hunger und Durst und das Volk verlangt zurück zu den
Fleischtöpfen Ägyptens, in die Sklaverei des Wohlstandsstaa-
tes. Mose bringt ihnen Gottes Gesetz, das sie erst richtig zum
Volk macht, und sie benützen seine kurze Abwesenheit zum
Abfall. Und wem gehört das Land, in das er sie führen soll?
Den Kanaanitern, Amoritern, Pheresitern, Jebusitern. Wir sagen heute: es gehört den Arabern. Mit welchem Rechtsan-
spruch, mit welcher militärischen Macht wird es besetzt werden? Was ist die Zukunft dort? Und Mose selbst wird das Land
nicht betreten; von einem Berg wird er es in der Ferne liegen
sehen und sterben. So sind göttliche Aufträge in der Geschichte.

Moses Gegenwehr zeigt sich in unserm Text nur in der
Gegenfrage: »Und wenn mich das Volk nach deinem Namen
fragt, welchen Namen soll ich nennen?« Das klingt sonderbar;
sollte ein Volk den Namen seines Gottes nicht kennen?

Man hat dazu die religionsgeschichtliche Erklärung gegeben, daß vielfach bei den Völkern und gerade auch im alten
Ägypten, der wahre, wirkungsmächtige Name eines Gottes
geheimgehalten worden ist. Vergegenwärtigen wir unserem
modernen Denken, was die Frage bedeuten mag. Mose lebt in
der Welt des Polytheismus. Verschiedene Völker haben verschiedene Götter. Götter – wir sprechen heute von Mächten.
Das ist abstrakt und macht uns im Grunde auch nicht klarer,
was uns da eigentlich begegnet: die Mächte der Natur, die
Mächte der Geschichte, die Mächte der Überlieferung und der
Ideologie, die Mächte in der Tiefe der menschlichen Seele, die
Mächte der Politik. Der alten Zeit erschienen diese Mächte

unter dem Bilde großer göttlicher Gestalten: Amun – Re, Isis
und Osiris, der Baal und die Astarte, näher bei uns: Zeus,
Apollon und Aphrodite, oder der große Pan, oder Wotan. Der
Himmelsherr ist eine ganz andere Macht als die Göttin der
Liebe; das fruchtbare Ägypten hat andere Götter als die bren-
nende Wüste. »Was ist dein Name?« heißt: welche Macht
bietest du uns an, wenn wir uns dir anvertrauen? Der Sprung
ins Moderne sei auch hier gewagt. Unsereiner würde fragen:
Versprichst du uns die Macht der Technik oder der Solidarität,
die Herrschaft der Ordnung, die Freiheit des Einzelnen oder
den Sturm des Enthusiasmus?

Was antwortet Gott? »Ich bin, der ich bin.« So hat die alte
Kirche dieses Wort verstanden. Mit unserer Lutherbibel kann
man auch sagen: »Ich werde sein, der ich sein werde.« Martin
Buber übersetzt: »Ich werde da sein als der ich dasein werde.«
Die hebräische Sprache unterscheidet nicht wie die unsere
Gegenwart, Vergangenheit und Zukunft. Das Unbestimmte
dieses Satzes könnte man fast am besten wiedergeben so wie
Ausländer sprechen, die nicht gut deutsch können und die
Formen des Verbs nicht finden. Ein solcher würde vielleicht
sagen: »Ich sein der ich sein«.

Was bedeutet diese Antwort? Zunächst einen Schock: Gott
verweigert die Nennung eines Namens. »Ich bin«, oder »Ich
werde sein«: das ist kein Name, mit dem Mose das Volk
beruhigen könnte. Allerdings wird im nächsten Vers, den ich
nicht mehr gelesen habe, der heilige Gottesname Jahwe genannt, der in der christlichen Tradition zu Jehova geworden ist
und den Luther stets mit »der Herr« wiedergibt. Der Name
Jahwe klingt an an das hebräische Wort für »ich bin« (ehje);
vielleicht sollte dieser Gottesname so erklärt werden. Aber das
ist dann erst das Zweite. Das Erste ist: Mose soll sagen: der
Gott eurer Väter hat mich gesandt, und er heißt wie kein
bekannter Gott heißt; »ich bin« hat mich gesandt.

An diesem Satz: »Ich bin der ich bin« haben Jahrtausende
gerätselt. Wenn uns dieser Text aufgegeben ist, müssen wir
diesen Rätseln ein wenig folgen. Zunächst kann man sagen: Im
letzten Grund gibt es doch nicht viele Mächte, sondern eine
wahre Macht, nicht viele Götter, sondern einen wahren Gott.
Den kann man nicht mit dem Namen eines der vielen Götter

nennen. Wenn er Schöpfer und Herr der Welt ist, der Grund
der Welt ist, dann bezeichnet ihn kein Name und kein Begriff
aus der Welt, dann muß man über Namen und Formen hinausgehen. Alles was ist, ist durch ihn – schon wenn wir Ihn, wenn
wir Er sagen, sagen wir zuviel – und er ist, der er ist. Ich möchte
zu dieser Auslegung hier meine persönliche Meinung sagen.
Mir scheint, man darf sagen: Gott hat verschiedenen Völkern
verschiedene Gnaden der Erkenntnis gegeben, und eine ist in
dieser Auslegung. Gott als das Sein selbst verstehen, das allem,
was ist, sein Sein gibt, das ist eine Weisheit, die man nicht mehr
übersteigen kann. So haben orientalische Völker gesehen, so
hat in unserer westlichen Welt die griechische Philosophie in
aller Schärfe den Gedanken Gottes durchdacht. Als dann die
Juden und die Christen in die Welt der griechischen Bildung
eintraten, konnten sie nicht anders als diese Gedanken übernehmen und mit ihrer Hilfe sich ihren Gott auslegen. Sie haben
damit ein großes Stück Wahrheit wirklich geschenkt bekommen und erhalten.

Aber die Antwort, die Mose hier aus dem brennenden Busch
bekommt, hat ein anderes Ziel. Mose soll sich auf einen Weg
machen, hier und jetzt, auf einen langen und gefährlichen Weg.
Was er braucht, ist die Gegenwart eines helfenden Gottes, und
zwar braucht er sie jetzt und auf jedem Schritt des Wegs. Er
braucht also die Zukunft dieser Gegenwart. »Ich werde sein«,
»ich werde dasein«, da bei dir, dann wenn dein Schritt zu
versagen droht. Diese Zukunft ist nicht die Fortdauer der
jetzigen Gegenwart oder etwas ewig Gleichbleibendes. »Ich
werde dasein als der ich dasein werde« – und als welcher ich
dasein werde, das wirst du dann sehen wenn es nötig ist . . .
Keine Macht, keine Erforschung des Künftigen, kein besonderer Name Gottes erhellt den Abgrund der Zukunft; nur die
Zusage: »Ich werde sein«.

Im Lichte dieser Zusage müssen wir Moses schweren Weg
noch einmal verfolgen. Er stand machtlos vor Pharao, aber
dieser wandelte zuletzt seinen Sinn. Das Volk ging durchs
Meer, aber das Meer verschlang sie nicht. In der Wüste gab es
keine Fleischtöpfe, aber Quellen und den verdickten Pflanzen-
saft des Manna. Dort in der Wüste gab Gott ihnen das Gesetz
ihres Lebens als Volk. Daran hatte keiner von ihnen vorher

gedacht. Sie kamen ins verheißene Land. Mose freilich nicht, aber für Mose war vielleicht der Blick vom Berg hinüber in das Land der einzige Augenblick ewiger Seligkeit, der für ein Menschenleben genügt. So ist dieser Blick durch die Erinnerung der Völker gegangen. Jetzt vor einem Jahr ist Martin Luther King gestorben, noch auf seinen Lippen die Worte seiner letzten Rede: »Ich sehe vor mir das Land . . .«.

Soviel von Mose. Was bedeutet die Erzählung für uns?

Blicken wir in die Geschichte zurück, so müssen wir wohl sagen: Gott ist immer wieder den Menschen in einer Weise gegenwärtig gewesen, die niemand vorhersehen konnte.

Er war in Christus da. So hatten die Juden den Verheißenen nicht erwartet. Die Weise, auf die Christus das Gesetz Moses, das Gesetz Gottes erfüllt hat, mußte den Juden, die die Tradition wahrten, als Bruch des Gesetzes erscheinen, als die große Blasphemie. Aber er hat, wie er selbst sagte, ein Feuer entzündet, ein Feuer, das reinigt ohne zu verzehren, in der ganzen Welt.

Die Christen erwarten die Wiederkunft Christi. Sie zögerte sich hinaus um Jahrzehnte, Jahrhunderte, Jahrtausende. Und inzwischen geschah, was sie nicht erwarteten, das Evangelium durchdrang die Welt, zwar sehr unvollkommen, aber doch verwandelnd.

In unseren Jahrhunderten wird die Welt durch die Aufklärung verändert. Aufklärung ist erklärt worden als das Heraustreten des Menschen aus seiner selbstverschuldeten Unmündigkeit. Wir werden erwachsen, wir prüfen selbst, wir prüfen, was man uns erzählt hat. Überlieferte Mißstände ändern wir durch Verstand und Willen. Wir verlassen die »ägyptische Knechtschaft« weltlicher und geistlicher Autoritäten und ziehen in die Wüste freier, solidarischer Entscheidung. Seit Jahrhunderten schon, immer wieder, auch in der heutigen Jugend hoffen wir auf das verheißene Land einer freien Gesellschaft gleicher Menschen. Ist da Gott in neuer Gestalt bei uns? Oder ist das Gotteslästerung, Blasphemie? Oder die dritte Möglichkeit: ist dies freilich unsere Wirklichkeit und Aufgabe, ist aber die Zeit Gottes vorbei, so wie die Zeiten des Amun-Re der Ägypter und des großen Pan der Griechen vorbeigegangen sind. Das spätantike Wort: der große Pan ist tot, haben große

Denker des 19. Jahrhunderts wieder aufgenommen. Muß man heute nicht ehrlicherweise sagen: Gott ist tot, und das ist eine vergangene Geschichte?

Hier muß ich, so fürchte ich, ein Wort sagen, das scharf klingen kann. Wer nicht in seinem eigenen Bewußtsein, in seinem eigenen Leben erfahren hat, was es heißt: »Gott ist tot«, wie soll der einem heutigen Menschen helfen können? Dieses Wort spricht eine Erfahrung aus, eine Grunderfahrung unserer Zeit. Diese hat viele Formen. Sie hat zuzeiten einen Jubel ausgesprochen: die Väter und ihr Gott, die Lasten der Vergangenheit haben uns nichts mehr zu sagen: Gott ist tot. Sie kann nüchterne Gleichgültigkeit ausdrücken: Hier sind die Gesetze der Natur und der Gesellschaft; wozu ist ein Gott nötig? Sie kann Verzweiflung aussprechen: Alles ist da, die Lebenssicherung, das Wissen, der Genuß, der Fortschritt, aber wohin ist der Sinn des Ganzen entflohen? Gott, der Sinn, ist tot.

Weiß man das in der Kirche, daß dies die Wirklichkeit von heute ist? Ich stamme aus einer christlichen Familie, ich habe seit meiner Jugend und zeitlebens den Wunsch gehabt, in der Kirche in kleinen und großen Fragen Rat zu finden. Wie oft habe ich einen Theologen, einen Pfarrer, einen frommen Menschen entweder gefragt oder prüfend angeschaut, ob ich ihn fragen könnte und habe erfahren: er konnte mir nicht helfen. Er war noch auf seiner gesicherten Insel und wußte nicht, wie es auf dem hohen Meer der Ungewißheit aussieht, oder er klammerte sich an den Felsblock seines Glaubens, und da konnte er nicht in den Abgrund sehen, um nicht schwindlig zu werden. Er tat sein Bestes, mir zu helfen. – An ehrlicher Selbstkritik und an gutem Willen hat es in der Kirche, soweit ich sie erlebt habe, nicht gefehlt, oder, soweit sie fehlten, war das nicht mein Kummer; denn solches Versagen ist allgemein menschlich. Aber auch die zu großem Einsatz Bereiten fanden oft nicht die Tür zur Wirklichkeit des Menschen ihnen gegen- über. Sie wußten nicht, vorsichtig gesagt, daß der Gott, an den sie ihn wiesen, ihm das Gesicht nicht mehr zeigte, das sie noch sahen oder zu sehen meinten. Sie waren beim Gott der Väter um den Preis, nicht bei der Wirklichkeit zu sein.

Hierüber müßte man lange reden, nicht in einer Predigt,

sondern im ruhigen Gespräch, mit Frage und Rückfrage. Denn
aus dieser Lage darf man nicht fliehen, man muß in ihr aushalten. Aber hier auf diese Kanzel gestellt muß ich zum Ende
meiner Rede kommen. Ich muß schneller als es richtig ist zu
dem kommen, was ich selbst meine sagen zu sollen. Hier läßt
sich nichts beweisen, hier muß man sich zu seiner Erfahrung
und zu seiner Hoffnung bekennen.

Ich glaube, daß Gott da ist und da sein wird so, wie er immer
da war, nämlich neu, so wie wir ihn noch nicht gekannt haben.
Kann man das erfahren?

Man erfährt es zuerst im Dienst am Mitmenschen. Es ist
schon eine simple psychologische Erfahrung, daß Glücksträu-
me und depressive Schrecken der Einsamkeit vor der Wirklichkeit des Mitmenschen verfliegen. Der Nächste ist der Bote
Gottes.

Man kann es erfahren in der inneren Sammlung, im Gebet.
Davon wissen sehr viel die großen Religionen des Ostens,
denen zu begegnen heute unser Schicksal ist und die als Irrleh-
ren abzutun ein Anklammern an den Fels der Vergangenheit
wäre. Aber wir brauchen ihnen nicht nachzulaufen. Die innere
Antwort, die Stimme des Gewissens gibt es auch hier; Gott
spricht, wo er will und wie er will. Der moderne Psychologe
mag diese Stimme als die meines Unbewußten oder meines
Über-Ich bezeichnen. Warum soll mein Unbewußtes, mein
Über-Ich nicht Bote Gottes sein?

Die Wissenschaften, die uns gesund skeptisch machen, Physik, Kybernetik, Psychologie, Soziologie, beweisen nicht, daß
Gott tot ist. Für ihre Sichtweise ist Gott entweder nie gewesen,
oder er ist immer. Sie objektivieren das Geschehen. Sie teilen es
ein, sie stellen es dar, wie es sich dem Verstand und dem Willen
zeigen muß. Wie diese Art der Erkenntnis überhaupt möglich
ist, und daß sie gar allumfassend sei, das zeigen sie nicht. Ich
glaube, sie setzen in der Gestalt des Vertrauens auf die Bestän-
digkeit der Welt die Gegenwart Gottes tatsächlich voraus. Sie
könnten sich in Boten Gottes verwandeln.

Aber vor allem ist der Mitmensch der Bote Gottes. Im aktiven Leben mit dem andern entsteht für ihn und für mich ein
Raum des Friedens. Ich ende mit einer konkreten, wenngleich
übergroßen Aufgabe. Was Mose aufgetragen wurde, war doch

eine politische Aufgabe: ein Volk befreien und so ein Volk erst schaffen, ihm äußere Freiheit und inneren Frieden geben. Dies mußte konkret und diesseitig durchgeführt werden: aus Ägypten mußten sie herausgeführt werden, in Palästina ankommen, und inzwischen ernährt, bekleidet und organisiert bleiben. Politik ist das Feld des Streits, und Mose ist von Kampf zu Kampf gegangen. Der Streit ist nötig, in ihm arbeitet sich das Bewußtsein von der Form des Friedens, die konkrete Wahrheit heraus. Über die Form des Friedens ist heute Streit. Über eines dürfte kein Streit mehr sein: daß der Friede der Welt politisch gesichert werden muß. Das ist eine neue, konkrete, diesseitige Aufgabe, die die Menschheit bisher nicht gehabt, kaum gesehen hat und heute hat. Sie ist nicht leichter als der Auszug der israelischen Fremdarbeiter aus Ägypten war. Auf diesem Weg warten auf uns Gefahren, so schrecklich wie der Tod alles Erstgeborenen, so unkalkulierbar wie der Gang durch das Schilfmeer. Die nächsten dreißig Jahre, ich weiß nicht, wie sie sein werden. Aber diesen Weg müssen wir gehen, wir sind schon ausgezogen. Auf diesem Weg wird auf eine Weise, die wir nicht wissen, Gott bei uns sein. Amen.

Zum Gottesdienst am 26. Mai 1974
im evang. Gemeindehaus in Starnberg.

Das Evangelium des heutigen Sonntags Exaudi, des Sonntags vor Pfingsten, steht bei Johannes, Kapitel 15, Vers 26 bis Kapitel 16, Vers 4:

»Wenn aber der Tröster kommen wird, welchen ich euch senden werde vom Vater, der Geist der Wahrheit, der vom Vater ausgeht, der wird zeugen von mir. Und ihr werdet auch zeugen; denn ihr seid von Anfang bei mir gewesen. Solches habe ich zu euch geredet, daß ihr euch nicht ärgert. Sie werden euch in den Bann tun. Es kommt aber die Zeit, daß wer euch tötet, wird meinen, er tue Gott einen Dienst daran. Und solches werden sie euch darum tun, daß sie weder meinen Vater noch mich erkennen. Aber solches habe ich zu euch geredet, auf daß, wenn die Zeit kommen wird, ihr daran gedenket, daß ich's euch gesagt habe.«

Dieser Text enhält zwei Ankündigungen, die des Heiligen

Geistes und die der Verfolgung. Beide Ankündigungen hängen miteinander zusammen. Der Geist wird der Tröster, der Fürsprecher in den Verfolgungen sein. Und die Verfolgung wird kommen, weil die Christen von Gott zeugen, also weil in ihnen der Geist wirkt.

Aber gehen diese Ankündigungen das heutige Bewußtsein etwas an? Hat jemand unter uns Erfahrung mit dem heiligen Geist? Verfolgung ja, das ist eine Wirklichkeit auch unserer Tage. Aber sind es eigentlich gerade die Christen, die verfolgt werden? Ich weiß nicht, ob viele Menschen in diesem Gemeindesaal sind, die selbst verfolgt worden sind, weil sie Christen sind. Wer verfolgt wird in der ganzen Welt, das sind doch die jeweiligen politischen Gegner.

Wenn wir jedoch diese alten Texte lesen und verstehen, so entdecken wir, daß sie mitten in die heutige Situation hineinsprechen. Das wird unserem kritischen Bewußtsein sogar leichter erkennbar werden, wenn wir für einen Augenblick die wissenschaftlichen Mittel benutzen, die dieses Bewußtsein in der historischen Theologie bereitgestellt und uns jene ferne Zeit, in der sie geschrieben wurden, als eine ferne, lang vergangene Zeit vor Augen stellen. Dann verstehen wir ihre Sprache genauer und können sie in unsere Sprache übersetzen.

Unser Text stammt aus dem vierten Evangelium, das die kirchliche Tradition dem Apostel Johannes zugeschrieben hat. Dieses Evangelium ist, in der Form der Geschichtserzählung, ein theologischer Traktat. Es stellt Jesus dar als das fleischgewordene Wort Gottes; es ist der Traktat von der Inkarnation. »Im Anfang war das Wort, und das Wort war bei Gott, und Gott war das Wort. Dasselbe war im Anfang bei Gott. Alle Dinge sind durch dasselbe gemacht, und ohne dasselbe ist nichts gemacht, was gemacht ist ... Und das Wort ward Fleisch und wohnte unter uns, und wir sahen seine Herrlichkeit.«

Im Anfang – da ist die Rede von der Schöpfung. Im Anfang war das Wort. Das Wort, der Logos, die göttliche Vernunft, der Geist – das ist ein Name aus der griechischen Philosophie und der gnostischen Theologie. Das Wort war bei Gott und Gott war das Wort und alles ist durch das Wort gemacht. Dieses Wort aber wurde Fleisch, d. h. Gott ist mitten im menschlichen Leben gegenwärtig geworden, in einem Menschen, der uns gelehrt und geliebt hat und den die politische Justiz verurteilt und hingerichtet hat. Diese Lehre von der Inkarnation ist nicht der Gegenstand des heutigen Textes, aber sie ist sein Hintergrund.

Jesus, der weiß, daß er das sichtbare Leben mit seinen Jüngern jetzt verlassen wird, kündet ihnen in seinen Abschiedsreden den Tröster, den Geist der Wahrheit an. Noch einmal also: was ist das für ein Geist? Tröster heißt griechisch Parakletos, d. h. Advokat, Herbeigerufener, Fürsprecher. Er ist aber im Verständnis der Bibel nicht ein Mensch, etwa ein Nachfolger Jesu, sondern eben der Geist, der in den Menschen wirkt und spricht. Das Wort, das wir hier mit Geist übersetzen, ist nicht Logos, sondern Pneuma, der Hauch, der Atem, der Wind. Der Wind weht, wo er will, und du hörst sein Sausen wohl, aber du weißt nicht, woher er kommt und wohin er fährt. So ist jeder, der aus dem Geist geboren ist. Was ist das?

Der alten Kirche, aus der unser Text stammt, war dieser Geist etwas Wohlbekanntes. Er war ihre eigentliche Grunderfahrung, das, wodurch sie überhaupt eine Gemeinschaft, eine Kirche war. Pfingsten war das Erlebnis der Ausgießung des Geistes. Auf einmal war er da und verwandelte die Verzweiflung der Gemeinde in Freude, in Überschwang, in Gewissheit. Es wird erzählt, daß sie in Sprachen redeten, die sie zuvor nicht gelernt hatten. Nicht nur ein unverständliches Stammeln, obwohl es das auch gegeben haben wird, sondern umgekehrt, die Verständlichkeit, wo vorher Fremdheit war. War die alte Kirche ein Haufe von Ekstatikern, so wie wir sie in pietistischen Massenräuschen bis zum heutigen Tage immer wieder sehen? Öffnen sich vielleicht heute so viele Menschen der meditativen und der ekstatischen Erfahrung außerchristlicher Religionen, weil die Kirche ihnen diese Quellen, die auch in ihr einst geflossen sind, nicht mehr erschließt?

Gewiß, all das ist wirklich und wichtig. Aber die Ekstase ist nicht der Zweck, sie ist nur ein Signal einer neuen Erfahrung. Auf die Träne der Seligkeit folgt die Seligkeit ohne Tränen. Sie bewährt sich in der Stille, in der Arbeit, in der Gemeinschaft, im Kampf, im Leiden, in der Stille. Wenn sie euch vor die Gerichte führen, so fürchtet euch nicht, denn der Geist wird

euch eingeben, was ihr reden sollt. Die Kirche ist, wo immer sie
lebendig war, überzeugt gewesen, vom Geist geführt zu sein.
Geistesgegenwart war Erkenntnis der Mitmenschen, Erkenntnis der gesellschaftlichen Situation, direktes Sehen und genau-
es Handeln. Die Christen, die zweitausend Jahre auf das Ende
der Geschichte gewartet haben, haben in diesen zweitausend
Jahren die Geschichte gestaltet, die Menschheit langsam, langsam umgestaltet.

Aber warum die Ankündigung der Verfolgung? Warum
werden sie vor Gericht gestellt? Sie werden euch in den Bann
tun, heißt es in unserem Text. Wörtlich steht da, sie werden
euch aus der Synagoge, also aus der religiösen Gemeinschaft
ausstoßen. Wen der Geist führt, der läuft Gefahr, daß ihn die
Menschen um der Gemeinschaft willen verfolgen, daß sie guten Willens glauben, Gott einen Dienst zu tun, wenn sie ihn aus
dem Dienst entlassen oder vielleicht sogar töten. Warum das?

Der Geist ist der Geist der Wahrheit. Die Wahrheit zu hören,
ist sehr unangenehm. Menschliche Gemeinschaften, Gruppen,
Gesellschaften, Staaten, Kirchen stabilisieren sich durch Abwehr des Bedrohlichen. Sie stabilisieren sich durch eingeschlif-
fene Angstreaktionen. Das ist für den Menschen als vernünfti-
ges Wesen an sich nicht nötig. Menschliche Gemeinschaften
könnten sich durch Vernunft und Nächstenliebe stabilisieren,
also durch Wahrheit, durch Erkenntnis, Wahrhaftigkeit,
Rücksicht und aktive Hilfe. Wo das geschieht, empfinden wir,
daß Friede herrscht. Der Friede ist der Leib der Wahrheit. Wo
oder soweit kein Friede herrscht, stabilisiert sich die Gesellschaft durch Angst. Dieser Angst muß dann nichts so bedrohlich erscheinen, wie die Wahrheit. Wahrheit im Mund von uns
Menschen ist nie vollkommen, sie ist, so wie wir sie heraus-
bringen, fast stets Halbwahrheit. Die herrschende Angst hört
aus den ihr begegnenden Halbwahrheiten mit sicherem Instinkt das Falsche heraus, um sich selbst darüber zu beruhigen,
daß sie den Sprecher dieser halben Wahrheit mit Recht als
Sprecher der Unwahrheit denunzieren, dienstentlassen, verfolgen darf. Lesen Sie einmal unter diesem Gesichtspunkt die
Geschichte religiöser und politischer Verfolgungen bis auf unseren Tag. Wie haben Katholiken, wo sie herrschten, Protestanten verfolgt und Protestanten, wo sie herrschten, Katholi-

ken, bis die große christliche Erkenntnis der Nächstenliebe in säkularisiert aufgeklärter Form als Toleranz zu ihnen kam! Wie verfolgen heute Kommunisten Kapitalisten und Kapitalisten Kommunisten! Wo ist der Geist? Er weht wo er will und wir hören sein Sausen wohl. Er ist der Schreck der stabilisierenden Angst, er ist der Trost der Verfolgten, er ist der Wegweiser zum konstruktiven Frieden.

Darf die Kirche sich in die Politik mischen? Sie ist verfolgt worden, nicht weil sie sich in Politik mischte, sondern weil sie, so wie sie war, der Politik unerträglich wurde. Die Kirche darf nur den Frieden wollen. Das heißt, sie muß die Wahrheit wollen. Jesus sagt: Selig sind die Friedfertigen, das heißt wörtlich: die Friedensmacher, die den Frieden herstellen. Denn was besteht, ist noch nicht der Friede. Deshalb kann Jesus ohne Widerspruch zur Seligpreisung auch sagen: Ich bin nicht gekommen, Frieden zu bringen, sondern das Schwert. Der Geist – das Pneuma – in der Geschichte, und der Geist – der Logos – der Schöpfung, sind letztlich eins, denn in der Geschichte wird die Schöpfung ausgestaltet.

Die Kirche muß, wo Konflikt ist, den Frieden, die wahre Versöhnung suchen; wenn sie kann, zu bringen suchen. Eben darum kann sie sich nicht auf die Verkündigung nur eines jenseitigen oder nur eines privaten Wortes Gottes beschränken. Das ist noch nicht das Wort, durch das alles gemacht ist, was gemacht ist. Darf die Kirche einseitig politisch Partei nehmen? Meine Erfahrung ist, daß wir die Einseitigkeit fast immer nur bei unseren politischen Gegnern wahrnehmen, nicht bei uns selbst. Das gilt fast immer für beide Seiten in einem Konflikt. Wer Konflikte versöhnen will, kann sich nicht aus den Konflikten heraushalten; das hieße: wasch mich aber mach mich nicht naß.

Wir bekämpfen uns, weil wir Angst voreinander haben. Wir sollen keine Angst haben. Wenn der Tröster, der Geist der Wahrheit kommen wird, der wird euch in alle Wahrheit führen. Das geschieht jeden Tag unter uns; es kann geschehen, wenn wir uns öffnen; und es geschieht. In der Welt habt ihr Angst, aber seid getrost, ich habe die Welt überwunden. Das ist wahr.

IV, 7. Zwei Vorworte

1. *Geleitwort zu Martin Steinkes Buch* *»Das Lebensgesetz«** [*]

Vor etwas mehr als zwölf Jahren, als ich mich gerade rüstete, zum erstenmal in meinem Leben den Atlantik zu überqueren und in meinem Arbeitszimmer Hemden und Manuskripte in die Schiffskoffer verpackte, klingelte es an der Wohnungstür, und zwei Besucher erschienen. Der Ältere von ihnen war ein kleiner, schmächtiger, beweglicher weißhaariger Mann, dessen Blick mir zuerst wie der eines Vogels schien, prüfend und in raschem Flug zupackend, und dann doch gütig wie nur ein Mensch blicken kann. Mit diesem Mann entspann sich über die halboffenen Koffer hinweg ein zweistündiges Gespräch, in dem er keine Antwort schuldig blieb und oft genug das ganz Überraschende sagte, so schnell wie man mit dem Finger schnalzt, Sätze, die auf der scharfen Schneide standen zwischen dem ganz Rätselhaften und dem an aller Logik vorbei ganz und gar Verständlichen, ohne Pose, im angenehm nüchternen Tonfall des alten Berlin oder Potsdam. Da ich seitdem einer der Empfänger seiner Aufzeichnungen war, gebe ich heute ihrer Veröffentlichung in Buchform anläßlich des 80. Geburtstags ihres Verfassers sehr gerne ein Geleitwort mit.

Was bedeutet es für uns, wenn ein Deutscher sich in der Jugend in die buddhistischen Schriften vertieft, als Fünfzigjähriger alles hinter sich läßt, um einer Einladung ins Kloster in China zu folgen, dort die Mönchsweihen erwirbt, und dann in seine Heimat zurückkehrt, um das dort Erfahrene denen, die es hören können, hier zu vermitteln?

Das ist mehr als ein Bildungserlebnis. In unserer Zeit erobert das westliche Denken in der Gestalt der Naturwissenschaft und Technik, des Nationalismus und sozialer Heilslehren eine

---

[*] Martin Steinke-Tao Chün, »Das Lebensgesetz. Eine Antwort auf Lebensfragen aus buddhistischer Sicht«. München, Delp, o. J. (1962).

breite Schicht der asiatischen Seele; dieser Sieg des Westens ist gründlicher und wird dauerhafter sein als sein Vorläufer, die Kolonialherrschaft. Aber wie tief dringt dieser Sieg? Nach einer internationalen Tagung über Probleme des technischen Zeitalters, auf der Amerikaner und Asiaten gemeinsam den technischen Fortschritt priesen, während die Europäer kulturpessimistisch auf die Tendenz der Selbstzerstörung in der Technik wiesen, sagte mir ein Chinese im Privatgespräch: »Ihr Europäer haltet die Technik für gefährlich, weil ihre Entfaltung mit dem Zusammenbruch eurer Kultur zeitlich zusammentrifft. Wir Asiaten sind in einer anderen Lage. Unsere Kultur bricht nicht zusammen. Aber wir müssen zahllose Menschen ernähren. Wir werden die Technik übernehmen und euch vormachen, wie man mit ihr lebt!« Ich glaube nicht, daß er das letzte Wort gesagt hat, aber in solchen Dimensionen bewegt sich das heutige Weltgeschehen.

Es ist kein Zufall, wenn seit Generationen eine sehr kleine, aber langsam wachsende Minderheit von Europäern irgendwann im Leben, in der empfänglichen Jugend, in den Zweifeln des Bewußtwerdens, die der Erwachsene durchkämpfen muß, oder im Alter, von der asiatischen Weisheit im Herzen getroffen, geweckt, getröstet wird. Wenn ich noch einmal persönlich sprechen darf: Ich erinnere mich genau meines Seelenzustands als Student, als die Dogmatisierung der Mythologie und das Auseinanderklaffen von Worten und Leben und vielleicht einfach die zu große Nähe mir den Zugang zu unserer christlichen Tradition für lange Zeit verschloß und als – ein spezielles Anliegen – die Fachsprache unserer abendländischen Philosophie an der Aufgabe, die heutige Naturwissenschaft zu verstehen, scheiterte. Damals las ich dankbar und ohne jede Mühe in Richard Wilhelms Übersetzung die Sprüche des Laotse und Konfuzius und die tausendfach spiegelnden Kristalle der Anekdoten Tschuangtses, und mich berührte tief, in Karl Eugen Neumanns Übersetzung, die vollendete durchsichtige nüchterne Gelassenheit, die innere Meeresstille der Darlegungen Buddhas, der Lehre, deren Anfang begütigt, deren Mitte begütigt, deren Ende begütigt. Später erklärte mir ein chinesischer Hörer meiner ersten Vorlesungen, das neue Wirklichkeitsverständnis der Quantenmechanik müsse die Europäer gewiß überraschen, aber in die Denktradition des Buddhismus füge es sich bruchlos ein. Ich glaubte damals und glaube heute, daß all dies uns angeht, nicht weil es asiatisch, sondern weil es wahr ist; und daß die säkular langsame Auseinandersetzung mit solchen Wahrheiten das nährende Grundwasser der jahreszeitlich aufblühenden und vergehenden Kulturen und politischen Vorherrschaften auf dem Erdball ist.

Hier entsteht aber alsbald ein Dilemma. Wo stehe ich selbst, wenn ich nach jenen außerhalb Europas gewachsenen Wahrheiten frage? Es ist leicht, von östlicher Weisheit zu schwärmen, wenn man, materiell und geistig, das Brot der westlichen Zivilisation ißt. Wir alle kennen den Typ der Weichlinge, die sich mit dem anempfundenen exotischen Tiefsinn um die Forderung des Tages an der Stelle, an die sie gestellt sind, drücken; ihnen erschließen sich in Wahrheit weder die Quellen der eigenen noch die der fremden Tradition. Viel fundierter sind die westlichen Gelehrten, die fest auf dem in unserer Tradition erwachsenen Wissenschaftsbegriff fußend die östlichen Texte erforschen, edieren, übertragen. Immerhin bleiben sie oft innerhalb der Grenze aller bloß gelehrten Literaturwissenschaft, die dasjenige nur studiert, was sie niemals selbst machen könnte, während doch auch bei uns im Westen eigentlich das Gedicht das Gedicht, der Gedanke den eigenen Gedanken wachrufen will, und während es doch im Buddhismus um gar nichts anderes geht, als daß dem Schüler die Einsicht selbst aufleuchtet, die dann sein Leben verwandeln wird.

Es gibt kein allgemeingültiges Rezept zur Lösung dieses Dilemmas. Wirklich mit dem Osten reden kann der Westen nur, wo er sich selbst versteht. Deshalb wird für die meisten Menschen im Westen eine entschiedene, aber kritische Zuwendung zu den eigenen Voraussetzungen der beste Weg sein, ihren Beitrag zu diesem langen Prozeß zu leisten. Zudem vermögen nur sehr wenige ohne das Geländer der eigenen, vertrauten kulturellen Umwelt selbständige Schritte zu tun; wer sich unvorbereitet ernstlich an die buddhistische Meditation wagt, läuft Gefahr, als seelischer Krüppel zu enden. Wir müssen aber den Wenigen dankbar sein, die um unser aller willen eben diesen Schritt ins Fremde wagen.

Martin Steinke hat als reifer Mann diesen eminent harten

Weg, den steilen Gipfelpfad (Tao Chün) betreten. Er ist trotz
seiner umfassenden Studien kein Gelehrter im westlich schul-
mäßigen Sinne; ich müßte selbst kein Professor sein, wenn ich
das seinen Formulierungen nicht vielfach anmerkte. Aber in
zwei oder sieben spontanen Antworten auf meine Fragen, in
Zen-Art wie aus der Pistole geschossen, hat er mir etwas von
der Wirklichkeit des buddhistischen Lebens vermittelt, was
mich alle gelehrten Studien nur wie durch einen Schleier hatten
ahnen lassen. Und er hat von mir und einigen anderen Menschen etwas gesehen, was man wohl nur im ersten Blick oder
niemals sieht.

Es scheint mir charakteristisch für diesen Mann, daß er
alsbald nach Empfang der Weihen in seine europäische Heimat
zurückgekehrt ist. Hic Rhodus, hic salta. Wer von den in
diesem Band gesammelten Aufsätzen ein Gemälde der »buddhistischen Weltanschauung« erhoffte, würde enttäuscht werden. Eher wird er, wenn ich selbst etwas zu behaupten wagen
darf, lernen, daß es für den, der die Lehre des Buddha im Kern
erfaßt, eine buddhistische Weltanschauung gar nicht gibt und
nicht geben kann, sondern nur eine neue Weise, das zu sehen,
was alle sehen, eine veränderte Art, Mensch zu sein. Deshalb
sind, so sehr die traditionellen Inhalte buddhistischer Lehre
hier zu ihrem Recht kommen, die eigentlichen Themen dieser
Aufsätze die brennenden Fragen unseres eigenen Alltags. Wie
kannst du das Leben eines Managers führen – denn du kannst
der Signatur unserer Zeit nicht entgehen, und wenn du ins
Kloster flöhest – wie also kannst du dieses Leben führen, ohne
zugrundezugehen? Wie findest du dich im elektronischen
Schaltwerk deiner Gedanken noch zurecht? Gibt es eine Antwort auf die Angst, die du tags verdrängst und die dich nachts
peinigt, und die dich heimlich lenkt in allen deinen Handlungen, die darum eigentlich gar nicht die deinen sind? Gibt es
aufrichtige Erkenntnis, die nicht Verzweiflung ist, vor der du
dich also nicht zu fürchten brauchst? Gibt es Geistesgegenwart
in diesem Wirbel, klares Bewußtsein, Reife, Ruhe und ruhige
Kraft, erreichbar für dich, so wie du wirklich bist? Oft genug
sind die Aufsätze aus Briefen an einzelne Menschen entstanden, stets haben sie die konkrete Situation des Menschen im
Auge.

Ich versuche nicht, das, was der Verfasser zu diesen Fragen zu sagen hat, in meiner Sprache zu umschreiben, so verlockend das wäre. Der Leser darf wohl ermuntert werden, wenn ihm die Sprechweise da oder dort unvertraut ist, einfach weiterzulesen; wenn ihn ein Satz innerlich trifft, so daß er ihn versteht, so erklärt dieser Satz dann den Sinn der in ihm enthaltenen Worte auch für andere Sätze. Man soll, so scheint mir, diese kurzen Aufsätze einzeln vornehmen, den einzelnen rasch, aber mehrmals lesen und lang meditieren.

2. Geleitwort zu Martin Steinkes Buch »Der Lebensschlüssel«*

Martin Steinke-Tao Chün ist, wie man in der buddhistischen Tradition sagt, in die Verwandlung eingegangen, ehe dieser zweite Band seiner Studien erschien. Vor Jahren sagte er mir einmal: »Bewußtwerden wird mich bis zum Augenblick des Todes nicht verlassen.« Ich erschrak fast über solche Zuversicht. Es ist aber geschehen, wie er gesagt hatte.

Über seine Person möchte ich hier, über das im Geleitwort zum ›Lebensgesetz‹ Gesagte hinaus, nichts hinzufügen. Er selbst hat stets von der Person weg auf die Sache gewiesen. Diese Sache, die in jeder der hier vorgelegten Studien wiederkehrt, wird Lesern, die aus der bei uns heimischen Denktradition kommen, manche Schwierigkeiten machen, die nicht nur darin liegen, daß die Sache an sich – auch für Asiaten – schwer ist, sondern darin, daß uns die Ausdrucksweise ungewohnt ist. Ein Freund des Verfassers hat gefragt, ob ich nicht als Vermittler beider Traditionen eine erläuternde Einführung schreiben könne. In der gebührenden Form ist das heute nicht möglich, nicht nur, weil mir die Kenntnis der Sprachen der buddhistischen Quellen und die eigene Erfahrung schulmäßiger buddhistischer Meditationspraxis fehlt. Nur auf ein paar wichtige Punkte möchte ich hinweisen.

Vordergründig gesehen handelt es sich hier um die Begeg-

* Martin Steinke-Tao Chün, »Der Lebensschlüssel. Bewußtwerden und seine umfassende Kraft«. München, Delp, 1968.

nung zwischen Asien und Europa, und zwar um das wohl
zentrale Stück dieser Begegnung. Indem die Welt eine Einheit
wird, wird diese Begegnung möglich und fällig. Keiner der
beiden Partner ist aber schon reif, sie wirklich zu vollziehen.
Zum geistigen Bereich ›Europa‹ sind hier natürlich auch Amerika und Rußland zu rechnen. Asien nun erlebt soeben einen
Akt dieser Begegnung im Zwang zur technischen und sozialen
›Modernisierung‹; das Moderne in diesem Sinn ist europä-
isches Produkt. Erst wo dieser Prozeß vollzogen ist, kann sich
zeigen, inwiefern Asien in seiner Eigenart überdauert hat; erst
dann wird Asien der souveräne Partner in diesem Gespräch
sein, der zu sein ihm gebührt. Europa aber ist weder materiell
noch geistig mit den Konsequenzen seines eigenen Ansatzes ins
reine gekommen. Ich möchte glauben, daß sich hier ein gefähr-
licher, aber sinnvoller Prozeß vollzieht, den wir selbst begreifen lernen müssen, wenn wir fähig werden wollen zu verstehen,
was uns Asien zu sagen hat. Deshalb ist auch jeder Versuch,
Europäern heute den Buddhismus verständlich zu machen,
zugleich ein Stück Arbeit an unserer unvollendeten Selbsterkenntnis. Insofern handelt es sich dann nicht mehr bloß um die
Begegnung zweier Kulturen, sondern um das Sehen von Wirklichkeit, d. h. um Wahrheit.

Das Problem, das Europa über sich und die Welt gebracht
hat, kann man vielleicht andeuten durch den paradox scheinenden Ausdruck der irrationalen Dynamik der Rationalität.
Dieser Titel kann ebenso über den Kapiteln der Atombombe
und der Bevölkerungsexplosion stehen wie über den Kapiteln
der Managerkrankheit und der verdrängten Weltangst. Wir
trauen unserem Denken und handeln danach. Der Erfolg ist
groß und enttäuschend zugleich, wie wenn eine ironische Gottheit gesagt hätte: »Ihr werdet bekommen, was ihr gewollt
habt; darum seht zu, ob es das ist, was ihr eigentlich gewollt
habt.« Ist unsere Vernunft vernünftig? Haben wir verstanden,
was Verstand ist?

Diese Erfahrungen mögen es uns erleichtern, die alte buddhistische (aber nicht nur buddhistische) Unterscheidung zu
verstehen, die das große Thema dieses Buches ist, die Martin
Steinke mit den deutschen Worten Denken und Bewußtwerden
umschreibt. »Der Denkakt ist ziellos«, sagt er oft genug. Die

Beruhigung der Gedanken, das ›Anbinden der Affen‹, ist eine
der Voraussetzungen der Meditation. Das Denken haftet an
Name und Form. Bewußtwerden aber führt zu einem anderen,
wieder nur paradox ausdrückbaren Phänomen, dem Sehen des
Unergründlichen. Um einen ersten Hinweis zu erhalten, brauchen wir hier noch nicht beim Höchsten zu beginnen. Schon
die simple Sinnesempfindung, die noch kein Bewußtwerden im
eigentlichen Sinne ist, hat gegenüber der Beweglichkeit des
alles ausprobierenden Denkens die Unwidersprechlichkeit des
unergründeten So-und-nicht-anders: So und nicht anders ist
das Grün des jetzt wieder aufblühenden Frühlings, so und
nicht anders war und wird sein das Rot des Herbstes. So und
nicht anders ist denn auch das Bewußtwerden als Ich-Erleben.

Eines der größten Hemmnisse des Bewußtwerdens ist darum
der Widerstand des Denkens, das vorweg wissen und nennen
will, was es hier erfahren wird. Daher das oft paradoxe Verfahren der Lehrer des Bewußtwerdens, etwa der Zen-Meister,
daher auch die vielen scheinbaren Inkohärenzen und Gedan-
kensprünge der Studien Martin Steinkes. Das Ausprobieren
begrifflicher Möglichkeiten in seiner scheinbaren Konsequenz
führt nie zum Sehen; die Zen-Paradoxien sind Versuche, diesen in sich kreisenden Strom des Denkens wenigstens für den
Blitz eines Augenblicks zum Stehen zu bringen, damit der
Schüler einmal wenigstens nicht meint, sondern sieht.

In der ebenfalls paradox scheinenden doppelten Bezeichnung des begrifflichen Denkens als Statik und als zielloser
Prozeß spiegelt sich, was ich oben die irrationale Dynamik der
Rationalität genannt habe. Das ständig Werdende wird im
Begriff scheinbar zum Stehen gebracht. Indem es aber so steht,
ist es nicht mehr, was es war. Die Wirklichkeit schreitet unablässig über die Positionen des Denkens hinaus. Das Denken
selbst, solange es lebt – denn es ist ja selbst das größte Werkzeug des Lebens – wird dessen inne, daß ihm die Wirklichkeit
entglitten ist. Es verläßt die vorige statische Position, um eine
neue einzunehmen, der doch dasselbe Schicksal gewiß ist. Gerade insofern das Denken statisch ist, muß es ziellos sein.

Hiermit hängt die uns Europäern oft so besonders schwer
verständliche ›Ichlosigkeit‹ des Buddhismus zusammen. Martin Steinke unterscheidet hier treffend das Ich-Erlebnis als

›natürliche Kraftkonzentration des gesamten Lebensprozesses‹
von der statischen ›Ich-bin‹-Vorstellung, die durch Alter,
Krankheit und Tod widerlegt wird. Weil wir uns immer schon
interpretiert haben, kennen wir uns nicht. Deshalb führt nur
die Erschütterung zur Freiheit, und nur die Freiheit des Klarbe-
wußtwerdens zur Ruhe.

Diese Wirklichkeiten sind in Asien nicht anders als in Europa. In einem Sinne kann man sagen: sie zu erfahren und ihnen
gemäß zu leben, genügt. Im Leben haben wir nun freilich
täglich Entscheidungen zu treffen, Formen zu bewahren und
aufzulösen, also auch Begriffe zu benützen oder umzuwan-
deln. Hier tritt die Aufgabe, die Traditionen dieser zwei großen
Kulturen ins Gespräch zu bringen, in vielen konkreten Einzelheiten vor uns hin; diese Aufgabe hat sich für den Verfasser
dieser Studien gleichsam darin symbolisiert, daß er zwei Namen trug, den deutschen Taufnamen und den chinesischen
Namen, verliehen als Auszeichnung des Wissenden. Auch
wenn die beiden Kulturen im großen und im Durchschnitt für
diese Aufgabe heute nicht reif sind, so ist doch vielleicht dem
professionellen Philosophiedozenten eine Bemerkung dazu
erlaubt.

Das abendländische Bewußtsein verdankt zwei antiken Völkern zwei Inhalte, die es in genau dieser Ausprägung in Asien
nicht gibt, den Griechen die Gestalt und den Juden die Geschichte – wenn man so grob schematisierend reden darf. Dem
verdankt das abendländische Denken seine Festigkeit im Einzelnen, die seinen neuzeitlichen Erfolg ermöglicht hat. Es wäre
falsch zu meinen, das Abendland habe sich naiv auf die ›Statik‹
dieses Denkens beschränkt. In der platonischen Philosophie ist
die Gestalt das Sein des Vielen; das Eine aber ist Grund des
Vielen, selbst nicht widerspruchsfrei aussagbar und ›jenseits
der Seiendheit‹. Der jüdische Psalm redet Gott, den Schöpfer
dieser geschichtlichen Welt, als den an, vor dem tausend Jahre
sind wie ein Tag und wie die Nachtwache, die gestern vergangen ist. In unseren Jahrhunderten bezeichnet Hegels Dialektik
die Bewegung des Begriffs, Bohrs Komplementarität die Un-
auflöslichkeit selbst des physischen Geschehens in ein eindeuti-
ges Modell. Die große neuplatonische Linie unserer Philosophie, die unserer ebenso großen mystischen Tradition die be-

grifflichen Mittel der Selbstauslegung gab, erinnert mich bei allen Unterschieden doch im grundsätzlichen je länger je mehr an die asiatischen Systeme. Wer Europa mit Asien ins Gespräch bringen will, sollte diesen Schatz unseres Bewußtseins mitbringen. Er ist freilich nur dort ein Schatz, wo er nicht eine Last bleibt. Eine Last ist er, wo er begrifflich manipuliert werden muß, statt eine der Gestalten des Bewußtwerdens zu bilden.

Soviel zur Philosophie, da ja der gebildete Leser es schwer wird vermeiden können, die philosophischen Fragen zu stellen. Aber dieses Geleitwort soll nicht selbst eine Last, sondern eine Ermutigung zur Lektüre sein. Bewußtwerden ist ein steiler Weg, aber er steht jedem Menschen offen; Philosophie ist nicht die Eintrittskarte, sondern eher eine Schilderung dessen, was uns auf ihm zu Gesicht kommt. Martin Steinke hat seinen Umgang mit Menschen stets als Hinleitung zum Selbergehen betrachtet; so sind auch seine Studien gemeint.

IV. 8. Gespräch über Meditation*

Reiter:

Herr Professor von Weizsäcker, ich würde unser Gespräch gerne mit einer persönlichen Frage einleiten: Wenn Sie von Meditation reden, sind das ja nicht ausschließlich theoretische Reflexionen, sondern Sie sprechen dann von einer Sache, die Sie auf Grund persönlicher Erfahrung kennen. Darf ich Sie fragen, welchen Stellenwert die Meditation, das Meditieren in ihrem Leben hat?

Weizsäcker:

Ja, da stellen Sie eine wichtige Frage, auf die ich nicht ganz schulmäßig antworten kann. Es ist zunächst richtig: Mich interessiert Meditation in erster Linie als etwas, das man tut – nicht aus irgendwelchen theoretischen Gründen. Ich habe selber nie regulären Meditationsunterricht genossen, wie man das ja haben kann und wie man es, wenn man sich darum kümmern will, eigentlich auch haben sollte. Im Grunde habe ich als junger Mensch einfach angefangen, etwas zu tun, von dem mir später Leute, die die Meditation schulmäßig kennen, gesagt haben, das sei schon Meditation. Es war zunächst also ganz spontan und eigentlich schon von meiner Kindheit her. Später habe ich erlebt, wie im christlichen Zusammenhang ein liturgisch gestalteter Tageslauf aussehen müßte. Ich habe zwar so etwas nie in einer Gruppe, der ich angehört hätte, permanent mitgemacht, aber ich bin gelegentlich bei Leuten, die so lebten, zu Gast gewesen. Ich kann ja ruhig sagen, wer das war. Es war die evangelische Michaels-Bruderschaft, und ich habe da wirklich ein großes Geschenk mitbekommen, eben die Hilfe, durch eine geregelte Form des Lebens tiefe Schichten im eigenen Wesen anzusprechen oder besser gesagt, diesen tiefen Schichten das Wort zu lassen. Ich habe mir dann angewöhnt,

---

* Gespräch mit Udo Reiter, in: Udo Reiter (Hrsg.), »Meditation – Wege zum Selbst«, München, Mosaik Verlag, 1976. Für eine Rundfunksendung ohne Vorbereitung gesprochen, nach dem Tonband stilistisch leicht redigiert.

jeden Morgen einfach eine Zeitlang Stille walten zu lassen, still zu sein, dabei kam dann sehr viel – hat sich sehr viel gemeldet. Später bin ich dann auch mit asiatischer Meditation zusammengekommen, und was ich vorher gerade zitiert habe, daß man mir gesagt hätte, was ich da tue, das sei schon Meditation, habe ich aus dem Mund von indischen Meditationslehrern.

Reiter:

Damit unsere Leser möglichst schon zu Anfang einen Eindruck von der Sache bekommen, über die Sie jetzt gesprochen haben, will ich die Dramaturgie eines solchen Gespräches einmal außer acht lassen, und gleich zu Beginn die zentrale Frage stellen, die Frage nach dem Wesen der meditativen Erfahrung. Was ist es, das man in der Meditation erlebt? Läß sich das inhaltlich definieren, läßt es sich mit Metaphern umschreiben?

Weizsäcker:

Die erste Antwort, dich ich geben müßte, ist, daß eigentlich alles, was man dazu sagt, falsch ist; denn es geht hinaus aus dem Bereich der Begriffe, aus dem Bereich dessen, was man normalerweise mit der Sprache sagt. Wenn man nun trotzdem mit der Sprache darüber redet, dann kommt es ganz darauf an, zu wem man redet; entweder man redet zu einem, der dieselben Erfahrungen hat, dann versteht man sich fast ohne Worte, oder man redet zu einem, der diese Erfahrungen nicht hat, dann wird er alles, was man sagt, wahrscheinlich irgendwie sonderbar finden, oder man wird selber finden, er habe es nicht ganz richtig gedeutet. Das ist eine Schwierigkeit, aber eigentlich eine Schwierigkeit, die sich bei jeder Art von Erfahrung ergibt, nicht nur bei der meditativen, hier aber vielleicht ganz besonders.

Wenn Sie trotzdem eine Antwort wollen, in der Art beispielsweise, wie Psychologen vielleicht sprechen, dann würde ich eben sagen: Es ist ein Stillwerden des bewußten Getriebes und es meldet sich, es zeigt sich etwas, was auch vorher immer da war. Überhaupt, man wird durch die Meditation kein anderer, sondern man wird der, der man immer gewesen ist. Aber dies zeigt sich so, daß das, was wir normalerweise das Bewußtsein nennen, anfängt, etwas davon zu spüren und dadurch dann auch verändert wird.

Nun ist die Meditation ja historisch vorwiegend in der Gestalt der Religion aufgetreten. Man kann daher auch versuchen, die Sache mit Begriffen religiöser Metaphysik zu fassen. Und was hier erfahren wird, hängt wohl tatsächlich sehr eng mit dem zusammen, was man bei uns in der religiösen Sprache des Westens »Gebet« nennt; aber wenn man sagt, es sei eine Gotteserfahrung, dann ist das so irreführend wie alles andere, was man sagen kann – außer wenn man es erfährt. Wenn man es erfährt, ist es gar nicht mehr irreführend, sondern ist so selbstverständlich, daß man es auch nicht mitzuteilen braucht.

Reiter:
Ich will trotz dieser Schwierigkeiten nochmals versuchen, auf das Substantielle in diesem Erlebnis zu sprechen zu kommen. Es ist doch so, daß die meditative Erfahrung in einem Erlebnis kumuliert, das man in unserer Sprache meist als Erleuchtungs-Erlebnis bezeichnet. Sie haben einmal ein solches Erlebnis beschrieben, und ich fand da den folgenden Satz. »Das Wissen war da und in einer halben Stunde war alles geschehen.« Ich will jetzt zur Verdeutlichung einmal ganz grob fragen: Welches Wissen war da? Ist es vielleicht doch so – Sie haben die Parallele eben selbst schon gezogen –, daß man – weil es sich ja um ein Ganzheits-Erlebnis handelt – in der Sprache des Christentums sagen würde, daß sich der einzelne plötzlich »in Gott« aufgehoben oder geborgen fühlt? Geht das etwa in diese Richtung?

Weizsäcker:
... Sie merken zunächst, daß ich nicht sofort anworte, und das ist wieder fast der wichtigste Teil der Antwort. Ich könnte sagen: Wenn Christen berichten, daß sie erlebt haben, in Gott geborgen zu sein oder irgend etwas von Gott zu schauen, dann will ich wohl glauben, daß sie eine solche Erfahrung gemacht haben. Aber der Satz, den Sie da zitiert haben, den habe ich auf*geschrieben*, da habe ich mir also gut überlegt, was ich sage, und ich habe genau gewußt, warum ich gesagt habe »das Wissen« und nicht gesagt: welches Wissen. Es handelt sich bei der Stelle, die Sie zitiert haben, um etwas, was ich in Indien erlebt habe, am Grab eines der großen indischen Weisen, des Maharshi, in Tiruvanamallai. Und ich glaube, ich bin viel deutlicher, wenn ich scheinbar undeutlich bleibe und sage: In dem Moment, in dem ich an diesem Ort stand, in einer halben Sekunde wußte ich »Ach so«, und dieses »Ach so«, das muß

man erleben. Spricht man darüber, und ich fange nun ja an, mit vielen Vokabeln darüber zu sprechen – ich bin bereit, alle Vokabeln zu sagen, zu erklären, wie das zusammenhängt mit unserer Philosophie und unserer Physik und unserer Psychologie – dann wird sich doch herausstellen, daß alle diese Vokabeln irreführend sind, wahrscheinlich irreführender, als wenn man darüber schlicht schweigt.

Reiter:

Kann man aus all dem ableiten, daß es bei der meditativen Erfahrung eigentlich nicht in erster Linie um irgendwelche Inhalte oder gar neue Inhalte über das Wesen der Welt oder des Seins geht, sondern daß diese Inhalte nur eine untergeordnete Rolle spielen; daß vielleicht auch die kulturelle Prädisposition oder das Wissen, das man in die Meditation einbringt, gar nicht so sehr das Entscheidende ist; daß der indische Guru, der japanische Zen-Meister, der christliche Mönch und vielleicht auch der deutsche Physiker sich hier im letzten irgendwo treffen, wo diese Inhalte aufhören, eine Rolle zu spielen?

Weizsäcker:

Wenn Sie mich zwingen, auf diese Frage mit »ja« oder »nein« zu antworten, treffen sie sich oder treffen sie sich nicht, und ich darf kein Wort mehr dazufügen, dann sage ich: Ja, sie treffen sich. Wenn ich aber ein Wort hinzufügen darf, dann sage ich: Auch dieses »ja« ist nur dann verständlich, wenn man sich getroffen hat, und ist keinerlei Rechtfertigung für ein relativistisches oder synkretistisches Vergessen der Unterschiede, die dort bestehen, wo es noch Unterschiede gibt.

Es ist zum Beispiel eine kulturhistorische oder religionshistorische Erfahrung, daß es Visionen gibt, daß aber normalerweise der Angehörige einer bestimmten Kultur oder einer bestimmten Religion in seinen Visionen genau denjenigen Gestalten begegnet, die in seinem Kulturkreis die üblichen sind. Jeder skeptische Psychologe wird dann sagen: Nun, das ist ja ganz klar, was ihm da begegnet, das sind die in ihm gespeicherten Kulturinhalte. Und eben daraus würde der skeptische Psychologe folgern, daß das, was ihm begegnet, nicht das ist, wofür er es hält. Es begegnet ihm nicht die Jungfrau Maria, und es begegnet ihm nicht, was immer es für eine indische Figur geben mag, die dem entspricht, sondern es begegnet ihm seine Kultur.

Wenn ich nun sage, und das glaube ich, ihm begegnet darin sehr wohl die Wirklichkeit oder er ist dabei sehr wohl »in der Wirklichkeit«, dann muß ich mir das als Wissenschaftler so erklären, daß sich für sein Bewußtsein dieses In-der-Wirklichkeit-Sein eben mit den Mitteln ereignet, die seinem Bewußtsein durch seine individuelle Prägung zugänglich sind. So verstanden, soll man die Unterschiede durchaus ernst nehmen.

Reiter:

Wenn wir hier im Westen von »Wirklichkeit« oder von »Wahrheit« sprechen, Herr Professor von Weizsäcker, dann meinen wir in der Regel die wissenschaftlich-empirisch nachprüfbare Wahrheit. Läßt sich charakterisieren, worin sich diese westlich-wissenschaftliche Wahrheit von der Wahrheit der Meditation unterscheidet?

Weizsäcker:

Also ich habe immer Lust, auf Ihre Fragen zu antworten, daß man so gar nicht fragen kann. Aber das ist nur eine Lust, und ich gebe ihr nicht ganz nach.

Ich würde zunächst sagen: Eine Grunderfahrung der Mystik, eine Grunderfahrung, auf die die Meditation hinsteuert und die schon in niedrigen und einfachen Stufen der Meditation anklingt, ist die Erfahrung der Einheit. Was »eins« ist, kann man letzten Endes nicht mehr fragen; denn dann würde man ein Zweites hinzubringen, nämlich die Erklärung, was es ist. Die Erfahrung der Einheit verbietet letztlich auch zu sagen, wodurch sich das, was die Wissenschaft studiert, von dem, was die Meditation erfährt, unterscheidet; denn dann wäre nicht mehr Einheit-Erfahrung, sondern Vielheit. Wenn ich aber in die Ebene der Vielheit gehe, also in eine Ebene, die unsere Wissenschaft studiert, dann kann ich in wissenschaftlicher Sprache sagen, inwiefern die Wissenschaft diese Einheit – als Wissenschaft – nicht aussprechen kann, obwohl es dieselbe Wirklichkeit ist. Ich würde persönlich sagen, die Wirklichkeit, die der Physiker studiert, die Wirklichkeit, die der Historiker studiert, der Psychologe studiert, vielleicht sogar die Wirklichkeit, die der Mathematiker studiert, ist eben genau die Wirklichkeit und keine andere als die, die in der Meditation letztlich – vielleicht – erfahren werden kann; denn sonst wäre sie nicht die Wirklichkeit.

Aber, um auf den Kern Ihrer Frage zu kommen, man kann sagen, was unsere Wissenschaft leistet und was sie nicht leistet. Die Wissenschaft arbeitet begrifflich, und der Begriff beruht auf der Unterscheidung und der überwölbenden Zusammenfassung. Wenn ich sage: »Dieses Tier ist eine Katze«, dann habe ich es unterschieden von Hunden, von Vögeln und allem; aber ich habe es zusammengefaßt mit allen Katzen. Diese Methode, mit dem Begriff die Wirklichkeit zu zerschneiden und das Zerschnittene wieder zusammenzufassen, scheint mir hinter dem ganzen wissenschaftlichen Verfahren zu stehen, während die Schulung, die wir heute mit dem lateinischen und deutsch gewordenen Wort »Meditation« bezeichnen, im Grunde eine Schulung zu einem anderen Verhalten ist, einem Verhalten, das nicht mit dem Zerschneiden beginnt, um dann wieder zusammenzusetzen, sondern ich würde am liebsten sagen, das mit dem Geltenlassen des Unzerschnittenen beginnt, also nicht mit einer Leistung der Integration; denn Leistung, das ist schon wieder genau das, was hier nicht vorliegt.

Reiter:

Auch wenn Sie meine Art zu fragen eben kritisiert haben, habe ich den Eindruck, daß der Erfolg mir recht gibt, und wenn Sie gestatten, werde ich noch einmal so weiter fragen. Sie sagten: Der Mensch wird in der Meditation eigentlich *der, der er immer war.* Wenn man diese Feststellung positiv meint, dann liegt dem, so scheint es mir wenigstens, die Vorstellung zugrunde, daß es im tiefsten Innersten der menschlichen Psyche so etwas gibt wie ein reines, unverfälschtes Ich, das mit sich selbst in ewiger Identität existiert und das es nur von allem Gewordenen, Zufälligen, Uneigentlichen zu reinigen gilt, damit es dann als Kern der Persönlichkeit ans Licht tritt.

Nun sieht man aber doch seit Sigmund Freud die Sache etwas anders. Man glaubt nicht mehr so recht an diesen unverbrüchlichen Kern der Persönlichkeit, sondern sieht im tiefsten Inneren der menschlichen Psyche eher ein schwer definierbares Chaos von Antrieben und Motivationen, die sich überlagern, verstärken, aufheben – und als Ergebnis dieser Motivationen entsteht dann als sehr zerbrechliches und wandelbares Produkt das, was man die Persönlichkeit oder das Ich des Menschen nennt.

Vor diesem Hintergrund zwei Fragen: Wollen Sie trotzdem diese Fiktion eines Ur-Ichs aufrecht erhalten »der, der man immer war«. Und die zweite Frage (wenn Sie meine Bedenken in etwa teilen): Ist es denn so gut und so erstrebenswert, alles *das, was man immer war*, ich formuliere es jetzt bewußt so, auch wirklich ans Licht zu heben?

Weizsäcker:

Ja, hier will ich gar nicht sagen, daß es falsch gefragt sei. Ich hatte auch vorher nicht gesagt, daß falsch gefragt sei, sondern nur, daß man so nicht fragen kann. Aber man fragt ja doch, und dieses Paradox muß man aushalten, damit kommt man auch durch.

Nun zu Ihrer Frage: Sie ist sehr komplex. Zunächst zu Freud. Da Sie ihn zitiert haben, gebe ich jetzt erst mein persönliches Empfinden über Freud wieder. Ich habe Freud nicht mehr persönlich gekannt; aber ich habe ihn nicht ganz unfleißig gelesen, und ich habe viel Umgang gehabt mit Leuten, die in seiner Tradition stehen, und habe diesen Umgang auch heute noch. Mein Eindruck ist, daß Freud ein genialer Seher von Phänomenen war, daß er Phänomene gesehen hat, die viele andere Leute nicht gesehen haben.

Gleichzeitig war er ein manchmal ein wenig bornierter Anhänger bestimmter wissenschaftlicher Ansichten des 19. Jahrhunderts. Was heute von Freud publik ist, ist leider überwiegend das, was an ihm nicht gut war. Das, was an ihm gut ist, das wäre, daß man so sehen lernt. Das ist aber so schwer zu lernen, daß die Leute, die Freudsche Begriffe gebrauchen, meistens nicht einmal merken, daß sie es nicht können. Deshalb tiefster Respekt vor Freud und doch große Zurückhaltung gegenüber Freud als argumentatives Hilfsmittel.

Jetzt angewandt auf Ihre Fragen: Was diese ganzen Theorien von Ich und Es und Über-Ich betrifft, da folge ich gerne, wenn gesagt wird, daß das, was Freud das Ich nennt, ein Produkt ist und nicht das Ganze. Ich würde geneigt sein, zu sagen: es ist ein Organ. Und wenn ich für das, dessen Organ das Ich ist, einmal das sehr allgemeine Wort »Psyche« nehme, was ja bei den Psychologen nicht völlig unerlaubt ist, dann würde ich also sagen: Das Ich ist ein psychisches Organ, und dieses Organ ist, wie Organe oft, entweder gut oder nicht so

gut, aber jedenfalls nicht das Letzte, sondern ableitbar von
etwas anderem. Wenn ich nun gesagt habe: Man wird der, der
man immer war, dann heißt dies in der Sprache einer Psychologie, die mit dem Ich-Begriff von Freud arbeitet, daß sich in dem
Erlebnis, das hinter diesen Worten steht, eigentlich die Total-
Relativierung des Ich darstellt. Das Ich erkennt plötzlich, daß
es nicht absolut ist, und genau dadurch wird ihm deutlich –
und zwar anschaulich deutlich, nicht begrifflich – inwiefern es
Organ eines viel Größeren ist, und es erkennt, daß es immer
nur dieses Organ war und nichts anderes, und daß es seine
Identität, die es mit Zähnen und Klauen gegenüber dem An-
sturm des Chaos verteidigt hat, also gegenüber dem, was Freud
das Es nennt, überhaupt nicht zu verteidigen braucht, wenn es
sich damit bescheidet, Organ zu sein und nicht die Sache selbst.
Und dann auf einmal hat es erkannt, daß es das geworden ist,
was immer war, aber nunmehr *wissend*; und dann auf einmal
ist das Ich ja in gewisser Weise nicht mehr nur das Organ, denn
es ist ja auch das Organ, das weiß, daß es Organ ist, und diesen
sehr komplexen Sachverhalt drücke ich so aus, daß ich sage: Es
wird das, was es immer war. Und das ist ja eine bewußt
paradoxe Formulierung, die übrigens anschließt an eine Formulierung, die in der abendländischen Tradition vorkommt.
Ich glaube, sie steht bei Nietzsche, aber Nietzsche ist ja auch
viel traditioneller als er sich gibt, und sie heißt: Werde, der Du
bist.

Reiter:

Ich möchte auf einer etwas anderen Ebene nochmals eine
Frage an diese Formulierung anschließen. Das, was Sie jetzt
eben erläutert haben, bedeutet doch gleichzeitig, wenn man es
jetzt etwas psychologisch-mechanisch sieht, daß in der Meditation auch allerlei hochkommen kann, das man nicht unbedingt als hochkommenswert bezeichnen würde?

Weizsäcker:

Ja, das hatte ich versäumt zu beantworten, aber ich sagte ja,
Ihre Frage ist komplex. Ich würde zunächst sagen: Die bekannte Lehre, daß man meditieren soll unter einem Meister, oder
wie das indisch heißt einem »Guru«, die übrigens meines Erachtens eine westliche Analogie hat in der strikten Forderung
Freuds, nur derjenige dürfe analysieren, der analysiert ist, diese

Lehre, diese praktische Forderung hat ihren Sinn darin, daß in der Meditation, wenn man es sehr ernst nimmt, Dinge passieren können, die die Persönlichkeit zerstören, Dinge passieren können, die einen auf einen Weg lenken, von dem man nachher nur sagen kann: Wäre ich nie auf diesen Weg gegangen.

Das kann man nun auch so ausdrücken, daß man sagt, es tauchen aus dem Unbewußten oder wie man das nennen will, aus dem Es-Bereich oder von den Dämonen her, wenn man diese Sprache vorzieht, Inhalte auf und Verhaltensweisen auf, die normalerweise mit Recht unterdrückt sind, die vielleicht von einem wirklich Weisen einmal angesehen sein müssen, so daß der wirklich Weise das alles hat hochkommen lassen müssen; aber einer, der nicht entweder die eigene Weisheit hat oder den Lehrer, der ihn da vielleicht rettet, ist in Gefahr, daß er die Geister, die er rief, nicht mehr los wird; daß ihn das Aufgetauchte das Ich nicht als das gerettete Organ des größeren Selbst, sondern als das nicht mehr zur Gegenwehr fähige kleine Schifflein auf einer hohen See erfahren läßt. Ich kenne das zum Beispiel von den Indern, von Gopi Krishna etwa, einem Inder, den ich persönlich sehr gut kennengelernt habe, der in seinem ersten Buch unter dem Titel »Kundalini« seine diesbezüglichen Erfahrungen geschildert hat, und wenn man das einem westlichen Psychiater zeigt, dann sagt der: Na ja, das ist Geisteskrankheit. Es ist aber gleichzeitig doch die Kundalini-Erfahrung; denn, wie Gopi Krishna selbst in seinem heutigen Zustand sagt, ist ein guter Teil dessen, was wir »geisteskrank« nennen, natürlich eine mißratene Erfahrung dieser Art.

Reiter:

Sie haben hier Gefahren geschildert, die möglicherweise mit der Meditation verbunden sind. Die simple Gleichung »Meditation = das Gute« wird man demnach mit Vorsicht sehen müssen. Ich möchte gerne in diesem Zusammenhang auf ein Phänomen zu sprechen kommen, das ich bei vielen Meditationsanhängern sehr oft gefunden habe, nämlich einen fast grenzenlosen Optimismus; er reicht von den Möglichkeiten der eigenen inneren Entwicklung über eine Senkung der Verbrechensquote in der Gesellschaft bis zu einem Fortschreiten der Evolution, das sich letztlich sogar biologisch manifestieren soll (wenn man etwa an Aurobindo denkt). Sind solche Erwartungen nur die üblichen sektiererischen Heilshoffnungen, wie man sie durch alle Jahrhunderte fand und immer finden wird, oder sehen Sie einen harten Kern darin?

Weizsäcker:

Ich würde schon einen harten Kern darin sehen. Aber um von dem zu sprechen, muß ich Ihnen natürlich zunächst zugeben, daß ich sehr vieles, was da in der Gestalt dieses Optimismus auftritt, doch als mehr oder weniger naiv empfinde, vor allem, wenn man einmal von der Weiterentwicklung der Spezies Mensch absieht, und einfach das Individuum ansieht. Ich verstehe sehr gut, daß Menschen, die an die Meditation gelangt sind, die das Heilsame, was es da gibt, erfahren haben, dann davon gewissermaßen überschwemmt sind, und nun auf einmal dieses als etwas Alleinseligmachendes ansehen. Das ist oft von der persönlichen Biographie her verständlich und in einer gewissen Phase vielleicht auch berechtigt. Es kann auch sein, daß ein Mensch mit solchen Erfahrungen dann ständig weiterschreitet, und in dieser von Ihnen jetzt »optimistisch« genannten Art wirklich zu einem Weisen, zu einem Wissenden wird. Ich habe allerdings das Gefühl, daß das doch dann auch voraussetzt, daß er sich in einer kulturellen Umwelt befindet, in der das als das einzige höhere Kulturgut gilt, das er überhaupt kennt; und selbst dann muß man davon ausgehen, daß die wirklichen Erfahrungen, die Menschen machen, die auf diesem Weg sehr weit fortschreiten, ungeheuer komplex und schwierig sind.

Es ist also kein leichter Weg, und ich würde daher meinen, daß das, was ich gerade »Überschwemmung« genannt habe, die Überschwemmung mit diesem Erleben, sich meistens als eine naive Vorstufe erweisen wird. Das gilt für uns in unserer westlichen Kultur ganz gewiß, vermutlich aber im Grunde auch für eine hinreichend breit verstandene indische oder japanische Kultur. In Wirklichkeit muß jemand eben für die Wissenschaft und für die schlichte Vernunft, für den Alltagsverstand sich offen erweisen, wenn er nachweisen will, daß das, was er da erlebt, nicht letztlich eine Regression ist, wenn man es psychologisch ausdrücken will. Ein Reif-Werden zeigt sich eben nicht nur daran, daß man bestimmte Erlebnisse immer häufiger hat, sondern auch darin, daß man umgehen kann mit den Problemen der Mitmenschen und der Welt.

Aber ich würde nach dieser Vorbemerkung, daß da sicher sehr viele Neubekehrten-Träume im Spiel sind, doch sagen: Ich glaube in der Tat, daß auf diesem Weg Erfahrungen zugänglich werden, die in der Vergangenheit im allgemeinen nur wenigen Menschen zugänglich waren. Ein großer Teil der Religion ist wahrscheinlich doch nur die Anerkennung dieser Erfahrungen durch diejenigen, die sie nicht selbst gehabt haben, die aber von ihnen hinreichend beeindruckt waren, um zu sehen, daß das etwas Wirkliches ist. Ich kann mir also denken, daß in unserer Zeit diese Erfahrungen mehr Menschen zugänglich werden als vielleicht in früheren Zeiten und daß damit auch eine Veränderung in der Gesellschaft und vielleicht noch darüberhinaus im ganzen Habitus des Menschen verbunden sein könnte. Ich möchte das aber nicht gern mit dem Verkünden von großen Zukunftsvisionen verbinden. Ich empfinde immer sehr stark: Wir leben jetzt, wir denken jetzt, wir philosophieren jetzt, und die Zukunft ist nicht in unserem Griff, auch wenn sie sich gelegentlich in einem Gleichnis enthüllen kann, das wir aber erst recht verstehen, wenn es sich vollzogen hat.

Lieber würde ich dagegen umgekehrt argumentieren: Wie Sie wissen, habe ich mich sehr viel beschäftigt mit Problemen wie Kriegsverhütung oder ökonomische Entwicklung auch unter dem Gesichtspunkt der Überwindung von Ungleichheiten und Armut oder der Vermeidung der Umweltzerstörung oder was immer das für Probleme sind, die im Alltag nur den Hintergrund für die kurzfristigeren Entscheidungen bilden, obwohl sie auch selbst völlig real und materiell sind. Und ich kann in diesem Zusammenhang nur die Ansicht von den Leuten teilen, die man heute Kritiker unseres Systems nennt, daß nämlich das bestehende System der modernen Welt diese Probleme nicht löst. Das sage ich nicht speziell vom kapitalistischen System; die Systeme, die sich sozialistisch nennen, sind meines Erachtens eine Neuauflage desselben Fehlers.

Und wenn ich nun frage: Warum lösen sie die Probleme nicht? – dann ganz sicher nicht, weil die Probleme unlösbar wären. Man kann sogar mit schlichter Vernunft, eigentlich mit dem Alltagsverstand sagen, was geschehen müßte, damit sie gelöst würden. Es ist also nicht so, daß ein besonders gescheiter Mensch kommen muß, um Manager- und Steuerungsaufgaben zu lösen, die komplex sind; aber daran liegt es nicht, sondern es liegt letzten Endes daran, daß unsere seelische Verfassung so ist, daß jeder von uns an irgendeiner Stelle und viele von uns an vielen Stellen das einzig Heilsame abweisen, weil jeder Angst hat, daß ihm etwas passieren würde, wenn er hier die Konzession machte, die letztlich die einzige ist, die ihn retten würde.

Und diese Struktur der angstvollen Selbstbeschützung des Ich, denn diese Angst ist nichts anderes als eine Selbstbehütung des Ich, kann überwunden werden, wenn das Ich sich erfährt als nicht die letzte und unbedingt zu behütende Wirklichkeit, sondern wie ich es vorhin ausgedrückt habe, als ein Organ. Und ich glaube deshalb, daß da, wo diese Erfahrung wirklich gemacht wird, von der wir vorhin sprachen, eine Aussicht besteht, daß die Menschen sich nicht mehr so angstvoll selbstzerstörerisch verhalten, wie es heute fast überall geschieht. In dem Sinn könnte ich den Leuten mit den großen Hoffnungen zustimmen; aber es muß natürlich erst einmal soweit kommen.

Reiter:

Das ist im Grunde die alte Frage nach der Veränderbarkeit des Menschen. Nach 2000 Jahren Christentum wird man diese Aussicht doch mit einer gewissen Skepsis beurteilen müssen, und sie haben das ja indirekt auch getan?

Weizsäcker:

Ja, aber da würde ich auch wieder lieber umgekehrt argumentieren. Ich meine: Es gehe mal jemand her und lese die Bergpredigt. Mir ist das als Kind passiert; ich habe als Elfjähriger die Bergpredigt gelesen und habe sofort empfunden: Wenn das wahr ist, was hier steht, dann ist unser ganzes Leben falsch, und auch das Leben von Menschen, die mir nahestehen und die ich verehre. Ich habe dann bald erfahren, daß es für den Menschen fast unmöglich ist, dieses Leben zu verändern. Und trotzdem habe ich nie einen Augenblick glauben können, die Bergpredigt habe Unrecht. Das heißt: Als Jesus diese Worte sagte, konnte er sich nicht darüber täuschen, daß die Menschen das nicht tun werden. Wenn Sie das Neue Testament mal unter diesem Aspekt durchlesen oder auch die Propheten im Alten Testament, dann finden Sie viele Stellen, aus denen das völlig klar hervorgeht.

Aber das Christentum ist nicht dadurch widerlegt, daß es

sich erweist, daß die Menschen wirklich nicht so gehandelt haben. Denn auf der anderen Seite hätte der Text der Bergpredigt nicht geschrieben werden können, wenn da nicht jemand gewesen wäre, der das wirklich gelebt hat, der das aus seinem wirklichen Leben geschrieben hat, nicht aus einer abstrakten Forderung.

Das heißt: Es ist nicht wahr, daß der Mensch sich überhaupt nicht verwandeln kann; er kann es. Aber er kann es, wenn ich die christliche Sprache gebrauche, nicht durch eigene gute Werke, sondern durch die ihm entgegenkommende Gnade. Diese Gnade aber wird, wiederum christlich gesprochen, vermutlich nur dem entgegenkommen, der durch seine eigene Anstrengung bewiesen hat, daß es ihm überhaupt darum geht. Es gibt zwar auch die Gnade gegen alle Vernunft, aber in der Regel hat sie doch einen gewissen Antwortcharakter.

Das ist die zweite Seite. Die dritte Seite ist, daß ich schlicht bestreiten würde, daß das Christentum die Welt nicht verändert hat. Ich würde vielmehr sagen, das Christentum hat die Welt sogar sehr schnell verändert. Die Tierarten ändern sich in Hunderttausenden von Jahren; 6000 Jahre Geschichte sind, wenn man einen Blick auf die vorangegangene Weltgeschichte wirft, ein Bruchteil einer Sekunde. Daß die Menschheit sich so verändern kann, daß ungefähr alle 1000 Jahre eine wirkliche Neuerung passiert, das ist ungeheuer schnell, gemessen an dem, wie die Tiere leben. Das kommt daher, daß die Menschheit Erfahrungen akkumulieren kann, daß sie Sprache hat, daß sie Tradition bilden kann, daß sie sich auseinandersetzen kann mit der Vergangenheit und der Gegenwart, daß sie Reflexion hat. Und in dem Tempo, das man von den geschichtlichen Veränderungen überhaupt erwarten kann, behaupte ich nun, hat das Christentum die Welt sehr verändert.

Ich persönlich habe seit langem das Empfinden, daß die neuzeitliche Kultur eigentlich zu einem erheblichen Teil eine Säkularisierung christlicher Inhalte ist, und dabei verstehe ich das Wort »Säkularisierung« so wie etwa der protestantische Theologe Gogarten es verstanden hat, nämlich als Wirklichmachen dessen, was vorher nur gefordert wurde. Natürlich enthält aber die Säkularisierung immer die Gefahr, daß man etwas anderes, das mit der Forderung verbunden war, vergißt.

Zum Beispiel soziale Gerechtigkeit: Das war eine Forderung
des Christentums, eine Forderung, die in der alten Welt nicht
erfüllt war, und in der frühen christlichen Welt nicht erfüllt
war, der wir aber doch, das dürfen wir so optimistisch sagen,
näher und näher gekommen sind. Die Forderung sozialer Gerechtigkeit entbindet uns aber nicht von der anderen Forderung, der Nächstenliebe, die etwas ganz anderes ist –

Reiter:

– der wir nicht nähergekommen sind?

Weizsäcker:

Doch, der wir auch näherkommen; der wir aber fernerrük-
ken würden, wenn wir meinen, derjenige, den wir nun gerade
als das Hindernis für die Forderung der sozialen Gerechtigkeit
ansehen, dürfe eliminiert werden. Nicht wahr, der Kern der
Nächstenliebe ist unter anderem ausgedrückt in dem Satz »Wir
sind allzumal Sünder«, während die Leute, die den sozialen
Fortschritt betreiben, zwar eine gute Sache betreiben, aber
häufig meinen, nur die anderen, die politischen Gegner, seien
Sünder. Und wer nicht weiß, daß er selber Sünder ist, wird
Verbrechen begehen. Er ist nicht zu hindern. Die Selbstgerechtigkeit ist die Wurzel aller wirklichen tiefen Verbrechen, und
ich sehe in der Säkularisation der christlichen Inhalte die Gefahr, daß man diesen Punkt vergißt, und wer ihn vergißt, wird
alles zerstören. »Wir sind allzumal Sünder und ermangeln der
Gerechtigkeit, die wir haben sollten« – das ist nun in der
christlichen Sprache gesagt. Sie können das alles auch in einer,
wenn Sie so wollen, atheistischen Sprache, wie es vielleicht im
Buddhismus der Fall ist, strukturell wiederholen. Mir liegt hier
nicht an der Verwendung der christlichen Tradition. Ich spreche aber in dieser Tradition, weil es die ist, in der ich aufgewachsen bin, in der ich mich leicht ausdrücken kann.

Reiter:

Ich möchte jetzt noch einmal eine konkrete Frage zum
Thema »Meditation« stellen, Herr Professor.

Im Westen war meditative Erfahrung lange Zeit kaum gefragt. Das hat sich vor einigen Jahren dann allerdings schlagar-
tig geändert. Plötzlich war vor allem unter jungen Menschen
eine Nachfrage nach Meditationsunterricht zu verzeichnen,
die zeitweilig boomartige Ausmaße annahm und zum Teil

auch heute noch solche Ausmaße hat. Wo, glauben Sie, liegen die Wurzeln dieser plötzlichen Sehnsucht?

Weizsäcker:

Nun, es wird ab und zu einmal eine neue Wirklichkeit entdeckt, wahrscheinlich dann, wenn man sie dringend braucht. Ich halte im Grunde diesen Boom, obwohl er zum Teil etwas absurde Formen angenommen hat, und auch manchen Leuten Chancen gibt, die diese Chance nicht verdienen – ich halte im Grunde diesen Boom für ein Wachwerden, für ein dringendes Bedürfnis.

Ich begrüße ihn, weil ich finde (und darum bin ich von der Meditation vorher noch auf diese anderen Sachen abgekommen), weil ich finde, daß die richtige Erkenntnis, daß wir in bezug auf die Sozialstruktur, auf die Gesellschaftsordnung Fortschritte machen müssen, selbstzerstörerisch ist, wenn sie nicht mit denjenigen Erfahrungen verbunden wird, zu denen eine gut gelingende Meditation den Weg bahnt. Und ich habe das Gefühl, daß gerade die enttäuschten Gesellschaftskritiker diejenigen wären, denen am meisten geholfen würde, wenn sie die meditative Erfahrung hätten.

Reiter:

Das hängt vielleicht auch damit zusammen – Sie haben vorhin den Unterschied zwischen der wissenschaftlichen Art, die Welt in den Griff zu bekommen, und der meditativen Erfahrung geschildert –, daß wir mit dieser wissenschaftlichen Art, an die Dinge heranzugehen, eigentlich doch in eine Krise geraten sind, die heute fast die Existenz der Menschheit bedroht. Hier scheint die Meditation als eine Art fundamentale Alternative empfunden zu werden. Würden Sie diesen Eindruck teilen?

Weizsäcker:

Das ist wieder eine sehr interessante Frage. Also, ich neige eigentlich selber zu der Meinung, daß die Wissenschaft, die die Welt zerstört, schlechte Wissenschaft ist. Das heißt: Das Zerschneiden und wieder Zusammenfassen, von dem ich vorhin geredet habe, in der Form des Begriffs, hat natürlich sein Korrelat in einem Zerschneiden der wirklichen Welt, einem physischen Zerschneiden, einem Kaputtmachen von etwas, das unter Umständen gar nicht wiederhergestellt werden kann, wo die Einheit nicht wieder zu gewinnen ist. Insofern ist die Wissenschaft sicher voller Gefahren, und dafür sieht man ja viele Beispiele.

Heute gibt es viele Leute, die deshalb rigoros antiwissenschaftlich eingestellt sind. Ich glaube nur, daß man hier – wissenschaftlich – jedesmal zeigen kann, daß dann in einer Weise zerschnitten worden ist, die ein ebenfalls noch wissenschaftlich auffaßbares Stück Wirklichkeit nicht gesehen hat. Ich glaube also eigentlich, daß es sich primär nicht darum handelt, die Wissenschaft durch etwas anderes zu ersetzen, sondern nur, die Wissenschaft auf das Niveau zu bringen, das ihr eigentliches Niveau wäre.

Historisch glaube ich aber allerdings, daß die Schulung im begrifflichen Denken der Wissenschaft, die vor allem im Westen ausgebildet worden ist – obwohl auch im Osten – und die Schulung in meditativem Sich-Öffnen, die vor allem im Osten ausgebildet ist – obwohl auch im Westen – alternative Wege sind. Ihnen gemeinsam ist, daß sie Schulung sind; alternativ ist das, wofür geschult wird. Und ich glaube: In einer letzten Wirklichkeit, in der Einheit, die in der Meditation ja sichtbar wird, führen sie genau zum selben Ziel.

Reiter:

Die Situation hier und heute, Herr Professor v. Weizsäcker: Wenn ein junger Mensch das Bedürfnis nach Meditation hat, findet er diese Szene hier vor, die Sie zum Teil schon angesprochen haben; einige wunderliche asiatische Exotik ist im Spiel, Kommerzielles sicher auch. Welchen Rat überhaupt würden Sie ihm geben?

Weizsäcker:

Also, obwohl ich fürchten muß, daß ich dann viele Briefe bekomme, die zu beantworten ich keine Zeit habe, oder die ich nicht hinreichend beantworten kann, wäre meine Antwort: Ich würde jeden, der mich danach fragt, individuell ansehen, und würde vielleicht jedem einen anderen Rat geben. Ich kann nicht allgemein raten: Er soll meditieren. Ich kann auch nicht allgemein raten: Ihr sollt es bleiben lassen. Und kein Guru tut das, sondern er kann nur den einzelnen ansehen, und wenn er merkt, was mit dem einzelnen los ist, ihm sagen: Du solltest eigentlich diesen Weg gehen.

Die westliche Meinung, die nun allerdings mit schlechter Wissenschaft zusammenhängt, man könne einen allgemeinen Rat geben: Alle müssen das und das tun, alle müssen mit dieser Zahnpasta sich die Zähne putzen sozusagen, kann nur falsch sein.

Eines würde ich allerdings generell sagen: Man soll sich nicht aufs Geratewohl und auch nicht, wenn man plötzlich begeistert ist, von irgendeiner Führerpersönlichkeit, die man getroffen hat, in dieser Begeisterung oder in diesem Überschwemmtwerden von diesen Gefühlen kritiklos darauf einlassen. Man soll immer sein waches Bewußtsein, auch sein rationales Bewußtsein, seinen Verstand dabei behalten. Ich habe genug Unglücksfälle gesehen, die eingetreten sind, wenn Leute diese Forderung nicht erfüllt haben.

Reiter:

Noch etwas zu einem Komplex, den Sie vorher schon kurz angesprochen haben. Es wird von Gegnern der Meditation häufig argumentiert, daß die Meditation eigentlich eine Flucht aus der Wirklichkeit sei, eine Abkehr von den Erfordernissen dieser Welt, von den Bedürfnissen des Mitmenschen, ein Rückzug in die eigene Innerlichkeit. Was würden Sie auf solche Vorwürfe antworten?

Weizsäcker:

Dazu möchte ich am liebsten zitieren, was der von mir vorher genannte Gopi Krishna einmal darauf geantwortet hat. Es war in meinem Institut, und ein junger Mann stellte fast genau diese Frage. Darauf blickte Gopi Krishna ihn sehr freundlich an und sagte: »Je mehr ich die Europäer über Meditation reden höre, desto mehr empfinde ich, daß ich ihnen eigentlich davon abraten muß. Die verstehen ja gar nicht, worum es geht. Lesen Sie in Ihren Heiligen Schriften, Sie finden dasselbe wie in unseren: Du sollst Deinen Mitmenschen lieben; Du sollst Gott lieben; Du sollst Deinen Mitmenschen in Gott lieben. Und alles andere ist überflüssig. Nirgends steht: Du sollst meditieren. Wenn Du aber Gott lieben willst und Deinen Mitmenschen und Du entdeckst die große Wahrheit, daß meditieren Dir dazu helfen kann und eine ganz entscheidende Hilfe dazu sein kann, dann sollst Du meditieren, und wenn Du das nicht entdeckst, sollst Du es bleiben lassen.«

Also es ist nicht eine Flucht in die eigene Innerlichkeit, sondern es ist ein Sichstellen gegenüber denjenigen inneren Hemmnissen, die einen hindern, sich seinen Mitmenschen und der Wirklichkeit zuzuwenden. Und noch etwas: Ein großer Teil der sogenannten aktiven Zuwendungen zur Wirklichkeit ist ja nur eine Flucht davor, einmal sich selber anzusehen.

Reiter:

Ich habe unser Gespräch mit einer persönlichen Frage begonnen und möchte es auch mit einer solchen beenden. Herr Professor von Weizsäcker, es ist ja eigentlich nicht selbstverständlich, daß ein Physiker, also ein exakter Naturwissenschaftler hier, in unserer Zeit, in unserer Gesellschaft, neben der wissenschaftlichen Wahrheit auch die meditative Wahrheit so hoch schätzt. Soviel mir bekannt ist, sind Sie auch deswegen angegriffen und als Guru oder Mystiker etwas abschätzig beurteilt worden. Wie reagieren Sie darauf, und auf Grund welcher Erfahrung wurde der Physiker Weizsäcker ein Anhänger der Meditation?

Weizsäcker:

Also ich würde sagen: Kritiken bekommt man immer, leider höre ich sie oft nicht; aber das ist ja weiter nicht schlimm.

Ich habe schon als Kind die Naturwissenschaft sehr geliebt und habe gleichzeitig in einer Weise gelebt, von der ich hinterher sagen würde, sie hatte eine meditative Basis. Es war mir schon, als ich 12 Jahre alt war, eine Frage, die mich sehr beschäftigt hat, daß diese beiden Wirklichkeiten doch offensichtlich dieselbe Wirklichkeit sein müssen, daß ich nur nirgends die intellektuellen Hilfsmittel bekam, um das zu verstehen. Also für mich ist das seit langem gleich ursprünglich, und ich würde sagen, daß im Grunde die Einheit der Natur, die uns die Naturwissenschaft in ihrem geschichtlichen Prozeß schließlich zu sehen lehrt, eben eine Spiegelung der Einheit ist, um die es in der Meditation geht. Also kann ich die Frage eigentlich jetzt nur so beantworten: Ich sehe keinen Unterschied. Ich sehe einen Unterschied im Verfahren, ich sehe einen Unterschied in den kulturellen Traditionen, in den verwendeten Begriffen, aber an einen Unterschied in der Sache kann ich nicht glauben.

Statt einer Zusammenfassung

Selbstdarstellung*

Die Aufforderung zu dieser Selbstdarstellung bedeutet wohl, daß der Verfasser die philosophischen Meinungen, zu denen er gelangt ist, nicht in abstracto darstellt – das wird er, wenn er es kann, anderwärts getan haben oder tun – sondern im Spiegelbild der Weise, wie er selbst zu ihnen gekommen ist. Haben wir unsere Philosophie gelernt, gefunden oder als das entdeckt, was wir in gewisser Weise immer gewußt haben?

1. Vorbereitung

Zu meinem 12. Geburtstag, im Juni 1924, wünschte ich mir eine drehbare, also auf Tag und Stunde einstellbare Sternkarte. Bald danach gingen wir von Basel, wo mein Vater deutscher Konsul war, für die Sommerferien in die einsame Pension Mont Crosin im Berner Jura. Am Abend des 1. August wurde dort der Schweizer Nationalfeiertag wie üblich mit Höhenfeuern und Raketen begangen. Ein Tanzvergnügen der Pensionsgäste begann mit einer langen Polonäse im Freien. Bei einer der Trennungen der Schlange gelang es mir, meine etwa gleichaltrige Dame zu verlieren. Mit meiner Karte entwich ich von den Menschen in die warme, wunderbare Sternennacht, ganz allein. Das Erlebnis einer solchen Nacht kann man in Worten nicht wiedergeben, wohl aber den Gedanken, der mir aufstieg, als das Erlebnis abklang. In der unaussprechbaren Herrlichkeit des Sternhimmels war irgendwie Gott gegenwärtig. Zugleich aber wußte ich, daß die Sterne Gaskugeln sind, aus Atomen bestehend, die den Gesetzen der Physik genügen. Die Spannung zwischen diesen beiden Wahrheiten kann nicht unauflöslich sein. Wie aber kann man sie lösen? Wäre es möglich, auch in den Gesetzen der Physik einen Abglanz Gottes zu finden?

Vielleicht ein Jahr vorher hatte ich begonnen, im Neuen

* Erschienen in L. J. Pongratz (Hrsg.), »Philosophie in Selbstdarstellungen II«, Hamburg, Meiner 1975.

Testament zu lesen. Die Wahrheit der Bergpredigt traf mich und beunruhigte mich tief. Wenn dies wahr war, war mein Leben falsch und vielleicht unser aller Leben. In einem langen Gespräch mit meiner Mutter verteidigte ich bis zu Tränen die Pflicht, den Kriegsdienst zu verweigern, denn es ist geboten: Du sollst nicht töten. In einer nächtlichen Stunde tiefer religiöser Bewegung hatte ich versprochen, dem Dienst Gottes mein Leben zu weihen – vorsichtig fügte ich hinzu: wenn er mich rufen würde. Unter diesem Dienst konnte ich mir nur vorstellen, Pfarrer zu werden, aber ich wünschte mir doch, Astronom zu sein. Mein Zustand hätte vielleicht durch die Formel beschrieben werden können: das moralische Gesetz über mir, der bestirnte Himmel in mir. Ich mußte noch lernen, daß, wenn wir zu hören begonnen haben, Gott immer ruft, und, später, daß Gott nicht über mir ist, auch nicht in mir, sondern ich in Gott.

Meine Eltern stammen aus Württemberg. Mein Vater hatte 1900 den Beruf des Seeoffiziers gewählt und war 1920 in den Auswärtigen Dienst übergegangen; zwei Berufe, die dem Staat im Blick über die Grenzen dienten. Meine Mutter hätte sich als junges Mädchen eher im Sozialdienst denn als Diplomatenfrau gesehen; sie erfüllte diesen Beruf dann sans peur et sans reproche, mit einer Menschlichkeit, die dort nicht immer selbstverständlich ist, und danach, in dreiundzwanzig Jahren der Witwenschaft, bis zum heutigen Tag, hat sie Alte und Kranke in der Familie gepflegt und sich durch Selbstüberforderung jung gehalten. Unter den Vorfahren sind Pfarrer, Gelehrte, Beamte, Offiziere. Die Weizsäcker waren Müller im Hohenlohischen, dann Theologen. Mein Großvater *Carl Weizsäcker*, Jurist, war der letzte königlich württembergische Ministerpräsident. Am 1. August 1914 sagte er im Familienkreis: »Dieser Krieg endet mit einer Revolution.« Er soll auch gesagt haben: »Mein Vermögen ist verloren.« Das Vermögen war in Jahrzehnten aus bescheidenen Beamtengehältern zur Sicherung der Kinder und Enkel erspart. Beide Prognosen wurden wahr. Der alte korpulente, eher klein gewachsene, temperamentvolle Mann ging mit mir kleinem Buben nach dem ersten Weltkrieg in den Wäldern bei Stuttgart spazieren, um Pilze für die Familienküche zu sammeln, blieb ab und zu stehen und tat eine weltweise Äußerung, die den Schalk im Nacken hatte, etwa über Parlamente anläßlich eines »ganzen Parlaments von Steinpilzen«. Auch mein Vater ging mit mir gern spazieren und unterhielt sich mit mir über Geschichte und Politik. In der Schule saugte ich den historischen Stoff auf und indoktrinierte dann damit meine jüngeren Geschwister. Ich dachte über die beste Staatsform nach und sah sie in der konstitutionellen Monarchie. In einem Phantasieland, an dem Freunde und Familie beteiligt wurden, gab es Außenpolitik und Kriege, und der führende Staatsmann trug, nicht im Geschmack meines Vaters, gewisse Züge von *Mussolini* (von dem ich faktisch kaum viel mehr als die Existenz wußte).

In etwas späteren Jahren spielten zwei Onkel für mich eine sehr wichtige Rolle. Meines Vaters Bruder Viktor, der philosophische Arzt, dessen anthropologische Medizin bis heute nicht verstanden ist, öffnete mir unerläßlich wichtige Horizonte. Jahrzehntelang konnte ich über Äußerungen von ihm meditieren wie etwa: »Also ich glaube, das Kausalgesetz, das ist eine Neurose.« Meiner Mutter Bruder *Fritz von Graevenitz* war zuerst, dem Familiengebot folgend, Offizier gewesen, hatte jedoch nach dem Krieg seinem Wesen gehorcht und war Bildhauer geworden, ein Mann, der vom Zauber und vom tiefen Gesetz des Schönen jeden Tag von neuem naiv und gläubig hingerissen war.

Mein Vater wurde nach Kopenhagen versetzt. Vierzehnjährig meinte ich auf Radfahrten im sommerlichen dänischen Buchenwald das geheime Leben in der Natur rings um mich gleichsam bis in die kreisenden Atome hinein wahrzunehmen. Ich begann, über das Verhältnis von Wahrheit und Schönheit nachzudenken. Eine Zeitlang schien mir die Formel hilfreich, Schönheit sei subjektive Wahrheit, und Wahrheit objektive Schönheit. Als ich dann im dunklen, feuchtkalten Spätherbst lange, mir lästige Fußwege durch die Stadt machen mußte, überlegte ich mir, da überall Wahrheit sei, müsse ich durch richtige subjektive Einstellung überall Schönheit finden und mir so die Wege erfreulich machen können. Nun entdeckte ich in einem Sonnenfleck auf einem grünen Kupferdach und im Fischgeruch aus einem halbversenkten Lebensmittelgeschäft die Schönheit des Seins. Bei einem Ausflug nach Lund im gleißend klaren Licht eines Dezember-Sonnentags legte ich mir zurecht, für die Atome müßten Naturgesetze gelten, die nicht die für sichtbare Körper gültigen sind, diese aber zur Folge haben.

Wenige Tage nachher brachte meine Mutter den 25jährigen *Werner Heisenberg* in unser Haus, den sie an einem Musikabend kennengelernt hatte, wo er Klavier gespielt und sich mit ihr freundschaftlich über die Jugendbewegung gestritten hatte. Dieser Besuch entschied über meinen Weg. Nicht nur, daß mich der ans Wahnsinnige grenzende Glanz der soeben geschehenden fundamentalen Entdeckungen faszinierte, den der so unaufdringliche, eher schüchterne blonde junge Mann ausstrahlte, und daß seine Überlegenheit in jedem Können, bis zum Schilaufen und Schachspiel, meinem maßlosen Ehrgeiz und Hochmut gesund war. Er gab mir auch nützliche Ratschläge. Er testete mein mathematisches Können und fand es wohl gerade ausreichend. Im Handumdrehen überzeugte er mich, daß die theoretische Physik die Wissenschaft sei, die meine Fragen in der Astronomie beantworten könne. Als ich dann in den Prima-Jahren entdeckte, daß das, wonach ich eigentlich strebte, bei den Menschen Philosophie heißt, war ich in Versuchung, dieses Fach zu studieren. Da meinte er, um fürs zwanzigste Jahrhundert relevante Philosophie zu machen, müsse man Physik können; Physik könne man nur lernen, indem man sie ausübe; auch bringe man Physik am besten vor dem dreißigsten, Philosophie am besten nach dem fünfzigsten Lebensjahr zuwege. Ich folgte dem Rat, studierte theoretische Physik und habe das nie bereut.

Ein Vierteljahr nach *Heisenbergs* erstem Besuch bei uns wurde mein Vater nach Berlin versetzt. Als ich dort noch auf den Schulbeginn wartete, im April 1927, schrieb *Heisenberg* mir eine Postkarte, an einem der nächsten Tage reise er nach München, ich könne ihn am Stettiner Bahnhof in Berlin abholen und mit ihm im Taxi zum Anhalter Bahnhof fahren. In diesem Taxi hat er mir die noch nicht publizierte Unbestimmtheitsrelation erzählt. Dann stieg er in den Zug und war fort. In den folgenden Tagen lief ich in den Straßen von Berlin herum und dachte darüber nach. Ich hatte einen ständigen Disput mit meiner Mutter, die gegen meinen physikalisch bestimmten Determinismus die Willensfreiheit als moralisches Postulat aufrechterhielt. Den Ausweg, Natur und Person zu trennen, konnte ich nie ernstlich in Betracht ziehen. Nun sah ich, daß vielleicht beide auf eine mir noch geheimnisvolle Weise vereint werden könnten. Aber dazu mußte ich erst die Physik verstehen. Ich dachte: wenn mir jetzt *Einstein* auf der Straße begegnete, würde ich ihn erkennen, meine Schüchternheit überwinden, ihn ansprechen und nach seiner Meinung über *Heisenbergs* Gedanken fragen. Aber er ging wohl auf anderen Straßen spazieren; ich bin ihm nie in meinem Leben begegnet.

Einige Zeit danach nahm ich auf einmal in kurzer und tiefer Erschütterung wahr, daß ich an meinen religiösen Kindheitsglauben nicht mehr gebunden war. Der bisherige Konflikt von Kirche und Naturwissenschaft schien mir dabei weniger einschneidend. Um es an der Debatte über Wunder zu erläutern: Einerseits konnte man auf Wunderberichte die Psychologie der Zeugenaussage anwenden. Andererseits sind empirisch gefundene Naturgesetze unter bestimmten Versuchsbedingungen gefunden; in Gegenwart eines vom göttlichen Geist erfüllten Menschen konnten andere Gesetze ins Spiel kommen. Schließlich schien mir die Tendenz, die religiöse Wahrheit durch Brüche in der göttlichen Ordnung der Natur zu bestätigen, eher unfromm. Viel tiefer griff die Kritik des Historismus. Daß ich als Lutheraner erzogen bin, kann kein Argument für die Richtigkeit des Luthertums sein; daß ich als Christ getauft bin, beweist nicht die Falschheit der asiatischen Religionen; daß ich aus einer religiösen Tradition komme, beweist nicht die Wahrheit der Religion. Es hat mich seitdem, bis heute, gewundert, daß es gebildete religiöse Menschen gibt, die diese einfachen Denkschritte nicht vollzogen haben und damit den bequemsten Argumenten der antireligiösen Aufklärung hilflos gegenüberstehen. Ich war nun auf der hohen See, religiöse Erfahrung selbst wiedergewinnen und selbst buchstabieren zu müssen.

Die Skizze der Entfaltung dessen, was ich aus Geburt und Erziehung mitbrachte, kommt hier zum Ende. Von nun an muß ich Problemkreise verfolgen und vieles Persönliche beiseitelassen.

2. Philosophische Physik

Daß ich Physik studierte, um die Quantentheorie philosophisch zu verstehen, war offensichtlich. Aber vorerst scheiterte ich an der Aufgabe. Die Grenzen meines mathematischen Talents machten mir das Technische schwerer als den meisten theoretischen Physikern. Die philosophischen Probleme dieser Physik aber bewegten zwar das Gemüt der Physiker, doch lernte ich schrittweise, daß weder sie noch die zeitgenössischen Philosophen sie in den Griff bekamen. Ich wich für 25 Jahre, nur leise über die Quantentheorie weitermeditierend und von depressiven Selbstvorwürfen geplagt, in unphilosophische, konkrete Physik aus. Diese war freilich nahrhaft und erquickend wie gesundes Brot, und ich möchte ihr hier, obwohl sie nicht das Thema ist, einen kleinen Rückblick widmen.

Mit der Entdeckung des Neutrons 1932 wurde die theoretische Kernphysik möglich. Ich war dabei, als *Heisenberg* den Gedanken faßte, die Atomkerne beständen nicht aus Protonen und Elektronen, sondern aus Protonen und Neutronen, die durch Austauschkräfte wechselwirken. Ich wählte die Kernphysik zu meinem engeren Fach, brachte ein paar befriedigende kleinere Arbeiten zustande (über eine halbempirische Theorie der Kernmassen, über Kernisomerie und über dualen β-Zerfall) und schrieb ein Lehrbuch über Atomkerne, das ich wegen anderer Präokkupationen leider später nicht wieder aufgelegt habe. Aus alter Liebe hatte ich im Doktorexamen als drittes Fach neben Physik und Mathematik die Astronomie gewählt. Beim Schreiben des Buches merkte ich, daß jetzt die Kenntnis der Kernreaktionen zuließ, *Eddingtons* Problem der Energiequellen der Sterne anzugreifen. Ich dachte mir den Kohlenstoffzyklus aus, den *Bethe* gleichzeitig fand und gründlicher ausarbeitete. Dies führte zur Frage der Entwicklungsgeschichte der Sterne und dort zum Einfall einer mich beglückenden Theorieskizze zur Entstehung des Planetensystems, die ich später als Wiederaufnahme der Theorie *Kants* mit modernen Mitteln erkannte. Um diese Fragen genauer behandeln zu können, mußte ich Hydrodynamik lernen und eine Theorie des Spektrums der Turbulenz entwerfen; dies geschah im Krieg und kurz nachher, und hinterher zeigte sich, daß *Kolmogoroff* und

Onsager dieselbe Theorie schon ein paar Jahre vorher gemacht hatten. Ich verfolgte ein paar Jahre, zeitweise als Gast amerikanischer Sternwarten, die allgemeine Theorie der Entwicklung von Sternen und Galaxien. In Göttingen habe ich mich mit einem kleinen Arbeitskreis, der in einer Dachkammer tagte, und dem einige heutige Millionen-Verwalter wie *Lüst* und *Häfele* entstammen, diesen Fragen gewidmet. Der nächste physikalisch notwendige Schritt war die Einführung der Plasmaphysik. Diesen habe ich nicht mehr mitgemacht, da mich nun (seit 1954) die philosophische Physik und (seit 1957) ein philosophischer Lehrstuhl meinen zentralen Fragen wieder zuführte.

Alle meine Arbeiten zur konkreten Physik leiden an unvollständiger handwerklicher Ausführung. Dies war nicht meine Absicht, auch nicht meine Leichtfertigkeit, sondern meine mir stets bewußte Schwäche, niemandem zur Nachahmung empfohlen. Aber ich war doch Physiker unter Physikern, und heute noch, wenn ich wieder in ihrem Kreis bin, ist es mir, wie wenn man nach Hause gekommen ist.

Nun zur philosophischen Physik. Im Januar 1932, als ich 19 Jahre alt war, brachte mich *Heisenberg* zu seinem Lehrer *Niels Bohr*. Ich wurde Zeuge eines dreistündigen Gesprächs der beiden über die philosophischen Probleme der Quantentheorie. Danach notierte ich mir: »Ich habe zum erstenmal einen Physiker gesehen.« Das war tief ungerecht gegen *Heisenberg* und gegen viele. Aber es hieß: einen Mann, der Physik so betreibt, wie man es tun müßte. Ein Indiz: er war der einzige Physiker, dem man in jedem Wort anspürte, wie er am Denken litt. Vielleicht litt er besonders am Sprechen. In seinen späteren Jahren sagte er: wir hängen in der Sprache. Man muß sprechen, man kann nichts anderes tun als sprechen, aber das sagen, was man sagen müßte, das kann man nicht. Monatelang versuchte ich auf langen Spaziergängen das zu begreifen, was er in mir aufgeweckt hatte. Dann schrieb ich einen Zettel nieder, der mit dem Satz begann: »Bewußtsein ist ein unbewußter Akt.« Mit dem Partikularismus der Jugend meinte ich, hier sei die Einsicht, um die ich nun »meine« Philosophie bauen müßte. Viel später erfuhr ich, daß der Satz von *William James* stammt, den *Bohr* gerade damals las. Ein kluges Aperçu eines großen Psychologen war durch mein Unbewußtes gegangen und als Kristallisationskeim wieder aufgetaucht. Ich konnte aber nichts Konsistentes daraus machen.

Langsam eignete ich mir Bruchstücke der eigentlichen Philosophie an. Der Positivismus des Wiener Kreises bot sich dem Physiker zunächst an. Ich hatte seitdem immer das Empfinden, niemand, der nicht wenigstens die dort geübte Technik der Rückfrage nach dem Sinn von Sätzen begriffen habe, könne mitreden. Aber es zeigte sich sehr schnell, daß diese Schule an die eigentlichen Probleme der Physik, wie *Bohr* sie vor Augen hatte, überhaupt nicht herankam. Sie benützte einen unkritischen Erfahrungsbegriff, in dem all das vorausgesetzt wurde, was hätte erklärt werden sollen. Eine Chance zu dieser Kritik konnte ich nur bei *Kant* erkennen. Mein Freund *Georg Picht* führte mich schrittweise in *Kant, Aristoteles, Platon* ein. Ich lernte *Heidegger* persönlich kennen und erfuhr an mir selbst seine unglaubliche Kraft des Fragens nach dem Kern des jeweiligen Problems. Aber wirklich stellen konnte ich mich den Philosophen erst, als mir einige eigene, direkte Schritte in der philosophischen Physik gelungen waren.

Wie eine bloße Nebenarbeit schien mir zunächst der Versuch, die Erklärung der thermodynamischen Irreversibilität durch Statistik zu verstehen. Ich erlegte mir jahrelang die intellektuelle Gymnastik auf, mir zu jedem Vorgang sein zeitliches Spiegelbild auszumalen und dann präzis zu sagen, warum es unmöglich ist (z. B. warum gibt es Eisenbahnunglücke, bei denen ein Zug extrem schnell zum Stehen kommt, aber keine »Eisenbahnglücke«, bei denen er ebensoschnell aus der Ruhe in Höchstgeschwindigkeit gerät?). In einer 1939 publizierten Arbeit kam ich zu dem Schluß, daß der Wahrscheinlichkeitsbegriff primär nur auf zukünftige Ereignisse anwendbar ist, weil die Zukunft möglich, die Vergangenheit faktisch ist. Ich meinte damit einen fast trivialen Punkt aufgeklärt zu haben, zumal für jemanden, der positivistische Begriffskritik gelernt hat. Mit Staunen entdeckte ich, daß sogar *Heisenberg* mir hier nur mit Mühe folgte, und die Physiker und Wissenschaftstheoretiker im breiten bis heute nicht wissen, daß hier ein von ihnen nicht voll wahrgenommenes Problem gesehen und gelöst ist. Erst sehr langsam begriff ich, daß das Verständnis der Struktur der Zeit der Kern des Verständnisses der Physik ist, und eben darum, wie Grundprobleme stets, unter einem überwältigenden Verdrängungsdruck steht. Für *Heidegger* und *Picht* freilich behauptete ich hier nicht zu viel, sondern noch zu wenig.

In der zweiten Hälfte der Dreißigerjahre dachte *Heisenberg* darüber nach, ob die Elementarteilchenphysik die Einführung einer elementaren Länge, also eine Modifikation der Geometrie im Kleinen erfordere. Ich hatte mich ein wenig mit den Paradoxien der Mengenlehre und dem Intuitionismus abgegeben und faßte den Gedanken, hier müsse nicht die Physik, sondern die Mathematik des Kontinuums selbst abgeändert werden. Die potentiale Auffassung des Unendlichen enthält den Möglichkeitsbegriff, auf den ich in der Zeitanalyse aufmerksam geworden war. Möglichkeit aber wird in der Physik zur Wahrscheinlichkeit quantifiziert. Könnte es vorkommen, daß der Versuch, zwei Punkte entweder zu identifizieren oder zu unterscheiden, wie jede Messung einer Observablen in der Quantentheorie mit einer gewissen Wahrscheinlichkeit p das eine, mit der Wahrscheinlichkeit 1-p das entgegengesetzte Resultat ergibt? Ich wollte also die Quantentheorie in die Grundlagen der Analysis einführen, so wie *Einstein* die Gravitation in die Grundlagen der Geometrie eingeführt hat.

Ich hatte den, wie ich auch heute meine, sicheren Instinkt, mit dieser Umkehrung der Hierarchie der Wissenschaften gerade philosophisch keinen Fehler zu begehen. Aber wieder versagte meine Kraft der Ausführung. Ich konnte freilich sehen, welcher Block im Wege lag. Eine Modifikation der Mathematik mit dem Begriff der Möglichkeit würde vermutlich auch eine Modifikation der Logik, vielleicht die Einführung modallogischer Begriffe in die Grundlagen der Mathematik erfordern. Erst zehn Jahre später, anläßlich eines Kuraufenthalts in Wildungen im Herbst 1954, wagte ich mich hieran, angeregt durch eine Arbeit von *Picht* über die Grundsätze der Logik. Ich versuchte nun die in der Quantentheorie immanente nichtklassische Logik auszuarbeiten. Die alte diesbezügliche Arbeit von *Birkhoff* und *Neumann* las ich zum Glück erst später; sie hätte mich vom Hauptpunkt, der Einführung »komplexer Wahrheitswerte«, wie ich es damals nannte, abgelenkt. Das philosophische Problem, ob es sich hier um Logik oder nur

um einen mit klassischer Logik konstruierbaren Formalismus
handle, stand mir klar vor Augen. Das Rhodus dieses Sprungs
war die Anwendung dieser Logik auf sich selbst. Ich entwarf
zunächst die Logik der einfachen Alternative. Deren Quanten-
zustände bilden einen zweidimensionalen komplexen Vektor-
raum. Die Frage: »welcher Quantenzustand liegt vor?« ist
dann selbst eine unendlichfache Alternative. Eines Morgens
um 6 Uhr wachte ich mit der Antwort auf: die Quantentheorie
dieser Alternative ist die *Schrödingertheorie* eines freien Teil-
chens im dreidimensionalen Ortsraum. Die Selbstanwendung
der Quantenlogik ist das, was man formal mehrfache Quantelung nennt, und der dreidimensionale Raum selbst ist eine
Struktur aller der Quantenobjekte, die aus einfachen Alternativen durch mehrfache Quantelung definiert werden können.
Seitdem, seit nun 20 Jahren, bin ich beschäftigt, diesen Gedanken aufzuklären und auszuarbeiten. Ich bin nicht fertig, eine
abgerundete Publikation des vielen, was ich dazu überlegt
habe, liegt noch nicht vor, und ich hätte nicht gedacht, daß es
so lange dauern würde.

Ich erhielt die mathematische Hilfe von *Scheibe* und *Süss-
mann*, und wir publizierten die Darstellung einer ersten Fassung der Theorie 1958. Der Übergang auf den Hamburger
philosophischen Lehrstuhl gab mir Gelegenheit, die Grundlagen der mathematischen Logik ein paar Jahre lang zu studieren, speziell die Gedanken von *Lorenzen*. Ich erkannte, daß die
Quantenlogik eine spezielle Fassung einer Logik zeitlicher
Aussagen ist, in der eben der Unterschied des Möglichen und
des Faktischen formalisiert wird. Dann studierte ich die
Grundlagen der Wahrscheinlichkeitsrechnung und verstand,
daß die Definition der Wahrscheinlichkeit als Erwartungswert
einer relativen Häufigkeit einen Stufenaufbau übereinander
getürmter statistischer Gesamtheiten (Kollektive) zur Folge
hat, und daß die mehrfache Quantelung nichts anderes ist als
die quantentheoretische Gestalt dieser Stufenfolge. Dies legte
den Versuch nahe, die Quantentheorie überhaupt als eine
nichtklassische Wahrscheinlichkeitstheorie axiomatisch auf-
zubauen, mit womöglich nur einem einzigen nichtklassischen
Axiom, das den Indeterminismus (die offene Zukunft) zum
Ausdruck brächte. Das hat *Drieschner* 1968 in seiner Hamburger Dissertation unternommen.

Neben die begriffliche Aufklärung des Sinns der mehrfachen Quantelung mußte ihre konkrete Durchführung treten, also die faktische Konstruktion des physikalischen Raums aus der Quantentheorie der einfachen Alternative. Dies ist gleichbedeutend mit der Konstruktion aller physikalischen Objekte im Raum aus vielen gleichartigen einfachen Alternativen, die ich Ur-Alternativen oder mit dem Kalauer der Abstraktion Ure genannt habe. Diese Theorie muß aus dem Wesen der Sache heraus zugleich eine Theorie der einfachsten beobachtbaren Objekte, also der Elementarteilchen, und des Weltraums, also Kosmologie sein. Es ist vielleicht verzeihlich, daß ich in diesen unvollendeten Kapiteln der Physik nicht schneller vorangekommen bin als andere auch.

1972 war ich bereit, zu resignieren und einfach alles bis dahin Überlegte in einem Buch zusammenzuschreiben. Das dazu noch einmal durchgenommene Studium der Grundlagen der Logik hat meine Zuversicht stabilisiert, daß die Logik zeitlicher Aussagen in einem bestimmten Sinne auch die Grundlage der mathematischen Logik ist, nämlich als Theorie des Operierens, das ja selbst in der Zeit geschieht. Dies hat mir zugleich einen neuen Impuls in den Grundlagen der Physik gegeben, mit dem Effekt, daß das Buch nicht geschrieben und die physikalische Untersuchung mit Eifer wieder eröffnet wurde. Der Erfolg bleibt abzuwarten.

Die philosophische Rückfrage, was dieses Unternehmen bedeuten mag, soll auf den letzten Teil dieses Aufsatzes verschoben werden, dem auch die politischen Überlegungen vorangehen müssen.

3. Politik

Für politische Theorie habe ich mich im Grunde nie um der Theorie willen, sondern stets um der Politik willen interessiert. Mein theoretisches Interesse wandte sich spontan der Physik und Metaphysik zu und weniger den Strukturen von Staat und Gesellschaft, politisches Nachdenken wurde wachgehalten durch den politischen Willen. Das mag die entschuldbare Beschaffenheit eines Menschen sein, der von Natur der Natur zugewandt und durch die Kraft der Tradition, in der Jugend auch durch Ehrgeiz, homo politicus ist. Aber in dieser individuellen Reaktion mag sich auch eine Wahrheit spiegeln. Daß Theorie überhaupt möglich ist, ist fast ein Wunder; daß sie von einem so komplex in die Geschichte verflochtenen Phänomen wie der Politik möglich sei, ist keineswegs klar. Der Naturwissenschaftler sucht den verlorenen Schlüssel im Lichtschein der Straßenlaterne, nicht weil er ihn dort verloren hätte, sondern weil er dort etwas sieht; erst die Erinnerung, daß der Schlüssel anderswo verloren wurde, nötigt uns, ins Dunkel zu gehen. Anders gewendet: Auch in der Physik muß man die Erfahrungen kennen, wenn man über sie theoretisieren will; und Theorie der Wissenschaft treiben zu wollen, ohne in der Praxis der Forschung gestanden zu haben, ist hoffnungslos. Noch viel mehr gilt dies in der Politik, deren praktische Entscheidungen stets auch ethische Entscheidungen sind. Wer kann ein Gebot theoretisch aufstellen, der sich ihm selbst nicht unterworfen hat? Ich habe in späteren Jahren wohl das Bild politischer Äußerungsfreudigkeit geboten, aber sehr oft hat mir ethische Selbstkritik den Mund verschlossen. Kann man Politikern raten, wenn man nicht selbst die große politische Verantwortung getragen hat? Kann man Überwindung von Gewalt und sozialer Ungerechtigkeit theoretisch postulieren, wenn man in einer durch Gewalt gesicherten Klassengesellschaft sein bürgerliches Auskommen hat? Kann man andererseits eben dieses Argument öffentlich äußern, ohne daß es schon dadurch zur reaktionären Ideologie wird?

Zum politischen Bewußtsein hat mich mein Vater erweckt. Seinem Bemühen, durch vernünftige Außenpolitik erneute Kriege zu verhüten – einen Baum wachsen zu sehen, wie *Moltke* sagte –, konnte ich nur zustimmen; er hat einen Aspekt meines politischen Denkens für immer geprägt. Aber ich gehörte einer anderen Generation, vielleicht auch einer anderen geistigen Welt an. In einer langweiligen Geschichtsstunde in der Prima in Berlin, während draußen der Schnee in schweren Flocken fiel, hatte ich zwei Tagträume. Zuerst sah ich die unendlichen Heerzüge von Völkern und Fürsten, von deren Hoffnungen und Leiden wir nichts mehr wissen. Und dann sah ich den Schnee draußen auf Trümmer fallen. Als ich 1943 nach einem der großen Luftangriffe morgens in Berlin einfuhr, wußte ich: jetzt ist es so, wie ich es damals gesehen habe.

Was lag dahinter? Als ich als Kind zum ersten Bewußtsein erwachte, war Krieg. Gesehen habe ich ihn nicht, aber aus den Sorgen der Erwachsenen mit allen Fasern eingesogen. Die Welt ist voller Morden. Später, in der Kindlichkeit des Zwölfjährigen, hatte die Bergpredigt meinen Glauben an die Berechtigung der bürgerlichen Gesellschaft erschüttert, und ich konnte ihn nie ganz wieder herstellen, obwohl ich, als instinktiver Konformist, in ihr fortlebte und mir nichts anmerken ließ.

Dann kam die Herrschaft des Nationalsozialismus. Ich muß auch davon etwas persönlicher reden, nicht weil das interessant wäre, sondern weil, es nicht zu tun, ein Beispiel jener Feigheit wäre, die seitdem das deutsche politische Bewußtsein mit lebensgefährlichen Verdrängungsbarrieren durchzieht. Ich gehöre zu denjenigen Deutschen, die das Faktum des Nationalsozialismus nicht bewältigt, sondern überlebt haben. Spezieller gehöre ich meiner Herkunft nach zu der gesellschaftlichen Schicht, der die Nazis in allen ihren Instinkten ein Greuel sein mußten, und die gleichwohl mit ihnen zusammenarbeitete, als sie einmal an der Macht waren, zusammenarbeiteten um der Bewahrung des Bestandes und der Hoffnung auf eine Änderung willen. Einige aus dieser Schicht haben sich dann zum aktiven Widerstand entschlossen, bis zum Opfer der eigenen Person; diese, zu denen ich persönliche Beziehungen hatte, habe ich hoch geachtet, aber ich habe mich ihnen nicht angeschlossen.

Die Haltung dieser Schicht im ganzen ist wegen ihres Beitrags zur Katastrophe nachher schärfer verurteilt worden als sie nach der üblichen politischen Moral verdient. Es gehört m. E. zur moralischen Klärung, dies auch öffentlich auszusprechen. Die Fähigkeit zum widerstrebenden Konformismus gehört in allen Gesellschaften zu den Mitteln des Überlebens. Viele, die, ohne sich zu belügen, so handelten, trifft kein Vorwurf außer den Vorwürfen, die sie sich, weil sie moralisch sensibel waren, selbst gemacht haben. Freilich gehört es dann zweitens zur moralischen Klärung, einzugestehen, daß es Fälle gibt, in denen sich das Ungenügen der üblichen politischen Moral nicht nur für den Sehenden erweist, sondern in den

Folgen zuletzt für Jeden fürchterlich offenbart; und daß dies
ein solcher Fall war. In der Ära *Adenauer* bestand, nicht durch
Schuld eines Mannes, die genau umgekehrte Haltung moralischer Verunklärung dieser Vergangenheit, einer Verunklärung, die man allenfalls als Heilschlaf unter dem Schutz einer
Verdrängung entschuldigen konnte. Dieselbe Schicht lenkte
jetzt Staat und Wirtschaft, die zuvor in widerstrebendem oder
auch nicht widerstrebendem Konformismus mitgewirkt hatte.
Sich zu dieser Tatsache frei zu bekennen, war leider, aber
begreiflicherweise, tabu, und eben darum schützte sich ein
stilles Einverständnis, man habe ja eigentlich damals wie jetzt
richtig gehandelt, gegen die Selbstkritik, die das Heilsame
gewesen wäre, und verbannte die Kritik nach außen, zu den
Gegnern des Systems, wo sie schrill und wirkungslos blieb.

Faktisch habe ich in widerstrebendem Konformismus überlebt. In meinem Bewußtsein spielte sich freilich sehr viel mehr
ab. Mein Vater hatte eine moralisch einfachere Position. Er hat
Hitler und seine Gefolgsleute immer verabscheut, und er blieb
im Amt, um den Krieg, den er kommen sah, womöglich zu
verhindern, am Ende, um vielleicht eine Chance wahrzunehmen, ihn glimpflicher zu beenden. Dies war die Aufgabe, die
ihm zufiel und an der er gescheitert ist. Ich habe ihn nie so
verzweifelt gesehen wie im Sommer 1939, als er nicht mehr
wußte, wie das Unheil aufzuhalten sei. Ihn nachher als
»Kriegsverbrecher« zu verurteilen, war ein entsetzlicher Irrtum, nur erklärlich aus der mit dem amerikanischen Idealismus oft verbundenen Unfähigkeit, politische Wirkungsbedin-
gungen in anderen Systemen als dem eigenen zu begreifen.
Mein Vater machte aber, zumal im Anfang, wie viele seiner
Gesinnungsgenossen, den Fehler, *Hitler* zu unterschätzen. Dieser irrationale und gewissenlose Scharlatan konnte doch gar
nichts Dauerndes auf die Beine stellen. Daß sich dieses Urteil
erst nach 12 und nicht nach 2 oder 4 Jahren als richtig erwies,
machte alle anfänglichen Reaktionen auf ihn zu politischen
Fehlern.

Mein Fehler war der entgegengesetzte. Bis 1933 hatte ich
Hitler genau so unterschätzt, ich hatte ihn verachtet. Mein
Unglaube an die Legitimität des bürgerlichen Systems – in
meiner Generation damals weit verbreitet – und eine unklare

chiliastische Erwartung machten mich Zwanzigjährigen emp-
fänglich für den seelischen Vorgang, den ein tiefblickender
Kritiker die Pseudo-Ausgießung des Heiligen Geistes von 1933
genannt hat. Nicht der gedankenlose Inhalt der Parolen impo-
nierte mir, aber das Faktum, daß zahllose Menschen, die ver-
zagt und verzweifelt gewesen waren, einen gemeinsamen Le-
bensinhalt empfanden; das also, was die Anhänger der Bewegung ihren Idealismus nannten. Hinter der Liturgie der Vorbei-
märsche, der Faszination der Macht, den Ekstasen des Führers
meinte ich eine noch unenthüllte Möglichkeit eines höheren
Inhalts zu spüren. Die Warnungen meines Vaters und meine
Freundschaft mit Juden bewahrten mich vor der Versuchung,
mich der Bewegung anzuschließen. 1945 kam ich mit einem
unverdient sauberen Fragebogen aus ihrer Herrschaft heraus;
mein Vater hatte sogar einen hohen SS-Rang annehmen müssen und ich hatte nicht einmal eine simple Partei-oder SA-Mit-
gliedschaft. Aber ich hatte meinen widerstandsgesonnenen
Freunden gegenüber, die jahrelang erwogen, wie man *Hitler*
einschränken könne, wohl recht, wenn ich meinte, sie machten
die Rechnung ohne den Wirt. Der Widerstand, moralisch so
verehrungswürdig, beruhte inhaltlich weitgehend auf dem
Glauben an die ungebrochene Gültigkeit politischer, auch religiöser und kultureller Denksysteme, deren Brüchigkeit durch
Hitlers Erfolg wie durch einen Blitz erleuchtet worden war.

Den Bewegungen jener Zeit verdanke ich meine Ehe. *Gun-
dalena Wille*, in deren Familie politische Verantwortung so
selbstverständlich war wie in der meinen, war 1933–34
Schweizer Journalistin in Berlin. Mein Vater war deutscher
Gesandter in der Schweiz geworden und riet ihr, sich von mir
über den Arbeitsdienst berichten zu lassen. Unsere erste Ver-
abredung, auf den 30.6.1934, fiel durch die Ermordung
Röhms und *Schleichers* ins Wasser. Ich weiß nicht, wie ich die
Spannungen eines Lebens im Schatten der Politik von damals
bis heute ohne sie ausgehalten hätte.

In den Weihnachtstagen 1938, ich arbeitete und wohnte
damals in Dahlem, rief mich *Otto Hahn* an, in dessen Institut
ich vorher ein halbes Jahr gewesen war, und fragte mich, ob ich
mir ein Radium vorstellen könne, das sich in jeder chemischen
Reaktion wie Barium verhalte. Er hatte die Uranspaltung ent-

deckt. Zwei Monate später ging ich, beunruhigt und entsetzt, eines Abends zu *Picht*, um mit ihm die Veränderung der Welt durch die Möglichkeit einer Atombombe durchzusprechen. Den ganzen Krieg über arbeitete ich am »Uran-Projekt« mit. Uns blieb die Entscheidung erspart, ob wir überhaupt, und das hieß für *Hitler*, Atombomben bauen wollten. Wir erkannten nach etwas mehr als einem Jahr, daß dies unsere Möglichkeiten weit überstieg, und konzentrierten uns auf die Arbeit an einem Reaktormodell. Das moralische Problem lag im Anfang. Das damalige Risiko würde ich nach dem, was ich heute weiß, nicht noch einmal übernehmen. Hätte der durchschnittliche widerstrebende Konformismus der Physiker genügt, den Bau der Bombe zu verhindern, wenn sie uns möglich gewesen wäre? *Heisenberg, Wirtz* und ich arbeiteten zusammen und wollten die technischen Möglichkeiten erkennen, um dann selbst zu entscheiden, was wir wem mitteilen würden. *Heisenberg* ging es um die Erhaltung der deutschen Wissenschaft für die Zeit nach dem Verlust des Krieges, der ihm gewiß war. Ich träumte eine Zeitlang von einem Einfluß auf das Geschehen, ein Traum, der sich zu meinem Glück nicht erfüllte. *Heisenberg* suchte vergebens das Gespräch mit *Bohr* über diese Probleme; die internationale Familie der Atomphysiker verstand sich nicht mehr. Wir haben keinen Anlaß, moralisches Lob in Anspruch zu nehmen. Aber ich darf wohl sagen, daß wir damals im engsten Kreis mehr Gedanken darauf verwendet haben, wie der Bau von Atombomben in der ganzen Welt zu vermeiden wäre als darauf, wie wir es anfangen müßten, um eine zu bauen.

Das Ende des Krieges brachte uns eine fast einjährige Internierung, vorwiegend in England, die mir eine Zeit der Gewissenserforschung und der Arbeit wurde. Im Herbst 1945 schrieb ich, einer damaligen literarischen Mode folgend, einige rückblickende Sonette. Man kann diese Dinge wohl klarer in Prosa sagen, aber als Dokument der Erschütterung will ich eines von ihnen hier abdrucken:

> O bricht denn niemals der Dämonen Kraft?
> Sieht niemand denn: die Schuld ist in uns allen?
> Wo Unrecht fiel, seh' ich sich Unrecht ballen,
> und Schuldige von Schuldigen bestraft.

Wer Schuld geduldet, ist in ihrer Haft.
Wer Schuld mit Schuld vergilt, ist ihr verfallen.
O wollen wir, der Finsternis Vasallen,
den Himmel nicht, den nur die Liebe schafft?

Ich ließ mit sehendem Aug' in dunklen Jahren
schweigend gescheh'n Verbrechen um Verbrechen.
Furchtbare Klugheit, die mir riet Geduld!

Der Zukunft durft' ich meine Kraft bewahren,
allein um welchen Preis! Das Herz will brechen.
O Zwang, Verstrickung, Säumnis! Schuld, o Schuld!

Noch vor dem Ende des Krieges schrieb ich, nur für mich selbst, einen Aufsatz »Versuch einer Geschichtskonstruktion«. *Reinhold Schneider* hatte unsere Generation tief beeindruckt. Von *Hermann Heimpel* hatte ich in Straßburg viel über das Mittelalter gelernt. Der Selbstwiderspruch der neuzeitlichen Dynamik schien sich vor unser aller Augen zu vollziehen. Im außenpolitischen Kalkül erwartete ich noch mehrere Weltkriege zwischen Amerika, Rußland, China. Ich versuchte die Geschichte Europas durch die Spannung der drei Kräfte zu beschreiben, die ich Natur, Christentum, Realität nannte. Natur ist der Mensch, wie er sich vorfindet. Im Mittelalter also in der Adels- und Bauernwelt. Das Christentum ist im ständigen Angriff auf die Natur; so wirkt die Bergpredigt, wo immer man ihr glaubt. Die neuzeitlichen Revolutionen sind die Erben der permanenten Revolution, die das Christentum ist. Alle Revolutionen scheitern. Und durch ihr Scheitern schreitet die Verwandlung der Welt in ein rationales, funktionalisiertes, wertneutrales Gebilde vor, in die auf den Trümmern der Natur errichtete »Realität«.

Der Schluß war: »Den Christen ist die Geschichte nicht als der Ort ihrer Siege bestimmt. An dem Tag, der wie der Blitz leuchtet vom Aufgang bis zum Niedergang, wird ihre Arbeit nicht vergebens gewesen sein.« In einer zweiten Fassung, die ich in der englischen Internierung aus dem Gedächtnis der ersten fast wörtlich nachschrieb, ließ ich das eschatologische Zitat aus den Reden *Jesu* weg. Es war mir ein ins Unbekannte vorausgeschossener Pfeil und in der Sicherheit der Aussage ein

sacrificium intellectus gewesen. Seine Weglassung bedeutete
jedoch das Schweigen über den Kern der Sache, um des Gesprächs mit aufgeklärten Intellektuellen willen. So hat *Ibsen*
für die Aufführung Noras letztes Wort aus dem Fortgehen in
die Rückkehr verändert.

Wie unser ganzes Volk hatte ich einen Nachholbedarf an
Vollzug des common sense der Aufklärung.

Das politische Erlebnis der Nachkriegsjahre war die Kraft
der liberalen Gesellschaftsordnung, die ich bis dahin nicht
verstanden hatte, obwohl ich ihr entstammte. Dies fasse ich
hier nicht erzählend, sondern sofort prinzipiell. Ich versuche
ein Stück Theorie des Liberalismus zu geben.

Ich beginne mit dem ökonomischen Liberalismus, der die
Signatur des deutschen »Wirtschaftswunders« war, und der
weltweit m. E. auch heute nicht in tieferen Krisen steckt als fast
stets in seiner zweihundertjährigen Geschichte, also auch heute
die Prognose kraftvollen Überlebens für sich hat. Sein geistiger
Vater *Adam Smith* hat eine paradoxe These ausgesprochen.
Die gesamte abendländische politische Theorie ging bis dahin
davon aus, daß eine Gemeinschaft von Menschen nur existieren kann, wenn das Gemeinwohl vor den Eigennutz gestellt
wird. Zu erkennen, was das Gemeinwohl verlangt, ist schwer;
heute übrigens, in der mobil funktionalisierten Welt, schwerer
denn je. Also lehrt die alte Theorie, diejenigen müßten regieren, die dies zu erkennen vermöchten. Daher die Ideologie, mit
der jede Herrschaft für sich Wahrheit in Anspruch nimmt. Hier
wie überall ist die Entlarvung einer Ideologie weit entfernt von
der Lösung des Problems. *Smith* nun gab der egalitären Grund-
welle der späteren Aufklärung eine gewaltige Hoffnung. Wenigstens in Elementarbedürfnissen, also im Ökonomischen, ist
jeder Mensch fähig genug, sein eigenes Interesse zu beurteilen;
und der Mechanismus eines transparenten Markts mit freien
Tauschbeziehungen sorgt dafür, daß, genau wenn jeder sein
Eigeninteresse am besten verfolgt, dem Gesamtinteresse am
besten gedient ist. Dies ist die »unsichtbare Hand«, die, dem
einzelnen Marktteilnehmer verborgen, aber dem Theoretiker
voll erkennbar, das Geschehen lenkt. Der Staat muß nur dreierlei leisten: den Schutz nach außen, die Garantie der Rechtsordnung, den Betrieb nichtprofitbringender Dienste.

Das moralische Pathos dieser These ist das Vertrauen zur Freiheit jedes Einzelnen. Die marxistische Kritik, daß die fundamentale Ungleichheit der Güterverteilung durch die liberale Wirtschaft nicht aufgehoben wird, ist empirisch wahr. Falsch war, zum mindesten für die vollindustrialisierten Gesellschaften, die marxistische Prognose fortschreitender Verelendung der Massen, und damit wird wenigstens fragwürdig, in welchem Grad und Sinn die fortdauernde Ungleichheit den Namen einer Klassengesellschaft verdient. Ich vermute, eine selektionstheoretische Analyse würde zu dem Ergebnis führen, daß sich in freier Konkurrenz mit überwiegender Wahrscheinlichkeit eine »begrenzte Ungleichheit« herstellt, also weder Gleichheit noch extreme Ungleichheiten, wie letztere in Übergangsphasen und in machtstabilisierten Systemen vorkommen. Gleichheit, wo sie glückt, ist stets nur das Produkt einer fortdauernden expliziten Anstrengung. Gewiß ist, daß das Konkurrenzsystem voller Grausamkeiten gegen Gewachsenes, gegen Menschen ist, und daß es zu deren Duldung erzieht; gewiß ist ferner, daß der Staat heute Aufgaben lösen muß, die nicht nur die frühen Liberalen, sondern auch ihre absolutistischen Gegner sich nicht hätten träumen lassen. Wer bestimmt das Handeln des Staates, und wie?

Erst hier beginnt der eigentliche Kern der liberalen Theorie, ihr politischer Teil. Ich möchte ihn auf die Spannung zwischen zwei gleich unaufgebbaren Thesen reduzieren:

1. Sachgemäße Politik ist nur möglich in Erkenntnis der wahren Verhältnisse.

2. Niemand darf dogmatisch beanspruchen, im Besitz der Wahrheit zu sein.

Man kann es auch pointierter und mit Begründung so sagen: Wahrheit muß intolerant sein, denn sie ist lebenswichtig, aber Wahrheit muß tolerant vertreten werden, denn sie wird nur in einer Haltung freier Diskussion gefunden. Darf ich um der Toleranz willen jemals zugeben, 2 mal 2 könnte ja auch 5 sein? Kann ich aber einen Menschen noch überzeugen, daß 2 mal 2 vier ist, wenn ich ihn politisch dazu zwinge, diesen Satz zu bekennen? Bedingung des Daseins der Wahrheit in der Zeit ist die Freiheit; Schranken meiner Freiheit sind die Freiheit der andern und die Wahrheit. Diesen letzten Doppelsatz kann man von *Kant* lernen.

Die Bundesrepublik entschied sich für den politischen und den ökonomischen Liberalismus; sie verband beides mit einer klaren außenpolitischen Entscheidung für den Westen. Ich bejahte alle drei Entscheidungen. Sie überzeugten mich. Sicher kamen sie den durch die Katastrophe des Nationalsozialismus und das abschreckende Bild des Stalinschen Kommunismus stabilisierten konservativ-bürgerlichen Instinkten meines Standes entgegen. Ich spielte nun zwei Jahrzehnte lang aufrichtig mit der Selbstinterpretation als Konservativer, der Reformen will, um den stets gefährdeten Kern der Menschlichkeit zu bewahren. Es befriedigte zugleich meinen Verstand, die fortschrittlich-liberale Theorie zu durchdenken, die ich soeben skizziert habe, und deren Realisierung ich nun nicht bloß in behüteten europäischen Kleinstaaten wie der Schweiz und Dänemark, die ich zuvor schon gut gekannt hatte, sondern selbst unter der Last der Großmachtpolitik in England und Amerika beobachten konnte. Daß der Kern meines Denkens naturwissenschaftlich-religiös und nicht politisch ist, kann ich vielleicht daraus ablesen, daß es mich in Physik und Religion nie Mühe gekostet hat, anders zu denken als meine gesamte Umwelt, während ich in der Politik, wenngleich lernbegierig und kritisch, den Zeitbewegungen gefolgt bin. Dies ist freilich auch ein instinktiv politisches Verhalten.

Härte kam in mein politisches Verhalten, wo beide Seiten zusammenstießen, wo nämlich meine religiös-ethische Motivation und mein naturwissenschaftlicher Sachverstand mich zwangen, die herrschende Politik zu kritisieren: im Problem der Atomwaffen. In Amerika traf ich mit Quäkern zusammen und begann *Gandhi* zu lesen. Hier lernte ich zum erstenmal eine reale Lebensweise kennen, die die Bergpredigt ernstnahm. Ich sah das unvergleichliche Glück, das sie ausstrahlte. Mein Quäker-Freund *Douglas Steere* zitierte, mit leiser Stimme, den Satz: »A Christian is three things: he is absolutely fearless, always in trouble, and immensely happy.« Ich war nicht furchtlos genug, um so in Schwierigkeiten und so glücklich zu sein. Auch sah ich etwas, was den Quäkern vielleicht nicht so klar vor Augen stand. Über uns hing ständig die Drohung des Atomkriegs. Ich wußte, daß bei uns die Völker und ihre Regierungen zu der Furchtlosigkeit einer gewaltfreien Politik außerstande waren, ja keinen Gedanken auf diese Möglichkeit verwendeten. War es nicht eine sinnvolle Aufgabe, eine Politik zu formulieren, die liberale Regierungen wirklich wollen und durchhalten könnten, die diese Gefahr abwenden oder doch hinausschieben konnte? Mir blieb nicht verborgen, daß gerade die Größe der Waffen die Gefahr des Kriegsausbruchs verminderte, ohne sie freilich jemals zum Verschwinden zu bringen. Konnte es die Aufgabe unserer Zeit sein, die uralte Hoffnung einer Überwindung des Krieges in einer rationalen Konstruktion zu lösen? Ich studierte die Gedanken einer Weltatombehörde und einer föderativen Weltregierung, sah ihre funktionale Vernünftigkeit und sah die Aussichtslosigkeit ihrer Verwirklichung durch die souveränen Supermächte.

Im Spätherbst 1956 wurde für die deutschen Atomphysiker die Ernennung von *F. J. Strauß* zum Verteidigungsminister das Signal einer geplanten Atombewaffnung der Bundeswehr. Der Arbeitskreis Kernphysik, ein Beratergremium des Atomministeriums, kannte *Strauß* aus seiner Zeit als effizienter und dynamischer Atomminister. Wir besprachen die Lage und entdeckten, daß wir trotz verschiedener politischer Positionen einhellig gegen eine nationale Atomrüstung waren, wie sie die Franzosen damals schon vorbereiteten. Wir wollten dies öffentlich erklären, aber loyalerweise vorher der Regierung bekanntgeben. Wir schrieben einen Brief an *Strauß,* dem ein denkwürdiges Gespräch bei ihm folgte. In der ersten Viertelstunde zerschlug er alles Porzellan, das wir etwa für ihn bereitgehalten hatten. Dann legte er uns in 2½ Stunden mit überlegenem Detailwissen dar, unser Einwand ziele falsch; Amerika werde sich aus Europa zurückziehen und dann bedürfe Westeuropa (und nicht die Bundesrepublik für sich) einer der russischen gleichwertigen Atomstreitkraft. Wir standen nachher wie verregnete Hühner beisammen, ohne Konzept für eine öffentliche Äußerung. Zu dieser verhalf uns etwas später eine leichtfertige Formulierung von *Adenauer* über taktische Atomwaffen als Fortbildung der Artillerie. Unser Text enthält die zentralen Sätze: »Wir fühlen keine Kompetenz, konkrete Vorschläge für die Politik der Großmächte zu machen. Für ein kleines Land wie die Bundesrepublik glauben wir, daß es sich heute noch am besten schützt und den Weltfrieden noch am

ehesten fördert, wenn es ausdrücklich und freiwillig auf den
Besitz von Atomwaffen jeder Art verzichtet. Jedenfalls wäre
keiner der Unterzeichneten bereit, sich an der Herstellung, der
Erprobung oder dem Einsatz von Atomwaffen in irgendeiner
Weise zu beteiligen.« Dies schuf großen öffentlichen Wirbel.
Adenauer lud eine Delegation von uns nach Bonn zu einem
eintägigen Gespräch, das er in der Form souverän führte,
natürlich ohne echte Einigung. Wenigstens zwischen *Adenauer*
und mir lief die Front fast umgekehrt als das Publikum sie sah.
Adenauer sagte, um der Vermeidung des Weltkriegs willen
müsse und werde es zur Abrüstung kommen (ich habe ihm die
Aufrichtigkeit dieses Wunschdenkens geglaubt; eben darum
war er in seinen letzten Jahren so sorgenvoll) und wir dürften
in diese Verhandlungen nicht mit Vorleistungen hineingehen.
Ich glaubte nicht, daß es zur Abrüstung kommen werde und
glaubte, wir würden eben darum auf unseren Atomwaffen
sitzen bleiben, die dann im Ernstfall den tödlichen Schlag des
Gegners auf uns herabzwingen würden. Wenige Tage darauf
legte ich mich mit Ohrenpfeifen und Brechdurchfall für acht-
undvierzig Stunden ins Bett; die Symptome verflogen bald
wieder, aber seitdem höre ich auf dem rechten Ohr nicht mehr
gut.

Ich hatte es übernommen, der Nation in einer Lebensfrage
zu raten. Nun mußte ich nicht nur über die mir vertraute
Außenpolitik, sondern über Waffenwirkung und Strategie
Kenntnisse erwerben, die mich zur Diskussion mit Fachleuten
befähigten. Die physikalischen Kollegen in Amerika waren seit
mehr als zehn Jahren in derselben Lage. Ich habe die Lehren
der amerikanischen arms control-Schule wohl als erster in
Deutschland bekannt gemacht; *H. Afheldt,* der seit 1962 mit
mir arbeitete, hat wesentliches zu ihrer immanenten Kritik
beigetragen. Die Gespräche in Amerika belebten die alte
Freundschaft mit *Edward Teller,* die neue mit *Leo Szilard.* Die
Ergebnisse habe ich zu oft öffentlich geschildert, um sie hier zu
wiederholen. Sie sind in bezug auf Friedenserhaltung auf die
lange Sicht nicht beruhigend. Sie führten mich eben darum in
immer komplexere politische und gesellschaftliche Fragen und
schließlich zur Gründung meines heutigen Instituts. Dieses
dient nicht der Propagierung von Bekanntem, sondern der
Suche nach Wahrheit in so schwierigen Fragen.

Die Spannung zwischen Religion und Politik, die ich so am eigenen Leibe erfuhr, veranlaßte mich, die Geschichtsphilosophie vom Kriegsende wieder aufzunehmen. Ich sah die Geschichte der christlichen Ära vorangetrieben durch die Menschen, die subjektiv auf nichts als das Ende der Geschichte hofften. In den Göttinger Jahren lehrte mich *Gogarten* das, was ich vorher »Realität« genannt hatte, als ambivalente Säkularisierung christlicher Inhalte verstehen. Die Säkularisierung ist ambivalent: sie verwirklicht das im christlichen Glauben Gemeinte und isoliert es zugleich von seiner Quelle. Ich versuchte, den Prozeß in den Glasgower Gifford Lectures über die Tragweite der Wissenschaft darzustellen. Gelöst wurde die Spannung so nicht, eher gesteigert, aber doch hoffnungsvoll gesteigert, indem sie denkbar gemacht wurde.

Es gibt eine alte Tradition, daß das Alter von 56 Jahren ein Todeserlebnis bringt. Wir hatten als einzigen möglichen Weg zu der so unglaubwürdig propagierten Wiedervereinigung Deutschlands, aber noch mehr als einen Weg zu einer langsamen Überwindung weltpolitischer Gegensätze eine »Wiedervereinigung Europas« erwogen, im Gespräch zumal mit tschechischen Freunden. Als am Morgen des 21. August 1968 die Nachricht von der längst befürchteten russischen Besetzung der Tschechoslowakei durchs Radio kam, war in mir der Gedanke der ersten Sekunde: Nun ist der dritte Weltkrieg gewiß. Nicht jetzt, aber irgendwann in den nächsten dreißig Jahren. So hatte ich im Oktober 1933 auf die Nachricht von *Hitlers* Austritt aus dem Völkerbund reagiert. Die Mächte sind zu schwach, eine freie Entwicklung zu erlauben. Also greifen sie zu den Mitteln der Stärke, die zu den von jeher bekannten Folgen führen. Im Grunde hatte ich dies immer gewußt; das besondere Ereignis hatte nicht kausale, sondern enthüllende Funktion. Seitdem hat die Politik *Kissingers* wohl das Äußerste erreicht, was dieser Welt an vernünftigem Gleichgewicht abzuringen ist, und es ist nicht erlaubt, die schwache Chance der Dauer dieses Gleichgewichts durch Unheilsprognosen zu gefährden. Es ist ja möglich, daß es gut geht.

Die Jahre 1967/68 eröffneten mir einen neuen politischen Lernprozeß, dessen Beginn, obwohl ich ihn begrüßte, auch fast einem Todeserlebnis gleichkam: die Revolte der studentischen

Linken. Ich hatte mich, nicht aus eigenem Antrieb, sondern aufgefordert, vor 1952 mit Hochschulreform beschäftigt; ich gab es auf, als ich sah, daß Professoren und Ministerien die Reform verhinderten, Studenten und Parlamentarier damals an ihr uninteressiert waren. Als ich seit 1957 in einer Fakultät saß, bekräftigten die ersten Fakultätssitzungen den Entschluß, neben der Überanstrengung durch Forschung, Unterricht und Atompolitik nicht auch noch Universitätsreform zu betreiben. Ich überließ, so empfand ich es, das alte Hochschulsystem, dem ich entstammte und das ich liebte, dem vorhersehbaren Untergang; daß er schon nach 10 Jahren und nicht durch den Staat, sondern durch die Studenten geschehen würde, sah ich nicht voraus. Ich muß mir nachträglich in diesem wie in anderen Fällen vorwerfen, meine Warnungen zu leise ausgesprochen zu haben; ich hätte so scharf reden müssen, wie ich zu sehen überzeugt war.

Die Studentenrevolte aber betraf nicht primär die Universität, sondern die ganze Gesellschaft. Ich habe mich nie als Linker empfunden, aber politische Unterstützung habe ich meist links von der Mitte erhalten, an die ich mich mit meinen Reden wandte. Nun traf mich die linke Bewegung in dem Augenblick, in dem ich die Hoffnung auf eine Friedensstabilisierung durch Außenpolitik, die mir rational stets problematisch geblieben war, im elementaren Empfinden verloren hatte. Sie eröffnete die Hoffnung, auf dem Wege über Gesellschaftsänderung zu erreichen, was außenpolitisch unmöglich war. Aber sie war mit zwei aufeinandergehäuften Erstickungsgefühlen verbunden. Das erste ist für meine Generation typisch: obwohl ich das, was die Jungen Basisdemokratie nennen, persönlich als eine neue Chance begrüße und willig in experimentellem Geist mitmachte, konnte ich, so wie ich nun einmal geprägt bin, darin nur mit äußerster Selbstbeherrschung den ruhigen Atem behalten. Das zweite ist die Qual für die Jungen: im Grunde war schon nach kurzem klar, daß die Bewegung politisch zum Scheitern verurteilt war. Hier begann freilich für mich die theoretische Frucht dieser Mühen. Ich verdanke dem Diskussionszwang, dem die Linke mich unterworfen hat, daß mir die Augen geöffnet wurden für das, was gesellschaftlich in der Welt vorgeht. Endlich lernte ich, *Marx* zu assimilieren.

Jürgen Habermas, den ich als Mitdirektor fürs Institut gewinnen konnte, erläuterte mir diese Denkweise in derjenigen Liberalität, in der ich sie aufnehmen konnte. Aber in all dieser Lernbereitschaft bin ich den Linken ein Kritiker geblieben; und ich glaube, ein trostreicher Gesprächspartner könnte ich erst einem in der Tiefe enttäuschten Linken sein. Nicht Optimismus, aber Hoffnung habe ich zu bieten. Ich habe soeben einen Aufsatz abgeschlossen mit dem Titel »Die heutige Menschheit, von außen betrachtet«, dessen Argumente ich hier nicht wiederholen will. Sie enden mit Mißtrauen gegen die Chancen des Kapitalismus wie des Sozialismus zur Lösung der von der modernen Kultur erzeugten Probleme und in der Aufforderung, die Menschheit von innen zu betrachten. Das führt zur Philosophie zurück.

4. Philosophie

Ich beginne noch einmal von vorne. Gemäß dem übernommenen Auftrag soll ich die Bewegung der Philosophie hier nicht im wirklichen Gespräch mit einem Partner, auch nicht im literarischen Gespräch mit den herrschenden Meinungen unserer Zeit darstellen, sondern im Gespräch mit dem Menschen, als der ich mir eines ins Kindheitsvergessen zurückgesunkenen Tages begegnete, mit dem ich bis heute Hand in Hand gehe, der ich, wie wir zu sagen pflegen, bin. Wer sagt hier ich?

In etwa vier Bereichen habe ich mich nachdenkend bewegt. In der vorangegangenen Darstellung kamen sie unter den Titeln Physik, Politik, Religion, klassische Philosophie vor. Die drei ersten kann man auch Struktur, Geschichte, Selbstwahrnehmung nennen. Der vierte ist das platonische Unternehmen, die Einheit dieser drei zu denken. Man kann ihn auch als skeptische Theologie bezeichnen, wenn man die griechischen Worte Skepsis, Theos, Logos umschreiben darf als Hinschauen, das Eine, vernünftige Rede. In den drei ersten Bereichen habe ich elementar existiert. Den vierten habe ich gelernt wie man eine Sprache in einer guten Schule lernt. Ich spreche die Sprache mit einem Akzent, aber ich weiß, daß ich von den ersten drei Bereichen nicht selbstkritisch Rechenschaft geben könnte, wenn ich diese Sprache nicht gelernt hätte. Und vielleicht weiß ich einiges von ihr, was die nicht wissen, die sie als Muttersprache sprechen.

In die Physik bin ich, wie oben geschildert, durch die Astronomie und die Quantentheorie gekommen. Astronomie war mir das Wissen vom Weltall, also vom Ganzen; sie war ein kindlicher Begriff von Philosophie. Mein hochrespektierter Lehrer *Hilmer,* der mich Gymnasiasten in der deutschen St. Petri-Realschule in Kopenhagen privat in Latein und Griechisch unterrichtete, sagte mir in einer dieser Stunden, als ich in einen Begeisterungsausbruch über die Größe des Weltalls geraten war: »Gewiß, das Weltall ist groß und wunderbar. Aber vergiß es nie, größer als das Weltall ist dein Geist, Carl Friedrich v. Weizsäcker, der das Weltall zu denken vermag.« Diese Lehre nötigte mir nur eine widerstrebende Zustimmung ab. Unwidersprechlich war die Subjektbezogenheit des Wissens, sowie ich auf sie aufmerksam gemacht war. Aber es erschien mir unerträglich anmaßend, einen Geist, der das Weltall denken konnte, durch das Possessivpronomen »dein« mit dem Träger meines standesamtlichen Namens zu verknüpfen. Zur selben Zeit wäre ich, wenn ich nicht zugleich fromm und feige gewesen wäre, vielleicht aus dem Konfirmandenunterricht ausgebrochen, als der Pfarrer uns zumutete, Christen dürften nicht an die tierische Abstammung des Menschen glauben, denn im Gegensatz zum Menschen hätten die Tiere keine Seele. Er meinte vielleicht die unsterbliche Seele, aber diese Nuance blieb im Hintergrund und hätte mich verwirrt ohne mir zu helfen. Mit tiefer Empörung fragte ich mich, wie diesem Pfarrer beim Jüngsten Gericht zumute sein werde, wenn er zusammen mit dem Pferd vor Gottes Gesicht werde erscheinen müssen. Trotz dieser Parteinahmen spürte ich die Subjektblindheit der Naturwissenschaft. In dieses Dunkel versprach die Quantentheorie etwas Licht zu bringen, die uns, wie *Bohr* gesagt hat, so nachdrücklich an die alte Einsicht erinnert, daß wir zugleich Mitspieler und Zuschauer im Schauspiel des Daseins sind.

Die ersten 25 Jahre meiner Beschäftigung mit Physik gaben mir ein deutlicheres naturwissenschaftliches Modell der Art, wie wir Mitspieler sind, unter dem Titel der Geschichte der Natur. Meine Arbeit über die Entstehung des Planetensystems konfrontierte mich mit der veralteten theologischen Debatte, in der manche (selbst der große *Newton*) den Schöpfungsglauben aus den Lücken der Naturwissenschaft hatten rechtfertigen wollen. In den Dahlemer Jahren, 1936–42, hatte ich zugleich das Glück, von den besten deutschen Biologen und Biochemikern in die Probleme der Abstammungslehre und der werdenden Molekularbiologie eingeführt zu werden. Ich sah die genaue Analogie der Motive, die hinter der alten Ablehnung mechanischer Theorien der Planetenentstehung und hinter der neueren Ablehnung der Abstammungslehre und vor allem der Darwinschen kausalen Deutung der Abstammung durch die Selektionslehre stehen. Ich überzeugte mich rasch, daß solche Rückzugsgefechte stets verloren gehen, und fühlte mich mit dem jungen *Kant* der Vorrede zu der »Allgemeinen Naturgeschichte und Theorie des Himmels« einig, daß sie einer ungläubigen Theologie entspringen. Alles, was in der Geschichte geschieht, geht irgendwie zu, und die kausalen Theorien sind nichts als Modellentwürfe dafür, wie es wirklich zugegangen sein könnte. Ich meinte, wer Gott, der Seele, dem Leben nicht in den positiven Erkenntnissen der exakten Wissenschaften begegnen könne, der werde sich vergebens mühen, ihnen in den Lücken dieser Wissenschaften einen Raum auszusparen.

Die gedankliche Aufgabe lag aber nicht in diesen popularphilosophischen Debatten, sondern darin, zu begreifen, wie der »Zufall« Ordnung und Gestaltenfülle erzeugen kann. Hier half mir meine Analyse des zweiten Hauptsatzes der Thermodynamik. Zufall nennen wir Vorgänge, die den Gesetzen der Wahrscheinlichkeitsrechnung genügen. Diese Gesetze definieren Möglichkeiten, und gerade weil es Möglichkeiten sind, bleibt undeterminiert, welche von ihnen eintritt. Ich konnte plausibel machen, daß dieselbe Struktur der Zeit das Entropiewachstum und die wachsende Differenzierung der Gestalten zur Folge hat. Anschließend an eine spätere Formulierung von *Picht* kann ich sagen: Das Vergangene vergeht nicht, somit wächst die Menge der Fakten; die Gegenwart der Zukunft ist ihre in Fakten fundierte Möglichkeit; somit wächst die Menge der Möglichkeiten.

Der Darwinismus, gedanklich den frühkapitalistischen

Theorien von *Smith* und *Malthus* verpflichtet, ist vielfach wegen der grausamen Art seines Fortschrittsoptimismus abgelehnt worden. Wir, die wir überleben, sind freilich die Erben von Siegern im Kampf ums Dasein. Das Erlebnis des Kriegs half mir, die Kehrseite zu sehen. Wesen, die dem Kampf ums Dasein entstammen, sind zum Tod und, wenn sie subjektive Empfindung der uns bekannten Art haben, zum Leiden verurteilt. Diese große Realität hat vielleicht nie jemand deutlicher gesehen als der *Buddha*. Erst wenn dies erfahren ist, kann man zu begreifen beginnen, wovon die großen Religionen sprechen. Nicht naiver Harmonieglaube, sondern die äußerste Erfahrung von Leiden, Schuld, Sinnlosigkeit ist ihr Ausgangspunkt.

Der Weg der Naturwissenschaft ist mit diesem Stück Geschichte der Natur nicht zu Ende gegangen und der Übertritt zur religiösen Erfahrung ist auch hier noch ein Sprung. Nach dem Krieg kam die kybernetische Denkweise auf. In Göttingen behandelten wir im Seminar kybernetische Modelle des Lebens und des Denkens. Sie berührten sich mit den empirischen Ergebnissen der Verhaltensforschung. *Konrad Lorenz* und *Erich v. Holst* gaben uns einen reichen Schatz an Belehrung. Die Fragestellung war offensichtlich legitim, aber sie stieß an zwei Grenzen. Die kybernetischen Modelle beschrieben das Leben mit der objektivistischen Denkweise der klassischen Physik; die schon geschehene Einführung des Subjekts in der Quantentheorie stand beziehungslos neben ihnen. Und, was noch schwerer wog, eigentlich hatte niemand eine klare Vorstellung von den zu erklärenden Denkfunktionen, wenn diese über das Niveau relativ einfacher Gestaltwahrnehmung und Handlungsfähigkeit hinausgingen. Was ist denn die operative Struktur von Sprache, Begriff, Reflexion? *Chomsky* und *Piaget*, ein Jahrzehnt später berühmt geworden, glauben der klassischen Logik wahrscheinlich mehr als sie verdient. Wir können unsere Rolle als Mitspieler nicht weiter analysieren, solange wir die Rolle als Zuschauer nicht zum Thema gemacht haben.

Das führt zurück in den Kern der philosophischen Physik. Dieser wird meiner Überzeugung nach nur verständlich, wenn man zwei Probleme, die dem herrschenden Methodenbewußtsein streng getrennt erscheinen, als zusammengehörig, ja als letztlich identisch begreift: die inhaltliche Interpretation der Physik, also vor allem der Quantentheorie, und die Frage nach dem Wesen der empirischen exakten Wissenschaft. Jede der beiden Fragen führt, für sich allein genommen, in Aporien, die m. E. eben die Folge der Trennung sind. In dieser Getrenntheit seien sie hier zuerst skizziert.

Konfrontieren wir die Kybernetik mit der Quantentheorie! Darwinismus, Verhaltensforschung und Kybernetik behandeln das Subjekt als ein in Raum und Zeit erscheinendes Ding. Sie geben ein physikalisches Modell des empirischen Subjekts. Wem dieses Ding erscheint, ja daß Sein in Raum und Zeit eine Weise des Erscheinens ist, wird überhaupt nicht zum Thema. Die Quantentheorie nun zerstört die hier vorausgesetzte Ontologie. Am deutlichsten wird dies in der Komposition von Objekten, die sich in dem »Paradoxon« von *Einstein, Rosen* und *Podolsky* manifestiert: wenn ein Gesamtobjekt in Teilobjekte zerlegbar ist, so bedeutet das keineswegs, daß die Teilobjekte existieren, auch solange das Gesamtobjekt nicht faktisch in sie zerlegt ist. Nun muß jedes Objekt strenggenommen als Teil größerer Objekte verstanden werden. Objekte bezeichnen Faktizität, Fakten aber sind Fakten nur kraft der in ihnen angelegten Möglichkeiten. Das einzige irreduktible Gesamtobjekt könnte allenfalls das Weltall sein, aber eben dieses ist kein Objekt, denn für wen wäre es Objekt? Indem ich so spreche, bediene ich mich in stenographischer Abkürzung meiner eigenen, bisher nur unvollständig veröffentlichten Begriffsanalysen; sonst müßte ich hier ein Buch über die Sache statt eines Aufsatzes über ihre Spiegelung in meinem Bewußtsein schreiben. Die Quantentheorie also führt Objekte als Objekte für Subjekte ein. Aber sie beschreibt die Subjekte nicht. Um dieser Pflicht überhoben zu sein, ersetzt sie sie nach Möglichkeit durch Meßapparate. Jedoch eben daß diese Apparate nicht bloß Objekte, sondern zum Messen geeignete Objekte sind, hält ihren Subjektbezug fest (deshalb müssen sie nach *Bohr* »klassisch« beschrieben werden). Die Kybernetik kennt, kantisch gesagt, nur das empirische Subjekt, und zwar nicht als Ich, sondern als existierendes Ding, die Quantentheorie aber kennt nur das transzendentale Subjekt, und zwar ohne Reflexion auf die Einheit der Apperzeption.

Philosophen der auf *Kant* und den Idealismus zurückgehenden Tradition, die in Deutschland herrschend gewesen ist, haben diese Einschränkungen der Weise, in der die Naturwissenschaft bisher das Subjekt aufzufassen vermochte, meist zur Zurückweisung der Kompetenz der Naturwissenschaft für diese Fragen verwendet. Ich habe diese Reaktion der Schulphilosophie schon als Student, lange ehe ich den Begriffsapparat handhaben gelernt hatte, als einen epigonalen Holzweg und als ein Mißverstehen der Kantschen Fragestellung empfunden. Um dies aussagen zu können, mußte ich Philosophie lernen – und nicht nur dazu, sondern weil Philosophie das war, worum es mir ging.

Wie weiter oben geschildert, begann ich mit dem Positivismus. *Machs* Gedanken, die Subjekt-Objekt-Spaltung von vorneherein nicht einzuführen, sondern von Elementen zu reden, terminologisch als »Empfindungen« bezeichnet, deren gesetzmäßige Zusammenhänge nur denkökonomisch als Dinge und Iche bezeichnet werden, empfand ich als genial; aber die Durchführung war weder ihm noch einem anderen gelungen. Was sind Gesetze? Sie regulieren Möglichkeiten. Was heißt Möglichkeit? Woher kennt man die Gesetze? Aus Erfahrung? Wie kann Erfahrung Gesetze begründen? Und zwar Gesetze, die einmal gefunden, in kristallener Einfachheit auf einer halben Druckseite formuliert werden können und sich milliardenfach in der Zukunft bewähren. Wie *Kant* könnte ich sagen, es sei die Erinnerung des *David Hume* gewesen, die mich aus dem dogmatischen Schlummer erweckt hat: wie kann man aus Fakten der Vergangenheit jemals logisch auf Notwendigkeiten der Zukunft schließen? Irgendwann entdeckte ich, daß *Humes* erkenntnistheoretisches Problem von genau derjenigen Struktur der Zeit Gebrauch machte, die ich als inhaltliche Basis der Thermodynamik und auch der Quantentheorie erkannte. Hier wurde mir klar, daß Erkenntnistheorie und inhaltliche Physik nur gemeinsam verstanden werden können.

Man wird mir vielleicht verzeihen, daß ich angesichts dieser Fragen die empiristische Wissenschaftstheorie, die sich zu meinen Lebzeiten entwickelte, nur peripher zur Kenntnis genommen habe. Sie war mir solange nicht interessant, als sie nicht erkannt hatte, daß *Humes* Problem in ihrem Kontext unlösbar bleibt. Auch *Popper* ist nur an den Rand der Probleme gelangt, die *Einstein* und *Bohr* klar vor Augen standen, z. B. daß die Begriffe, in denen wir simple empirische Sätze formulieren, nur im Zusammenhang einer Theorie überhaupt einen klaren Sinn haben. Den wichtigsten Durchbruch hat m. E. *Th. S. Kuhn* geleistet, mit dem ich mich bei dem einzigen Gespräch, das ich mit ihm hatte, sowohl über *Galilei* wie über *Einstein* und *Bohr* spontan verstand. Ich möchte seine Wendung zur Wissenschaftsgeschichte so interpretieren: Wenn empiristische Wissenschaftstheorie selbst Wissenschaft ist, muß sie ihren Begriff von empirischer Wissenschaft empirisch, d. h. historisch-deskriptiv gewinnen. In der historischen Deskription aber hat nicht *Kuhn* mit seinem an sich höchst lehrreichen Begriff der Paradigmen den harten Kern der »wissenschaftlichen Revolutionen« bezeichnet, sondern, schon ein Jahrzehnt vor *Kuhn,* *Heisenberg* mit dem Begriff der abgeschlossenen Theorien. Gemeinsam ist beiden die Erkenntnis, daß es in der geschichtlichen Entwicklung eine Folge von Plateaus gibt, auf denen sich dann »normale Wissenschaft« entwickeln kann, bis zur nächsten Krise. Mit vollem Recht vergleicht *Kuhn* diese Plateaus den Spezies in der Darwinschen Evolutionstheorie. Hier zeigt sich wieder die Strukturidentität einer wissenschaftstheoretischen mit einer inhaltlich-wissenschaftlichen Erkenntnis. Spezies sind Plateaus, weil sie einer ökologischen Nische angepaßt sind. Die ökologische Nische einer abgeschlossenen Theorie ist das, was man in direkter Sprechweise ihre Wahrheit nennt. Und so heißt denn die Kernfrage nach wie vor: Was ist Wahrheit?

Hier muß ich nun den klassischen Philosophen meinen Dank abstatten. Es war ein unvergleichliches Glück, daß ich zwölf Jahre lang in Hamburg die bürgerliche Verpflichtung hatte, über sie zu unterrichten; ich danke auch allen meinen Studenten und Hörern aus der Stadt dafür, daß sie hören wollten, was ich zu sagen hatte. Obwohl ich fleißig auch *Aristoteles, Descartes, Hegel, Heidegger* und die modernen Logiker studiert habe, hat ein Jahrzehnt nur ausgereicht, um zwei Philosophien einigermaßen gründlich durchzuarbeiten: zuerst *Kant,* dann *Platon.* Beide hatte ich schon als Schüler gelesen. Aber das ist ja die Erfahrung, wenn wir Philosophen lesen: jedesmal, wenn wir denselben Text nach fünf Jahren, oder, bei intensivem Studium, nach einem Jahr wiederlesen, enthüllt sich eine neue Zwiebelschale mit der Einsicht: »Ach, davon war hier eigentlich die Rede!« Das muß so sein, wenn das Wahre das Ganze ist. Den ersten Satz der Kritik der reinen Vernunft oder ein ironisches Adjektiv in einer Frage des Sokrates kann nur der verstehen, der die ganze Philosophie *Kants* bis zur Religionsschrift durchmeditiert hat, der bis zur Schau des Einen aufgestiegen ist. Kann ein vernünftiger Mensch, wenn er sich besinnt, etwas anderes erwarten? Ich weiß, wie weit ich noch hinter gründlicher Kenntnis und adäquatem Verständnis *Kants* und *Platons* zurückbleibe, aber ich denke mir, wenn ich ihnen auf den Wiesen des Hades begegnete, würden sie mich eines Gespräches würdigen.

Das viersemestrige Seminar über die Kritik der reinen Vernunft, 1960–62, war wohl der Gipfel gemeinsamen Philosophierens, gerade weil ich selbst alles erst zu lernen hatte. Mein unvergeßlicher Schüler *Peter Plaass* belehrte mich danach über die Härte des systematischen Anspruchs der Kantschen Theorie der Naturwissenschaft. Ich kann hier nicht *Kant* auslegen, sondern will alsbald die Härte des Anspruchs anknüpfen, den ich für die Möglichkeit von Naturwissenschaft im heutigen Kontext zu erheben gedrängt wurde. Es gibt (in der Zwiebelschale, in der es exakte Wissenschaft überhaupt gibt) nur *eine* Lösung des Humeschen Problems, nämlich die Kantsche. Geltung der Naturgesetze heißt Notwendigkeit, sonst gelten sie nicht für die Zukunft. Eine unkonditionale Notwendigkeit der Naturgesetze kann man überhaupt nicht beweisen, weder durch spezielle Erfahrung noch durch Metaphysik. Aber ihre konditionale Notwendigkeit läßt sich einsehen, nämlich daß sie gelten müssen, wenn überhaupt Erfahrung möglich sein soll. Erfahrung nun definierte ich im Hinblick auf die Zeitstruktur: aus Fakten Möglichkeiten, aus der Vergangenheit für die Zukunft lernen.

Kant ist am Problem der besonderen Naturgesetze gescheitert. In einer einheitlichen Physik aber, wie sie sich heute anbahnt, gibt es keine besonderen Gesetze. Die Quantentheorie als allgemeine Theorie indeterministischer Wahrscheinlichkeitsprognosen für entscheidbare Alternativen ist eine vermutlich noch vorläufige Fassung der einzigen Gesetze, die überhaupt gelten. Alle besonderen Gesetze müssen Anwendungen dieser Gesetze auf Spezialfälle sein, deren Möglichkeit selbst aus der allgemeinen Theorie folgt. In diesem Sinn ist der Raum selbst die durch die Quantentheorie der Alternative festgelegte Form der Gleichzeitigkeit.

Dieser Entwurf muß in solcher Schärfe formuliert werden, weil er nur so deutlich macht, daß das Grundproblem des Empirismus, die Rechtfertigung besonderer Gesetze durch besondere Erfahrung, überhaupt nicht besteht. Hier muß man die Fragen quid facti und quid juris unterscheiden. Faktisch findet man besondere Gesetze selbstverständlich durch besondere Erfahrung. *Humes* Problem war nur die strenge Rechtfertigung so gefundener Gesetze. Diese Rechtfertigung nun kann nur konditional, aber allgemein, in einer inhaltlichen Physik geschehen, die sich nur durch die Erwartung der Möglichkeit von Erfahrung überhaupt rechtfertigt. In diesem Sinne sind Wissenschaftstheorie und fundamentale Physik identisch.

Die so entworfene einheitliche Physik, das letzte Ziel, auf das ich bewußten Ehrgeiz konzentriere, wäre geschichtlich wieder ein Plateau. Was jenseits dieses Plateaus folgen mag, läßt sich heute nur ahnen. (Ein zentraler Satz einer geschichtlichen Philosophie muß heißen: Wir philosophieren *jetzt*). Der Begriff der Erfahrung ist, wie *Kant* gesehen hat, durch Gesetze und die nur in ihnen sinnvollen Begriffe erst definiert. In dieser Theorie wird er auf prüfbare Prognosen für entwerfbare Alternativen, also formulierbare Möglichkeiten zusammengezogen. Solche Möglichkeiten bestehen für Subjekte. Wie sind nun die Subjekte selbst zu denken? Hier können wir zunächst die Wissenschaften befragen.

Die Theorie umfaßt der Intention nach zugleich mit der Physik die operative Logik und Mathematik. Seit *Gödel* weiß man, daß – etwas allgemein ausgedrückt – erkennbare Möglichkeiten niemals vollständig formalisiert werden können. Also ist, in bestimmtem Sinne, eine vollständige Theorie der Möglichkeiten zu keiner Zeit möglich; die Menge der Möglichkeiten wächst. Was aber ist der operative Sinn von »Erkennen« und »erkennbar«? Hier müßte eine Kybernetik der Reflexion entworfen werden. Sie wäre eine objektivierende Theorie

des empirischen Subjekts, unter mitdenkender Einbeziehung
der immanenten Grenzen der Objektivierung, eine reflektierendeTheorie der Reflexion. Ich meine diese möglichen Theorien präzise vor mir zu sehen, aber die Verwirklichung übersteigt meine Kraft, und die Weitergabe der Aufgabe übersteigt
bisher mein Vermögen, andere zu überzeugen.

Was aber ist das empirische Subjekt? Wer sagt hier ich?

Das von *Descartes* erzeugte Problem der Zweiheit der Substanzen verflüchtigt sich in diesem Entwurf. Wenn sich aus
Molekülen Menschen entwickeln, sind Moleküle virtualiter
cogitantia, der Möglichkeit nach bewußt. Aber die Vermittlung vom abstrakt Möglichen, das erst im Rückblick erkannt
wird, zum aktual Möglichen, braucht im realen Vollzug Milliarden Jahre. Wer weiß, daß wir schon unsere Eltern und
Lehrer nicht verstehen, den sollte die Uneinfühlbarkeit in so
ferne Vorfahren nicht verwundern; *Freuds* Begriffe des Unbewußten, des Es, mögen dem heutigen Intellektuellen die
Einfühlung in solche Zusammenhänge erleichtern. »Materie«
heißt, was den Gesetzen der Physik genügt. Wenn diese Gesetze lediglich formulieren, was eindeutig erfahrbar ist, so steht
nichts im Wege, das was zugleich Erfahrung machen und
erfahren werden kann, als bewußt Erfahrendes Ich, als Erfahrenes Materie zu nennen. Einer wissenschaftlichen Theorie
stellt sich dann das Zentralproblem einer strukturellen Abhebung des Ichbewußtseins von anderen Arten der Quasi-Subjektivität. Hierzu gehören Fakten und Möglichkeiten in einem
Zusammenhang und die Reflexion, die sie als Fakten, als Möglichkeiten, als Zusammenhang auffaßt (das »ich denke« muß
alle meine Vorstellungen begleiten können). Dies ist der transzendentale Entwurf des endlichen Subjekts. Wer ihn denkt,
denkt eine Einheit, die mehr ist als die Einheit des endlichen
Subjekts. Sie ist auch mehr als die Gesellschaft und die menschliche Geschichte. Sie erscheint hier als die Einheit der Zeit. Wie
sich in ihr endliche Subjektivität formt, wird zum diskutierbaren Problem, und so wenig es letzte Objekte gibt, wird man
hier erwarten dürfen, daß die Beschreibung eines endlichen
Subjekts ein letztes Wort ist. Auf diesem Wege habe ich, nicht
immer auf derselben Seite des Bachs, aber unterwegs zur selben
Quelle, nur *Georg Picht* zum Begleiter gehabt.

Warum dieser Monismus? Ich meine hier mit den Denkmitteln eines älteren Mannes das zu sagen, was ich als Kind geglaubt habe. Ich sehe aber auch keine andere spekulative Möglichkeit. Pluralismus ist niemals wahr, er ist höchstens aufrichtig, als Resignation gegenüber der Aufgabe, die stillschweigend vorausgesetzten Zusammenhänge zu denken. Zwei oder mehr letzte Prinzipien aber sind nicht letzte Prinzipien, denn ihr gemeinsames Prinzip ist, »letzte Prinzipien« zu sein. Ein einziges Prinzip hingegen scheint die Grunderfahrung unseres Daseins zu verleugnen, unser Geworfensein in die Endlichkeit; Leiden, Schuld, Sinnlosigkeit. Philosophie darf auch bei solchen Paradoxen nicht stehenbleiben. Sie muß fragen, wie es zu Fragen kommen kann, die zu solchen Antworten führen. Eines ist schon auf dieser Stufe zu sehen: Zeit ist ein unendliches Prinzip der Endlichkeit. Sie ist jeweils andere Gegenwart, bestehend in diesen Fakten und keinen anderen, diesen Möglichkeiten und keinen anderen, und Möglichkeit heißt, daß dies oder jenes zur Wahl steht und nicht beides zugleich.

Mit der Frage nach der Einheit haben wir platonischen Boden betreten. *Platon* ist – wenn es nicht zu anmaßend ist, so etwas zu sagen – der einzige Philosoph, bei dem ich mich in der Heimat gefühlt habe. Dieselbe Heimat habe ich seit der Schulzeit bei *Goethe* empfunden, zumal in seiner späteren Lyrik. Aber *Platon* denkt, was *Goethe* sagt und verschweigt, und er überblickt mehr als *Goethe*. Politik und Ethik, Kunst und Leidenschaft, mathematische Naturwissenschaft, Logik, Ontologie und Mystik dürfen sich auf ihn berufen. Ich habe mir seine Philosophie, dem Höhlengleichnis folgend, in einem Schema von Aufstieg und Abstieg zu vergegenwärtigen gesucht. Der Aufstieg ist die Hinleitung. Er ist das, was man allgemein von *Platon* weiß, die Unterscheidung der Idee vom Sinnending. Als ich über *Platon* zu dozieren begann, suchte ich zunächst den Aufstieg dem modernen Bewußtsein von neuem zu ermöglichen, so in dem Gedanken, daß die Graugans des Zoologen, präzisiert durch ihre Angepaßtheit an ihre ökologische Nische, eben die Idee der Graugans ist. Es folgt, daß Ideen das einzige sind, was man erkennen kann. Ich wandelte die Adäquationstheorie der Wahrheit pragmatisch ab, indem ich

adäquatio als Angepaßtheit übersetzte, nämlich des Handelns
an die Umstände. So konnte ich Verhaltensforschung und
Kuhnsche Wissenschaftstheorie zusammendenken, und die
Struktur der Wirklichkeit, die die ökologische Nische des Begriffs ist, erwies sich als die Idee. Der Aufstieg zu den höheren
Ideen läßt das sehen, was die Pragmatik ermöglicht und führt
zu den Merkmalen der Idee als Idee: Sein und Wahrheit, die
dem Einen entspringen, das das Gute ist. Die eigentliche Philosophie ist der Abstieg, der zurückführt bis zu den Schatten an
der Wand, *Machs* Empfindungen, die nun verstanden werden
durch das, dessen Schatten sie sind. Auch die Sinnendinge sind
Ideen. Dies ist ein modernistisches Spiegelbild *Platons,* und ich
könnte wohl, wenn ich noch einmal sechs Jahre darauf zu
wenden hätte, ein zeitgetreues und viel großartigeres Bild seiner Philosophie ausführen. Das zu tun ist aber vermutlich nicht
das Los, das ich mit dieser Inkarnation gezogen habe.

Das Eine ist, wie der *Parmenides-Dialog* lehrt, nicht widerspruchsfrei sagbar. Das Eine duldet kein Sein und kein Sagen
als Zweites neben sich, und das seiende Eine ist als solches
Zweiheit und damit alsbald unendlichfältig; das ist eben der
Abstieg. Es ist das Wunderbare an dieser Philosophie, daß sie
die Grenze der Rationalität nicht um einen Schritt zu früh
zieht, sondern sie aus einer rationalen Analyse der Bedingungen der Möglichkeit von Rationalität entwickelt. Das Eine ist
zugleich das Gute. Das Gute ist das Prinzip der Bewegung. Jede
Idee ist gut; sie ist das Maß, an dem alle Dinge, die an ihr
teilhaben, gemessen werden. So ist die Idee das Prinzip des
Sollens, des Verlangens der erleuchteten Liebe, und eben damit
der Bewegung. Sollen und Sein sind in dieser Philosophie nicht
Gegensätze. Das Schlechte ist Mangel an Sein. Sind auch diese
Gedanken für uns vollziehbar, oder sind sie ein Schmuckstück
an der Wand?

Im Bericht über die Politik habe ich die Frage ausgespart, wie
ich mich zur christlichen Kirche verhielt. Als Sechzehnjähriger
war ich innerlich nicht mehr an sie gebunden, aber ich kam
früh zu der Meinung, es diene zu nichts, den Ort zu verlassen,
an den gestellt man sich vorgefunden hat; ich bin stets, und
nicht unwillig, Mitglied der lutherischen Kirche geblieben.
Aber soviel mich das Neue Testament anging, so wenig ging

mich, so schien mir zu meiner Enttäuschung immer wieder, die Kirche an. An den Stellen, an denen ich suchte, in der Ethik und in der Mystik, forderte sie mich nicht; sie mutete mir weder die Bergpredigt, noch das Johannes-Evangelium zu. An der Universität hörte ich bei *Joachim Wach* eine Vorlesung über asiatische Religionen. Ich las die chinesischen Klassiker in *Wilhelms* Übersetzung, zumal die juwelengleichen kurzen Texte *Dschuang Dsis,* und die Reden *Buddhas* in *K. E. Neumanns* Übersetzung, die man so langsam lesen muß, daß der Atem dieser Lehre folgt, »deren Anfang begütigt, deren Mitte begütigt, deren Ende begütigt«. Ich habe mich seitdem, bei wacher Bewußtheit der tiefen kulturellen Differenzen, im spirituellen Asien selbstverständlicher zu Hause gefühlt als in Europa. Ich wußte: dort gibt es Menschen, die sehen und sind.

Der entscheidende religiöse Einfluß eines lebenden Menschen kam lange Zeit von *Alastair,* einem hochbegabten Künstler, einem Liebenden und Mystiker, erbarmungslosen Seelenprüfer, und einem Menschen, der stets hilfsbedürftig war. Heute, sechzig Jahre nach seinem kurzen Glanz, erscheinen seine Zeichnungen wieder auf dem Kunstmarkt; wie er Klavier gespielt, gesungen, getanzt hat, ist der Nachwelt verloren; die zahllosen Übersetzungen, mit denen er sich jahrzehntelang unter Blumen und Seide in Pensionszimmern über Wasser zu halten suchte, sind verstreut wie seine Verse. Ich habe die Aufgabe, die diese Beziehung zu dem um zwei Jahrzehnte Älteren mir stellte, nicht gemeistert, und habe in ihr schmerzlich gelernt, was ich kaum anders hätte lernen können. Wie viele, die ihm nahekamen, konnte ich das zu Lernende in seiner Gegenwart weder in Gedanken noch in Taten umsetzen, und so zitiere ich hier Einflüsse, die von geringerer Bedeutung, aber umsetzbarer waren als der seine.

1938 war ich einmal Gast einer Freizeit der evangelischen Michaelsbruderschaft in Marburg. Ich sah, daß ich dieser Gemeinschaft nicht angehören konnte, aber ich verdanke der Woche das Mitleben in einem liturgisch geordneten Tageslauf. Liturgie und Regelmäßigkeit teilen den tiefen, vom willentlichen Verstand nicht erreichten Schichten etwas mit, was jedenfalls für mich ist wie lebensnotwendige Nahrung. Auf permanente liturgische Gemeinschaft habe ich bisher verzichtet, da

ich sie nie mit der mir notwendigen Modernität des Bewußtseins verbunden gefunden habe, aber ich übernahm die Gewohnheit einer allmorgendlichen Meditation. Eine Medita-
tionsschule habe ich nicht durchgemacht, weil mir nie ein
Lehrer begegnet ist, der meinem Intellekt – und vielleicht meinem Unabhängigkeitsdrang – genuggetan hätte. Das ist regel-
widrig, gefährlich und niemandem zur Nachahmung vorge-
schlagen. Ich habe nicht versucht, meditativ ins Extrem zu
gehen, sondern habe kommen lassen, was sich meldete. Ohne
diese stete Rückkehr zur Stille aber könnte ich nicht leben. Die
Meinung mancher Menschen, Meditation sei Selbstbespiege-
lung und stehe im Gegensatz zum Einsatz für den Mitmenschen, ist ein kaum begreiflicher Irrtum. Freilich gibt es, sehr
selten, auch eine kontemplative Lebensweise, die dem Mitmenschen ohne Handeln, selbst ohne sichtbaren Kontakt,
mehr Gutes tut als durch Aktivitäten; die Entstellungen dieser
seltenen Gabe und die vielen Gefahren der Öffnung unbewußter Quellen mögen jenen Irrtum hervorgebracht haben.

Erst nach dem Krieg normalisierte sich mein Verhältnis zur
Kirche, als ich den Alltag würdigen lernte. Den entscheidenden
Schritt verdanke ich amerikanischen Christen, die alsbald zur
Hilfe in unserem Land waren. Die wissenschaftlichen Kollegen, die alten Freunde (mit Ausnahme *Tellers*) forschten zunächst, ob unser Verhalten unter den Nazis uns neuer Partnerschaft würdig machte; und wer durfte ihnen das verübeln? Die
Christen aber wußten: »wir sind allzumal Sünder« und waren
da, ohne zu forschen. Liebe erzeugt Liebe, gerade weil sie
unverdient ist. Die Beziehung zur Theologie aber verdanke ich
fast ausschließlich einem Manne, der kein akademisch ausgebildeter Theologe war: dem Mathematiker *Günther Howe*,
den ich 1938 in Marburg kennengelernt hatte. Er sprach mich
auf Beziehungen zwischen *Bohrs* und *Barths* Denken an und
organisierte nach dem Krieg ein Jahrzehnt lang Physiker-
Theologen-Gespräche. Hier lernte ich die Sprache des Fachs
verstehen. *Howe* erwartete mehr von der Kirche als ich und litt
darum mehr an ihr; an seinem Leiden habe ich gelernt, worum
es ging. Nun eröffnete mir die Wissenschaft vom Alten Testament – die glaubwürdigste Form gelehrter theologischer Arbeit, die ich kennengelernt habe – ein Jahrtausend konkrete-

ster Geschichte, die uns, zumal in der Bußpredigt der Propheten, noch immer direkt angeht. Sie half mir damit den geschichtlichen Ort des Christentums begreifen. Dies brauchte ich, als ich mit *Howe* in zwei kirchlichen Kommissionen über Ethik und Politik der Atomwaffen saß, erst einer ökumenischen, dann einer deutschen. Ich lernte die kirchlichen Urteile und Verhaltensweisen von der Situation ihrer Träger her verstehen. Ich lernte, vernünftigen politischen Gebrauch von dem gegenüber den Verfilzungen und Konflikten der Interessen distanzierten guten Willen der Kirche zu machen. Und es fiel mir nun leichter, die in mir stets lebendigen Zitate aus den Reden *Jesu* so in ein Gespräch einfließen zu lassen, daß sie zur konkreten Situation paßten.

Nun konnte ich auch die Bergpredigt ein Stück weit auslegen, d. h. mit meinem modernen Bewußtsein verbinden. Es gibt wenigstens drei Wirklichkeitsschichten in ihr. Die äußerste ist die universalistische Ethik der goldenen Regel. Diese ist wohl nie präziser durchdacht worden als in der praktischen Philosophie *Kants*. Sie gebietet nicht dieses oder jenes Gebot, sondern die Form der Allgemeinheit der Gebote. Verhalte dich zu deinem Mitmenschen so, wie vernünftige Wesen sich zu ihresgleichen verhalten können. Die Bergpredigt wird überall verstanden, denn sie appelliert an das, was den Menschen zum Menschen macht. Die zweite Schicht ist die Enthüllung der Gesinnung als Ort der ethischen Entscheidung. Nicht daß ich meinen Bruder nicht faktisch ermorde, ist Erfüllung des Gebots, sondern daß ich ihn liebe. Dieses »Ich aber sage euch« enthüllt unsere Wirklichkeit und ihren Gegensatz selbst zu den von uns bewußt akzeptierten Geboten. Aus dieser unerträglichen Spannung sind wir Menschen immer wieder ausgewichen. Die typische Gefahr der Kirche ist der Eifer der guten Werke, auch des guten Werks, daß man den rechten Glauben habe; den Fluchtcharakter dieses Eifers hat *Luther* erkannt. Die Werke decken auch das Ausweichen aus der Wörtlichkeit, aus der Strenge der universalistischen Gebote. Die naturwissenschaftliche Betrachtung des Menschen schließlich neigt dazu, seiner kausal begreiflichen psychischen Wirklichkeit gegen das Gebot rechtzugeben. Aber das Gebot ist Bedingung der Existenz menschlicher Gesellschaft; es ist die Wahrheit, deren Leib der Friede ist.

Die Geschichte ist eine Kette verschuldeten Leidens, weil das Gebot nicht befolgt wird. Und die Erfahrung, die in der Kirchensprache Buße heißt, könnte uns ebenso wie die Erfahrung der Psychoanalyse belehren, daß Heilung gerade dann nicht möglich ist, wenn wir unsere psychischen Zwänge als unser Wesen gelten lassen, sondern wenn wir uns von ihnen als Zwängen unterscheiden und die Schuld als unsere eigene anerkennen. Daß Heilung möglich ist – damit kommen wir in die dritte und eigentliche Schicht, die darum mit Grund in der Redaktion als Prolog vorangestellt ist: den Indikativ der Seligpreisungen. Ohne den Imperativ des Verhaltens ist keine Gesellschaft möglich, ohne den Imperativ der Gesinnung keine Reifung der Person. Aber die Welt der Imperative ist gnadenlos, sie treibt den Sensiblen zur Verzweiflung. Der Imperativ ist nur erlaubt, weil es die Wirklichkeit gibt: Selig sind die Friedensmacher, denn sie werden Gottes Söhne heißen, selig sind die nach dem Geist Verlangenden, denn ihrer ist das Reich der Himmel.

Dies lernte ich sagen und ein Stück weit denken. Aber bis zu meinem vierzigsten Jahr war »das moralische Gesetz über mir«. Ich wußte, was von mir verlangt war, und tat es nicht. Ich wußte, daß die Menschheit in die Katastrophe treibt, und daß ihr nur helfen kann, wer diesen Weg geht. Mit Depressionen quittierte ich, daß ich zur »Stütze der Gesellschaft« wurde. Eine persönliche Krise, in der ich an Menschen schuldig wurde, befreite mich. Mit einem Schlag sah ich den persönlichen Ehrgeiz im Selbstanspruch der Vollkommenheit, im Postulat, der Welt zu helfen. Ich erfuhr, daß es eine innere Stimme gibt, die eindeutig und unmittelbar verständlich lehrt, wenn wir sie unter völligem Verzicht auf Eigenwillen fragen; sie fordert, wo es am meisten wehtut, und sie tröstet, wo wir es nicht erhofft hätten. Ich schränkte mich auf den engsten Kreis der Pflichten ein, opferte den Ehrgeiz der Erkenntnis und der Politik. Und dann kam der erste Durchbruch zur philosophischen Physik und zur politischen Wirkung.

Diesen Bericht über Kirche und Christentum habe ich so nahe an das Ende des Aufsatzes gerückt, weil er Erfahrungen zur Antwort auf die vorher entwickelten Fragen enthält. Die letzte Frage war gewesen, ob *Platons* Philosophie des Guten uns noch etwas bedeuten kann. Den Indikativ der Seligpreisungen kann man auch so interpretieren, daß Sein und Sollen zusammenfallen und das Schlechte ein Mangel an Sein ist. So hat die kirchliche Tradition den Platonismus aufgenommen und hat damit vermutlich tiefer gesehen als die moderne protestantische Theologie. Aber der Blick auf *Platon* entstammte seinerseits der Frage nach einer Lehre vom Subjekt in der geschichtlichen Natur, die zugleich versteht, daß die Natur, die wir kennen, Natur für Subjekte ist. Die empirische Seite dieser Wissenschaft würde man Anthropologie nennen. Eine Anthropologie nun, die die Erfahrungen nicht kennt, von denen ich soeben zu berichten versucht habe, ist wohl eigentlich gar nicht Wissenschaft. Sie kann nur eine Registratur der oberflächlicheren Bewußtseinsinhalte unseres Zeitalters sein, durch zwangsläufig falsche kausale Theorien verbunden. Darum ist in der Neuzeit die anthropologische Relevanz der Kunst, zumal wenn sie nicht »engagiert«, d. h. von gut gemeinten Bewußtseinsinhalten überschwemmt ist, so viel größer als die der Wissenschaft.

Der Bericht über Erfahrungen muß darum noch einen Schritt weitergeführt werden. Vor nun zwanzig Jahren sagte mir ein Besucher in Göttingen, um der hochnotwendigen Verbindung zwischen östlicher Weisheit und westlicher Wissenschaft willen solle ich den Kontakt mit bestimmten indischen Weisen suchen. Ich antwortete spontan, dies sei in mir nicht reif, und kein Willensakt sei hier von Nutzen. Ich sei überzeugt, daß die Inder Wahrheit lehren, und wenn ihre Lehre wahr sei, so sei auch wahr, daß das tiefere Selbst die Bewegung macht, wenn sie an der Zeit ist. Sie würden mir zur rechten Zeit begegnen. In dieser Haltung blieb ich lange. Der in China zum buddhistischen Mönche geweihte Deutsche *Martin Steinke-Tao Chün* brachte mir leibhaft die sprühende Weisheit des *Zen* und wurde mir ein älterer Freund. Der *Königin Friederike* von Griechenland verdanke ich die Begegnung mit Prof. *Mahadevan* aus Madras, der mir die Advaita-Lehre des Vedanta erklärte. Ich sah sofort ihre Nähe, wenn nicht Identität mit *Platons* Lehre vom Einen. Diese Welt der Dinge, der Vielheit, ist nur für die endlichen Subjekte, und diese selbst als Teile der Welt der Vielheit sind nur für einander und für sich selbst; in einer Wahrheit, die allein die meditative Erleuchtung erfährt, ist nur ein Selbst. Das bist du, o Svetaketu – oder wie Herr *Hilmer* in Kopenhagen mich anredete. Am Beginn des Todesjahres 1968 besuchte mich in Hamburg Pandit *Gopi Krishna* aus Kaschmir. Im Blitz einer Sekunde sah ich: hier kann ich hören. Ich will jetzt nicht wiederholen, was ich ein paar Jahre danach in der Einleitung zu seinem Buch »Biologische Basis religiöser Erfahrung« aufgeschrieben habe. Er ist im Yoga und erst recht im westlichen Denken ein Autodidakt, aber eben ein Augenzeuge. Seine Kundalini-Erfahrung betrifft gerade auch den physischen Bereich, und es ist sein Schmerz, daß die westliche Medizin davon noch nicht wirklich Notiz nimmt. Ich vermute, damit unsere Wissenschaft das hier Erfahrene denken kann, ist der Weg über die Physik nötig.

Im Jahre 1969 übernahm ich ein Amt im Deutschen Entwicklungsdienst und benützte die Gelegenheit zu einer mehrwöchigen Inspektionsreise durch Indien. Von Elend und Entwicklungsarbeit wäre viel zu berichten, auch davon, wieviel mehr Fähigkeit zum Glück diese Armen haben als wir Reiche. Eigentlich war ich um der einen Erfahrung willen da. Ich sah *Gopi Krishna* wieder, war vierundzwanzig Stunden im Ashram der vielverehrten Heiligen *Anandamayi Ma* in Vrindaban und einen Tag zwischen zwei Nächten im *Aurobindo* Ashram in Pondicherry. *Mahadevan* brachte mich, mit freundlicher Unterstützung des deutschen Generalkonsuls Dr. *Pfauter,* nach Kanchipuram zum Oberhaupt der zweitgrößten Hindu-Gemeinschaft, der Shaivas (Shiva-Verehrer). Wie wird ein indischer Kirchenfürst aussehen? In einer Vorstadtstraße saß in einer lockeren Bambushütte ein weißhaariges Männlein auf dem Boden und sah uns mit unvergeßlichem Blick ein paar Minuten schweigend an; das war die Audienz. Die völlige kulturelle Fremdheit und die fraglose menschliche Nähe waren mir selten so deutlich wie in diesem Augenblick.

Mahadevans Meister war *Sri Ramana Maharshi* gewesen. Dieser hatte als 16jähriger, Brahmanensohn und Schüler einer amerikanischen Missionsschule, ein Todeserlebnis gehabt. Ihm wurde klar: »Was da stirbt, bin nicht ich.« Wenige Monate danach entwich er in die alte Tempelstadt Tiruvannamalai, entledigte sich allen Besitzes und verharrte, nur von erst mitleidigen, dann verehrenden Passanten genährt, Jahre lang in völligem Schweigen, allein mit dem einen Selbst, dessen Gegenwart er war. Später kehrte er zur äußeren Ordnung, zum Essen, zum Reden zurück und um ihn entstand am Fuß eines heiligen Berges ein Ashram. Die in ihm gegenwärtige Seligkeit vermittelte er schweigend, lächelnd, fragend. Diejenigen, die ihn fragten, weil sie in ihm die Gegenwart Gottes sahen, lehrte er fragen: »Wer ist es denn der fragt: wer bin ich?«, um sie dahin zu führen, daß sie sich als dieselbe Gegenwart erkennten. 1950, zwanzig Jahre vor meinem Besuch, war er gestorben. All dies wußte ich, als ich mit *Mahadevan* nach Tiruvannamalai fuhr.

Der Leser möge entschuldigen, daß ich das, was nicht zu schildern ist, nicht eigentlich schildere, und doch davon spreche; denn andernfalls hätte ich diesen Lebensbericht nicht beginnen dürfen. Als ich die Schuhe ausgezogen hatte und im Ashram vor das Grab des *Maharshi* trat, wußte ich im Blitz: »Ja, das ist es.« Eigentlich waren schon alle Fragen beantwortet. Wir erhielten im freundlichen Kreis auf grünen großen Blättern ein wohlschmeckendes Mittagessen. Danach saß ich neben dem Grab auf dem Steinboden. Das Wissen war da, und in einer halben Stunde war alles geschehen. Ich nahm die Umwelt noch wahr, den harten Sitz, die surrenden Moskitos, das Licht auf den Steinen. Aber im Flug waren die Schichten, die Zwiebelschalen durchstoßen, die durch Worte nur anzudeuten sind: »Du«-»Ich«-»Ja«. Tränen der Seligkeit. Seligkeit ohne Tränen.

Ganz behutsam ließ die Erfahrung mich zur Erde zurück. Ich wußte nun, welche Liebe der Sinn der irdischen Liebe ist. Ich wußte alle Gefahren, alle Schrecken, aber in dieser Erfahrung waren sie keine Schrecken. Sollte ich nun immer hier bleiben? Ich sah mich wie eine Metallkugel, die auf eine blanke Metallfläche fällt und, nach der Berührung eines Augenblicks, zurückspringt, woher sie kam. Ich war jetzt ein völlig anderer geworden: der, der ich immer gewesen war. Ein junger deutscher Angehöriger des Ashram führte mich in einen Raum, in dem drei ältere Inder waren. Wir begrüßten uns mit einem Blick und saßen schweigend eine Stunde beisammen. Mein deutscher Freund kochte mir in seiner Stube eine Tasse Kaffee.

Mahadevan kam, wir gingen durch den großen Tempelbezirk in der Stadt. Ich schlief im sehr einfachen Gästehaus des Ashram und mein Freund begleitete mich am Morgen bei einem Gang zu einer Höhle im Berg unter großen Bäumen, wo der *Maharshi* Jahre gewohnt und manchmal die Kriege der Affenkönige oben im Laub geschlichtet hatte. Dann reisten wir weiter. Mit unendlicher Sanftheit verließ mich langsam die Erfahrung in den kommenden Tagen und Wochen. Ihre Substanz ist immer bei mir. Ohne sie hätte ich die Erstickungserlebnisse jener Jahre vielleicht nicht bestanden.

Der Bericht kommt hier an ein Ende. Offensichtlich nicht, weil die Fragen der Theorie beantwortet wären, wenn auch der Leser wahrnehmen wird, daß ihre Formulierung schon auf die zuletzt geschilderten Erfahrungen zielte. Der Bericht kommt ans Ende, weil er ein Zwischenbericht von einer Wegstation ist. Wohin schnellt die wieder aufsteigende Kugel? Vielleicht darf ich sagen, was ich in der Theorie gerne noch arbeiten würde.

Eine Darstellung meiner Überlegungen zur Physik habe ich versprochen, und ich hoffe sie mit Mitarbeitern noch zu geben. Dabei hoffe ich noch bis zur konkreten Elementarteilchenphysik durchzubrechen. Wenn ich mich nicht im ganzen Ansatz täusche, ist dies die Linie, auf welcher Logik, Erkenntnistheorie und Ontologie konvergieren und eben darum die Basis einer Begegnung mit der überlieferten religiösen Metaphysik. Die Meinung, ein Philosoph entwerfe ein philosophisches System, ein anderer ein anderes, stellt ein vergangenes Plateau der Philosophiehistorie dar, vielleicht eher eine schiefe Ebene. Es gibt nur eine Philosophie, diese ist von der konkreten Wissenschaft nicht ablösbar, und viele Leute arbeiten an ihr in der Geschichte. Wie weit der eigene Beitrag reicht, ist schwer vorherzusehen.

Zunächst von ganz anderer Seite kommt die pragmatische Forderung, womöglich zu sagen, welchen Weg die Politik der kommenden Jahre in unserem Land und der Welt einschlagen sollte. Hier ist die Schwierigkeit, daß eine tiefdringende Einsicht gegenüber allen bestehenden Praktiken und Programmen kritisch sein muß. Es ist eine mögliche Rolle, nur diese Kritik zu sagen und vorzuleben, eine schwere Rolle, wenn man sie ernst meint. Ich habe statt dessen versucht, in Kenntnis der Kritik praktikable Politiken vorzuschlagen, und sollte aus dem, was mich das Institut gelehrt hat und noch lehren wird, künftig noch Konkreteres und Umfassenderes sagen als bisher. Ich habe aber starkes Verlangen danach, auch eine eigentlich kritische und darum eigentlich aufbauende Theorie noch wenigstens zu umreißen.

Diese kritische Theorie braucht als Fundament den Entwurf einer geschichtlichen Anthropologie. Damit nähert sie sich von der pragmatischen Seite her demselben Feld, zu dem die theoretische Arbeit strebt. Ich werde nicht mehr leisten können, als dieses Feld zu bezeichnen, und denen die es, ohne Scheuklappen gegen naturwissenschaftliche Biologie, linke Gesellschaftstheorie und religiöse Erfahrung beackern wollen, dazu Mut zu machen. Einige *Kant*-Interpretationen können hier einfließen, und es wäre schön, noch eine *Platon*-Vorlesung zu halten.

All dies ist in der Konsequenz der Theorie, und es sollte getan werden. Wir verstecken uns, wenn wir das Denkbare nicht denken. Aber wir werden alle noch durch andere Tore gehen. Vermutlich ist auch die Theorie nur eines der großen geschichtlichen Plateaus. Man kann nicht denken, was man nicht tut. Das äußere Tun steht unter der Ungewißheit der politischen Zukunft. Das innere ist Empfänglichwerden für neue Wahrnehmung. Tun ist hier Geschehenlassen.

Sachregister

Personenregister